HET
JASON
DUBBELSPEL

Robert Ludlum

HET
JASON
DUBBELSPEL

Roman van een
verbijsterende intrige

Uitgeverij Luitingh – Utrecht

Voor Shannon Paige Ludlum
Welkom lieverd,
Op een gelukkig leven!

derde druk
© 1986 Robert Ludlum
© 1986 Uitgeverij Luitingh B.V., Utrecht
Alle rechten voorbehouden
Published by agreement with Lennart Sane Agency,
Karlshamn, Sweden, and Henry Morrison, inc. Bedford Hills, New York USA
Vertaling: F.J. Bruning
Omslag: P.A.H. van der Harst

CIP-GEGEVENS KONINKLIJKE BIBLIOTHEEK, DEN HAAG

Ludlum, Robert

Het Jason dubbelspel : roman van een verbijsterende intrige / Robert Ludlum ;
[vert. uit het Engels door F.J. Bruning]. - Utrecht : Luitingh
Vert. van: The Bourne Supremacy. - New York : Random House, 1986.
ISBN 90-245-1681-1
UDC 82-3 UGI 420
Trefw.: romans ; vertaald.

1

Kowloon. De krioelende uitloper van China die alleen in de geest tot het noorden behoorde — maar de geest doordringt alles en bewoont de spelonken van de mensenziel, zonder oog voor de wrange, grillige realiteit van politieke grenzen. Land en water zijn één, en het is de wil van de geest die bepaalt hoe de mens land en water zal benutten — opnieuw zonder oog voor vage begrippen als nutteloze vrijheid of kneveling die ontdoken kan worden. De echte zorg gaat uit naar lege magen, naar de magen van vrouwen, van kinderen. In leven blijven. Iets anders is er niet. De rest is enkel mest die verspreid moet worden over onvruchtbare akkers.

De zon ging onder en zowel in Kowloon als aan de overkant van Victoria Harbour op het eiland Hongkong onttrok een onzichtbare deken het daglicht aan de chaos beneden. De gegilde *Aiyas!* van de straatventers klonken gedempt in de schemering en bezadigd overleg in de hoge regionen van kille, majestueuze bouwwerken van glas en staal, die het markante silhouet vormden van de kolonie, werd beëindigd met knikjes en schouderophalen en vage glimlachjes van onuitgesproken instemming. De nacht daalde neer, aangekondigd door een verblindend oranje zon die zakte achter een immense, kartelige, afbrokkelende wolkenbank in het westen — scherp afgetekende bundels van tomeloze energie, op het punt onder de horizon te verdwijnen, onwillig haar licht te ontnemen aan dit deel van de wereld.

Spoedig zou de duisternis de hemel bedekken, maar niet de aarde. Beneden zouden de felle, kunstmatige lichten hun bonte schittering over de aarde verspreiden — dit deel van de aarde waar land en water toegangswegen vormden, gevreesd om hun conflicten. En met het niet aflatende, schelle lawaai van de eindeloze nachtelijke kermis zou er een ander tijdverdrijf beginnen, een tijdverdrijf dat de mensheid bij het eerste scheppingslicht had moeten afzweren. Maar er was toen nog geen menselijk leven, dus wie kon het vastleggen? Wie wist het? Wie gaf er iets om? De dood was geen handelswaar.

Een kleine motorboot, waarvan de krachtige motor vreemd contrasteerde met het armzalig uiterlijk, doorsneed het Lammakanaal, dat in een bocht om de kust naar de haven voerde. Voor een ongeïnteresseerde toeschouwer was het niet meer dan zo'n *xiao wanju*, een erfstuk voor een eerste zoon van een eens onwaardig visser die onbeduidende rijkdom had gevonden — een waanzinnige nacht van mahjong, hasjiesj uit de Driehoek, gesmokkelde juwelen uit Macao — wie kon het schelen? De zoon kon effectiever zijn netten uitwerpen of zijn koopwaar vervoeren door een snelle schroef te gebruiken in plaats van het trage zeil van een jonk of het slakkegangetje van een sampanmotor. Zelfs de Chinese grenswachten en de marinepatrouilles op en voor de kust van de Shenzhen Wan schoten niet op zulke onbetekende grensoverschrijders; ze waren onbelangrijk en wie wist welke gezinnen achter de *New Territories* op het vasteland er profijt van zouden trekken. Het kon er een van hun zijn. De zoete kruiden van de heuvels vulden nog steeds de magen — voedden misschien een van hun dierbaren. Wie kon het schelen? Leven en laten leven.

Het kleine vaartuig waarvan de stuurhut op de boeg verscholen ging onder een canvas scherm, minderde vaart en zocht behoedzaam zigzaggend zijn weg door de verspreide groepjes jonken en sampans, op weg naar hun overvolle ligplaatsen in Aberdeen. De bootmensen gilden de een na de ander woedende verwensingen naar de lomperd met zijn onbeschaamde motor en zijn nog onbeschaamder kielzog. Wanneer de brutale indringer passeerde werd iedereen vreemd stil; hun plotselinge woedeuitvallen werden afgesneden door iets onder het canvas.

De boot scheerde de haveningang in, een donkere waterweg die nu werd gemarkeerd door de felle lichten van het eiland Hongkong rechts en Kowloon links. Drie minuten later nam het krachtige geluid van de buitenboordmotor hoorbaar af tot een beheerst brommen terwijl de romp langzaam langs twee smerige schuiten streek die gemeerd lagen bij het pakhuis. De boot gleed een onbezette meerplaats in aan de westkant van de Tsim Sha Tsui, de drukke geldzuchtige waterkant van Kowloon. De snerpende horden kooplui die op de kade hun nachtelijke valstrikken spanden voor de toeristen letten er niet op; het was maar zo'n *jigi* die terugkeerde van zijn visvangst. Wie kon het schelen?

Toen begon het stiller te worden in de kraampjes aan de waterkant het dichtst bij de onbetekenende indringer, eenzelfde stilte die de bootmensen had bevangen. Opgewonden stemmen werden tot zwijgen gemaand te midden van geschreeuwde orders en tegenorders, terwijl de ogen een gedaante volgden die de zwarte, met olie besmeurde ladder naar de walkant beklom.

Hij was een heilige man. Zijn gestalte was geheel gehuld in een zuiver witte kaftan die zijn lange, slanke lichaam accentueerde — heel lang voor een *Zhongguo ren,* misschien wel bijna één meter tachtig. Van zijn gezicht was echter weinig te zien omdat het kleed los hing en de wind voortdurend de witte stof voor zijn donkere gelaatstrekken blies. Gelaatstrekken die het wit van zijn ogen benadrukten — vastberaden, fanatieke ogen. Dit was geen gewoon priester. Het was een *heshang,* een uitverkorene, gekozen door wijze mannen doordrongen van geleerdheid, die de innerlijke geestelijke kennis konden doorgronden van een jonge monnik die was voorbestemd tot een hoger leven. En het was geen nadeel dat zo'n monnik lang was en slank en vurige ogen bezat. Zulke heilige mannen richtten de aandacht op zichzelf, op hun persoon — op hun ogen — en daarop volgden milde gaven, geschonken zowel uit angst als uit ontzag; meestal uit angst. Misschien kwam deze *heshang* wel van een van de mystieke sekten die door de heuvels en de bossen van de Jangtse zwierven, of van een religieuze broederschap in de bergen van het afgelegen Qing Gaiyuan — afstammelingen, naar men zei, van een volk in de verre Himalaja's — die waren altijd erg opvallend en over het algemeen het meest te vrezen, want weinigen begrepen hun duistere leerstellingen. Leerstellingen, verwoord in zachtheid, maar met vage verwijzingen naar onbeschrijfelijk lijden. Zo hun lessen niet zouden worden opgevolgd. Er was al te veel lijden op het land en aan de waterkant — niemand had behoefte aan meer. Geef dus maar aan de voorvaderen, aan de vurige ogen. Misschien werd het wel ergens vastgelegd. Ergens.

De in het wit gehulde gedaante liep langzaam door de uiteenwijkende menigte op de walkant, langs de overvolle aanlegsteiger van de Star Ferry, en verdween in het toenemende pandemonium van de Tsim Sha Tsui. Het was voorbij, de kraampjes hervatten hun hysterische handel. De priester liep via Salisbury Road naar het oosten tot aan het Peninsula Hotel waarvan de ingetogen elegantie steeds minder paste in de omgeving. Toen sloeg hij Nathan Road in naar het noorden, naar het begin van de glinsterende Golden Mile, dat vermaakscentrum zonder weerga, waar concurrerende groepen gillend de aandacht op zich trachtten te vestigen. Zowel de bewoners als de toeristen merkten de statige heilige man op, terwijl hij langs volgepakte etalages liep en steegjes passeerde die uitpuilden van de koopwaar, disco's van twee verdiepingen en cafés met topless bediening waar enorme, kitscherige aanplakbiljetten leurden met de charmes van de Oriënt boven kramen die de dampende heerlijkheden aanboden van de *dim sum* van die middag. Bijna tien minuten lang liep hij door die bonte kermis, nu en dan blikken beantwoordend met een licht hoofdknikje en tweemaal hoofdschuddend terwijl hij orders gaf aan dezelfde gedrongen, gespierde *Zhongguo ren,* die hem nu eens naliep, dan weer voorbijliep met de lichte pasjes van een danser en zich omdraaide om in de vurige ogen een of ander teken te lezen.

Het teken kwam — twee abrupte knikjes — toen de priester zich omkeerde en door een kralengordijn een rumoerige nachtclub binnenliep. De *Zhongguo ren* bleef buiten, zijn hand onopvallend onder zijn losse tuniek, zijn ogen ogen onophoudelijk zwervend door die kranzinnige straat, een straat die hij niet kon begrijpen. Het was *waanzin*! Wat een schaamteloosheid! Maar hij was de *tudi;* hij zou de heilige man beschermen met zijn leven, hoezeer ook zijn eigen gevoeligheden werden gekwetst.

In de nachtclub werden de dichte rookslierten doorsneden door zwaaiende gekleurde lampen waarvan de meeste ronddraaiden en gericht werden op een toneel waar een rockgroep jammerde met een oorverdovende razernij, een uitzinnig mengelmoes van punk en het Verre Oosten. Glimmend zwarte, nauwsluitende, slecht passende broeken omspanden maniakaal sidderende magere benen onder zwarte leren jacks die witzijden hemden bedekten, open tot aan de navel. De hoofden waren op slaaphoogte rondom de schedel kaalgeschoren, de gezichten waren grotesk, zwaar opgemaakt om het door en door oosterse karakter te accentueren. Om de kloof tussen Oost en West nog meer te benadrukken stopte de dissonerende muziek zo nu en dan ineens en klonken uit een enkel instrument de klagende tonen op van een eenvoudige Chinese melodie, terwijl de gedaanten roerloos bleven staan onder het zwaaiende bombardement van de schijnwerpers.

De priester stond even stil en keek rond in de grote, volgepropte zaal. Een aantal klanten in verschillende stadia van dronkenschap bekeken hem vanaf hun tafeltje. Een paar rolden munten in zijn richting en wendden zich af en er waren er ook die opstonden, Hongkong-dollars naast hun glazen legden en zich uit de voeten maakten. De *heshang* straalde iets uit, maar wat hij uitstraalde was niet naar de zin van de zwaarlijvige man in smoking die op hem afliep.

'Kan ik u ergens mee helpen, heilige man?' riep de nachtclubmanager boven het aanhoudende lawaai uit.

De priester boog zich voorover en zei iets in het oor van de man. De ogen van de manager gingen wijd open, toen boog hij en gebaarde naar een tafeltje tegen de muur. De priester dankte met een knikje en liep achter de man aan naar zijn stoel, terwijl klanten in de buurt hem onbehaaglijk opnamen.

De manager bukte zich en sprak met een eerbied die hij niet meende: 'Zou u iets willen gebruiken, heilige man?'

'Geitemelk, als het er is. Zo niet, dan is gewoon water goed genoeg. En ik dank u.'

'Het is een eer voor de zaak,' zei de man in smoking. Hij boog en liep weg en probeerde een dialect thuis te brengen dat hij niet herkende. Het deed er niet toe. Die rijzige, in het wit geklede priester wilde de *laoban* spreken en dat was het enige belangrijke. Hij had zelfs de naam van de *laoban* genoemd, een naam die zelden werd uitgesproken in de Golden Mile, en op deze speciale avond was de machtige taipan in de zaak, in een kamer waarvan hij in het openbaar het bestaan zou ontkennen. Maar het was niet de taak van de manager de *laoban* te zeggen dat de priester er was; de man in de kaftan had dat duidelijk gemaakt. Hij had erop gestaan dat vanavond alles in het geheim moest gebeuren. Wanneer de verheven taipan hem wenste te spreken zou een man hem komen halen. Zo moest het dan maar; het was zo de gewoonte van de geheimzinnige *laoban*, een van de rijkste en meest gerenommeerde taipans in Hongkong.

'Stuur een keukenjongen de straat op voor wat klotemelk van een moedergeit,' zei de manager grof tegen een ober in het lokaal. 'En zeg dat hij sodemieters vlug moet zijn. Het bestaan van zijn verdomde nageslacht kan ervan afhangen.'

De heilige man zat roerloos aan het tafeltje. Zijn felle ogen stonden nu wat zachter en bekeken de dwaze activiteiten kennelijk zonder ze te veroordelen of te accepteren, alleen maar alles in zich opnemend met de deernis van een vader die kijkt naar dwalende, maar toch dierbare kinderen.

Abrupt werd het zwaaien van de lichten verstoord. Een paar tafeltjes verderop werd een fel opvlammende lange lucifer ontstoken en weer snel gedoofd. Toen nog een, en ten slotte een derde en die laatste werd gehouden onder een lange zwarte sigaret. De korte reeks flitsen trok de aandacht van de priester. Hij bewoog zijn hoofd in de wijde capuchon langzaam naar de vlam en naar de alleen zittende, ongeschoren, lomp geklede Chinees die de rook inhaleerde. Hun ogen ontmoetten elkaar; het knikje van de heilige man was haast onmerkbaar, zijn hoofd bewoog zich nauwelijks, en het werd beantwoord door een even vage beweging toen de lucifer doofde.

Seconden later stond het tafeltje van de boers geklede roker ineens in vlammen. Vuur schoot omhoog van het tafelblad en verspreidde zich snel naar alles van papier op het tafeltje — servetten, menukaarten, *dim sum*mandjes, een voor een ontvlamden die voor de hand liggende brandhaarden. De onverzorgde Chinees gilde en gooide met een daverende klap de tafel om, terwijl de kelners krijsend op de vlammen afrenden. Overal sprongen klanten op van hun stoelen terwijl het vuur — smalle streepjes van flakkerende blauwe vlammetjes — zich op de vloer onverklaarbaar verspreidde in stroompjes rond opgewonden stampende voeten. De chaos werd groter terwijl mensen snel de brandjes blusten met tafelkleden en voorschoten. De manager en zijn obers stonden wild te gebaren, schreeuwend dat alles onder controle was; het gevaar was geweken. De rockgroep speelde nog woester, in een poging de aandacht van de menigte af te leiden, weg van de plaats waar nu de paniek afnam. Ineens was er een nog heviger beroering, een fellere uitbarsting. Twee obers waren tegen de sjofel geklede *Zhongguo ren* gebotst, wiens onvoorzichtigheid en grote lucifers het brandje hadden veroorzaakt. Hij reageerde met snelle *Wing Chung*-hakbewegingen, stram gehouden handen die met geweld neerdaalden op schouderbladen en kelen, terwijl zijn voeten felle trappen uitdeelden tegen buiken en de twee *shi-ji* achteruit deden wankelen tussen de omringende klanten. Het plotselinge geweld vergrootte de paniek, de chaos. De zwaargebouwde manager kwam nu brullend tussenbeide en ook hij viel achterover, geveld door een goed gerichte trap tegen zijn ribben. De ongeschoren *Zhongguo ren* pakte vervolgens een stoel en smeet die tussen de schreeuwende gestalten bij de gevallen man, terwijl drie andere kelners zich in het strijdgewoel stortten ter verdediging van hun *Zongguan*. Mannen en vrouwen die een paar tellen geleden alleen maar gilden, begonnen nu met hun armen om zich heen te slaan en ranselden in op iedereen die maar in hun buurt kwam. De leden van de rockgroep stonden te tollen tot ze er bijna bij neervielen, in een uitzinnige dissonantie die paste bij het tafereel. Het oproer had vaste voet gekregen en de potige boer keek even de zaal door naar het eenzame tafeltje tegen de muur. De priester was verdwenen.

De ongeschoren *Zhongguo ren* pakte nog een stoel beet, klapte die neer op een nabijstaand tafeltje, brak het houten frame aan stukken en begon met een afgebroken poot op de menigte in te beuken. Nog maar heel even, maar elke seconde telde nu.

De priester liep door de deur helemaal achter in de zaal bij de ingang van de nachtclub. Hij sloot die snel achter zich en wachtte even tot zijn ogen zich hadden aangepast aan het schemerige licht van de lange smalle gang. Zijn rechterarm hing strak omlaag onder de plooien van zijn witte kaftan, zijn linker hield hij schuin voor zijn middel, eveneens onder de dunne witte stof. Verderop in de gang, minder dan tien meter van hem vandaan, sprong een man verschrikt weg van de muur. Zijn rechterhand verdween onder zijn jasje en rukte een grote revolver van zwaar kaliber uit een onzichtbare schouderholster. De heilige man knikte langzaam, inschikkelijk, terwijl hij zich voortbewoog met statige passen als in een religieuze processie.

Amita-fo, Amita-fo,' zei hij zacht en hij herhaalde het steeds, terwijl hij de man naderde. 'Alles is rustig, alles is vredig, de voorvaderen willen het.'

'Jou matyeh?' De wacht stond naast een deur; hij stak het wapen dreigend voor zich uit en bleef praten met de Kantonese keelklanken typerend voor de noordelijke nederzettingen. 'Bent u verdwaald, priester? Wat doet u hier? Maak dat u wegkomt! U hoort hier niet te zijn!'

'Amita-fo, Amita-fo...'

'Maak dat u *wegkomt! Direct!'*

De wachtpost had geen schijn van kans. Bliksemsnel trok de priester een flinterdun, aan twee zijden snijdend mes uit de plooien rond zijn middel. Hij trok een felle haal over de pols van de man, sneed de hand met het wapen half van de arm van de wacht en liet het lemmet toen met de vastheid van een chirurg een boog beschrijven langs de keel van de man; er volgde een explosie van lucht en bloed terwijl het hoofd achteroverknikte in een geheel van glimmend rood. Hij viel op de grond, dood.

Zonder aarzeling liet de moordende priester het besmeurde mes in de stof van zijn kaftan glijden, waar het bleef zitten, en van onder de rechterkant van zijn wijde kleed trok hij een UZI-machinepistool te voorschijn, waarvan het gebogen magazijn meer kogels bevatte dan hij nodig zou hebben. Hij tilde zijn voet hoog op en trapte ermee tegen de deur met de lenige kracht van een poema, rende naar binnen en zag daar wat hij wist dat hij zou aantreffen.

Vijf mannen – *Zhongguo ren* – zaten rond een tafel met potten thee en lage glazen sterke whisky; nergens was iets te zien van beschreven papier, geen aantekeningen of memo's, alleen oren en waakzame ogen. En terwijl elk paar ogen opkeek, vertrokken de gezichten zich in paniek. Twee goedgeklede onderhandelaars staken hun handen in hun keurige colbertjes terwijl ze opsprongen uit hun stoelen. Een andere dook onder de tafel, en de laatste twee sprongen gillend op en renden vruchteloos tegen de met zijde beklede muren, zich wanhopig omkerend op zoek naar genade, in de wetenschap dat die zou uitblijven. Een ratelend kogelsalvo trof de *Zhongguo ren*. Bloed spoot op uit dodelijke wonden, schedels en ogen werden doorboord, monden werden opengereten en bloederig rood smoorde het doodsgegil. De muren en de vloer en de gepolijste tafel glommen van het misselijk makend rood van een onvermijdelijke dood. Overal. Het was voorbij.

De moordenaar bekeek zijn werk. Tevreden knielde hij neer naast een grote, gladde plas bloed en trok er zijn wijsvinger doorheen. Toen haalde hij een vierkant stuk zwarte stof uit zijn linkermouw en spreidde dat uit over wat hij getekend had. Hij stond op, schoot de kamer uit en begon zijn witte kaftan los te knopen terwijl hij door de schemerige gang rende; toen hij de deur naar de nachtclub bereikte hing zijn kleed open. Hij trok het vlijmscherpe mes uit de stof en schoof het in een schede aan zijn riem. Hij hield de plooien van de stof bijeen, de kap op, het dodelijke wapen stevig langs zijn zij, trok de deur open en liep naar binnen, in de chaotische vechtpartij die nog lang niet voorbij leek te zijn. Waarom ook? Hij was daar nauwelijks een halve minuut geleden weggegaan en zijn man wist precies wat hij doen moest.

'Faai di!' De kreet kwam van de potige, ongeschoren boer uit Kanton. Hij was drie meter van hem af bezig nog een tafel om te gooien en een lucifer te ontsteken die hij vervolgens op de grond liet vallen. 'De politie kan elk moment hier zijn! De barkeeper heeft net gebeld, ik heb het gezien!'

De moordende priester rukte de kaftan van zijn lijf en de kap van zijn hoofd. In de wild rondzwaaiende lichten zag zijn gelaat er even macaber uit als de gezichten van de razende rockgroep. Zware make-up deed de ogen uitkomen, witte lijnen markeerden de kassen en zijn gezicht was onnatuurlijk bruin. 'Ga voor me lopen!' beval hij de boer. Hij liet zijn kostuum en de Uzi op de grond vallen naast de deur terwijl hij een paar dunne rubberhandschoenen uittrok; hij stak ze in zijn flanellen broek. De politie te hulp roepen was voor een nachtclub aan de Golden Mile geen gemakkelijk besluit. Er stonden zware boetes op slechte bedrijfsleiding, fikse straffen op het in gevaar brengen van toeristen. De politie wist dat deze risico's bestonden en ze reageerde snel wanneer ze genomen werden. De moordenaar rende achter de boer uit Kanton aan; ze verdwenen in de menigte die bij de ingang krijsend stond te vechten om naar buiten te komen. De boers geklede vechtersbaas was een stier; mensen die hem in de weg stonden maaide hij neer met zijn vuisten. Lijfwacht en moordenaar vochten zich een doorgang naar de straat waar nog een menigte was samengestroomd die vragen en scheldwoorden schreeuwde en riep dat het een ramp was voor de zaak. Ze worstelden zich door de roerige toeschouwers en de potige Chinees die buiten had gewacht voegde zich bij hen. Hij pakte de priester die zijn toog aan de wilgen had gehangen bij de arm en trok hem een heel smal steegje in, waar hij twee handdoeken vanonder zijn tuniek haalde. De ene was zacht en droog, de andere was in plastic verpakt; die was warm en geparfumeerd.

De killer greep de natte handdoek en begon ermee over zijn gezicht te wrijven. Hij perste de stof rond en in zijn oogkassen en haalde hem over de zichtbare huid van zijn hals. Hij draaide de handdoek om en herhaalde het proces terwijl hij nog steviger drukte, boende langs zijn slapen en vlak onder zijn haren tot de blanke huid te voorschijn kwam. Vervolgens droogde hij zich met de tweede handdoek, streek zijn haren glad en trok zijn regimentsdas recht die het crêmekleurige overhemd sierde onder zijn donkerblauwe blazer. *'Jau!'* beval hij zijn twee metgezellen. Ze renden weg en verdwenen in de mensenmassa.

En een eenzame, keurig geklede westerling slenterde het oosterse vermaakscentrum in.

In de nachtclub stond de opgewonden manager de barkeeper uit te schelden die de *jing cha* had gewaarschuwd; de boetes zouden neerkomen op zijn verdomde kop! Want ineens was de rel afgelopen en de klanten stonden verdwaasd om zich heen te kijken. Obers en kelners stelden de bezoekers gerust, klopten op schouders en ruimden brokken op, terwijl ze tafeltjes rechtzetten en nieuwe stoelen aansleepten en glazen gratis whisky rondbrachten. De rockgroep concentreerde zich op populaire wijsjes en de orde was even snel hersteld als ze verstoord was. Als ze geluk hadden, bedacht de manager in smoking, zou de verklaring dat een overhaaste barkeeper een vechtlustige dronkelap had aangezien voor iets veel ernstigers door de politie worden geaccepteerd.

Ineens waren alle gedachten aan boetes en getreiter door de autoriteiten weggevaagd toen zijn ogen werden getroffen door een hoopje witte stof op de vloer verderop in de zaal, voor de deur naar de kantoren achter de nachtclub. Witte stof, zuiver wit – de priester? *De deur! De laoban! De vergadering!* Hijgend en met een gelaat waar het zweet afdroop rende de dikke manager tussen de tafeltjes door naar de achtergelaten kaftan. Hij knielde neer met wijd opengesperde ogen en hield zijn adem in toen hij de donkere loop van een onbekend wapen zag uitsteken onder de witte plooien. En wat hem naar adem deed snakken van plotseling opkomende angst was het zien van kleine druppeltjes en dunne strepen glimmend ongeronnen bloed op de stof.

'*Go hai matyeh?*' De vraag werd gesteld door een tweede man in smoking, echter zonder de maagband die een hogere status aangaf — het was dan ook de eerste assistent van de manager en teven zijn broer. 'O, godverdomme *nogantoe!*' vloekte hij binnensmonds toen zijn broer het vreemde wapen in de gevlekte witte kaftan oppakte.

'Kom op!' beval de manager. Hij kwam overeind en liep op de deur af.

'De politie!' wierp zijn broer tegen. 'Een van ons moet met ze praten, hen bedaren, doen wat we kunnen.'

'Misschien kunnen we niets anders doen dan hun onze koppen aanbieden! *Snel!*'

In de vaag verlichte gang lag het bewijs. De vermoorde bewaker lag in een stroom van zijn eigen bloed en een hand die nauwelijks nog vastzat aan zijn pols omklemde zijn wapen. In de vergaderruimte was het bewijs volledig. Vijf bebloede lijken lagen in verkrampte houdingen door en op elkaar. Er was er een bij dat speciaal de aandacht trok van de dodelijk verschrikte manager. Hij liep op het lijk met zijn doorboorde schedel af. Met zijn zakdoek wiste hij het bloed weg en staarde naar het gelaat.

'We zijn er geweest!' fluisterde hij. 'Kowloon is er geweest, Hongkong is er geweest. Dit betekent de dood voor ons allen.'

'*Wat?*'

'Deze man is de vice-premier van de Volksrepubliek, de opvolger van de Voorzitter zelf.'

'Hier! Moet je *zien!*' De broer die zijn eerste assistent was deed een paar snelle passen naar het lichaam van de dode *laoban*. Naast het met kogels doorzeefde, bebloede lijk lag een zwarte halsdoek. Hij was plat uitgespreid en de stof met de witte tierlantijntjes was verkleurd door rode vlekken. De broer pakte de doek op en hield zijn adem in toen hij de schrifttekens zag in de bloedplas eronder: *JASON BOURNE*.

De manager rende op hem af. 'O, jezus *christus* nogantoe!' stootte hij uit en zijn lichaam begon te beven. 'Hij is terug. De killer is terug in Azië! *Jason Bourne!* Hij is *terug!*'

2

De zon zakte achter de Sangre de Christo Mountains in centraal-Colorado toen de Cobra-helikopter kwam aanstormen uit het verblindende licht als een gigantisch, fladderend silhouet en stotterend neerdaalde naar het landingsplatform aan de rand van de bomenlijn. Het betonnen vlak lag zo'n dikke honderd meter van een groot, rechthoekig huis gebouwd van zwaar hout en met ramen van dik glas. Op enkele generatoren en gecamoufleerde schijfantennes na waren er verder nergens bouwwerken te zien. Hoge bomen vormden een dichte muur die het huis verborg voor alle buitenstaanders. De piloten van deze zeer wendbare vliegtuigen werden gerecruteerd uit de hogere officieren van het Cheyenne-garnizoen in Colorado Springs. Niemand had een lagere rang dan kolonel en ieder van hen was op betrouwbaarheid getest door de Nationale Veiligheidsraad in Washington. Ze spraken nooit over hun vluchten naar het geheime huis in de bergen; de bestemming werd in de vluchtplannen steeds verdoezeld. De koers werd per radio doorgegeven wanneer de heli's in de lucht waren. De plaats was op geen enkele kaart aangegeven en vriend noch vijand had toegang tot het verbindingsnet. De veiligheid was compleet; dat moest wel. Dit was een plaats voor strategen wier werk zo geheim was en vaak zulke delicate wereldwijde vertakkingen had dat de plannenmakers niet gezien mochten worden buiten regeringsgebouwen of in de gebouwen zelf, en zeker niet in aaneengrenzende kantoren waarvan bekend was dat ze verbindingsdeuren hadden. Vijandige, nieuwgierige ogen bestonden overal — zowel van vriend als vijand, die op de hoogte waren van het werk van deze mannen — en als men hen samen zou zien zou er zeker alarm worden geslagen. De vijand was waakzaam en bevriende mogendheden bewaakten jaloers hun eigen inlichtingenstekjes.

De deuren van de Cobra gingen open. Een metalen trap klapte neer en een duidelijk verward man daalde af in het licht van de schijnwerper. Hij werd begeleid door een generaal-majoor in uniform. De burger was tenger, van middelbare leeftijd, en hij ging gekleed in een streepjespak, wit overhemd en wollen stropdas. Zelfs onder de onberekenbare, omlaag gerichte luchtstroom van de rotorbladen bleef zijn keurige voorkomen intact, alsof het belangrijk voor hem was dat alles precies op zijn plaats bleef. Hij liep achter de officier aan en samen volgden ze een betonnen pad naar een deur aan de zijkant van het huis. De deur werd geopend toen beide mannen naderden. Maar alleen de burger ging naar binnen; de generaal knikte en bracht zo'n nonchalante militaire groet die hogere officieren reserveren voor niet-militairen en collega's van gelijke rang.

'Prettig u ontmoet te hebben, meneer McAllister,' zei de generaal. 'Iemand anders zal u terugbrengen.'

'U gaat niet mee naar binnen?' vroeg de burger.

'Ik ben zelfs nooit binnen geweest,' antwoordde de officier met een glimlach. 'Ik moet er alleen voor zorgen dat u de juiste persoon bent en u vervolgens van punt B naar punt C brengen.'

'Dat komt me voor als een verspilling van uw rang, generaal.'

'Dat is het waarschijnlijk niet,' merkte de militair op zonder verder commentaar. 'Maar ik heb andere plichten. Tot ziens.'

McAllister liep naar binnen en kwam in een lange gang met lambrizering, waar hij nu werd begeleid door een goedgeklede forse man met een vriendelijk gezicht die aan alle kanten 'Interne Veiligheidsdienst' uitstraalde — fysiek snel en capabel, en anoniem in een menigte.

'Hebt u een prettige vlucht gehad, meneer?' vroeg de jongere man.

'Heeft iemand dat dan in een van die koffiemolens?'

De bewaker lachte. 'Deze kant op, meneer.'

Ze liepen de gang door, voorbij verscheidene deuren in beide muren, tot ze aan het einde een stel grotere dubbele deuren bereikten met in de linker en rechter bovenhoek een rood lampje. Het waren camera's op verschillende netten. Edward McAllister had dit soort apparaten niet meer gezien sinds hij twee jaar geleden Hongkong had verlaten, en toen alleen omdat hij korte tijd als consulent verbonden was geweest aan de Britse inlichtingendienst, MI 6, Speciale Afdeling. Hij had de Engelsen paranoïde gevonden waar het veiligheid betrof. Hij had die mensen nooit begrepen, vooral niet nadat ze hem een eervolle vermelding hadden verleend voor heel weinig werk in zaken die ze eigenlijk zelf hadden moeten klaren. De bewaker klopte op de deur, een zachte klik weerklonk en hij opende de rechterdeur.

'Uw andere gast, meneer,' zei de forse man.

'Mijn hartelijke dank,' antwoordde een stem. De verbaasde McAllister herkende die meteen van talloze radio- en televisienieuwsuitzendingen door de jaren heen, met een accent dat zijn oorsprong vond in een duur internaat en verscheidene befaamde universiteiten, met een positie op de Britse Eilanden na het afstuderen. Maar de tijd om zich aan te passen ontbrak. De grijsharige, onberispelijk geklede man met een gerimpeld, lang gelaat dat verried dat hij de zeventig was gepasseerd, kwam overeind vanachter een groot bureau en liep met uitgestoken hand en met behoedzame pasjes het vertrek door. 'Meneer de onderminister, wat fijn dat u er bent. Mag ik mij voorstellen? Ik ben Raymond Havilland.'

'Alsof ik niet wist wie u was, excellentie. Het is me een groot genoegen, meneer.'

'Ambassadeur zonder portefeuille, McAllister, en dat wil zeggen dat er niet veel genoegen meer over is. Maar werk is er nog wel.'

'Ik kan me niet voorstellen dat er de laatste twintig jaar een president van de Verenigde Staten is geweest die het zonder u heeft kunnen stellen.'

'Een paar hebben het gehaald, onderminister, maar ik vermoed dat u, met uw ervaring op Buitenlandse Zaken, dat beter weet dan ik.' De diplomaat draaide zijn hoofd om. 'Ik zou u graag willen voorstellen aan John Reilly. John is een van die uitstekend geïnformeerde collega's die we bij de Nationale Veiligheidsraad verondersteld worden nooit te kennen. Hij ziet er nogal tam uit, vindt u niet?'

'Dat valt best mee,' zei McAllister en hij schudde Reilly, die was opgestaan uit een van de leren fauteuils voor het bureau, de hand. 'Prettig kennis met u te maken, meneer Reilly.'

'Aangenaam, onderminister,' zei de wat dikke man met rood haar dat paste bij een voorhoofd vol sproeten. De ogen achter de brilleglazen in metalen montuur straalden geen hartelijkheid uit, ze stonden scherp en kil.

'Meneer Reilly is hier,' vervolgde Havilland, terwijl hij weer achter zijn bureau liep en McAllister wees op de lege stoel aan de rechterkant, 'om ervoor te zorgen dat ik niet buiten mijn boekje ga. Voor zover ik dat begrijp zijn er bepaalde dingen die ik kan vertellen en andere niet, en bepaalde zaken die *hij* alleen kan vertellen.' De ambassadeur ging zitten. 'Als u dat raadselachtig voorkomt, onderminister, dan is dat alles wat ik u momenteel te bieden heb, ben ik bang.'

'Alles wat er de laatste vijf uur is gebeurd sinds ik opdracht kreeg naar Andrews Luchtmachtbasis te gaan is me een raadsel geweest, ambassadeur Havilland. Ik heb geen idee waarom ik hierheen ben gebracht.'

'Laat ik het u dan in algemene bewoordingen vertellen,' zei de diplomaat, terwijl hij Reilly aankeek en zich over zijn bureau boog. 'U verkeert in een positie waarin u uw land een onschatbare dienst kunt bewijzen — en belangen kunt dienen die ver uitgaan boven die van dit land — groter dan alles wat u ooit hebt kunnen bedenken tijdens uw lange en eminente carrière.'

McAllister bestudeerde het ernstige gezicht van de ambassadeur, niet wetend wat hij moest antwoorden. 'Mijn carrière op Buitenlandse Zaken is uiterst bevredigend geweest en naar ik hoop heeft men mij bekwaam gevonden, maar ze kan nauwelijks eminent worden genoemd in de breedste zin van het woord. Om heel eerlijk te zijn, zijn de goede kansen aan mij voorbijgegaan.'

'Nu doet zich zo'n gelegenheid voor,' viel Havilland hem in de rede. 'En u bent een van de zeer weinigen die hem kunnen aangrijpen.'

'Op wat voor manier? Waarom?'

'Het Verre Oosten,' zei de diplomaat met een vreemde klank in zijn stem, alsof het antwoord zelf een vraag zou kunnen zijn. 'U hebt meer dan twintig jaar gewerkt voor bz, sinds u op Harvard doctoreerde in oosterse wetenschappen. U hebt uw regering lofwaardig gediend tijdens vele jaren van uitmuntende buitenlandse dienst in Azië, en sedert uw terugkeer van uw laatste post zijn uw oordelen uiterst waardevol gebleken bij het formuleren van het beleid in dat roerige deel van de wereld. U wordt beschouwd als een briljant analyticus.'

'Wat u zegt stel ik op prijs, maar er waren er nog meer in Azië. Vele anderen die gelijke en betere beoordelingen ontvingen dan ik.'

'Dat hing af van gebeurtenissen en benoemingen, meneer de onderminister. Laten we eerlijk zijn, u hebt uitstekend gewerkt.'

'Maar wat is het verschil tussen mij en de anderen? Waarom ben ik beter geschikt voor deze kans dan zij?'

'Omdat niemand zo is gespecialiseerd in de interne zaken van de Volksrepubliek China. Volgens mij hebt u een centrale rol gespeeld bij de handelsbesprekingen tussen Washington en Peking. Bovendien heeft niemand van die anderen zeven jaar doorgebracht in Hongkong.' Raymond Havilland zweeg even en voegde er toen aan toe: 'Tenslotte is er niemand anders op onze posten in Azië ooit toegevoegd geweest aan of geaccepteerd door de Speciale Afdeling van de officiële Britse MI 6 in het gebied.'

'Ik snap het,' zei McAllister die inzag dat de laatste kwalificatie, voor hem de minst belangrijke, een zeker gewicht had voor de diplomaat. 'Mijn werk in inlichtingen is zeer gering geweest, meneer de ambassadeur. Dat ik door de Speciale Afdeling werd geaccepteerd had meer te maken met haar eigen verkeerde informatie dan met enig speciaal talent van zijn kant. Die mensen geloofden éénvoudig in de verkeerde feiten en de optellingen klopten niet. Het duurde niet lang voordat ik de 'correcte cijfers' had gevonden, zoals zij het, dacht ik, noemden.'

'Ze *vertrouwden* u, McAllister. Ze vertrouwen u nog steeds.'

'Ik neem aan dat vertrouwen bijzonder belangrijk is voor deze kans, wat het dan ook is?'

'Heel zeker. Het is van vitaal belang.'

'Mag ik dan eens horen wat voor kans het is?'

'Dat mag u.' Havilland keek naar de derde man in het vertrek, de man van de Nationale Veiligheidsraad. 'Begint u maar,' voegde hij eraan toe.

'Mijn beurt,' zei Reilly, niet onvriendelijk. Hij verschoof zijn zware lijf in de stoel en keek McAllister aan, met ogen die nog streng keken maar waaruit de kilheid was verdwenen, alsof hij nu om begrip vroeg. 'Op dit moment worden onze stemmen opgenomen op band. Volgens de constitutie hebt u het recht dat te weten, maar het is een recht dat naar twee kanten werkt. U moet absolute geheimhouding zweren betreffende de informatie die u hier krijgt, niet alleen in het belang van de nationale veiligheid maar in de verdergaande en mogelijk grotere belangen van specifieke omstandigheden voor de gehele wereld. Ik weet dat dit klinkt alsof we uw eetlust willen opwekken, maar dat is niet de bedoeling. We zijn uiterst serieus. Stemt u in met die voorwaarde? U kunt berecht worden achter gesloten deuren volgens de geheimhoudingsstatuten van de nationale veiligheid als u uw eed schendt.'

'Hoe kan ik instemmen met zo'n voorwaarde als ik er geen idee van heb wat de informatie is?'

'Omdat ik u een korte samenvatting zal geven en dat zal voor u voldoende zijn om ja of nee te zeggen. Als het nee is zult u onder begeleiding worden teruggevlogen naar Washington. Niemand zal erbij verliezen.'

'Gaat uw gang.'

'Goed dan.' Reilly sprak rustig. 'Wat we gaan bespreken zijn bepaalde gebeurtenissen die in het verleden hebben plaatsgevonden, niet ver in het verleden, maar zeker geen geschiedenis van dit moment. De voorvallen zelf werden ontkend, begraven om juister te zijn. Klinkt u dat vertrouwd in de oren, onderminister?'

'Ik werk voor Buitenlandse Zaken. Wij begraven het verleden wanneer het geen zin heeft het bekend te maken. Omstandigheden veranderen, beoordelingen die gisteren in goed vertrouwen werden gemaakt zijn morgen vaak een probleem. Die veranderingen kunnen wij evenmin in de hand houden als de Russen of de Chinezen dat kunnen.'

'Goed gezegd!' zei Havilland.

'Nee, dat is het nog niet,' wierp Reilly tegen en hij hief zijn hand op naar de ambassadeur. 'De onderminister is kennelijk een ervaren diplomaat. Hij zei geen ja en hij zei geen nee.' De man van de Veiligheidsraad keek McAllister weer aan en de ogen achter de brilleglazen in metalen montuur stonden weer fel en kil. 'Hoe zit het, onderminister? Wilt u meespelen of wilt u vertrekken?'

'Een deel van mij wil opstaan en zo snel mogelijk verdwijnen,' zei McAllister, terwijl hij beide mannen om beurten aankeek. 'Het andere deel zegt: "blijf".' Hij zweeg even en met zijn blik op Reilly gericht zei hij: 'Of u dat wilde of niet, mijn eetlust is gewekt.'

'Het is een verrekte hoge prijs om te betalen als je honger hebt,' antwoordde de Ier.

'Het is meer dan dat.' De onderminister sprak zachtjes. 'Ik ben een beroepsman en als ik de man ben die u hebben wilt, dan heb ik eigenlijk niet veel keus, waar of niet?'

'Ik ben bang dat ik de woorden moet horen,' zei Reilly. 'Wilt u dat ik ze herhaal?'

'Dat zal niet nodig zijn.' McAllister fronste even zijn wenkbrauwen terwijl hij nadacht, toen begon hij te spreken. 'Ik, Edward Newington McAllister, begrijp volkomen wat er tijdens deze bespreking wordt gezegd...' Hij zweeg en keek Reilly aan. 'Ik neem aan dat u de bijzonderheden zult invullen zoals tijd en plaats en aanwezigen?'

'Datum, plaats, uur en minuut van opname en identificaties — dat staat allemaal vast.'

'Dank u. Ik wil graag een kopie voordat ik vertrek.'

'Natuurlijk.' Zonder zijn stem te verheffen keek Reilly recht voor zich uit en gaf rustig een bevel. 'Gaarne aandacht. Er moet een kopie van deze band beschikbaar zijn voor de betrokkene wanneer hij vertrekt. Ook apparatuur om de inhoud te controleren hier in huis. Ik zal de kopie paraferen... Gaat uw gang, meneer McAllister.'

'Dat stel ik op prijs. Wat betreft alles wat er wordt gezegd tijdens deze bespreking accepteer ik de voorwaarde van geheimhouding. Ik zal met niemand spreken over welk aspect ook van het besprokene tenzij ik van

18

ambassadeur Havilland zelf opdracht krijg dat te doen. Ik begrijp verder dat ik gerechtelijk vervolgd kan worden achter gesloten deuren indien ik deze overeenkomst schend. Mocht een dergelijk proces echter ooit plaatsvinden, dan behoud ik me het recht voor degenen die mij beschuldigen onder ogen te zien en niet af te gaan op hun beëdigde verklaringen of getuigenverklaringen. Ik voeg er dit aan toe, want ik kan me geen enkele omstandigheid voorstellen waaronder ik de eed die ik zojuist heb afgelegd zou willen of kunnen schenden.'

'U weet dat die omstandigheden er kunnen zijn,' zei Reilly zacht.

'Niet wat mij betreft.'

'Uiterst fysiek geweld, chemicaliën, bedrogen worden door mannen en vrouwen die veel ervarener zijn dan u. Er zijn manieren, onderminister.'

'Ik herhaal. Zou er ooit een zaak tegen mij aanhangig worden gemaakt — en zulke dingen zijn met anderen gebeurd — dan behoud ik me het recht voor geconfronteerd te worden met allen die mij beschuldigen.'

'Dat is voldoende voor ons.' Opnieuw keek Reilly recht voor zich uit terwijl hij sprak. 'Beëindig deze band en trek de stekker eruit. Bevestig.'

'*Bevestigd.*' zei een spookachtige stem vanuit een luidspreker ergens boven hun hoofden. '*Uw opname is nu... beëindigd.*'

'Gaat uw gang maar, excellentie,' zei de man met het rode haar. 'Ik zal alleen onderbreken wanneer ik denk dat het nodig is.'

'Daar ben ik zeker van, John.' Havilland wendde zich tot McAllister. 'Ik trek mijn eerdere uitspraak in. Hij is echt een gruwel. Na veertig dienstjaren of meer wordt me door een roodharige praatjesmaker die op dieet zou moeten gaan verteld wanneer ik mijn mond moet houden.'

De drie mannen glimlachten, de oudere diplomaat wist op welk moment en op welke manier hij de spanning moest doorbreken. Reilly schudde zijn hoofd en stak amicaal zijn handen uit. 'Dat zou ik nooit doen, meneer. In elk geval niet zo voor de hand liggend, hoop ik.'

'Wat zeg jij ervan, McAllister? Laten we overlopen naar Moskou en zeggen dat we door hem zijn gerecruteerd. De Russen zouden ons beiden waarschijnlijk datsja's geven en hij zou in de bak belanden.'

'U zou de datsja krijgen, excellentie. Ik zou in een flatje komen zitten met twaalf Siberiërs. Nee, dank u, meneer. Mij onderbreekt hij niet.'

'*Heel* goed. Het verbaast me dat niemand van die welwillende bemoeiallen in het Ovale Kantoor u ooit gestrikt heeft voor zijn staf, of u in elk geval naar de vn heeft gestuurd.'

'Ze wisten niet dat ik bestond.'

'Die status zal veranderen,' zei Havilland, ineens serieus. Hij zweeg, staarde de onderminister aan en liet toen zijn stem dalen. 'Hebt u ooit de naam Jason Bourne gehoord?'

'Hoe zou iemand die in Azië gestationeerd is geweest die niet hebben gehoord?' antwoordde McAllister stomverbaasd. 'Vijfendertig of veer-

tig moorden, de sluipmoordenaar die te huur was en die elke strik ontweek die ooit voor hem gespannen is. Een pathologisch moordenaar die
als enige moraal had de prijs voor de moord. Ze zeggen dat hij een
Amerikaan was, een Amerikaan *is*. Ik weet het niet, hij is uit het gezicht
verdwenen. Ze zeggen ook dat hij een uitgetreden priester was en een
importeur die voor miljoenen had gestolen en een deserteur uit het
Franse Vreemdelingenlegioen en god weet wat voor verhalen nog meer.
Het enige wat *ik* weet is dat hij nooit gepakt werd en onze onmacht om
hem te vangen was een schandvlek op onze diplomatieke dienst in heel
het Verre Oosten.'
'Zat er een bepaald patroon in zijn moorden?'
'Geen enkel. Ze waren lukraak, een heel gamma. Twee bankiers hier,
drie attachés daar – en dat wil zeggen CIA; een minister van staat uit
Dehli, een industrieel uit Singapore, en talrijke – veel te veel – politici,
over het algemeen fatsoenlijke lui. Hun auto's werden op straat opgeblazen, hun flats vlogen de lucht in. Verder waren er ontrouwe echtgenoten en vrouwen en minnaressen van allerlei slag in allerlei schandalen.
Hij bood de eindoplossing voor gekneusde ego's. Er was niemand die
hij niet kon vermoorden, geen methode was te wreed of te min voor
hem. Nee, er was geen bepaald patroon, enkel geld. De hoogste bieder.
Hij was een monster – *is* een monster, als hij nog leeft.'
Opnieuw boog Havilland zich voorover en zijn ogen stonden strak gericht op de onderminister van BZ. 'U zegt dat hij uit het gezicht verdween. Zomaar? U hebt nooit meer iets gehoord, geen geruchten of ge-
roddel uit onze Aziatische ambassades of consulaten?'
'Er werd natuurlijk gekletst, maar daarvan is nooit iets bevestigd. Het
verhaal dat ik het vaakst heb gehoord stamde van de politie in Macao,
waar men wist dat Bourne het laatst was geweest. Die zeiden dat hij niet
dood was of met pensioen, maar dat hij naar Europa was gegaan om
daar rijkere klanten te zoeken. Als het waar is, is het waarschijnlijk
maar de helft van het verhaal. De politie beweerde ook dat Bourne een
paar contracten had verprutst, dat hij in één geval de verkeerde man
vermoordde, een vooraanstaand figuur in de Maleisische onderwereld,
en in een ander geval, zo vertelde men, verkrachtte hij de vrouw van een
klant. Misschien werd de grond hem te heet onder de voeten, en misschien ook niet.'
'Wat bedoelt u?'
'De meesten van ons geloofden de eerste helft van het verhaal, niet de
tweede. Bourne zou nooit de verkeerde man doden, zeker niet zo iemand, dat soort fouten maakte hij niet. En als hij de vrouw van een
klant verkracht heeft – wat te betwijfelen is – zou hij zoiets gedaan
hebben uit haat of uit wraak. Hij zou een vastgebonden echtgenoot gedwongen hebben toe te kijken en dan zou hij hen beiden hebben vermoord. Nee, de meesten van ons hielden ons aan het eerste verhaal. Hij

ging naar Europa waar er vettere hazen te vangen waren — en te vermoorden.'

'Het was de bedoeling dat u die versie zou geloven,' zei Havilland en hij leunde achterover in zijn stoel.

'Wat zegt u me nou?'

'De enige man die Jason Bourne ooit doodde in het Azië van na Vietnam was een woedende verbindingsman die probeerde hem te doden.' McAllister staarde de diplomaat stomverbaasd aan. 'Ik begrijp het niet.'

'De Jason Bourne die u zojuist beschreef heeft nooit bestaan. Hij was een mythe.'

'Dat kunt u niet menen.'

'Dat meen ik absoluut. Het waren toen turbulente tijden in het Verre Oosten. De drugbendes die vanuit de Gouden Driehoek opereerden vochten een ongeorganiseerde, ongepubliceerde oorlog uit. Consuls, vice-consuls, politie, politici, misdaadbendes, grenspatrouilles — mensen hoog en laag op de maatschappelijke ladder — allen waren ze erbij betrokken. Geld in onvoorstelbare hoeveelheden was de moedermelk van de corruptie. Overal en altijd wanneer er een moord gepleegd werd die sterk in de publiciteit kwam — onafhankelijk van de omstandigheden of wie ervan beschuldigd werd — was Bourne ter plekke en eiste hij de moord voor zich op.'

'Hij *was* de moordenaar,' hield een verwarde McAllister vol. 'De tekenen waren er, *zijn* tekenen. Iedereen wist dat!'

'Iedereen nam dat *aan*, meneer de onderminister. Een spottend telefoontje naar de politie, een stukje kleding dat via de post werd verzonden, een zwarte halsdoek die een dag later in de bosjes werd gevonden. Het maakte allemaal deel uit van de strategie.'

'De strategie? Waar hebt u het over?'

'Jason Bourne — de oorspronkelijke Jason Bourne — was een veroordeelde moordenaar, een vluchteling aan wiens leven een einde kwam door een kogel in zijn hoofd in een plaats die Tam Quan heette in de laatste maanden van de oorlog in Vietnam. Het was een terechtstelling in het oerwoud. De man was een verrader. Zijn lijk werd achtergelaten en verrotte, hij verdween eenvoudig. Een paar jaar later nam de man die hem executeerde zijn identiteit over voor een van onze projecten, een project dat bijna slaagde, dat had *moeten* slagen, maar dat van de rails liep.'

'Van de wat?'

'Dat uit de hand liep. Die man, die bijzonder moedige man, die voor ons onderdook en de naam 'Jason Bourne' drie jaar lang gebruikte, raakte gewond en het resultaat van die verwondingen was amnesie. Hij verloor zijn geheugen; hij wist niet wie hij was en evenmin wie hij hoorde te zijn.'

'Lieve *hemel*...'

'Hij zat tussen Scylla en Charybdis. Met behulp van een aan alcohol verslaafde arts aan de kust van de Middellandse Zee probeerde hij zijn leven te achterhalen, zijn identiteit, en ik ben bang dat hij daarin niet slaagde. *Hij* slaagde er niet in, maar de vrouw met wie hij bevriend raakte slaagde er wel in, ze is nu met hem getrouwd. Haar instinct was juist. Ze wist dat hij geen moordenaar was. Ze dwong hem ertoe zijn woorden na te gaan, zijn capaciteiten en uiteindelijk de contacten te leggen die hem weer bij ons terug zouden brengen. Maar wij, met het meest geperfectioneerde inlichtingenapparaat ter wereld gingen voorbij aan de menselijke factor. We spanden een valstrik om hem te doden...'

'Ik moet u in de rede vallen, excellentie,' zei Reilly.

'Waarom?' vroeg Havilland. 'Dat hebben we gedaan en wat ik nu zeg komt niet op de band.'

'Eén enkel persoon nam dat besluit, niet de Verenigde Staten. Dat moet duidelijk gesteld worden, meneer.'

'Goed dan,' stemde de diplomaat met een hoofdknik in. 'Hij heette Conklin, maar dat doet er niet toe, John. Mensen die voor de regering werkten deden eraan mee. Het gebeurde.'

'Regeringsmensen hielpen ook mee zijn leven te redden.'

'Nadat het kwaad al was geschied,' mompelde Havilland.

'Maar *waarom?*' vroeg McAllister, nu boog hij zich voorover, gebiologeerd door het bizarre verhaal. 'Hij was één van ons. Waarom zou iemand hem willen vermoorden?'

'Zijn geheugenverlies werd voor iets anders aangezien. Men geloofde ten onrechte dat hij was overgelopen, dat hij drie van zijn beheerders had vermoord en er vandoor was gegaan met een heleboel geld — regeringsgelden, van in totaal bijna vijf miljoen dollar.'

'Vijf *miljoen*...?' De onderminister liet zich stomverbaasd terugzakken in zijn fauteuil. 'Hij beschikte *persoonlijk* over dat soort bedragen?'

'Ja,' zei de ambassadeur. 'Ook dat maakte deel uit van de strategie, deel van het project.'

'Ik neem aan dat hierover moet worden gezwegen. Over het project bedoel ik.'

'Dat is absoluut noodzakelijk,' antwoordde Reilly. 'Niet vanwege het project — ondanks alles wat er gebeurd is voelen we ons niet schuldig over die operatie — maar vanwege de man die we gerecruteerd hebben om Jason Bourne te worden, en zijn afkomst.'

'Dat is niet duidelijk.'

'Dat komt nog wel.'

'Het project, graag.'

Reilly keek Raymond Havilland aan, de diplomaat knikte en zei: 'We creëerden een killer om de meest gevaarlijke sluipmoordenaar in Euro-

22

pa uit zijn tent te lokken en te vangen.'
'Carlos?'
'Er ontgaat u niet veel, onderminister.'
'Er was verder toch niemand? In Azië werden Bourne en de Jakhals voortdurend met elkaar vergeleken.'
'Die vergelijkingen werden aangemoedigd,' zie Havilland. 'Ze werden vaak overdreven en verspreid door de strategen van het project, een groep die bekend stond als Treadstone Eenenzeventig. De naam kwam van een beveiligd huis aan 71st Street in New York waar de tot leven gewekte Jason Bourne werd opgeleid. Het was de commandopost en een naam die u hoort te onthouden.'
'Ik begrijp het,' zei McAllister nadenkend. 'Die vergelijkingen dus, die steeds talrijker werden naargelang de reputatie van Bourne toenam, dienden als een uitdaging voor Carlos. Toen verhuisde Bourne naar Europa, om de Jakhals op eigen terrein uit te dagen. Hem in het daglicht te dwingen zijn uitdager het hoofd te bieden.'
'Heel goed geredeneerd, onderminister. Dat was in kort bestek de strategie.'
'Het is fantastisch. Briljant eigenlijk, en je hoeft geen expert te zijn om dat in te zien. Ik ben het zeer zeker niet.'
'U kunt er altijd nog een worden...'
'En u zegt dat deze man die Bourne werd, de fictieve killer, drie jaar lang die rol speelde en toen gewond raakte...'
'Hij werd neergeschoten,' viel Havilland in de rede. 'Een deel van zijn hersenvlies werd geraakt.'
'En hij raakte zijn geheugen kwijt?'
'Totaal.'
'Mijn god!'
'Maar ondanks alles wat er met hem gebeurde, en met hulp van de vrouw — zij was overigens een econome verbonden aan de Canadese regering — scheelde het maar heel weinig of hij had het hele zootje voor elkaar gekregen. Een merkwaardig verhaal, vindt u niet?'
'Het is ongelooflijk. Maar wat voor man wilde dit doen, kon dit doen?'
De roodharige John Reilly kuchte zacht; de ambassadeur keek hem even aan en zweeg verder. 'We komen nu bij de kern van de zaak,' zei de waakhond en hij verschoof weer even zijn grote lijf om McAllister aan te kijken. 'Als u maar de minste twijfel hebt kunt u nu nog terug.'
'Ik probeer niet in herhalingen te vallen. U hebt uw geluidsband.'
'U bent de man die eetlust heeft.'
'Ik neem aan dat dat een manier van jullie is om te zeggen dat er misschien helemaal geen rechtszaak van komt.'
'Zoiets zult u van mij nooit horen.'
McAllister slikte even en keek in de rustige ogen van de veiligheidsraadman. Hij draaide zich naar Havilland. 'Gaat u alstublieft verder, excel-

lentie. Wie is die man? Waar kwam hij vandaan?'

'Zijn naam is David Webb. Hij is op het ogenblik lector in oosterse wetenschappen aan een kleine universiteit in Maine en getrouwd met de Canadese vrouw die hem letterlijk de weg heeft gewezen uit zijn doolhof. Zonder haar zou hij vermoord zijn, maar zonder *hem*, daarentegen, zou zij al lang een lijk zijn geweest in Zürich.'

'Merkwaardig,' zei McAllister, nauwelijks hoorbaar.

'Waar het om gaat is dat ze zijn tweede vrouw is. Zijn eerste huwelijk eindigde op een tragische manier door een wrede slachtpartij, daar begon zijn geschiedenis voor ons. Een aantal jaren geleden was Webb een jonge employé van de buitenlandse dienst in Phnom Penh, een briljante specialist in oosterse zaken, die een aantal oosterse talen vloeiend sprak en die getrouwd was met een meisje uit Thailand dat hij op de hogeschool had ontmoet. Ze woonden in een huis aan de oever van een rivier en hadden twee kinderen. Voor zo'n man was het een ideaal leven. Het combineerde de deskundigheid die Washington nodig had met de kans voor hem in zijn eigen museum te wonen. Toen breidde de oorlog in Vietnam zich uit en op een morgen dook één enkele straaljager omlaag tot vlak boven de grond en nam zijn vrouw en kinderen onder vuur terwijl ze speelden in het water. Niemand weet precies tot welk van de twee partijen het toestel behoorde, maar niemand heeft dat tegen Webb gezegd. Hun lichamen werden doorzeefd met kogels. Ze dreven de oever op toen Webb probeerde hen te bereiken, hij sloeg zijn armen om hen heen terwijl hij hulpeloos gilde naar het vliegtuig dat boven hem verdween.'

'Wat *afschuwelijk*,' fluisterde McAllister.

'Vanaf dat moment werd Webb een ander mens. Hij werd iemand die hij nooit eerder was geweest, die hij in zijn ergste dromen nooit kon worden. Hij werd een guerrillastrijder die bekend stond als Delta.'

'Delta?' vroeg de onderminister. 'Een guerrilla...? Ik geloof niet dat ik dat begrijp.'

'Dat zou u ook niet kunnen.' Havilland keek Reilly aan en toen weer naar McAllister. 'Zoals John net zei komen we nu bij de echte kern van de zaak. Webb vloog naar Saigon, wit van woede, en sloot zich daar aan bij een team voor geheime operaties, dat Medusa heette. Ironisch genoeg deed hij dat via de CIA-employé Conklin, de man die hem jaren later probeerde te doden. De mensen in Medusa gebruikten nooit namen, alleen de letters van het Griekse alfabet. Webb werd Delta Eén.'

'*Medusa?* Daar heb ik nog nooit van gehoord.'

'Dat is de bodem van de put,' zei Reilly. 'Het Medusa-dossier is nog steeds geheim, maar in dit geval hebben we de geheimhouding gedeeltelijk opgeheven. De Medusa-eenheden bestonden uit een verzameling mensen van allerlei nationaliteiten die zowel het noorden als het zuiden van Vietnam door en door kenden. Eerlijk gezegd waren de meesten

24

misdadigers, smokkelaars in drugs, goud, wapens, juwelen, alles wat maar te smokkelen viel. Er waren ook veroordeelde moordenaars bij, vluchtelingen die bij verstek ter dood waren veroordeeld... en een paar planters wier bedrijven geconfisceerd waren, ook in hun geval aan beide zijden. Ze rekenden op ons – hun suikeroompje – om al hun problemen op te lossen, als zij vijandig gebied infiltreerden, verdachte Viet Cong-collaborateurs en dorpshoofden van wie men vermoedde dat ze heulden met de vijand vermoordden, en ook krijgsgevangenen hielpen ontsnappen waar ze maar konden. Er werden fouten gemaakt, er is voor miljoenen gejat en het merendeel van dat soort militairen zou nooit worden toegelaten in een geciviliseerd leger, Webb ook niet.'
'Hij werd vrijwillig lid van zo'n groep, met zijn achtergrond en zijn academische graad?'
'Hij had een motief dat hem nooit losliet,' zei Havilland. 'Wat hem betrof was dat toestel in Phnom Penh een Noordvietnamees.'
'Sommigen zeiden dat hij hartstikke gek was,' vervolgde Reilly. 'Anderen hielden vol dat hij een meesterlijk tacticus was, de ideale guerrilla die de oosterse mentaliteit kende en die de meest agressieve ploegen in Medusa aanvoerde, gevreesd zowel door het hoofdkwartier in Saigon als door de vijand. Niemand kon hem de baas; hij volgde alleen zijn eigen regels. Het was alsof hij een persoonlijke jacht had ontketend om de man op te sporen die dat toestel had gevlogen en zijn leven had verwoest. Het werd zijn oorlog, hij moest zijn woede koelen. Hoe gewelddadiger het werd, des te bevredigender was het voor hem – of des te meer misschien voldeed hij aan zijn eigen vernietigingsdrang.'
'Vernietiging...?' De onderminister liet het woord in de lucht hangen.
'Zo dachten de meesten erover in die tijd,' viel de ambassadeur in de rede.
'Het einde van de oorlog,' zei Reilly, 'was voor Webb – of Delta – even rampzalig als voor de rest van ons. Misschien nog erger; voor hem was er niets meer. Geen doel, niets om zijn woede op te koelen, om te doden. Totdat wij hem benaderden en hem een reden gaven om verder te leven. Of misschien een reden verder te trachten de dood te zoeken.'
'Door Bourne te worden en achter Carlos de Jakhals aan te gaan,' maakte McAllister de zin af.
'Ja,' stemde de inlichtingenman in. Even was het stil.
'We hebben hem opnieuw nodig,' zei Havilland. De zacht uitgesproken woorden klonken als de klap van een bijl op hard hout.
'Is Carlos weer voor de dag gekomen?'
De diplomaat schudde zijn hoofd. 'Niet in Europa. We hebben hem weer in Azië nodig en er valt geen minuut te verliezen.'
'Iemand anders? Een ander... doelwit?' McAllister slikte onwillekeurig. 'Hebt u met hem gesproken?'
'We kunnen hem niet benaderen. Niet rechtstreeks.'

25

'Waarom niet?'

'Hij zou de deur niet eens opendoen voor ons. Hij wantrouwt alles en iedereen uit Washington en je kunt hem dat moeilijk kwalijk nemen. Dagenlang, wekenlang riep hij om hulp en wij luisterden niet. Integendeel, we probeerden hem te vermoorden.'

'Ik moet opnieuw protesteren,' kwam Reilly tussenbeide. 'Wij waren het niet. Het was één enkele persoon die handelde op basis van foutieve informatie. En de regering geeft momenteel meer dan vierhonderdduizend dollar per jaar uit om Webb te beschermen.'

'En daar lacht hij om. Volgens hem is het alleen maar een valstrik achteraf voor Carlos, voor geval de Jakhals hem weet op te sporen. Hij is ervan overtuigd dat jullie geen barst om hem geven en ik weet nog niet zo zeker of hij daarin niet een beetje gelijk heeft. *Hij* heeft Carlos gezien en het feit dat het gezicht nog niet terug is in zijn herinnering is Carlos niet bekend. De Jakhals heeft alle redenen om achter Webb aan te gaan. En als hij dat doet krijgen jullie je tweede kans.'

'De *kansen* dat Carlos hem vindt zijn zo klein dat je ze praktisch kunt vergeten. De Treadstone-dossiers zijn begraven en zelfs als ze dat niet waren staat er geen recente informatie in over wie Webb is of wat hij doet.'

'Toe nou, meneer Reilly,' zei Havilland kregelig. 'Alleen al zijn achtergrond en zijn capaciteiten. Hoe moeilijk zou het zijn? Hij is een wetenschapsman in hart en nieren.'

'Ik spreek u niet tegen, excellentie,' antwoordde Reilly wat minder fel. 'Ik wil de situatie alleen maar duidelijk maken. Laten we eerlijk zijn, Webb moet heel voorzichtig worden aangepakt. Hij heeft een groot deel van zijn geheugen terug, maar zeker nog niet alles. Maar hij heeft zich genoeg over Medusa herinnerd om een behoorlijke bedreiging te vormen voor de nationale belangen.'

'Op wat voor manier?' vroeg McAllister. 'Het was misschien niet de beste strategie en waarschijnlijk was het ook niet de slechtste, maar in de grond genomen was het een militaire strategie in een tijd van oorlog.'

'Een strategie die niet was goedgekeurd, die nergens vastlag en waar niemand voor uitkwam. Er bestaat geen officieel dossier van.'

'Hoe is dat nu mogelijk? Er was *geld* voor en als er geld wordt uitgegeven . . .'

'U hoeft mij de les niet te lezen,' viel de dikke inlichtingenman hem in de rede. 'We worden niet opgenomen, maar ik heb uw geluidsband.'

'Is dat uw antwoord?'

'Nee, dit is mijn antwoord: er bestaat geen decreet dat beperkingen oplegt aan oorlogsmisdaden en moord, onderminister, en moord en andere geweldsmisdaden werden bedreven zowel tegen onze eigen troepen als tegen bevriende militairen. Over het algemeen werden ze bedreven door dieven en moordenaars terwijl ze bezig waren met stelen, plunderen, verkrachten en moorden. De meesten van hen waren pathologische misdadigers. Hoe effectief Medusa op vele manieren ook was, het was een tragische vergissing die voortkwam uit woede en frustratie in een patstelling. Wat voor goeds kan het nu doen als we oude wonden gaan openrijten? Nog afgezien van de vorderingen aan ons adres zouden we in de ogen van het grootste deel van de beschaafde wereld niets anders zijn dan paria's.'

'Zoals ik al zei,' sprak McAllister zacht, weifelend. 'Op BZ geloven wij niet in het openrijten van wonden.' Hij wendde zich tot de ambassadeur. 'Ik begin het te begrijpen. U wilt dat ik contact opneem met die David Webb en hem bepraat om terug te keren naar Azië. Voor een ander project, een ander doelwit, al moet ik zeggen dat ik nog nooit eerder in mijn leven dat woord in dit verband heb gebruikt. En ik neem aan dat een van de redenen is dat er parallellen te trekken zijn tussen onze vroegere carrières: wij waren specialisten over Azië. Wij hebben waarschijnlijk meningen waar het het Verre Oosten betreft en u denkt dat hij naar mij zal luisteren.'

'Uiteindelijk wel.'

'Toch zegt u dat hij niks met ons te maken wil hebben. Daar houdt mijn begrip op. Hoe kan ik het dan doen?'

'We zullen het samen doen. Wij zullen nu de regels vaststellen, zoals hij dat vroeger voor zichzelf deed.'

'Vanwege een man die u vermoord wilt zien?'

'Uit de weg geruimd is voldoende. Het moet gebeuren.'

'En Webb kan dat?'

'Nee. *Jason Bourne* kan het. We hebben hem alleen op pad gestuurd, drie jaar lang, onder een uitzonderlijke druk — ineens was hij zijn geheugen kwijt en hij werd opgejaagd als een dier. Maar toch bleef hij in staat om te infiltreren en te doden. Ik zeg het nu heel cru.'

'Dat begrijp ik. Aangezien er niets op band wordt vastgelegd — en voor het geval dat het toch zo is...' De onderminister keek afkeurend naar Reilly, die zijn hoofd schudde en zijn schouders ophaalde. 'Mag ik weten wie het doelwit is?'

'Dat mag u, en ik wil dat u die naam goed in uw geheugen prent, onderminister. Het is een Chinese minister van Staat, Sheng Chou Yang.'

McAllister werd rood van kwaadheid. 'Die naam *hoef* ik niet in mijn geheugen te prenten en volgens mij *weet* u dat. Hij was een belangrijke figuur in de economische groep in de Volksrepubliek en eind jaren zeventig hebben we beiden deelgenomen aan de handelsbesprekingen in Peking. Ik heb over hem gelezen, hem geanalyseerd. Sheng was mijn tegenpool en ik moest dat wel doen — en ik vermoed dat u dat ook weet.'

'O?' De grijsharige ambassadeur trok zijn donkere wenkbrauwen op en ging niet in op het verwijt. 'En wat hebt u door dat lezen geleerd? Wat bent u over hem te weten gekomen?'

'Hij werd voor zeer intelligent gehouden, zeer ambitieus, maar dat is wel duidelijk uit zijn carrière in Peking. Hij werd een paar jaar geleden ontdekt door talentenjagers van het Centrale Comité aan de Fudan Universiteit in Sjanghai. Aanvankelijk omdat hij zo vloeiend Engels leerde spreken en een diep, zelfs geraffineerd inzicht had in de westerse economie.'

'Wat nog meer?'

'Hij werd beschouwd als een veelbelovende jongeman en na grondige indoctrinatie werd hij naar de Londense School of Economics gestuurd om daar af te studeren. Dat is een deel van hem geworden.'

'Wat bedoelt u?'

'Sheng is een toegewijd Marxist wat betreft de centralisatie van de staat, maar hij heeft een heilig respect voor kapitalistische winst.'

'Zo,' zei Havilland. 'Dan accepteert hij dus de mislukking van het Sovjetsysteem?'

'Hij weet die mislukking aan de Russische neiging tot corruptie en blinde gehoorzaamheid in de hogere rangen en aan alcoholmisbruik in de lagere rangen. Het moet hem worden meegegeven dat hij heel wat van die misstanden heeft uitgeroeid in de industriële centra.'

'Het klinkt alsof hij bij IBM is opgeleid, nietwaar?'

'Hij is verantwoordelijk geweest voor een groot deel van het nieuwe handelsbeleid van de Volksrepubliek. Hij heeft veel geld verdiend voor China.'

Opnieuw boog de onderminister van BZ zich voorover in zijn stoel, met gespannen blik en een verwarde uitdrukking op zijn gelaat, verbijsterd beschreef het misschien nog beter. 'Mijn *god,* waarom zou *iemand* in het Westen Sheng dood willen zien? Het is *absurd!* Hij is onze economische bondgenoot, een man die voor politiek evenwicht zorgt in de grootste natie ter wereld die ideologisch onze tegenstander is! Via hem en mannen zoals hij hebben we overeenstemming bereikt. Zonder hem, welke koers we ook volgen, lopen we het risico een ramp over ons af te roepen. Ik ben een professioneel analyticus van China, excellentie, en ik herhaal: wat u voorstelt is absurd. Een man van uw kaliber zou zoiets moeten inzien, eerder dan wie van ons ook!'

De oudere diplomaat keek de man die hem beschuldigde strak aan en toen hij sprak, sprak hij langzaam en koos zorgvuldig zijn woorden. 'Daarnet stonden we de aan de kern van de zaak. Een vroegere employé van de buitenlandse dienst, die David Webb heet, werd Jason Bourne met een bepaald doel. In het omgekeerde geval is Sheng Chou Yang niet de man die u kent, niet de man die u bestudeerd hebt als uw tegenpool. Hij *werd* die man met een bepaald doel.'

'Waar hebt u het eigenlijk over?' stribbelde McAllister tegen. 'Alles wat ik heb gezegd is vastgelegd – er bestaan *dossiers* van, officiële, de meeste strikt geheim tot topgeheim.'

'*Topgeheim?*' vroeg de vroegere ambassadeur mat. 'Terwijl allerlei mensen het horen, allerlei mensen erover kletsen – even druk als een stelletje vrouwen in een naaikransje? Omdat er een officieel stempel is geplaatst op vastgelegde waarnemingen, waargenomen door mannen die er geen idee van hebben waar die verslagen vandaan komen – ze zijn er gewoon, en dat is genoeg. Nee, onderminister, het is niet genoeg, dat is het nooit.'

'U hebt kennelijk informatie gekregen die ik niet heb,' zei de man van BZ kil. 'Als het tenminste juiste informatie is en geen valse. De man die ik beschreef, de man die ik gekend heb, is Sheng Chou Yang.'

'Net zoals de David Webb die wij u beschreven Jason Bourne was?... Nee, wordt nu alstublieft niet boos, ik speel geen spelletje. Het is belangrijk dat u het begrijpt. Sheng is niet de man die u kende. Dat is hij nooit geweest.'

'Wie heb ik *dan* gekend? Wie *was* de man bij die besprekingen?'

'Hij is een verrader, onderminister. Sheng Chou Yang is een verrader van zijn land, en wanneer zijn verraad aan het licht wordt gebracht – en dat zal het zeker – zal Peking de verantwoordelijkheid afschuiven op de schouders van de vrije wereld. De gevolgen van die onvermijdelijke dwaling zijn onvoorstelbaar. Maar er bestaat geen twijfel aan zijn doelstelling.'

'Sheng... een *verrader?* Ik *geloof* u niet! Ze liggen in Peking aan zijn voeten! Op een dag zal hij Voorzitter zijn!'

'Dan zal China worden geregeerd door een nationalistische fanatiekeling wiens ideologische wortels in Taiwan liggen.'

'U bent gek, u bent absoluut *gek!* Wacht eens even, u zei dat hij een doel had... "er bestaat geen twijfel aan zijn doelstelling", zei u.'

'Hij en zijn mensen zijn van plan Hongkong over te nemen. Hij is in het geheim een economische coup aan het voorbereiden, waarbij alle handel, alle financiële instellingen van de kolonie onder het beheer worden gebracht van een "neutrale" commissie, een coördinatiecentrum dat is goedgekeurd door Peking – dat wil zeggen goedgekeurd door hem. Het instrument daartoe voor het oog van de buitenwereld zal het Britse verdrag zijn dat in 1997 afloopt, zijn commissie zal een zogenaamd redelijk voorspel zijn voor annexatie en overheersing. Dat zal gebeuren wanneer de weg vrij is voor Sheng, wanneer er geen hindernissen op zijn weg liggen. Wanneer hij alleen het voor het zeggen heeft in economische zaken. Dat zou over een maand kunnen zijn, of over twee maanden. Of volgende week.'

'Denkt u dat Peking het daarmee *eens* is?' protesteerde McAllister. 'U vergist u! Het is... het is gewoon *krankzinnig!* De Volksrepubliek zal zich nooit op die manier met Hongkong bemoeien! Zestig procent van haar totale economie loopt via de kolonie. Het China-akkoord garandeert vijftig jaar de status van een vrije economische zone en Sheng

heeft dat mede ondertekend, hij was de belangrijkste!'
'Maar Sheng is Sheng niet, niet zoals u hem kent.'
'Wie is hij, verdomme, dan wel?'
'Houd u vast, onderminister. Sheng Chou Yang is de eerste zoon van een industrieel uit Sjanghai die zijn fortuin heeft gemaakt in de corrupte wereld van het oude China, de Kwomintang van Tsjiang K'ai-sjek. Toen het duidelijk was dat Mao's revolutie zou lukken is de familie gevlucht, zoals zovele landheren en krijgsheren vluchtten, met alles wat ze konden meenemen. De vader is nu een van de machtigste taipans in Hongkong, alleen weten we niet welke. De kolonie zal een mandaatgebied worden voor hem en zijn familie, dankzij een minister in Peking, zijn meest geliefde zoon. Het is de uiterste ironie, de finale wraak van de patriarch: Hongkong zal worden geregeerd door precies dezelfde mensen die het Nationalistische China corrupt hebben gemaakt. Jaren achtereen hebben ze hun land gewetenloos uitgezogen, geprofiteerd van het zwoegen van een hongerende bevolking zonder rechten en de weg bereid voor Mao's revolutie. En hoewel dat klinkt als communistisch gezwets, ben ik bang dat het voor het merendeel maar al te waar is. Een handvol fanatiekelingen, gewetenloze toplui uit het bedrijfsleven die worden aangevoerd door een maniak, wil nu terughebben wat geen Internationaal Hof hun ooit van hun leven zou teruggeven.' Havilland zweeg even en stootte toen één enkel woord uit: *'Maniakken!'*
'Maar als u niet weet wie die taipan is, hoe weet u dan dat dit allemaal waar is?'
'De bronnen zijn absoluut geheim,' onderbrak Reilly, 'maar ze zijn bevestigd. Het verhaal werd het eerst opgevangen in Taiwan. Onze oorspronkelijke informant was een lid van het nationalistische kabinet die dit een catastrofale koers vond die alleen zou eindigen in een bloedbad voor heel het Verre Oosten. Hij smeekte ons er een einde aan te maken. De volgende morgen werd hij dood aangetroffen, drie kogels in zijn hoofd en zijn keel afgesneden... de Chinese manier om af te rekenen met een verrader. Sedertdien zijn er nog vijf mensen vermoord en hun lichamen waren op dezelfde manier verminkt. Het is waar. Het komplot is springlevend en de bron is Hongkong.'
'Het is *waanzin!*'
'Meer ter zake,' zei Havilland, 'het zal nooit slagen. Als het ook maar even een kans had zouden wij misschien de andere kant opkijken en ze zelfs veel succes wensen, maar het kan niet slagen. De zaak zal uit elkaar klappen, zoals het complot van Lin Biao tegen Mao Zedong uit elkaar is geklapt in 1972, en wanneer dat gebeurt zal Peking de schuld op Amerika schuiven en op de financiële wereld in Taiwan onder één hoedje met de Engelsen – met het stilzwijgende goedvinden van de leidende financiële instellingen in de wereld. Acht jaar van economische vooruitgang zullen naar de kloten zijn omdat een groepje fanatiekelingen

wraak wil nemen. U hebt het zelf gezegd, onderminister, de Volksrepubliek is een wantrouwige, turbulente natie − en als u zegt dat ik zo deskundig ben, laat me daaraan dan iets toevoegen − het is een regering die snel aan achtervolgingswaanzin lijdt, die geobsedeerd wordt door verraad zowel van binnenuit als van buitenaf. China zal geloven dat de wereld erop uit is haar economisch te isoleren, haar af te snijden van de wereldmarkten en haar op haar knieën te brengen terwijl de Russen grijnzend toekijken vanachter de noordelijke grenzen. Ze zal snel en furieus van zich afslaan, alles confiskeren, alles opslokken. Haar leger zal Kowloon bezetten, het eiland en heel het nu opbloeiende gebied van de *New Territories*. Investeringen van triljoenen dollars zullen verloren gaan. Zonder de deskundigheid van de kolonie zal de handel verzanden, een beroepsbevolking van miljoenen zal in chaos komen te verkeren, honger en ziekte zullen overal om zich heengrijpen. Het Verre Oosten zal in vlammen opgaan en het resultaat zou het begin kunnen zijn van een oorlog waaraan niemand van ons wil denken.'

'Jezus christus,' fluisterde McAllister. 'Dat mag niet gebeuren.'

'Dat mag het zeker niet,' stemde de diplomaat in.

'Maar waarom *Webb?*'

'Niet Webb,' verbeterde Havilland. 'Jason Bourne.'

'Goed dan! Waarom *Bourne?*'

'Omdat we vanuit Kowloon horen dat hij daar al is.'

'*Wat?*'

'En we weten dat dat niet waar is.'

'*Wat* zei u daar?'

'Hij heeft toegeslagen. Hij heeft gemoord. Hij is weer in Azië.'

'*Webb?*'

'Nee, Bourne. De mythe.'

'U slaat nu de grootst mogelijke onzin uit!'

'Ik kan u verzekeren dat Sheng Chou Yang niets met onzin te maken heeft.'

'*Hoe?*'

'Hij heeft hem teruggehaald. De vaardigheden van Jason Bourne zijn opnieuw te huur en, zoals altijd, is het onmogelijk zijn opdrachtgever te vinden − in dit geval de meest onwaarschijnlijke opdrachtgever die je je maar kunt voorstellen. Een vooraanstaand zegsman voor de Volksrepubliek die zijn tegenstanders zowel in Peking als in Hongkong uit de weg moet ruimen. De laatste zes maanden is er een aantal machthebbende stemmen in het Centrale Comité van Peking vreemd stil geweest. Volgens officiële regeringsbekendmakingen zijn er enkelen gestorven en gezien hun leeftijd is dat niet zo vreemd. Twee anderen zijn klaarblijkelijk omgekomen bij ongevallen, eentje bij een vliegtuigongeluk, eentje, haast niet te geloven, door een hersenbloeding terwijl hij een wandeltocht maakte in de Shaoguan Bergen; als het niet waar is, is het in elk geval mooi verzonnen. Verder is er nog één overgeplaatst, dat is een eu-femisme voor in ongenade vallen. Ten slotte, en dat is het meest vreem-de, werd de vice-premier van de Volksrepubliek in Kowloon vermoord terwijl niemand in Peking wist dat hij daar was. Het was afschuwelijk, vijf man afgeslacht in de Tsim Sha Tsui, waarbij de moordenaar zijn visitekaartje achterliet. De naam 'Jason Bourne' was in bloed op de vloer geschreven. Het ego van een bedrieger vereiste dat hij de eer kreeg voor zijn moorden.'

McAllister knipperde een paar keer met zijn ogen en zijn blik zwierf door het vertrek. 'Dit gaat mijn verstand helemaal te boven,' zei hij hul-peloos. Toen werd hij weer de harde beroepsman en keek Havilland strak aan. 'Is er verband?' vroeg hij.

De diplomaat knikte. 'De rapporten van onze inlichtingendienst spre-ken klare taal. Al die mensen waren tegenstanders van Shengs beleid, sommigen openlijk, anderen meer in het verborgene. De vice-premier, een oude revolutionair en een veteraan van Mao's Lange Mars, wond er helemaal geen doekjes om. Hij kon die naar boven gevallen Sheng niet uitstaan. Maar wat deed hij stiekem in Kowloon bij een stelletje bankiers? Peking weet daar geen antwoord op en om 'gezichtsverlies' te voorkomen heeft die moordpartij gewoon nooit plaatsgevonden. Na de crematie bestond hij eenvoudig niet meer.'

'En het "visitekaartje" van de moordenaar — die in bloed geschreven naam — is het tweede verband met Sheng,' zei de onderminister, met een stem die bijna trilde, terwijl hij nerveus over zijn voorhoofd streek. 'Waarom zou hij dat doen? Zijn *naam* achterlaten bedoel ik!'

'Hij doet weer zaken en het was een spectaculaire moord. Begint u het nu te begrijpen?'

'Ik begrijp niet goed wat u bedoelt.'

'Voor ons is deze nieuwe Bourne een rechtstreekse route naar Sheng Chou Yang. Hij is onze valstrik. Een indringer geeft zich uit voor de mythe, maar als de oorspronkelijke mythe de indringer opspoort en ver-wijdert, kan hij Sheng bereiken. Het is eigenlijk heel eenvoudig. De Ja-son Bourne die wij hebben geschapen zal de plaats innemen van die nieuwe killer en zijn naam gebruiken. Is hij eenmaal in positie dan stuurt *onze* Jason Bourne een dringend, alarmerend bericht uit — er is iets ingrijpends gebeurd dat alle plannen van Sheng in gevaar brengt — en Sheng moet wel reageren. Hij kan zich niet veroorloven dat niet te doen, want zijn veiligheid moet absoluut gewaarborgd zijn, zijn handen moet hij schoonhouden. Hij zal gedwongen worden voor de dag te ko-men, al was het alleen maar om zijn huurmoordenaar om zeep te bren-gen, om elk verband uit te wissen. Als hij dat doet zullen we hem einde-lijk te pakken krijgen.'

'Het is een cirkel,' zei McAllister. Zijn woorden klonken bijna fluiste-rend terwijl hij de diplomaat aanstaarde. 'En te oordelen naar alles wat u me verteld hebt zal Webb er ver vandaan blijven, er nooit aan deelnemen.'

'Dan moeten we zorgen dat er voor hem een onweerstaanbare reden is het wel te doen,' zei Havilland zacht. 'In mijn beroep, en eerlijk gezegd is het altijd mijn beroep geweest, zijn we altijd op zoek naar modellen, modellen die een man zullen motiveren.' Met diepe rimpels in zijn voorhoofd en ogen die hol en leeg keken, leunde de oudere ambassadeur achterover in zijn stoel; hij was verre van gelukkig met zichzelf. 'Soms zijn dat afschuwelijke gewaarwordingen, weerzinwekkend zelfs, maar je moet je houden aan het grootste goed, het grootste profijt. Voor iedereen.'

'Daar word ik geen cent wijzer van.'

'David Webb had maar één diepgaande reden om Jason Bourne te worden — dezelfde reden die hem naar Medusa dreef. Een vrouw werd hem ontnomen; zijn kinderen en de moeder van zijn kinderen werden gedood.'

'O, mijn *god*...'

'Nu moest ik maar eens opstappen,' zei Reilly terwijl hij overeind kwam uit zijn stoel.

3

Marie! O, mijn god, Marie, het is weer zover! Er is een sluisdeur opengesprongen en ik kon het niet tegenhouden. Ik heb het geprobeerd, schat, ik heb alles gedaan wat ik kon maar ik ben nu total loss — ik ben meegesleept en ik verdronk! Ik weet wat je zeggen zult wanneer ik het je vertel, en daarom zal ik het je niet vertellen, al zul je het zien in mijn ogen, horen in mijn stem, op wat voor manier ook, zoals jij alleen dat kunt. Je zult zeggen dat ik naar huis had moeten komen om met je te praten, bij je te zijn en dan konden we het samen de baas worden. Samen! Mijn god! Hoeveel kun je aan? Het is niet eerlijk wat ik doe en hoe lang kan dat zo doorgaan? Ik hou zoveel van je, in zoveel opzichten, en er zijn tijden dat ik het zelf moet oplossen. Al was het alleen maar om jou een tijdje de vrijheid te geven, je vrij te laten ademhalen zonder dat je zenuwen volkomen bloot komen te liggen terwijl je voor me zorgt. Maar weet je, schat, ik kan het echt! Ik heb het vanavond gedaan en alles is nu goed met me. Ik ben nu rustiger geworden, alles is goed met me. En nu zal ik bij je terugkomen als een beter mens dan ik was. Dat moet ik, want zonder jou heb ik helemaal niets meer.

Met een gezicht dat droop van het zweet en een sporttenue dat plakte aan zijn lijf, liep David Webb buiten adem over het kille gras van het donkere sportterrein, langs de open tribunes en via het betonnen pad naar het sportlokaal van de universiteit. De herfstzon was verdwenen achter de stenen gebouwen op de campus. Haar gloed zette de vroege avondhemel in vlammen terwijl ze zweefde boven de verre bossen in Maine. De herfst-kilte was doordringend, hij huiverde. Dat was niet de bedoeling van de artsen geweest.

Toch had hij het advies van de doktoren maar opgevolgd; het was weer zo'n dag geweest. De overheidsartsen hadden hem gezegd: als er tijden waren — en die tijden zouden er komen — wanneer ineens verwarrende beelden of flarden uit zijn herinnering opkwamen in zijn geheugen, de beste manier om dat aan te pakken inspannende lichaamsbeweging zou zijn. Zijn ECG-kaarten toonden aan dat hij een gezond hart had, be-hoorlijke longen, al was hij dwaas genoeg om te roken, en aangezien zijn lichaam de afstraffing kon verdragen, was het de beste manier om zijn geest tot kalmte brengen. Op zulke momenten had hij alleen maar gemoedsrust nodig.

'Wat is er verkeerd aan een paar borrels en sigaretten?' had hij tegen zijn artsen gezegd, daarmee aangevend waar zijn voorkeur lag. 'Het hart klopte sneller, het lichaam lijdt er niet van en de geest komt zeker veel meer tot rust.'

'Het zijn kalmerende middelen,' was het antwoord geweest van de enige man naar wie hij luisterde. 'Kunstmatige prikkels die alleen maar leiden tot verdere depressie en grotere onrust. Ga hardlopen, of zwemmen, of ga met je vrouw naar bed — of met iemand anders wat mij betreft. Je bent hartstikke gek als je hier weer terug zou komen als een hopeloos geval... Denk niet aan jezelf, denk maar eens aan mij. Ik heb me de pleuris gewerkt op jou, ondankbare hond. Maak dat je hier wegkomt, Webb. Pak je leven weer op — voor zover je het je herinnert — en ge-niet ervan. Je hebt het beter dan de meeste mensen en dat kun je maar beter goed onthouden, anders hou ik op met onze maandelijkse braspartijen in de kroegen van jouw keuze en dan kun je naar de kloten lopen. En hoe beroerd jij het ook zou hebben, toch zou ik die kroegen missen... Ga nou maar, David. Het wordt tijd dat je ophoepelt.'

Morris Panov was behalve Marie de enige naar wie hij luisterde. Eigen-lijk was dat ironisch want aanvankelijk had Mo niet behoord tot de groep van overheidartsen; de psychiater was er niet bijzonder happig op geweest door de vereiste veiligheidsmangel gehaald te worden om te kunnen luisteren naar de geheime bijzonderheden van David Webbs achtergrond waar de leugen van Jason Bourne begraven lag. Toch had Panov zich met geweld een weg naar binnen gebaand, door te dreigen met allerlei gênante bekendmakingen als hij dat veiligheidsfiat niet kreeg en niet betrokken werd bij de therapie. Zijn redenatie was eenvou-dig. Toen het geen haar had gescheeld of David was van de aardbodem gevaagd door verkeerd ingelichte mensen, ervan overtuigd dat hij moest sterven, was die verkeerde informatie, buiten diens weten van Panov af-

34

komstig geweest en de manier waarop die informatie hem ontfutseld was had hem witheet gemaakt. Hij was in paniek benaderd door iemand die niet gauw in paniek raakte en men had hem 'hypothetische' vragen gesteld die betrekking hadden op een mogelijk op hol geslagen geheim agent in een potentieel explosieve situatie. Zijn antwoorden waren beheerst en weifelend geweest; over een patiënt die hij nog nooit had gezien kon en wilde hij geen diagnose stellen — maar ja, dit was mogelijk en dat kwam wel vaker voor, maar hij kon natuurlijk niets voor vaststaand aannemen zonder fysiek en psychisch onderzoek. Het sleutelwoord daarbij was *niets*; hij had *helemaal niets* moeten zeggen! beweerde hij later. Want wat hij zo onder voorbehoud had gezegd tegen amateurs, had tot het bevel geleid voor Webbs executie — het doodvonnis voor 'Jason Bourne' — een daad die pas op het allerlaatste moment door Davids eigen actie werd verhinderd, terwijl het executiepeloton zijn verborgen schuilplaats al had ingenomen.

Morris Panov had zich niet alleen gevoegd bij het team in het Walter Reed Hospital, en later in het medische centrum in Virginia, maar hij had ook letterlijk de regie voor de show overgenomen — Webbs show. *De rotzak heeft amnesie, kloothommels die jullie zijn! Al wekenlang probeert hij jullie dat in volkomen klare taal aan jullie verstand te peuteren, een taal die naar ik vermoed te simpel is voor jullie gecompliceerde mentaliteit.*

Maandenlang hadden ze samengewerkt, als patiënt en dokter — en ten slotte als vrienden. Het hielp dat Marie Mo aanbad — mijn hemel, zij kon wel een bondgenoot gebruiken! David was voor zijn vrouw een verschrikkelijk zware last geweest, vanaf die eerste dagen in Zwitserland toen ze de pijn begon te begrijpen in het binnenste van de man die haar gevangen genomen had, tot het moment toen ze het op zich nam — onder heftig tegenstribbelen van zijn kant — hem te gaan helpen; nooit geloofde ze wat hij zelf geloofde, steeds maar weer trachtte ze hem bij te brengen dat hij niet de killer was die hij dacht te zijn, niet de sluipmoordenaar die anderen zeiden dat hij was. Haar geloof werd een anker in die kolkende zee van hem, haar liefde werd de kern van zijn langzaam weer ontluikende geestelijke gezondheid. Zonder Marie was hij een man zonder liefde, een lang vergeten dode, en zonder Mo Panov zou hij nu alleen nog maar een beetje vegeteren.

Maar met beiden achter zich kon hij de wervelende wolken verjagen en opnieuw de zon vinden.

En daarom had hij er de voorkeur aan gegeven liever een uur een kille, verlaten sintelbaan rond te draven dan naar huis te gaan na zijn werkgroep aan het einde van de middag. Zijn wekelijkse werkgroepbijeenkomsten duurden vaak veel langer dan de daarvoor vastgestelde tijd, daarom rekende Marie nooit op hem met eten omdat ze wist dat ze meestal uit eten gingen, met hun twee onopvallende bewakers ergens in het duister achter hen − zoals er nu eentje over het nauwelijks zichtbare sportveld achter hem liep, terwijl de andere ongetwijfeld in het sportlokaal was. *Waanzin!* Of niet soms?

Wat hem tot de 'inspannende lichaamsbeweging' van Panov had gebracht was een beeld geweest dat ineens in zijn geest was opgekomen toen hij een paar uur geleden in zijn kantoor schriftelijke testen aan het beoordelen was. Het was een gezicht − een gezicht dat hij kende en zich herinnerde en dat hem erg dierbaar was. Een jongensgezicht, dat op zijn inwendige beeldscherm langzaam ouder werd en eindigde in een portret in uniform, vaag, onvolmaakt, maar een deel van hem. Terwijl de tranen hem langs de wangen stroomden, wist hij dat het de gestorven broer was over wie ze hem hadden verteld, de krijgsgevangene die hij jaren geleden had bevrijd in het oerwoud van Tam Quan, waar hij te midden van oorverdovende explosies een verrader had terechtgesteld die Jason Bourne heette. Hij kon de gewelddadige, verwarde beelden niet aan; hij had maar met moeite de bijeenkomst voortijdig kunnen beëindigen, met als excuus een stekende hoofdpijn. Hij moest de druk wegnemen, de afschilferende lagen van zijn geheugen accepteren of verwerpen met zijn gezonde verstand dat hem zei naar het sportterrein te gaan en de frisse wind om zijn lijf te laten spoelen. Hij kon Marie niet lastigvallen, telkens wanneer er een sluisdeur openbarstte; daarvoor hield hij te veel van haar. Wanneer hij het zelf aankon moest hij het zo proberen. Dat contract had hij met zichzelf gesloten.

Hij opende de zware deur en vroeg zich heel even af waarom elke toegang tot een sportgebouw zo nodig het gewicht van een valhek moest hebben. Hij liep naar binnen over de stenen vloer, onder een galerij en door een gang met witgekalkte muren tot hij de deur bereikte van de kleedkamer voor de docenten. Hij was dankbaar dat er geen mens was; zijn hoofd stond er niet naar te reageren op leuterpraatjes en als dat onvermijdelijk is zou hij ongetwijfeld stuurs lijken, op het vreemde af. Hij kon de starende blikken die hij waarschijnlijk zou aantrekken niet gebruiken. Hij was te dicht bij de rand, hij moest weer langzaam tot zichzelf komen, eerst in zijn binnenste, dan met Marie. Verdomme, wanneer zou dat allemaal eens *ophouden?* Hoeveel kon hij van haar eisen? Maar hij had eigenlijk nooit hoeven vragen − zij gaf zonder vragen.

Webb kwam in het kleedlokaal. Zijn eigen kleedkastje lag achter in de rij. Hij liep tussen de lange houten bank en de aaneengesloten metalen kastjes toen zijn aandacht ineens werd getrokken door iets wat hij verderop zag. Hij rende naar voren; met plakband zat een opgevouwen briefje op zijn kleedkastje vast. Hij scheurde het los en vouwde het open: *Uw vrouw heeft gebeld. Ze wil graag dat u haar zo spoedig mogelijk belt. Zegt dat het dringend is. Ralph.*

De beheerder van het sportlokaal had eraan kunnen denken naar buiten te gaan en hem te roepen! dacht David kwaad terwijl hij aan het cijferslot draaide en het kleedkastje opende. Hij zocht in zijn broek naar kleingeld en rende naar de telefoon aan de muur; hij stopte er een geldstuk in en merkte ongerust dat zijn hand trilde. Toen wist hij waarom. Marie gebruikte nooit het woord 'dringend'. Zulke woorden vermeed ze.

'Hallo?'

'Wat is er aan de hand?'

'Ik dacht al dat je daar was,' zei zijn vrouw. 'Het wondermiddeltje van Mo, het middeltje dat je gegarandeerd zal genezen volgens hem, als het je tenminste geen hartaanval bezorgt.'

'Wat is er aan de *hand?*'

'David, kom naar huis. Er is hier iemand die je wil spreken. Snel, schat.'

Onderminister van Buitenlandse Zaken Edward McAllister stelde zich maar heel kort voor, maar hij vermeldde bepaalde feiten om Webb te laten weten dat hij niet tot de lagere rangen in het ministerie behoorde. Aan de andere kant schroefde hij zijn belangrijkheid ook niet op; hij was de ambtenaar die zeker was van zichzelf, erop vertrouwend dat zijn expertise elke nieuwe regering zou overleven.

'Als u wilt, meneer Webb, kan datgene wat we te bespreken hebben wel wachten tot u zich hebt omgekleed.'

David was nog gekleed in zijn korte broek en T-shirt vol zweetplekken, omdat hij zijn kleren uit zijn kleedkastje had gegraaid en vanuit het sportlokaal naar zijn auto was gerend. 'Ik geloof van niet,' zei hij. 'Ik geloof niet dat u kunt wachten met wat u te bespreken hebt. Daarvoor weet ik te goed waar u vandaan komt, meneer McAllister.'

'Ga zitten, David.' Marie St. Jacques-Webb kwam de woonkamer binnen met twee handdoeken in haar handen. 'U ook, meneer McAllister.' Ze gaf Webb een handdoek terwijl beide mannen tegenover elkaar gingen zitten voor de open haard, die niet brandde. Marie ging achter haar man staan en begon zijn nek en schouders te deppen met de tweede handdoek, waarbij het licht van een schemerlamp de rode gloed van haar kastanjebruine haren deed uitkomen, terwijl haar knappe gelaatstrekken in de schaduw bleven en haar blik gericht was op de man van Buitenlandse Zaken. 'Gaat u uw gang maar,' vervolgde ze. 'We weten nu van elkaar dat ik de toestemming heb van de regering om te horen wat u gaat zeggen.'

'Was dat dan niet *zeker?*' vroeg David, en hij keek naar haar op en vervolgens naar de bezoeker, terwijl hij geen enkele poging deed het vijandige in zijn blik te verdoezelen.

'Volkomen zeker,' antwoordde McAllister met een vage maar oprechte glimlach. 'Niemand die op de hoogte is van de bijdrage van uw vrouw

zou haar durven buitensluiten. Zij is geslaagd waar anderen faalden.'
'Zo is het precies,' stemde Webb in. 'En wat dat precies is doet er niet
toe, natuurlijk.'
'Hè, toe nou, David, niet zo gespannen.'
'Het spijt me. Ze heeft gelijk.' Webb probeerde te glimlachen, het was
geen geslaagde poging. 'Ik ben bevooroordeeld en dat hoor ik niet te
zijn, nietwaar?'
'Volgens mij hebt u daar alle recht toe,' zei de onderminister. 'Ik zou
het ook zijn als ik in uw schoenen stond. Ondanks het feit dat onze achtergronden heel veel op elkaar lijken — ik heb een aantal jaren in het
Verre Oosten gewerkt — zou niemand aan mij hebben gedacht voor de
opdracht die u op u hebt genomen. Wat u hebt doorgemaakt gaat mijn
begrip mijlenver te boven.'
'Het mijne ook. Dat is duidelijk.'
'Niet vanuit mijn gezichtspunt. Het falen was uw schuld niet, dat is ze-
ker.'
'Nu doet u vriendelijk. Neem me niet kwalijk, maar te veel vriendelijk-
heid — vanuit uw gezichtspunt — maakt me nerveus.'
'Zullen we dan maar ter zake komen?'
'Graag.'
'En ik hoop dat uw vooroordeel ten opzichte van mij niet te hard is. Ik
ben niet uw vijand, meneer Webb. Ik wil uw vriend zijn. Ik kan maatregelen nemen om u te helpen, te beschermen.'
'Tegen wat?'
'Tegen iets wat niemand verwachtte.'
'Laat maar eens horen.'
'Een half uur vanaf dit moment zal uw bewaking verdubbeld worden,'
zei McAllister en hij keek David strak aan. 'Dat is mijn beslissing en
ik zal die bewaking opnieuw verdubbelen als ik het nodig acht. Iedereen
die hier op de campus komt zal worden nagetrokken, het terrein zal elk
uur worden onderzocht. De bewakers die elkaar aflossen zullen zich niet
meer discreet op de achtergrond houden en u alleen maar in het oog
houden, maar ze zullen zelf erg in het oog vallen. Overduidelijk en naar
ik hoop dreigend.'
'Verrek!' Webb schoot met een ruk naar voren in zijn stoel. 'Het is *Carlos!*'
'We geloven van niet,' zei de man van bz en hij schudde het hoofd. 'We
kunnen Carlos niet uitsluiten, maar het is te vergezocht, te onwaarschijnlijk.'
'O?' David knikte. 'Dat zal dan wel zo zijn. Als het echt de Jakhals was
zouden uw mensen overal zitten en uit het gezicht blijven. U zou hem
achter mij aan laten gaan, en als ik er mijn leven bij inschiet is het de
moeite waard.'
'Voor mij niet. Dat hoeft u niet te geloven, maar ik meen het.'

'Dank u, maar waarover hadden we het eigenlijk?'

'Uw dossier is bekend geworden — dat wil zeggen, het Treadstone-dossier is gelezen door onbevoegden.'

'Door onbevoegden? De inhoud is onrechtmatig gelezen?'

'Aanvankelijk niet. Er is inderdaad toestemming verleend omdat er een crisissituatie ontstaan was, en op een bepaalde manier konden we niet anders. Toen is alles van de rails gelopen en nu zijn we bezorgd. Voor u.'

'Rustig aan graag. Wie heeft het dossier?'

'Iemand van de geheime dienst, op een hoge post. Zijn geloofsbrieven waren vlekkeloos, niemand kon aan hem twijfelen.'

'Wie was hij?'

'Een Engelsman van MI 6 die in Honkong opereert, een man die de CIA al jaren helpt. Hij vloog naar Washington, ging rechtstreeks naar zijn belangrijkste liaison bij de CIA en vroeg alles op wat er bestond over Jason Bourne. Hij beweerde dat er in de kolonie een crisissituatie was ontstaan die een rechtstreeks gevolg was van het Treadstone-project. Hij maakte tevens duidelijk dat volgens hem zijn verzoek maar beter direct kon worden ingewilligd, als we tenminste wilden dat de Britse en Amerikaanse inlichtingendienst geheime informatie bleven uitwisselen — op regelmatige basis.'

'Dan moet hij wel een verdomd goede reden hebben gehad.'

'Die had hij.' McAllister zweeg even nerveus, knipperde met zijn ogen en wreef met uitgestrekte vingers over zijn voorhoofd.

'Welnu?'

'Jason Bourne is teruggekeerd,' zei McAllister zacht. 'Hij heeft weer gemoord. In Kowloon.'

Marie hield hoorbaar haar adem in; ze omklemde de rechterschouder van haar man, haar grote bruine ogen straalden kwaadheid uit, angst. Ze staarde de man van BZ zwijgend aan. Webb bewoog zich niet. Hij bleef zijn blik strak gericht houden op McAllister, zoals een man een cobra in de gaten zou houden.

'Waar hebt u het, *verdomme,* over?' fluisterde hij en verhief toen zijn stem. 'Jason Bourne — *die* Jason Bourne — bestaat niet meer. Hij *heeft* nooit bestaan!'

'Dat weet u en dat weten wij, maar in Azië leeft zijn legende nog steeds voort. U hebt die gecreëerd, meneer Webb, op een briljante manier, naar mijn oordeel.'

'Uw oordeel interesseert mij niet, meneer McAllister,' zei David, terwijl hij de hand van zijn vrouw wegduwde en opstond uit de stoel. 'Waaraan werkt die agent van MI 6? Hoe oud is hij? Hoe stabiel is hij, wat heeft hij gepresteerd? U moet zijn antecedenten van dit moment onderzocht hebben'

'Natuurlijk hebben we dat gedaan en er was niets onregelmatigs te vinden. Londen heeft zijn voortreffelijke staat van dienst bevestigd, zijn huidige status en ook de informatie die hij ons heeft gebracht. Als afdelingshoofd van MI 6 werd hij erbij gehaald door de politie in Kowloon en Hongkong vanwege de potentieel explosieve aard van het gebeurde. Buitenlandse Zaken in Londen zelf steunde hem.'

'*Fout!*' schreeuwde Webb. Hij schudde zijn hoofd en ging toen zachter spreken. 'Hij is overgelopen, meneer McAllister! Iemand heeft hem een klein fortuin geboden om dat dossier te pakken te krijgen. Hij gebruikte de enige leugen die uitwerking zou hebben en jullie hebben die allemaal geslikt!'

'Ik ben bang dat het geen leugen is, niet voor zover hij wist. Hij geloofde de bewijzen en Londen gelooft die ook. Er is *ene* Jason Bourne terug in Azië.'

'En als ik u nu eens vertelde dat het niet de eerste keer zou zijn dat de centrale een leugen te slikken krijgt zodat een overwerkte, *onderbetaalde* man, die te veel *risico heeft gelopen,* kan overlopen! Al die jaren, al die gevaren en er staat niets tegenover. Hij besluit één kans aan te grijpen die hem voor de rest van zijn leven boven Jan brengt. In dit geval is het dat *dossier!*'

'Als dat het geval is zal het niets uithalen. Hij is dood.'

'Hij is wat...?'

'Hij werd twee nachten geleden in Kowloon doodgeschoten, in zijn kantoor, een uur nadat hij op het vliegveld van Hongkong was aangekomen.'

'Godverdomme, zoiets is niet *mogelijk!*' schreeuwde David verbijsterd.

'Een man die overloopt dekt zich in. Hij zorgt dat hij van tevoren iets in handen heeft waarmee hij zijn weldoener kan compromitteren en hij laat hem weten dat de juiste mensen op de hoogte zullen worden gesteld als er iets ergs gebeurt. Het is zijn verzekering, zijn *enige* verzekering.'

'Hij was betrouwbaar,' hield de man van BZ vol.

'Of stom,' wierp Webb tegen.

'Dat gelooft niemand.'

'Wat geloven ze dan?'

'Dat hij op het spoor was van een uitzonderlijke ontwikkeling, een die zou kunnen leiden tot wijdvertakt geweld in de onderwereld van Hongkong en Kowloon. De georganiseerde misdaad wordt ineens heel ongeorganiseerd, zoiets als de Tong-oorlogen van de jaren twintig en dertig. De ene moord volgt op de andere. Concurrerende bendes brengen oproer teweeg; er wordt gevochten in de havens; pakhuizen, zelfs vrachtschepen worden opgeblazen uit wraak of om concurrenten uit de weg te ruimen. Daar is soms niet meer voor nodig dan verscheidene groepen die met elkaar in oorlog zijn — en een Jason Bourne op de achtergrond.'

'Maar aangezien er geen Jason Bourne bestaat is het werk voor de *poli-*

tie! Niet voor MI 6!'

'Meneer McAllister heeft zojuist gezegd dat de man *erbij* werd gehaald door de politie in Hongkong,' onderbrak Marie hem terwijl ze de onderminister strak aanstaarde. 'MI 6 was het blijkbaar eens met de conclusie. Waarom was dat?'

'Het is volkomen fout geredeneerd!' hield David koppig vol, hijgend adem halend.

'Jason Bourne is niet door de politie in het leven geroepen,' zei Marie en ze ging naast haar man staan. 'Hij is geschapen door de Amerikaanse Inlichtingendienst, via Buitenlandse Zaken. Maar ik vermoed dat MI 6 om een veel dringender reden tussenbeide kwam, dan om een moordenaar als Jason Bourne te vinden. Klopt dat, meneer McAllister?'

'U hebt gelijk, mevrouw Webb. *Veel* dringender. Tijdens onze besprekingen van de laatste twee dagen dachten verscheidene leden van onze sectie dat u het beter zou begrijpen dan wij. Laten we het een economisch probleem noemen dat zou kunnen leiden tot ernstige politieke onrust, niet alleen in Hongkong maar in de gehele wereld. U bent een zeer gerespecteerd econome geweest voor de Canadese regering. U hebt Canadese ambassadeurs en delegaties in de gehele wereld geadviseerd.'

'Zou u dat uit willen leggen aan de man die hier de portemonnee in handen heeft?'

'Dit is er de tijd niet naar om onrust te zaaien op de markt van Hongkong, meneer Webb, zelfs niet − en misschien speciaal niet − op haar illegale markt. Onrust die vergezeld gaat van geweld wekt de indruk dat de regering instabiel is, misschien wel een instabiliteit die veel dieper gaat. Het zijn er de tijden niet naar om de expansionisten in Rood-China nog meer ammunitie te geven dan ze al hebben.'

'Wilt u dat nog eens zeggen, alstublieft?'

'Het verdrag van 1997,' antwoordde Marie zacht. 'Over iets meer dan een decennium loopt het pachtcontract af en daarom zijn er nieuwe akkoorden gesloten in Peking. Toch is iedereen nerveus, niemand voelt zich echt veilig en niemand moet proberen de zaak op stelten te zetten. Ze moeten zich nu allemaal heel rustig houden.'

David keek haar aan en toen McAllister. Hij knikte. 'Ik begrijp het. Ik heb de kranten en de tijdschriften gelezen... maar het is geen onderwerp waar ik nou zo heel veel vanaf weet.'

'De belangstelling van mijn man ligt ergens anders,' verklaarde Marie aan McAllister. 'In het bestuderen van mensen, hun beschavingen.'

'Goed dan,' stemde Webb in. 'En nu?'

'Mijn interesses liggen bij het geld en het voortdurende uitwisselen van geld, het groeien van geld, de markten en hun fluctuaties, de stabiliteit of het gebrek daaraan. En als Hongkong iets is, dan is het geld. Dat is zo ongeveer haar enige produkt; het heeft bijna geen andere bestaansreden. Haar industrieën zouden uitsterven zonder geld; een pomp loopt droog wanneer ze niet wordt gevoed.'

'En als je de stabiliteit weghaalt dan krijg je chaos,' voegde McAllister eraan toe. 'Het is het excuus voor de vroegere krijgsheren in China. De Volksrepubliek bemoeit zich ermee de chaos op te lossen, de oproerkraaiers te onderdrukken, en ineens is er niets anders meer dan onbeholpen, enorm geknoei in de gehele kolonie en ook in de *New Territories*. Er wordt niet meer geluisterd naar de mensen in Peking die het hoofd koel houden, wel naar de agressieve elementen die hun gezicht willen redden door militaire overheersing. Banken gaan failliet, de handel in het Verre Oosten stokt. Chaos.'

'Zou de Volksrepubliek zoiets doen?'

'Hongkong, Kowloon, Macao en het hele gebied daar maken deel uit van hun zogenaamde "grote natie onder de hemel", dat staat zelfs duidelijk in de China-akkoorden. Het is één geheel en de oosterling duldt geen ongehoorzaam kind, dat weet u.'

'Beweert u dat één man die zich uitgeeft voor Jason Bourne zoiets kan doen, zo'n crisis kan oproepen? Ik *geloof* u niet!'

'Het is een onwaarschijnlijk scenario, maar ja, het zou kunnen gebeuren. De mythe werkt in zijn voordeel, ziet u, dat is de hypnotische factor. Moordpartijen worden aan hem toegeschreven, al was het alleen maar om de echte moordenaars buiten schot te houden, samenzweerders van de politiek fanatieke rechter- en linkerzijde gebruiken het dodelijke beeld van Bourne als het hunne. Wanneer u erover nadenkt is het precies de manier waarop de mythe werd geschapen, waar of niet? Telkens wanneer een belangrijk iemand ergens in het gebied rond Zuid-China werd vermoord, zorgde u, als Jason Bourne, ervoor dat de moord aan u werd toegeschreven. Toen er twee jaar voorbij waren was u berucht, terwijl u in feite maar één man echt vermoord had, een dronken verklikker die probeerde u te wurgen.'

'Dat herinner ik me niet,' zei David.

De man van BZ knikte vol begrip. 'Ja, dat heb ik gehoord. Maar begrijpt u dan niet, als de slachtoffers belangrijke figuren zijn in de politiek — laten we zeggen de Gouverneur van de Kroon, of een onderhandelaar van de Volksrepubliek — als zo iemand wordt vermoord, dan staat de hele kolonie op zijn kop.' McAllister zweeg even en schudde zijn hoofd om het uit zijn gedachten te zetten. 'Maar dat is onze zaak niet, ook de uwe niet, en ik kan u zeggen dat we de beste mensen van onze inlichtingendienst aan het werk hebben gezet. Uw zaak, dat bent uzelf, meneer Webb. En op dit moment is het mijn zaak, noem het maar een gewetenszaak. U moet beschermd worden.'

'Dat dossier,' zei Marie kil, 'had nooit uit handen gegeven mogen worden.'

'We konden niet anders. Wij werken nauw samen met de Engelsen. We moesten bewijzen dat Treadstone voorbij was, afgelopen. Dat uw man duizenden mijlen van Hongkong verwijderd was.'

'Hebt u hun verteld waar hij *was?*' schreeuwde Webbs vrouw. 'Hoe *durft* u?'

'We konden niet anders,' herhaalde McAllister en hij wreef weer over zijn voorhoofd. 'Als er bepaalde crisistoestanden ontstaan moeten we samenwerken. Dat zult u toch wel kunnen begrijpen?'

'Wat ik niet begrijp is waarom er zelfs maar een dossier *bestaan* heeft over mijn man!' zei Marie woedend. 'Een geheimere operatie is er nooit geweest!'

'Als het Congres fondsen verstrekt voor inlichtingenoperaties, is dat bij de wet verplicht.'

'Hou nou gauw op!' zei David kwaad. 'Aangezien u zo goed op de hoogte bent wat mij betreft, weet u waar ik vandaan kom. Vertelt u me eens, waar zijn al die dossiers over Medusa?'

'Daarop kan ik geen antwoord geven,' zei McAllister.

'Dat hebt u dan hiermee gedaan,' zei Webb.

'Dokter Panov heeft die mensen van u gesmeekt *alle* dossiers over Treadstone te vernietigen,' drong Marie aan. 'Of om op z'n minst valse namen te gebruiken, maar zelfs dat wilde u niet doen. Wat voor mensen zijn jullie eigenlijk?'

'*Ik* zou met *beide* zaken hebben ingestemd!' zei McAllister met plotselinge, onverwachte heftigheid. 'Het spijt me, mevrouw Webb. Neemt u me niet kwalijk. Het was vóór mijn tijd. Net als u voel ik me gepakt. Misschien hebt u wel gelijk, misschien had er nooit een dossier gemaakt moeten worden. Er zijn manieren...'

'Nonsens,' viel David hem in de rede, met holle stem. 'Het is een onderdeel van een andere strategie, een andere valstrik. Jullie willen Carlos en het kan jullie niks schelen hoe je hem krijgt.'

'*Mij* kan het schelen, meneer Webb, maar dat hoeft u niet te geloven. Wat heb ik met de Jakhals te maken, of wat heeft de afdeling Verre Oosten met hem te maken? Hij is een *Europees* probleem.'

'Beweert u nu dat ik drie jaar van mijn leven heb doorgebracht met een man op te jagen die geen sodemieter *betekende?*'

'Nee, natuurlijk niet. Tijden veranderen, uitzichten veranderen. Het is soms allemaal zo doelloos.'

'Jezus *Christus!*'

'Kalm aan, David,' zei Marie, terwijl ze even naar de man van BZ keek die bleek in zijn stoel zat terwijl zijn handen de leuningen omklemden. 'Laten we allemaal wat kalmer aan doen.' Toen keek ze diep in de ogen van haar man. 'Er is vanmiddag iets gebeurd, nietwaar?'

'Ik zal het je straks vertellen.'

'Natuurlijk.' Marie keek McAllister aan terwijl David weer ging zitten, zijn gezicht vol plooien van vermoeidheid, ouder dan het slechts enkele minuten geleden geweest was. 'Alles wat u ons verteld hebt leidt ergens toe, nietwaar?' zei ze tegen de man van BZ. 'Er is iets anders wat u ons wilt vertellen, nietwaar?'

'Ja, en het is niet gemakkelijk voor me. Denkt u er, alstublieft, aan dat ik pas kortgeleden de volledige vrijheid heb gekregen het geheime dossier van meneer Webb te lezen.'

'Met inbegrip van dat van zijn vrouw en kinderen in Cambodja?'

'Ja.'

'Zegt u dan maar eens wat u te zeggen hebt.'

McAllister strekte opnieuw zijn magere vingers uit en wreef er nerveus mee over zijn voorhoofd. 'Van wat ik te weten ben gekomen — wat Londen vijf uur geleden heeft bevestigd — is het mogelijk dat men achter uw man aanzit. Een man wil hem laten doden.'

'Maar niet Carlos, *niet* de Jakhals,' zei Webb en hij schoof wat naar voren.

'Nee. Wij zien tenminste geen verband.'

'Wat ziet u dan wel?' vroeg Marie terwijl ze ging zitten op een van de leuningen van Davids stoel. 'Wat bent u te weten gekomen?'

'De MI 6-employé in Kowloon had een groot aantal geheime documenten in zijn kantoor, die allemaal in Hongkong voor grof geld verkocht hadden kunnen worden. Maar alleen het Treadstone-dossier — het dossier over Jason Bourne — is meegenomen. Dat was de bevestiging die we kregen van Londen. Het is net of er een sein werd gegeven: hij is de man die we hebben moeten, alleen Jason Bourne.'

'Maar *waarom?*' riep Marie uit, terwijl haar hand Davids pols omklemde.

'Omdat er iemand is vermoord,' antwoordde Webb zacht. 'En iemand anders wil wraak nemen.'

'Daar zijn we van uitgegaan,' stemde McAllister met een knikje in. 'We hebben wat vooruitgang geboekt.'

'Wie werd er vermoord?' vroeg de vroegere Jason Bourne.

'Voordat ik daar antwoord op geef, moet u weten dat we alleen maar datgene weten wat onze mensen zelf in Hongkong konden opgraven. Voor een groot deel is het speculatie; bewijzen zijn er niet.'

'Wat bedoelt u met "zelf"? Waar zaten de Engelsen, verdomme? Jullie hebben hun het Treadstone-dossier *gegeven!*'

'Omdat zij ons het bewijs leverden dat er een man was vermoord in de naam van Treadstones schepping, *onze* schepping — U. Ze waren niet van plan te zeggen wie de bronnen waren van MI 6, net zo min als wij onze contacten aan hen bekend zouden maken. Onze mensen hebben dag en nacht gewerkt, ze hebben elke mogelijkheid onderzocht in een poging om te weten te komen wie de belangrijkste bronnen waren van de vermoorde man van MI 6, in de veronderstelling dat één van hen verantwoordelijk was voor zijn dood. Ze stootten op een gerucht in Macao, maar het bleek meer te zijn dan een gerucht.'

'Ik herhaal,' zei Webb. 'Wie werd er vermoord?'

'Een vrouw,' antwoordde de man van BZ. 'De vrouw van een bankier uit Hongkong die Yao Ming heet, een taipan wiens bank maar een fractie is van zijn rijkdom. Zijn bezittingen zijn zo groot dat hij ook in Peking weer welkom is als een belegger en consulent. Hij is machtig, heeft overal invloed, is niet te begrijpen.'

'Omstandigheden?'

'Afschuwelijk maar niet ongewoon. Zijn vrouw was een onbelangrijke actrice die is opgetreden in een paar films voor de gebroeders Shaw en ze is heel wat jonger dan haar man. Ze was hem ongeveer even trouw als een loopse teef, als u me niet kwalijk neemt...'

'Gaat u alstublieft verder,' zei Marie.

'Toch sloot hij zijn ogen ervoor; ze was zijn jonge, knappe trofee. Ze maakte ook deel uit van de elite in Hongkong en daar zit nogal wat gespuis tussen. Het ene weekend is het gokken in Macao tegen buitensporig hoge inzetten, dan zijn het de paardenrennen in Singapore, of ze vliegen naar de Pescadores voor de Russische roulette in de opiumhuizen in de steegjes, waar ze duizenden inzetten op wie er gedood zal worden van de mannen die tegenover elkaar zitten aan tafeltjes, en de patroonkamers ronddraaien terwijl ze op elkaar mikken. En iedereen gebruikt natuurlijk drugs. Haar laatste minnaar was een handelaar. Zijn leveranciers zaten in Guangzou, zijn smokkelroutes liepen door de kanalen in de Deep Bay, ten oosten van de grens bij Lok Ma Chau.'

'Volgens de rapporten is dat een brede weg met een heleboel verkeer,' onderbrak Webb hem. 'Waarom concentreerde men zich op hem, op zijn operatie?'

'Omdat zijn operatie, zoals u die zo juist karakteriseerde, snel de enige in de hele stad, of langs die weg begon te worden. Hij was systematisch bezig zijn concurrenten op te ruimen, kocht de Chinese marinepatrouilles om zodat ze hun boten tot zinken brachten en de bemanningen uit de weg ruimden. Dat werkte blijkbaar goed; er kwamen een heleboel lijken, doorzeefd met kogels, aandrijven op de modderbanken en de rivieroevers. De smokkelaarsbendes waren in oorlog en de handelaar − de minnaar van de jonge echtgenote − werd aangewezen voor executie.'

'Onder die omstandigheden moet hij aan die mogelijkheid gedacht hebben. Hij moet zich omringd hebben met een dozijn lijfwachten.'

'Ook dat klopt. En dat soort beveiliging trekt de talenten aan van een legende. Zijn vijanden huurden die legende in.'

'*Bourne*,' fluisterde David terwijl hij zijn hoofd schudde en zijn ogen sloot.

'Ja,' stemde McAllister in. 'Twee weken geleden werden de handelaar en Yao Mings vrouw doodgeschoten in hun bed in het Lisboa Hotel in Macao. Het was niet bepaald een zindelijke moord; hun lichamen waren nauwelijks herkenbaar. Het wapen was een UZI-machinepistool. Het voorval werd stilgehouden, de politie en de autoriteiten werden omgekocht met een heleboel geld — het geld van een taipan.'

'En nu zal ik eens raden,' zei Webb met eentonige stem. 'De UZI. Dat was hetzelfde wapen dat al eerder was gebruikt bij een moord die aan Bourne was toegeschreven.'

'Precies zo'n wapen werd achtergelaten buiten een vergaderruimte in een nachtclub in Kowloons Tsim Sha Tsui. In dat vertrek lagen vijf lijken, en drie van de slachtoffers waren zeer rijke zakenlui in de kolonie. De Engelsen hebben geen bijzonderheden verschaft, ze hebben ons alleen enkele zeer scherpe foto's laten zien.'

'Die taipan, Yao Ming,' zei David. 'De man van de actrice. Hij is het verband dat uw mensen ontdekten, nietwaar?'

'Ze ontdekten dat hij een van de bronnen was van MI 6. Zijn connecties met Peking maakten hem een belangrijk man voor de inlichtingendienst. Hij was van onschatbare waarde.'

'En toen werd zijn vrouw natuurlijk vermoord, zijn geliefde jonge vrouw...'

'Ik zou zeggen zijn geliefde trofee,' onderbrak McAllister hem. 'Zijn *trofee* werd hem ontnomen.'

'Goed dan,' zei Webb. 'De trofee is veel belangrijker dan de vrouw.'

'Ik heb jaren in het Verre Oosten gewoond. Er bestaat een uitdrukking voor — in het Mandarijns, geloof ik, maar ik kan me haar niet precies meer herinneren.'

'Ren you jiagian,' zei David. 'De prijs van het imago van een man, zoiets.'

'Ja, ik geloof dat het dat is.'

'Het is voldoende. De man van MI 6 wordt dus benaderd door zijn dodelijk bedroefde contact, de taipan, en krijgt te horen dat hij het dossier van die Jason Bourne te pakken moet krijgen, de killer die zijn vrouw vermoord heeft — zijn trofee — of anders zou het wel eens kunnen zijn dat er geen informatie meer komt van zijn bronnen in Peking voor de Britse inlichtingendienst.'

'Zo hebben onze mensen het begrepen. En als dank voor zijn moeite wordt de man van MI 6 vermoord omdat Yao Ming zich niet kan veroorloven op welke manier ook geassocieerd te zijn met Bourne. De taipan moet onbereikbaar blijven, onaantastbaar. Hij wil zijn wraak, maar niet als de kans bestaat dat hij ontdekt wordt.'

'Wat zeggen de Engelsen?' vroeg Marie.

'Heel luid en duidelijk dat wij ons er niet mee moeten bemoeien. Londen zei het ongezouten. Wij hebben van Treadstone een rotzooitje gemaakt en ze willen dat geknoei van ons niet in Hongkong in deze gevoelige tijd.'

'Hebben ze Yao Ming hiermee geconfronteerd?' Webb keek de onderminister scherp aan.

'Toen ik de naam noemde zeiden ze dat het uitgesloten was. Ze schrokken er eigenlijk van, maar dat deed aan hun houding niets af. Ze waren in feite nog bozer.'

'Onaantastbaar,' zei David.

'Ze willen hem waarschijnlijk blijven gebruiken.'

'Ondanks dat wat hij *gedaan* heeft?' viel Marie in de rede. 'Wat hij *misschien* heeft gedaan, en wat hij mijn *man* misschien aandoet?'

'Het is een andere wereld,' zei McAllister zacht.

'Jullie hebben met hen samengewerkt...'

'Dat moesten we,' onderbrak de man van bz.

'Sta er dan op dat zij met jullie samenwerken. *Eis* dat!'

'Dan zouden zij andere zaken van ons kunnen eisen. Dat kunnen we niet doen.'

'*Leugenaars!*' Marie keerde vol walging haar hoofd af.

'Ik heb niet tegen u gelogen, mevrouw Webb.'

'Waarom vertrouw ik u niet, meneer McAllister?' vroeg David.

'Waarschijnlijk omdat u uw regering niet kunt vertrouwen, meneer Webb, en daar hebt u ook weinig reden voor. Ik kan u alleen maar zeggen dat ik het nauw neem met mijn geweten. U kunt dat geloven of niet, *mij* geloven of niet, maar intussen zal ik ervoor zorgen dat u bewaakt wordt.'

'U kijkt me zo vreemd aan, waarom is dat?'

'Ik heb nooit eerder in zo'n situatie verkeerd, daarom.'

Het melodieuze geluid van de voordeurbel weerklonk. Marie schudde geïrriteerd haar hoofd, stond op en liep snel de kamer door naar de hal. Ze opende de deur. Even hield ze haar adem in en bleef hulpeloos staren. Naast elkaar stonden twee mannen, beiden hielden ze hun identificatie-etui's van zwart plastic omhoog, elk met een glimmende zilveren penning aan de bovenkant, waarvan de in reliëf gedrukte adelaars het licht weerkaatsten van de buitenlampen onder de luifel. Verderop stond aan de stoeprand een tweede sedan; daarbinnen kon ze de silhouetten onderscheiden van andere mannen en het gloeien van een brandende sigaret — nog meer mannen, nog meer bewakers. Ze wilde gillen, maar ze deed het niet.

Edward McAllister nam plaats op de achterbank van zijn eigen overheidswagen en keek door het dichte raampje naar de gedaante van David Webb in de deuropening. De vroegere Jason Bourne stond roerloos, met zijn ogen star gericht op zijn vertrekkende bezoeker.

'Laten we maken dat we hier wegkomen,' zei McAllister tegen de chauffeur, een man van zijn eigen leeftijd met een kalend hoofd en een bril in dik montuur die een afscheiding vormde tussen zijn gezicht en zijn hoge voorhoofd.

De auto zette zich in beweging, de chauffeur reed behoedzaam op de onbekende, met bomen afgezette straat een huizenblok verwijderd van de rotsige kust in het kleine stadje in Maine. Een tijdlang zwegen beiden; ten slotte vroeg de bestuurder: 'Hoe ging alles?'

'Ging?' antwoordde man van BZ. 'Zoals de ambassadeur zou zeggen: "Alle stukken staan op hun plaats". Het fundament is gelegd, de logica is er, het zendelingenwerk is verricht.'

'Ik ben blij dat te horen.'

'Is dat zo? Dan ben ik ook blij.' McAllister stak zijn trillende rechterhand op; zijn magere vingers masseerden zijn rechterslaap. 'Nee, dat ben ik *niet!*' zei hij ineens. 'Ik moet hier van kotsen!'

'Het spijt me...'

'En over zendelingenwerk gesproken, ik *ben* christen. Ik bedoel maar, ik *geloof*, ik ben niet zoiets bijzonders als een vurig ijveraar, of wedergeboren, evenmin zal ik lesgeven op de zondagsschool, of me zelf op de grond werpen in het middenpad, maar ik geloof wel. Mijn vrouw en ik gaan minstens twee keer in de maand naar de Anglicaanse kerk, mijn twee zoons zijn acolieten. Ik ben vrijgevig omdat ik dat *wil* zijn. Kunt u dat begrijpen?'

'Jazeker. Ik denk er niet precies zo over, maar ik kan het begrijpen.'

'Maar ik heb die man zojuist in de steek gelaten in zijn eigen huis!'

'Hé, kalm aan. Wat is er?'

McAllister staarde recht voor zich uit en de tegemoetkomende koplampen wierpen elkaar achtervolgende schaduwvlekken over zijn gelaat.

'Moge God mijn ziel genadig zijn,' fluisterde hij.

4

De duisternis was plotseling vervuld van geschreeuw, een naderende, aanzwellende kakofonie van brullende stemmen. Toen was hij omgeven door duwende lijven, die voor hem uitrenden, schreeuwend en met vertrokken gezichten. Webb viel op zijn knieën, bedekte zijn gezicht en zijn hals met beide handen zo goed hij kon en zwaaide zijn schouders heftig heen en weer om zo een bewegend doelwit te vormen binnen de kring van de aanval. Zijn donkere kleren waren een voordeel in de schaduwen maar ze zouden niet helpen als er lukraak een salvo zou worden afgevuurd, dat minstens één van de bewakers buiten gevecht zou stellen. Maar killers gebruikten niet altijd kogels. Je had pijltjes, dodelijke vergifprojectielen die door wapens met perslucht werden afgeschoten, die de blote huid doorboorden en binnen enkele minuten de dood veroorzaakten. Of binnen seconden.

Een hand greep zijn schouder vast! Hij zwaaide zijn lichaam om, stak zijn gebogen arm op en wrong de hand los terwijl hij een stap opzij naar links zette, ineengehurkt als een dier.

'Alles goed met u, professor?' vroeg de bewaker aan zijn rechterhand met een grijns die zichtbaar was in het schijnsel van de zaklantaarn.
'Wat? Wat is er *gebeurd?*'
'Is het niet geweldig!' riep de bewaker aan zijn linkerzij uit, die kwam aanlopen toen David overeind krabbelde.
'*Wat?*'
'Jongens met zoveel pit in hun donder. Het doet je echt goed zoiets te zien!'
Het was voorbij. Het campusplein was weer stil en in de verte tussen de stenen gebouwen die langs de sportvelden stonden en het stadion van de universiteit, waren de flakkerende vlammen van een vreugdevuur te zien door de banken van de lege tribune. Een stel uitgelaten voetbalsupporters leefde zich uit en zijn bewakers stonden te lachen.
'Hoe vindt u het, professor?' vervolgde de man aan zijn linkerkant. 'Voelt u zich nu beter nu wij er zijn en zo?'
Het was voorbij. De waanzin die hij over zichzelf had afgeroepen was voorbij. Was dat wel zo? Waarom bonkte zijn borst dan zo? Waarom was hij zo verbijsterd, zo beangst? Iets klopte er niet.

'Waarom zit die hele optocht me dwars?' zei David bij zijn ochtendkoffie in de ontbijtnis van hun oude, gehuurde Victoriaanse huis.
'Je mist je wandelingen op het strand,' zei Marie terwijl ze het ene gepocheerde ei van haar man op het ene sneetje toast liet glijden. 'Eet dat voordat je een sigaret rookt.'
'Nee, echt. Het zit me dwars. De afgelopen week heb ik me gevoeld als een schietschijf in een oppervlakkig beschermde schiettent. Dat kwam gistermiddag bij me op.'
'Wat bedoel je?' Marie goot het water weg en zette de pan in de gootsteen, haar ogen op Webb gericht. 'Er zijn zes man om je heen, vier op je "flanken" zoals jij het noemt, en twee die alles afturen voor je en achter je.'
'Een optocht.'
'Waarom noem je dat zo?'
'Ik weet het niet. Iedereen is op zijn plek en marcheert op de maat van de trom. Ik weet het niet.'
'Maar je voelt iets?'
'Ik geloof van wel.'
'Vertel me eens wat meer. Die gevoelens van jou hebben ooit mijn leven gered op de Guisan Quai in Zürich. Ik zou het graag horen, nou ja, misschien ook niet, maar ik kan het maar beter wel horen.'
Webb stak het geel van zijn ei door op de toast. 'Weet je hoe gemakkelijk het zou zijn voor iemand, iemand die er jong genoeg uitziet om een student te zijn, om me op een voetpad voorbij te lopen en een luchtpijltje op me af te schieten. Hij zou het geluid kunnen camoufleren door

te kuchen of te lachen en ik zou honderd cc strychnine in mijn bloed hebben.'

'Jij weet van die dingen veel meer af dan ik.'

'Natuurlijk. Omdat ik het op die manier zou doen.'

'*Nee*. Dat is de manier waarop Jason Bourne het misschien zou doen. *Jij* niet.'

'Goed dan, ik stel het me voor. Daardoor blijft de gedachte nog wel overeind.'

'Wat is er gistermiddag gebeurd?'

Webb speelde met het ei en de toast op zijn bord. 'De werkgroep liep weer eens uit zoals gewoonlijk. Het begon al donker te worden en mijn bewakers gingen naast me lopen en we staken het plein over naar de parkeerplaats. Ze hadden gevoetbald, dat weinig voorstellende team van ons tegen een andere weinig voorstellende ploeg, maar erg belangrijk voor ons. De toeschouwers liepen ons voorbij, knullen die naar een vreugdevuur renden achter de open tribune, gillend en schreeuwend en clubliedjes zingend, zichzelf opjuinend. En ik dacht bij mezelf, *nu* gaat het gebeuren. Zo gaat het gebeuren als het ooit gebeurt. Geloof me, die paar ogenblikken *was* ik Bourne. Ik kromp ineen en hield iedereen in de gaten die ik kon zien. Ik was bijna in paniek.'

'En?' vroeg Marie, verontrust door het plotselinge zwijgen van haar man.

'Mijn zogenaamde bewakers stonden om zich heen te kijken en te lachen, de twee die vóór me liepen maakten er bijna een feestje van.'

'Dat zat je dwars?'

'Instinctmatig. In het midden van die opgewonden menigte was ik een kwetsbaar doelwit. Dat zeiden mijn zenuwen me, mijn geest hoefde dat niet.'

'Wie is er nu aan het praten?'

'Ik weet het niet zeker. Ik weet alleen maar dat alles me vreemd voorkwam in die paar momenten. Toen, maar een paar tellen later, als om die gevoelens die ik nog niet onder woorden had gebracht kracht bij te zetten, kwam de man die links van me liep naar me toe en zei zoiets als: "Is het niet geweldig — of fantastisch — om jongens met zoveel pit in hun donder te zien?" Ik mompelde iets stoms en toen hij zei — met precies deze woorden — "Hoe vindt u het, professor? Voelt u zich nu beter nu wij er zijn en zo?" ' David keek op naar zijn vrouw. 'Voelde *ik* me beter... *Nu? Ik?*"

'Hij wist wat hun taak was,' onderbrak Marie hem. 'Jou beschermen. Ik weet zeker dat hij bedoelde of je je nu beter voelde.'

'Bedoelde hij dat? Bedoelden zij dat? Die massa gillende jongens, het schemerige licht, die vage lichamen, onherkenbare gezichten... en hij lacht met hen mee... ze lachen *allemaal*. Zijn ze werkelijk hier om mij te beschermen?'

'Waarvoor anders?'

'Ik weet het niet. Misschien heb ik dingen meegemaakt die zij niet hebben meegemaakt. Misschien denk ik gewoon te veel, denk ik aan McAllister en die ogen van hem. Het was dat ze knipperden, anders leken ze op die van een dode vis. Je kon er alles in lezen wat je wilde, afhankelijk van hoe je je voelde.'

'Wat hij je vertelde was een schok voor je,' zei Marie terwijl ze met gekruiste armen tegen de gootsteen leunde en haar man scherp aankeek. 'Het moest wel een afschuwelijke uitwerking op je hebben. Dat had het zeker op mij.'

'Dat zal het wel zijn,' stemde Webb met een knikje in. 'Het is ironisch, maar al zijn er nog zoveel dingen die ik weer in mijn herinnering wil terugroepen, toch is er verschrikkelijk veel wat ik zou willen vergeten.'

'Waarom bel je McAllister niet en zeg je hem wat je voelt, wat je denkt? Je kunt rechtstreeks met hem bellen, zowel op zijn kantoor als bij hem thuis. Mo Panov zou je zeggen dat te doen.'

'Ja, dat zou Mo doen.' David at met weinig trek van zijn ei. ' "Als er een manier is om een bepaalde onrust snel kwijt te raken, doe het dan direct", dat zou hij zeggen.'

'Doe het dan.'

Webb glimlachte, ongeveer even enthousiast als hij van zijn ei at. 'Misschien doe ik dat wel, misschien ook niet. Ik zou liever geen latente of passieve of weer opkomende paranoïa aankondigen, of hoe ze het dan ook noemen. Mo zou direct hierheen vliegen en me mijn hersens inslaan.'

'Als hij het niet doet, doe ik het misschien wel.'

'Ni shi nühaizi,' zei David en hij gebruikte zijn papieren servetje terwijl hij opstond en naar haar toeliep.

'En wat mag dat wel betekenen, mijn ondoorgrondelijke echtgenoot en nummer zevenentachtig minnaar?'

'Hoeregodin. Vrij vertaald betekent het dat jij een klein meisje bent — en eigenlijk niet zo klein — en ik kan jou nog drie van de vijf keer op bed te grazen nemen, waar ik andere dingen met je kan doen dan je afranselen.'

'Dat allemaal in zo'n kort zinnetje?'

'Wij verspillen geen woorden, wij schilderen beelden... Ik moet weg. Het college gaat vanmorgen over Siams Rama de Tweede en zijn aanspraken op de Maleisische staten vroeg in de negentiende eeuw. Het is stomvervelend maar belangrijk. Wat nog erger is, er is een uitwisselingsstudent uit Moulmein, Birma, van wie ik vermoed dat hij meer weet dan ik.'

'Siam?' vroeg Marie terwijl ze haar armen om hem heensloeg. 'Is dat Thailand?'

'Ja. Tegenwoordig is het Thailand.'

'Je vrouw, je kinderen? Doet het nog pijn, David?'
Hij keek haar aan en hield oneindig veel van haar. 'Zoveel pijn kan het me niet doen wanneer ik het niet zo helder zie. Soms hoop ik dat dat nooit gebeurt.'
'Zo denk ik er helemaal niet over. Ik wil dat je ze ziet en hoort en voelt. En dat je weet dat ik ook van hen houd.'
'O, *jezus!*' Hij omklemde haar met hun lichamen dicht tegen elkaar in een warmte die alleen van hen was.

De lijn was voor de tweede keer bezet, daarom legde Webb de hoorn op en keerde terug naar W.F. Vella's *Siam under Rama III* om te zien of de uitwisselingsstudent uit Birma gelijk had gehad over Rama II's conflict met de sultan van Kedah over het gebruik van het eiland Penang. Er werd op het scherp van de snede gevochten in de koele gewelven van de wetenschap; de pagodes van Moulmein van Kiplings poëzie waren vervangen door een snotneus van een afgestudeerde student die geen respect had voor zijn meerderen — Kipling zou dat begrijpen en hij zou het torpederen.
Even werd er kort geklopt op de deur van zijn kantoor, die openging voordat David de bezoeker kon zeggen binnen te komen. Het was een van zijn bewakers, de man die gistermiddag met hem had gesproken na de voetbalwedstrijd, te midden van de opgewonden jongeren, te midden van het lawaai, te midden van zijn angsten.
'Ha, die professor!'
'Hallo. Jij bent Jim, is het niet?'
'Nee, Johnny. Het doet er niet toe, er wordt niet verwacht dat u onze namen goed kent.'
'Is er iets aan de hand?'
'Juist het tegengestelde, meneer. Ik kwam even langs om afscheid te nemen, namens ons allemaal, namens de hele groep. Alles is veilig en u kunt weer normaal uw gang gaan. We hebben opdracht gekregen ons te melden bij B-Eén-L.'
'Bij wat?'
'Het klinkt stom, nietwaar? In plaats van te zeggen "Kom terug naar het hoofdkwartier" noemen ze het B-Eén-L, alsof iedereen daar niet achter kan komen.'
'Ik snap het niet.'
'Basis-Eén-Langley. Wij zijn alle zes van de CIA, maar ik denk dat u dat wel weet.'
'Jullie gaan weg? Jullie *allemaal?*'
'Daar komt het wel op neer.'
'Maar ik dacht... Ik dacht dat er *hier* een crisissituatie was.'
'Alles is veilig.'
'Niemand heeft mij iets verteld. *McAllister* heeft me niks gezegd.'

'Sorry, die ken ik niet. We hebben gewoon opdracht gekregen.'
'Je kunt hier niet gewoon naar binnen lopen en zeggen dat jullie *weggaan* zonder enige verklaring! Ze hebben mij verteld dat er iemand achter me aanzit! Dat een man in Hongkong mij wilde laten *vermoorden!*'
'Nou ja, ik weet niet of ze u dat hebben verteld, of dat u dat uzelf hebt wijsgemaakt, maar ik weet wel dat wij een eersteklas, echt probleem hebben in Newport News. We moeten onze informatie ophalen en er achteraan gaan.'
'Eersteklas, echt...? Hoe zit het dan met mij?'
'Ga maar eens lekker uitrusten, professor. Ze hebben ons gezegd dat u dat nodig hebt.' De CIA-man draaide zich abrupt om, liep naar buiten en deed de deur achter zich dicht.
'Nou ja, ik weet niet of ze u dat hebben verteld, of dat u dat uzelf hebt wijsgemaakt... Hoe vindt u het, professor? Voelt u zich nu beter nu wij er zijn en zo?'
Optocht? *Poppekast!*
Waar was het nummer van McAllister? Waar was dat nou? Godverdomme, hij had het twee keer opgeschreven, thuis en op een papiertje in zijn bureaula, nee, in zijn portefeuille! Hij vond het, en terwijl hij het nummer draaide, trilde zijn hele lijf van angst voor het gevaar.
'Kantoor van meneer McAllister,' zei een vrouwenstem.
'Ik dacht dat dit een rechtstreekse lijn was. Dat heeft men mij gezegd.'
'Meneer McAllister is niet in Washington, meneer. In zulke gevallen moeten wij de gesprekken aannemen en noteren.'
'De gesprekken noteren? Waar *zit* hij dan?'
'Dat weet ik niet, meneer. Ik ben van de secretaressenpool. Hij belt elke dag of zo. Wie kan ik zeggen dat gebeld heeft?'
'Dat is niet voldoende! Mijn naam is Webb. Jason Webb... *Nee, David* Webb! Ik moet direct met hem spreken! *Onmiddellijk!'*
'Ik zal u doorverbinden met de afdeling die zijn dringende gesprekken behandelt...'
Webb smakte de hoorn op de haak. Hij had het nummer van McAllisters huis; hij draaide dat.
'Hallo?' Weer een vrouwenstem.
'Meneer McAllister, graag.'
'Het spijt me, hij is er niet. Als u uw naam en nummer wilt achterlaten, zal ik hem die doorgeven.'
'Wanneer?'
'Nou ja, hij hoort morgen of overmorgen te bellen. Dat doet hij altijd.'
'U moet mij het nummer geven waar hij *nu* is, mevrouw McAllister! Ik neem tenminste aan dat ik met mevrouw McAllister spreek?'
'Dat mag ik wel hopen. Achttien jaar lang. Wie bent u?'
'Webb. *David* Webb.'
'O ja, natuurlijk! Edward spreekt zelden over zaken — en dat heeft hij

in uw geval zeker niet gedaan — maar hij heeft me wel verteld wat een reuze aardige mensen u en uw knappe vrouw wel zijn. Om u de waarheid te zeggen is onze oudste zoon, die natuurlijk nog op de middelbare school zit, heel erg geïnteresseerd in de universiteit waar u doceert. Nu zijn zijn punten het laatste jaar of zo wat omlaaggegaan en zijn toelatingstesten hadden wat beter gekund, maar hij heeft zo'n heerlijke, enthousiaste kijk op het leven, ik weet zeker dat hij een aanwinst zou zijn...'

'Mevrouw McAllister!' viel Webb haar in de rede. 'Ik moet met uw man spreken! *Nu!*'

'O, dat spijt me verschrikkelijk, maar ik denk niet dat dat kan. Hij is in het Verre Oosten en ik heb natuurlijk geen nummer waar ik hem daar kan bereiken. In noodgevallen bellen we altijd Buitenlandse Zaken.'

David legde de hoorn op. Hij moest Marie waarschuwen — *telefoneren*. De lijn moest nu onderhand vrij zijn. Ze was bijna een uur bezet geweest en er was niemand met wie zijn vrouw een uur lang kon telefoneren, zelfs niet met haar vader, haar moeder of haar twee broers in Canada. Er was tussen hen een hechte band, maar zij was het buitenbeentje geweest op de boerderij in Ontario. Ze was geen francofiel geweest, zoals haar vader, geen huismus zoals haar moeder, en ofschoon ze haar broers aanbad was ze ook niet zo'n landelijk rondborstige cowboy als die twee. Ze had een ander leven gevonden in de gelaagde wereld van de hogere economie, met een doctoraat en een goed betaalde baan bij de Canadese regering. En, als laatste, was ze dan nog met een Amerikaan getrouwd.

Quel dommage.

De lijn was *nog* steeds bezet! *Godverdomme,* Marie!

Toen verstijfde Webbs lichaam heel even tot een blok gloeiendheet ijs. Hij kon nauwelijks van zijn plaats komen, maar toch kwam hij in beweging, rende toen zijn kantoortje uit en de gang in met zo'n vaart dat hij drie studenten en een collega uit zijn weg moest rammen; twee vielen tegen de muur, de anderen kwamen languit op de vloer terecht. Hij was ineens een bezeten man.

Toen hij bij zijn huis kwam remde hij met gierende banden; hij sprong achter het stuur vandaan en rende het pad op naar zijn deur. Hij bleef verbijsterd staan en vond ineens geen adem meer. De deur stond open en op het scheefhangende, kapotte paneel stond een handafdruk in rood — *bloed!*

Webb rende naar binnen en smeet alles opzij wat in zijn weg lag. Meubels kraakten en lampen werden kapotgeslagen toen hij de benedenverdieping doorzocht. Toen ging hij naar boven en zijn handen waren als twee smalle granieten platen, elke zenuw stond gespannen voor een geluid, een beweging, zijn killer-instinct was even helder als de rode vlekken die hij beneden op de buitendeur had gezien. Op dit moment kende en accepteerde hij het feit dat hij de moordenaar was, het roofdier, die Jason Bourne was geweest. Als zijn vrouw boven was zou hij iedereen doden die haar kwaad probeerde te doen, of die haar al kwaad had gedaan.

Hij liet zich languit op de vloer vallen en duwde de deur van hun slaapkamer open.

De explosie blies een gat in de bovenmuur van de gang. Hij rolde onder de luchtstoot door naar de andere kant; hij had geen wapen, maar hij had een aansteker. Hij tastte in zijn broekzak naar de gekrabbelde notities die iedereen die docent is verzamelt, propte ze ineen, draaide zich naar links en knipperde de aansteker aan, het papier vatte meteen vlam. Hij smeet de brandende prop een heel eind de slaapkamer in, drukte zijn rug tegen de muur en kwam overeind, terwijl zijn hoofd bliksemsnel naar rechts en links keek naar de twee andere dichte deuren op de smalle eerste verdieping. Plotseling schoten zijn voeten uit, twee klappen vlak achter elkaar en hij gooide zich weer op de vloer en rolde de schaduw van de muur in.

Niets. De twee kamers waren leeg. Als er een vijand was, was die in de slaapkamer. Maar nu stond de beddesprei in brand. De vlammen reikten steeds hoger naar het plafond. Nog maar enkele tellen.

Nu!

Hij stortte zich de kamer in, greep de brandende sprei en zwaaide die in een cirkel rond terwijl hij zich bukte en over de vloer rolde tot de sprei alleen nog maar as was. En voortdurend verwachtte hij een ijskoude treffer in zijn schouder of zijn arm, maar hij wist dat hij die kon verdragen en zijn vijand te grazen zou nemen. *Jezus!* Hij was inderdaad weer Jason Bourne!

Er was niets. Zijn Marie was er niet, er was niets anders te zien dan een primitief trucje met een touw waarmee een jachtgeweer was afgevuurd. Het was zo gericht geweest dat hij zeker gedood zou zijn als hij de deur normaal had geopend. Hij trapte de vlammen uit, graaide naar een schemerlamp en deed die aan.

Marie! *Marie!*

Toen zag hij het. Een briefje op het kussen aan haar kant van het bed: 'Een vrouw voor een vrouw, Jason Bourne. Ze is gewond, maar niet dood, zoals de mijne wel dood is. Je weet waar je mij kunt vinden, en haar, als je op je hoede bent en geluk hebt. Misschien kunnen we zaken doen want ik heb ook vijanden. Zo niet, dan komt de dood van nog een vrouw er weinig op aan.'

Webb gilde toen hij zich op de kussens liet vallen en zo probeerde de woede en de afschuw te stuiten die opwelden uit zijn keel, de pijn te onderdrukken die door zijn slapen vlijmde. Toen keerde hij zich om en staarde naar het plafond en een afgrijselijke, wrede gelatenheid maakte zich van hem meester. Dingen die hij zich nooit had herinnerd kwamen weer bij hem terug, dingen die hij zelfs Morris Panov nooit had verteld. Lichamen die ineenzegen onder zijn mes, neervielen onder zijn revolver, dat waren geen moorden in zijn verbeelding, ze waren echt. Ze hadden hem gemaakt tot wat hij eerder niet was, maar ze hadden hun werk te goed gedaan. Hij was het imago geworden, de man die verondersteld werd niet te bestaan. Hij had niet anders *gekund*. Hij moest in leven blijven, zonder te weten wie hij was.

En nu kende hij de twee mannen die hem tot die ene mens maakten. Hij zou zich altijd de ene herinneren want dat was de man die hij wilde zijn, maar voorlopig moest hij de andere zijn, de man die hij verachtte.

Jason Bourne stond op van het bed en liep naar de grote kleerkast waar je in kon lopen. Er was daar een afgesloten lade, de derde in zijn ingebouwde dressoir. Hij vond die en trok het plakband van een sleutel die vastzat aan de bovenkant van de kast. Hij stak die in het slot en opende de la. Er lagen twee uit elkaar gehaalde automatische pistolen in, vier einden dun draad verbonden aan handvaten die hij in zijn handpalmen kon verbergen, drie geldige paspoorten op drie verschillende namen, en zes brokken kneedbom die hele kamers konden opblazen. Hij zou er eentje gebruiken, of allemaal. David Webb zou zijn vrouw terugvinden. Of Jason Bourne zou de terrorist worden die niemand zich in zijn ergste verbeelding zou kunnen voorstellen. Het kon hem niets schelen, er was hem te veel ontnomen. Meer kon hij niet verdragen.

Bourne zette snel de wapens in elkaar en klapte het magazijn in het tweede pistool. Beide waren ze gereed. Hij was gereed. Hij liep terug naar het bed, ging erop liggen en staarde opnieuw naar het plafond. De logische stappen die hij moest zetten zouden bij hem opkomen, dat wist hij. Dan zou de jacht beginnen. Hij zou haar vinden — dood of levend — en als ze dood was zou hij doden, doden en *opnieuw doden!*

Wie het dan ook had gedaan, hij zou hem niet ontsnappen. Niet aan Jason Bourne.

5

Hij had zichzelf nauwelijks in bedwang, dus hij wist dat rustig nadenken uitgesloten was. Zijn hand omklemde het pistool, in zijn hoofd weerklonk het geknetter van onwezenlijk snelle salvo's geweervuur, terwijl het ene plan na het andere zich aan hem opdrong. Stilzitten kon hij helemaal niet, hij moest in beweging blijven. Hij moest opstaan en zich *bewegen!*

Buitenlandse Zaken. De mensen van bz die hij had leren kennen tijdens zijn laatste maanden in het verafgelegen, geheime medische centrum in Virginia; die hardnekkige, geobsedeerde mannen die hem eindeloos uithoorden, hem tientallen foto's lieten zien totdat Mo Panov hen beval ermee op te houden. Hij had hun namen gehoord en opgeschreven, met het idee dat hij ooit eens zou willen weten wie ze waren − en de enige reden daarvoor was een diepgeworteld wantrouwen; zulke mannen hadden een paar maanden daarvoor geprobeerd hem te vermoorden. Toch had hij nooit naar hun namen gevraagd en ze werden hem ook niet voorgesteld, behalve als Harry, Bill of Sam, waarschijnlijk volgens de theorie dat de echte identiteiten zijn verwarring gewoon nog groter zouden maken. In plaats daarvan had hij onopvallend hun identiteitsplaatjes gelezen, als ze weg waren hun namen opgeschreven en de aantekeningen bij zijn persoonlijke eigendommen gelegd in de la van het dressoir. Als Marie hem kwam opzoeken, en dat gebeurde elke dag, gaf hij haar die namen en zei haar dat ze ze in huis moest verstoppen, heel goed verstoppen.

Later had Marie toegegeven dat ze zijn wantrouwen overdreven had gevonden, te veel van het goede, al had ze wel gedaan wat hij haar had gezegd. Maar op een morgen, nog maar enkele minuten na een verhitte discussie met mannen uit Washington, had David haar gesmeekt het medisch centrum onmiddellijk te verlaten, naar de auto te rennen, naar de bank te rijden waar ze een bewaarkluis hadden en het volgende te doen: ze moest een enkele haar in de linker benedenhoek van de kluis leggen, de kluis afsluiten, de bank verlaten en twee uur later terugkeren om te zien of die ene haar er nog was.

Hij was verdwenen. Ze had hem stevig vastgeklemd, hij kon er alleen maar uitgevallen zijn als de kluis geopend was. Ze vond hem op de tegelvloer van de grote bankkluis.

'Hoe wist je dat?' had ze hem gevraagd.

'Een van mijn vriendelijke ondervragers werd kwaad en probeerde me te provoceren. Mo was even de kamer uit en hij beschuldigde me, verdomme, bijna ervan dat ik veinsde, dat ik dingen verborgen hield. Ik wist dat jij zou komen en daarom speelde ik het spelletje mee. Ik wilde zelf weten hoever ze zouden gaan − hoever ze *konden* gaan.'

Niets was toen heilig geweest en ook nu was niets heilig. Het paste allemaal te precies in elkaar. De bewakers waren teruggehaald, zijn eigen reacties daarop neerbuigend in twijfel getrokken, alsof hij degene was geweest die om de extra beveiliging had gevraagd en alsof het niet was gebeurd op aandringen van ene Edward McAllister. Toen was binnen enkele uren Marie ontvoerd, volgens een scenario dat maar al te gedetailleerd was geschetst door een nerveus man met nietszeggende ogen. En nu was diezelfde McAllister ineens meer dan twintigduizend kilometer ver weg van de kern van de zaak die hij zelf had gecreëerd. Was de onderminister overgelopen? Was hij in Hongkong omgekocht? Had hij Washington verraden en tevens de man die hij gezworen had te zullen beschermen? Wat was er aan de *hand*? Wat het dan ook was, één van de heilloze geheimen was de codenaam *Medusa*. Die was nooit genoemd tijdens de ondervraging, daarop was nooit gezinspeeld. Dat gemis was heel vreemd. Het was alsof het nooit erkende bataljon van psychopaten en moordenaars nooit bestaan had; hun geschiedenis was uit de boeken gevaagd. Maar die geschiedenis zou weer tot leven komen. Daarmee zou hij beginnen.

Webb liep snel de slaapkamer uit en de trappen af naar zijn werkkamer, vroeger de kleine bibliotheek grenzend aan de hal in het oude Victoriaanse huis. Hij ging aan zijn bureau zitten, trok de onderste la open en haalde er verschillende aantekenboeken en papieren uit. Toen wrikte hij met een koperen briefopener de valse bodem omhoog; op de tweede laag hout lagen nog wat papieren. Ze bestonden uit een vage, meest verwarde verzameling van losse herinneringen, beelden die zo nu en dan bij dag of bij nacht bij hem waren opgekomen. Het waren afgescheurde kladjes en blaadjes uit kleine notitieboekjes en afgeknipte stukken briefpapier waarop hij snel de beelden en woorden had aangetekend die ineens in zijn hoofd waren opgekomen. Het was een massa pijnlijke herinneringen, vele zo kwellend dat hij ze niet kon delen met Marie, uit angst dat de pijn te groot zou zijn, de onthullingen van Jason Bourne te wreed om voor te leggen aan zijn vrouw. En tussen die geheimen bevonden zich de namen van de specialisten in clandestiene operaties die naar Virginia waren gekomen om hem zo indringend te ondervragen. Davids ogen vielen plotseling op het dreigende wapen van zwaar kaliber op de rand van het bureau. Zonder het te beseffen had hij het vastgegrepen en meegenomen uit de slaapkamer. Hij staarde er even naar en nam toen de hoorn van de telefoon. Het was het begin van het meest martelende, dolmakende uur van zijn leven, terwijl Marie elk moment verder van hem wegraakte.

De eerste twee gesprekken werden aangenomen door echtgenotes of minnaressen; de mannen die hij probeerde te bereiken waren er ineens niet wanneer hij zei wie hij was. Hij was nog steeds een paria! Ze wilden hem niet aanraken zonder machtiging daartoe en die machtiging werd niet gegeven. *Verrek,* hij had het kunnen weten!

'Hallo?'

'Speek ik met Lanier?'

'Jazeker.'

'William Lanier, graag. Zegt u hem dat het dringend is, een alarm van het Witte Huis. Mijn naam is Thompson, bz.'

'Wacht u even,' zei de vrouw ongerust.

'*Wie* is dit?' vroeg een mannenstem.

'Dit is David Webb. U herinnert zich Jason Bourne toch wel?'

'*Webb*?' Even was het stil en hij hoorde Lanier ademhalen. 'Waarom zei u dat u Thompson heette? Dat het een alarm was van het Witte Huis?'

'Ik had zo'n idee dat u niet met me wilde praten. Een van de dingen die ik me herinner is dat je met bepaalde mensen geen contact opneemt zonder machtiging vooraf. Die bevinden zich op verboden terrein. U rapporteert gewoon dat er geprobeerd is contact op te nemen.'

'Dan mag ik aannemen dat u zich ook herinnert dat het tegen alle voorschriften is iemand als mij via een privé-telefoon te bellen.'

'*Privé*-telefoon? Strekt dat privé-verbod zich nu ook al uit tot de plaats waar u woont?'

'U weet waarover ik het heb.'

'Ik zei dat het een spoedgeval was.'

'Het kan niets met mij te maken hebben,' protesteerde Lanier. 'U bent een afgelegd dossier in mijn kantoor...'

'Kleur me in lijkgrauw?' viel David hem in de rede.

'Dat zei ik niet,' snibde de man van de geheime dienst. 'Ik wilde alleen maar zeggen dat u niet op mijn werklijst staat en het is een kwestie van beleid je niet te bemoeien met andermans zaken.'

'Welke andere?' vroeg Webb scherp.

'Verrek, hoe weet ik dat nou?'

'Beweert u soms dat u niet geïnteresseerd bent in wat ik u wil vertellen?'

'Of ik erin geïnteresseerd ben of niet heeft hier niets mee te maken. U staat bij mij nergens op een lijst en meer hoef ik niet te weten. Als u iets te vertellen hebt moet u uw officiële contactpersoon bellen.'

'Dat heb ik geprobeerd. Zijn vrouw zei dat hij in het Verre Oosten zat.'

'Probeert u zijn kantoor dan. Iemand zal uw zaak wel behandelen.'

'Dat weet ik en ik heb er geen zin in *behandeld* te worden. Ik wil met iemand praten die ik ken, en jou ken ik, Bill. Weet je nog? In Virginia was het 'Bill', zo moest ik jou noemen zei je. Je was zo geïnteresseerd in wat ik je toen te vertellen had.'

'Dat was toen, niet nu. Luister, Webb, ik kan je niet helpen omdat ik je geen raad kan geven. Wat je me ook vertelt, ik kan er niet op reageren. Ik ben niet op de hoogte van je status, dat ben ik al bijna een jaar niet meer. Jouw contactman is...je kunt hem benaderen. Bel bz maar weer. Ik leg nu op.'

'Medusa,' fluisterde David. 'Heb je me gehoord, Lanier? *Medusa*!'

'Wat voor Medusa? Probeer je me iets te vertellen?'

'Ik ga de hele zaak opblazen, heb je me gehoord? Ik zal heel die vuile troep bekendmaken tenzij ik een paar *antwoorden* hoor!'

'Waarom laat je jezelf niet liever behandelen?' zei de man van de geheime dienst kil. 'Of meld je in een ziekenhuis.' Er klonk een korte klik en David legde zwetend de hoorn op.

Lanier wist *niets* over Medusa. Als hij het geweten had was hij aan het toestel gebleven om uit te vinden wat hij kon, want Medusa liep dwars door alles heen wat 'beleid' en 'courant' was. Maar Lanier was een van de jongere ondervragers, niet ouder dan drieëndertig of vierendertig, hij was heel slim, maar hij werkte nog niet zo lang bij deze baas. Iemand

59

die een paar jaar ouder was had misschien het vereiste fiat wel gekregen, had gehoord over het boevenbataljon dat nog steeds diep geheim werd gehouden. Webb bekeek de namen op zijn lijst en de bijbehorende telefoonnummers. Hij nam de hoorn weer op.

'Hallo?' Een mannenstem.

'Spreek ik met Samuel Teasdale?'

'Ja, dat klopt. Met wie spreek ik?'

'Ik ben blij dat u de telefoon hebt opgenomen en niet uw vrouw.'

'De vrouw doet dat meestal als het mogelijk is,' zei Teasdale, ineens voorzichtig. 'De mijne is niet langer beschikbaar. Ze zeilt ergens rond in de Caribische Zee met iemand van wie ik nog nooit heb gehoord. Nu je mijn levensverhaal kent, wie ben jij, verdomme?'

'Jason Bourne, weet je nog?'

'*Webb*?'

'Die naam herinner ik me vaag,' zei David.

'Waarom bel je mij?'

'Jij leek een vriend. In Virginia zei je me dat ik je Sam moest noemen.'

'Oké, oké, David, je hebt gelijk. Ik heb je gezegd me Sam te noemen, zo heet ik voor mijn vrienden, Sam...' Teasdale was in de war, ongerust, hij zocht naar woorden. 'Maar dat was bijna een jaar geleden, Davey, en je kent de spelregels. Je krijgt iemand om tegen te praten, ofwel ter plekke of op BZ. Dat is de man met wie je contact moet opnemen, die man is helemaal op de hoogte van alles.'

'Ben jij niet op de hoogte, Sam?'

'Over jou niet, nee. Ik herinner me de instructie, die kwam op onze bureaus terecht een paar weken nadat jij weg was uit Virginia. Alle vragen betreffende ''genoemde persoon, enzovoort'' moesten naar boven worden geschoven naar Sectie hoe-die-dan-ook-heten-mag, omdat ''genoemde persoon'' volledige toegang heeft en in rechtstreeks contact staat met agenten ter plekke en op de Afdeling.'

'De agenten — als ze dat tenminste waren — zijn weggehaald en mijn man voor rechtstreeks contact is verdwenen.'

'Toe nou,' zei Teasdale zacht, wantrouwend. 'Da's waanzin. Dat kan niet gebeurd zijn.'

'Het ís gebeurd!' gilde Webb. 'Mijn *vrouw* is gebeurd!'

'Wat is dat met je vrouw? Waar heb je het over?'

'Ze is *weg,* klootzak die je bent — klootzakken, dat zijn jullie allemaal. Jullie hebben het *laten* gebeuren!' Webb greep zijn pols vast en kneep uit alle macht om het trillen tegen te gaan. 'Ik wil een antwoord, Sam. Ik wil weten wie de weg heeft vrijgemaakt, wie er is *overgelopen!* Ik heb een idee wie het is maar ik moet antwoorden horen om hem te grijpen, om jullie *allemaal* te grijpen, als dat nodig is.'

'Nou moet jij eens goed luisteren!' onderbrak Teasdale hem kwaad. 'Als jij soms probeert mij erin te luizen dan hoe je dat sodemieters onhandig! Deze jongen laat zich niet naaien, *halve gare.* Ga maar een lied-je zingen voor je zieleknijpers, niet voor mij. Ik hoef helemaal niet met je te praten, ik hoef alleen maar te rapporteren dat jij me hebt gebeld en dat zal ik doen op het moment dat jij hebt opgelegd. Ik zal er ook bij vertellen dat je een klap van de molenwiek hebt gekregen! Pas maar op die kop van jou...'

'*Medusa*!' riep Webb uit. 'Niemand wil over de codenaam Medusa pra-ten, nietwaar? Zelfs vandaag ligt het nog heel diep begraven in de kluis, nietwaar?'

Dit keer klonk er geen klik over de lijn. Teasdale legde niet op. In plaats daarvan sprak hij vlak, zonder stembuiging. 'Geruchten,' zei hij. 'Net als die rauwe dossiers van Hoover — rauw vlees — goed voor sterke ver-halen bij een stevige borrel, maar niet zo heel veel waard.'

'Het is geen gerucht, Sam. Ik leef, ik haal adem, ik ga naar de wc en ik zweet — net als ik nu sta te zweten. Dat is geen gerucht.'

'Je hebt zo je problemen gehad, Davey.'

'Ik heb het meegemaakt! Ik heb bij Medusa gevochten! Sommige men-sen zeiden dat ik de beste was, *of* de slechtste. Daarom werd ik gekozen, daarom werd ik Jason Bourne.'

'Dat zou ik niet weten. We hebben het er nooit over gehad, daarom weet ik er niets van. Hebben wij het er ooit over gehad, Davey?'

'Hou op met die verdomde naam te gebruiken. Ik ben *Davey* niet.'

'In Virginia waren we "Sam" en ,,Davey'', weet je dat niet meer?'

'Dat doet er niet toe! We speelden allemaal spelletjes. Morris Panov was onze scheidsrechter, tot jij op een dag besloot de zaak hard aan te pakken.'

'Dat spijt me,' zei Teasdale vriendelijk. 'We hebben allemaal onze kwaaie dagen. Ik heb je over mijn vrouw verteld.'

'Ik ben helemaal niet geïnteresseerd in jouw vrouw. Ik ben geïnteres-seerd in de *mijne*! En ik scheur Medusa van boven tot onder open als ik geen antwoord krijg, geen *hulp*!'

'Ik weet zeker dat je elke hulp kunt krijgen die je denkt nodig te hebben als je gewoon je contactman belt op BZ.'

'Hij is er niet. Hij is *weg*!'

'Vraag dan naar zijn plaatsvervanger. Je zult behandeld worden.'

'*Behandeld!* Verrek, wat voor man ben jij, een *robot*?'

'Gewoon een man die zijn werk probeert te doen, meneer Webb, en ik ben bang dat ik voor u niets meer kan doen. Goedenavond.' De klik weerklonk en Teasdale was van de lijn.

Er was nog een man, dacht David koortsachtig, terwijl hij naar de lijst staarde en zijn ogen half dichtkneep tegen het zweet dat in zijn kassen liep. Een lakonieke man, niet zo agressief als de anderen, een man uit het Zuiden, wiens langzame, temende stem ofwel een scherp verstand camoufleerde of een weifelende weerstand tegen een baan waarin hij zich niet lekker voelde. Er was nu geen tijd iets te verzinnen.

'Spreek ik met Babcock?'

'Dat doet u zeker,' antwoordde een vrouwenstem vol magnoliabloesem. 'U spreekt natuurlijk niet met meneer Babcock, da's wel duidelijk, maar laat ik zeggen dat ik namens hem spreek.'

'Mag ik Harry Babcock even aan de telefoon, alstublieft?'

'Mag ik vragen wie er belt, alstublieft? Misschien is hij in de tuin met de kinderen, maar hij kan hen ook heel goed hebben meegenomen naar het park. Dat is zo goed verlicht tegenwoordig, niet zoals vroeger, en je hoeft niet bang meer te zijn voor je leven als je maar blijft...'

Camouflage voor twee slimme mensen, zowel meneer als mevrouw Babcock.

'Mijn naam is Reardon, Buitenlandse Zaken. Ik heb een dringend bericht voor meneer Babcock. Ik heb opdracht hem zo snel mogelijk te bereiken. Het is een spoedgeval.'

Even klonk het echogeluid van een hoorn die werd afgedekt en daarachter klonken vage geluiden. Harry Babcock kwam aan de lijn en hij sprak langzaam en nadrukkelijk.

'Ik ken geen meneer Reardon, meneer Reardon. Al *mijn* verbindingen lopen via een bepaalde centrale die zich identificeert. Bent u een centrale, meneer?'

'Nou ja. Ik geloof niet dat ik ooit heb gehoord van iemand die zo snel uit de tuin komt of uit het park aan de overkant van de straat, meneer Babcock.'

'Merkwaardig, nietwaar? Misschien moet ik wel mee gaan doen aan de Olympiade. Maar ik ken uw stem. Ik kan alleen de naam niet thuisbrengen.'

'Wat dacht u van Jason Bourne?'

De stilte duurde maar kort, *een heel scherp verstand.* 'Nou die naam is van een hele tijd terug, nietwaar? Zowat een jaar zou ik zeggen. Je *bent* het toch, nietwaar, David.' Het werd niet op vragende toon gezegd.

'Ja, Harry. Ik moet met je praten.'

'Nee, David, jij hoort met anderen te praten, niet met mij.'

'Vertel je me soms dat je gaat opleggen?'

'Lieve hemel, dat is zo plotseling, zo onbeleefd. Ik zou het *heerlijk* vinden eens te horen hoe het jou en die knappe mevrouw Webb vergaat in jullie nieuwe leven. In Massachusetts, is 't niet?'

'Maine.'

'Natuurlijk. Neem me niet kwalijk. Gaat alles goed? Ik weet zeker dat je zult begrijpen dat mijn collega's en ik zoveel problemen op ons dak hebben dat we niet op de hoogte hebben kunnen blijven van je dossier.'

'Iemand anders zei dat je het niet eens in handen kon krijgen.'

'*Ik* geloof niet dat iemand dat geprobeerd heeft.'

'Ik wil praten, Babcock,' zei David grof.

'Ik niet,' antwoordde Harry Babcock vlakweg, met een stem bijna zo koud als ijs. 'Ik volg de voorschriften op en om je de waarheid te zeggen heb jij inderdaad geen contact meer met mensen zoals ik. Ik vraag me niet af waarom — dingen veranderen nu eenmaal, er is altijd verandering.'

'Medusa!' zei David. 'We zullen niet over mij praten, maar laten we over *Medusa* praten!'

Dit keer was het langer stil. En toen Babcock begon te spreken gleden zijn woorden over ijs. 'Deze telefoon is beveiligd, Webb, dus zal ik zeggen wat ik wil zeggen. Een jaar geleden werd je bijna om zeep gebracht en dat zou een vergissing zijn geweest. We zouden echt om je hebben gerouwd. Maar als jij uit de school gaat klappen zal er hier morgen niet worden gerouwd. Alleen door je vrouw.'

'*Klootzak* die je bent! Ze is *weg*! Ze is *ontvoerd*! Die rotzakken van jullie hebben het *toegelaten*!'

'Ik weet niet waarover je het hebt.'

'Mijn *bewakers*! Ze zijn teruggehaald, al die tyfuslijers zijn weggehaald en zij is *ontvoerd*! Ik wil een antwoord, Babcock, anders blaas ik de hele zaak op! Nu ga jij precies doen wat ik je opdraag, of anders zal er gerouwd worden zoals er nog nooit gerouwd is — om jullie *allemaal, jullie* vrouwen, verweesde kinderen, wat zeg je me daarvan? Ik ben Jason Bourne, weet je nog wel?'

'Jij bent een maniak, dat weet ik nog! Als je zo gaat dreigen sturen we een team om je te zoeken. Op de manier van *Medusa*. Wat vind je daarvan, jongetje?'

Ineens klonk een doordringend gezoem in de hoorn; het was oorverdovend, hoog van toon en David moest de hoorn van zijn oor halen. En toen klonk de rustige stem van een telefonist: 'We onderbreken voor een spoedgeval. Ga uw gang, Colorado.'

Webb bracht de hoorn langzaam terug naar zijn oor.

'Spreek ik met Jason Bourne?' vroeg een man met een accent van de oostkust, een verfijnde, aristocratische stem.

'Ik ben David Webb.'

'Natuurlijk bent u dat. Maar u bent ook Jason Bourne.'

'Dat *was* ik,' zei David, gebiologeerd door iets dat hij niet kon thuisbrengen.

'De tegenstrijdige lijnen van de identiteit raken verdoezeld, meneer Webb. Vooral voor iemand die zoveel heeft meegemaakt.'

'Verdomme, wie *bent* u?'

'Een vriend, daarvan kunt u zeker zijn. Een vriend waarschuwt iemand die hij een vriend noemt. U hebt verregaande beschuldigingen geuit tegen enkele mensen die ons land met de grootste toewijding dienen, mensen die nooit een onverklaarbare vijf miljoen dollar in handen zullen krijgen — geld dat tot op vandaag nog niet is teruggevonden.'

'Wilt u mij fouilleren?'

'Net zo min als ik de gecompliceerde manieren zou willen nagaan waarop die uiterst handige vrouw van u de fondsen verstopt heeft in een tiental Europese...'

'Ze is *verdwenen!* Hebben uw toegewijde mensen u dat ook verteld?'

'Men beschreef u als overspannen — "stapel" was het woord dat gebruikt werd — en men zei dat u verbazingwekkende beschuldigingen uitte met betrekking tot uw vrouw, ja.'

'Met betrekking tot — *Godverdomme,* ze is uit ons huis ontvoerd! Iemand heeft haar gegijzeld omdat ze mij willen hebben!'

'Weet u dat zeker?'

'Vraag die dooie vis van een McAllister maar. Het is zijn scenario, tot het briefje toe. En ineens is hij aan het andere eind van de wereld!'

'Een briefje?' vroeg een beschaafde stem.

'Heel duidelijk. Overduidelijk. Het is McAllisters verhaal en hij heeft het laten *gebeuren! Jullie* hebben het laten gebeuren!'

'Misschien moet u eens goed naar dat briefje kijken.'

'Waarom?'

'Dat doet er niet toe. Het zal u allemaal duidelijker worden als u hulp erbij haalt — psychiatrische hulp.'

'*Wat*?'

'We willen alles voor u doen wat we kunnen, gelooft u dat maar. U hebt zoveel gegeven — meer dan wie ook — en uw buitengewone bijdrage kan niet opzij worden geschoven, zelfs wanneer het tot een rechtzaak zou komen. Wij hebben u in die situatie gebracht en wij zullen achter u staan, zelfs al betekent het dat we de wet naar onze hand moeten buigen, de rechtbank onder druk moeten zetten.'

'Waarover *hebt* u het, in godsnaam?' schreeuwde David.

'Een gerespecteerd legerdokter heeft verscheidene jaren geleden zijn vrouw vermoord, het heeft in alle kranten gestaan. De druk werd te groot. De druk waaronder u leefde was tien keer zo groot.'

'Dit is toch niet te *geloven*!'

'Laten we het eens anders zeggen, meneer Bourne.'

'Ik *heet* geen Bourne!'

'Goed dan, meneer Webb, ik zal eerlijk tegen u zijn.'

'*Nou* gaat het er op lijken!'

'U bent niet gezond. U bent acht maanden onder psychiatrische behandeling geweest — er is nog een groot deel van uw leven waarvan u zich niets herinnert, u wist uw naam niet eens. Het staat allemaal in de medische rapporten, accurate rapporten die het duidelijk maken hoe verregaand ziek u mentaal was, de neiging tot geweld die u had en uw dwangmatige verwerping van uw eigen identiteit. In uw gekwelde toestand gaat u fantaseren, u geeft u uit voor mensen die u niet bent, het lijkt of u dwangmatig iemand anders dan uzelf wilt zijn.'

'Dat is waanzin en dat weet u! *Leugens*!'

'Waanzin is een grof woord, meneer Webb, en de leugens komen niet van mij. Maar het is wel mijn taak onze regering te beschermen tegen smaad, ongegronde beschuldigingen die ons land ernstig zouden kunnen schaden.'

'Zoals?'

'Die bijkomstige fantasie van u betreffende een onbekende organisatie die u Medusa noemt. Kijk eens, ik weet zeker dat uw vrouw weer bij u terug zal komen... als ze kan, meneer Webb. Maar als u verdergaat met die fantasie, met dat verzinsel van uw gekwelde geest dat u Medusa noemt, dan zullen wij u paranoïde schizofreen verklaren, we zullen u een pathologische leugenaar noemen die geneigd is tot ontoombaar geweld en zelfbedrog. Als zo'n man beweert dat zijn vrouw vermist wordt, wie weet dan hoe zo'n pathologische toestand kan aflopen? Kunt u mij volgen?'

David sloot zijn ogen en het zweet droop van zijn gezicht. 'Ik volg u maar al te goed,' zei hij zacht en legde de hoorn op de haak.

Paranoïde... pathologisch. *Rotzakken!* Hij opende zijn ogen weer en wilde zijn woede koelen door zich tegen iets aan te smijten, wat dan ook! Toen hield hij in en bleef roerloos staan, er kwam een andere gedachte bij hem op, een *voor de hand liggende gedachte*. Morris Panov! Mo Panov zou die drie monsters een naam geven. Prutsers en leugenaars, manipulators en beschermers uit eigenbelang van corrupte ambtenarijen — en waarschijnlijk nog erger, *veel* erger. Hij pakte de telefoon en draaide met trillende handen het nummer dat zo vaak in het verleden een kalmerende, verstandige stem had opgeroepen, die een waardegevoel bracht wanneer Webb meende dat er heel weinig van waarde in hem over was.

'David, wat fijn je weer eens te horen,' zei Panov met gemeende hartelijkheid.

'Ik ben bang van niet, Mo. Het is het rotste telefoontje dat ik ooit met je heb gevoerd.'

'Toe nou, David, dat is vrij dramatisch. We hebben een boel doorgemaakt...'

'*Luister naar me!*' gilde Webb. 'Ze is *verdwenen*! Ze hebben haar *ontvoerd*!' Er volgde één lange stroom van woorden, zonder enig verband, de tijden dooreengehusseld.

'Hó, David!' beval Panov. 'Ga terug. Ik wil het vanaf het begin horen. Toen die man bij je op bezoek kwam, na je... de herinneringen aan je broer.'

'Wat voor man?'

'Van Buitenlandse Zaken.'

'Ja! Goed dan, ja. McAllister, zo heette hij.'

'Begin van daaraf. Namen, titels, posities. En spel me die naam van die

65

bankier in Hongkong. En praat in godsnaam wat *langzamer*!'

Webb omklemde weer de pols van de hand die de hoorn vasthield. Hij begon opnieuw en dwong zich tot een beheersing bij het spreken die hij niet voelde. Zijn stem werd schel,, geknepen en hij ging onwillekeurig sneller spreken. Ten slotte speelde hij het klaar alles eruit te krijgen, alles wat hij zich kon herinneren, en tot zijn ontzetting merkte hij dat hij zich niet alles had herinnerd. Onbekende, lege plekken deden hem pijn. Ze kwamen weer terug, die afschuwelijke lege plekken. Hij had alles verteld wat hij op dat moment vertellen kon, er was niets meer over.

'David,' begon Mo Panov. 'Ik wil dat je iets voor me doet. *Nu.'*

'Wat?'

'Het zal je misschien dwaas in de oren klinken, zelfs een beetje krankzinnig, maar ik stel voor dat je de straat afloopt naar het strand en een stuk langs het strand gaat wandelen. Een half uur, drie kwartier, meer niet. Luister naar de branding en naar het beuken van de golven op de rotsen.'

'Dat kun je niet *menen*!' protesteerde Webb.

'Ik meen het uit de grond van mijn hart,' hield Mo aan. 'Weet je nog, we zijn het er ooit over eens geweest dat er tijden zijn waarop mensen de wieltjes in hun kop stil moeten zetten; ik zweer je, ik doe dat vaker dan een redelijk gerespecteerd psychiater hoort te doen. We kunnen ondergesneeuwd raken door dingen en voordat we alles weer op een rijtje zetten moeten we een deel van de verwarring zien kwijt te raken. Doe wat ik je vraag, David. Ik bel je zo spoedig mogelijk terug, ik denk over niet meer dan een uur. En ik wil dat je dan rustiger bent dan nu.'

Het was inderdaad waanzin, maar zoals met zoveel dingen die Panov kalm, vaak terloops voorstelde bevatten zijn woorden waarheid. Webb wandelde langs het koude, rotsachtige strand, vergat geen moment wat er gebeurd was, maar of het de andere omgeving was, of de wind, of de onophoudelijke, zich herhalende geluiden van de beukende oceaan, hij merkte dat hij regelmatiger ging ademhalen, telkens nog even diep, nog even huiverend als tevoren, maar zonder dat hoge, hysterische fluiten. Onder het maanlicht keek hij op zijn horloge, op de lichtgevende wijzerplaat. Hij had tweeëndertig minuten heen en weer gelopen; meer kon hij niet verdragen. Hij beklom het duinpad naar de straat, begroeid met helmgras, en liep terug naar huis. Met elke stap nam zijn tempo toe. Hij ging in zijn stoel achter zijn bureau zitten met zijn ogen strak gericht op de telefoon. Die ging over; hij graaide de hoorn op nog voordat het bellen ophield. '*Mo*?'

'Ja.'

'Het was daarbuiten verdomde koud. Dank je.'

'Ik moet jou bedanken.'

'Wat ben je te weten gekomen?'

En toen begon de nachtmerrie nog ergere vormen aan te nemen.

'Hoe lang is Marie nu weg, David?'

'Ik weet het niet. Een uur, twee uur, misschien meer. Wat heeft dat met wat ook te maken?'

'Zou ze boodschappen aan het doen kunnen zijn? Of hebben jullie tweeën ruzie gehad en wilde ze misschien een tijdje alleen zijn? We weten beiden dat de zaken soms erg moeilijk voor haar zijn. Dat heb je zelf gezegd.'

'Waar heb je het, verdomme, nou weer over? Er is een briefje waarop het heel duidelijk staat! Bloed, een *handafdruk*!'

'Ja, daar had je het al eerder over, maar ze zijn zo bezwarend. Waarom zou iemand zoiets doen?'

'Hoe kan *ik* dat nou weten! Het is gedaan... ze zijn gedaan. Het is er allemaal!'

'Heb je de politie gewaarschuwd?'

'Verrek, *nee*! Dit is niet iets voor de politie. Het is voor ons, voor mij! Kun je dat dan niet *begrijpen*?... Wat ben je te weten gekomen? Waarom praat je zo?'

'Omdat ik zo moet praten. Tijdens alle consulten, in al die maanden dat we gepraat hebben, hebben we elkaar niets anders verteld dan de waarheid, omdat we juist de waarheid zochten.'

'*Mo*! In hemelsnaam, het gaat om *Marie*!'

'Toe nou, David, laat me uitpraten. Als ze liegen — en ze hebben al eerder gelogen — dan zal ik het te weten komen en dan zal ik het aan de kaak stellen. Iets anders kan ik niet doen. Maar ik ga je precies vertellen wat ik van hen heb gehoord, wat de nummer twee op het Departement Verre Oosten me heel duidelijk heeft gemaakt en wat het hoofd van de veiligheidsdienst van Buitenlandse Zaken me heeft voorgelezen, de officieel geregistreerde versie van de voorvallen.'

'Officieel geregistreerd...?'

'Ja. Hij zei dat jij de veiligheidscentrale iets minder dan een week geleden hebt gebeld en volgens het rapport was je hevig geëmotioneerd...'

'*Ik* zou *hen* gebeld hebben?'

'Precies, zo zei hij het. Volgens de rapporten beweerde je dat je bedreigd werd. Je sprak "onsamenhangend" — dat woord gebruikten ze — en je eiste onmiddellijke extra bewaking. Omdat er een geheimhoudingsteken op je dossier staat werd de zaak naar boven doorverwezen en de hogere regionen zeiden: "Geef hem maar wat hij hebben wil. Breng hem tot rust".'

'Dat is gewoon niet te *geloven*!'

'Het is nog maar het begin, David. Luister naar me, want ik luister ook naar jou.'

'Oké. Ga verder.'

'Goed zo. Rustig aan. Hou je gedeisd... nee, haal dat woord "gedeisd" door.'

'Graag, alsjeblieft.'

'Zodra de veiligheidsagenten hun plaatsen hadden ingenomen – ook dat is volgens de rapporten – heb je nog twee keer gebeld en je beklaagd dat je bewakers hun werk niet goed deden. Je zei dat ze zaten te drinken in hun auto's voor je huis, dat ze je uitlachten wanneer ze met je de campus opliepen, dat ze – en hier haal ik de letterlijke tekst aan – ,,Ze drijven de spot met wat ze verondersteld worden te doen''. Die zin heb ik onderstreept.'

'''Drijven de spot''...?'

'Kalm aan, David. Hier komt het einde, het einde van de rapporten. Je belde nog een laatste keer en beweerde met nadruk dat je iedereen weg wilde hebben, dat je bewakers je vijanden waren, *zij* waren degenen die jou wilden vermoorden. In feite had je degenen die probeerden je te beschermen getransformeerd in vijanden die je wilden aanvallen.'

'En ik ben er zeker van dat zoiets heel lekker past in een van die onzinnige psychiatrische gevolgtrekkingen, volgens welke ik mijn onrustgevoelens omzette – of verdraaide – in achtervolgingswaanzin.'

'Heel glad,' zei Panov. 'Te glad.'

'Wat zei nummer twee van het Verre Oosten je nog meer?'

Panov zweeg even. 'Het is niet iets wat je graag zult horen, David, maar hij was zeker van zijn zaak. Ze hadden nog nooit gehoord van een bankier of een invloedrijke taipan die Yao Ming heette. Hij zei dat ze, zoals de zaken er nu bijstonden in Hongkong, zeker zijn dossier van buiten zouden kennen, als er zo iemand bestond.'

'Denkt hij soms dat ik het allemaal *verzonnen* heb? De naam, de vrouw, het verband met drugs, de plaatsen, de omstandigheden – de reactie van de Engelsen! Verrek, ik zou die dingen niet eens *kunnen* verzinnen al zou ik het willen!'

'Daar zou je behoorlijk je best voor moeten doen,' stemde de psychiater rustig in. 'Dus alles wat ik je zojuist heb verteld hoor je nu voor het eerst en er klopt niets van. Je herinnert je de zaken anders.'

'Mo, het is allemaal gelogen! Ik heb nooit met BZ gebeld. McAllister kwam naar ons huis en vertelde ons beiden alles wat ik jou net heb verteld, met inbegrip van het verhaal over Yao Ming! En nu is zij *verdwenen,* en ik heb een spoor gekregen dat ik moet volgen. *Waarom*? In *godsnaam,* wat doen ze ons aan?'

'Ik heb naar McAllister geïnformeerd,' zei Panov en zijn stem klonk ineens kwaad. 'De assistent Verre Oosten informeerde bij personeelzaken van BZ en belde me terug. Ze zeggen dat McAllister twee weken geleden naar Hongkong is gevlogen en dat hij volgens zijn uiterst nauwkeurige agenda nooit bij jou in huis geweest kan zijn in Maine.'

'Hij was *hier*!'

'Ik geloof dat ik dat van je aanneem.'

'Wat wil je daarmee zeggen?'

'Onder andere kan ik de waarheid horen in jouw stem, soms wanneer je die zelf niet hoort. Ook hoort die uitdrukking "de spot drijven" met iets niet bepaald tot het vocabulaire van een geestesziek iemand in een zeer geëmotioneerde staat, zeker niet in de jouwe wanneer je een van je wilde buien hebt.'

'Ik kan je niet volgen.'

'Iemand zag waar je werkte en wat je deed voor de kost en dacht de woordkeus wat op te schroeven. *Couleur locale* in jouw geval.' Toen explodeerde Panov. 'Mijn god, waar zijn ze mee *bezig*?'

'Ze zijn bezig me in de startblokken te zetten,' zei Webb zacht. 'Ik word gedwongen achter iets aan te rennen wat zij alleen maar kennen.'

'De *klootzakken*!'

'Ze noemen het ook wel recrutering.' David staarde naar de muur. 'Blijf maar uit mijn buurt, Mo, je kunt niets meer doen. Ze hebben al hun stukken op hun plaats staan. Ik ben gerecruteerd.' Hij legde de hoorn op.

Verdwaasd liep Webb zijn kleine kantoor uit en bleef in de Victoriaanse gang staan kijken naar het omvergeworpen meubilair en de kapotte schemerlampen, het porselein en het glas dat overal over de vloer van de huiskamer verspreid lag. Toen kwamen de woorden bij hem terug die Panov eerder in dat afschuwelijke gesprek had uitgesproken: 'Ze zijn zo bezwarend.'

Met enkel een vaag besef waarheen hij liep ging hij op de voordeur af en trok die open. Hij dwong zich te kijken naar de handafdruk in het midden van het bovenste paneel, het gedroogde bloed dat dof en donker glansde onder het licht van de buitenlampen. Toen kwam hij dichterbij en bekeek de afdruk nauwkeurig.

Het was de prent van een hand, maar geen blote hand. De omtrek van een hand was er — de afdruk, de handpalm en de uitgestoken vingers — maar er waren in de bloederige vlek geen onderbrekingen, geen plooien of indrukken die een bloedende hand gemaakt zou hebben als ze stevig tegen hout zou zijn gedrukt, geen tekenen van herkenning, geen aparte stukken huid die tegen het hout gehouden waren om een karakteristieke afdruk te maken. Het was net een vlakke, gekleurde schaduw van een stuk gebrandschilderd glas, het enige vlak was die ene afdruk. Een handschoen? Een rubberhandschoen?

David wendde zijn blik af en draaide zich langzaam om naar de trap in het midden van de gang, en zijn gedachten haalden weifelend die andere woorden weer op, woorden gesproken door een andere man. Een vreemde man met een biologerende stem.

Misschien moet u eens goed naar dat briefje kijken... Het zal u allemaal duidelijker worden als u hulp erbij haalt — psychiatrische hulp.

Webb stootte plotseling een gil uit, de ontzetting in zijn binnenste nam toe, terwijl hij naar de trap rende en de treden opstormde naar de slaapkamer, waar hij naar het getypte briefje staarde op het bed. Hij pakte het op met een angst die hem misselijk maakte en nam het mee naar de toilettafel van zijn vrouw. Hij knipte de lamp aan en bekeek de letters nauwkeurig onder het licht.

Als het hart in zijn binnenste had kunnen ontploffen zou het uiteengebarsten zijn. Maar Jason Bourne bestudeerde koel het briefje dat voor hem lag.

De lichtelijk gebogen, onregelmatige *r*'s stonden er in, net als de *d*'s, de naar boven lopende schachten maar half afgedrukt, afgebroken boven de regel.

Rotzakken!

Het briefje was geschreven op zijn eigen schrijfmachine.

Hij was gerecruteerd.

<h2 style="text-align:center">6</h2>

Hij zat op de rotsen, hoog boven het strand en hij wist dat hij helder moest denken. Hij moest lijn brengen in wat er voor hem lag en wat er van hem werd verwacht en vervolgens hoe hij degene die hem manipuleerde te slim af kon zijn. Meer dan wat ook wist hij dat hij niet mocht toegeven aan paniek, zelfs niet aan het denken aan paniek. Een op hol geslagen man was gevaarlijk, een risico dat opgeruimd moest worden. Als hij doorsloeg zou hij alleen maar zeker de dood van Marie en van zichzelf veroorzaken, zo eenvoudig lag dat. Alles was in uiterst wankel evenwicht — een wankel evenwicht van geweld.

David Webb was uitgesloten. Jason Bourne moest de leiding overnemen. Verrek! Wat een *waanzin!* Mo Panov had hem gezegd op het strand te gaan wandelen, als Webb, en nu moest hij hier gaan zitten als Bourne, zaken zitten overdenken zoals Bourne die zou overdenken; het ene deel van zichzelf moest hij afwijzen en het tegendeel accepteren.

Vreemd genoeg was het niet onmogelijk en zelfs niet ondragelijk, want Marie was daarginds. Zijn liefde, zijn enige liefde — *schei uit zo te denken.* De stem van Jason Bourne: zij is een waardevol stuk bezit dat je ontstolen is! Zorg dat ze *terugkomt.* David Webbs stem: *Nee,* geen stuk bezit, mijn leven!

Jason Bourne: *Ga dan dwars tegen alle regels in! Zoek haar! Haal haar bij je terug!*

David Webb: *Ik weet niet hoe ik dat doen moet. Help me!*

Gebruik mij! Gebruik wat je van mij hebt geleerd. Het gereedschap heb je, dat had je al jaren. Jij was de beste in Medusa. En boven alles was er beheersing. Jij predikte dat, jouw levensregel was het. En je bleef in leven.

Beheersing.

Zo'n eenvoudig woord. Zo'n ongelooflijke eis.

Webb klom omlaag van de rotsen en liep weer over het pad door het helmgras naar de straat, terug naar het oude, Victoriaanse huis. Hij walgde van de plotselinge, beangstigende, onrechtvaardige leegte in dat huis. Onder het lopen flitste er een naam door zijn gedachten, toen kwam die terug en bleef hangen. Langzaam nam het gezicht dat bij de naam hoorde vaste vormen aan, heel langzaam, want de man wekte bij David een haat op die des te feller was omdat er ook verdriet in vermengd lag.

Alexander Conklin had geprobeerd hem te doden — twee keer — en beide keren was hij er bijna in geslaagd. En Alex Conklin was een goede vriend geweest van de functionaris in buitenlandse dienst Webb en zijn Laotiaanse vrouw en kinderen, een heel leven geleden — volgens zijn eigen getuigeverklaring, volgens zijn eigen talrijke consulten met Mo Panov en volgens de vage herinneringen die David kon oproepen. Toen de dood had toegeslagen vanuit de lucht en de rivier had getekend met kringen bloed, was David blindelings naar Saigon gevlucht, in zijn grenzeloze razernij, en zijn vriend in het Centrale Inlichtingenbureau, Alex Conklin, was het geweest die een plaats voor hem had gevonden in het illegale bataljon dat ze Medusa noemden.

Als je de jungletraining overleeft dan zul je een man zijn die ze nodig hebben. Maar hou hen in de gaten, iedere klootzak, elke verrekte minuut. Ze snijden je je arm af om je horloge te jatten. Dat waren de woorden die Webb zich herinnerde en hij herinnerde zich heel speciaal dat ze gesproken werden door de stem van Alexander Conklin.

Hij had de keiharde training overleefd en hij was Delta geworden. Geen andere naam, gewoon een opeenvolgende letter in het alfabet. Delta Eén. Vervolgens was, na de oorlog, Delta Caïn geworden. *Caïn betekent Delta en Carlos betekent Caïn. Dat was de uitdaging die Carlos de killer in het gezicht was gesmeten. Een moordenaar die Caïn heette, geschapen door Treadstone 71, zou de Jakhals vangen.*

Als Caïn, een naam waarvan de onderwereld in Europa wist dat het in werkelijkheid Azië's Jason Bourne was, had Conklin zijn vriend verraden. Gewoon vertrouwen van Alex zou ál verschil hebben uitgemaakt, maar Alex kon dat vertrouwen niet opbrengen, zijn eigen verbittering sloot die daad van naastenliefde uit. Hij geloofde het ergste van zijn vroegere vriend omdat zijn eigen gevoel van martelaarschap maakte dat hij dat wilde geloven. Het gaf steun aan zijn eigen gebroken zelfachting, het overtuigde hem dat hij beter was dan zijn vroegere vriend. Tijdens zijn dienst bij Medusa was Conklins voet verbrijzeld door een landmijn en zijn briljante carrière als actief strateeg werd afgebroken. Een kreupele kon niet in actie blijven en Conklin bezat de vaardigheden ook niet voor het politieke ellebogenwerk dat in Langley vereist was. Hij kwijnde weg, hij, eens een uitzonderlijk tacticus, en hij moest toezien hoe mindere talenten hem voorbijstreefden, hoe er op zijn ervaring alleen in het geheim een beroep werd gedaan, hoe hij als hoofd van Medusa altijd op de achtergrond werd gedrongen, gevaarlijk, iemand die je op afstand moest houden.

Twee jaren van gedwongen castratie volgden, tot een man die bekend stond als de Monnik — een Raspoetin van de geheime operaties — hem opzocht omdat ene David Webb was geselecteerd voor een uitzonderlijke taak en Conklin had Webb jarenlang gekend. Treadstone 71 werd gecreëerd, Jason Bourne werd haar produkt en Carlos de Jakhals werd het doelwit. En tweeënertig maanden lang beheerde Conklin die geheimste van alle clandestiene operaties, totdat het scenario in stukken gescheurd werd door het verdwijnen van Jason Bourne en de opnamen van meer dan vijf miljoen dollar van Treadstones bankrekening in Zürich.

Zonder tegenbewijs nam Conklin het ergste aan. De legendarische Bourne was overgelopen; het leven in de schaduwwereld was te veel voor hem geworden en de verleiding om er vandoor te gaan met meer dan vijf miljoen dollar was te groot geweest om te weerstaan. Vooral voor iemand die bekend stond als de kameleon, een specialist in clandestiene operaties die vele talen sprak en die met zo weinig moeite zijn uiterlijk en zijn manier van leven kon veranderen dat hij letterlijk kon verdwijnen. Er was een valstrik gespannen voor een sluipmoordenaar en toen was het aas verdwenen, een intrigerende dief was te voorschijn gekomen. Voor de kreupele Alexander Conklin was dit niet alleen de daad van een verrader, het was onverdraaglijke trouweloosheid. Als je alles beschouwde wat *hem* was aangedaan, zijn voet die nu alleen nog maar een pijnlijk lastig aanhangsel was dat chirurgisch verpakt zat in geleende spieren, een eens briljante carrière die nu aan brokken lag, zijn persoonlijke leven vol van een eenzaamheid die alleen een algehele toewijding aan het Bureau tot gevolg had — een toewijding waar niets tegenover stond — met welk recht kon dan iemand *anders* overlopen? Welke andere man had gegeven wat hij had gegeven?

Zo werd zijn eens dierbare vriend David Webb, de vijand Jason Bourne. Niet alleen de vijand, maar een obsessie. Hij had geholpen de mythe in het leven te roepen, nu zou hij ze vernietigen. Zijn eerste poging was gedaan met behulp van twee huurmoordenaars in de buitenwijken van Parijs.

David huiverde bij de herinnering, zag nog steeds een verslagen Conklin weghinken terwijl Webb zijn kreupele gestalte in zijn vizier had.

De tweede poging zag David nog maar vaag voor zich. Misschien zou hij zich die nooit helemaal herinneren. Het was gebeurd in het beveiligde huis Treadstone aan 71st Street in New York, een ingenieuze valstrik die door Conklin was gespannen, die mislukte door Webbs hysterische pogingen in leven te blijven en, vreemd genoeg, door de aanwezigheid van Carlos de Jakhals.

Toen later de waarheid aan het licht kwam, dat de 'verrader' geen greintje trouweloosheid bezat, alleen maar een mentale afwijking die amnesie heette, werd Conklin daardoor gebroken. Tijdens de martelende maanden van Davids herstelperiode in Virginia, had Alex herhaaldelijk geprobeerd zijn eens zo dierbare vriend op te zoeken, om uitleg te geven, om zijn kant van het bloederige verhaal te vertellen — om met elke vezel van zijn lijf om vergeving te vragen.

Maar David had geen vergeving gevonden in zijn ziel.

'Als hij door die deur naar binnen komt maak ik hem kapot,' waren zijn woorden geweest.

Dat zou nu veranderen, dacht Webb, en hij versnelde zijn pas langs de straat naar zijn huis. Wat voor fouten en dubbelhartigheden Conklin ook had gehad, er waren maar heel weinig mensen in de inlichtingengemeenschap die zijn inzicht bezaten en de bronnen die hij had verworven in een heel leven van toegewijd werken. David had in geen maanden meer aan Alex gedacht, nu dacht hij aan hem en hij herinnerde zich ineens wanneer zijn naam het laatst was gevallen in een gesprek. Mo Panov had het oordeel uitgesproken.

'Ik kan hem niet helpen omdat hij niet geholpen wil worden. Hij zal zijn laatste fles whisky met zich meenemen naar dat machtige, geheime operatiecentrum in de hemel, zo starnakel zat als een gelukkige maleier. Het zal me verbazen als hij het uithoudt tot zijn pensioen aan het einde van het jaar. Van de andere kant, als hij zo kachel blijft, stoppen ze hem misschien in een dwangbuis en dat zal hem buiten schot houden. Ik zweer je, ik kan niet begrijpen hoe hij elke dag naar zijn werk gaat. Dat pensioen van hem is een verrekte goede overlevingstherapie, beter dan alles wat we van Freud hebben geleerd.'

Panov had die woorden pas vijf maanden geleden uitgesproken. Conklin was er nog steeds.

Het spijt me, Mo. Of hij het overleeft of niet kan me niks schelen. Wat mij betreft is hij zo dood als een pier.

Dood was hij nu niet, dacht David, terwijl hij de trap oprende van de reusachtige Victoriaanse veranda. Alex Conklin leefde wel degelijk nog, of hij nu dronken was of niet, en zelfs wanneer hij zo ongeveer op sterk water stond had hij nog zijn bronnen, die contacten die hij zorgvuldig in stand had gehouden tijdens een heel leven van toewijding aan de schaduwwereld die hem uiteindelijk had uitgespuugd. In die wereld stonden schulden uit en ze werden betaald uit angst.

Alexander Conklin. Nummer 1 op de zwarte lijst van Jason Bourne.

Hij duwde de deur open en stond opnieuw in de gang, maar zijn ogen namen de ravage niet in zich op. In plaats daarvan beval zijn logische gedachtengang hem terug te gaan naar zijn werkkamer en de procedure op gang te brengen. Zonder gedwongen regelmaat was er alleen maar wanorde en wanorde leidde tot vragen, die kon hij zich niet veroorloven. Alles moest precies passen in de werkelijkheid die hij aan het scheppen was zodat de nieuwsgierigen afgeleid konden worden van de werkelijke realiteit.

Hij ging aan zijn bureau zitten en probeerde zich te concentreren. Voor hem lag het aantekenboek uit de universiteitswinkel dat hij altijd bij zich droeg. Hij sloeg de dikke omslag op naar de eerste gelinieerde bladzijde en stak zijn hand uit naar een potlood. Hij kon het niet eens oppakken! Zijn hand trilde zo dat zijn hele lijf sidderde. Hij hield zijn adem in en balde een vuist, zo heftig dat zijn nagels in zijn huid drongen. Hij sloot zijn ogen en opende ze weer en dwong zijn hand terug te keren naar het potlood, beval die hand haar werk te doen. Langzaam, onbeholpen, grepen zijn vingers het dunne, gele houtje vast en bewogen het potlood naar het papier. De woorden waren nauwelijks leesbaar, maar ze stonden er.

De universiteit... bel rector en studiedecaan. Noodgeval in familie, niet Canada... kan worden nagegaan. Verzin... een broer in Europa misschien. Ja, Europa. Verlof... kort verlof. Nu meteen. Blijf in contact. Huis... bel huisbaas, zelfde verhaal. Vraag Jack nu en dan eens te kijken. Hij heeft sleutel. Zet thermostaat op 16°.

Post... formulier invullen op postkantoor. Alle post vasthouden.

Kranten... opzeggen.

De kleine dingen, die verrekte *kleine* dingen, de onbelangrijke zaken van alledag werden zo verschrikkelijk belangrijk en moesten worden verzorgd, zodat er geen enkel spoor zou zijn van zijn plotselinge vertrek, zonder plannen om terug te keren. Dat was van vitaal belang. Hij moest er aan denken bij elk woord dat hij sprak. Vragen moesten tot een minimum beperkt blijven, de onvermijdelijke speculaties moesten worden teruggebracht tot hanteerbare afmetingen en dat betekende dat hij rekening moest houden met de voor de hand liggende conclusie dat zijn recente lijfwachten iets te maken hadden met zijn verlof. De meest aannemelijke manier om dat verband te verdoezelen was de nadruk te leggen op de korte duur van die afwezigheid en de kwestie onder ogen te zien met een duidelijke afwijzing, in de geest van 'Als jullie je soms afvragen of dit iets te maken heeft met... nou ja, vergeet het maar. Dat hoofdstuk is voorbij, het stelde toch al niet zoveel voor.' Hij zou beter weten hoe zijn reactie moest zijn terwijl hij sprak met zowel de rector als met de studiedecaan. Hun eigen reacties zouden hem de weg wijzen. Alsof iets hem de weg kon wijzen! Alsof hij nog in staat was te denken! Niet terugglijden nu! Blijf aan de gang. Laat dat potlood doorwerken! Vul de pagina met dingen die gedaan moeten worden, en dan nog een pagina, en nog een! Paspoorten, initialen op portefeuilles of portemonnees of overhemden die overeen moesten stemmen met de namen die gebruikt werden; vliegtuigreserveringen, aansluitende vluchten, geen directe routes − o, mijn god! Waar*heen*! Marie! Waar *ben* je?

Stop daarmee! Hou je in bedwang. Je kunt het, je *moet* het kunnen. Je hebt geen keus, word dus maar wat je eens was. Dat gevoel van ijs. Word ijs.

Plotseling werd de bolster waarmee hij bezig was zich te omhullen kapotgeslagen door het doordringend rinkelen van de telefoon, op enkele centimeters van zijn hand op het bureau. Hij keek ernaar, slikte moeilijk, vroeg zich af of hij in staat zou zijn ook maar een beetje normaal te klinken. Weer ging de bel over, het rinkelen had iets afschuwelijks indringends. *Je hebt geen keus.*

Hij nam de hoorn op en greep die vast met zo'n kracht dat zijn knokels wit werden. Hij bracht met moeite het ene woordje uit: 'Ja?'

'U spreekt met de Centrale Luchtvaartverkeer, satelliettransmissie...'

'Wie? Wat zei u?'

'Ik heb een radiogesprek vanuit een vliegtuig voor ene heer Webb. Bent u meneer Webb, meneer?'

'Ja.'

En toen spatte de wereld die hij kende uiteen in duizenden spiegelscherven, en elk daarvan weerspiegelde zijn krijsende kwelling.

'David!'

'*Marie*?'

'Hou je kalm, schat! Hoor je me, *hou je rustig!*' Haar stem weerklonk door het storingsgeruis heen. Ze probeerde niet te schreeuwen maar ze moest wel.

'Is alles goed met je? In het briefje stond dat je gewond was!'

'Alles is goed. Een paar schrammetjes, meer niet.'

'Waar *ben* je?'

'Boven zee, ik weet zeker dat ze je dat tenminste zullen vertellen. Ik weet het niet, ik was onder verdoving.'

'O, mijn *god*! Ik kan het niet uithouden! Ze hebben je meegenomen!'

'Hou je in bedwang, David. Ik weet wat je hierdoor doormaakt, maar *zij weten dat niet*. Begrijp je wat ik zeg? Zij *weten het niet!*'

Ze bracht hem een boodschap in code over, ze was niet moeilijk te ontcijferen. *Hij moest de man worden die hij haatte. Hij moest Jason Bourne zijn en de killer was springlevend en huisde in het lichaam van David Webb.*

'Goed. Ja, goed. Ik ben buiten mezelf!'

'Je stem wordt versterkt...'

'Natuurlijk.'

'Ze laten me met je spreken zodat je weet dat ik nog leef.'

'Hebben ze je *pijn* gedaan?'

'Niet met opzet.'

'Wat zijn ''schrammetjes'', godverdomme?'

'Ik heb me verzet. Ik heb gevochten. En ik ben grootgebracht op een boerderij.'

'O, mijn *god*!'

'David, *alsjeblieft*. Laat niet toe dat ze je dit aandoen!'

'Mij? Het gaat om jou!'

'Ik weet het, schat. Ik geloof dat ze je op de proef stellen, kun je dat begrijpen?'

Weer de boodschap. Word Jason Bourne voor ons beider zaak, voor ons beider levens. 'Goed. Ja, goed.' Hij ging wat minder intens praten, in een poging zich in bedwang te houden. 'Wanneer is het gebeurd?' vroeg hij.

'Vanmorgen, ongeveer een uur nadat jij vertrokken was.'

'Van*morgen*? Verrek, de hele *dag*! Hoe?'

'Ze kwamen aan de voordeur. Twee mannen...'

'*Wie*?'

'Ik heb toestemming te zeggen dat ze uit het Verre Oosten komen. Eigenlijk weet ik zelf ook niet meer. Ze vroegen me met hen mee te gaan en ik weigerde. Ik rende de keuken in en zag een mes liggen. Ik heb een van hen in de hand gestoken.'

'De handdruk op de deur...'

'Ik begrijp het niet.'

'Het doet er niet toe.'

'Er wil iemand met je praten, David. Luister naar hem, maar niet in woede — niet in razernij — kun je dat *begrijpen*?'

'Goed. Ja, goed. Ik begrijp het.'

Er weerklonk een mannenstem over de lijn. Ze klonk wat weifelend, maar heel precies, bijna Engels in de uitspraak, iemand die Engels had geleerd van een Engelsman, of iemand die in Engeland had gewoond. Toch had de stem een onmiskenbaar oosters accent, een accent uit het zuiden van China, de toonhoogte, de kortafgebeten klinkers en de scherpe medeklinkers die op het Kantonees leken.

'We willen uw vrouw geen kwaad doen, meneer Webb, maar als het nodig is zal het onvermijdelijk zijn.'

'Ik zou het maar uit je hoofd laten,' zei David kil.

'Spreekt Jason Bourne nu?'

'Die spreekt, ja.'

'Die erkenning is de eerste stap in onze overeenkomst.'

'Wat voor overeenkomst?'

'U hebt een man beroofd van iets heel waardevols.'

'U hebt mij beroofd van iets heel waardevols.'

'Zij leeft nog.'

'Dat kan ze maar beter blijven doen.'

'Een andere vrouw is dood. U hebt haar vermoord.'

'Weet u dat wel zeker?' *Bourne zou niet zo gemakkelijk toegeven, tenzij het in zijn voordeel was zoiets te doen.*

'We weten het heel zeker.'

'Wat voor bewijs hebt u?'

'U bent gezien. Een lange man die zich in het donker ophield en die door hotelgangen en over brandladders rende met de bewegingen van een poema.'

'Dan ben ik dus niet *echt* gezien, nietwaar? En dat kon ook niet. Ik was duizenden kilometers daarvandaan.' *Bourne zou zichzelf altijd een keuzemogelijkheid laten.*

'Wat betekent afstand in deze tijd van supersnelle vliegtuigen?' De oosterling zweeg en voegde er toen scherp aan toe: 'Tweeëneenhalve week geleden hebt u zich voor vijf dagen geheel vrij gemaakt van uw werk.'

'En als ik u nu eens vertelde dat ik in Boston een symposium heb bijgewoond over de Sung en Yuan dynastieën... en dat lag precies in de lijn van mijn werk...'

'Het verbaast me ten zeerste,' onderbrak de man hem beleefd, 'dat Jason Bourne zo'n zwakke uitvlucht aangrijpt.'

Hij had niet naar Boston willen gaan. Dat symposium had in de vérste verte niets te maken met zijn colleges, maar men had hem officieel verzocht deel te nemen. Het verzoek was afkomstig uit Washington, van het Programma voor Culturele Uitwisseling en het was via de Faculteit voor Oosterse Wetenschappen van de universiteit tot hem doorgedrongen. Mijn god! Elke pion stond op zijn plaats! 'Uitvlucht waarvoor?'

'Om daar te zijn waar hij niet was. Grote mensenmenigten die zich verdrongen om de geëxposeerde collecties, bepaalde mensen die betaald waren om te zweren dat u daar was.'

'Dat is belachelijk, om niet te zeggen amateuristisch. Daar geef ik geen cent voor.'

'Toch hebt u uw centen gekregen.'

'Heb ik dat? Hoe dan?'

'Via dezelfde bank die u al eerder gebruikt hebt. In Zürich. De Gemeinschaft in Zürich, aan de Bahnhofstrasse, natuurlijk.'

'Vreemd dat ik dan geen bankafrekening heb gekregen,' zei David en hij spitste zijn oren.

'Toen u Jason Bourne was in Europa had u die nooit nodig, want u had een drie-nullen-rekening, de allergeheimste, en in Zwitserland betekent dat wel zeer geheim. Maar wij hebben een overschrijvingsbewijs gevonden naar de Gemeinschaft, tussen de papieren van een man... een dode man, natuurlijk.'

'Natuurlijk. Maar niet de man die ik zogenaamd heb gedood.'

'Heel zeker niet. Maar een die opdracht gaf die man te doden, samen met een waardevolle prijs van mijn opdrachtgever.'

'Een prijs is een trofee, nietwaar?'

'Beide moeten gewonnen worden, meneer Bourne. Genoeg. U bent wie u bent. Ga naar het Regent Hotel in Kowloon. U kunt u daar inschrijven onder elke naam die u wilt, als u maar vraagt naar suite zes-ne-

gen-nul. . . zeg maar dat er volgens u voorzieningen zijn getroffen die
te reserveren.'
'Hoe gemakkelijk. Mijn eigen kamers.'
'Het zal tijd winnen.'
'Het zal me ook tijd kosten hier dingen te regelen.'
'We zijn er zeker van dat u geen alarm zult slaan en dat u alles zo snel
mogelijk zult afwikkelen. U moet er zijn aan het einde van de week.'
'Daar kunt u op rekenen. Geef me nu mijn vrouw terug aan de lijn.'
'Het spijt me, maar dat kan ik niet doen.'
'In hemelsnaam, ze kan alles horen wat wij hier zeggen!'
'U zult haar weer spreken in Kowloon.'
Er klonk een holle klik en hij hoorde over de lijn alleen maar storingsgeruis. Hij legde de hoorn neer en zijn greep was zo intens geweest dat hij
kramp had gekregen tussen duim en wijsvinger. Hij trok zijn hand weg
en schudde haar heftig, de vingers nog gekromd. Hij was er dankbaar
voor dat de pijn hem veroorloofde geleidelijk aan de werkelijkheid weer
te aanvaarden. Hij greep zijn rechterhand vast met zijn linker, hield
haar stil en drukte zijn linkerduim op de krampplek. . . en toen hij keek
hoe zijn vingers zich weer uitspreidden, wist hij wat hij moest doen,
doen moest zonder een uur te verspillen aan die hoogst belangrijke, onbelangrijke alledaagsheden. Hij moest Conklin bereiken in Washington, de rioolrat die geprobeerd had hem te vermoorden bij vol daglicht
op 71st Street in New York. Of Alex nu dronken was of nuchter, voor
hem bestond er geen verschil tussen dag en nacht, ook niet bij de operaties die hij zo goed kende, want waar het zijn werk betrof bestond er
geen dag en geen nacht. Er was alleen het vlakke licht van TL-buizen in
kantoren die nooit dichtgingen. Als hij moest zou hij Alexander Conklin onder druk zetten tot het bloed opwelde uit de ogen van de rioolrat.
Hij zou te weten komen wat hij weten moest, in de wetenschap dat Conklin die informatie kon krijgen.
Webb stond onvast op uit zijn stoel, liep zijn werkkamer uit naar de
keuken waar hij zich een borrel inschonk, weer dankbaar dat het beven
minder was dan voorheen, ofschoon zijn hand nog trilde.
Bepaalde dingen kon hij uit handen geven. Jason Bourne gaf nooit iets
uit handen, maar hij was nog steeds David Webb en er waren in de universiteit verschillende mensen die hij kon vertrouwen, zeker niet met de
waarheid, maar wel met een bruikbare leugen. Toen hij weer terugkeerde naar zijn werkkamer en naar de telefoon, had hij zijn contactman
gekozen. *Contactman,* in hemelsnaam! Een woord uit het verleden
waarvan hij had gedacht dat hij het kon vergeten. Maar de jongeman
zou doen wat hij vroeg, de einddissertatie van de afstuderende student
zou tenslotte worden beoordeeld door zijn mentor, ene David Webb.
*Maak gebruik van je overwicht, of het nu is in het stikdonker of in ver-
blindend zonlicht, maar maak er gebruik van om angst aan te jagen of*

maak er gebruik van met medeleven wat dan ook het beste werkt.
'Hallo, James? Met David Webb.'
'Hallo, meneer Webb. Wat heb ik verkeerd gedaan?'
'Je hebt niets verkeerd gedaan, Jim. De zaken zijn fout gelopen voor mij en ik kan wel een beetje hulp buiten het studieprogramma gebruiken. Ben je daarin geïnteresseerd? Het zal een beetje tijd kosten.'
'Dit weekend? Gaat u naar de wedstrijd?'
'Nee, alleen morgenochtend. Misschien een uur of zo, als dat al nodig is. Dan kun je rekenen op een kleine bonus waar het je curriculum betreft, als dat je niet al te kloterig in de oren klinkt.'
'Zegt u het maar.'
'Nu dan, vertrouwelijk gesproken — en ik zou het op prijs stellen als je het voor je houdt — moet ik een weekje weg, misschien twee, en ik sta op het punt de hoge heren te bellen en voor te stellen dat jij me vervangt. Voor jou is het niet moeilijk. Het is de omverwerping van de Manchoe-dynastie en de Chinees-Russische overeenkomsten, tegenwoordig allemaal erg vertrouwd.'
'1900 tot ongeveer 1906,' zei de bijna afgestudeerde vol vertrouwen.
'Je kunt het nog wat bijschaven en vergeet de Japanners niet en Port Arthur en die ouwe Teddy Roosevelt. Zet het op een rijtje en trek maar parallellen, dat heb ik ook gedaan.'
'Ik kan het en ik zal het doen. Ik zal mijn boeken nakijken. Kan ik morgen nog wat doen?'
'Ik moet vanavond vertrekken, Jim. Mijn vrouw is al onderweg. Heb je een potlood?'
'Zeker, meneer.'
'Je weet wat ze ervan zeggen als er steeds meer kranten en post op je deurmat komen te liggen, daarom wil ik dat je de krantenbezorger belt en naar het postkantoor gaat en op beide plaatsen zegt dat ze alles vast moeten houden. Teken maar wat er eventueel getekend moet worden. Vervolgens bel je het agentschap van Scully hier in het dorp en je praat met Jack of met Adèle en zegt hun dat ze...'
De kandidaat-doctorandus was gestrikt. Het volgende gesprek was veel gemakkelijker dan David had verwacht, omdat de rector van de universiteit op een officieel diner was ter zijner ere in de rectorswoning, en omdat die veel meer geïnteresseerd was in de speech die hij dadelijk moest houden dan in een onduidelijk — zij het ongewoon — verlof van een professor. 'Neemt u alstublieft contact op met de studiedecaan, meneer... Webb. Verrek, ik probeer hier geld bijeen te krijgen.'
De studiedecaan kostte wat meer moeite. 'David, heeft dit iets te maken met die mensen met wie je verleden week steeds optrok? Ik bedoel maar, jongen, ik ben tenslotte een van de weinige mensen hier die weten dat jij betrokken was bij een paar hele vertrouwelijke zaakjes in Washington.'

'Helemaal niets, Doug. Dat was van het begin af aan onzin, dit is dat niet. Mijn broer is ernstig gewond, zijn wagen is total loss. Ik moet naar Parijs voor een paar dagen, misschien een week, meer niet.'

'Ik was twee jaar geleden nog in Parijs. De chauffeurs daar zijn volkomen geschift.'

'Niet erger dan in Boston, Doug en een verdomd stuk beter dan in Caïro.'

'Nou ja, ik denk dat ik wel iets kan regelen. Zo lang is een week niet en Johnson is bijna een maand weggeweest met longontsteking...'

'Ik heb al iets geregeld, afhankelijk van jouw toestemming, natuurlijk. Jim Crowther, een kandidaat-doctorandus, valt voor me in. Het is stof die hij kent en hij zal het best rooien.'

'O ja, Crowther, een slimme jongen, ondanks zijn baard. Ik heb studenten met baarden nooit vertrouwd, maar ik was hier natuurlijk in de jaren zestig.'

'Probeer of je er een kunt laten groeien. Misschien voel je je wel bevrijd.'

'Daar zal ik maar niet op ingaan. Weet je *zeker* dat het niets te maken heeft met die lui van Buitenlandse Zaken? Ik moet echt op de hoogte zijn van de feiten, David. Hoe heet je broer? In welk ziekenhuis ligt hij in Parijs?'

'Ik weet niet in welk ziekenhuis, maar Marie waarschijnlijk wel. Zij is vanmorgen vertrokken. Tot ziens, Doug. Ik bel je morgen wel of overmorgen. Ik moet nu naar Logan Airport in Boston.'

'David?'

'Ja?'

'Waarom heb ik zo het gevoel dat je niet helemaal eerlijk tegen me bent?'

Webb wist het weer. 'Omdat ik nooit eerder in zo'n positie heb verkeerd,' zei hij. 'Een gunst vragen aan een vriend vanwege iemand over wie ik liever niet denk.'

David legde de hoorn op.

De vlucht van Boston naar Washington bracht David tot wanhoop, vanwege een nagenoeg fossiele, pedante professor — hij kwam er nooit achter wat hij precies doceerde — die naast hem zat. De stem van de man was even irriterend prekerig als de plechtstatige klanken van de schmierende acteur op de televisie die de rol speelt van de erudiete oudste compagnon van een makelaarskantoor en met nadruk beweert: 'Ze *verdienen* het!' De uitdrukking bleef zich eindeloos herhalen in Webbs gedachten, wat de man verder ook zei, en hij bleef er het nodige uitkramen. Pas toen ze landden op National Airport kwam de betweter met de waarheid.

'Ik heb u lastig gevallen, maar u moet het me vergeven. Ik ben doodsbenauwd in een vliegtuig, daarom blijf ik maar doorkletsen. Stom, vindt u niet?'

'Helemaal niet, maar waarom hebt u dat niet gezegd? Het is nauwelijks een misdaad.'

'Angst om door mijn gelijke te worden uitgelachen, denk ik.'

'Ik zal eraan denken, wanneer ik een volgende keer naast iemand als u kom te zitten.' Webb glimlachte even. 'Misschien kan ik helpen.'

'Dat is vriendelijk van u. En erg oprecht. Dank u. Dank u hartelijk.'

'Niets te danken.'

David haalde zijn koffer op aan de bagageband en liep naar buiten om een taxi te nemen. Hij vond het vervelend dat de taxi's geen passagiers alleen meenamen, maar erop stonden twee of meer mensen te vervoeren die dezelfde kant opgingen. Zijn medepassagier op de achterbank was een vrouw, een aantrekkelijke vrouw die lichaamstaal gebruikte en die benadrukte met smekende ogen. Hij begreep het niet, daarom negeerde hij haar en bedankte haar omdat ze hem het eerst liet afzetten.

Hij nam een kamer in het Jefferson Hotel aan 16th Street, onder een valse naam die hij ter plekke verzon. Het hotel lag iets meer dan een straatlengte van Conklins flat, dezelfde flat waar de CIA-functionaris bijna twintig jaar had gewoond, wanneer hij niet buiten het land werkte. Het was een adres dat David met grote zorgvuldigheid had uitgezocht voordat hij Virginia verliet, opnieuw instinctmatig — uit een diep geworteld wantrouwen. Het telefoonnummer had hij ook, maar hij wist dat hij daar niets mee kon uitrichten, hij kon Conklin niet bellen. De man die eens doorkneed was in geheime operaties zou zich verdedigend opstellen, meer mentaal dan fysiek, en Webb wilde een onvoorbereid man voor zich zien. Het moest zonder waarschuwing gebeuren, hij moest lijfelijk aanwezig zijn om betaling op te eisen van een uitstaande schuld.

David keek op zijn horloge, het was tien minuten vóór twaalf, eigenlijk een heel geschikte tijd en beter dan de meeste andere momenten. Hij waste zich, trok een ander overhemd aan en haalde ten slotte een van de twee gedemonteerde vuurwapens uit zijn koffer, waarin het opgeborgen had gezeten in een ruime, met folie beklede tas. Hij klikte de onderdelen ineen, probeerde het afvuurmechanisme en schoof het magazijn in de daarvoor bestemde kamer. Hij stak het wapen voor zich uit en bekeek zijn hand, tevreden dat die niet beefde. Het voelde glad en heel vertrouwd aan. Acht uur geleden zou hij nooit hebben geloofd dat hij een pistool in zijn hand kon houden, uit angst dat het af zou gaan. Dat was acht uur geleden, niet nu. Nu voelde hij zich er lekker bij, het was een deel van hem, een verlengstuk van Jason Bourne.

Hij verliet het Jefferson, liep 16th Street af, sloeg op de hoek rechtsaf en lette op de aflopende nummers van de oude appartementshuizen — hele oude huizen die hem herinnerden aan de herenhuizen in de Upper

East Side van New York. Dat hij daaraan moest denken was vreemd, gezien Conklins rol in het Treadstone-project, bedacht hij. Het beveiligde huis van Treadstone 71 in Manhattan was ook een herenhuis geweest, een ongewoon uitstulpend gebouw met bovenramen van blauw getint glas. Hij zag het zo helder voor zich, hij kon de stemmen zo duidelijk onderscheiden, zonder het echt te begrijpen − de incubator voor Jason Bourne.

Doe het nog eens!
Wie is dat gezicht?
Wat is zijn achtergrond? Zijn manier van doden?
Fout! Je hebt het fout! Doe het nog eens!
Wie is dit? Wat is zijn band met Carlos?
Verrek, denk na! Er mogen geen fouten worden gemaakt!

Een herenhuis. Waar zijn andere persoonlijkheid was gecreëerd, de man die hij nu zo hard nodig had.

Daar was het, de flat van Conklin. Hij lag op de eerste verdieping, aan de straat. Er brandden lampen, Alex was thuis en hij was wakker. Webb stak de straat over, zich ervan bewust dat de lucht ineens volhing met een nevelachtige motregen die de straling van de straatlantaarns vervaagde en lichtkringen tekende onder de bollen gerimpeld glas. Hij liep de trappen op en opende de deur naar het kleine halletje. Hij stapte naar binnen en bekeek de namen onder de brievenbussen van de zes appartementen. Onder elke naam zat een roostertje waardoor de bezoeker zich kon aankondigen.

Er was geen tijd om iets ingewikkelds te verzinnen. Als Panovs oordeel juist was zou zijn stem voldoende zijn. Hij drukte op Conklins knopje en wachtte op een reactie. Die kwam na iets meer dan één minuut.

'Ja? Wie is dat?'

'Harry Babcock,' zei David met een overdreven accent. 'Ik moet met je praten, Alex.'

'*Harry*? Verrek, wat wil. . .? Natuurlijk, natuurlijk, kom maar naar boven!' De zoemer ging over, met een korte onderbreking, toen de vinger van het knopje gleed.

David ging naar binnen en rende de smalle trap op naar de eerste verdieping, in de hoop voor Conklins deur te staan wanneer die opendeed. Hij haalde het iets meer dan een seconde voordat Alex, met ogen die wat lodderig keken, de deur opentrok en begon te gillen. Webb deed een uitval, klemde zijn hand voor Conklins gezicht, pakte de CIA-man vast in een worstelgreep en schopte de deur dicht.

Zover hij zich met enige zekerheid kon herinneren had hij nog nooit iemand anders fysiek zo aangepakt. Het zou vreemd moeten zijn, genant zelfs, maar het was geen van beide. Het was volkomen normaal. O, *mijn god!*

'Ik haal mijn hand weg, Alex, maar als je weer gaat schreeuwen komt ze terug. En als ze dat doet, zul je het niet meer overleven, is dat duidelijk?' David haalde zijn hand weg en rukte tegelijkertijd Conklins hoofd achterover.

'Jij bent de verrassing van mijn leven,' zei de CIA-man hoestend en zich met moeite op de been houdend toen hij werd losgelaten. 'Als ik jou zie heb ik ook behoefte aan een borrel.'

'Ik hoor zo dat dat een vrij constant dieet is.'

'We zijn nu eenmaal wie we zijn,' antwoordde Conklin en hij stak onhandig zijn hand uit naar een leeg glas op de salontafel voor een grote versleten sofa. Hij liep ermee naar een met koper beklede bar tegen de muur waarop een hele rij dezelfde whiskyflessen stond. Er stonden geen mixers op, geen water, alleen maar een ijsemmertje. Het was geen bar voor gasten. Het was voor de gastheer alleen en het glimmende metaal maakte duidelijk dat het een buitensporigheid was die de bewoner zichzelf veroorloofde. De rest van de woonkamer behoorde tot een hele andere klasse. Op de een of andere manier zei die koperen bar heel duidelijk iets.

'Waaraan heb ik dit twijfelachtige genoegen te danken?' vervolgde Conklin terwijl hij zich inschonk. 'In Virginia wilde je me niet zien, je zei dat je me kapot zou maken en dat is de waarheid. Dat heb je gezegd. Je zou me kapot maken als ik door die deur kwam, dat zei je.'

'Je bent zat.'

'Waarschijnlijk. Maar dat ben ik rond deze tijd meestal. Wil je beginnen met me de les te lezen? Je zult er geen barst mee opschieten, maar probeer het vooral als je zin hebt.'

'Je bent ziek.'

'Nee, ik ben zat, dat zei je net. Verval ik in herhaling?'

'Tot kotsens toe.'

'Dat spijt me dan.' Conklin zette de fles terug, nam een paar slokken van zijn glas en keek Webb aan. 'Ik ben niet door jouw deur gekomen, jij bent bij mij binnengelopen, maar ik neem aan dat dat er weinig toe doet. Ben je hier gekomen om eindelijk je bedreiging uit te voeren, de profetie te vervullen, het onrecht uit het verleden recht te zetten, of hoe je dat ook noemt? Ik betwijfel of het een whiskyfles is, die nogal opvallende bult onder je jasje.'

'Ik voel niet langer meer die overweldigende aandrang jou te vermoorden, maar, ja ik zou je kunnen doden. Je kunt die aandrang heel gemakkelijk weer oproepen.'

'Fascinerend. Hoe zou ik dat kunnen?'

'Door me niet te vertellen wat ik nodig moet weten en wat jij me kunt zeggen.'

'Jij moet iets weten wat ik niet weet.'

'Ik weet dat jij je twintig jaar met zeer geheime operaties hebt beziggehouden, en dat je de meeste helemaal zelf hebt opgezet.'

'Geschiedenis,' mompelde de CIA-man en hij nam een slok.

'Dat kan weer tot leven gebracht worden. Jouw geheugen is er nog helemaal, het mijne niet. Het mijne is beperkt, het jouwe niet. Ik heb informatie nodig, ik ben op zoek naar antwoorden.'

'Waarop? Waarvoor?'

'Ze hebben mijn vrouw ontvoerd,' zei David simpelweg, simpel, maar verpakt in ijs. 'Ze hebben me Marie afgenomen.'

Conklins ogen knipperden terwijl hij hem strak aanstaarde. 'Zeg dat nog eens. Ik geloof niet dat ik je goed heb verstaan.'

'Je hebt het wel verstaan! En jullie *klootzakken* zijn ergens heel diep bij dat rottige scenario betrokken!'

'Ik niet! Ik zou het niet willen − ik zou het niet *kunnen*! Verdomme, wat zei je nou? Is Marie *weg*?'

'Ze zit in een vliegtuig boven de Stille Oceaan. Ik moet haar nakomen. Ik moet naar Kowloon vliegen.'

'Je bent hartstikke gek! Je weet niet meer wat je zegt!'

'Jij moet eens naar mij luisteren, Alex. Jij moet eens heel goed luisteren naar alles wat ik jou zeg...' En weer welde die stroom van woorden op, maar nu met een beheersing die hij niet had kunnen opbrengen bij Morris Panov. Een dronken Conklin kon nog altijd beter iets in zich opnemen dan de meeste nuchtere mensen in de inlichtingengemeenschap, en hij moest het begrijpen. Webb kon zich geen lege plekken in het relaas veroorloven, het moest vanaf het begin duidelijk zijn, vanaf dat moment dat hij via de telefoon in het sportlokaal met Marie sprak en haar hoorde zeggen: 'David, kom naar huis. Er is hier iemand die met je moet praten. Snel, schat.'

Terwijl hij sprak hinkte Conklin onvast de kamer door naar de sofa en ging zitten, zijn ogen bleven voortdurend op Webbs gelaat gericht. Toen David ten slotte was aangeland bij het hotel om de hoek, schudde Alex zijn hoofd en pakte zijn glas op.

'Het is spookachtig,' zei hij nadat het even stil was geweest en hij zich diep had geconcentreerd om zich door de wolken alcohol heen te vechten. Hij zette het glas neer. 'Het lijkt erop alsof er een plan in werking is gezet dat van de rails is gelopen.'

'Van de rails?'

'Uit de hand.'

'*Hoe*?'

'Ik weet het niet,' zei de vroegere tacticus terwijl hij een beetje heen en weer zat te zwaaien en probeerde zijn woorden duidelijk over zijn tong te krijgen. 'Je krijgt een draaiboek dat al dan niet juist kan zijn, dan worden de doelwitten omgewisseld − voor jou je vrouw − en het draaiboek wordt gespeeld. Jij reageert zoals voorspelbaar was, maar wanneer je Medusa noemt krijg je in niet mis te verstane woorden te horen dat je eraan gaat als je daarmee doorgaat.'

'Dat valt te voorzien.'

'Zo breng je iemand niet op gang. Ineens staat je vrouw op een laag pitje en schuilt het alles overheersende gevaar in Medusa. Iemand heeft zich misrekend. Er is iets van de rails, er is iets gebeurd.'

'Je hebt de rest van deze nacht en morgen om me wat antwoorden te bezorgen. Ik vertrek morgenavond om zeven uur naar Hongkong.'

Conklin schoof iets naar voren, schudde langzaam zijn hoofd en stak opnieuw zijn rechterhand uit naar zijn glas. 'Je bent aan het verkeerde adres,' zei hij en nam een slok. 'Ik dacht dat je dat wist; je zei iets heel treffends over mijn zuipen. Ik kan niets voor je doen. Ik sta buitenspel, ze hebben mij afgeschreven. Niemand vertelt me meer iets en waarom zouden ze? Ik ben verleden tijd, Webb. Niemand wil meer ene sodemieter met me te maken hebben. Ik ben een mislukkeling, nog één stap en ik ben niet meer te redden en dat is volgens mij een uitdrukking die in die geschifte kop van jou zit geheid.

'Inderdaad. "Maak hem af. Hij weet te veel".'

'Misschien wil je mij daartussen schuiven, wil je dat soms? Gooi hem voor de leeuwen, maak de slapende Medusa wakker en zorg ervoor dat hij een koekje krijgt van zijn eigen deeg. Dat zou de zaak in evenwicht brengen.'

'Jij hebt *mij* ertussen geschoven,' zei David en hij haalde het pistool uit het holster onder zijn jasje.

'Ja, inderdaad,' stemde Conklin in. Hij knikte en staarde naar het wapen. 'Omdat ik *Delta* goed kende, en wat mij betrof was alles mogelijk. Ik had jou in actie gezien. Mijn god, je schoot een vent door zijn kop – een van je *eigen* mensen – in Tam Quan omdat je meende – je wist het niet, je *geloofde* het – dat hij per radio een peloton van de Ho Chi Minh waarschuwde! Geen beschuldigingen, geen verdediging, enkel een snelle executie in de jungle. Achteraf had je gelijk, maar je had het ook *mis* kunnen hebben! Je had hem gevangen kunnen nemen, misschien waren we dan nog dingen te weten gekomen, maar nee, dat was niks voor Delta! Hij maakte zijn eigen regels op. Ik ben er zeker van dat je in Zürich had kunnen overlopen!'

'Wat er in Tam Quan gebeurde weet ik niet zo precies meer, maar anderen wel,' zei David met onderdrukte woede. 'Ik moest daar negen man vandaan slepen – er was geen plaats voor een tiende die ons tempo vertraagd kon hebben of ervandoor had kunnen gaan, daarmee onze positie verradend.'

'*Prima! Jouw* regels. Je bent vindingrijk, trek hier dus maar de parallel en haal in godsnaam de trekker over zoals je dat met hem hebt gedaan, onze enige echte Jason Bourne! In Parijs heb ik je al gezegd dat je het moest doen!' Zwaar hijgend zweeg Conklin even terwijl hij met bloeddoorlopen ogen Webb aankeek; hij sprak klaaglijk fluisterend: 'Ik heb het je toen gezegd en ik zeg het je nu weer. Maak er een einde aan voor mij. Ik heb er het lef niet voor.'

'We waren *vrienden,* Alex!' schreeuwde David. 'Je kwam bij ons op bezoek! Je at met ons, je speelde met de kinderen! Je zwom met hen in de rivier...' *O, mijn god! Het kwam allemaal weer terug. De beelden, de gezichten... o, mijn god, de gezichten... De lijken die ronddreven in kringen bloed en water... Beheers je! Zet ze uit je hoofd! Vergeet het!* alleen nu maar. Nú!

'Dat was in een ander land, David. En bovendien... ik geloof niet dat je me die zin wilt laten afmaken.'

'"Bovendien is de deerne dood". Nee, ik had liever niet dat je die zin herhaalde.'

'Het doet er niet toe,' zei Conklin schor en hij dronk zijn glas bijna leeg. 'We waren beiden goed ontwikkeld, nietwaar? Ik kan je niet helpen.'

'Dat kun je wel. Dat *zul* je!'

'Hou er toch mee op, kerel. Het is onmogelijk.'

'Jij hebt schulden uitstaan. Ga die maar innen. Ik ben de jouwe aan het innen.'

'Het spijt me. Je kunt die trekker overhalen wanneer je wilt, maar als je dat niet doet, ga ik mijn eigen zaak niet hopeloos maken of alles verpesten wat me toekomt en waarop ik recht heb. Als ik straks op non-actief word gesteld wil ik er ook van genieten. Ik heb ze genoeg gegeven. Ik wil onderhand wat terugkrijgen.' De CIA-man stond op van de sofa en liep moeizaam de kamer door naar de koperen bar. Hij hinkte erger dan Webb zich kon herinneren van vroeger, zijn rechtervoet diende hem tot weinig anders meer dan een ingepakte stomp die hij scheef over de vloer trok, blijkbaar met veel pijn.

'Je been is erger, is 't niet?' vroeg David kortaf.

'Ik kan er best mee leven,'

'Je zult er ook mee sterven,' zei Webb en hij stak zijn pistool vooruit. 'Want ik kan niet leven zonder mijn vrouw en jij geeft er geen sodemieter om. Weet je wat je daardoor geworden bent, Alex? Na alles wat je ons hebt aangedaan, alle leugens, alle valstrikken, het schorem waarmee je ons probeerde te vangen...'

'*Jou!*' viel Conklin hem in de rede, terwijl hij zijn glas volschonk en naar het pistool keek. 'Niet haar.'

'Als je één van ons doodt, dood je ons alle twee, maar zoiets begrijp jij niet.'

'Die luxe heb ik nooit gekend.'

'Dat rottige zelfmedelijden van jou stond dat niet toe! Je wilt je er alleen maar helemaal in rondwentelen en je drank voor je laten denken. "Als die klotige landmijn er niet was geweest had hier nu de Directeur gestaan, of de Monnik, of de Grijze Vos — de Angleton van de tachtiger jaren". Je bent een zielepoot. Je hebt je leven, je verstand...'

'Godverdomme, neem ze me maar af! *Schiet dan*! Haal die verdomde trekker over maar laat me nog *iets* over!' Conklin dronk ineens zijn hele glas leeg, een lange, holle, wurgende hoest volgde erop. Na de kramp keek hij David aan met waterige oogjes waarin de rode adertjes duidelijk uitkwamen. 'Denk je dat ik niet zou proberen jou te helpen als ik dat kon, jij klootzak?' fluisterde hij schor. 'Denk jij dat ik al dat *"denken"* prettig vind waarmee ik me bezig hou? *Jij* snapt er geen donder van, David. Heb je dat dan nog niet door?' De CIA-man hield zijn glas vóór zich met twee vingers en liet het op de harde houten vloer vallen; het viel aan stukken en de scherven vlogen alle kanten op. Toen begon hij te spreken en zijn stem klonk hoog en monotoon, terwijl er een trieste glimlach om zijn lippen krulde, onder de vochtige ogen. 'Ik kan niet nog een *mislukking* verdragen, beste vriend. En ik zou mislukken, geloof me maar. Ik zou de dood betekenen voor jullie beiden en ik geloof niet dat ik daarmee verder zou kunnen leven.'

Webb liet het pistool zakken. 'Met jouw hersens en met wat jij hebt geleerd zou je niet mislukken. Hoe dan ook, ik waag het erop. Ik heb niet zoveel keuzemogelijkheden meer en ik kies jou. Om je de waarheid te zeggen ken ik niemand anders. Ik heb bovendien een aantal ideeën, misschien zelfs een plan, maar dat moet met heel veel haast in elkaar worden gezet.'

'O?' Conklin hield zich vast aan de bar om niet te wankelen.

'Zal ik wat koffie zetten, Alex?'

7

Zwarte koffie ontnuchterde Conklin weer een beetje maar de uitwerking van Davids vertrouwen in hem was veel groter. De Jason Bourne van vroeger respecteerde de talenten van zijn meest dodelijke vijand van vroeger en hij liet hem dat weten. Ze praatten tot vier uur 's morgens, schaafden de vage omtrekken van een plan bij, baseerden het op de werkelijkheid maar breidden het nog veel verder uit. En met het verdwijnen van de alcohol begon Conklin te functioneren. Hij begon vorm te geven aan wat David nog maar vaag had geformuleerd. Hij zag de fundamentele logica in van Webbs benadering en vond er de woorden voor.

'Wat jij beschrijft is een zich verbreidende crisissituatie die in feite is gebaseerd op de ontvoering van Marie en die men vervolgens door leugens uit de klauw laat lopen. Maar zoals je al zei moet het met heel veel haast in elkaar gezet worden, we moeten hard en snel toeslaan zonder hen rust te gunnen.'

'Gebruik eerst wat er echt is gebeurd,' onderbrak Webb hem, snel sprekend. 'Ik heb hier de toegang geforceerd en gedreigd je te zullen vermoorden. Ik heb beschuldigingen geuit die gebaseerd zijn op alles wat er gebeurd is — vanaf McAllisters scenario tot de uitspraak van Bab-

cock dat ze een executieploeg zouden uitsturen om me te zoeken... tot
die ijskoude, verengelste stem die me zei dat ik moest ophouden met
Medusa of ze zouden me krankzinnig verklaren en me terugsturen naar
het gekkenhuis. Niets van dat alles kan ontkend worden. Het is echt gebeurd en ik dreig alles bekend te maken, met inbegrip van Medusa.'
'Vervolgens schuiven we door naar de grote leugen,' zei Conklin en hij
schonk meer koffie in. 'Een ontsnappingskans die zo fantastisch is dat
niemand meer zal weten hoe hij het heeft.'
'Zoals?'
'Dat weet ik nog niet. Daarover zullen we moeten nadenken. Het moet
iets totaal onverwachts zijn, iets dat de strategen uit hun evenwicht
brengt, wie ze ook zijn, want ik voel het in mijn botten dat ze ergens
de teugels zijn kwijtgeraakt. Als ik gelijk heb zal een van hen contact
moeten zoeken.'
'Haal dan je notitieboeken maar voor de dag,' drong David aan. 'Begin
terug te bladeren en neem contact op met vijf of zes man die er logisch
geredeneerd het meest voor in aanmerking komen.'
'Dat zou uren kunnen duren, dagen zelfs,' wierp de man van de CIA tegen. 'De barricaden zijn opgericht en ik zou daar omheen moeten. Daar
hebben we de tijd niet voor, daar heb jij de tijd niet voor.'
'Er moet tijd zijn! Ga nou maar *beginnen*!'
'Er is een betere manier,' bracht Alex daartegenin. 'Die heb je van Panov.'
'Mo?'
'Ja. De rapporten op BZ, de officiële rapporten.'
'De *rapporten*...?' Die was Webb even vergeten, Conklin niet. 'Hoe
dan?'
'Daar zijn ze begonnen een nieuw dossier over jou samen te stellen. Ik
zal de Interne Veiligheidsdienst benaderen met een andere versie, in elk
geval een variant waardoor iemand met antwoorden zal moeten komen
— als ik gelijk heb, als het van de rails is gelopen. Die rapporten zijn
maar een instrument, ze leggen vast, er staat niet in of iets juist is of
niet. Maar het veiligheidspersoneel dat ervoor verantwoordelijk is zal
heftig aan de bel gaan trekken als zij denken dat er geknoeid is met het
systeem. Zij zullen ons werk voor ons doen... Toch hebben we nog die
leugen nodig.'
'Alex,' zei David en hij boog zich voorover in zijn stoel tegenover de
lange versleten sofa. 'Daarnet gebruikte je de uitdrukking "ontsnappingskans"...'
'Dat betekent gewoon een gat in het scenario, een breuk in het patroon.'
'Ik weet wat het betekent, maar als we het nu eens letterlijk gebruikten.
Die ontsnapping letterlijk toepassen. Ze noemen me pathologisch, schizofreen, dat wil zeggen dat ik fantaseer, dat ik soms de waarheid spreek
en soms niet en dat ik verondersteld word het verschil niet te kennen.'

88

'Dat zeggen ze inderdaad,' stemde Conklin in. 'Sommigen zullen het misschien zelfs geloven. Dus?'

'Waarom voeren we dit niet tot het uiterste door, tot ze het einde niet meer zien? We zullen zeggen dat Marie *ontsnapt* is. Ze heeft met mij contact gehad en ik ben op weg naar haar toe.'

Alex dacht na met gefronste wenkbrauwen, toen gingen zijn ogen steeds verder open en de frons verdween. 'Het is perfect,' zei hij zacht. 'Mijn god, het is *volmaakt!* De verwarring zal zich verbreiden als een bosbrand. In elke operatie die zo geheim is als deze zijn er altijd maar twee of drie mensen die alle bijzonderheden kennen. De anderen worden onkundig gelaten. *Verrek,* kun je het je voorstellen? Een officieel gesanctioneerde ontvoering! Misschien raken er een paar aan de top echt in paniek en lopen ze elkaar van de sokken bij hun pogingen hun vege lijf te redden. *Heel* goed, meneer Bourne.'

Vreemd genoeg ergerde Webb zich niet aan die opmerking, hij accepteerde ze gewoon zonder na te denken. 'Luister,' zei hij terwijl hij opstond. 'We zijn allebei uitgeput. We weten nu wat we willen, laten we daarom een paar uur gaan pitten en morgen alles nog eens nalopen. Jij en ik hebben jaren geleden geleerd wat het verschil is tussen een paar uurtjes slaap en helemaal geen slaap.'

'Ga jij terug naar je hotel?' vroeg Conklin.

'Ik denk er niet aan,' antwoordde David terwijl hij neerkeek op het bleke, afgetobde gelaat van de CIA-man. 'Pak maar een deken voor me. Ik blijf hier wel voor de bar liggen.'

'Je had ook moeten leren wanneer je je over bepaalde dingen geen zorgen moet maken,' zei Alex, terwijl hij opstond van de sofa en naar een kast hinkte bij de kleine hal. 'Als dit het laatste vuurwerk is dat ik ga afsteken — hoe dan ook — dan zal ik er het beste van maken. Misschien geeft het me zelfs de kans de zaken voor mezelf op een rijtje te zetten.'

Conklin draaide zich om nadat hij uit de kast een deken en een kussen had gehaald. 'Misschien kun je het wel een soort spookachtig voorgevoel noemen, maar weet je wat ik gisteravond na kantoortijd heb gedaan?'

'Natuurlijk weet ik dat. Behalve ander bewijsmateriaal ligt er overal kapot glas op de vloer.'

'Nee, ik bedoel daarvóór.'

'Wat dan?'

'Ik heb in de supermarkt een massa eten gekocht. Biefstuk, eieren, melk — zelfs dat stijfsel dat ze havermout noemen. Ik wil maar zeggen, zoiets doe ik nooit.'

'Je had zin in een flinke portie eten. Dat komt voor.'

'Als dat gebeurt ga ik naar een restaurant.'

'Wat wil je eigenlijk zeggen?'

'Ga jij maar slapen, de sofa is groot genoeg. Ik ga wat eten. Ik wil nog wat verder denken. Ik ga een biefstuk braden en misschien ook nog wat eieren.'

'Je hebt slaap nodig.'

'Twee, tweeëneenhalf uur, en ik ben weer kipfit. Daarna zal ik waarschijnlijk nog wat van die verdomde havermout eten.'

Alexander Conklin liep over de gang op de derde verdieping van het departement van Buitenlandse Zaken, zijn hinken was minder opvallend door pure wilskracht, de pijn was daardoor heviger. Hij wist wat er met hem aan de hand was: hij had werk voor de boeg dat hij heel graag goed wilde doen, zelfs briljant als die uitdrukking ergens nog op hem sloeg. Alex besefte dat maanden van misbruik van bloed en lichaam niet in een paar uur goedgemaakt konden worden, maar hij had nog iets in zich wat hij kon oproepen. Het was een gevoel van autoriteit, doorspekt met gerechtvaardigde woede. *Jezus,* wat een ironie! Een jaar geleden had hij de man die ze Jason Bourne noemden willen vernietigen, nu was er ineens die toenemende obsessie om David Webb te helpen, omdat hij ten onrechte had geprobeerd Jason Bourne te doden. Hij zou erdoor in een onhoudbare positie kunnen komen, maar het was juist dat hij dat risico liep. Misschien bracht een geweten niet alleen maar lafaards voort. Soms gaf het een man een beter gevoel van eigenwaarde.

En soms ging hij er beter door uitzien, bedacht hij. Hij had zich gedwongen veel verder te lopen dan hij eigenlijk hoorde te doen, hij had de scherpe herfstwind in de straten kleur laten brengen op zijn gezicht, een kleur die er in jaren niet meer was geweest. Dat, gecombineerd met een goede scheerbeurt en een geperst streepjespak dat hij in maanden niet meer had gedragen, deed hem in weinig meer lijken op de man die Webb gisteravond had aangetroffen. De rest was een kwestie van optreden, dat wist hij ook, toen hij de dubbele deuren naderde van het heilige der heilige van het hoofd van de Interne Veiligheidsdienst van bz.

Er werd weinig tijd besteed aan formaliteiten, nog minder zelfs aan praten over koetjes en kalfjes. Op Conklins verzoek — op de eis van het Bureau eigenlijk — verliet een assistent het vertrek en zat hij nu tegenover de robuuste vroegere brigadier-generaal van de Legerafdeling G-2 die nu aan het hoofd stond van de Interne Veiligheid van bz. Alex was van plan al bij zijn eerste woorden het heft in handen te nemen.

'Ik ben hier niet op een of andere diplomatieke missie tussen twee afdelingen, generaal — het is toch nog generaal?'

'Zo word ik nog genoemd, ja.'

'Dus kan het me ook geen barst schelen of ik diplomatiek ben of niet, begrijpt u me?'

'Ik begin een hekel aan u te krijgen, dat begrijp ik.'

'*Dat,*' zei Conklin, 'kan me helemaal niks schelen. Wat me echter wel kan schelen is een man die David Webb heet.'

'Wat is er met hem?'

'Met *hem?* Het feit dat u de naam zo gemakkelijk herkent is niet erg geruststellend. Wat is er aan de *hand, generaal?*'

'Wil je soms een megafoon, spion?' vroeg de ex-militair kortaf.

'Ik wil antwoorden horen, *korporaal,* zo denken wij bij ons over deze afdeling en over jou.'

'Rustig aan, Conklin! Toen jij me belde over dat zogenaamde noodgeval van je en vroeg om bevestiging via de centrale, heb ik zelf ook zo een en ander gecontroleerd. Die geweldige reputatie van jou is tegenwoordig wat wankel en ik gebruik die term als een goede raad. Je bent een zatlap, spion, en niemand windt daar doekjes om. Je hebt dus minder dan een minuut om me te vertellen wat je te zeggen hebt en dan smijt ik je eruit. Je kunt nog kiezen — de lift of het raam.'

Alex had de waarschijnlijkheid voorzien dat er over zijn drinken gekletst zou worden. Hij staarde het hoofd van de Interne Veiligheid aan en sprak met vlakke, zelfs wat meelevende stem. 'Generaal, ik zal die beschuldiging met één enkele zin beantwoorden en als dat ooit aan iemand wordt doorverteld, dan zal ik weten waar het vandaan komt, en het Bureau zal dat ook weten.' Conklin zweeg even en zijn ogen stonden helder en doordringend. 'We geven naar buiten vaak een indruk die we willen geven, om redenen waarover we niet kunnen praten. Ik weet zeker dat u begrijpt wat ik bedoel.'

De man van Buitenlandse Zaken retourneerde Alex' blik met één waaruit een weifelend begrijpen sprak. *'Verrek,'* zei hij zacht. 'Wij gaven vroeger de mensen die we naar Berlijn stuurden oneervol ontslag.'

'Vaak op ons aanraden,' stemde Conklin met een knikje in. 'En meer zullen we over dit onderwerp niet zeggen.'

'Oké, oké. Ik heb ernaast gepeuterd, maar ik kan u wel zeggen dat de indruk zijn werk doet. Een van uw adjunct-directeuren zei me dat ik flauw zou vallen van uw kegel als u nog maar halverwege de kamer was.'

'Ik wil niet eens weten wie hij is, generaal, want misschien lach ik hem wel in zijn gezicht uit. Toevallig drink ik helemaal niet.' Alex had een kinderlijke aandrang om ergens zonder dat het te zien was zijn vingers te kruisen, of zijn benen, of zijn tenen, maar er schoot hem geen manier te binnen. 'Laten we het weer eens over David Webb hebben,' voegde hij er scherp aan toe, en zijn stem klonk verre van toegeeflijk. 'Wat is uw klacht?'

'Mijn *klacht?* Mijn verrekte *leven,* man. Er is iets aan de hand en ik wil weten wat het is! Die rotzak is gisteravond binnengedrongen in mijn appartement en hij dreigde me te *vermoorden.* Hij strooide met vrij wilde beschuldigingen en noemde mensen die bij u op de loonlijst staan, zoals Harry Babcock en Samuel Teasdale en William Lanier. We hebben het nagetrokken. Ze zitten in uw geheime afdeling en ze zijn nog in actieve dienst. Verdomme, wat hebben die lui *uitgevoerd?* Iemand zei glashard dat jullie een *executieploeg* achter hem aan zouden sturen! Wat zijn dat voor praatjes? Een andere zei dat hij maar terug moest gaan naar het ziekenhuis, hij heeft in twee ziekenhuizen gelegen én in onze gecombineerde, uiterst vertrouwelijke kliniek in Virginia. Daar hebben *wij* hem ingestopt en hij is zo schoon als wat! Hij heeft ook een paar geheimen in zijn kop die niemand van ons naar buiten wil zien komen. Maar die vent staat op het punt te ontploffen vanwege iets wat jullie idioten hebben uitgehaald, of hebben laten gebeuren, of jullie kolere-ogen voor hebben gesloten! Hij beweert dat hij de bewijzen heeft dat jullie weer in zijn leven zijn opgedoken en het op zijn kop hebben gezet, dat jullie hem voor het blok hebben gezet en een verrekte hoop meer hebben genomen dan alleen maar 't volle pond!'

'Wat voor bewijzen?' vroeg de stomverbaasde generaal.

'Hij heeft met zijn vrouw gesproken,' zei Conklin ineens met eentonige stem.

'Wat dan nog?'

'Zij is uit hun huis weggehaald door twee kerels die haar verdoofden en haar in een privé-straalvliegtuig zetten. Ze werd naar de Westkust gevlogen.'

'Bedoelt u dat ze ontvoerd werd?'

'Dat bedoel ik nu precies. En haalt u nu maar eens diep adem, want ze heeft twee van hen afgeluisterd toen ze met de piloot praatten, en die heeft daaruit opgemaakt dat heel dat vieze zaakje iets te maken had met Buitenlandse Zaken — om wat voor reden dan ook — maar de naam *McAllister* werd genoemd. Mocht u het nog niet weten, hij is een van jullie onderministers van de afdeling Verre Oosten.'

'Dit is *waanzin!*'

'Dat is best mogelijk, maar ik heb het wel erger meegemaakt. Ze kon ontsnappen terwijl ze brandstof innamen in San Francisco. Toen heeft ze Webb kunnen bereiken in Maine. Hij is op weg naar haar toe — God mag weten waar — maar u kunt maar beter komen met een stel antwoorden met schroeven en moeren, tenzij u het feit kunt laten vaststellen dat hij een gek is die zijn vrouw heeft *vermoord* — en ik hoop dat u dat kunt — en dat er geen ontvoering is geweest, en ik hoop van harte dat dat niet het geval was.'

'Hij moet voor gek worden verklaard!' riep het hoofd van de Interne Veiligheid uit. 'Ik heb die rapporten gelezen! Dat moest ik wel, gisteravond belde er iemand anders over die Webb. Vraag me niet wie, dat kan ik u niet zeggen.'

'Wat is er *verdomme* aan de hand?' wilde Conklin weten en hij boog zich over het bureau met zijn handen op de rand, meer om effect te sorteren dan als ondersteuning.

'Hij lijdt aan *achtervolgingswaanzin,* wat moet ik daarvan zeggen? Hij

verzint dingen en die gelooft hij dan!'
'De overheidsartsen hadden een andere diagnose,' zei Conklin kil. 'Toevallig weet ik daar iets meer van.'
'Ik *niet,* verdomme!'
'En dat zult u waarschijnlijk ook nooit,' stemde Alex in. 'Maar als een overlevende van de Treadstone-operatie kunt u maar beter contact met iemand opnemen die me vertelt wat er gaande is en me geruststelt. Hier heeft iemand een potje met pieren opengetrokken dat we maar liever stevig dicht houden.' Conklin haalde een aantekenboekje te voorschijn en een balpen. Hij schreef een nummer op, scheurde het blad eruit en liet dat op het bureau vallen. 'Dit is een geheim nummer, als u het laat nagaan krijgt u alleen een vals adres,' vervolgde hij, met meedogenloze ogen en harde stem, waarvan zelfs het trillen dreigend klonk. 'Het moet vanmiddag gedraaid worden tussen drie en vier, op geen andere tijd. Laat iemand me dan bellen. Het kan me niet schelen wie het is of hoe u het doet. Misschien moet u wel een van uw beroemde beleidsvergaderingen bijeenroepen, maar ik wil antwoorden horen — *wij* willen antwoorden!'
'U kunt er helemaal naastzitten, weet u dat?'
'Ik hoop dat dat zo is. Maar als het niet zo is, dan gaan jullie hier voor de bijl, en behoorlijk, omdat jullie op verboden terrein hebben rondgesnuffeld.'

David was dankbaar dat er nog zoveel te doen was, want zonder dat zou hij voor een mentaal blok kunnen komen zitten en verlamd kunnen worden door de druk van zowel te veel als te weinig weten. Nadat Conklin naar Langley was vertrokken was hij teruggekeerd naar het hotel en was daar aan zijn onvermijdelijke lijst begonnen. Van lijsten werd hij rustig, ze gingen vooraf aan noodzakelijke activiteit en dwongen hem zich te concentreren op bepaalde punten in plaats van op de redenen waarom hij die punten overwoog. Piekeren over de redenen zou zijn geest verlammen, even erg als een landmijn Conklins rechtervoet had lamgelegd. Over Alex kon hij ook niet nadenken, er waren daar te veel mogelijkheden en onmogelijkheden. En hij kon zijn vijand van weleer ook niet bellen. Conklin was nauwgezet, hij was inderdaad de beste. De vroegere strateeg overdacht elke aktie en de reactie die daarop zou volgen, en zijn eerste conclusie was dat er andere telefoons in werking zouden komen, binnen enkele minuten nadat hij gebeld had met het hoofd Interne Veiligheid van BZ, en twee speciale telefoons zouden zeker worden afgeluisterd. Beide telefoons van hem. In zijn flat en in Langley. Daarom was hij niet van plan om terug te keren naar zijn kantoor, om onderbrekingen of onderscheppingen te vermijden. Hij had met David op het vliegveld afgesproken, een half uur voordat Webb naar Hongkong zou vertrekken.

'Denk je dat je hierheen bent gekomen zonder dat iemand je schaduw-de?' had hij Webb gevraagd. 'Daar ben ik niet zeker van. Ze zijn bezig jou te programmeren en wanneer iemand de toetsen indrukt houdt hij een oog op het vaste nummer.'

'Wil je, alsjeblieft, Engels praten? Of Mandarijns? Beide kan ik ver-staan maar dat gelul niet.'

'Ze zouden een microfoon onder je bed kunnen hebben. Ik hoop dat je geen lid bent van een of ander geheim genootschap.'

Ze zouden alle contact vermijden totdat ze elkaar zouden ontmoeten in de foyer van Dulles Airport en daarom stond David nu aan de kassa van een kofferzaak aan Wyoming Avenue. Hij kocht een extra grote schou-dertas als vervanging voor zijn koffer. Veel van zijn kleren had hij ach-tergelaten. Bepaalde dingen — voorzorgsmaatregelen — kwamen weer bij hem terug, zoals het onnodige risico van wachten in de bagageafde-ling van een vliegveld, en aangezien hij om minder op te vallen *economy class* reisde werd het hem misschien niet toegestaan een koffer mee te nemen in de cabine. Alles wat hij nodig had zou hij kopen waar hij dan ook was en dat betekende dat hij een grote hoeveelheid geld bij zich moest hebben voor allerlei onvoorziene uitgaven. Dat feit bepaalde zijn volgende bezoek aan een bank aan 14th Street.

Een jaar geleden, terwijl de overheidssnuffelaars bezig waren te onder-zoeken wat er nog over was van zijn geheugen, had Marie stil en snel het geld van de bank gehaald dat David nog op de Gemeinschaft Bank in Zürich had staan en ook het geld dat hij als Jason Bourne had overge-schreven naar Parijs. Ze had het geld telegrafisch overgemaakt naar de Kaaiman Eilanden waar ze een Canadees bankier kende en had daar een doelmatige vertrouwelijke rekening geopend. Als je naging wat Was-hington haar man had aangedaan — de schade aan zijn geest, het fysie-ke lijden en zowat het verlies van zijn leven omdat men weigerde naar zijn hulpgeroep te luisteren — behandelde ze de regering nog heel net-jes. Als David had besloten een aanklacht in te dienen, en ondanks alles zou dat best alsnog kunnen gebeuren, zou elke handige advocaat de rechtszaal ingaan om schadevergoeding van meer dan tien miljoen dol-lar te eisen, niet zo ongeveer vijf en iets meer.

Ze had haar gedachten over wettelijke schadeloosstelling hardop uit-gesproken tegenover een uiterst nerveuze adjunct-directeur van het Cen-trale Inlichtingenbureau. Over het vermiste geld had ze niet gesproken, op een opmerking na dat het voor iemand met haar financiële opleiding ontstellend was dat er zo slordig werd omgesprongen met de zuurver-diende dollars van de Amerikaanse belastingbetaler. Ze had die kritiek uitgesproken met een geschokte, doch vriendelijke stem, maar haar ogen hadden iets anders gezegd. De dame was een zeer intelligente, ho-gelijk gemotiveerde tijgerin en haar boodschap werd begrepen. Daarom zagen wijzere en meer behoedzame mannen de logica in van haar overpeinzingen en ze lieten de zaak vallen. Het geld werd weggestopt onder zeer vertrouwelijke, allergeheimste toewijzingen voor noodgevallen. Steeds wanneer er extra geld nodig was — een reis, een auto, het huis — belde Marie of David hun bankier op de Kaaiman Eilanden en dan maakte hij het geld telegrafisch over naar een van de vijf dozijn gelieerde banken in Europa, de Verenigde Staten, de eilanden in de Stille Oceaan en het Verre Oosten, alleen niet naar de Filippijnen. Vanuit een telefooncel aan Wyoming Avenue vroeg Webb een telefoongesprek aan voor rekening van de opgeroepene, en deed zijn bevriende bankier lichtelijk verbaasd staan over het bedrag aan geld dat hij onmiddellijk nodig had en de bedragen die hij in Hongkong ter beschikking wilde hebben. Het gesprek kwam op iets minder dan 8 dollar, het geldbedrag ging om meer dan een half miljoen.

'Ik neem aan dat mijn lieve vriendin, de wijze en illustere Marie, hierin toestemt, David?'

'Ze zei dat ik je moest bellen. Ze zei dat ze zich niet wil bemoeien met kleinigheden.'

'Echt iets voor haar! De banken die je moet gebruiken zijn...'

Webb liep door de dikke glazen deuren van de bank aan 14th Street, bracht twintig irriterende minuten door met een vice-president die opvallend zijn best deed meteen de populaire jongen uit te hangen, en liep weer naar buiten met $ 50 000 veertig in biljetten van $ 500, de rest van alles wat.

Toen had hij een taxi aangeroepen en zich naar een appartement in D.C. Noord-West laten rijden, waar een man woonde die hij gekend had in zijn tijd als Jason Bourne, een man die heel bijzonder werk had verricht voor het Treadstone 71-project. Het was een neger met zilvergrijs haar die taxichauffeur was geweest totdat op een dag een passagier een Hasselblad camera in zijn wagen had achtergelaten en er nooit meer om gekomen was. Dat was jaren geleden en de taxichauffeur had enkele jaren geëxperimenteerd en zijn ware roeping gevonden. Heel eenvoudig gezegd was hij een genie in 'verandering', en zijn specialiteit was paspoorten en rijbewijzen met foto's en identiteitskaarten voor degenen die ruzie hadden gekregen met de sterke arm, over het algemeen mensen die voor zware misdrijven waren opgepakt. David had zich de man niet herinnerd, maar toen Panov hem onder hypnose had gebracht had hij de naam genoemd — een vreemde naam, Cactus — en Mo had de fotograaf naar Virginia gehaald om te helpen een deel van Webbs geheugen wakker te maken. De ogen van de neger hadden hartelijkheid en bezorgdheid uitgestraald bij zijn eerste bezoek, en ofschoon het een lastige reis voor hem was, had hij aan Panov toestemming gevraagd David eens in de week te mogen bezoeken.

'Waarom, Cactus?'

'Hij zit in de knoop, meneer. Dat zag ik een paar jaar geleden al door de lens. Hij mist iets, maar hij is toch een goed mens. Ik kan tegen hem praten. Ik mag hem wel, meneer.'

'Kom maar wanneer je wilt, Cactus, en vergeet alsjeblieft dat ''meneer''. Laat ik dat maar tegen u zeggen... meneer.'

'Tjonge, wat veranderen de tijden. Als ik een van mijn kleinkinderen een lekkere nikker noem wil hij me een dreun voor m'n kop verkopen.'

'Dat zou hij moeten doen... meneer.'

Webb stapte uit de taxi, vroeg de chauffeur te wachten, maar die weigerde. David gaf hem een minimale fooi en liep het overwoekerde pad op naar het oude huis. Op een bepaalde manier deed het hem denken aan het huis in Maine, te groot, te breekbaar en toe aan reparaties die hoognodig moesten gebeuren. Hij en Marie hadden besloten een huis aan de kust te kopen zodra ze er een jaar woonden. Het gaf geen pas voor een pas benoemde assistent-professor direct bij aankomst in een dure villawijk te gaan wonen. Hij drukte op de bel.

De deur ging open en Cactus, die hem bekeek vanonder een groene oogklep, begroette hem even nonchalant alsof ze elkaar een paar dagen eerder nog pas hadden gezien.

'Heb je wieldoppen op je wagen, David?'

'Geen wagen en geen taxi, die wilde niet wachten.'

'Hij heeft zeker al die ongegronde geruchten gehoord die er in de fascistische pers de ronde doen. Neem mij nou. Ik heb drie machinegeweren in mijn ramen staan. Kom binnen, ik heb je gemist. Waarom heb je deze ouwe jongen niet gebeld?'

'Je hebt een geheim nummer, Cactus.'

'Dat moet een vergissing zijn.'

Ze praatten een paar minuten in de keuken van Cactus, lang genoeg voor de gespecialiseerde fotograaf om te beseffen dat Webb haast had. De oude man ging David voor naar zijn studio, legde de drie paspoorten van Webb onder een leeslamp om ze goed te kunnen bekijken en zei zijn cliënt voor een camera met een open lens te gaan zitten.

'We zullen je haar lichtgrijs maken, maar niet zo blond als je was na Parijs. Die grijze tint verandert met de belichting en we kunnen dezelfde foto met aanzienlijke verschillen gebruiken op elk van die drie lieverdjes, en toch hetzelfde gezicht houden. Laat de wenkbrauwen maar zitten, daar knoei ik hier wel mee.'

'Hoe zit het met de ogen?' vroeg David.

'Er is geen tijd voor die luxe contactlenzen die je vroeger had, maar dat kunnen we wel aan. Het is een normale bril met precies de juist getinte prisma's op de juiste plaatsen. Je kunt blauwe ogen krijgen of bruine ogen of gitzwarte, wat je maar wilt.'

'Ik neem ze alle drie,' zei Webb.

'Ze zijn duur, David, en handje contantje.'

'Ik heb het bij me.'

'Laat ze dat maar niet horen.'

'Nu het haar. Wie?'

'Hier in de straat. Iemand met wie ik samenwerk en die haar eigen schoonheidssalon had, totdat de koddebeiers in de kamers boven gingen kijken. Ze levert prima werk. Kom maar mee, ik breng je er naar toe.'

Een uur later kwam Webb onder een haardroogkap uit in het kleine, goed verlichte hokje en bekeek het resultaat in de grote spiegel. De schoonheidsspecialiste, tevens eigenares van die vreemde salon, een kleine negerin met keurig grijs haar en een kennersblik, stond naast hem.

'U bent het, maar u bent het ook weer niet,' zei ze, terwijl ze eerst knikte en toen haar hoofd schudde. 'Prima werk, al zeg ik het zelf.'

Dat was het, dacht David, terwijl hij zichzelf bekeek. Zijn donkere haar was niet alleen veel en veel lichter, maar het paste bij de huidkleur van zijn gezicht. Het haar zelf leek ook losser te zijn, verzorgd maar ook heel nonchalant — waaiend in de wind, noemden de advertenties zoiets. De man naar wie hij staarde was zowel hijzelf als iemand anders die sprekend op hem leek, maar hij was het niet.

'Dat vind ik ook,' zei Webb. 'Héél goed. Hoeveel?'

'Driehonderd dollar,' zei de vrouw simpelweg. 'Daar zitten natuurlijk vijf pakjes met een speciaal gemaakte poederspoeling met gebruiksaanwijzing en een paar lippen die niet van elkaar te branden zijn bij in. Met de eerste kunt u een paar maanden vooruit, met het andere de rest van uw leven.'

'U bent te goed.' David haalde zijn leren portefeuille uit zijn zak, telde de biljetten uit en gaf ze haar. 'Cactus zei dat u hem zou bellen wanneer we klaar waren.'

'Dat is niet nodig; hij heeft het goed geschat. Hij zit in de salon.'

'De salon?'

'Och, ik geloof dat het alleen maar een gang is met een sofa en een staande lamp, maar ik noem het zo graag een salon. Dat klinkt leuk, vindt u niet?'

Het fotograferen ging snel en werd alleen onderbroken toen Cactus zijn wenkbrauwen bijwerkte met een tandenborstel en een spray voor drie verschillende opnamen, toen hij andere overhemden en colberts aantrok — Cactus had een kast met kleren waar een kledingverhuurbedrijf trots op kon zijn — en ten slotte nog toen hij twee verschillende brillen op kreeg — dik montuur en draadmontuur — zodat zijn lichtbruine ogen veranderden in respectievelijk blauw en donkerbruin voor twee van de paspoorten. De specialist bracht vervolgens de foto's aan met de vaste hand van een chirurg en onder een grote, sterk vergrotende lens stempelde hij de oorspronkelijke perforatie van Buitenlandse Zaken in met een gereedschap dat hij zelf had gemaakt. Toen hij klaar was gaf hij de drie paspoorten aan David ter keuring.

'Geen douanejongen die daar iets op aan te merken heeft,' zei Cactus vol vertrouwen.

'Ze zien er echter uit dan voorheen.'

'Ik heb ze wat schoongemaakt, dat wil zeggen een beetje verkreukeld en wat ouder gemaakt.'

'Geweldig gedaan, ouwe makker – ik weet al niet meer hoe oud. Wat ben ik je schuldig?'

'Och, verrek, dat weet ik niet. Het was maar een akkevietje en ik heb toch al zo'n goed jaar gehad met al die ruzie's die er overal zijn...'

'Hoeveel, Cactus?'

'Wat kun je missen? Ik denk niet dat je nog door Uncle Sam wordt betaald.'

'Het gaat me niet slecht, dank je.'

'Vijfhonderd is prima.'

'Wil je een taxi voor me bellen?'

'Dat duurt te lang, als je ze al zover krijgt dat ze hierheen komen. Mijn kleinzoon wacht op je; hij rijdt je overal heen waar je maar wilt. Hij is net als ik, hij vraagt niks. En jij hebt haast, David, dat kan ik voelen. Kom op, ik zwaai je even uit.'

'Bedankt. Ik zal het geld hier op de balie leggen.'

'Prima.'

Met zijn rug naar Cactus toe haalde David het geld uit zijn zak, telde zes biljetten van $ 500 uit en liet die achter in het donkerste hoekje van de studiobalie. Tegen duizend dollar per stuk waren de paspoorten nog voor niks, maar als hij meer achterliet beledigde hij misschien zijn oude vriend.

Hij keerde terug naar het hotel en stapte uit, een paar straten van zijn bestemming af, midden op een druk kruispunt, zodat de kleinzoon van Cactus niet in moeilijkheden zou komen vanwege een adres. De jongeman bleek al enkele jaren te studeren aan de American University en ofschoon hij duidelijk zijn grootvader aanbad, was het even duidelijk dat hij er benauwd voor was mee te spelen met de zaakjes van de ouwe heer.

'Ik stap hier wel uit,' zei David in een verkeersopstopping.

'Bedankt,' antwoordde de jonge neger, met een prettig rustige stem en intelligente ogen die opgelucht keken. 'Dat apprecieer ik.'

Webb keek hem aan. 'Waarom heb je het gedaan? Ik bedoel maar, voor iemand die rechten studeert, zou ik zeggen dat je extra voorzichtig zou moeten zijn in de buurt van Cactus.'

'Dat ben ik ook, aan één stuk. Maar hij is zo'n geweldige ouwe baas, hij heeft een boel voor me gedaan. Hij heeft ook iets tegen me gezegd. Hij zei dat het een voorrecht voor me zou zijn u te ontmoeten, dat hij me misschien over heel veel jaar zou vertellen wie de vreemdeling was in mijn auto.'

'Ik hoop dat ik heel wat eerder terug kan komen en het je zelf kan vertellen. Ik ben niets bijzonders, maar er zit een verhaal aan vast dat nog wel eens in de wetboeken terecht zou kunnen komen. Tot ziens.'

In zijn hotelkamer moest David een laatste lijst afwerken waarvan de punten niet op papier gezet hoefden te worden, hij kende ze van buiten. Hij moest de paar kleren uitzoeken die hij mee zou nemen in de grote schoudertas en de rest van zijn bezittingen zien kwijt te raken, met inbegrip van de twee wapens die hij in zijn razernij uit Maine had meegenomen. Je kon een pistool uit elkaar halen, de onderdelen in folie draaien en in een koffer stoppen, maar met wapens door een veiligheidspoortje lopen was iets heel anders. Ze zouden ontdekt worden; hij zou vastgehouden worden. Hij moest alle vingerafdrukken eraf wrijven, de slagpennen en de trekkerbeugels onklaar maken en alles in een rioolput gooien. Hij zou in Hongkong wel een pistool kopen, dat zou daar niet zo moeilijk zijn.

Ten slotte was er nog één ding dat hij moest doen en dat was echt moeilijk en pijnlijk. Hij moest zich dwingen rustig te gaan zitten en terug te denken aan alles wat Edward McAllister vroeg op die avond had gezegd in Maine – alles wat ze alle drie hadden gezegd, heel speciaal Marie's woorden. In dat zeer geladen uur van relevatie en confrontatie had iets verborgen gelegen en David wist dat hij het gemist had, het *nog* miste. Hij keek op zijn horloge. Het was drie minuten over half vier, de dag ging snel voorbij, vol spanning. *Hij moest het uithouden! O god, Marie! Waar ben je?'*

Conklin zette zijn glas laf smakende ginger ale op de bekraste, smerige bar van de verlopen tent aan 9th Street. Hij was daar vaste klant om de eenvoudige reden dat niemand van zijn zakelijke kennissen – of wie er nog over was van zijn maatschappelijke – ooit door die vieze glazen deuren zou lopen. Er lag een zekere vrijheid in die wetenschap en de andere klanten hadden hem geaccepteerd, de 'hinkepoot' die altijd zijn das afdeed zo gauw hij binnenkwam en naar een kruk hinkte bij de flipperkast aan het uiteinde van de bar. En steeds wanneer hij kwam stond er een glas bourbon met ijs voor hem klaar. De eigenaar-barkeeper had er ook geen bezwaar tegen dat Alex gebeld werd in de ouderwetse cel tegen de muur. Het was zijn 'beveiligde telefoon' en die ging nu over. Conklin scharrelde erheen, ging de oude cel binnen en sloot de deur. Hij pakte de hoorn op. 'Ja?' zei hij.

'Spreek ik met Treadstone?' vroeg een vreemd klinkende mannenstem. De *stem!* dacht Alex. Hoe had Webb die ook al weer beschreven? Verengelst? Oostkustaccent, verfijnd, zeker niet normaal. Het was dezelfde man. De kabouters waren aan het werk geweest; ze hadden iets bereikt. Iemand was bang.

'Ik was erbij. U ook?'

'Nee, ik niet, maar ik heb toegang tot het dossier, tot de hele rotzooi.'

'Dan weet ik zeker dat alles wat u weet klopt met alles wat ik heb opge-schreven, want ik heb het meegemaakt en ik heb het inderdaad allemaal opgeschreven. Feiten, namen, gebeurtenissen, bewijzen, achtergron-den... alles, inclusief het verhaal dat Webb me gisteravond heeft ver-teld.'

'Dan mag ik aannemen dat uw uitvoerige reportage zal belanden bij een subcomité van de Senaat of bij een meute waakhonden van het Con-gres, als er iets naars zou gebeuren. Klopt dat?'

'Ik ben blij dat we elkaar begrijpen.'

'Het zou niets uithalen,' zei de man neerbuigend.

'Als er iets naars gebeurt zou het me niks kunnen schelen, waar of niet?'

'U gaat zowat met pensioen. U drinkt zwaar.'

'Dat heb ik niet altijd gedaan. Meestal is er een reden voor beide zaken voor een man van mijn leeftijd en deskundigheid. Zou dat iets te maken kunnen hebben met een bepaald dossier?'

'Laat maar zitten. Laten we eens praten.'

'Dan moet u eerst wat dichterbij komen. Er is met Treadstone nogal ge-sold, zo essentieel is het nu ook weer niet.'

'Goed dan. Medusa.'

'Da's al beter,' zei Alex. 'Maar nog niet goed genoeg.'

'Oké dan. De creatie van Jason Bourne. De Monnik.'

'Warmer.'

'Geld wat ontbreekt – niet verantwoord en nooit teruggevonden – naar schatting zo rond de vijf miljoen dollar. Zürich, Parijs en nog veel meer plaatsen.'

'Dat waren geruchten. Ik moet iets wezenlijks hebben.'

'Dat zal ik u geven. De executie van Jason Bourne. De datum was drieëntwintig mei in Tam Quan... en dezelfde dag, vier jaar later, in New York. Aan 71st Street. Treadstone-71.'

Conklin sloot zijn ogen en haalde diep adem; hij had een droog gevoel in zijn keel. 'Goed,' zei hij zacht. 'U bent lid van de club.'

'Ik kan u niet zeggen wie ik ben.'

'Wat gaat u me geven?'

'Twee woorden: blijf eraf.'

'Gelooft u dat ik dat zal accepteren?'

'Dat moet u wel,' zei de stem met de geaffecteerde uitspraak. 'Men heeft Bourne nodig op de plaats waar hij heengaat.'

'*Bourne?*' Alex staarde naar de telefoon.

'Ja, Jason Bourne. Hij kan op geen enkele normale manier worden ge-recruteerd, dat weten we alletwee.'

'Dus ontnemen jullie hem zijn *vrouw?* Verdomde *rotzakken!*'

'Er zal haar niets overkomen.'

'Dat kunt u niet garanderen! U hebt de zaak niet in handen. U moet nu al allerlei andere mensen inschakelen en als ik mijn zaakjes ken –

en die ken ik – zijn het waarschijnlijk ingehuurde krachten die niet op de hoogte zijn zodat jullie achter de schermen blijven. Jullie weten niet eens wie zij zijn... Mijn *god,* u zou me niet eens gebeld hebben als u dat wist! Als u hen kon bereiken om de bevestiging te krijgen die u hebben wilt, zou u nu niet met mij praten!'

De beschaafde stem was even stil. 'Dan hebben we dus beiden gelogen, nietwaar, meneer Conklin? De vrouw is dus niet ontsnapt, heeft Webb niet gebeld. Helemaal niets. U bent maar wat aan het vissen geweest, en ik ook, en we hebben geen van tweeën iets opgehaald.'

'U bent een haai, meneer Zondernaam.'

'U weet precies in wat voor situatie ik verkeer, meneer Conklin. U weet alles over David Webb... Wat kunt *u* mij nu vertellen?'

Opnieuw voelde Alex de droogte in zijn keel en nu kwam daar een felle pijn bij in zijn borst. 'Jullie zijn hen kwijtgeraakt, nietwaar?' fluisterde hij. 'Jullie zijn *haar* kwijt.'

'Achtenveertig uur is nog niet voorgoed,' zei de stem voorzichtig.

'Maar jullie zetten de hele zaak op zijn kop om haar terug te vinden!' zei Conklin beschuldigend. 'Jullie hebben al je contactmensen opgeroepen, de mensen die de onbekenden hebben ingehuurd en ineens zijn ze verdwenen, nergens te vinden. *Verdomme,* de zaak is uit de hand gelopen! Ze is inderdaad van de rails gelopen! Iemand is er binnengedrongen in jullie plannen en je hebt er geen idee van wie dat is. Hij heeft meegespeeld met jullie scenario en het jullie uit handen genomen!'

'Onze reserves zijn overal aan het werk,' wierp de man tegen zonder de overtuiging die hij eerder had laten merken. 'De beste praktijkmensen zoeken elke wijk af.'

'Ook *McAllister?* In Kowloon? Hongkong?'

'Dat weet u?'

'Dat weet ik.'

'McAllister is een verrekte stommeling, maar hij is goed in wat hij doet. En, ja, hij is daar. We zijn niet in paniek. We krijgen het wel terug.'

'*Wat* krijgen jullie terug?' vroeg Alex, heet van woede. 'De koopwaar? Jullie plannen zijn mislukt! Iemand anders heeft het heft in handen. Waarom zou hij jullie koopwaar teruggeven? Jullie hebben Webbs vrouw vermoord, meneer Zondernaam! Waar denken jullie, godverdomme, wel dat je mee bezig bent?'

'We wilden hem alleen maar daar krijgen,' klonk het een beetje verontschuldigend. 'We wilden dingen uitleggen, hem laten zien. We hebben hem *nodig.'* De man begon weer rustiger te spreken. 'En het kan best zijn dat alles toch nog op de rails staat. Het is nu eenmaal bekend dat verbindingen in dat deel van de wereld heel beroerd zijn.'

'Dat is het excuus voor alles in dit soort zaken.'

'In de meeste zaken, meneer Conklin... Wat denkt u ervan? Nu ben ik degene die vraagt, heel oprecht. U hebt een bepaalde reputatie.'

101

'Die *had* ik, Zondernaam.'

'Reputaties kunnen ze je niet zomaar afnemen of ontkennen, ze kunnen alleen maar groeien, in positieve of negatieve zin, natuurlijk.'

'U bent een stroman die ongegronde informatie doorgeeft, dat weet u?'

'Ik heb bovendien gelijk. Men zegt dat u een van de besten was. Wat is nu uw mening?'

Alex schudde zijn hoofd in de cel, de lucht was er bedompt, het lawaai buiten zijn 'beveiligde' telefoon in de verlopen bar aan 9th Street begon toe te nemen. 'Wat ik zojuist al zei. Iemand is erachter gekomen wat jullie van plan waren, aan het opzetten waren voor Webb en die iemand besloot de zaak over te nemen.'

'*Waarom,* in godsnaam?'

'Omdat die iemand, wie het dan ook is, Jason Bourne harder nodig heeft dan jullie,' zei Alex en hij legde de hoorn op.

Het was twee minuten vóór half zeven toen Conklin de foyer binnenliep op Dulles Airport. Hij had een stuk voorbij Webbs hotel in een taxi zitten wachten en was David nagereden, met heel exacte aanwijzingen aan de bestuurder. Hij had gelijk gehad, maar het had geen zin Webb met die wetenschap te belasten. Twee grijze Plymouths waren Davids taxi gevolgd en waren tijdens het schaduwen nu en dan van plaats verwisseld. Dat moest dan maar. Het kon de strop betekenen voor ene Alexander Conklin en aan de andere kant misschien ook niet. De lui op BZ pakten het stom aan had hij gedacht toen hij de nummerplaten noteerde. Hij zag Webb zitten in een schemerige zithoek.

'Je bent het toch wel?' vroeg Alex terwijl hij zijn lastige voet tussen bank en tafeltje wrong. 'Hebben blondines echt meer plezier?'

'In Parijs heeft het gewerkt. Wat heb je ontdekt?'

'Ik heb slakken gevonden onder rotsblokken die hun weg naar boven niet kunnen vinden. Maar ze zouden waarschijnlijk niet eens weten wat ze met zonlicht moeten doen, nietwaar?'

'Zonlicht werkt verhelderend, dat doe jij niet. Schei uit met lullen, Alex. Ik moet over een paar minuten aan boord.'

'In een paar woorden: ze hebben een plan uitgewerkt om jou naar Kowloon te krijgen. Het was gebaseerd op een vroegere ervaring...'

'Dat kun je overslaan,' zei David. '*Waarom?*'

'De man zei dat ze je nodig hadden. Niet jou als Webb, ze hadden Bourne nodig.'

'Omdat ze zeggen dat Bourne daar al is. Ik heb je verteld wat McAllister zei. Is hij daar nog op ingegaan?'

'Nee, zoveel was hij niet van plan me te vertellen, maar misschien kan ik het gebruiken om hen onder druk te zetten. Hij heeft me echter wel iets anders verteld, David en dat moet je weten. Ze kunnen hun contactmensen niet bereiken, dus ze weten niet wie de onbekende ontvoerders zijn of wat er aan de hand is. Ze denken dat het tijdelijk is, maar ze zijn Marie kwijt. Iemand anders wil jou daar hebben en hij heeft de zaak overgenomen.'

Webb streek met zijn hand over zijn voorhoofd met zijn ogen dicht en ineens drupten stille tranen over zijn wangen. 'Ik ben weer *terug*, Alex. Terug in een boel dingen die ik me niet meer herinner. Ik hou zoveel van haar, ik heb haar zo *nodig!*'

'Schei daar mee *uit!*' beval Conklin. 'Je hebt me gisteravond duidelijk gemaakt dat ik nog kan denken, al is mijn lijf niet zoveel meer waard. Jij kunt denken en je hebt je lijf nog. Laat ze maar *zweten!*'

'*Hoe?*'

'Door diegene te zijn die ze willen dat je bent, de kameleon! Wees Jason Bourne!'

'Het is zo lang geleden...'

'Je kunt het nog steeds. Speel het spelletje mee dat ze je hebben gegeven.'

'Veel keus heb ik niet, vind je wel?'

Via de luidsprekers klonk de laatste oproep voor Vlucht 26 naar Hongkong.

De grijsharige Havilland legde de hoorn op de haak, leunde achterover in zijn stoel en keek McAllister aan. De onderminister van Buitenlandse Zaken stond naast een enorme wereldbol die voor een boekenkast op een decoratieve driepoot stond. Zijn wijsvinger lag op het meest zuidelijke deel van China, maar zijn blik was op de ambassadeur gericht.

'Het is zover,' zei de diplomaat. 'Hij zit in het vliegtuig naar Kowloon.'

'Het is godsgruwelijk,' antwoordde McAllister.

'Zo lijkt het voor jou, dat weet ik wel, maar voordat je een oordeel velt moet je eerst de voordelen afwegen. We zijn nu vrij. We zijn niet langer meer verantwoordelijk voor wat er gebeurt. Wat zich verder afspeelt wordt nu gemanipuleerd door een onbekende.'

'En dat zijn *wij!* Ik herhaal, het is godsgruwelijk!'

'Heeft jouw God de gevolgen in aanmerking genomen als we falen?'

'We hebben een vrije wil gekregen. Alleen onze ethiek houdt ons tegen.'

'Dat is een banaliteit, onderminister. Er bestaat een groter goed.'

'Er bestaat ook een menselijk wezen, een man die wij aan het manipuleren zijn, die we weer terugjagen naar zijn nachtmerries. Hebben we daar recht op?'

'We hebben geen keuze. Wat hij kan, kan niemand anders, als we hem een reden geven het te doen.'

McAllister gaf de globe een duw; ze draaide in het rond toen hij naar het bureau liep. 'Misschien mag ik dat niet zeggen, maar ik doe het toch,' zei hij terwijl hij voor Raymond Havilland ging staan. 'Volgens mij ben jij de meest immorele man die ik ooit heb gekend.'

'Dat lijkt maar zo, onderminister. Ik heb één eigenschap die alle zonden goedmaakt die ik begaan heb. Ik zal tot het alleruiterste gaan, ik zal me zo corrupt gedragen als vereist is, om te voorkomen dat deze planeet zichzelf opblaast. En dat is met inbegrip van het leven van ene David Webb, bekend als Jason Bourne op de plek waar ik hem hebben wil.'

8

Als transparante sjaals hingen de nevelsluiers boven Victoria Harbour, toen het enorme straalvliegtuig rondcirkelde voor de aanvliegroute naar Kai-tak Airport. De ochtendnevel was dicht en beloofde een zwoele dag in de kolonie. Beneden op het water dobberden de jonken en de sampans naast de voor anker liggende vrachtschepen, de lompe pramen, de voortpuffende veerboten met meerdere dekken, en de marinepatrouilles die nu en dan door de haven kruisten. Naarmate het toestel daalde naar het vliegveld van Kowloon begonnen de dichtopeengepakte wolkenkrabbers op het eiland Hongkong eruit te zien als reuzen van albast, zoals ze omhoogreikten door de nevelslierten en het eerste licht van de ochtendzon weerkaatsten.

Webb bekeek het uitzicht beneden, zowel als een man die onder een afschuwelijke druk stond, als iemand die helemaal opging in een spookachtige nieuwsgierigheid. Daar ergens beneden in dat krioelende, immense overbevolkte gebied verbleef Marie, dat was het enige waaraan hij dacht en dat kwelde hem het meest. Toch voelde een ander deel van hem zich als een geleerde die zich met koele gretigheid buigt over de beslagen lens van een microscoop in een poging te onderscheiden wat zijn oog en zijn hersenen konden begrijpen. Het vertrouwde en het onbekende liepen in elkaar over en het resultaat was verbijstering en angst. Tijdens de consulten met Panov in Virginia had David honderden toeristenfolders en geïllustreerde brochures gelezen en herlezen waarin alle plaatsen beschreven stonden die de legendarische Jason Bourne zeker bezocht moest hebben, het was een niet ophoudende, vaak pijnlijke ontdekkingsreis naar zijn eigen identiteit. Soms herkende hij fragmentarische flitsen, vele waren verwarrend en veel te kort, andere duurden langer en zijn plotseling opkomende herinneringen waren verbijsterend accuraat, de beschrijvingen kwamen van hem, niet van de reisfolders. Nu hij omlaag zat te kijken, zag hij veel van wat hij meende te moeten weten, maar wat hij zich niet duidelijk herinnerde. Daarom wendde hij zijn blik af en concentreerde zich op de dag die vóór hem lag.

Hij had vanaf Dulles Airport telegrafisch een kamer voor een week besteld in het Regent Hotel in Kowloon, onder de naam van ene *Howard Cruett,* de identiteit op het geraffineerde paspoort met blauwe ogen dat Cactus hem had bezorgd. Hij had eraan toegevoegd: 'Ik geloof dat er

voor ons bedrijf voorzieningen zijn getroffen voor suite zes-negen-nul, als die beschikbaar is. Dag van aankomst is zeker, vluchtnummer niet.'
De suite zou er zeker zijn. Wat hij moest achterhalen was wie die voor hem had gereserveerd. Dat was zijn eerste stap op weg naar Marie. En hij moest dingen kopen, voor of na, of tijdens dat proces, een paar heel eenvoudige dingen, andere niet zo eenvoudig, maar zelfs het vinden van de meest onbereikbare zou niet onmogelijk zijn. Dit was Hongkong, de kolonie die voor haar leven vocht en die daarvoor de wapenen bezat. Het was ook de enige beschaafde plek op aarde waar allerlei religies bloeiden maar waar de enige god die erkend werd zowel door gelovigen als door niet-gelovigen geld was. Marie had het gedefinieerd: 'Het is haar enige bestaansrecht.'
De zwoele morgen hing vol met de geuren van dichte, voortijlende mensenmassa's en vreemd genoeg waren die geuren niet onaangenaam. Trottoirs werden met felle stralen schoongespoten, van het plaveisel dat droogde in de zon steeg damp op en het aroma van kruiden die in olie werden gekookt zweefde door de nauwe straten vol karren en kramen die schreeuwden om aandacht. Het lawaai zwol aan; het nam toe in geluidssterkte en eiste de aandacht op, schreeuwde om een koop of in elk geval om een onderhandeling. In Hongkong stond overleven bovenaan de lijst. Je werkte als een gek of je verzoop. Met Adam Smith had niemand iets te maken, hij had zich zo'n wereld nooit kunnen voorstellen. Ze dreef de spot met elk systeem dat hij had ontworpen voor een vrije economie. Het was waanzin. Het was Hongkong.
David stak zijn hand op naar een taxi, wetend dat hij dat al eerder had gedaan, wetend via welke deuren hij de aankomsthal had verlaten na het eindeloze wachten bij de douane; hij wist dat hij de straten kende waardoor de bestuurder hem voerde, hij herinnerde het zich niet echt, maar hij wist het, hoe dan ook. Hij vond het zowel opbeurend als afschuwelijk beangstigend. Hij wist het en hij wist het niet. Hij was een marionet die werd gemanipuleerd op het toneel waar hij zelf speelde en hij wist niet wie de pop was en wie de poppenspeler.

'Het was een vergissing,' zei David tegen de bediende achter de ovalen marmeren receptie in het midden van de lobby van het Regent Hotel. 'Ik wil geen suite. Ik zou liever iets kleiners hebben, een een- of een tweepersoonskamer is voldoende.'
'Maar de voorzieningen zijn al getroffen, meneer Cruett,' antwoordde de verbaasde baliebediende, hem aansprekend met de naam op Webbs valse paspoort.
'Wie heeft die getroffen?'
De jonge oosterling tuurde naar een handtekening onder de reservering op een computeruitdraai. 'Ze is bevestigd door de assistent-manager, meneer Liang.'

'Dan moet ik, om correct te blijven, met meneer Liang spreken, niet-waar?'

'Ik ben bang dat dat wel nodig is. Ik geloof niet dat er iets anders be-schikbaar is.'

'Ik begrijp het. Ik zoek wel een ander hotel.'

'U wordt beschouwd als een zeer belangrijk gast, meneer. Ik zal even met meneer Liang gaan praten.'

Webb knikte en de bediende dook onder de balie aan de uiterste linker-kant, met de reservering in zijn hand, en liep snel door de volle hal naar een deur achter het bureau van de portier. David keek om zich heen in de weelderige lobby, die in zekere zin buiten al begon op het enorme, ronde voorplein met zijn hoge, sproeiende fonteinen, en die zich uit-strekte via de batterij van elegante glasdeuren en over de marmeren vloeren naar een halve cirkel van gigantisch hoge getinte ramen die uit-keken over Victoria Harbour. Het tableau daarachter was steeds in be-weging, het vormde een hypnotisch decor voor de wijde, gebogen foyer achter de wand van zacht getint glas. Er stonden tientallen tafeltjes en leren banken, voor het merendeel bezet, waar tussendoor kelners in uni-form en serveersters haastig heen en weer liepen. Het was een arena van waaruit zowel toeristen als zakenlieden het panorama konden bewonde-ren van de drukke handelshaven, die zich uitstrekte voor het oprijzend silhouet van het eiland Hongkong in de verte. Webb kende dat gezicht op het water buiten, maar daar hield het mee op. Hij was nooit eerder in dit luxe hotel geweest; in elk geval riep niets van wat hij zag herinne-ringen bij hem op.

Ineens viel zijn oog op de bediende die zich door de lobby haastte een paar stappen vóór een oosterling van middelbare leeftijd, kennelijk me-neer Liang, de assistent-manager van het Regent. Opnieuw dook de jon-gere man onder de balie door en hij stond al snel weer tegenover David, met verwachtingsvolle, wijd opengesperde ogen. Seconden later was de hotelfunctionaris er en hij boog even, zoals dat paste bij zijn professio-nele status.

'Dit is meneer Liang, meneer,' kondigde de bediende aan.

'Kan ik u van dienst zijn?' vroeg de assistent-manager. 'En mag ik zeg-gen dat wij u met genoegen verwelkomen als onze gast?'

Webb glimlachte en schudde beleefd zijn hoofd. 'Ik ben bang dat het misschien een andere keer wordt.'

'U bent niet tevreden over uw kamers, meneer Cruett?'

'Daar gaat het helemaal niet om, ik zal ze waarschijnlijk heel plezierig vinden. Maar, zoals ik al tegen deze jongeman hier heb gezegd, geef ik de voorkeur aan een kleinere kamer, een een- of desnoods een tweeper-soons, maar geen suite. Ik begrijp echter dat er niets beschikbaar is.'

'In uw telegram stond heel speciaal vermeld suite zes-negentig, meneer.'

'Dat besef ik en ik maak er mijn excuses voor. Dat is gebeurd door een veel te ijverig employé.' Webb fronste vriendelijk verwonderd zijn wenkbrauwen en vroeg beleefd: 'Tussen haakjes, wie heeft er voor mij gereserveerd? Ik heb dat zeker niet gedaan.'

'Uw agent misschien,' opperde Liang met een nietszeggende blik.

'Op de verkoopafdeling? Die zou daarvoor geen machtiging hebben. Nee, hij zei dat het een van onze klanten hier was. We kunnen dat natuurlijk niet aannemen, maar ik zou graag weten wie ons zo'n royaal aanbod heeft gedaan. Dat kunt u me toch zeker wel vertellen, meneer Liang, want u hebt persoonlijk de reservering bevestigd.'

De nietszeggende ogen kregen een nog vagere uitdrukking en knipperden toen. Dat zei David genoeg, maar het spelletje moest helemaal worden uitgespeeld. 'Ik geloof dat iemand van ons personeel – ons zeer talrijke personeel – bij mij is gekomen met dat verzoek, meneer. Er zijn zovele reserveringen, we hebben het zo druk, ik kan het me echt niet meer herinneren.'

'U hebt toch wel instructies aan wie u de rekening moet sturen?'

'Wij hebben vele gerespecteerde cliënten die ons alleen maar hoeven op te bellen.'

'Hongkong is wel veranderd.'

'En het blijft veranderen, meneer Cruett. Misschien wil uw gastheer u het zelf zeggen. Het zou niet gepast zijn tegen dergelijke wensen in te gaan.'

'U hebt een bewonderenswaardig vertrouwen.'

'Wel gedekt, natuurlijk, door een codering voor de rekeningen in de computer van de kassier.' Liang probeerde te glimlachen, het ging hem niet glad af.

'Nou ja, als u niets anders hebt zal ik het maar zelf proberen. Ik ken mensen in het Pen aan de overkant,' zei Webb, doelend op het eerbiedwaardige Peninsula Hotel.

'Dat zal niet noodzakelijk zijn. We kunnen wel iets regelen.'

'Maar uw baliebediende zei...'

'Hij is niet de assistent-manager van het Regent, meneer.' Liang keek even kwaad naar de jongeman achter de balie.

'Op mijn monitor hebben we niets meer beschikbaar,' protesteerde de bediende.

'Stil!' Liang glimlachte, even onoprecht als voorheen, beseffend dat hij het spelletje ongetwijfeld had verloren door zijn bevel. 'Hij is zo jong – ze zijn allemaal zo jong en onervaren – maar hij is zeer intelligent, heel bereidwillig... We houden een aantal kamers gereserveerd voor dergelijke misverstanden.' Opnieuw keek hij de bediende aan en sprak grof terwijl hij bleef glimlachen, *'Ting, ruan-ji!'* Hij bleef snel Chinees praten en elk woord werd verstaan door een Webb die niets liet merken. 'Luister goed, kip zonder kop! Je gaat geen informatie verschaffen waar ik bij ben als ik je er niet om vraag! Je eindigt in de goot als je

dat nog een keer doet. Geef deze gek kamer twee-nul-twee. Die staat gereserveerd op Vasthouden; haal die reservering eraf en werk het verder
af.' De assistent-manager keerde zich met een nog meer gemaakte glimlach naar David. 'Het is een hele mooie kamer met een prachtig uitzicht
over de haven, meneer Cruett.'

Het spelletje was gespeeld en de winnaar vergoelijkte zijn overwinning
door zich overtuigend dankbaar te tonen. 'Ik ben u erg dankbaar,' zei
David en zijn ogen richtten zich strak op de ineens niet zo zekere Liang.
'Dat spaart me een heleboel telefoontjes uit door de hele stad om mensen te vertellen waar ik logeer.' Hij zweeg en stak zijn rechterhand half
omhoog, een man die nog meer wilde zeggen. David Webb handelde instinctmatig, hij volgde een instinct dat Jason Bourne had ontwikkeld.
Hij wist dat dit het moment was om angst in te boezemen. 'Wanneer
u zegt een kamer met een prachtig uitzicht, neem ik aan dat u bedoelt
you hao jingse de fangian. Klopt dat? Of brabbel ik nu zo maar wat
Chinees?'

De hotelfunctionaris staarde de Amerikaan aan. 'Ik zou het niet beter
onder woorden hebben kunnen brengen,' zei hij zacht. 'De bediende zal
voor alles zorgen. Ik wens u een prettig verblijf, meneer Cruett.'

'Genoegen moet worden gemeten aan vervulling, meneer Liang. Dat is
ofwel een heel oud of een heel modern Chinees spreekwoord, wat precies, weet ik niet.'

'Ik vermoed dat het modern is, meneer Cruett. Het is te actief voor passieve beschouwing, en dat is de kern van Confucius, maar dat zult u zeker weten.'

'Is dat geen vervulling?'

'Ik kan u niet volgen, meneer.' Liang boog. 'Als er nog iets is wat we
voor u kunnen doen, moet u zich direct tot mij wenden.'

'Ik kan me niet voorstellen wat dat zou zijn, maar dank u. Om u de
waarheid te zeggen heb ik een lange en vermoeiende vlucht gehad, daarom zal ik de telefooncentrale vragen tot aan het diner geen gesprekken
door te verbinden.'

'O?' Liangs onzekerheid nam een onmiskenbare wending, de man was
bang. 'Maar als zich nu eens iets heel dringends voordoet...'

'Alles kan wachten. En aangezien ik niet in suite zes-negentig logeer kan
het hotel gewoon zeggen dat ik later word verwacht. Dat is toch aannemelijk, nietwaar? Ik ben heel erg moe. Dank u, meneer Liang.'

'Dank *u,* meneer Cruett.' De assistent-manager boog opnieuw en zocht
in Webbs ogen naar een laatste teken. Hij vond er geen, draaide zich
snel en nerveus om en liep terug naar zijn kantoor.

*Doe wat niet van je wordt verwacht. Breng de vijand in verwarring,
breng hem uit zijn evenwicht...* Jason Bourne. Of was het Alexander
Conklin?

'Het is een *zeer* aantrekkelijke kamer, meneer!' riep de opgeluchte bediende uit. 'Ze zal *zeer* tot uw genoegen zijn.'

'Meneer Liang is erg behulpzaam,' zei David. 'Ik zou eigenlijk mijn erkentelijkheid moeten betuigen en dat zal ik zeker ook doen voor uw hulp.' Webb haalde zijn leren portefeuille voor de dag en trok er onopvallend een biljet van twintig Amerikaanse dollars uit. Hij gaf de man een hand met het biljet verborgen in zijn palm. 'Wanneer is meneer Liang uitgewerkt?'

De verbaasde maar overgelukkige jongeman keek even naar rechts en naar links en stamelde een paar onsamenhangende zinnen terwijl hij dat deed. 'Ja! Heel erg vriendelijk van u, meneer. Het is niet nodig, meneer, maar dank u wel, meneer. Meneer Liang verlaat elke middag om vijf uur zijn kantoor. Op die tijd ga ik ook weg. Ik zou natuurlijk blijven als de directie dat vroeg, want ik probeer heel erg mijn best te doen voor de eer van het hotel.'

'Daar ben ik zeker van,' zei Webb. 'En u doet dat zeer capabel. Mijn sleutel, alstublieft. Mijn bagage komt na, die is op een verkeerde vlucht terecht gekomen.'

'Natuurlijk, meneer!'

David ging in een stoel zitten aan het getinte raam en keek uit over de haven naar het eiland Hongkong. Er vielen hem namen in, en de beelden die erbij hoorden – Causeway Bay, Wanchai, Repulse Bay, Aberdeen, The Mandarin, en ten slotte, heel duidelijk in de verte, Victoria Peak met haar majestueuze uitzicht over de gehele kolonie. Toen zag hij in gedachten de dichtopeengepakte mensenmenigte die gevangen zat in de overvolle, kleurrijke, vaak smerige straten, en de drukke hotellobby's en foyers met hun discreet verlichte kroonluchters van gouden filigrainwerk waar de goedgeklede overlevenden van het oude Britse rijk zich mengden tussen de opkomende Chinese ondernemers – de vroegere kroon en het nieuwe geld zochten onderdak... Steegjes? Waarom wist hij niet, maar ineens zag hij krioelende en vervallen sloppen. Gedaanten renden door de smalle straatjes, botsten tegen kooien met krijsende vogeltjes en kronkelende slangen van allerlei afmetingen, de ventwaren op de onderste sport van de handelsladder van de kolonie. Mannen en vrouwen van elke leeftijd, van kinderen tot ouden van dagen, gingen gekleed in vodden en prikkelende, dichte rook kringelde langzaam omhoog. Ze bleef hangen tussen de vervallen gebouwen, vervaagde het licht en versterkte de mistroostigheid van de donkere stenen muren, zwart van alles wat zich vlakbij aan goeds en slechts had afgespeeld. Dat alles zag hij en alles betekende iets voor hem, maar hij begreep het niet. Bijzonderheden ontgingen hem; hij had niets waaraan hij zich kon vasthouden en het was om gek van te worden.

Daar ergens was Marie. Hij moest haar vinden! Hij sprong gefrustreerd uit zijn stoel en hij had zin om op zijn hoofd te timmeren, maar hij wist dat het niet zou helpen, niets hielp, alleen maar tijd en hij kon niet tegen die druk van de tijd. Hij moest haar vinden, haar vasthouden, beschermen, zoals zij eens hem had beschermd door in hem te geloven toen hij niet in zichzelf kon geloven. Hij liep voorbij de spiegel boven de toilettafel en keek naar zijn bleke, afgetobde gelaat. Eén ding was zeker. Hij moest snel plannen maken om in actie te komen, maar niet als de man die hij in de spiegel zag. Hij moest alles toepassen wat hij geleerd had en vergeten was als Jason Bourne. Ergens uit zijn binnenste moest hij dat ongrijpbare verleden oproepen en vertrouwen op zijn vergeten instincten.

De eerste stap had hij gezet. Hij wist dat het een sterke schakel was. Liang zou hem een aanknopingspunt geven, hoe dan ook, waarschijnlijk slechts uiterst onbelangrijke informatie, maar het zou een begin vormen – een naam, een plaats, of een geheim contactpunt, een eerste contact dat hem naar een volgende zou leiden en naar weer een volgende. Wat hij moest doen was snel in actie komen bij wat hij ook kreeg, zijn vijand geen tijd geven te manoeuvreren, wie hij ook te pakken kreeg moest hij in een positie dwingen van geef-hier-en-blijf-leven of zwijg-en-sterf en hij moest dat met overtuiging doen. Maar om iets te bereiken moest hij voorbereid zijn. Er moesten dingen worden gekocht en een rondrit door de kolonie moest worden verzorgd. Hij wilde een uur of zo doorbrengen met vanaf de achterbank van een auto waar te nemen, hij wilde alles wat mogelijk was naar boven halen uit zijn beschadigde geheugen.

Hij pakte een grote roodleren hotelgids op, ging op de rand van het bed zitten, sloeg die open en bladerde snel de pagina's door. *The New World Shopping Centre, een magnifiek open winkelcentrum van vier verdiepingen dat de fijnste goederen van de vier uithoeken der aarde bijeen brengt onder één dak*... Het was natuurlijk zwaar overdreven, maar het 'complex' lag wel vlak naast het hotel; hij zou er alles van zijn gading vinden. *Limousines beschikbaar. Ons wagenpark van Daimler automobielen stelt u in staat afspraken te maken per uur of per dag voor zaken of bezienswaardigheden. U wordt verzocht contact op te nemen met de portier. Bel 62.* Limousines wilden ook zeggen ervaren chauffeurs die de weg kenden in het verwarrend patroon van straten, steegjes en verkeersaders in Hongkong, Kowloon en de *New Territories,* en die ook nog andere dingen wisten. Die mannen kenden alle hoekjes en gaatjes en de smerige achterbuurten van de steden waar ze werkten. Tenzij hij zich vergiste, en een instinct zei hem dat dat niet het geval was, had hij nog iets meer nodig. Hij moest een wapen hebben. Ten slotte was er nog een bank in Hongkongs *Central District* die bepaalde afspraken had met een zusterinstelling duizenden kilometers verwijderd op de Kaaiman Eilanden. Hij moest die bank ingaan, tekenen wat er dan ook vereist werd, en naar buiten lopen met meer geld dan iemand met gezond verstand bij zich zou dragen in Hongkong, of waar verder dan ook. Hij zou wel een plek vinden om het te verbergen maar niet in een bank waar de beschikbaarheid afhankelijk was van de openingstijden. Jason Bourne wist het: beloof een man zijn leven en hij zal meestal wel meewerken; beloof hem zijn leven en een heleboel geld en de combinatie zal een complete slaaf van hem maken.

David pakte het blocnote voor berichten en een potlood naast de telefoon op het nachtkastje, hij begon weer aan een lijst. De kleine dingetjes werden steeds groter naarmate elk uur verstreek, en zoveel uren had hij niet meer over. Het was bijna elf uur. De zon die zowat haar hoogtepunt had bereikt deed de haven glinsteren. Hij had nog zoveel te doen voordat het half vijf was, wanneer hij van plan was onopvallend post te vatten ergens bij de uitgang voor personeel, of beneden in de garage van het hotel, of waar hij dan ook een manier zou vinden Liang met het wasbleke gezicht, zijn eerste schakel, te vinden en in het nauw te drijven.

Drie minuten later had hij zijn lijst af. Hij scheurde de pagina van het blok, stond op van het bed en wilde zijn colbertje pakken dat op de stoel voor de toilettafel hing. Ineens ging de telefoon over en verbrak de rust van de hotelkamer. Hij moest zijn ogen dichtdoen en elke spier in zijn armen en maagwand samentrekken om er niet op af te springen, hopend tegen beter weten in Marie's stem te horen, ook al was ze een gevangene. Hij mocht die telefoon niet oppakken. *Instinct. Jason Bourne.* Hij had geen enkel machtsmiddel in handen. Als hij die hoorn oppakte zou *hij* in de macht zijn van een ander. Hij liet het apparaat rinkelen terwijl hij gekweld de kamer doorliep en de gang op stapte.

Het was tien minuten over twaalf toen hij terugkeerde met een aantal dunne plastic zakken van verschillende winkels in het winkelcentrum. Hij liet ze op bed vallen en begon zijn aankopen eruit te halen. Er zat een donkere, lichtgewicht regenjas bij en een donkere, linnen hoed, een paar grijze tennisschoenen, zwarte broek en een trui, ook zwart. Dat waren de kleren die hij 's nachts zou dragen. Verder waren er nog een paar dingen: een klos met uiterst sterke vislijn met twee handvaten die precies in zijn handen pasten waaraan aan beide uiteinden een stuk lijn van een meter kon worden vastgemaakt, een zware pressepapier in de vorm van een miniatuur koperen halter, een ijshaak, en een zeer scherp aan twee zijden snijdend jachtmes met een smal lemmet van tien centimeter in een schede. Dat waren de geluidloze wapens die hij dag en nacht bij zich zou hebben. Er was nog één ding dat hij miste; maar hij wist dat hij het zou vinden.

Terwijl hij zijn aankopen bekeek, helemaal geconcentreerd op de handvaten en de vislijn, werd hij zich bewust van een haast onmerkbaar lichtgeknipper. Aan, uit... aan, uit. Het irriteerde hem omdat hij niet kon zien waar het vandaan kwam en, zoals zo vaak, moest hij zich afvragen óf het eigenlijk wel ergens vandaan kwam, of dat die inbreuk op zijn rust alleen maar in zijn verbeelding bestond. Toen werden zijn ogen getrokken naar het nachtkastje. Zonlicht viel door de ramen aan de havenkant en bescheen de telefoon, maar het knipperlichtje kwam daar vandaan, van de linker benedenhoek van het toestel — nauwelijks zichtbaar, maar het was er wel. Het was het teken voor een boodschap, een rood puntje dat even oplichtte, dan even uitging en doorging met knipperen. Een *boodschap* was geen telefoongesprek bedacht hij. Hij liep naar het nachtkastje, bekeek de aanwijzingen op de plastic kaart en pakte de hoorn op; hij drukte op de aangegeven knop.

'Ja, meneer Cruett?' zei de telefoniste aan haar geautomatiseerde schakelbord.

'Is er een boodschap voor mij?' vroeg hij.

'Ja, meneer. Meneer Liang heeft geprobeerd u te bereiken...'

'Ik dacht dat ik duidelijke instructies had gegeven,' viel Webb haar in de rede. 'Er mochten geen gesprekken worden doorgegeven totdat ik de centrale anders zou instrueren.'

'Jawel, meneer, maar meneer Liang is de assistent-manager, eigenlijk de hoogste manager wanneer zijn meerdere er niet is, wat vanmorgen... vanmiddag het geval is. Hij heeft ons gezegd dat het zeer dringend is. Hij heeft u het afgelopen uur elke paar minuten gebeld. Ik verbind u nu door, meneer.'

David legde de hoorn op. Hij was nog niet klaar voor Liang, of juister gezegd, Liang was nog niet klaar voor hem, in elk geval niet op de manier zoals David het wilde. Liang stond onder druk, hij was waarschijnlijk zowat in paniek, want hij was de eerste en laagste contactpersoon en hij was er niet in geslaagd de gezochte man daar te plaatsen waar men hem hebben wilde — in een van microfoons voorziene suite waar de vijand elk woord kon afluisteren. Maar bijna in paniek was niet genoeg. David wilde Liangs paniek volledig maken. De snelste manier om zoiets te bereiken was door elk contact af te wijzen, niet met hem te praten, niet te luisteren naar verontschuldigende verklaringen om de gezochte man weer in het gareel te krijgen en de boosdoener vrij te pleiten.

Webb graaide de kleren van het bed en stopte ze in twee laden van de toilettafel met de zaken die hij uit zijn schoudertas had gehaald; de handvaten en de vislijn propte hij tussen de kleren. Toen legde hij de pressepapier op een menu van de etageservice en stak het jachtmes in een zak van zijn colbert. Hij keek naar de ijshaak en ineens kwam er weer een gedachte bij hem op die opnieuw voortkwam uit een vreemd instinct: een man die dodelijk ongerust was zou zeer sterk reageren wanneer hij overrompeld werd door het onverwachts zien van iets angstaanjagends. Dat naakte beeld zou hem in verwarring brengen en zijn angst vergroten. David haalde een zakdoek uit zijn borstzak, pakte de ijshaak op en wreef het handvat schoon. Met het dodelijke wapen in een doek gewikkeld in zijn hand liep hij snel het kleine halletje in, bekeek even wat precies ooghoogte was en ramde de haak in de witte muur tegenover de deur. De telefoon ging over en bleef toen rinkelen, bevangen door een soort razernij. Webb ging naar buiten en rende de gang door naar de rij met liften; hij gleed de hoek om en een volgende gang in en bleef daar staan kijken.

Hij had zich niet vergist. De glanzend metalen panelen schoven vaneen en Liang rende vanuit de middelste lift de gang van Webbs kamer in. David kwam snel de hoek om, rende naar de liften en liep toen vlug en geruisloos naar de hoek van zijn eigen gang. Hij kon de nerveuze Liang zien, terwijl die achter elkaar op zijn bel stond te drukken en ten slotte steeds aanhoudender op de deur begon te kloppen.

Een andere liftdeur ging open en er kwamen twee lachende stelletjes uit. Een van de mannen keek nieuwsgierig naar Webb, haalde toen de schouders op terwijl het gezelschap linksaf sloeg. David keek weer naar Liang. De assistent-manager was nu buiten zichzelf, hij stond op de bel te drukken en op de deur te bonzen. Toen hield hij op en legde zijn oor tegen het hout; tevreden stak hij zijn hand in zijn zak en haalde er een sleutelbos uit. Webb trok haastig zijn hoofd achteruit toen de assistent-manager zich omkeerde om links en rechts de gang af te kijken, terwijl hij de sleutel in het slot stak. David hoefde niets meer te zien, hij wilde alleen maar horen.

Lang hoefde hij niet te wachten. Een onderdrukte, schorre kreet werd gevolgd door de luide klap van de deur. De ijshaak had zijn werk gedaan. Webb rende terug naar zijn schuilplaats voorbij de laatste lift en schoof voorzichtig weer naar de hoek van de muur; hij keek. Liang was duidelijk geschrokken, hij haalde hijgend adem terwijl hij herhaaldelijk met zijn vinger op de knop voor de lift drukte. Eindelijk klonk de ping van een bel en de metalen panelen van de tweede lift gleden open. De assistent-manager rende naar binnen.

David had geen vastomlijnd plan, maar hij wist vaag wat hem te doen stond, want op een andere manier kon hij het niet doen. Hij liep snel voorbij de liften de gang af en rende het laatste stukje naar zijn kamer. Hij ging naar binnen, pakte de hoorn van de haak en drukte de cijfers in die hij uit zijn hoofd had geleerd.

'Bureau van de portier,' zei een prettige stem die niet oosters klonk; het was waarschijnlijk een Indiër.

'Spreek ik met de portier?' vroeg Webb.

'Inderdaad, meneer.'

'Niet een van zijn assistenten?'

'Nee, het spijt me. Wilt u met een bepaalde assistent spreken? Iemand misschien die een probleempje voor u aan het oplossen is?'

'Nee, ik moet u hebben,' zei David kalm. 'Ik bevind me in een situatie die strikt vertrouwelijk behandeld moet worden. Kan ik daarop bij u rekenen? Ik kan heel gul zijn.'

'Bent u een gast in het hotel?'

'Ik logeer hier.'

'En het is natuurlijk niet iets onrechtmatigs. Niets wat onze zaak zou schaden?'

'Het zal alleen haar reputatie verhogen voor het helpen van voorzichtige zakenlieden die zaken willen doen met de kolonie. Belangrijke zaken.'

'Ik sta tot uw dienst, meneer.'

Het werd geregeld dat een Daimler-limousine met de meest ervaren chauffeur hem over tien minuten zou oppikken aan de aflopende oprit naar het voorplein aan Salisbury Road. De portier zou naast de auto staan en zou voor zijn vertrouwelijke behandeling tweehonderd Amerikaanse dollars ontvangen, ruwweg vijftienhonderd Hongkong-dollars. Het huren moest niet gebeuren onder de naam van een persoon — er zou contant worden betaald voor vierentwintig uur — enkel de naam van een willekeurig gekozen firma. En 'meneer Cruett' zou onder escorte van een page de dienstlift kunnen gebruiken naar de begane grond van het Regent waar een uitgang leidde naar het New World winkelcentrum, dat direct toegang gaf tot het punt van afspraak aan Salisbury Road.

Toen het geld betaald was en de beleefdheden uitgewisseld, ging David op de achterbank van de Daimler zitten. Het geplooide, vermoeide gelaat van een geüniformeerde chauffeur van middelbare leeftijd keek hem aan en de lusteloze uitdrukking werd nauwelijks verzacht door een gedwongen poging vriendelijk te zijn.

'Welkom, meneer! Mijn naam is *Pak-fei* en ik zal mijn best doen u uitstekend van dienst te zijn! U zegt maar waarheen en ik breng u daar. Ik weet alles!'

'Daar rekende ik al op,' zei Webb zacht.

'Neemt u me niet kwalijk, meneer?'

'Wo bushi lüke,' zei David, daarmee zeggend dat hij geen toerist was.

'Maar ik ben hier in jaren niet meer geweest,' vervolgde hij in het Chinees, 'ik wil me weer met alles vertrouwd maken. Laten we eerst maar eens de normale, saaie rit over het eiland maken en dan snel even door Kowloon rijden. Ik moet over een paar uur terug zijn... En laten we vanaf nu maar Engels praten.'

'Aha! Uw Chinees is zeer goed, heel deftig maar ik kan alles verstaan wat u zegt. Maar slechts twee *zhongtou*...'

'Uren,' onderbrak Webb hem. 'We spreken Engels, weet u wel, en ik wil niet worden misverstaan. Maar die twee uur en uw fooi en de overblijvende tweeëntwintig uur en *die* fooi zullen afhangen van hoe goed wij met elkaar kunnen opschieten, nietwaar?'

'Ja, *ja!*' riep Pak-fei uit, terwijl hij op het gaspedaal drukte en zich met een ervaren zwaai tussen het onverdraagzame verkeer op Salisbury Road voegde. 'Ik zal trachten u zeer uitstekend van dienst te zijn!'

Dat deed hij ook en de namen en beelden die David had opgeroepen in

114

de hotelkamer werden versterkt door het zien van de werkelijkheid. Hij kende de straten van het *Central District,* herkende The Mandarin Hotel en de Hongkong Club en Chater Square met het gebouw van het Opperste Gerechtshof van de kolonie tegenover de bankgiganten van Hongkong. Hij had over de overvolle voetgangerspaden gelopen naar die wilde verwarring op de Star Ferry, de continuverbinding van het eiland met Kowloon. Queen's Road, Hillier, Possession Street... het opzichtige Wanchai, alles kwam weer bij hem terug, in de zin dat hij er al eerder was geweest, die plaatsen had bezocht, ze kende, de straten kende, zelfs hoe hij de weg kon afsnijden bij het gaan van het ene punt naar het andere. Hij herkende de kronkelige weg naar Aberdeen, wist tevoren dat hij daar bonte drijvende restaurants zou zien en verderop de ongelooflijke opeenhoping van jonken en sampans van de bootmensen, een aangesloten, drijvende gemeenschap van de eeuwig ontheemden; hij kon zelfs het klepperen en slaan en krijsen horen van de majong-spelers, die bij het vage licht van schommelende lantaarns 's avonds fel streden om hun weddenschappen. Hij had mannen en vrouwen ontmoet − contactmensen en gidsen bedacht hij − op de stranden van Shek O en Big Wave, en hij had gezwommen in de drukke wateren van Repulse Bay, met haar verzameling enorme, kitscherige standbeelden en de wegkwijnende elegantie van het oude koloniale hotel. Hij had alles gezien, alles gekend, en toch kon hij het met niets in verband brengen.

Hij keek op zijn horloge; ze hadden bijna twee uur gereden. Ze moesten nog één keer stoppen op het eiland en dan zou hij eens zien wat Pak-fei waard was. 'Rij terug naar Chater Square,' zei hij. 'Ik moet in een van de banken daar zijn. U kunt op me wachten.'

Geld was niet alleen een sociaal en industrieel smeermiddel, maar als de bedragen maar hoog genoeg waren, vormde het ook een paspoort naar bewegingsvrijheid. Zonder geld werden mensen die op de vlucht waren gedwarsboomd, waren hun keuzemogelijkheden beperkt en de achtervolgers konden vaak niet verder omdat hún keuzemogelijkheden te duur waren om de jacht te kunnen voortzetten. En hoe hoger het bedrag, des te gemakkelijker werd het verschaft. Hoe moet iemand niet worstelen die onvoldoende dekking heeft om een lening te krijgen boven de $ 500, terwijl iemand anders betrekkelijk gemakkelijk een crediet kan krijgen van $ 500 000. Zo verging het ook David bij de bank aan Chater Square. Hij werd snel en vakkundig geholpen, zonder commentaar werd er een diplomatenkoffertje ter beschikking gesteld om het geld te vervoeren en werd hem een bewaker aangeboden om hem te vergezellen naar zijn hotel, mocht hij zich dan veiliger voelen. Hij weigerde, tekende de benodigde papieren en er werd verder niets meer gevraagd. Hij keerde terug naar zijn auto in de drukke straat.

Hij boog zich voorover en liet zijn linkerhand rusten op de zachte stof van de voorbank, slechts enkele centimeters van het hoofd van de bestuurder. Hij hield een biljet van honderd Amerikaanse dollar tussen duim en wijsvinger. 'Pak-fei,' zei hij, 'ik heb een pistool nodig.'

Het hoofd van de chauffeur draaide zich langzaam om. Hij keek naar het biljet en draaide zich toen verder om om Webb aan te kijken. De geforceerde uitgelatenheid was verdwenen, die overdreven bereidheid van dienstbaar te zijn. De uitdrukking op zijn getekende gelaat was passief, de scheve ogen staarden in de verte. 'Kowloon,' antwoordde hij. 'In de Mongkok.' Hij nam de honderd dollar aan.

9

De Daimler-limousine kroop door de overvolle straat in Mongkok, een deel van Kowloon dat de twijfelachtige eer genoot de dichtstbevolkte stadswijk in de geschiedenis van de mensheid te zijn. Wel bijna uitsluitend bevolkt door Chinezen, dat moet erbij gezegd worden. Een westers gezicht vormde hier zo'n zeldzaamheid dat het nieuwsgierige blikken trok, zowel vijandig als geamuseerd. Geen blanke man of vrouw zou het in het hoofd halen na zonsondergang naar Mongkok te gaan; je had daar geen Oriental Cotton Club. Het was niet een kwestie van rassenonderscheid, het was rekening houden met de werkelijkheid. Er was te weinig ruimte voor hun eigen mensen en hun eigen soort bewaakten ze zoals Chinezen dat millennia lang hadden gedaan, vanaf de allereerste dynastieën. De familie ging boven alles, het was alles, en te veel families woonden niet zozeer onder ellendige omstandigheden als wel binnen de enge muren van een enkele kamer met een enkel bed en matten op ruwe, schone vloeren. De talloze balkonnetjes getuigden overal van de eisen die gesteld werden aan netheid, want je zag er haast alleen maar mensen die eindeloze lijnen volhingen met wasgoed. De boven elkaar gelegen open balkonnetjes strekten zich uit langs de gevels van aaneengesloten huizenblokken en ze leken voortdurend in beweging te zijn wanneer de wind de lange rijen stof deed opbollen en kledingstukken van allerlei soort bij tienduizenden tegelijk op hun plaatsen deed dansen, een bewijs te meer van het immense aantal mensen dat er woonde.

Mongkok was ook niet arm. Een bonte mengelmoes van kunstmatige kleuren vulde de straten en helder rood overheerste overal. Enorme ingewikkelde reclameborden strekten zich uit zover het oog reikte. Het waren reklames die tot op de tweede verdieping waren aangebracht langs alle straten en stegen en de Chinese lettertekens vochten overal om de aandacht van de kopers. Er was geld in Mongkok, in stilte verdiend geld zowel als grote sommen die luidruchtig van eigenaar verwisselden en het kwam lang niet altijd op wettige wijze binnenrollen. Wat Mongkok niet bood, was extra ruimte en het beetje ruimte was in handen van

hun eigen mensen, geen buitenstaanders, tenzij een buitenstaander —
vergezeld door één van hun eigen soort — ook het geld meebracht om
de onverzadigbare machinerie te voeden die een enorm pakket aan we-
reldse goederen produceerde, waarvan sommige niet zozeer werelds als
wel bovennatuurlijk waren. Pak-fei, de bestuurder, wist waar hij moest
zoeken en Jason Bourne had er het geld voor.
'Ik stop hier even om te telefoneren,' zei Pak-fei, en hij zette de wagen
achter een dubbelgeparkeerde vrachtauto. 'Ik zal de portieren sluiten en
opschieten.'
'Is dat noodzakelijk?' vroeg Webb.
'Het is uw koffertje, meneer, niet het mijne.'
Goeie god, dacht David, wat *stom* van me! Hij had niet aan het diplomatenkoffertje gedacht. Hij had meer dan $ 300 000 meegenomen naar
het hartje van Mongkok, alsof het een lunchpakket was. Hij greep het
handvat beet, trok het koffertje op zijn schoot en controleerde de sloten. Ze zaten goed dicht, maar als beide knoppen maar even een duwtje
kregen zou het deksel openklappen. Hij schreeuwde tegen de bestuurder
die al buiten de auto stond: 'Zorg dat ik wat plakband krijg!'
Het was te laat. Het geluid in de straat was oorverdovend, de mensenmassa's leken wel een golvende, menselijke deken, en ze vulden elk leeg
plekje. En ineens waren de raampjes van de Daimler ermee gevuld.
Honderd paar ogen gluurden van alle kanten naar binnen, toen drukten
zich verwrongen gezichten tegen het glas — aan alle kanten — en Webb
was het middelpunt van een zojuist uitgebarsten straatvulkaan. Hij kon
de geschreeuwde vraag verstaan: *Bin go ah?* en *Chong man tui,* vrij te
vertalen als: 'Wie is dat?' en 'Eentje met een volle pens', hetgeen samen
neerkwam op 'Wie is die dikke patser?' Hij voelde zich als een gekooid
dier dat bekeken werd door een horde beesten van een ander soort, misschien roofdieren. Hij hield zijn koffertje vast en keek recht voor zich
uit, en toen twee handen begonnen te klauwen naar de smalle spleet van
het bovenraampje rechts van hem, tastte hij langzaam met zijn hand in
zijn zak naar het jachtmes. De vingers wrongen zich door de spleet.
Jau! gilde Pak-fei terwijl hij zich een weg stompte door de menigte.
'Dit is een zeer belangrijk taipan en de politie verderop in de straat zal
kokende olie over jullie ballen gooien als je hem lastigvalt! Donder op,
vooruit!' Hij ontsloot het portier, sprong achter het stuur en rukte het
portier dicht te midden van woedend gevloek. Hij startte de motor, gaf
gas in de vrijloop, drukte toen zijn hand op de krachtige claxon en hield
die daar. De kakofonie nam toe tot het lawaai haast niet meer te verdragen was en de zee van lijven week langzaam, met tegenzin, uiteen. De
Daimler zette zich met schokken in beweging door de nauwe straat.
'Waar gaan we heen?' schreeuwde Webb. 'Ik dacht dat we er al waren!'
'De handelaar die u moet hebben is verhuisd, meneer, en dat is goed,
want dit is geen respectabele wijk in de Mongkok.'

'Je had eerder moeten bellen. Dat was niet erg plezierig daarnet.'
'Ik zou graag de indruk wegnemen dat ik u niet volmaakt van dienst ben, meneer,' zei Pak-fei en hij keek naar David in zijn spiegeltje. 'We weten nu dat we niet gevolgd worden. Daarom word *ik* ook niet gevolgd naar de plaats waarheen ik u rijd.'
'Waar heb je het over?'
'U gaat met lege handen een grote bank binnen op Chater Square en u komt met volle handen naar buiten. U hebt een koffertje bij u.'
'Wat dan nog?' Webb lette op de ogen van de bestuurder die steeds even naar hem keken.
'U had geen bewaker bij u en er zijn gevaarlijke mensen die uitkijken naar mensen als u, vaak wordt er een teken gegeven door andere gevaarlijke mensen in de bank. Dit zijn onzekere tijden, daarom was het beter zeker te zijn in dit geval.'
'En je bent zeker... nu?'
'O jawel, meneer!' Pak-fei glimlachte. 'Een auto die ons narijdt tot in een achterbuurt in de Mongkok valt direct op.'
'Je hebt dus niet getelefoneerd?'
'O jawel, dat heb ik wel gedaan, meneer. Je moet altijd eerst bellen. Maar het ging *heel* snel en toen ben ik, natuurlijk zonder mijn pet op, vele meters teruggelopen op het trottoir. Er waren geen woedende mannen in auto's en niemand stapte uit om de straat in te rennen. Ik zal u nu zeer opgelucht naar de handelaar brengen.'
'Ik ben ook opgelucht,' zei David en hij vroeg zich af waarom Jason Bourne hem tijdelijk in de steek had gelaten. 'En ik wist niet eens dat ik me zorgen had moeten maken. Zeker niet over mensen die me volgden.'
Het dichte gedrang in de Mongkok nam wat af, naarmate de gebouwen lager werden en Webb kon het water van Victoria Harbour zien achter hoge draadhekken. De geduchte barrières omringden groepen pakhuizen tegenover kades waar koopvaardijschepen gemeerd lagen en zware machines grommend rondkropen om enorme containers in de ruimen te tillen. Pak-fei draaide het voorplein op van een vrijstaand pakhuis zonder bovenverdiepingen; het zag er verlaten uit en er stonden maar twee auto's. De poort was gesloten, vanuit een klein glazen kantoortje kwam een bewaker met een klembord in de hand op de Daimler aflopen.
'Mijn naam staat niet op de lijst,' zei Pak-fei in het Chinees en met een ongewone autoriteit tegen de naderende bewaker. 'Zeg tegen meneer Wu Song dat Regent Nummer Vijf hier is en hem een taipan brengt die even eerbiedwaardig is als hijzelf. Hij verwacht ons.' De bewaker knikte en tuurde tegen het middagzonlicht in om iets te kunnen zien van de belangrijke passagier. *'Aiya!'* gilde Pak-fei tegen de onbeschofte man. Toen draaide hij zich om en keek Webb aan. 'U moet het goed begrij-

118

pen, meneer,' zei hij, terwijl de bewaker terugrende naar zijn telefoon.
'Mijn gebruiken van de naam van mijn keurige hotel heeft niets te maken met mijn keurige hotel. Om u de waarheid te zeggen, als meneer Liang of iemand anders wist dat ik de naam gebruikte voor een dergelijke zaak, zou ik ontslagen worden. Het wil alleen maar zeggen dat ik geboren ben op de vijfde dag van de vijfde maand in het jaar van onze christelijke Heer, negentienhonderd vijfendertig.'

'Van mij zullen ze het niet horen,' zei David, inwendig glimlachend, en hij bedacht dat Jason Bourne hem eigenlijk toch niet in de steek had gelaten. De mythe die hij eens was geweest kende de wegen die voerden naar de juiste contacten — hij kende die blindelings — en die man was er, in de persoon van David Webb.

Het gewitte lokaal, met gordijnen voor de ramen, dat volstond met afgesloten, langwerpige vitrines, had wel iets weg van een museum waarin artefacten lagen uitgestald uit vroegere beschavingen, zoals primitieve werktuigen, fossiele insekten, mystieke snijwerken van langvergane religies. Het verschil lag in de voorwerpen. Het was een heel gamma van explosieve wapens, van revolvers en geweren van het laagste kaliber tot de meest geavanceerde wapens van de moderne oorlogvoering, van automatische machinegeweren met duizend patronen in spiraalvormige patroonbanden op bijna gewichtloze onderstellen, tot door laser geleide raketten die vanaf de schouder konden worden afgevuurd, een heel arsenaal voor terroristen. Twee mannen in normale kostuums stonden op wacht, een buiten de ingang naar de ruimte en de andere binnen. Zoals verwacht mocht worden boog de eerste man verontschuldigend terwijl hij een elektronisch aftastapparaat op en neer bewoog langs de kleren van Webb en de bestuurder. Toen stak de man zijn hand uit naar het diplomatenkoffertje. David trok het achteruit, schudde zijn hoofd en gebaarde naar de staafvormige aftaster. De bewaker had die oppervlakkig over het koffertje gezwaaid en daarbij speciaal de sloten gecontroleerd.

'Privé-documenten,' zei Webb in het Chinees tegen de verbaasde bewaker terwijl hij de ruimte inliep.

David had bijna een volle minuut nodig om in zich op te nemen wat hij zag, om zijn ongeloof van zich af te zetten. Hij keek naar de opvallende geschilderde *No Smoking*-borden in het Engels, Frans en Chinees die overal aan de muren hingen en vroeg zich af waarvoor die dienden. Alles zat in vitrines opgesloten. Hij liep naar een vitrine met handwapens en bekeek de koopwaar. Hij hield het diplomatenkoffertje in zijn hand geklemd alsof het een reddingslijn was die voorkwam dat hij gek werd in een wereld vol waanzin met deze instrumenten van geweldpleging.

'*Huanying!*' weerklonk een stem en die werd gevolgd door het verschijnen van een vrij jeugdig uitziende man. Hij kwam uit een paneeldeur, en was gekleed in een van die nauwzittende Europese kostuums die de schouders overdreven breed maken en het middel smal. De achterpanden van het colbertje waaierden uit als een pauwestaart — het produkt van ontwerpers die koste wat het kost chic willen lijken en daarbij het beeld van een echte man prijsgeven.

'Dit is meneer Wu Song, meneer,' zei Pak-fei, terwijl hij eerst boog naar de handelaar en toen naar Webb. 'U hoeft uw naam niet te noemen, meneer.'

'Bu!' siste de jonge handelaar en hij wees naar Davids diplomatenkoffertje. *'Bu jing ya!'*

'Uw cliënt spreekt vloeiend Chinees, meneer Song.' De chauffeur wendde zich tot David. 'Zoals u hoort, meneer, maakt meneer Song bezwaar tegen de aanwezigheid van uw koffertje.'

'Ik zal het blijven vasthouden,' zei Webb.

'Dan kunnen we niet serieus over zaken praten,' wierp Wu Song tegen in vlekkeloos Engels.

'Waarom niet? Uw man heeft het gecontroleerd. Er zitten geen wapens in en zelfs als die erin zaten en ik probeerde het te openen, dan heb ik zo'n idee dat ik al op de grond zou liggen voordat het deksel open was.'

'Plastic?' zei Wu Song, een complete vraag in één woord. 'Plastic microfoons die verbonden zijn met opnameapparatuur waarvan het metaalgehalte zo laag is dat zelfs geavanceerde instrumenten het niet kunnen ontdekken?'

'U lijdt aan achtervolgingswaanzin.'

'Zoals ze in uw land zeggen, dat hoort nu eenmaal bij het vak.'

'Uw idioom is even goed als uw Engels.'

'Columbia Universiteit, drieënzeventig.'

'Bent u afgestudeerd in bewapening?'

'Nee, in marketing.'

'Aiya!' gilde Pak-fei, maar hij was te laat. De snelle woordenwisseling had de bewegingen van de bewakers gecamoufleerd; ze waren het lokaal doorgelopen en wierpen zich op het laatste moment op Webb en de chauffeur.

Jason Bourne draaide zich bliksemsnel om, maakte zich los uit de schoudergreep van zijn aanvaller, knelde diens arm onder de zijne, dwong de man zich te bukken en smakte het diplomatenkoffertje in het gezicht van de oosterling. *De manoeuvres kwamen weer bij hem terug. Het gewelddadige optreden kwam terug zoals het was teruggekomen bij een verbijsterd man zonder geheugen op een vissersboot achter de ondiepten van een eiland in de Middellandse Zee. Zoveel wat vergeten was, zoveel waarvoor geen verklaring was, maar toch herinnerd werd.* De man viel verdoofd op de grond, terwijl zijn compagnon zich woedend op Webb stortte na Pak-fei, de bestuurder, tegen de grond te hebben geslagen. Hij stormde naar voren met zijn handen diagonaal voor zich uit, zijn brede borst en schouders als afzetpunt voor zijn beide stormrammen. David liet het koffertje vallen, viel uit naar rechts, draaide zich weer om, opnieuw naar rechts, terwijl zijn linkervoet omhoogzwiepte vanaf de grond en de Chinees met zo'n kracht in de lies raakte dat de man gillend dubbel sloeg. Webb reageerde onmiddellijk met een schop van zijn rechtervoet en zijn tenen groeven zich in de keel van zijn aanvaller, precies onder de kaak. De man rolde over de vloer, snakkend naar adem, met één hand op zijn lies, de andere aan zijn hals. De eerste bewaker begon weer omhoog te komen, Bourne zette een stap vooruit, smakte zijn knie in de borst van de man en deed hem halverwege het vertrek bewusteloos onder een vitrine belanden.

De jeugdige wapenhandelaar van de Columbia Universiteit was verbijsterd. De verklaring was te lezen in zijn ogen: hij was getuige van iets wat ondenkbaar was en hij verwachtte dat de rollen elk moment zouden worden omgekeerd, dat zijn bewakers als overwinnaars te voorschijn zouden komen. Toen wist hij ineens, onbetwistbaar, dat het niet zou gebeuren. Hij rende in paniek naar de deur waardoor hij was binnengekomen en bereikte die gelijk met Webb. David greep de gecapitonneerde schouders vast en wierp de handelaar terug over de vloer. Wu Song struikelde over zijn eigen voeten en viel languit, hij stak smekend zijn handen omhoog.

'Nee, alstublieft, *hou op!* Ik kan lijf aan lijf vechten niet *uitstaan!* Neemt u maar wat u wilt!'

'U kunt *wat* niet uitstaan?'

'U hebt me verstaan, ik word er *ziek* van!'

'En wat denkt u, verdomme, dan wel wat dit hier allemaal te betekenen heeft?' gilde David terwijl zijn arm een boog beschreef door het vertrek.

'Ik voorzie alleen maar in een behoefte, meer niet. Neem maar alles wat u wilt, maar raak mij niet aan. *Alstublieft!*'

Vol afkeer liep Webb naar de gevallen bestuurder, die overeind krabbelde terwijl er een straaltje bloed uit zijn mondhoek drupte. 'Wat ik meeneem, daar betaal ik voor,' zei hij tegen de wapenhandelaar en hij greep de arm van de chauffeur vast en hielp hem overeind. 'Alles in orde met je?'

'U vraagt om grote moeilijkheden, meneer,' antwoordde Pak-fei met trillende handen en angst in zijn ogen.

'Daar had jij niets mee te maken. Dat weet Wu Song, nietwaar, Wu?'

'Ik heb u hier gebracht!' hield de bestuurder vol.

'Om iets te kopen,' voegde David daar snel aan toe. 'Laten we dus maar opschieten. Maar laat ons eerst eens die twee gorilla's vastbinden. Gebruik de gordijnen maar. Trek ze omlaag.'

Pak-fei keek smekend naar de jeugdige handelaar.

'Bij de *Jezus* van alle christenen, doe wat hij *zegt!*' gilde Wu Song. 'Hij gaat me slaan! Pak de gordijnen. Bind ze vast, stomme *idioot!*'

Drie minuten later had Webb een vreemd uitziend pistool in zijn hand, vrij dik maar niet groot. Het was een modern wapen; de geperforeerde cilinder die de geluiddemper vormde klikte pneumatisch op de loop en bracht zo het geluid van het schot terug tot een luide kuch — maar niet meer dan een kuch — en de accuratesse werd er op korte afstand niet door beïnvloed. Het magazijn bevatte negen patronen en het werd in enkele tellen losgeknipt en ingeschoven aan de onderkant van de handgreep. Er waren drie reserve-magazijnen, zesendertig patronen met de vuurkracht van een .357 Magnum, direct ter beschikking in een wapen dat half zo groot en half zo zwaar was als een Colt .45.

'Merkwaardig,' zei Webb en hij keek even naar de vastgebonden bewakers en een angstige Pak-fei. 'Wie heeft dat ontworpen?' *Wat een expertise kwam er weer bij hem terug. Wat herkende hij niet allemaal. Hoe kwam dat?*

'Als Amerikaan zult u dat misschien beledigend vinden,' antwoordde Wu Song, 'maar het is ontworpen door een man uit Bristol, Connecticut, die besefte dat de firma waarvoor hij werkte — ontwierp — hem nooit naar behoren zou betalen voor zijn uitvinding. Via tussenpersonen heeft hij de besloten internationale markt benaderd en het aan de hoogste bieder verkocht.'

'U?'

'Ik investeer niet. Ik verkoop.'

'Da's waar ook, dat was ik vergeten. U voldoet aan een behoefte.'

'Precies.'

'Wie betaalt u?'

'Een cijferrekening in Singapore, meer weet ik niet. Ik heb natuurlijk mijn bescherming. Alles is in consignatie.'

'Ik snap het. Hoeveel voor dit?'

'Neem het maar. Een cadeautje van mij aan u.'

'U stinkt. Ik neem geen geschenken aan van mensen die stinken. Hoeveel?'

Wu Song slikte moeilijk. 'De verkoopprijs is achthonderd Amerikaanse dollars.'

Webb stak zijn hand in zijn linkerzak en haalde de biljetten te voorschijn die hij daarin had gestopt. Hij telde acht biljetten van $ 100 uit en gaf ze aan de wapenhandelaar. 'Volle prijs,' zei hij.

'Betaald,' stemde de Chinees in.

'Bind hem vast,' zei David en hij keerde zich naar de bevreesde Pak-fei. 'Nee, maak je maar geen zorgen. Bind hem vast!'

'Doe wat hij zegt, *idioot* die je bent!'

'Dan breng je ze alledrie naar buiten. Opzij van het gebouw bij de auto. En blijf uit het zicht van de poort.'

'*Schiet op!*' krijste Song. 'Hij is kwaad!'

'Dat heb je heel goed gezien,' stemde Webb in.

Vier minuten later liepen de twee bewakers en Wu Song wankelend door de buitendeur de felle middagzon in, die nog scheller was door de dansende weerspiegelingen van het water van Victoria Harbour. Hun knieën en armen waren vastgebonden met de afgescheurde repen van de gordijnstof, zodat ze zich weifelend en onzeker bewogen. Proppen stof in hun mond verhinderden dat ze om hulp konden roepen. Voor de jeugdige handelaar waren die voorzorgen niet nodig, hij was versteend van angst.

Toen David alleen was zette hij het koffertje dat hij weer had opgeraapt op de grond, liep snel het vertrek door en bekeek de uitstallingen in de vitrines tot hij vond wat hij hebben wilde. Hij sloeg het glas kapot met de handgreep van het pistool en zocht tussen de scherven naar de wapens die hij zou gebruiken, wapens die bij alle terroristen geliefd waren, handgranaten met tijdontstekers, elk met de uitwerking van een bom van tien kilo. *Hoe wist hij dat? Waar had hij die wetenschap vandaan?* Hij pakte zes granaten en controleerde van elk de batterijen. *Hoe kon hij dat doen? Hoe wist hij waar hij moest kijken, waarop hij moest drukken? Het deed er niet toe, hij wist het.* Hij keek op zijn horloge. Hij stelde de tijdontstekers van elke granaat in en rende langs de vitrines, beukte met de handgreep van zijn pistool het glas kapot en liet in elke een granaat vallen. Hij had er nog eentje over en nog twee vitrines; hij keek naar de *No Smoking*-borden in drie talen en besloot tot iets anders. Hij rende naar de paneeldeur, trok die open en zag wat hij verwachtte te zullen zien. Hij smeet de laatste granaat naar binnen.

Webb keek weer op zijn horloge, pakte de diplomatenkoffer op en ging naar buiten, met opzet heel rustig lopend. Hij liep naar het portier van de Daimler dat naar het pakhuis was gekeerd, waar Pak-fei zich blijkbaar zwetend stond te verontschuldigen tegenover zijn gevangenen. De bestuurder werd nu eens uitgescholden, dan weer getroost door Wu Song, die alleen gespaard wilde blijven voor verdere geweldpleging.

'Breng hen naar die golfbreker,' beval David en hij wees op de stenen pier die uitstak boven het water van de haven.

Wu Song staarde naar Webb. 'Wie *bent* u?' vroeg hij.

Het was zover. Dit was het moment.

Webb keek opnieuw op zijn horloge en liep toen op de wapenhandelaar af. Hij greep Wu Songs elleboog vast en duwde de bange Chinees verder langs de zijkant van het gebouw waar de zacht uitgesproken woorden niet door de anderen konden worden opgevangen. 'Mijn naam is Jason Bourne,' zei David alleen maar.

'*Jason Bou...!*' De oosterling hield zijn adem in en reageerde alsof zijn keel werd doorstoken met een stiletto en hij met eigen ogen getuige was van zijn persoonlijke gewelddadige dood.

'En mocht u soms plannen hebben om een gekwetste eigenwaan te herstellen door iemand anders te straffen, zoals bijvoorbeeld mijn chauffeur, vergeet die dan maar. Ik weet waar ik u vinden kan.' Webb zweeg een tel lang en vervolgde toen: 'U bent een bevoorrecht man, Wu, maar er zit een verantwoordelijkheid vast aan dat voorrecht. Ik verwacht dat u ondervraagd zult worden en ik verwacht niet dat u zult liegen — ik betwijfel trouwens of u wel goed zou kunnen liegen — dus we hebben elkaar ontmoet, dat accepteer ik. Ik heb zelfs van u gestolen als u wilt. Maar als u het waagt een juist signalement van mij op te geven, dan kunt u maar beter aan het andere eind van de wereld zitten, en dood zijn op de koop toe — dat zou minder pijnlijk zijn voor u.'

De afgestudeerde van Columbia verstijfde en zijn onderlip trilde terwijl hij Webb sprakeloos aankeek. David staarde zwijgend terug en knikte even met zijn hoofd. Hij liet Wu Songs arm los, liep terug naar Pak-fei en zijn twee geboeide bewakers en liet de beangstigde handelaar over aan zijn dodelijke paniek.

'Doe wat ik je heb gezegd, Pak-fei,' zei hij en hij keek opnieuw op zijn horloge. 'Neem ze mee die pier op en zeg dat ze gaan liggen. Leg hen uit dat ik hen onder schot zal houden en dat zal doen totdat we door de poort zijn gereden. Ik denk wel dat hun werkgever zal getuigen van het feit dat ik redelijk goed kan mikken.'

De bestuurder schreeuwde met tegenzin de bevelen in het Chinees en maakte een buiging naar de wapenhandelaar terwijl hij dat deed. Wu Song liep onbeholpen voor de anderen uit naar de muur, die zo'n kleine zeventig meter verderop lag. Webb keek naar binnen in de Daimler.

'Gooi me de sleuteltjes!' schreeuwde hij naar Pak-fei. 'En schiet op!' David graaide de sleuteltjes uit de lucht en ging achter het stuur zitten. Hij startte de motor, schakelde en reed achter de vreemde processie aan die vlak achter het pakhuis over het asfalt trok.

Wu Song en zijn twee bewakers gingen languit op de grond liggen. Webb sprong de auto uit, liet de motor lopen en rende om de koffer-ruimte heen naar de andere kant, met zijn pasgekochte pistool in zijn hand en de geluiddemper bevestigd op de loop. 'Stap in en rij weg!' schreeuwde hij tegen Pak-fei. *'Schiet op!'*

De chauffeur sprong verbijsterd achter het stuur. David vuurde drie schoten af, niet meer dan kuchjes die het asfalt op een meter voor de gezichten van elke gevangene deed opspatten. Het was genoeg, alledrie lieten ze zich in paniek op de golfbreker rollen. Webb ging naast de be-stuurder zitten. 'Kom op, we gaan!' zei hij en hij keek voor het laatst nog eens op zijn horloge, terwijl hij zijn wapen uit het raampje gestoken hield, gericht op de directe omgeving van de drie liggende gedaanten. 'Nú!'

De poort zwaaide open voor de verheven taipan in de verheven limousi-ne. De Daimler reed er met grote vaart doorheen en draaide rechtsaf de drukke tweebaans verkeersweg op naar Mongkok.

'Ga langzamer rijden!' beval David. 'Stop hier in de berm.'

'Die chauffeurs zijn idioten, meneer. Ze rijden zo hard omdat ze weten dat ze over enkele ogenblikken weer vast zullen zitten. Het zal moeilijk zijn ons weer in het verkeer te voegen.'

'Ik heb zo'n idee van niet.'

Toen gebeurde het. De explosies volgden elkaar op... drie, vier, vijf... *zes.* Het vrijstaande, lage pakhuis vloog de lucht in, vlammen en dichte, zwarte rook hingen dreigend boven land en water en deden auto's, vrachtwagens en bussen met gillende remmen stoppen op de autoweg.

'U?' gilde Pak-fei, met wijd open mond, zijn uitpuilende ogen gericht op Webb.

'Ik ben daar geweest.'

'We zijn er beiden geweest, meneer! Dit is mijn dood! *Aiya!'*

'Nee, Pak-fei, nog lang niet,' zei David. 'Je bent beschermd, dat moet je van mij aannemen. Je zult nooit meer iets horen van meneer Wu Song. Ik vermoed dat hij straks aan het andere eind van de wereld zal zitten, waarschijnlijk in Iran, om de moellahs marketing bij te brengen. Ik zou niet weten wie hem anders nog zouden opnemen.'

'Maar waarom, meneer? *Hoe,* meneer?'

'Dit is voor hem het einde. Hij handelde zoals je dat noemt "op consignatie-basis", en dat wil zeggen dat hij pas betaalt als de koopwaar verkocht is. Volg je me?'

'Ik geloof van wel, meneer.'

'Hij heeft geen koopwaar meer, maar ze is ook niet verkocht. Ze is gewoon verdwenen.'

'Meneer?'

'Hij bewaarde in draad verpakte rollen dynamiet en kisten met springstoffen in de achterruimte. Die waren te primitief om in de vitrines te leggen. Ook te groot.'

'Meneer?'

'En aangezien ik geen sigaret kon roken... Rij eens wat harder, Pak-fei. Ik moet terug naar Kowloon.'

Toen ze de Tsim Sha Tsui inreden werd Webbs aandacht getrokken door het voortdurend draaiende hoofd van Pak-fei. De man bleef hem maar aankijken. 'Wat is er?' vroeg hij.

'Ik weet het niet zeker, meneer. Ik ben natuurlijk bang.'

'Geloof je niet wat ik je heb verteld? Dat je nergens bang voor hoeft te zijn?'

'Daar gaat het niet om, meneer. Volgens mij moet ik u wel geloven, want ik heb gezien wat u deed en ik zag Wu Songs gezicht toen u met hem sprak. Ik geloof dat ik voor u bang moet zijn, maar ik geloof ook dat dat niet juist is, want u hebt mij immers beschermd. Het lag te lezen in Wu Songs ogen. Ik kan het niet uitleggen.'

'Maak je geen zorgen,' zei David en hij haalde wat geld uit zijn zak. 'Ben je getrouwd, Pak-fei? Of heb je een vriendje of vriendinnetje? Het doet er niet toe.'

'Getrouwd, meneer. Ik heb twee grote kinderen die alle twee een vrij aardige baan hebben. Ze dragen bij in het huishouden, het lot is me gunstig gezind.'

'Het zal nu nog beter worden. Ga naar huis en haal je vrouw op — ook je kinderen als je wilt — en ga rijden, Pak-fei. Rij een heel stuk de *New Territories* in. Stop dan en ga eens lekker eten in Tuen Mun of Yuen Long en rij daarna nog wat rond. Laat hen maar genieten van deze fijne wagen.'

'Meneer?'

'Een *xiao xin,*' vervolgde Webb met het geld in zijn hand. 'Wat wij in het westen noemen een leugentje om bestwil waarvan niemand schade ondervindt. Kijk eens, ik wil dat de kilometerteller van deze auto zo ongeveer aangeeft welke route jij vandaag met mij hebt gereden — en vanavond.'

'En wat is die route?'

'Je bent eerst met meneer Cruett naar Lo Wu gereden en vervolgens onder langs de bergen naar Lok Ma Chau.'

'Dat zijn grensovergangen naar de Volksrepubliek.'

'Inderdaad,' stemde David in, terwijl hij twee biljetten van $ 100 uit de bundel trok en toen nog een derde. 'Denk je dat je je dat kunt herinneren en de kilometerteller kunt laten kloppen?'

'Heel zeker, meneer.'

'En denk je ook,' voegde Webb eraan toe, met zijn vinger op een vierde biljet van $ 100, 'dat je zou kunnen zeggen dat ik in Lok Ma Chau uit de auto ben gestapt en dat ik een uur of zo door de heuvels heb gewandeld?'

'Wel tien uur, als u wilt, meneer.'

'Eén uur is prima.' David hield de vierhonderd dollar voor de verbaasde ogen van de chauffeur. 'En ik zal het weten als je onze overeenkomst niet nakomt.'

'Daar hoeft u niet bang voor te zijn, meneer!' riep Pak-fei uit, met één hand aan het stuur terwijl de andere de biljetten aanpakte. 'Ik zal mijn vrouw ophalen, mijn kinderen, haar ouders en de mijne ook. Dit bakbeest waarin ik rondrij is groot genoeg voor twaalf. Dank u, meneer! Dank u!'

'Zet mij maar af op ongeveer tien straten van Salisbury Road en maak dat je hier uit de buurt komt. Ik wil niet dat men deze auto nog ziet in Kowloon.'

'Nee meneer, dat kan helemaal niet. We zullen in Lo Wu zijn, in Lok Ma Chau!'

'Wat morgenochtend betreft kun je zeggen wat je invalt. Ik ben hier niet meer, ik vertrek vanavond. Je zult me niet meer zien.'

'Ja, meneer.'

'Ons contract is beëindigd, Pak-fei,' zei Jason Bourne en zijn gedachten waren alweer bij een strategie die duidelijker werd bij elke stap die hij zette. En elke stap zou hem dichter brengen bij Marie. Alles was nu wat rustiger. Het hield een zekere vrijheid in als je was wat je niet was. *Speel het spelletje mee zoals het je wordt voorgehouden... Zorg dat je overal tegelijk bent. Laat ze maar zweten.*

Om twee minuten over vijf liep een duidelijk verontruste Liang snel de glazen deuren van het Regent uit. Hij keek bezorgd om zich heen naar de aankomende en vertrekkende gasten, sloeg toen linksaf en haastte zich over het trottoir naar de afrit die naar de straat voerde. David hield hem in het oog door de sproeiende fonteinen heen aan de overzijde van het voorplein. Hij gebruikte de fonteinen als dekking, rende het drukke plein over en sprong opzij voor auto's en taxi's. Hij bereikte de afrit en liep achter Liang aan naar Salisbury Road.
Halverwege de straat bleef hij staan en draaide zich om met zijn lichaam en zijn gezicht naar links gekeerd. De assistent-manager was ineens stil blijven staan, iets naar voren gebogen zoals een gehaast iemand dat doet wanneer hij plotseling aan iets denkt of van gedachten verandert. Het moest het laatste zijn, dacht David, terwijl hij voorzichtig zijn hoofd omdraaide en zag dat Liang zich over de oprit haastte naar het drukke trottoir van het New World winkelcentrum. Webb wist dat hij hem heel gauw zou kwijtraken in de mensenmenigte als hij niet opschoot, daarom hield hij beide handen omhoog, bracht het verkeer tot stilstand en rende schuin de hellende oprit over, onder heftig geclaxoneer en woedende kreten van de chauffeurs. Hij bereikte zwetend en ongerust het trottoir. Hij zag Liang niet meer! Waar was hij? De zee van oosterse gezichten veranderde in een wazige vlek, allemaal op elkaar lijkend en toch niet dezelfde. Waar *was* hij? David rende vooruit, mompelde excuses terwijl hij tegen lichamen opbotste en verschrikte gezichten hem aanstaarden; hij *zag* hem! Hij was er haast zeker van dat het Liang was, maar niet echt zeker. Hij had een gedaante in een donker pak de toegang naar de havenpromenade zien indraaien, een lange betonnen wandelweg langs het water waar mensen visten en rondslenterden en op de vroege ochtend hun *tai chi* oefeningen deden. Toch had hij alleen maar de rug van een man gezien, als het Liang niet was zou hij de straat verlaten en hem helemaal uit het oog verliezen. *Instinct. Niet jouw instinct, maar dat van Bourne — de ogen van Jason Bourne.*
Webb begon hard te lopen in de richting van de toegangspoort naar de promenade. Het silhouet van Hongkong glinsterde in de zonovergoten verte, het verkeer in de haven was heftig op en neer dansend op weg naar het einde van het dagelijkse werk. Hij ging langzamer lopen toen hij onder de poort doorliep; de enige weg terug naar Salisbury Road liep via de overdekte toegang. De promenade vormde een doodlopende weg langs de waterkant, en dat wierp een vraag op, terwijl het een andere

beantwoordde. Waarom had Liang — als het Liang was — zich vastgezet op die doodlopende promenade? Wat trok hem daar aan? Een contact, een geheim ontmoetingspunt, een plaats om iets door te geven? Wat het dan ook was, het betekende wel dat de Chinees niet aan de mogelijkheid had gedacht dat hij gevolgd kon worden, dat was het belangrijkste antwoord dat David nodig had. Het zei hem wat hij moest weten. Zijn prooi was in paniek. Het onverwachte zou hem alleen maar nog meer in paniek doen raken.

Jason Bournes ogen hadden hem niet bedrogen. Het was inderdaad Liang, maar de eerste vraag bleef onbeantwoord, het raadsel werd zelfs nog groter door wat Webb zag. Van de vele duizenden openbare telefoons in Kowloon — die verborgen lagen in drukke winkelgalerijen en in nissen van schemerige lobby's — had Liang er de voorkeur aan gegeven een munttelefoon te gebruiken tegen de binnenmuur van de promenade. Die was aan alle kanten zichtbaar, ze lag in het midden van een brede weg die zelf doodliep. Het had geen enkele zin, zelfs de stomste amateur moest instinctmatig de behoefte voelen zich te dekken. Wanneer hij in paniek verkeerde zocht hij een schuilplaats.

Liang voelde in zijn zakken naar munten en ineens wist David, alsof een innerlijke stem hem een bevel gaf, dat hij hem niet mocht toestaan dat gesprek te voeren. Als er gebeld werd moest *hij* bellen. Dat maakte deel uit van zijn strategie, iets dat hem dichter bij Marie zou brengen! Hij moest het heft in handen houden, niet de anderen!

Hij begon te rennen en liep recht op het witte plastic hokje van de munttelefoon af, hij wilde wel roepen maar hij wist dat hij dichterbij moest zijn om verstaan te worden boven de geluiden van de waterkant uit. De assistent-manager stond te draaien, zijn hand bewoog zich van de schijf af, hij was klaar. Ergens rinkelde nu een telefoon.

'*Liang!*' brulde Webb. 'Ga weg bij die telefoon! Als je in leven wilt blijven, hang dan op en maak dat je daar *wegkomt!*'

De Chinees draaide zich snel om en zijn gezicht was een vertrokken masker van doodsangst. '*U!*' schreeuwde hij hysterisch en hij drukte zijn lichaam diep in het witte plastic hokje. 'Nee... *nee!* Niet nu! Niet *hier!*'

Geweervuur overstemde plotseling en fel het geluid van de wind aan de waterkant, stotterende salvo's die zich mengden onder de talloze havengeluiden. Een vlaag van paniek vaagde over de promenade, mensen gilden en krijsten, lieten zich op de grond vallen of stoven naar alle kanten uiteen, wég van die plotselinge dodelijke bedreiging.

10

'Aiya!' brulde Liang en hij dook naar de zijkant van de telefooncel, terwijl kogels in de muur van de promenade sloegen en als zweepslagen boven hun hoofden klapten. Webb deed een uitval naar de Chinees, kroop naast de hotelfunctionaris en trok zijn jachtmes uit de schede. 'Niet *doen!* Wat *doet* u nu?' gilde Liang toen David, liggend op zijn zij, hem bij de voorkant van zijn hemd greep en de lemmetpunt tegen de kin van de manager drukte, net door de huid heen zodat er wat bloed te voorschijn kwam. *'Ahhieie!'* De hysterische kreet ging verloren in het algemene tumult op de promenade.

'Geef me het nummer! Nú!'

'Dat kunt u mij niet aandoen! Ik zweer u dat ik niet wist dat het een *valstrik* was!'

'Het is geen valstrik voor mij, Liang,' zei Webb buiten adem, terwijl het zweet van zijn gezicht droop. 'Ze is voor jou bestemd!'

'Voor mij? U bent gek! Waarom voor *mij?*'

'Omdat zij weten dat ik nu hier ben en jij hebt me gezien, jij hebt met me gesproken. Jij hebt je nummer gebeld en nu ben je voor hen verder overbodig.'

'Maar *waarom?'*

'Je hebt een telefoonnummer gekregen. Je hebt je werk gedaan en ze kunnen zich geen enkel spoor veroorloven.'

'Dat zegt me *niets!'*

'Misschien zegt mijn naam jou wat. Ik ben Jason Bourne.'

'O, mijn god...!' fluisterde Liang en hij staarde David doodsbleek aan met wazige ogen en open mond.

'Jij vormt een spoor,' zei Webb. 'Je bent er geweest.'

'Nee, *nee!'* De Chinees schudde het hoofd. 'Dat *kan* niet! Ik ken niemand, enkel een nummer! Het is een leegstaand kantoor in het New World Centrum, waar tijdelijk een telefoon is geïnstalleerd. *Alstublieft!* Het nummer is drie-vier, vier, nul, een! Vermoord me niet, meneer Bourne! Ik smeek het u bij onze christelijke Heer, doe dat niet!'

'Als ik dacht dat de valstrik voor mij was zou nu jouw keel onder het bloed zitten, niet je kin... Drie-vier, vier, nul een?'

'Ja, precies!'

Het geweervuur hield even abrupt en verrassend op als het begonnen was.

'Het New World Centrum is vlak boven ons, nietwaar? Een van die ramen daarboven.'

'Precies!' Liang huiverde en hij kon zijn ogen niet losmaken van Davids gezicht. Toen kneep hij ze stijf dicht en de tranen welden onder zijn oogleden vandaan toen hij heftig zijn hoofd schudde. 'Ik heb u nooit *gezien!* Ik zweer het op het kruis van Jezus Christus!'

'Soms vraag ik me af of ik hier in het Vaticaan ben of in Hongkong.'
Webb hief zijn hoofd op en keek om zich heen. Overal op de promenade begonnen dodelijk verschrikte mensen aarzelend weer overeind te krabbelen. Moeders grepen kinderen vast, mannen hielden vrouwen omarmd en ineens stormde de hele massa in een dolle ren op de Salisbury-poort af. 'Men heeft je gezegd dat je van hieraf moest bellen, niet-waar?' vroeg David snel terwijl hij zich naar de doodsbange hotelfunctionaris draaide.

'Ja meneer.'

'Waarom? Hebben ze je gezegd waarom?'

'Ja meneer.'

'Doe in godsnaam je *ogen* open!'

'Ja meneer.' Liang gehoorzaamde en wendde zijn blik af terwijl hij sprak. 'Ze zeiden dat ze de gast die naar suite zes-negen-nul had gevraagd niet vertrouwden. Hij was een man die een ander kon dwingen leugens te vertellen. Daarom wilden ze toe kunnen kijken terwijl ik met hen sprak... Meneer Bourne — *nee,* dat heb ik niet gezegd! Meneer *Cruett,* ik heb de hele dag geprobeerd u te pakken te krijgen, meneer *Cruett!* Ik wilde u laten weten dat ik herhaaldelijk onder druk werd gezet, meneer *Cruett.* Ze bleven me maar bellen en ze wilden weten wanneer ik hen zou bellen — vanuit *deze cel.* Ik zei steeds dat u nog niet was aangekomen! Wat kon ik anders doen? U kunt afleiden dat ik probeerde u te waarschuwen, meneer, omdat ik zo voortdurend bezig was u te bellen! Dat is toch duidelijk, nietwaar?'

'Het is me alleen maar duidelijk dat je een verrekte idioot bent.'

'Ik ben dit werk niet gewend.'

'Waarom heb je het dan gedaan?'

'Geld, meneer! Ik heb bij Tsjiang gezeten, bij de Kwomintang. Ik heb een vrouw en vijf kinderen, twee zoons en drie dochters. Ik moet hier wegkomen! Ze pluizen heel je achtergrond na. Ze plakken ons een overduidelijk etiket op waarop geen beroep mogelijk is. Ik heb gestudeerd, meneer! Fudan Universiteit, tweede van mijn jaar, ik had in Sjanghai mijn eigen hotel. Maar dat stelt nu niets meer voor. Wanneer Beijing de zaak in handen neemt, betekent dat mijn einde, het einde van mijn gezin. En nu zegt u dat ik er nu al geweest ben. Wat moet ik toch *doen?'*

'Peking — Beijing — zal van de kolonie afblijven, die zullen hier niks veranderen,' zei David en hij dacht terug aan de woorden die Marie tegen hem had gesproken die afschuwelijke avond nadat McAllister bij hen was weggegaan. 'Tenzij de idioten het heft in handen nemen.'

'Ze zijn *allemaal* gek, meneer. U moet niets anders geloven. U *kent* hen niet!'

'Misschien niet. Maar ik ken er een paar van jullie kant. En, eerlijk gezegd, kunnen ze me gestolen worden.'

' "Wie zonder zonde is werpe de eerste steen", meneer.'
'Stenen, maar geen buidels zilver van Tsjiangs corrupte bende, klopt dat?'
'Meneer?'
'Hoe heten je drie dochters? *Schiet op!*'
'Ze heten... ze heten... Wang... Wang Sho...'
'Vergeet het maar!' schreeuwde David terwijl hij naar de Salisbury-poort keek. *'Ni bushi ren!* Jij bent geen vent, je bent een *varken!* Blijf maar gezond, Liang-van-de-Kwomintang. Blijf maar gezond, zolang zij het toelaten. Het kan me eigenlijk geen barst schelen.'
Webb kwam overeind, erop voorbereid zich meteen weer te laten vallen zodra hij maar even die plotselinge lichtflits zag uit een raam links boven hem. De ogen van Jason Bourne hadden het goed gezien: er was niets. David voegde zich tussen de wilde stroom bij de poort en gleed ongezien tussen de mensen door naar Salisbury Road.

Hij belde vanuit een telefooncel in een drukke, lawaaierige winkelgalerij aan Nathan Road. Hij stak zijn wijsvinger in zijn rechteroor om beter te kunnen horen.
'Wei?' vroeg een mannenstem.
'U spreekt met Bourne en ik zal Engels spreken. Waar is mijn vrouw?'
'Wode tian ah! Men zegt dat u onze taal in talrijke dialecten spreekt.'
'Dat is zo lang geleden en ik wil dat alles duidelijk begrepen wordt. Ik heb u naar mijn vrouw gevraagd!'
'Heeft Liang u dit nummer zomaar gegeven?'
'Hij had geen andere keus.'
'Dan betekent dat voor hem het einde.'
'Het kan me niet schelen wat u doet, maar als ik u was zou ik maar even goed nadenken voordat u hem vermoordt.'
'Waarom? Hij is nog minder dan een worm.'
'Omdat jullie een stomme idioot hebben uitgezocht, een hysterische idioot. Hij heeft met te veel mensen gesproken. Een telefoniste vertelde me dat hij me om de paar minuten belde.'
'Hij heeft *u* gebeld?'
'Ik ben hier vanmorgen aangekomen. Waar is mijn *vrouw?*'
'Liang de leugenaar!'
'U verwachtte toch niet dat ik die suite zou nemen, of wel soms? Ik heb hun gevraagd me een andere kamer te geven. Men heeft ons samen zien praten — zien ruziemaken — terwijl er een half dozijn hotelbedienden toekeek. Als jullie hem vermoorden zullen er meer geruchten loskomen dan jullie of ik zouden willen. De politie zal op zoek gaan naar een rijke Amerikaan die verdwenen is.'
'Hij heeft in zijn broek gescheten,' zei de Chinees. 'Misschien is dat wel genoeg.'

'Het is genoeg. Hoe zit het nu met mijn *vrouw!*'
'Ik heb u wel gehoord. Die informatie heb ik niet.'
'Geef me dan iemand die ze wel heeft. Nú!'
'U zult anderen ontmoeten die er meer van af weten.'
'Wanneer?'
'We zullen u terugbellen. In welke kamer bent u?'
'Ik zal jullie wel bellen. Jullie hebben een kwartier.'
'U geeft *mij* bevelen?'
'Ik weet waar u bent, welk raam, welk kantoor, u bent slordig met uw
geweer omgesprongen. U had de loop zwart moeten maken; metaal
weerkaatst zonlicht, elke idioot weet dat. Over een halve minuut zal ik
op dertig meter van uw deur zijn, maar u weet niet waar ik ben en u
kunt die telefoon niet in de steek laten.'
'Ik geloof u niet!'
'Wacht maar eens af. U hebt mij nu niet in het vizier, ik kan u wel zien.
U hebt een kwartier en als ik terugbel wil ik met mijn vrouw praten.'
'Ze is hier niet!'
'Als ik dacht dat ze daar was zou u al lang dood zijn, dan zou uw kop
van uw verdomde romp gescheiden zijn en het raam uitgesmeten bij die
andere vuilnis in de haven. Als u denkt dat ik overdrijf, vraag dan links
en rechts maar eens. Vraag het mensen die met me te maken hebben gehad. Vraag uw taipan maar, die Yao Ming die niet bestaat.'
'Ik kan uw vrouw niet zo maar te voorschijn toveren, Jason Bourne!'
schreeuwde de bange handlanger.
'Zie dat je een nummer krijgt waar ik haar kan bereiken. Ofwel ik krijg
haar stem te horen — haar echte stem die met me praat — of er gebeurt
niets. Dan is er alleen dat lijk van u zonder kop en met een zwarte halsdoek om uw bebloede nek. *Eén kwartier!*'
David legde de hoorn op en veegde het zweet van zijn gezicht. Het was
hem gelukt! De gedachtengang en de woorden waren die van Jason
Bourne, hij was teruggekeerd naar een tijd die hij zich slechts vaag herinnerde en hij wist instinctmatig wat hij moest doen, wat hij moest zeggen, hoe hij moest dreigen. Ergens stak daar een les in. Uiterlijke schijn
stelde de werkelijkheid ver in de schaduw. Of was er een werkelijkheid
in zijn binnenste die erom riep te worden vrijgelaten, die de leiding wilde nemen, die tegen David Webb zei dat hij op de man in hemzelf moest
vertrouwen?
Hij verliet de benauwde winkelgalerij en sloeg rechtsaf op het al even
volle trottoir. De *Golden Mile* van de Tsim Sha Tsui was zich aan het
opmaken voor haar nachtelijke tijdverdrijf en dat zou hij ook gaan
doen. Hij zou nu terugkeren naar het hotel. De assistent-manager zou
al kilometers ver weg zijn, die reserveerde nu waarschijnlijk een vlucht
naar Taiwan, als er tenminste enige waarheid stak in zijn hysterische beweringen. Webb zou de vrachtlift gebruiken om in zijn kamer te komen

voor geval anderen hem stonden op te wachten in de lobby, ofschoon hij dat betwijfelde. De schiettent in een verlaten kantoor in het New World Centrum was geen commandopost en de schutter was geen commandant, alleen maar een tussenpersoon, die nu vreesde voor zijn leven.

Met elke stap die David zette op Nathan Road ging hij meer hijgen, en begon zijn hart sneller te kloppen. Over twaalf minuten zou hij Marie's stem horen. O *god,* hij verlangde er zo naar haar te horen! Hij *moest* haar horen! Het was het enige dat hem van de waanzin kon afhouden, het enige dat belangrijk was.

'Uw kwartier is over,' zei Webb. Hij zat op de rand van zijn bed en probeerde zijn hartkloppingen tot bedaren te brengen, zich afvragend of dat snelle bonken te horen was zoals hij het hoorde en hopend dat zijn stem er niet door zou gaan trillen.

'Bel vijf-twee, zes, vijf, drie.'

'Vijf?' David herkende het kengetal. 'Ze is dus in Hongkong en niet in Kowloon.'

'Ze zal onmiddellijk worden verplaatst.'

'Ik zal u terugbellen nadat ik met haar heb gesproken.'

'Dat is niet nodig, Jason Bourne. Mensen die er alles van af weten zijn bij haar en zullen met u praten. Ik heb mijn werk gedaan en u hebt mij nooit gezien.'

'Dat hoef ik niet. Er zal een foto worden genomen zodra u dat kantoor verlaat, maar u zult niet zien van waaraf en door wie. U zult waarschijnlijk een aantal mensen zien — in de gang of in een lift of de lobby — maar u zult niet weten wie de camera heeft met een lens die eruit ziet als een colbertknoop, of een sierknop op een handtas. Blijf gezond, hielelikker. Droom maar lekker.'

Webb drukte de haak in om het gesprek af te breken. Hij wachtte drie seconden, liet hem los, hoorde de kiestoon en drukte de knoppen in. Hij kon het toestel horen overgaan. *Verrek,* het was niet om uit te houden!

'Wei?'

'Met Bourne hier. Geef me mijn vrouw aan het toestel.'

'Zoals u wilt.'

'David?'

'Is alles *goed* met je?!' schreeuwde Webb, bijna hysterisch.

'Jazeker, alleen wat moe, meer niet, schat. Alles goed met *jou*...'

'Hebben ze je pijn gedaan, hebben ze je *aangeraakt?'*

'Nee, David, ze zijn eigenlijk heel vriendelijk geweest. Maar je weet hoe moe ik soms ben. Weet je nog die week in Zürich toen jij de Fraumünster wilde gaan bekijken en de musea en wilde gaan zeilen op het meer, en ik zei dat ik er gewoon te moe voor was?'

Er was geen week geweest in Zürich. Alleen de nachtmerrie van één en-

133

kele nacht toen ze beiden bijna hun leven verloren. *Hij moest toen de spitsroeden lopen van zijn scherprechters in de Steppdeckestrasse, zij werd toen bijna verkracht, ter dood veroordeeld aan een verlaten rivieroever op de Guisan Quai. Wat probeerde ze hem te vertellen?*

'Ja, ik weet het nog.'

'Je moet je dus geen zorgen maken om mij, lieveling. God zij dank dat je hier bent! We zullen gauw weer samen zijn, dat hebben ze me beloofd. Het zal net zijn als in Parijs, David. Weet je nog Parijs, toen ik dacht dat ik jou kwijt was? Maar je kwam naar me toe en we wisten beiden waarheen we moesten gaan. Die heerlijke straat met de donkergroene bomen en de...'

'Zo is het wel genoeg, mevrouw Webb,' onderbrak hen een mannenstem. 'Of moet ik eigenlijk zeggen mevrouw Bourne,' voegde de man eraan toe terwijl hij rechtstreeks in de hoorn sprak.

'Denk na, David en wees *voorzichtig!'* gilde Marie op de achtergrond. 'En maak je geen zorgen, lieveling! Die heerlijke straat met de rij groene bomen, mijn *lievelings*boom...'

'Ting zhi!' riep de mannenstem terwijl hij een bevel gaf in het Chinees. 'Haal haar weg! Ze geeft hem informatie door! Snel. Laat haar niet méér zeggen!'

'Als je haar ook maar iets doet zal dat je de rest van je korte leven berouwen,' zei Webb met ijskoude stem. 'Ik zweer dat ik je zal vinden.'

'Er is tot nu toe nog geen enkele aanleiding geweest voor onaangenaamheden,' antwoordde de man langzaam en zijn stem klonk oprecht. 'U hebt uw vrouw gehoord. Ze is goed behandeld. Ze heeft geen klachten.'

'Er is iets niet in orde met haar! Wat hebben jullie, verdomme, uitgehaald dat ze het mij niet kan vertellen?'

'Dat is alleen maar de spanning, meneer Bourne. En ze was u inderdaad iets aan het vertellen, ongetwijfeld in haar bezorgdheid probeerde ze deze plaats te beschrijven — verkeerd, dat kan ik eraan toevoegen — maar zelfs als het juist was geweest zou u er even weinig aan hebben als aan het telefoonnummer. Ze is op weg naar een ander appartement, een van de miljoenen in Hongkong. Waarom zouden wij haar op wat voor manier ook kwaad doen? Dat zou het tegengestelde teweeg brengen. Een groot taipan wil met u spreken.'

'Yao Ming?'

'Net als u heeft hij vele namen. Misschien kunt u met hem tot overeenstemming komen.'

'Als we dat niet kunnen is hij er geweest. En jij ook.'

'Ik geloof wat u zegt, Jason Bourne. U hebt een nauwe bloedverwant van mij vermoord die u onmogelijk zou kunnen bereiken, in zijn eigen versterkte huis op het eiland Lantau. Ik weet zeker dat u het zich herinnert.'

'Ik hou geen archief bij. Yao Ming. *Wanneer?'*

'Vanavond.'

'Waar?'

'U moet het goed begrijpen, hij wordt overal herkend, daarom moet het een zeer ongewone plek zijn.'

'Als ik die nu eens uitkoos?'

'Dat is natuurlijk onaanvaardbaar. Dring daar niet op aan. Wij hebben uw vrouw.'

David verstrakte. Hij begon de zelfbeheersing te verliezen die hij zo verschrikkelijk hard nodig had. 'Zeg maar waar,' zei hij.

'De Ommuurde Stad. We nemen aan dat u die kent.'

'Ik heb erover gehoord,' verbeterde Webb hem, terwijl hij probeerde het zich voor de geest te halen. 'De smerigste achterbuurt van de hele wereld, als ik me goed herinner.'

'Wat zou het anders zijn? Het is het enige wettige bezit van de Volksrepubliek in de hele kolonie. Zelfs de verachtelijke Mao Zedong gaf onze politie verlof die schoon te vegen. Maar ambtenaren worden niet zo best betaald. Het is er in wezen hetzelfde gebleven.'

'Hoe laat vanavond?'

'Na zonsondergang, maar voordat de bazaar sluit. Tussen half tien en niet later dan kwart voor tien.'

'Hoe vind ik die Yao Ming — die Yao Ming niet is?'

'In het eerste perceel van de open markt staat een vrouw die slange-ingewanden verkoopt als afrodisiaca, voornamelijk cobra. Ga naar haar toe en vraag haar waar de grote man is. Zij zal u zeggen welke trappen u moet afdalen en welke steeg u moet nemen. U zult worden opgewacht.'

'Misschien kom ik daar wel nooit. De kleur van mijn huid is daar niet bijzonder welkom.'

'Niemand zal u iets doen. Maar ik raad u aan geen opvallende kleren te dragen of dure juwelen.'

'Juwelen?'

'Als u een duur horloge draagt, laat het dan thuis.'

Ze zouden je arm afsnijden voor een horloge. Medusa. Daar is niets aan te doen.

'Bedankt voor het advies.'

'Nog één ding. Laat het uit uw hoofd de autoriteiten of uw consulaat te waarschuwen, in een roekeloze poging de taipan te compromitteren. Als u dat doet betekent het de dood voor uw vrouw.'

'Dat was niet nodig.'

'Bij Jason Bourne is alles nodig. Men houdt u in het oog.'

'Tussen half tien en kwart voor tien,' zei Webb. Hij legde de hoorn neer en stond op van het bed. Hij liep naar het raam en keek uit over de haven. Wat was het toch? Wat probeerde Marie hem te vertellen?

...je weet hoe moe ik soms ben.

Nee, dat wist hij niet. Zijn vrouw was een kerngezonde boerenmeid uit

Ontario, die er nooit over klaagde dat ze moe was.

...je moet je over mij geen zorgen maken, lieveling.

Dat was een dwaas verzoek en dat moest ze beseft hebben. Marie verspilde geen kostbare seconden met dwaas te zijn. Tenzij... praatte ze soms onsamenhangend?

...Het zal net zijn als in Parijs, David. We wisten beiden waarheen we moesten gaan... die heerlijke straat met de donkergroene bomen.

Nee, niet onsamenhangend, ze wekte alleen maar die indruk, er *was* een boodschap in verborgen. Maar wat? Wat voor heerlijke straat met 'donkergroene bomen'? Er wilde hem niets te binnen schieten en dat maakte hem gek! Hij liet haar in de steek. Ze gaf hem een boodschap en die ontging hem.

...Denk na, David en wees voorzichtig! ...maak je geen zorgen, lieveling! Die heerlijke straat met die rij bomen, mijn lievelingsboom...

Wat voor heerlijke straat? Godverdomme, wat voor rij bomen, wat voor *lievelingsboom?* Hij snapte er niets van en hij zou het moeten snappen! Hij zou moeten kunnen reageren, niet stom uit een raam staan staren, met een leeg geheugen. Help me, *help me!* riep hij in stilte tegen niemand.

Een innerlijke stem zei hem dat hij niet moest blijven piekeren over wat hij niet begreep. Er vielen dingen te doen, hij kon niet met open ogen de ontmoetingsplaats binnenlopen die zijn vijand had uitgekozen zonder erop voorbereid te zijn, met een paar kaarten die hij zelf kon uitspelen. *...Ik stel voor dat u geen opvallende kleren draagt...* Het zou in geen geval opvallend zijn geweest, dacht Webb, maar nu zou het iets totaal anders moeten worden... iets onverwachts.

In de maanden waarin hij één voor één de lagen van Jason Bourne had afgepeld had zich één thema voortdurend herhaald. Verander, verander, verander. Bourne was een specialist in veranderingen, ze noemden hem 'de kameleon', een man die met het grootste gemak kon opgaan in verschillende achtergronden. Niet overdreven, als een schertsfiguur met valse pruiken en groter gemaakte neus, maar als iemand die de essentiële onderdelen van zijn uiterlijk kon aanpassen aan zijn onmiddellijke omgeving, zodat degenen die de 'sluipmoordenaar' hadden gezien — zelden echter in vol daglicht of in zijn onmiddellijke nabijheid — heel verschillende signalementen opgaven van de man die in geheel Azië en Europa werd gezocht. De details spraken elkaar altijd tegen: het haar was donker of licht; de ogen bruin, blauw of gespikkeld; de huid bleek of gebruind of gevlekt; de kleren modieus en onopvallend als de ontmoeting plaatsvond in een vaag verlicht, duur café, of gekreukeld en slecht passend als men hem treffen moest aan de haven of in de achterbuurten van een bepaalde stad. Verander. Zonder moeite, met een minimum aan kunstgrepen. David Webb zou de kameleon in zichzelf vertrouwen. Laat je maar gaan. Ga daarheen waar Jason Bourne je stuurt.

Nadat hij de Daimler had achtergelaten was hij naar het Peninsula Hotel gegaan en had daar een kamer besproken. Zijn koffertje had hij in de kluis van het hotel gedeponeerd. Hij had de tegenwoordigheid van geest zich in te schrijven onder de naam van Cactus' derde valse paspoort. Als er mensen naar hem zochten zouden ze dat doen onder de naam die hij in het Regent had gebruikt; meer hadden ze niet.

Hij stak Salisbury Road over, nam de dienstlift, liep vlug naar zijn kamer en pakte de paar kleren die hij nodig had in de schoudertas. Maar hij betaalde zijn rekening in het Regent nog niet. Als er kerels naar hem zochten wilde hij hen laten zoeken waar hij niet was.

Toen hij eenmaal in het Peninsula was geïnstalleerd had hij tot het donker werd tijd om iets te eten en wat inkopen te doen in verschillende winkels. Tegen zonsondergang zou hij in de Ommuurde Stad zijn, vóór half tien. Jason Bourne had het commando en David Webb gehoorzaamde hem.

De Ommuurde Stad van Kowloon is niet omringd door een zichtbare muur, maar toch is die muur even scherp omlijnd als wanneer ze van hard staal van de beste kwaliteit was gemaakt. Men voelt dat direct aan de overvolle open markt die gehouden wordt langs de straat voor de rij sombere, bouwvallige huizen. Hokjes eigenlijk die lukraak op elkaar waren gestapeld en eruit zagen alsof heel het kaartenhuis elk moment in elkaar kon storten onder zijn eigen gewicht, met achterlaten van niets dan puin waar voorheen puin opeen gestapeld had gestaan. Maar het is allemaal sterker dan het eruit ziet wanneer je enkele traptreden afdaalt naar het binnenste van de uitgestrekte krottenwijk. Lager dan de begane grond lopen ruw bestrate sloppen die in de meeste gevallen tunnels vormen onder de gammele bouwsels. In smerige gangen concurreren kreupele bedelaars met halfgeklede prostituées en drughandelaars in het spookachtige licht van naakte lampen die aan blootliggende draden langs de stenen muren hangen. Uit alles blijkt een vochtige verrotting; alles is verval en bederf, maar in de loop der tijden lijkt die ontbinding zich verhard te hebben, tot steen te zijn geworden.

Binnen de stinkende stegen voeren smalle, nauwelijks verlichte trappen zonder speciale orde of evenwicht naar de verticale reeks vervallen huizen, waarvan de meeste twee verdiepingen boven de begane grond uitsteken. In kleine, verkrotte kamertjes worden de meest uiteenlopende drugs en vormen van seks verkocht; de politie bemoeit zich nergens mee – in stilzwijgende overeenkomst tussen alle partijen – want de arm van de wet van de kolonie waagt zich zelden in de ingewanden van de Ommuurde Stad. Ze hebben er zelf die hel van gemaakt. Laat ze maar met rust.

Buiten op de open markt in de straten vol vuilnis waar geen verkeer is toegestaan, staan smerige tafels hoog opgestapeld met afgekeurde of gestolen koopwaar eng ingebouwd tussen gore kraampjes waar wolken damp oprijzen uit enorme vaten kokende olie waarin voortdurend stukken vlees, gevogelte en slang van twijfelachtige kwaliteit worden gedompeld, vervolgens er weer uitgeschept en op kranten gedeponeerd voor de onmiddellijke verkoop. De mensenmassa's bewegen zich onder het zwakke licht van straatlantaarns van de ene venter naar de andere, dingen af met schelle stem, krijsen tegen elkaar, kopen en verkopen. Dan zijn er ook nog de stoepmensen, sjofele mannen en vrouwen zonder kramen of tafels, die hun koopwaar hebben uitgespreid op het trottoir. Ze zitten gehurkt achter hun uitstallingen van snuisterijen en goedkope sieraden, waarvan veel is gestolen in de havens en achter gevlochten kooien vol krioelende torren en fladderende vogeltjes.

Dicht bij de ingang van die vreemde, stinkende bazaar zat een gespierde vrouw op een laag houten krukje, met haar dikke benen vaneen, slangen te villen en hun ingewanden eruit te halen en haar donkere ogen leken haast gebiologeerd door elke kronkelende slang in haar handen. Aan beide kanten lagen heftig bewegende jute zakken, die nu en dan leken op te springen wanneer de ten dode opgeschreven reptielen sissend van woede elkaar aanvielen, razend door hun gevangenschap. Onder de zware blote rechtervoet van de vrouw zat een koningscobra geklemd, haar glimmend zwarte lijf onbeweeglijk omhooggehouden, met een platte kop en starende zwarte oogjes die gehypnotiseerd werden door de steeds voorbijtrekkende mensen. De smerigheid van de open markt vormde een gepaste afscheiding voor de muurloze Ommuurde Stad die erachter lag.

Tegenover de lange bazaar kwam een slonzig geklede gestalte de hoek om en sloeg de drukke straat in. De kleding van de man bestond uit een goedkoop, te groot bruin pak, waarvan de broek om zijn benen slobberde en het jasje te groot was, al zat het strak om de gebogen schouders. Een slappe hoed met brede rand, zwart en onmiskenbaar oosters, hield zijn gezicht in het donker. Hij liep langzaam, zoals een man doet die blijft stilstaan voor de verschillende kramen en tafels en de aangeboden waar bekijkt, maar slechts één keer stak hij aarzelend zijn hand in zijn zak om iets te kopen. Ook daarbij bleef zijn houding gebogen, het magere lijf van een man die gekromd gaat onder jarenlange zware arbeid op het land of in de haven en die nooit genoeg te eten krijgt voor een lichaam waarvan zoveel wordt geëist. De man straalde ook een bepaalde triestheid uit, een armzaligheid die voortkwam uit te weinig wat te laat kwam en te duur was voor geest en lichaam. Het was een toegeven aan onmacht, aan prijsgegeven trots want er was niets meer om trots op te zijn; de prijs om in leven te blijven was te hoog geweest. En die man, die gebogen gedaante die aarzelend een tuit van krantepapier vol gebakken, niet al te beste vis kocht, leek in alles op de vele mannen op de markt, je zou kunnen zeggen dat hij niet van hen te onderscheiden was.

Hij liep op de gespierde vrouw af die de ingewanden uit een nog kronkelende slang zat te trekken.

'Waar is de grote man?' vroeg Jason Bourne in het Chinees, met zijn ogen strak gericht op de onbeweeglijke cobra, terwijl het vet uit het krantepapier over zijn vingers droop.

'Je bent te vroeg,' antwoordde de vrouw uitdrukkingsloos. 'Het is donker, maar je bent te vroeg.'

'Ik moest snel komen. Twijfel jij aan de instructies van de taipan?'

'Voor een taipan is hij verrekte zuinig!' siste ze in schor Kantonees. 'Wat kan het mij schelen? Ga de trappen af achter mij en neem het eerste steegje aan je linkerhand. Vijftien, twintig meter verder vind je een hoer. Zij wacht op de blanke man en zal hem naar de taipan brengen... Ben jij de blanke man? Ik kan het bij dit licht niet zien en je Chinees is goed, maar je ziet er niet uit als een blanke, je draagt geen kleren van een blanke.'

'Als jij in mijn plaats was, zou je er dan zo hemels goed voor zorgen eruit te zien als een blanke, je te kleden als een blanke, als ze je hadden gezegd hierheen te komen?'

'Ik zou er verduiveld snel voor zorgen dat ik uit de Qing Gaoyan kwam!' zei de vrouw en ze lachte met haar half verrotte tanden. 'Zeker als je geld bij je hebt. Heb jij geld bij je... onze *Zhongguo ren?*'

'Je vleit me, maar nee.'

'Je liegt. Blanke mensen gebruiken hemelse woorden om te liegen over geld.'

'Goed, dan lieg ik maar. Ik hoop dat jouw slang me niet zal aanvallen om het me af te pakken.'

'Idioot! Hij is oud en heeft geen slagtanden meer, geen vergif. Maar hij is het hemelse beeld van een mannelijk orgaan. Hij levert me geld op. Geef jij soms ook wat geld?'

'Voor een gunst, ja.'

'*Aiya!* Als je dit ouwe lijf van me wilt moet je wel een bijl in je broek hebben! Hak die hoer maar aan mootjes, niet mij!'

'Geen bijl, alleen maar woorden,' zei Bourne en zijn rechterhand gleed in zijn broekzak. Hij haalde er een biljet van honderd Amerikaanse dollars uit, hield het verstopt in zijn handpalm voor het gezicht van de slangenverkoopster en voorkwam dat de omringende koopjesjagers het zagen.

'*Aiya — aiya!*' fluisterde de vrouw terwijl Jason het buiten bereik hield van haar graaiende vingers; de dode slang viel tussen haar dikke benen.

'De gunst,' herhaalde Bourne. 'Omdat jij dacht dat ik iemand van jouw volk was, verwacht ik dat anderen dat ook zullen denken. Ik wil alleen maar dat je tegen iedereen die erom vraagt zegt dat de blanke man nooit is komen opdagen. Afgesproken?'

'*Afgesproken!* Hier dat geld!'

'Wat heb ik ervoor gekregen?'

'Je hebt slangen gekocht! Slangen! Wat weet ik van een blanke man? Hij is hier helemaal niet geweest! Hier. Hier heb je je slang. Neem maar mee naar bed!' De vrouw pakte het biljet aan, propte de ingewanden in haar hand en schoof ze in een plastic zak waarop de merknaam stond van een modeontwerper. De naam was *Christian Dior*.

Bourne hield zich gebukt, boog twee keer snel achtereen en liep achteruit tussen de mensen door; de slange-ingewanden liet hij op de stoeprand vallen, ver genoeg van een lantaarn verwijderd om niet te worden opgemerkt. Met de druipende tuit van stinkende vis in zijn hand maakte hij herhaaldelijk eetbewegingen, terwijl hij langzaam op de trap afliep en afdaalde in de nevelige ingewanden van de Ommuurde Stad. Hij keek op zijn horloge. Het was 9.15; de patrouilles van de taipan zouden nu hun plaatsen gaan innemen.

Hij moest weten hoe uitgebreid de beveiliging van de bankier was. Hij wilde dat de leugen die hij verteld had tegen de schutter in een leegstaand kantoor boven de havenpromenade waarheid werd. In plaats van geschaduwd te worden wilde hij degene zijn die schaduwde. Hij zou elk gezicht in zijn geheugen prenten, elke rol in de bevelshiërarchie, de snelheid waarmee elke wachtpost onder druk een beslissing nam, de verbindingsapparatuur, en hij wilde boven alles ontdekken waar de zwakke plekken lagen in de beveiliging van de taipan. David begreep dat Jason Bourne de leiding overnam; wat die deed had zeker zin. Het briefje van de bankier was begonnen met de woorden: *Een vrouw voor een vrouw*... Er hoefde maar één woord te worden veranderd. *Een taipan voor een vrouw*.

Bourne was het steegje aan zijn linkerkant ingeslagen en liep zo'n honderd meter door zonder speciaal ergens op te letten; een bewoner van de Ommuurde Stad zou precies hetzelfde doen. Op een donkere trap was een vrouw op haar knieën bezig dat te doen waarvoor ze werd betaald terwijl de man zijn hand met het geld op haar hoofd hield; een jong stelletje, twee duidelijk verslaafden die bijna in razernij verkeerden, stonden te smeken bij een man in een duur leren jack; een jongetje met een marijuanasigaret in de mond stond te piesen tegen een stenen muur; een bedelaar zonder benen reed kletterend op zijn plank met wieltjes over de ongelijke keien en zong eentonig *'bong ngo, bong ngo!'* een smekend verzoek om aalmoezen; en op weer zo'n donkere trap was een keurig geklede pooier bezig een van zijn hoeren te dreigen dat hij haar bek zou opensnijden als ze niet meer geld opbracht. David Webb bedacht dat dit nu eenmaal geen Disneyland was. Jason Bourne bestudeerde de sloppen alsof het een gevechtszone was achter de vijandelijke linies. 9.24. De soldaten zouden hun posten gaan betrekken. De man die hij aan de buitenkant leek te zijn en de man die hij echt was keerden zich om en begonnen terug te lopen.

De hoer van de bankier liep al naar haar plaats toe, met een losgeknoopte, helderrode blouse die nauwelijks haar kleine borsten bedekte; de traditionele split in haar zwarte rok reikte tot aan haar heup. Ze was een karikatuur van een hoer. De 'blanke man' mocht zich niet vergissen. Punt één: benadruk het voor de hand liggende. Dat moest hij onthouden; met subtiliteit kwam je niet ver. Een paar meter achter haar zei een man iets in een draagbaar zendertje. Hij liep haar voorbij, schudde zijn hoofd en rende naar voren naar het uiteinde van het steegje en de trap. Bourne bleef ineengedoken staan en leunde tegen de muur. Achter hem klonken voetstappen, snel en nadrukkelijk en het tempo versnelde zich. Een tweede Chinees kwam dichterbij en liep langs hem heen, een kleine man van middelbare leeftijd in een donker kostuum met stropdas en glimmend gepoetste schoenen. Hij woonde vast niet in de Ommuurde Stad; zijn gezicht verried zowel vrees als walging. Hij negeerde de hoer, keek op zijn horloge en rende naar voren. Hij zag eruit en gedroeg zich als een kantoorpik die opdracht had gekregen taken te verrichten die hij weerzinwekkend vond. Duidelijk een witte-boordenman, precies, ordelijk, alleen maar lettend op de uitkomst, want getallen logen niet. Een bankbediende?

Jason bekeek de onregelmatige rij trappenhuizen. De man moest uit één van die gaten zijn gekomen. Het geluid van de voetstappen was ineens opgeklonken, nog maar even geleden en naar het tempo te oordelen waren ze niet verder dan een meter of twintig, vijfentwintig terug begonnen. Op de derde trap links of de vierde rechts. In een van de kamers boven een van die trappen zat een taipan te wachten op zijn bezoeker. Bourne moest erachter zien te komen welk huis het was en welke verdieping. De taipan moest verrast worden, hij moest de verrassing van zijn leven krijgen. Hij moest begrijpen met wie hij te maken had en wat het loon van zijn daden zou zijn.

Jason begon weer te lopen, dit keer dronken waggelend; de woorden van een oud Mandarijns volkswijsje schoten hem te binnen. *'Me li hua cherng zhang liu yue,'* zong hij zacht voor zich heen en hij zocht steun bij de muur toen hij de hoer naderde. 'Ik heb geld,' zei hij vriendelijk in een onduidelijk gesproken Chinees. 'En jij, schone vrouw, hebt wat ik nodig heb. Waar gaan we heen?'

'Nergens heen, rare drankneus. Donder op hier.'

'Bong ngo! Cheng bong ngo!' krijste de bedelaar zonder benen die kletterend kwam aanrollen door het steegje en tegen de muur botste terwijl hij gilde: *'Cheng bong ngo!'*

'Jau!' schreeuwde de vrouw. 'Donder op hier, anders schop ik dat nutteloze lijf van jou van de plank af, Loo Mi! Ik heb je gezegd dat je je niet met mijn zaken moet bemoeien!'

'Zijn dat *zaken,* die goedkope natneus hier? Ik zal je wel wat beters bezorgen!'

'Het zijn mijn zaken niet, schat. Hij valt me lastig. Ik sta op iemand te wachten.'

'Dan zal ik hem zijn voeten afhakken!' schreeuwde de groteske gedaante en hij trok een hakbijl van zijn plank.

'Wat ben jij, godverdomme, van plan?' brulde Bourne in het Engels en hij plantte zijn voet op de borst van de bedelaar en stootte de halve man en zijn plank tegen de tegenoverliggende muur.

'Er zijn nog *wetten!*' krijste de bedelaar. 'U hebt een invalide aangevallen! U berooft een invalide!'

'Geef me maar aan,' zei Jason en hij wendde zich tot de vrouw terwijl de bedelaar de slop inkletterde.

'U praat... Engels?' De hoer staarde hem aan.

'Dat doet u ook,' zei Bourne.

'U spreekt Chinees, maar u bent geen Chinees.'

'In de geest misschien. Ik heb naar u gezocht.'

'Bent u de *man?*'

'Inderdaad.'

'Ik zal u naar de taipan brengen.'

'Nee. Zeg me alleen maar welke trap, welke verdieping.'

'Dat hebben ze me niet opgedragen.'

'Het zijn nieuwe instructies die de taipan heeft gegeven. Twijfel je aan zijn nieuwe instructies?'

'Die moet ik krijgen van de onderbaas.'

'Die kleine *Zhongguo ren* in een donker pak?'

'Hij geeft ons alle opdrachten. Hij betaalt ons voor de taipan.'

'Wie betaalt hij?'

'Vraag het hem zelf maar.'

'De taipan wil het weten.' Bourne stak zijn hand in zijn zak en haalde er een stapeltje opgevouwen bankbiljetten uit. 'Hij heeft me gezegd dat ik u extra geld moest geven als u meewerkte. Hij denkt dat zijn onderbaas hem misschien bedriegt.'

De vrouw ging met haar rug tegen de muur staan en keek nu eens naar het geld, dan weer naar Bournes gezicht. 'Als u liegt...'

'Waarom zou ik liegen? De taipan wil met me spreken, dat weet u. U moet mij naar hem toe brengen. Hij heeft me gezegd dat ik me zo moest kleden, me zo moest gedragen, om jou te vinden en op zijn mensen te letten. Hoe had ik kunnen weten dat ik jou zou treffen als hij het me niet had gezegd?'

'Boven op de markt. Daar moet u iemand vragen.'

'Daar ben ik niet geweest. Ik ben meteen hier beneden gekomen.' Jason trok een paar biljetten van het stapeltje. 'We werken beiden voor de taipan. Hier, hij wil dat je dit aanneemt en weggaat, maar je moet niet naar boven gaan naar de straat.' Hij stak het geld uit.

'De taipan is gul,' zei de hoer en ze reikte naar het geld.

'Welke trap?' vroeg Bourne terwijl hij het geld terugtrok. 'Welke verdieping? De taipan wist het niet.'

'Daar ginds,' antwoordde de vrouw en ze wees naar de muur tegenover haar. 'De derde trap, de eerste verdieping. Het geld.'

'Wie worden er door de onderbaas betaald? Snel!'

'Op de markt heb je dat kreng met die slangen en die ouwe dief die namaak gouden kettingen verkoopt uit het noorden en de wok-man met zijn smerige vis en vlees.'

'Meer niet?'

'Dat zeg ik je toch. Meer niet.'

'De taipan heeft gelijk, hij wordt bedrogen. Hij zal je dankbaar zijn.' Bourne pakte nog een bankbiljet. 'Maar ik wil eerlijk zijn. Behalve die ene met de radio, hoeveel anderen werken er nog voor de onderbaas?'

'Drie anderen, ook met radio's,' zei de hoer met haar ogen strak gericht op het geld en een hand die langzaam naar voren reikte.

'Hier, pak aan en ga weg. Loop die kant uit en ga niet de straat op.' De vrouw graaide naar de biljetten en rende het steegje in, met klikkende hoge hakken en haar gedaante verdween in het zwakke licht. Bourne bleef kijken tot ze verdwenen was, draaide zich toen om en liep snel het gore slopje uit naar de trappen. Daar nam hij weer zijn gebogen houding aan en klom naar de straat. Drie wachtposten en een onderbaas. Hij wist wat hem te doen stond en het moest snel gebeuren. Het was 9.36. *Een taipan voor een vrouw.*

Hij trof de eerste wachtpost aan in gesprek met de viskoopman, die ongerust stond te praten met heftige, wijzende gebaren. Het lawaai van de menigte werkte storend. De venter bleef zijn hoofd schudden. Bourne koos een zwaargebouwde man uit dicht bij de wachtpost. Hij rende naar voren, duwde de niets vermoedende toeschouwer tegen de wachtpost aan en stapte opzij toen de man van de taipan terugdeinsde. In de korte rel die ontstond trok Jason de verbijsterde wachtpost opzij, beukte zijn knokkels tegen de onderkant van zijn keel, draaide hem om terwijl hij begon te vallen en zwiepte met zijn strak gehouden hand over de achterkant van de nek van de wachtpost, bovenaan zijn ruggegraat. Hij sleurde de bewusteloze man over het trottoir terwijl hij de menigte in het Chinees om verontschuldiging vroeg voor zijn dronken vriend. Hij liet de wachtpost vallen in de restanten van een etalage, pakte hem de radio af en stampte die kapot.

Voor de tweede man van de taipan was een dergelijke tactiek niet nodig. Hij stond een beetje opzij van het gedrang in zijn radio te roepen. Bourne liep op hem af, zijn verlopen figuur vormde geen enkele bedreiging en hij stak zijn hand uit alsof hij een bedelaar was. De wachtpost wuifde dat hij weg moest gaan. Het was het laatste gebaar dat hij zich zou herinneren want Bourne greep zijn pols vast, draaide die om en brak de arm van de man. Veertien seconden later lag de tweede wachtpost van de taipan in de schaduw van een vuilnishoop en zijn radio was tussen het afval gesmeten.

De derde wachtpost stond te confereren met het 'kreng met die slangen'. Bourne was voldaan toen hij zag hoe ook zij haar hoofd bleef schudden zoals de viskoopman had gedaan, er was een bepaalde loyaliteit in de Ommuurde Stad waar het smeergeld betrof. De man haalde zijn radio te voorschijn maar kreeg geen kans die te gebruiken. Jason rende op hem af, greep de oude tandenloze cobra beet en duwde de platte kop in het gezicht van de man. Hij snakte naar adem met wijd opengesperde ogen, gilde en meer had Jason niet nodig. De zenuwen in de keel vormen een prachtig netwerk van koordachtige vezels die iemand kunnen verlammen en die de lichaamsdelen verbinden met het centrale zenuwstelsel. Bourne drukte er snel op en sleurde opnieuw zijn slachtoffer door de menigte, zich uitvoerig excuserend, terwijl hij de bewusteloze wachtpost achterliet op een donker stuk beton. Hij hield de radio tegen zijn oor; er was niets te horen. Het was 9.40. Alleen de onderbaas bleef nog over.

De kleine Chinees van middelbare leeftijd in het dure pak en de gepolijste schoenen kneep nog net zijn neus niet dicht terwijl hij van de ene plek naar de andere rende en probeerde zijn mensen terug te vinden, vermijdend om ook maar even de horden aan te raken die zich verdrongen rond de kramen en de tafels. Omdat hij zo klein was had hij moeite met zoeken. Bourne keek welke kant hij uitging, rende voor hem uit, draaide zich toen snel om en stompte zijn vuist in de onderbuik van de kantoorpik. De Chinees klapte dubbel, Jason sloeg zijn linkerarm om het middel van de man, tilde hem op en droeg de slappe gedaante naar een deel van de stoep waar twee mannen zaten die heen en weer wiegend elkaar een fles doorgaven. Hij mikte een *Wushu*-klap op de nek van de bankbediende en liet hem vallen tussen zijn nieuwe metgezellen. De dronken kerels zouden in hun benevelde toestand zorgen dat hun nieuwe compagnon behoorlijk lang buiten westen bleef. Er moesten zakken doorzocht worden, kleren en een paar schoenen uitgetrokken. Alles zou zo zijn prijs opbrengen, alles wat het opleverde zou een beloning zijn voor hun harde werken. *9.43*.

Bourne liep niet langer meer gebukt, de kameleon was verdwenen. Hij rende de straat over tussen drommen mensen door en stormde de trappen af en het steegje in. Het was hem *gelukt!* Hij had de keizerlijke garde uitgeschakeld. *Een taipan voor een vrouw!* Hij bereikte de trap — de derde trap in de rechtermuur — en rukte het opvallende wapen te voorschijn dat hij had gekocht van een wapenhandelaar in de Mongkok. Zo stil als hij kon, en elke trede uitproberend met zijn voet, klom hij naar de eerste verdieping. Hij zette zich schrap voor de deur, ging in balans staan, tilde zijn linkervoet op en stampte er dreunend mee op het dunne hout.

De deur vloog open. Hij sprong naar binnen en bleef gebogen staan met het pistool naar voren gericht.

Tegenover hem zaten drie mannen in een halve cirkel, ieder met een revolver die op zijn hoofd was gericht. Achter hen, in een witzijden kostuum, zat een enorme Chinees in een stoel. De man knikte tegen zijn bewakers.

Hij had verloren. Bourne had zich misrekend en David Webb zou sterven. Wat nog veel ondraaglijker was, hij wist dat Marie's dood er spoedig op zou volgen. Laat ze maar schieten, dacht David. Laat ze die trekkers maar overhalen die hem een bevoorrechte vergetelheid zouden bezorgen! Het enige waardevolle in zijn leven had hij gedood.

'Schiet, godverdomme! *Schiet dan toch!*'

11

'Welkom, meneer Bourne,' zei de dikke man in het witzijden pak en hij wuifde zijn bewakers weg. 'Ik mag aannemen dat u de logica inziet van het verzoek uw wapen op de vloer te leggen en het van u af te duwen. Er zal werkelijk niets anders opzitten.'

Webb keek naar de drie Chinezen; de man in het midden klikte de haan van zijn revolver achteruit. David legde zijn wapen op de grond en schoof het naar voren. 'U verwachtte mij, nietwaar?' vroeg hij kalm en hij kwam overeind terwijl de bewaker rechts van hem het pistool oppakte.

'We wisten niet wat we moesten verwachten, behalve het onverwachte. Hoe hebt u dat klaargespeeld? Zijn mijn mensen dood?'

'Nee. Wat gekneusd en bewusteloos, niet dood.'

'Merkwaardig. Dacht u dat ik hier alleen zou zijn?'

'Men zei dat u alleen uw onderbaas en drie anderen bij u had, geen zes man. Ik vond dat logisch. Als het er meer waren zou dat opvallen dacht ik.'

'Daarom zijn deze mensen eerder gekomen om voorbereidingen te treffen en ze zijn niet weggeweest uit dit hol sinds ze hier kwamen. U dacht dus dat u mij te pakken zou kunnen nemen, mij kon uitwisselen voor uw vrouw.'

'Het is duidelijk dat zij hier geen sodemieter mee te maken heeft. Laat haar vrij; ze vormt geen bedreiging voor u. Dood mij maar laat haar vrij.'

'*Pí gé!*' zei de bankier en hij beval daarmee twee van zijn bewakers de kamer te verlaten. Ze bogen en verdwenen snel. 'Deze man zal blijven,' vervolgde hij sprekend tot Webb. 'Behalve de immense loyaliteit die hij heeft tegenover mij spreekt of verstaat hij geen woord Engels.'

'Ik merk dat u uw mensen vertrouwt.'

145

'Ik vertrouw niemand.' De financier gebaarde naar een wrakke houten stoel in de armoedige kamer en liet daarmee zien dat hij een gouden Rolex aan zijn pols droeg waarvan de wijzerplaat was afgezet met diamanten, passend bij zijn met edelstenen ingelegde gouden manchetknopen. 'Ga zitten,' beval hij. 'Ik heb heel veel moeite gedaan en het heeft me veel geld gekost om deze bespreking te organiseren.'

'Uw handlanger — ik neem aan dat het uw handlanger was,' zei Bourne zo maar vóor zich heen terwijl hij op weg naar de stoel elk detail in het vertrek in zich opnam, 'zei me dat ik hier geen duur horloge moest dragen. Ik neem aan dat u niet naar hem hebt geluisterd.'

'Ik ben hier aangekomen in een smerige, gevlekte kaftan met mouwen die wijd genoeg waren om het te verbergen. Als ik naar uw kleren kijk weet ik zeker dat de Kameleon dit zal begrijpen.'

'U bent Yao Ming.' Webb ging zitten.

'Het is een naam die ik heb aangenomen, dat zult u zeker begrijpen. De Kameleon gebruikt vele vormen en kleuren.'

'Ik heb uw vrouw niet vermoord, of de man die toevallig bij haar was.'

'Dat weet ik, meneer Webb.'

'*Wat* zegt u?' David sprong op van de stoel en de bewaker zette snel een pas vooruit met zijn wapen op hem gericht.

'Ga zitten,' herhaalde de bankier. 'Breng mijn toegewijde vriend niet aan het schrikken anders krijgen we daar allebei spijt van, u veel meer dan ik.'

'U *wist* dat ik het niet was, en *toch* hebt u ons dit aangedaan!'

'Ga vlug zitten, alstublieft.'

'Ik wil een *antwoord!*' zei Webb en hij ging zitten.

'Omdat u de echte Jason Bourne bent. Daarom bent u hier, daarom houd ik uw vrouw vast en zal dat blijven doen totdat u gedaan hebt wat ik u vraag.'

'Ik heb met haar gesproken.'

'Dat weet ik. Ik heb het toegestaan.'

'Ze klonk vreemd, zelfs gezien de omstandigheden. Ze is sterk, ze was sterker dan ik tijdens die afschuwelijke weken in Zwitserland en Parijs. Ze *mankeert* iets! Is ze onder verdoving?'

'Zeer zeker niet.'

'Is ze *gewond?*'

'Misschien in haar geest, maar verder helemaal niet. Maar ze zal zeker gewond raken en ze zal zeker sterven als u mij weigert. Kan ik het duidelijker zeggen?'

'U bent er geweest, taipan.'

'Nu spreekt de echte Bourne. Dat is heel goed. Dat heb ik nodig.'

'Leg het me maar eens uit.'

'Ik word voortdurend lastig gevallen door iemand die uw naam gebruikt,' begon de taipan, met harde stem en toenemende intensiteit.

146

'Dat is veel erger — mogen de voorvaderen het me vergeven — dan het verlies van een jonge vrouw. Overal en van alle kanten valt de terrorist me aan, die *nieuwe* Jason Bourne! Hij vermoordt mijn mensen, blaast hele vrachten waardevolle koopwaar op, bedreigt andere taipans met de dood als ze zaken met mij doen! Zijn schandalig hoge honorarium komt van mijn vijanden hier in Hongkong en Macao en langs de scheepvaartroutes in Deep Bay, naar het noorden toe tot in de *provincies* zelf!'
'U hebt een heleboel vijanden.'
'Ik heb ook wijdverspreide interesses.'
'Dat had de man die ik niet heb vermoord in Macao ook, hoorde ik.'
'Vreemd genoeg,' zei de bankier, zwaar hijgend en zich vastgrijpend aan zijn stoelleuning in een poging zich te beheersen, 'waren hij en ik geen vijanden. In bepaalde gebieden liepen onze interesses samen. Zo ontmoette hij mijn vrouw.'
'Dat kwam dan goed uit. Gedeeld bezit zogezegd.'
'U beledigt me.'
'Ik maak de spelregels niet,' antwoordde Bourne, zijn kille ogen gericht op de oosterling. 'Kom ter zake. *Mijn* vrouw leeft en ik wil haar terughebben zonder dat ze ergens is geschonden of zonder dat ze van iemand last heeft gehad. Als haar ook maar een haar op haar hoofd wordt gekrenkt zullen u en die *Zhongguo ren* van u volkomen machteloos staan tegen dat wat ik met u van plan ben.'
'U bent niet in een positie om dreigementen uit te spreken, meneer Webb.'
'Webb is dat niet,' stemde de man in die eens door iedereen werd gezocht in Azië en Europa. 'Bourne is dat wel.'
De oosterling keek Jason doordringend aan en knikte tweemaal terwijl hij zijn ogen neersloeg onder Webbs blik. 'Uw vermetelheid is even groot als uw arrogantie. Ter zake. Het is zeer eenvoudig, heel duidelijk.' De taipan balde ineens zijn rechterhand tot een vuist, hief die op en deed hem krakend neerkomen op de breekbare armleuning van de wrakke stoel. 'Ik wil *bewijzen* hebben tegen mijn vijanden!' schreeuwde hij en zijn kwade oogjes gluurden vanachter twee gedeeltelijk elkaar rakende wallen van opgezwollen huid. 'De enige manier waarop ik die kan krijgen is als u me die al te geloofwaardige indringer levert die uw plaats inneemt! Ik wil hem tegenover me zien, ik wil naar hem *kijken* terwijl hij zijn leven in martelende pijn voelt wegglippen tot hij me alles vertelt wat ik weten moet. *Breng hem hier,* Jason Bourne!' De bankier haalde diep adem en voegde er toen zacht aan toe: 'Dan, en dan alleen zult u uw vrouw weer terugkrijgen.'
Webb staarde de taipan zwijgend aan. 'Waarom denkt u dat ik dat kan?' vroeg hij ten slotte.
'Wie kan er een bedrieger beter vangen dan de echte man?'
'Woorden,' zei Webb. 'Die stellen niks voor.'

'Hij heeft u bestudeerd! Hij heeft uw methoden geanalyseerd, uw techniek. Hij zou zich niet voor u kunnen uitgeven als hij dat niet had gedaan. *Zoek* hem! Vang hem met de listen die u zelf hebt verzonnen.'
'Gewoon, zo maar?'
'U kunt hulp krijgen. Verschillende namen en signalementen, mensen van wie ik zeker weet dat ze te maken hebben met deze nieuwe moordenaar die een oude naam gebruikt.'
'Ginds in Macao?'
'*Nooit!* Het *mag* niet in Macao zijn! Er mag met geen woord worden gerept over wat er is voorgevallen in het Lisboa Hotel. Dat is afgelopen, afgesloten. Daar weet u niets van. Mijn persoon mag op geen enkele manier geassocieerd worden met wat u doet. U hebt met mij niets te maken! Als men u ontdekt bent u op jacht naar de man die onrechtmatig uw mantel heeft aangetrokken. U beschermt uzelf, verdedigt uzelf. Een volkomen normaal iets onder de omstandigheden.'
'Ik dacht dat u bewijzen wilde...'
'Die komen vanzelf wanneer u mij de *indringer* levert!' schreeuwde de taipan.
'Als het Macao niet mag zijn, waar dan wel?'
'Hier in Kowloon. In de Tsim Sha Tsui. Er zijn vijf man vermoord in een achterkamertje van een nachtclub, waaronder een bankier — een taipan net als ik, nu en dan mijn compagnon en even invloedrijk — en nog drie anderen van wie de identiteit verborgen is gehouden; het was kennelijk een beslissing van hogerhand. Ik heb nooit kunnen ontdekken wie ze waren.'
'Maar u weet wie de vijfde man was,' zei Bourne.
'Hij werkte voor mij. Hij had mijn plaats ingenomen bij die bespreking. Als ik er zelf was geweest zou uw naamgenoot mij hebben vermoord. Hier gaat u beginnen, hier in Kowloon, in de Tsim Sha Tsui. Ik zal u de namen bezorgen van de twee doden die bekend waren en de identiteiten van vele mensen die de vijanden waren van ons beiden, nu van mij alleen. Treuzel niet. Zorg dat u de man vindt die in uw naam moordt en breng hem mij. En een laatste waarschuwing, meneer Bourne. Als u gaat uitzoeken wie ik ben zal het bevel direct volgen en de executie nog sneller. Uw vrouw zal sterven.'
'En u ook. Geef me de namen maar.'
'Ze staan op dit papier,' zei de man die schuilging achter de naam Yao Ming, en hij haalde het uit een zak van zijn witzijden vest. 'Ze zijn getikt door een gehuurde typiste in The Mandarin. Het zou geen enkele zin hebben op zoek te gaan naar die schrijfmachine.'
'Tijdverspilling,' zei Bourne en hij nam het vel papier aan. 'Er zijn misschien wel twintig miljoen schrijfmachines in Hongkong.'
'Maar niet zoveel taipans van mijn omvang, hè?'
'Dat zal ik onthouden.'

'Dat weet ik zeker.'

'Hoe kom ik met u in contact?'

'Dat komt u niet. Nooit. Deze bespreking heeft nooit plaatsgevonden.'

'Waarom *heeft* ze dan plaatsgevonden? Waarom is alles gebeurd wat er gebeurd is? Stel dat ik die rotzak die zich Bourne noemt vind en meeneem — en daar is verdomd niet zoveel kans op — wat moet ik dan met hem doen? Moet ik hem buiten op de trappen laten liggen, hier in de Ommuurde Stad?'

'Dat zou geen gek idee zijn. Als hij verdoofd was zou niemand ook maar de minste aandacht aan hem schenken, alleen zijn zakken rollen.'

'*Ik* schenk daar wel veel aandacht aan. Gelijk oversteken, taipan. Ik wil een waterdichte garantie. Ik wil mijn vrouw terugzien.'

'Wat voor garantie had u in uw hoofd?'

'Ten eerste haar stem door de telefoon die me ervan overtuigt dat haar niets is overkomen en vervolgens wil ik haar zien, laten we zeggen terwijl ze op en neer loopt door een straat op eigen kracht en met niemand in de buurt.'

'Dat zegt Jason Bourne?'

'Inderdaad.'

'Goed dan. Er is hier in Hongkong een technisch zeer hoog ontwikkelde industrie ontstaan, dat kunt u aan iedereen werkzaam in de elektronische industrie in uw land vragen. Onderaan dat papier staat een telefoonnummer. Wanneer en indien — en *alleen* wanneer en indien — u de bedrieger in handen hebt belt u dat nummer en herhaalt u een paar keer het woord "slangevrouw"...'

'*Medusa,*' onderbrak Jason hem fluisterend. 'In de lucht.'

De taipan trok zijn wenkbrauwen op met een nietszeggende uitdrukking. 'Ik had het natuurlijk over de vrouw in de bazaar.'

'Om de verdommenis niet. Maar ga door.'

'Zoals ik zei, u herhaalt de woorden een paar keer tot u een aantal klikken hoort...'

'Waardoor een ander nummer wordt aangesloten, of nummers,' viel Bourne hem weer in de rede.

'Het heeft iets te maken met de klanken van de uitdrukking, geloof ik,' stemde de taipan in. 'De sissende *s,* gevolgd door een zachte klinker en harde medeklinkers. Ingenieus, vind u niet? '

'Het wordt klankgevoelig programmeren genoemd, toestellen die in werking worden gesteld door het patroon van een stem.'

'Aangezien u niet geïmponeerd bent laat me dan wel de nadruk leggen op de voorwaarde waaronder het gesprek kan worden gevoerd. In het belang van uw vrouw hoop ik dat dat tenminste indruk op u maakt. Er mag alleen worden getelefoneerd wanneer u in staat bent de bedrieger binnen enkele minuten af te leveren. Indien u of iemand anders dat nummer belt en het codewoord gebruikt zonder die garantie, zal ik weten dat men op zoek is naar het toestel. In dat geval zal uw vrouw worden gedood en een dode, mismaakte blanke vrouw zonder identificatie zal in het water worden gegooid bij een van de eilanden hier in de buurt. Is dat heel duidelijk?'

Moeilijk slikkend om zijn woede te beheersen ondanks de misselijk makende angst zei Bourne kil: 'De voorwaarde is begrepen. En nu kunt u de mijne maar beter begrijpen. Wanneer en indien ik telefoneer wil ik met mijn vrouw praten, niet binnen enkele minuten maar binnen seconden. Als dat niet gebeurt zal wie er dan ook aan de lijn is een schot horen en dan zult u weten dat uw sluipmoordenaar, de prijs die u naar u zegt moet hebben, zojuist een kogel door zijn kop heeft gekregen. U zult dertig seconden de tijd hebben.'

'Uw voorwaarde is begrepen en er zal aan worden voldaan. Ik geloof dat ons gesprek ten einde is, Jason Bourne.'

'Ik wil mijn pistool terughebben. Een van uw bewakers die is weggegaan heeft het.'

'U krijgt het terug wanneer u weggaat.'

'Zal hij dat zo maar van mij aannemen?'

'Dat hoeft hij niet. Als u hier op eigen kracht zou weggaan moest hij het u geven. Een lijk heeft niets meer aan een pistool.'

Wat er nog over is van de grote landhuizen uit het overdreven weelderige koloniale tijdperk van Hongkong ligt hoog in de heuvels boven de stad, in een wijk die bekend staat als Victoria Peak, genoemd naar de bergtop van het eiland, de kroon van het hele gebied. Hier worden elegante tuinen gesierd door met rozen afgezette paden die voeren naar erkers en veranda's van waaruit de rijken der aarde de glorie van de haven beneden kunnen bekijken en de eilanden verderop. De woningen met het meest begerenswaardige uitzicht zijn stemmige versies van de beroemde huizen op Jamaïca. Ze hebben hoge, rijkbewerkte plafonds; kamers lopen onder vreemde hoeken in elkaar over om te kunnen profiteren van de zomerse briesjes tijdens het lange, drukkende seizoen, en overal is gepolijst, besneden hout te zien en zijn er versterkte ramen, er speciaal op gebouwd om weerstand te bieden aan de winterse stormen en regens op de berg. Hechtheid en comfort zijn verenigd in deze kleine versies van landhuizen en ze zijn ontworpen om het klimaat te weerstaan.

Maar één huis in de Peak-wijk was anders dan de andere. Niet in afmeting of hechtheid of elegantie, niet in de schoonheid van zijn tuinen, die zelfs nog wat uitgestrekter waren dan vele van de buren, en ook niet in de imponerende indruk die zijn toegangspoort op de voorbijganger maakte en de hoogte van de stenen muur die het complex omzoomde. Wat het anders deed lijken was gedeeltelijk het gevoel van isolement waardoor het werd omringd, vooral bij donker wanneer er maar enkele lichten brandden in de talrijke vertrekken en er door de open ramen niets te horen was in de tuin. Het leek of het huis nauwelijks bewoond was en er was zeker niets frivools te merken. Maar wat het op een dramatische manier deed opvallen waren de mannen aan de poort en andere zoals zij die over het terrein achter de muur patrouilleerden. Ze waren gewapend en droegen uniformen. Het waren Amerikaanse mariniers. Het perceel was verhuurd aan het Amerikaanse consulaat, op aanwijzingen van de Nationale Veiligheidsraad. Als ernaar werd geïnformeerd moest het consulaat alleen als commentaar geven dat er in de komende maanden een groot aantal vertegenwoordigers van de Amerikaanse regering en de Amerikaanse industrie op bepaalde, niet vastgestelde tijden op het vliegveld van de kolonie zouden aankomen en dat het huren van het huis gerechtvaardigd werd door de goede beveiliging en de uitstekende accommodatie. Meer wist het consulaat niet. Maar bepaald geselecteerd personeel van de Britse MI 6 wist iets meer, omdat hun samenwerking noodzakelijk werd geacht en die waren aangewezen door Londen. Ze wisten echter nooit meer dan het hoognodige, en ook dat had de volle goedkeuring van Londen. De mensen op de hoogste niveau's van beide regeringen, zoals de meest vertrouwde adviseurs van de president en de premier, kwamen tot dezelfde conclusie: lekken betreffende de ware aard van het perceel in Victoria Peak zouden rampzalige gevolgen kunnen hebben voor het Verre Oosten en de rest van de wereld. Het was een beveiligd huis, het hoofdkwartier van een clandestiene operatie waarvan zelfs de president en de premier maar weinig wisten, alleen de doelstellingen.

Een kleine dure auto reed naar de poort. Onmiddellijk gingen er krachtige zoeklichten aan die de chauffeur bijna verblindden. Twee wachtposten van de mariniers liepen van verschillende kanten op de auto af, met getrokken pistolen.

'Jullie horen onderhand de auto te kennen, jongens,' zei de dikke oosterling in het witzijden pak die door het open raampje tuurde.

'We kennen de wagen, majoor Lin,' antwoordde de marinier-eerste-klas aan de rechterkant. 'We moeten gewoon zeker weten wie de chauffeur is.'

'Wie zou zich voor mij kunnen uitgeven?' grapte de enorme majoor.

'Man Mountain Dean, meneer,' antwoordde de marinier.

'O ja, ik weet het weer. Een Amerikaanse worstelaar.'

'Mijn grootvader had het wel eens over hem.'

'Dank je, knul. Je zou op z'n minst hebben kunnen zeggen dat het je vader was geweest. Mag ik doorrijden of houden jullie me vast?'

'We zullen de lichten uitdraaien en de poort openen, meneer,' zei de eerste marinier. 'Tussen haakjes, majoor, bedankt nog voor de naam van dat restaurant in de Wanchai. Ze hebben er een prima show en je wordt er niet uitgekleed.'

151

'Maar helaas, Suzie Wong hebben jullie niet gevonden.'
'Wie, meneer?'
'Laat maar zitten. De poort graag, jongens.'
In het huis, in de bibliotheek die was omgebouwd tot een kantoor zat onderminister van BZ, Edward Newington McAllister, achter een bureau de pagina's van een dossier te bestuderen onder het felle schijnsel van een lamp. Hij vinkte enkele dingen af in de marges naast bepaalde alinea's en bepaalde regels. Hij ging helemaal op in zijn werk, zijn aandacht werd er compleet door in beslag genomen. De intercom zoemde en hij moest zijn ogen en zijn handen naar de telefoon dwingen. 'Ja?' Hij luisterde en antwoordde. 'Stuur hem maar naar binnen natuurlijk.' McAllister legde de hoorn op en wijdde zijn aandacht weer aan het dossier dat voor hem lag, het potlood in zijn hand. Aan de bovenkant van elke pagina stonden op dezelfde plaats dezelfde woorden herhaald: *Uiterst Geheim en Vertrouwelijk. PRC. Intern. Sheng Chou Yang.*
De deur ging open en de immens dikke majoor Lin Wenzu van de Britse inlichtingendienst, MI 6, Speciale Afdeling, Hongkong, liep naar binnen sloot de deur achter zich en keek glimlachend naar de in zijn werk verdiepte gestalte van McAllister.
'Het is nog steeds hetzelfde, nietwaar, Edward? Ergens verborgen in de woorden ligt een patroon, een draad die je moet volgen.'
'Ik wou dat ik die maar kon vinden,' antwoordde de onderminister van BZ terwijl hij koortsachtig verder las.
'Dat zal zeker gebeuren, Edward, wat het dan ook is.'
'Ik sta zo tot je beschikking.'
'Doe maar rustig aan,' zei de majoor terwijl hij zich ontdeed van het gouden Rolex horloge en de manchetknopen. Hij legde ze op het bureau en zei zacht: 'Wat jammer dat ik die moet teruggeven. Ik voelde me er zo waardig door. Maar je zult wel voor het pak moeten betalen, Edward. Het is geen normaal onderdeel van mijn garderobe, maar zoals steeds in Hongkong was de prijs redelijk, zelfs voor iemand van mijn omvang.'
'Ja, natuurlijk,' stemde de onderminister verstrooid in.
Majoor Lin ging in de zwarte leren stoel zitten voor het bureau en bleef even zwijgen. Het was duidelijk dat dat niet zo lang kon duren. 'Is dat iets waarmee ik je zou kunnen helpen, Edward? Of meer ter zake, is het iets dat te maken heeft met de kwestie waarmee we bezig zijn? Iets waarover je me meer kunt vertellen?'
'Jammer genoeg is het nee, Lin. Wat beide vragen betreft.'
'Vroeg of laat zul je het me moeten zeggen. Onze meerderen in Londen zullen het ons moeten vertellen. "Doe wat hij vraagt", zeggen ze. "Hou verslagen bij van alle gesprekken en aanwijzingen, maar volg zijn bevelen op en adviseer hem". Hem *adviseren?* Er is geen advies, er is alleen maar tactiek. Een man in een leegstaand kantoor die vier kogels afschiet

in de muur van de promenade, zes in het water en die verder met losse flodders schiet – godzijdank waren er geen hartaanvallen – en we hebben de situatie geschapen die u hebben wilt. Kijk, dát kunnen we begrijpen...'

'Ik begrijp dat alles heel vlot is verlopen.'

'Er ontstond een enorme rel, als je dat bedoelt met "heel vlot".'

'Dat bedoel ik.' McAllister leunde achterover in zijn stoel en de slanke vingers van zijn rechterhand masseerden zijn slapen.

'Eerste punt, Edward. De echte Jason Bourne was overtuigd en hij is in actie gekomen. Tussen haakjes, jullie zullen het ziekenhuis moeten betalen voor een man met een gebroken arm, en voor twee anderen die beweren dat ze nog steeds een shock hebben en nekken die verschrikkelijk pijn doen. De vierde schaamt zich zo dat hij niks zegt.'

'Bourne is heel goed in wat hij doet – wat hij deed.'

'Hij is *levensgevaarlijk,* Edward!'

'Ik neem aan dat jij hem de baas bent gebleven.'

'Terwijl ik elke seconde dacht dat hij weer iets zou uithalen en die smerige kamer de lucht in zou blazen! Ik was doodsbang. Die man is een maniak. Overigens, waarom moet hij wegblijven uit Macao? Dat is een vreemde beperking.'

'Hij kan alles van hieruit regelen. De moorden zijn daar gebeurd. De cliënten van de bedrieger zijn kennelijk hier in Hongkong, niet in Macao.'

'Zoals zo vaak is dat geen antwoord.'

'Laat ik het op een andere manier zeggen, en zoveel mag ik je wel vertellen. Je weet het trouwens al omdat je vanavond die rol hebt gespeeld. De leugen over onze niet-bestaande jonge vrouw van de taipan en haar minnaar die in Macao vermoord zijn. Wat dacht je daarvan?'

'Een ingenieus plannetje,' zei Lin met gefronste wenkbrauwen. 'Er zijn weinig wraakacties die zo gemakkelijk begrepen worden als "oog om oog". In zekere zin is het de basis van jullie strategie, voor zover ik die ken.'

'Wat dacht je dat Webb zou doen als hij ontdekte dat het inderdaad een leugen was?'

'Dat zou hij nooit ontdekken. Je hebt het duidelijk gemaakt dat de moorden zijn verzwegen.'

'Dan onderschat je hem. Zo gauw hij in Macao is zou hij de onderste steen boven halen om te ontdekken wie die taipan is. Hij zou elke page, elk kamermeisje ondervragen, waarschijnlijk een dozijn andere hotelemployés in het Lisboa en het merendeel van de politie bedreigen of omkopen tot hij de waarheid zou ontdekken.'

'Maar wij hebben zijn vrouw, en dat is geen leugen. Hij zal doen wat we zeggen.'

'Ja, maar in een andere dimensie. Wat hij nu ook denkt – en hij moet

153

zeker zo zijn vermoedens hebben — hij kan het niet weten, niet zeker weten. Maar als hij gaat graven in Macao en achter de waarheid komt dan zal hij het bewijs hebben dat hij bedrogen is door zijn eigen regering.'

'Hoe dan precies?'

'Omdat de leugen hem verteld is door een hoge functionaris van Buitenlandse Zaken, door mij om precies te zijn. En hoe hij er ook over denkt, hij weet dat hij al eerder bedrogen is.'

'Dat weten we tenminste.'

'Ik wil continu een man hebben bij de douane in Macao — een vierentwintig uur dienst. Neem er mensen voor die je kunt vertrouwen en geef hun foto's, maar geen informatie. Loof een extra beloning uit voor degene die hem opmerkt en jou waarschuwt.'

'Dat kan gebeuren, maar hij zou het niet riskeren. Hij gelooft dat alles in zijn nadeel werkt. Eén verklikker in het hotel of bij de politie en zijn vrouw sterft. Dat risico zou hij niet nemen.'

'En het risico dat hij het wel doet kunnen wij niet nemen, hoe klein het ook is. Als hij zou ontdekken dat hij weer gebruikt wordt — weer verraden is — dan zou hij door kunnen slaan, hij zou dingen kunnen zeggen en kunnen doen die voor ons onvoorstelbare gevolgen zouden hebben. Eerlijk gezegd, als hij naar Macao gaat, zou hij een afschuwelijk gevaar voor ons worden in plaats van het pluspunt dat wij denken te hebben gecreëerd.'

'Einde van de lijn?' vroeg de majoor simpelweg.

'Die woorden kan ik niet in mijn mond nemen.'

'Volgens mij hoeft u dat ook niet. Ik was heel overtuigend. Ik heb heel overtuigend met mijn vuist op de stoel geslagen en tegen hem geschreeuwd. "Je vrouw zal sterven!" heb ik gegild. Hij geloofde me. Ik had eigenlijk aan de opera moeten gaan.'

'Je hebt het goed gedaan.'

'Het was een optreden een Akim Tamiroff waardig.'

'Wie?'

'Alsjeblieft. Dat heb ik aan de poort al allemaal meegemaakt.'

'Pardon?'

'Laat maar. In Cambridge vertelden ze me al dat ik mensen zoals jij zou tegenkomen. Ik had een don in Oosterse Geschiedenis die zei dat jullie je niet kunnen ontspannen, niemand van jullie. Jullie moeten met alle geweld geheimen vóór je houden omdat de *Zhongguo ren* inferieure mensen zijn; ze begrijpen het niet. Is dat hier ook het geval, *yang Quizi?*'

'Lieve hemel, nee.'

'Waarmee zijn we dan in 's hemelsnaam bezig? Het voor de hand liggende, begrijp ik. We recruteren een man die in een unieke positie verkeert om een killer op te sporen, omdat de killer zich voor hem uitgeeft

154

– zich uitgeeft voor de man die hij was. Maar om dat extreme te doen, zijn vrouw te ontvoeren, *ons* erbij te betrekken, spelen we deze ingewikkelde en, eerlijk gezegd, gevaarlijke spelletjes. Echt, Edward, toen je mij dat scenario gaf, heb ik zelf Londen gevraagd wat ik doen moest. "Volg de opdrachten op", herhaalden ze. "En houd, vóór alles, je mond". Nou dan, zoals je zelf net zei is dat *niet* genoeg. We zouden meer moeten horen. Hoe kan de Speciale Afdeling de verantwoordelijkheid dragen zonder dat we iets weten?'
'Op dit moment is het onze verantwoordelijkheid en nemen wij de beslissingen. Londen heeft daarmee ingestemd en dat zouden ze niet hebben gedaan als ze er niet van overtuigd waren dat dit de beste manier is. Alles moet in de hand worden gehouden; er is geen enkele ruimte voor lekken of misrekeningen. Dat waren overigens de woorden van Londen zelf.'
McAllister boog zich voorover en vouwde zijn handen ineen, zijn knokkels werden wit, zo hard kneep hij. 'Dit wil ik je wel vertellen, Lin. Ik zou bij god willen dat het *niet* onze verantwoordelijkheid was, vooral niet nu ik er middenin zit. Niet dat ik de uiteindelijke beslissingen neem, maar ik zou er liever helemaal geen nemen. Ik ben er niet geschikt voor.'
'Dat zou ik niet zeggen, Edward. Jij bent een van de meest gedegen mensen die ik ooit heb ontmoet, dat heb je twee jaar geleden bewezen. Je bent een briljant analist. Je hoeft zelf de ervaring niet te hebben zo lang je maar doet wat anderen je bevelen. Je hoeft alleen maar overtuiging en begrip te hebben, en die overtuiging staat op heel dat bezorgde gezicht van jou te lezen. Jij zult het juiste doen als je opdracht krijgt in actie te komen.'
'Daar moet ik je, geloof ik, voor bedanken.'
'Wat je wilde is vanavond tot stand gekomen, je zult dus gauw merken of je tot leven gebrachte jager zijn oude vaardigheden nog heeft. In de komende dagen kunnen we de gebeurtenissen blijven volgen, maar meer kunnen we niet doen. Ze liggen niet meer in onze handen. Deze Bourne begint aan zijn gevaarlijke reis.'
'Hij heeft dus de namen?'
'De *echte* namen, Edward. Het zijn de meest gevaarlijke mensen uit de onderwereld van Hongkong en Macao, vechtjassen van het hoogste niveau die bevelen gehoorzamen, leiders die een handeltje opzetten en contracten afsluiten, dodelijke contracten. Als er mensen zijn in de kolonie die iets weten over deze bedrieglijke moordenaar, dan staan ze op die lijst.'
'We beginnen aan fase twee. Goed.' McAllister haalde zijn handen vaneen en keek op zijn horloge. 'Lieve hemel, ik had geen idee van de tijd. Het is een lange dag geweest voor jou. Je had zeker vanavond dat horloge en die manchetknopen niet hoeven terugbrengen.'

'Dat wist ik ook wel.'

'Waarom dan?'

'Ik wil je niet verder belasten, maar we zitten misschien met een onvoor-
zien probleem. In elk geval eentje waaraan we niet hadden gedacht,
dom genoeg.'

'Wat is het?'

'De vrouw is misschien ziek. Haar man voelde er iets van toen hij met
haar sprak.'

'Bedoel je *ernstig?*'

'Dat kunnen we niet uitsluiten, de dokter kan het niet uitsluiten.'

'De *dokter?*'

'Het was niet nodig om jou te alarmeren. Ik heb er een paar dagen geleden iemand van onze medische staf bijgehaald, hij is volkomen betrouwbaar. Ze at niet en ze klaagt over misselijkheid. De dokter dacht
dat het misschien bezorgdheid was of gedeprimeerdheid, of zelfs een vi-
rus, daarom gaf hij haar antibiotica en lichte tranquilizers. Ze is niet beter geworden. Haar conditie is zelfs snel achteruit gegaan. Ze is lusteloos geworden; ze heeft aanvallen van bevingen en nu en dan is ze niet
goed bij haar hoofd. En dat is helemaal niets voor die vrouw, dat kan
ik je verzekeren.'

'Dat is het zeker niet!' zei de onderminister en hij knipperde een paar
maal snel met zijn ogen en tuitte zijn lippen. 'Wat kunnen we doen?'

'Volgens de dokter moet ze direct in een ziekenhuis worden opgenomen
ter observatie.'

'Dat *kan* niet! Mijn *god,* dat is uitgesloten!'

De Chinese inlichtingenfunctionaris stond op uit zijn stoel en liep langzaam op het bureau af. 'Edward,' begon hij rustig. 'Ik weet niet wat
voor vertakkingen deze operatie allemaal heeft, maar ik kan heel zeker
een paar fundamentele doelstellingen uitdokteren, eentje vooral. Ik
moet je tot mijn spijt vragen: wat gebeurt er met David Webb als zijn
vrouw ernstig ziek is? Wat gebeurt er met onze Jason Bourne als ze
sterft?'

12

'Ik moet haar medische voorgeschiedenis hebben, en liefst zo snel als
u die maar te pakken kunt krijgen, majoor. Dat is een opdracht, meneer, van een vroegere luitenant bij Harer Majesteits Geneeskundige
Troepen.'

*Dat is de Engelse arts die me heeft onderzocht. Hij is heel beleefd, maar
kil, en ik vermoed dat hij een verschrikkelijk goede dokter is. Hij weet
het niet meer. Dat is prima.*

'We zorgen wel dat we die krijgen, we vinden er wel wat op. Zei u dat

156

ze niet meer wist wie haar huisarts is in Amerika?'

Dat is die vette Chinees die altijd beleefd is – een beetje zalvend, maar toch wel oprecht. Hij is aardig voor me geweest en zijn mensen zijn ook aardig tegen me geweest. Hij volgt bevelen op, zoals ze dat allemaal doen, maar ze weten niet waarom.

'Zelfs in haar heldere periodes is ze soms dingen vergeten en dat is niet erg bemoedigend. Het zou een verdedigingsblok kunnen zijn wat aangeeft dat ze zich bewust is van een voortschrijdende aandoening die ze wil tegenhouden.'

'Dat kan bij haar niet, dokter. Zij is een sterke vrouw.'

'Psychologische kracht is relatief, majoor. De sterksten onder ons hebben er vaak grote moeite mee te accepteren dat we sterfelijk zijn. Hun ego wijst dat eenvoudig af. Zorg dat ik haar voorgeschiedenis krijg. Die *moet* ik hebben.'

'Washington zal worden gebeld en de mensen daar zullen verder bellen. Ze weten waar ze woont, ze kennen haar omstandigheden en in heel korte tijd weten ze wie de buren zijn. Iemand zal het ons wel vertellen. We vinden die dokter wel.'

'Ik wil alles op een computeruitdraai via de satelliet. We hebben daar de apparatuur voor.'

'Alle informatie die wordt overgeseind moet op ons kantoor worden ontvangen.'

'Dan ga ik met u mee. Heel eventjes nog.'

'U bent bang, nietwaar dokter?'

'Als het een neurologische aandoening is, is dat altijd een angstige zaak majoor. Als uw mensen snel werken kan ik misschien zelf met haar dokter praten. Dat zou het allerbeste zijn.'

'U hebt niets gevonden toen u haar onderzocht?'

'Alleen mogelijkheden, niets concreets. Ze heeft inderdaad pijn, maar ze heeft ook weer geen pijn. Ik laat morgen CAT-scanning doen.'

'U bent *echt* bang.'

'Ik doe het in mijn broek, majoor.'

Mooi zo, jullie doen allemaal precies wat ik jullie wilde laten doen. Lieve hemel, wat heb ik een honger! Ik blijf vijf uur achter elkaar eten zo gauw ik hier uit ben – en ik zal eruit komen! David, heb je het begrepen? Heb je begrepen wat ik je zei? Esdoorns hebben esdoornbladeren; je ziet ze zoveel, schat, je herkent ze zo gemakkelijk. Eén enkel blad stelt Canada voor. De ambassade! Hier in Hongkong is 't het consulaat! Dat hebben we in Parijs gedaan, lieveling. Toen was het afschuwelijk, maar hier zal het niet afschuwelijk zijn. Ik zal daar iemand kennen. In Ottawa heb ik zoveel cursussen gegeven aan mensen die posten kregen over de hele wereld. Jouw geheugen is nog niet helemaal goed, schat, maar het mijne is helder. En je moet begrijpen, David, dat de mensen met wie ik toen had te maken niet zo heel erg verschillen van de mensen

die me nu vasthouden. Op een bepaalde manier zijn het natuurlijk ro-
bots, maar het zijn ook individuen die denken en vragen stellen en zich
afvragen waarom men hen bepaalde dingen wil laten doen. Maar ze
werken volgens het boekje, schat, want als ze dat niet doen komen er
slechte aantekeningen op hun dienststaat, en dat is nog erger dan ont-
slag — wat maar zelden gebeurt — omdat het betekent dat ze niet meer
worden bevorderd, in een vacuüm terechtkomen. Ze zijn eigenlijk aar-
dig voor me geweest — lief zelfs — alsof ze zich schamen voor wat ze
moeten doen, maar ze moeten nu eenmaal hun werk verrichten. Ze den-
ken dat ik ziek ben en ze maken zich zorgen om mij, echte zorgen. Het
zijn zeker geen misdadigers of moordenaars, lieve David. Het zijn amb-
tenaren die zoeken naar leiding! Het zijn ambtenaren, David! Deze hele
ongelooflijke zaak draagt het stempel van de REGERING. *Ik weet het!*
Het is het soort mensen met wie ik jarenlang heb gewerkt. Ik was een
van hen!

Marie opende haar ogen. De deur was dicht, de kamer leeg, maar ze
wist dat er buiten een bewaker stond, ze had gehoord hoe de Chinese
majoor zijn opdrachten gaf. Niemand mocht in haar kamer komen behalve de Engelse dokter en twee bepaalde verpleegsters die de bewaker
kende en die tot morgenvroeg dienst hadden. Ze kende de regels, en omdat ze die kende kon ze die ook overtreden.

Ze ging zitten — *verrek, wat heb ik een honger!* — en ze had er stiekem
lol in als ze dacht aan haar buren in Maine die men nu naar haar dokter
ging vragen. Ze kende haar buren nauwelijks en er *was* geen dokter. Ze
woonden nog geen drie maanden in het universiteitsstadje, waren met
Davids voorbereidingen begonnen tijdens de cursussen aan het einde
van de zomer, en ze hadden zoveel problemen gehad met het huren van
een huis en met uit te vinden wat de pas getrouwde vrouw van een pas
benoemde assistent-professor behoorde te doen of te zijn, met het zoeken naar de winkels en de wasserij en het beddegoed en het linnengoed
en alles wat een vrouw doet om een huis in te richten, dat er gewoon
geen tijd was geweest om aan een dokter te denken. Lieve hemel, ze
hadden acht maanden lang dokters over de vloer gehad en ze zou er het
liefst helemaal geen meer zien, behalve dan Mo Panov.

Vóór alles was David er geweest, die zich een weg vocht uit zijn eigen
tunnels, zoals hij die noemde, die zo zijn best deed zijn pijn te verbijten,
zo dankbaar was wanneer hij weer wat licht zag en zich dingen herinnerde. Mijn *god*, hoe had hij zich geworpen op zijn boeken, dolblij wanneer er weer hele stukken historie bij hem terugkwamen en weer afge-
remd bij het angstige besef dat het alleen maar stukken van zijn eigen
leven waren die hem ontgingen. En 's nachts voelde ze dan zo vaak het
bewegen van het bed en ze wist dat hij opstond om alleen te zijn met
zijn vaag geformuleerde gedachten en de spookbeelden die hem kwel-
den. Dan wachtte ze even en ging naar de gang waar ze op de trap ging

zitten luisteren. En een hele enkele keer gebeurde het dan: het zachte snikken van een sterke, trotse man in diepe pijn. Dan ging ze naar hem toe en hij wendde zich af. Hij schaamde zich te zeer en zijn pijn was te erg. Dan zei ze: 'Je vecht hier niet alleen tegen, lieveling. We vechten samen. Net zoals we vroeger vochten'. Dat bracht hem aan het praten, eerst weifelend, dan met meer overtuiging en ten slotte volgden de woorden elkaar steeds sneller op totdat de sluisdeuren openbarstten en hij dingen vond, dingen ontdekte. *Bomen, David! Mijn lievelingsboom, de esdoorn. Het esdoornblad, David! Het consulaat, schat!* Ze moest aan het werk. Ze greep naar de bel die boven haar hoofd hing en drukte op de knop voor de verpleegster.

Twee minuten later ging de deur open en er kwam een Chinese verpleegster binnen van midden veertig, in een gesteven en vlekkeloos verpleegstersuniform. 'Wat kan ik voor je doen, kind?' ze ze vriendelijk in een Engels met een grappig accent.

'Ik ben verschrikkelijk moe maar ik kan gewoon niet in slaap komen. Mag ik misschien een pil die me wat helpt?'

'Ik zal het je dokter vragen, hij is nog hier. Ik weet zeker dat het zal mogen.' De verpleegster ging weg en Marie kwam uit bed. Ze liep naar de deur. De slecht passende ziekenhuisjapon gleed omlaag over haar linkerschouder en door de airconditioning had ze het koud omdat er een spleet zat op haar rug. Ze opende de deur en bracht de gespierde jonge bewaker aan het schrikken die rechts van de deur op een stoel zat.

'Ja, mevrouw...?' De bewaker sprong overeind.

'*Ssstt!*' beval Marie, met haar wijsvinger op haar lippen. 'Kom eens binnen! *Snel!*'

De jonge Chinees liep stomverbaasd achter haar aan de kamer in. Ze liep snel naar het bed, ging erop liggen maar trok het dek niet omhoog. Ze hield haar rechterschouder omlaag, de nachtjapon gleed naar beneden en werd nauwelijks op haar plaats gehouden door de volheid van haar borst.

'Kom eens hier!' fluisterde ze. 'Ik wil niet dat iemand me hoort.'

'Wat is er, mevrouw?' vroeg de bewaker; zijn blik vermeed Marie's naakte huid en richtte zich op haar gezicht en haar lange, kastanjebruine haren. Hij zette een paar stappen vooruit maar bleef nog op afstand.

'De deur is dicht. Niemand kan u horen.'

'Ik wil dat u...' Haar gefluister was haast niet te horen.

'Zelfs ik kan u niet verstaan, mevrouw.' De man kwam dichterbij.

'U bent de aardigste van mijn bewakers. U bent heel goed voor me geweest.'

'Er was geen enkele reden om dat niet te zijn, mevrouw.'

'Weet u waarom ik hier word vastgehouden?'

'Voor uw eigen veiligheid,' loog de bewaker, met een nietszeggende blik.

159

'Zo,' Marie hoorde de voetstappen op de gang dichterbij komen. Ze bewoog haar lichaam; de japon gleed verder omlaag en haar benen kwamen bloot. De deur ging open en de verpleegster kwam binnen.

'O?' De Chinese vrouw schrok. Het was duidelijk dat ze iets zag wat ze weerzinwekkend vond. Ze keek de verlegen bewaker aan terwijl Marie haar deken omhoog trok. 'Ik vroeg me al af waarom je niet buiten was.'

'Mevrouw wilde met me spreken,' antwoordde de man.

De verpleegster keek snel even Marie aan. 'Ja?'

'Dat beweert hij.'

'Dit is idioot,' zei de gespierde bewaker terwijl hij naar de deur liep en die opende. 'Mevrouw is ziek,' voegde hij eraan toe. 'Ze ijlt zo nu en dan. Ze zegt dwaze dingen.' Hij ging naar buiten en trok de deur hard achter zich dicht.

De verpleegster keek Marie opnieuw aan, nu met een vragende blik. 'Voel je je goed?' vroeg ze.

'Ik ijl niet en ik ben niet degene die dwaze dingen zegt. Maar ik doe wat me wordt gezegd.' Marie zweeg even en vervolgde toen: 'Wanneer die reusachtige majoor weggaat uit het ziekenhuis, wilt u dan even bij me komen? Ik moet u iets vertellen.'

'Het spijt me, dat kan ik niet doen. Je moet rusten. Kijk eens, ik heb een slaapmiddel voor je. Ik zal even wat water pakken.'

'U bent een *vrouw*,' zei Marie en ze staarde de verpleegster doordringend aan.

'Ja,' stemde de oosterlinge in met nietszeggende stem. Ze zette een papieren drinkbekertje met een pil erin op Marie's nachtkastje en liep weer naar de deur. Ze keek nog één keer onderzoekend naar haar patiënte en ging weg.

Marie kwam uit bed en liep zachtjes naar de deur. Ze legde haar oor op het metalen paneel; buiten in de gang hoorde ze de gedempte geluiden van snel gesproken woorden over en weer, kennelijk Chinees. Wat er dan ook werd gezegd en hoe dat korte, opgewonden gesprek ook verliep, ze had haar zaadje geplant. *Doe een beroep op het visuele,* had Jason Bourne steeds maar weer benadrukt tijdens de hel die ze in Europa hadden doorgemaakt. *Dat werkt veel effectiever dan wat ook. Men trekt de conclusies die jij wilt laten trekken veel vaker op basis van wat men ziet dan op grond van de meest overtuigende leugens die je kunt bedenken.*

Ze liep naar de kleerkast en trok die open. De paar dingen die ze voor haar in Hongkong hadden gekocht hadden ze achtergelaten in het appartement, maar de broek, blouse en schoenen die ze gedragen had op de dag dat ze haar naar het ziekenhuis brachten hingen in de kast; het was bij niemand opgekomen die weg te halen. Waarom zouden ze dat doen? Ze konden zelf zien dat de vrouw heel erg ziek was. Het beven en de stuiptrekkingen hadden hen overtuigd, die hadden ze allemaal gezien. Jason Bourne zou dat begrijpen. Ze keek even naar de kleine, witte telefoon op het nachtkastje. Het was een plat toestelletje waarin alles was verwerkt, de kiesknoppen zaten in de hoorn gebouwd. Ze dacht even na, maar er was niemand die ze kon bellen. Ze liep naar het nachtkastje en pakte het apparaat op. Ze hoorde geen enkele toon, en dat had ze al verwacht. Ze had het belletje voor de verpleegster; meer had ze niet nodig en meer was haar niet toegestaan.

Ze liep naar het raam en trok het witte rolgordijn op. De nacht begroette haar. De lucht hing vol met de glinsterende, gekleurde lichten van Hongkong en ze bevond zich dichter bij de lucht dan bij de grond. Zoals David, of liever gezegd Jason zou zeggen: *Daar is niets aan te doen. De deur. De gang.*

Daar was niets aan te doen.

Ze liep naar de wasbak. De tandenborstel en tandpasta die ze van het ziekenhuis had gekregen zaten nog in een plastic wikkel; ook de zeep was nog niet gebruikt, die zat nog in het papier van de fabrikant, waarop de reklamekreet een reinheid beloofde, zuiverder dan de zoete adem van de engelen.

Dan was er de badkamer nog. Niet veel verschil, alleen een bak voor gebruikt maandverband en een bordje in vier talen waarop stond wat je met die verbanden niet moest doen. Ze liep de kamer weer in. Wat zocht ze? Wat het dan ook was, ze had het nog niet gevonden.

Bekijk alles nauwkeurig. Je vindt altijd iets wat je kunt gebruiken. Jasons woorden, niet die van David. Toen zag ze het.

Aan bepaalde ziekenhuisbedden, en dit was er zo een, zit een zwengel onder de voetplank, waarmee je de hoogte van het bed kunt instellen door eraan te draaien. Die zwengel is afneembaar en ze wordt vaak weggehaald, wanneer een patiënt intraveneus wordt gevoed of als een dokter hem in een bepaalde positie wil laten liggen, bijvoorbeeld wanneer hij in een rekverband ligt. Een verpleegster kan de zwengel losmaken en weghalen door erop te drukken, hem naar links te draaien en hem los te rukken wanneer de sluitpal loslaat. Dit wordt vaak gedaan tijdens de bezoekuren, wanneer bezoekers zouden kunnen zwichten voor de wens van een patiënt om van lighouding te veranderen, tegen het bevel van de arts in. Marie kende dit bed en ze kende die zwengel. Toen David aan het herstellen was van zijn verwondingen die hij had opgelopen in Treadstone 71, werd hij in leven gehouden door intraveneuze voeding; ze had op de verpleegsters gelet. De pijn van haar toekomstige man was meer dan ze kon verdragen en de verpleegsters beseften kennelijk dat ze de medische behandeling zou kunnen verstoren in haar verlangen de pijn van haar man te verlichten. Ze wist hoe ze de zwengel eruit moest halen, en als die er eenmaal uit was, was het niets minder dan een zwaar hoekijzer.

Ze trok hem eruit en klom weer in bed terwijl ze de zwengel onder de dekens stopte. Ze wachtte en bedacht hoe verschillend haar twee mannen waren, in één man. Haar minnaar, Jason, kon zo koud en geduldig zijn, in afwachting van het moment waarop hij kon toeslaan, kon verrassen, zich op geweld kon verlaten om in leven te blijven. En haar echtgenoot, David, zo meegaand, zo bereid te luisteren, de geleerde , die tegen elke prijs geweld vermeed omdat hij het allemaal al had meegemaakt en de pijn en de angst verafschuwde — en meer dan alles nog de noodzaak om je gevoelens af te sluiten en een dier te worden. En nu werd er van hem geëist dat hij de man werd die hij haatte. David, mijn *David!* Hou je hoofd erbij! Ik *hou* zoveel van je!

Geluiden in de gang. Marie keek op de klok op haar nachtkastje. Er waren zestien minuten verstreken. Ze legde beide handen op het dek toen de verpleegster binnenkwam en liet haar oogleden zakken, alsof ze doezelig was.

'Goed dan, kind,' zei de vrouw en ze liep een paar stappen op haar toe. 'Ik heb het met je te doen, dat zal ik niet ontkennen. Maar ik heb mijn opdrachten, ik heb hele duidelijke instructies wat jou betreft. De majoor en uw dokter zijn weg. Wat wilde je nu tegen me zeggen?'

'Niet... nu,' fluisterde Marie en ze liet haar kin zakken, haar gezicht was meer slapend dan wakend. 'Ik ben zo moe. Ik heb... de pil genomen.'

'Gaat het om de bewaker buiten?'

'Hij is ziek. ...Hij raakt me nooit aan, het kan me niets schelen. Hij bezorgt me dingen... Ik ben *zo* moe.'

'Wat bedoel je met "ziek"?'

'Hij... kijkt graag naar vrouwen... Hij valt me niet lastig wanneer ik... slaap.' Marie's ogen vielen helemaal dicht.

'Zang!' fluisterde de verpleegster. 'Smerig, *smerig!'* Ze draaide zich om, liep naar buiten, sloot de deur achter zich en zei tegen de bewaker: 'De vrouw slaapt! Begrijp je me!'

'Dat komt heel erg goed uit.'

'Ze zegt dat je haar nooit aanraakt!'

'Daar heb ik zelfs nog nooit aan gedacht.'

'Laat dat dan nu ook maar uit je hoofd!'

'Ik laat me door jou de les niet lezen, kreng dat je bent. Ik heb mijn plichten.'

'Hou je daar dan aan! Ik zal morgenvroeg met majoor Lin Wenzu praten!' De vrouw keek de man woedend aan en liep de gang door, met een strijdlustige pas en houding.

'Hé, *jij!'* Het schelle fluisteren kwam van Marie's deur die op een kier stond. Ze trok die nog wat verder open en zei: 'Die *verpleegster!* Wie is dat?'

'Ik dacht dat u sliep, mevrouw,' zei de verbaasde bewaker.

'Ze zei me dat ze je dat zou gaan vertellen.'

'Wat?'

'Ze komt straks *terug!* Ze zegt dat er verbindingsdeuren zijn naar de andere kamers. Wie *is* ze toch?'

'*Wat* zei ze?'

'Hou je mond! Kijk me niet aan! Ze zal je *zien!*'

'Ze is de gang afgelopen en rechtsaf gegaan.'

'Dat weet je maar nooit. Elke verandering is geen verbetering! Weet je wat ik bedoel?'

'Ik weet helemaal niet meer wat wie dan ook bedoelt!' klaagde de bewaker en hij sprak die woorden zacht en heel opvallend tot de muur tegenover hem. 'Ik weet niet wat zij bedoelt en ik weet niet wat *u* bedoelt, mevrouw!'

'Kom even binnen. *Schiet op!* Volgens mij is zij een communiste! Uit Peking!'

'*Beijing?*'

'Ik weiger om met haar mee te gaan!' Marie trok de deur dicht en ging er aan de binnenkant naast staan, met haar rug tegen de muur.

De bewaker stormde naar binnen en smakte de deur achter zich dicht. De kamer was onverlicht, alleen het licht in de badkamer was aan, het scheen flauw naar binnen omdat de badkamerdeur slechts op een kier stond. De man was zichtbaar maar hij kon zelf niets zien. 'Waar bent u, mevrouw? Blijf rustig. Zij zal u nergens mee naar toe nemen...'

Meer kon de bewaker niet uitbrengen. Marie had de metalen zwengel tegen de basis van zijn schedel geslagen met de kracht van een boerendeerne uit Ontario die heel goed de zware zweep weet te hanteren tijdens het drijven van het vee. De bewaker zakte ineen. Ze knielde neer en deed snel haar werk.

De Chinees was gespierd maar niet groot, niet lang. Marie was ook niet groot, maar ze was rijzig voor een vrouw. Met hier wat trekken en daar wat duwen pasten de kleren van de bewaker redelijk goed om snel weg te komen, maar haar haren vormden een probleem. Ze keek om zich heen. *Bekijk alles nauwkeurig. Je vind altijd iets wat je kunt gebruiken.* Ze vond het ook. Aan een stang van het nachtkastje hing een handdoek. Die trok ze eraf, hield haar haar bijeen boven op haar hoofd, draaide de handdoek erom en stopte het uiteinde van de doek in een plooi. Het zag er ongetwijfeld dwaas uit en ze moesten haar niet al te nauwkeurig bekijken, maar het leek tenminste een beetje op een tulband.

De bewaker, die alleen nog maar zijn ondergoed en sokken aan had, kreunde en begon overeind te komen en zakte toen weer bewusteloos ineen. Marie rende naar de kast, graaide haar eigen kleren eruit, liep naar de deur en trok die behoedzaam open, maar enkele centimeters. Twee verpleegsters — één oosterse en de andere een Europese — stonden in de gang zacht met elkaar te praten. De Chinese was niet de vrouw die

163

bij haar was teruggekomen om naar haar klacht over de bewaker te luisteren. Er kwam nog een verpleegster bij, die even knikte tegen de andere
twee en toen rechtstreeks naar een deur liep aan de andere kant van de
gang. Het was een linnenkamer. Op het afdelingsbureau, zo'n vijftien
meter verderop in de gang, ging een telefoon over. Voor het bureau
splitste de gang zich in tweeën. Aan het plafond hing een bordje *Uitgang* en de pijl wees naar rechts. De twee verpleegsters die met elkaar
stonden te praten liepen op het bureau af, de derde kwam uit de linnenkamer met een stapeltje lakens. *Het beste kun je ontsnappen door het
in fasen te doen en gebruik te maken van elke verwarring die er is.*
Marie sloop de kamer uit en rende door de gang naar de linnenkamer.
Ze ging naar binnen en deed de deur dicht. Ineens weergalmde de gang
van het protest-geschreeuw van een vrouw en dat deed haar versteend
staan. Ze kon de rennende voetstappen horen die naderbij kwamen;
toen nog meer voetstappen.
'De bewaker!' gilde de Chinese verpleegster in het Engels. 'Waar is die
gore bewaker?'
Marie zette de deur op een kiertje. Drie opgewonden verpleegsters ston-
den voor haar ziekenkamer, ze renden naar binnen.
'Jij! Je hebt je kleren uitgetrokken! *Zang sile* gore vent! Kijk in de bad-
kamer!'
'Jij!' gilde de bewaker onzeker. 'Jij hebt haar laten *ontsnappen!* Ik zal
tegen mijn meerderen zeggen dat het jouw schuld was.'
'Laat me los, gore vent! Je staat te liegen!'
'Jij bent een *communiste!* Uit *Beijing!*'
Marie glipte uit de linnenkast met een bundel handdoeken over haar
schouder en rende naar het punt waar de gang zich splitste en het bordje
Uitgang hing.
*'Bel majoor Lin! Ik heb een communistische infiltrant gevangen!
Bel de politie! Hij is een seksmaniak!'*

Buiten het ziekenhuis rende Marie het parkeerterrein op, ze zocht het
donkerste deel op en ging hijgend tussen twee auto's zitten. Ze moest
nadenken; ze moest de situatie in zich opnemen. Ze mocht nu geen fouten maken. Ze liet de handdoeken en haar kleren vallen en begon de
zakken van de bewaker door te snuffelen, op zoek naar een portemonnee of een portefeuille. Die vond ze. Ze opende hem en telde het geld
in het zwakke licht. Er zat iets meer dan 600 Hongkong dollars in, wat
iets minder was dan honderd Amerikaanse dollars. Het was nauwelijks
genoeg voor een hotelkamer. Toen zag ze een credit-card van een bank
in Kowloon. *Zorg dat u die altijd bij u hebt.* Als het niet anders kon
zou ze met de kaart betalen, als ze niet anders kon en als ze een hotelkamer kon vinden. Ze haalde het geld eruit en de plastic kaart, stopte de
portefeuille weer in de zak en begon aan het moeizame karwei zich te

verkleden terwijl ze de straten bekeek rond het ziekenhuis. Tot haar opluchting waren die vol mensen en die mensenmassa's vormden haar directe bescherming.

Ineens schoot er een auto de parkeerplaats op, met gillende banden terwijl hij plotseling stopte voor de deur van *Spoedopname*. Marie kwam overeind en keek door de autoraampjes. De gezette Chinese majoor en de kille, precieze dokter sprongen uit de wagen en renden naar de ingang. Toen ze verdwenen door de deuren holde Marie het parkeerterrein af en de straat op.

Ze liep uren aan één stuk en bleef zich staan volproppen bij een snelbuffet tot ze geen hamburger meer kon zíen. Ze ging naar het damestoilet en bekeek zich in de spiegel. Ze was magerder geworden en er waren donkere kringen onder haar ogen, maar al met al leek ze op zichzelf. Maar dat verdomde *haar!* Ze zouden heel Hongkong voor haar op z'n kop zetten en het eerste wat ze doorgaven bij elk signalement zouden haar lengte zijn en haar haren. Aan haar lengte kon ze weinig doen, maar haar kapsel kon ze drastisch veranderen. Ze liep een drogist binnen en kocht haarspelden en een paar klemmetjes. Toen dacht ze terug aan wat Jason haar in Parijs had gezegd te doen, toen haar foto in de kranten was verschenen. Ze maakte een wrong van haar haar en stak beide kanten strak tegen haar hoofd. Het resultaat was een veel harder gelaat, dat nog werd benadrukt door haar gewichtsverlies en het gebrek aan make-up. Het was het effect dat Jason — David — had willen hebben in Parijs. ...Nee, bedacht ze, in Parijs was het David niet. Het was Jason Bourne. En het was nu ook donker, net als in Parijs.

'Waarom doet u dat, juffrouw?' vroeg een winkelmeisje dat aan de cosmeticabalie stond bij de spiegel. 'U hebt zulk mooi haar, heel mooi.'
'Och, ik heb er genoeg van het steeds te moeten kammen, meer niet.'
Marie verliet de drogist, kocht platte sandalen van een straatventer en een namaak Gucci tas van een andere — de *c*'s stonden op hun kop. Ze had nog vijfenveertig Amerikaanse dollars over en ze had er geen idee van waar ze de nacht zou doorbrengen. Het was zowel te laat als te vroeg om naar het consulaat te gaan. Een Canadese die zich daar na middernacht meldde en naar een lijst informeerde van het personeel vroeg gewoon om moeilijkheden, en ze had ook nog geen tijd gehad te bedenken hoe ze het zou inkleden. Waar kon ze toch naar toe? Ze moest slapen. *Kom niet in actie wanneer je moe bent of uitgeput. Dan is de kans te groot dat je fouten maakt. Rust is een wapen. Vergeet dat niet.* Ze passeerde een winkelgalerij die aan het sluiten was. Een jong Amerikaans stelletje in blauwe spijkerbroeken stonden af te dingen bij de eigenaar van een kraampje met т-shirts.
'Hé, toe nou, man,' zei de jongeman. 'Je wilt vanavond toch zeker nog wel iets verkopen, of niet soms? Ik bedoel maar, dan zul je wat van je

winst afdoen, maar je hebt toch maar weer wat *dinero's* in je zak, klopt?'

'Geen dinero's,' riep de handelaar glimlachend uit. 'Alleen maar dollars en die biedt u te weinig! Ik heb kinderen. U haalt het voedsel weg uit hun arme mondjes!'

'Hij heeft waarschijnlijk ook nog een restaurant,' zei het meisje.

'U wilt restaurant? Onvervalst echt Chinees eten?'

'Verrek, je hebt gelijk, Lacy!'

'Mijn derde neef van mijn vaderskant heeft een uitstekend buffet, twee straten verder. Heel dichtbij, heel goedkoop, heel lekker.'

'Vergeet 't maar,' zei de jongen. 'Vier Amerikaanse dollars voor de zes hemden. Graag of niet.'

'Graag. Alleen omdat u te sterk voor mij bent.' De handelaar graaide naar de aangeboden biljetten en stopte de T-shirts in een papieren zak.

'Je bent geweldig, Buzz.' Het meisje kuste hem op de wang en lachte. 'Hij maakt waarschijnlijk nóg vierhonderd procent winst.'

'Zo gaat dat nu altijd met afgestudeerde economiestudenten zoals jij! Je houdt geen rekening met de esthetische kant van de zaak. De geuren van de jacht, het plezier van het bekvechten!'

'Als wij ooit trouwen zal ik jou voor de rest van je ellendige leven moeten onderhouden, geweldige onderhandelaar die je bent.'

Kansen zullen zich voordoen. Herken ze voor wat ze zijn en grijp ze aan. Marie liep op de twee studenten af.

'Neem me niet kwalijk,' zei ze en ze richtte zich voornamelijk tot het meisje. 'Ik hoorde u praten...'

'Was ik niet *geweldig?*' viel de jongeman haar in de rede.

'Heel handig,' antwoordde Marie. 'Maar ik vermoed dat uw vriendin gelijk heeft. Die T-shirts kosten hem waarschijnlijk minder dan vijfentwintig cent per stuk.'

'Vierhonderd procent,' zei het meisje en ze knikte. 'Keystone mocht willen dat hij het zo kon.'

'*Welke* steen?'

'Een juweliersuitdrukking,' legde Marie uit. 'Het betekent honderd procent.'

'Ik ben aan de heidenen overgeleverd!' riep de jongeman uit. 'Ik studeer kunstgeschiedenis. Ik word nog eens directeur van het Metropolitan!'

'Geloof hem maar niet,' zei het meisje en ze wendde zich tot Marie. 'Het spijt me, we zijn echt niet geschift, we maken alleen maar plezier. We lieten u niet uitpraten.'

'Het is eigenlijk erg vervelend, maar mijn toestel was een dag te laat en ik ben mijn tourgezelschap naar China misgelopen. Het hotel is vol en ik vroeg me af...'

'U wilt ergens pitten?' onderbrak de kunstgeschiedenisstudent haar.

'Ja, inderdaad. Eerlijk gezegd heb ik wel genoeg geld maar ook weer

niet overdadig. Ik ben een lerares uit Maine, economie, het spijt me.'
'Dat hoeft je niet te spijten,' zei het meisje glimlachend.
'Ik voeg me morgen weer bij mijn reisgezelschap, maar jammer genoeg
is dat morgen, niet vanavond.'
'We kunnen u wel helpen, nietwaar, Lacy?'
'Dat weet ik wel zeker. Onze universiteit heeft iets geregeld met de Chinese universiteit hier in Hongkong.'
'De etageservice is niet denderend maar de prijs is goed,' zei de jongeman. 'Drie Amerikaanse dollars per nacht. Maar, gossammekrake!, ze
leven daar nog in het stenen tijdperk!'
'Hij bedoelt dat ze er hier een bepaalde puriteinse code op nahouden.
Jongens en meisjes slapen apart.'
'*Boys and girls together...* ', zong de kunstgeschiedenisstudent. 'Om de
verdommenis niet!' voegde hij eraan toe.

Marie zat op het kampbed in het enorme lokaal onder een plafond van
meer dan zes meter hoog; ze nam aan dat het een gymnastieklokaal was.
Overal om haar heen lagen jonge vrouwen, sommigen in slaap, anderen
wakker. De meesten waren stil maar een paar snurkten er, andere rookten sigaretten en zo nu en dan rende er eentje naar het toilet waar de
Tl-buizen bleven branden. Ze bevond zich tussen kinderen en ze wilde
dat ze ook een kind was nu, vrij van de verschrikkingen die haar overal
omringden. *David, ik heb je nodig! Je denkt dat ik zo sterk ben, maar
schat, ik kan het niet aan! Wat moet ik doen? Hoe moet ik het doen?!
Bekijk alles nauwkeurig en dan vind je wel iets wat je kunt gebruiken.
Jason Bourne.*

13

De razende stortregen sloeg kuiltjes in het zand en ranselde de schijnwerpers die de groteske standbeelden van Repulse Bay verlichtten —
beelden van reusachtige Chinese goden, verbolgen mythen uit de Oriënt
in dreigende houdingen, sommige bijna tien meter hoog. Het donkere
strand was verlaten, maar in het oude hotel verderop langs de weg en
in de ouderwetse hamburgerzaak aan de overkant was het nog erg druk.
Het waren wandelaars en toevallige voorbijgangers, toeristen en bewoners van het eiland, die naar de baai waren gekomen om nog laat iets
te drinken of te eten en te kijken naar de onheilspellende standbeelden
die de naamloze boze geesten die elk moment uit zee konden opduiken
moesten verdrijven. De plotselinge stortbui had de wandelaars naar binnen gedreven. Anderen wachtten tot de storm voorbij zou zijn om daarna naar huis te gaan.
Bourne hurkte doornat in het struikgewas, ruim vijf meter van het

voetstuk van een woest kijkend afgodsbeeld, halverwege op het strand. Hij wreef de regendruppels uit zijn gezicht en staarde naar de betonnen trappen die naar de ingang van het oude Colonial Hotel voerden. Hij zat te wachten op de derde naam op de lijst van de taipan.

De eerste man had geprobeerd hem in de val te laten lopen op de Star Ferry, het afgesproken rendez-vous, maar Jason, in dezelfde kleding die hij ook had gedragen in de Ommuurde Stad, had de twee rondzwervende wachtposten van de man opgemerkt. Het was niet zo gemakkelijk als het zoeken naar mannen met radio's, maar moeilijk was het ook niet geweest. Toen Bourne bij de derde overtocht door de haven nog niet was komen opdagen aan het afgesproken raam aan stuurboord, waren dezelfde twee mannen twee keer voorbij zijn contactman gelopen, beiden hadden heel even iets gezegd en beiden gingen ze een tegengestelde kant op met hun ogen gericht op hun baas. Jason had gewacht tot de veerboot de aanlegsteiger naderde en de passagiers in dichte drommen naar de loopplank in de boeg liepen. De Chinees aan de rechterkant had hij buiten gevecht gesteld door een stomp op de nieren terwijl hij hem tussen de mensen in voorbij liep en vervolgens had hij de man een klap op zijn achterhoofd verkocht met de zware koperen pressepapier. De passagiers dromden in het zwakke licht voorbij. Vervolgens liep Bourne tussen de banken, die steeds leger werden, door naar de andere kant. Hij confronteerde de tweede man, ramde zijn pistool in de maag van de lijfwacht en dwong hem naar de achtersteven te lopen. Hij drong de man achterwaarts de reling over en duwde hem overboord terwijl de scheepsfluit toeterde in het donker en de veerboot afmeerde aan de steiger in Kowloon. Toen keerde hij terug naar zijn contactman bij het verlaten raam midscheeps.

'Jij hebt je woord gehouden,' zei Jason. 'Het spijt me dat ik wat laat ben.'

'Ben *jij* de man die me heeft gebeld?' De blik van de contactman zwierf over Bournes sjofele kleren.

'Dat ben ik.'

'Je ziet er niet uit als iemand met het geld waarover je het had door de telefoon.'

'Daar mag je over denken zoals je wilt.' Bourne haalde een stapeltje opgevouwen Amerikaanse bankbiljetten voor de dag en de briefjes van $ 1000 werden zichtbaar toen hij het openvouwde.

'Jij bent de man.' De Chinees had snel even over Jasons schouders gekeken. 'Wat wil je?' vroeg de man ongerust.

'Informatie over iemand die zich Jason Bourne noemt en die te huur is.'

'Dan heb je de verkeerde te pakken.'

'Ik zal goed betalen.'

'Ik heb niets te koop.'

'Volgens mij wel.' Bourne had het geld weggestoken en zijn pistool te voorschijn gehaald, terwijl hij dichter bij de man ging staan toen de passagiers uit Kowloon aan boord kwamen. 'Je vertelt me wat ik weten wil tegen beloning, of je zult gedwongen worden het te vertellen in ruil voor je leven.'

'Het enige dat ik weet,' had de Chinees geprotesteerd, 'is dat mijn mensen hem met geen vinger willen aanraken.'

'Waarom niet?'

'Hij is niet dezelfde man!'

'Wat zei je daar?' Jason hield zijn adem in en hield de man nauwgezet in de gaten.

'Hij neemt risico's die hij vroeger nooit heeft genomen.' De Chinees keek opnieuw langs Bourne heen en het zweet begon hem uit te breken. 'Hij duikt weer op na twee jaar. Wie weet wat er intussen is gebeurd? Drank, drugs, ziektes van hoeren gekregen, wie weet het?'

'Wat bedoel je met risico's?'

'Precies zoals ik het zeg! Hij loopt een nachtclub in de Tsim Sha Tsui binnen en doodt er vijf man! Hij had gepakt kunnen worden, zijn opdrachtgevers hadden opgespoord kunnen worden! Zoiets zou hij twee jaar geleden nooit hebben gedaan.'

'Misschien heb je de volgorde wel omgekeerd,' zei Jason Bourne. 'Misschien is hij als een bepaalde man naar binnen gegaan en is hij die rel begonnen. Hij doodt als die ene man, gaat weg als een andere en ontsnapt zo in de verwarring.'

De oosterling keek Jason even in de ogen, ineens nog banger dan voorheen en hij nam opnieuw de sjofele, slecht passende kleren op. 'Ja, ik geloof dat zoiets mogelijk is,' zei hij weifelend en hij wreef over zijn hoofd, eerst langs de ene, dan langs de andere kant.

'Hoe kan ik die Bourne bereiken?'

'Ik weet het niet, ik zweer het bij mijn voorvaderen! Waarom vraag je me dat?'

'*Hoe*?' herhaalde Jason, zich tegen de man aandringend, met hun voorhoofden tegen elkaar, het pistool in de onderbuik van de oosterling gedrukt. 'Als je hem met geen vinger wilt aanraken dan weet je wel waar hij kan worden aangeraakt, waar je hem kunt bereiken! Nu, *waar*?'

'O, lieve Jezus!'

'Godverdomme, Hem niet! Bourne!'

'*Macao*! Men fluistert dat Macao zijn basis is, meer weet ik niet, ik zweer het je!' De man keek in paniek naar rechts en links.

'Als je die twee kerels van je soms zoekt, vergeet het dan maar, ik zal je zeggen waar ze zijn,' zei Jason. 'De ene ligt daarginds op een hoopje en voor de andere hoop ik dat hij kan zwemmen.'

'Die mannen zijn... Wie *ben* jij?'

'Ik denk dat je dat weet,' had Bourne geantwoord. 'Ga naar de achter-

steven van de veerboot en blijf daar staan. Als je één stap vooruit zet voordat we aanleggen, zul je nooit geen tweede meer nemen.'
'O, mijn god, jij *bent*...'
'Ik zou die zin maar niet afmaken als ik jou was.'

Bij de tweede naam stond een onwaarschijnlijk adres, een restaurant in Causeway Bay dat gespecialiseerd was in klassiek Frans eten. Volgens de schaarse aantekeningen van Yao Ming deed de man zich voor als de manager maar was hij in werkelijkheid de eigenaar en een aantal van zijn kelners was even handig met pistolen als met dienbladen. Het huisadres van de contactman was niet bekend; hij deed al zijn zaken in het restaurant en men vermoedde dat hij verder geen vast adres had. Bourne was teruggekeerd naar het Peninsula, had zijn jasje uitgetrokken en zijn hoed afgezet, en was haastig door de drukke lobby naar de lift gelopen. Een goed gekleed stel had geprobeerd niet geshockeerd te kijken over zijn uiterlijk. Hij had geglimlacht en verontschuldigd gemompeld: 'Een vossejacht van de zaak. Belachelijk eigenlijk, vindt u niet?'
In zijn kamer had hij zich een paar ogenblikken toegestaan weer David Webb te zijn. Dat was een vergissing, hij kon de spanning van Bournes gedachtengang niet verdragen. *Ik ben hem weer. Dat moet ik zijn. Hij weet wat er gedaan moet worden. Ik niet!* Hij had onder de douche de drek van de Ommuurde Stad en de klamme vochtigheid van de Star Ferry van zich afgespoeld, had zich geschoren en omgekleed voor een laat Frans diner.
Ik zal hem vinden, Marie! Ik zweer je dat ik hem zal vinden! Het was de belofte van David Webb, maar het was Jason Bourne die hem woedend uitschreeuwde.
Het restaurant zag er meer uit als een verfijnd eetpaleis in rococostijl aan de Avenue Montaigne in Parijs dan een bouwsel van één verdieping in Hongkong. Rijk bewerkte kroonluchters hingen aan het plafond, met kleine lampjes die een zwak licht uitstraalden; kaarsen in gesloten houders flakkerden op tafels met zuiver wit linnen en het fijnste tafelzilver en kristal.
'Ik vrees dat we vanavond geen tafels vrij hebben, monsieur,' zei de maître d'hôtel. Hij was de enige Fransman die te zien was.
'Men heeft me gezegd naar Jiang Yu te vragen en te zeggen dat het dringend was,' had Bourne geantwoord, terwijl hij een biljet van honderd Amerikaanse dollars liet zien. 'Denkt u misschien dat *hij* iets kan vinden als hij dit in zijn zak aantreft?'
'*Ik* zal er wel voor zorgen, monsieur.' De maître d'hôtel gaf Jason geraffineerd een hand en nam het geld over. 'Jiang Yu is een gewaardeerd lid van onze kleine gemeenschap, maar ik ben degene die voor alles zorgt. *Comprenez vous*?'
'*Absolument.*'

'*Bien!* U ziet er uit als een representatieve man van de wereld. Deze kant op graag, monsieur.'

Van een diner kwam niets, de gebeurtenissen volgden elkaar te snel op. Binnen enkele minuten nadat zijn apéritief was gebracht was er een slanke Chinees in een zwart pak aan zijn tafeltje verschenen. Als er iets vreemds aan hem was, dacht David Webb, was het zijn donkere huidskleur. En zijn ogen die uitgesproken scheef stonden. Hij had iets van Maleis bloed. *Hou op!* beval Bourne. *Daar schieten we niets mee op!*

'U hebt naar mij gevraagd?' zei de manager terwijl zijn ogen het gezicht afzochten dat naar hem opkeek. 'Wat kan ik voor u doen?'

'U zou eerst kunnen gaan zitten.'

'Het is heel ongewoon bij de gasten aan tafel te gaan zitten, meneer.'

'Niet echt. Niet als de hele zaak van u is. Gaat u alstublieft zitten.'

'Is dit weer zo'n vervelende controle van de belastingdienst? Als dat zo is dan hoop ik dat u smult van uw diner waarvoor u wel moet betalen. Mijn boeken zijn helemaal in orde en ze kloppen precies.'

'Als u denkt dat ik Engelsman ben dan hebt u niet goed naar me geluisterd. En als u met "vervelend" bedoelt dat een half miljoen dollar niet de moeite waard is dan kunt u maar beter opsodemieteren en dan kan ik van mijn diner genieten.' Bourne leunde achterover in de zithoek en pakte zijn glas op met zijn linkerhand. Zijn rechter hield hij verborgen.

'Wie heeft u gestuurd?' vroeg de halfbloed-oosterling, terwijl hij ging zitten.

'Ga wat van die rand vandaan. Ik wil heel zacht met u praten.'

'Ja, natuurlijk.' Jiang Yu schoof op tot hij precies tegenover Bourne zat. 'Ik moet het vragen. Door wie bent u gestuurd?'

'Ik moet u ook iets vragen,' zei Jason, 'houdt u van Amerikaanse films? Speciaal van onze cowboyfilms?'

'Natuurlijk. Amerikaanse films zijn prachtig en ik houd het meest van westerns. Hun vergelding is altijd zo poëtisch, de goeden winnen altijd terecht. Spreek ik de juiste woorden?'

'Ja, inderdaad. Want u speelt op dit moment in zo'n film.'

'Pardon?'

'Ik heb hier onder tafel een heel speciaal pistool. Het is gericht tussen uw benen.' In een fractie van een seconde trok Jason het tafelkleed omhoog, trok het wapen even naar boven zodat de loop te zien was en schoof het pistool onmiddellijk weer op zijn plaats. 'Er zit een geluiddemper op die het geluid van een vijfenveertiger terugbrengt tot het ploppen van een champagnekurk, maar de uitwerking is hetzelfde. *Liao jie mu?*'

'*Liao jie...*' zei de oosterling verstijfd en hijgend van angst. 'Bent u bij de Speciale Afdeling?'

'Ik ben alleen.'

'Het gaat dus niet om een half miljoen dollar?'

'Het gaat om wat u vindt dat uw leven u waard is.'

'Waarom *ik*?'

'U staat op een lijst,' antwoordde Bourne naar waarheid.

'Om *vermoord* te worden?' fluisterde de Chinees en hij snakte naar adem met een vertrokken gelaat.

'Dat hangt van u af.'

'Ik moet u betalen om me niet te *vermoorden*?'

'Ik zekere zin, ja.'

'Ik heb geen half miljoen dollar op zak! En die heb ik ook niet hier in de zaak!'

'Betaal me dan met iets anders.'

'*Wat? Hoeveel?* Ik begrijp u niet!'

'Informatie in plaats van geld.'

'Wat voor informatie?' vroeg de Chinees en zijn angst veranderde in paniek. 'Wat voor informatie zou *ik* nu hebben? Waarom komt u bij mij?'

'Omdat u zaken hebt gedaan met een man die ik wil vinden. De man die te huur is en die zich Jason Bourne noemt.'

'*Nee!* Daar weet ik niets van!'

De handen van de oosterling begonnen te trillen. De aderen in zijn keel klopten en zijn ogen wendden voor het eerst hun blik af. De man had gelogen.

'U liegt,' zei Bourne rustig en hij duwde zijn rechterarm verder onder de tafel terwijl hij zich voorover boog. 'U hebt in Macao contact met hem gehad.'

'In Macao, ja! Maar *geen* contact. Dat zweer ik op de graven van mijn voorvaderen, vele generaties terug!'

'Het scheelt geen haar meer of u bent direct uw maag èn uw leven kwijt. U bent naar Macao gestuurd om contact met hem op te nemen!'

'Ik werd gestuurd, maar ik heb hem *niet* kunnen bereiken!'

'Bewijs me dat dan maar eens. Hoe moest u contact leggen?'

'De *Fransman.* Ik moest op de bovenste traptrede gaan staan van de afgebrande Basilica van Sint Paulus aan de Calcada. Ik moest om mijn nek een zwarte halsdoek dragen en wanneer er een man naar me toe kwam — een Fransman — en iets zei over de schoonheid van de ruïnes, moest ik de volgende woorden zeggen: "Cain is voor Delta". Als hij antwoordde: "En Carlos is voor Cain" moest ik geloven dat hij de schakel was naar Jason Bourne. Maar ik *zweer* u, hij is nooit...'

De rest van zijn protesten ging volledig aan Bourne voorbij. Knetterende explosies denderden door zijn hoofd; in gedachten was hij weer terug. Verblindend wit licht scheen in zijn ogen, de dreunende geluiden waren onverdraaglijk. *Cain is voor Delta en Carlos is voor Cain... Cain is voor Delta! Delta Eén is Cain! Medusa is in beweging; de slang*

gooit haar vel af. Cain is in Parijs en Carlos zal van hem zijn! Zo luid-
den de woorden, de codes, de tartende uitdrukkingen die de Jakhals te
horen kreeg. *Ik ben Cain en ik ben beter en ik ben hier! Kom me maar
halen, Jakhals! Ik daag je uit Cain te vinden, want hij moordt beter dan
jij. Je kunt me maar beter vinden voordat ik jou vind, Carlos. Je kunt
niet op tegen Cain!*

Goeie god! Wie zou er aan de andere kant van de wereld die woorden
kennen − zou ze kunnen weten? Ze lagen opgesloten in de diepste klui-
zen van de geheime dienst! Ze vormden een rechtstreekse schakel met
Medusa!

Bourne had bijna de trekker overgehaald van het onzichtbare pistool,
zo onverwacht kwam de schok van deze ongelooflijke onthulling. Hij
haalde zijn wijsvinger weg en kromde die òm de trekkerbeugel. Het had
weinig gescheeld of hij had een man gedood die sensationele informatie
voor hem had. Maar *hoe?* Hoe kon dat gebeurd zijn? Wie was die schakel naar de nieuwe 'Jason Bourne' die van zoveel op de hoogte was?!
Hij wist dat hij weer tot zichzelf moest zien te komen. Zijn stilzwijgen
verried hem, verried hoe verbijsterd hij was. De Chinees zat hem aan
te staren; heel langzaam schoof hij zijn hand om de rand van de zithoek. 'Trek terug die hand, anders ben je zó je maag en je ballen
kwijt.'

De schouder van de oosterling kwam met een ruk omhoog en zijn hand
verscheen weer op het tafeltje. 'Het is waar wat ik u heb gezegd,' zei
de man. 'Die Fransman kwam helemaal niet opdagen. Als het wel zo
was geweest zou ik u alles vertellen. Dat zou u ook doen als u in mijn
schoenen stond. Ik bescherm alleen mezelf.'

'Wie heeft je gestuurd om contact te leggen? Wie gaf je de juiste woorden om te gebruiken?'

'Eerlijk, dat weet ik echt niet, dat moet u geloven. Alles gaat per telefoon via tussenpersonen die alleen maar datgene weten wat ze moeten
doorgeven. Dat het allemaal klopt wordt bewezen door het geld waarmee ik word betaald.'

'Hoe komt u aan dat geld? Iemand moet het u toch geven.'

'Iemand die ook een niemand is, die zelf is gehuurd. Een onbekend
gastheer van een duur dinertje vraagt de manager te spreken. Ik voldoe
aan zijn verzoek en tijdens ons gesprek wordt me een envelop toege-
schoven. Dan heb ik tienduizend Amerikaanse dollars als tussenpersoon
voor de Fransman.'

'En vervolgens? Hoe bereik je hem?'

'Je gaat naar Macao, naar het Kam Pek Casino in de buitenwijken. Dat
is er voornamelijk voor Chinezen, om *Fan Tan* en *Dai Sui* te spelen. Je
gaat naar tafel Vijf en laat daar het telefoonnummer achter van een hotel in Macao − geen privé-telefoon − en een naam − doet er niet toe
welke − alleen niet je eigen naam, natuurlijk.'

'Hij belt je op dat nummer?'

'Soms wel, soms niet. Je blijft vierentwintig uur in Macao. Als hij dan nog niet heeft gebeld ben je geweigerd omdat de Fransman geen tijd voor je heeft.'

'Dat zijn de regels?'

'Ja. Ik werd twee keer geweigerd en de enige keer dat ik geaccepteerd werd verscheen hij niet op de trappen van de Calcada.'

'Waarom denk je dat je geweigerd werd? Waarom denk je dat hij niet verscheen?'

'Ik heb geen flauw idee. Misschien heeft hij te veel werk voor zijn meester-moordenaar. Misschien had ik de eerste twee keren de verkeerde dingen tegen hem gezegd. Misschien dacht hij de derde keer dat hij verdachte mannen zag op de Calcada, mannen van wie hij meende dat ze bij mij hoorden en niet veel goeds voorspelden. Zulke mensen waren er natuurlijk niet, maar beroep is er niet mogelijk.'

'Tafel Vijf. De croupiers,' zei Bourne.

'De croupiers veranderen voortdurend. Hij heeft zijn afspraak met de tafel. Een rond bedrag denk ik. Dat verdeeld moet worden. En hij gaat zeker niet zelf naar de Kam Pek — hij huurt ongetwijfeld een hoer van de straat. Hij is heel erg voorzichtig, een echte vakman.'

'Ken je nog iemand anders die geprobeerd heeft die Bourne te bereiken?' vroeg Bourne. 'Ik zal weten of je liegt.'

'Dat geloof ik ook. U bent bezeten — en dat gaat mij niks aan — en u hebt me betrapt toen ik de eerste keer nee zei. Nee, ik ken verder niemand, meneer. Dat is de waarheid, want ik heb er geen zin in mijn ingewanden aan flarden te laten schieten met het geluid van een champagnekurk.'

'Eenvoudiger kun je het niet uitdrukken. Met de woorden van een andere man, ik geloof dat ik je geloof.'

'Gelooft u me maar, meneer. Ik ben niet meer dan een koerier, misschien een dure koerier, maar toch niet meer.'

'Ik hoor dat je kelners nog iets anders zijn.'

'Ze hebben niet bijzonder goed uit hun ogen gekeken.'

'Toch moest jij maar met mij naar de deur lopen,' had hij gezegd.

En nu was daar de derde naam, een derde man, in de gietregen aan Repulse Bay. De contactman had gereageerd op de code: *'Ecoutez, monsieur."Cain is voor Delta en Carlos is voor Cain".'*

'We zouden elkaar in Macao ontmoeten!' had de man gegild over de telefoon. 'Waar *was* jij?'

'Ik had het druk,' zei Jason.

'Misschien ben je te laat. Mijn cliënt heeft erg weinig tijd en hij weet erg veel. Hij hoort dat jouw man ergens anders heengaat. Hij maakt zich zorgen. Je had het hem beloofd, Fransman!'

174

'Waar denkt hij dat mijn man naar toe gaat?'

'Hij heeft natuurlijk een andere opdracht. Hij heeft de details gehoord!'

'Hij vergist zich. De man is beschikbaar als we het eens worden over de prijs.'

'Bel me terug over een paar minuten. Ik zal met mijn cliënt praten en zien of de zaak nog doorgaat.'

Bourne had vijf minuten later gebeld. De toestemming werd gegeven, een afspraak gemaakt. Repulse Bay. Over een uur. Het standbeeld van de oorlogsgod halverwege op het strand, links aan de kant van de aanlegsteiger. De contactman zou een zwarte halsdoek dragen, de code zou hetzelfde blijven.

Jason keek op zijn horloge, het was twaalf minuten over de afgesproken tijd. De contactman was laat, maar de regen vormde geen probleem. Integendeel, dat was een voordeel, een natuurlijke dekmantel. Bourne had elke meter van de ontmoetingsplaats verkend, vijftien meter in elke richting waarin hij kon kijken vanaf het standbeeld, en dat had hij gedaan na de afgesproken tijd, minutenlang terwijl hij het pad naar het standbeeld in het oog hield. Tot nu toe was er niets verdachts te zien. Er was geen valstrik gespannen.

Daar zag hij de *Zhongguo ren,* met ingetrokken schouders rende hij in de stortregen de trappen af alsof hij met de vorm van zijn lichaam de regen kon afweren. Hij holde het pad af naar het standbeeld van de oorlogsgod en bleef staan toen hij vlak bij het enorme, grijnzende afgodsbeeld was. Hij bleef aan de rand van het lichtschijnsel, maar zijn nauwelijks zichtbare gelaat was vertrokken van woede omdat hij niemand aantrof.

'Fransman, *Fransman*!'

Bourne holde door het struikgewas terug naar de trappen, keek nog eens goed voordat hij contact ging leggen uit voorzorg om zijn kwetsbaarheid zo gering mogelijk te houden. Voorzichtig sloop hij om de dikke stenen pilaar heen naast de trap en tuurde door de regen naar het hellende pad dat naar het hotel liep. Hij zag wat hij vurig had gehoopt *niet* te zullen zien! Een man in een regenjas en met een hoed op kwam uit het verlopen Colonial Hotel en versnelde zijn pas. Halverwege de trappen bleef hij staan, trok iets uit zijn zak. Hij draaide zich om, even was er een lichtschijnsel zichtbaar... en dat werd meteen beantwoord door precies zo'n korte flits uit een van de ramen van de drukke lobby. Zaklantaarns. Signalen. Een verkenner was op weg naar een uitkijkpost en de man die hem dekte bevestigde dat hij op zijn plaats stond. Jason draaide zich snel om en liep terug door het doornatte struikgewas.

'*Fransman,* waar *ben* je?'

'Hier!'

'Waarom gaf je geen antwoord? *Waar*?'

'Recht voor je uit. De bosjes vlak vóór je. *Schiet op*!'

De contactman liep op het struikgewas af, hij was op een armlengte van hem af. Bourne sprong op, greep hem beet, draaide hem om en duwde hem verder de natte struiken in en terwijl hij dat deed klemde hij zijn linkerhand over de mond van de man. 'Hou je doodstil als je leven je lief is!'

Tien meter verder in het bos langs het strand drukte Jason de contactman tegen een boomstam aan. 'Wie heb je bij je?' vroeg hij ruw en hij haalde langzaam zijn hand weg van de mond van de man.

'*Bij* me? Er is niemand bij me!'

'*Lieg* niet!' Bourne haalde zijn pistool te voorschijn en duwde het tegen de keel van de contactman. Het hoofd van de Chinees sloeg met een klap tegen de boom, ogen en mond wijd open. 'Ik heb geen tijd voor valstrikken!' vervolgde Jason. 'Daar heb ik de *tijd* niet voor!'

'En er is *niemand* bij me! In dit soort werk *moet* ik de waarheid spreken! Als ik dat niet doe kan ik niets beginnen!'

Bourne staarde de man aan. Hij stak het pistool terug in zijn riem, greep de arm van de contactman vast en duwde hem naar rechts. 'Hou je stil. Kom met me mee.'

Anderhalve minuut later waren Jason en de contactman door het klets-natte kreupelhout gekropen naar een plek op het pad zo'n dikke vijf meter links van het reusachtige standbeeld. De stortbui dekte elk geluid dat op een droge avond hoorbaar zou zijn geweest. Ineens greep Jason de oosterling bij de schouder en hield hem tegen. Voor hen uit was de verkenner zichtbaar die gebogen langs de rand van het pad liep met een pistool in de hand. Even liep hij door een lichtplek van de schijnwer-pers, toen was hij verdwenen. Het was maar even geweest, maar het was voldoende. Bourne keek zijn contactman aan.

De Chinees was verbijsterd. Hij kon zijn blik niet losmaken van de lichtplek waar de verkenner zo juist te zien was geweest. Hij stond blik-semsnel na te denken, zijn dodelijke angst nam toe, het was in zijn ogen te zien. '*Sì*,' fluisterde hij. '*Jiàgian*!'

'Met een paar Engelse woorden,' zei Jasons stem in de regen, 'die man is een killer?'

'*Shi*!... Ja.'

'Zeg me eens, wat heb je voor me?'

'Alles,' antwoordde de contactman, nog steeds verstijfd van schrik. 'De aanbetaling, de instructies... alles.'

'Een cliënt stuurt geen geld als hij de man die hij wil huren gaat ver-moorden.'

'Dat weet ik,' zei de contactman zacht. Hij knikte en sloot zijn ogen. 'Ze willen mij vermoorden.'

Wat hij op de havenpromenade tegen Liang had gezegd was profetisch geweest, dacht Bourne. '*Het is geen valstrik voor mij... ze is voor jou.*

176

Jij hebt je werk gedaan en zij kunnen geen sporen achterlaten... Ze
kunnen jou niet langer laten leven.'
'Er is er nog een in het hotel daarginds. Ik zag ze naar elkaar seinen met
zaklantaarns. Daarom kon ik je niet direct antwoorden.'
De oosterling keerde zich om en keek Jason aan, uit zijn ogen bleek
geen zelfmedelijden. 'Dat is het risico van mijn beroep,' zei hij simpelweg. 'Zoals mijn dwaze landslieden dat uitdrukken zal ik naar mijn
voorvaderen gaan en ik hoop maar dat die niet zo dwaas zijn. Hier.'
De contactman stak een hand in zijn binnenzak en haalde er een envelop
uit. 'Hier zit alles in.'
'Heb je het gecontroleerd?'
'Alleen het geld. Het zit er allemaal in. Ik wilde de Fransman niet ontmoeten zonder alles bij me wat hij had geëist en de rest wil ik niet eens
weten.' Plotseling keek de man Bourne strak aan, met ogen die knipper-
den onder de harde regen. 'Maar jij bent de Fransman *niet!*'
'Rustig maar,' zei Jason. 'Het is vanavond allemaal erg snel voor je ge-
gaan.'
'Wie ben je dan?'
'Iemand die jou net heeft laten zien hoe de zaken ervoor staan. Hoeveel
geld heb je meegebracht?'
'Dertigduizend Amerikaanse dollars.'
'Als dat de aanbetaling is moet het slachtoffer een heel belangrijk ie-
mand zijn.'
'Ik neem aan van wel.'
'Hou het maar.'
'*Wat*? Wat zeg je nou?'
'Ik ben de Fransman niet, weet je nog wel?'
'Ik begrijp het niet.'
'Ik wil die instructies niet eens hebben. Ik weet zeker dat iemand die zo
vakkundig is als jij er een goed gebruik van kan maken. Een man be-
taalt goed voor informatie waardoor hij geholpen wordt; hij betaalt nog
een heleboel meer voor zijn leven.'
'Waarom zou jij zoiets doen?'
'Omdat me dit helemaal niks aangaat. Ik wil maar één ding. Ik wil de
man hebben die zich Bourne noemt en ik kan geen tijd verspillen. Jij
hebt nu wat ik je net heb aangeboden, plus nog een extraatje — ik zorg
dat je hier levend uitkomt, al zou ik er twee lijken voor moeten achterlaten hier in de Bay, dat kan me niks schelen. Maar jij moet me geven
wat ik over de telefoon vroeg. Je zei dat je van je cliënt had gehoord
dat de killer van de Fransman ergens anders heen zou gaan. *Waar*?
Waar is *Bourne*?'
'Je praat zo vlug...'
'Ik zei je toch, ik heb geen *tijd*! Zeg het me! Als je het niet doet laat
ik je hier achter en je cliënt zal je vermoorden. Kies maar.'

'Shenzhen,' zei de contactman, alsof hij bang was van de naam.

'*China*? Is er een slachtoffer in *Shenzhen*?'

'Dat mag je wel aannemen. Mijn rijke cliënt heeft bronnen aan Queen's Road.'

'Wat is daar?'

'Het consulaat van de Volksrepubliek. Er is een heel ongewoon visum uitgegeven. Kennelijk was het goedgekeurd door de allerhoogste autoriteiten in Beijing. De bron wist niet waarom en toen hij de opdracht even in twijfel trok werd hij meteen overgeplaatst. Dat bracht hij over aan mijn cliënt. Tegen betaling natuurlijk.'

'Waarom was dat visum zo ongewoon?'

'Omdat er geen wachttijd was en de aanvrager hoefde zich niet te melden in het consulaat. Zoiets komt nooit voor.'

'Maar toch, het was niet meer dan een visum.'

'In de Volksrepubliek bestaat er niet zoiets als "niet meer dan een visum". Zeker niet voor een blanke man die reist op een twijfelachtig paspoort dat is uitgegeven in Macao.'

'Macao?'

'Ja.'

'Voor wanneer is het visum?'

'Morgen. De grens bij Lo Wu.'

Jason keek de contactman aan. 'Je zei dat je cliënt contacten had in het consulaat. Heb jij die ook?'

'Wat u nu denkt kost verschrikkelijk veel geld, want het risico is erg groot.'

Bourne keek op door de regenvlagen naar het verlichte standbeeld verderop. Er bewoog iets; de verkenner zocht naar zijn slachtoffer. 'Wacht hier,' zei hij.

De eerste ochtendtrein van Kowloon naar de grens bij Lo Wu deed er nauwelijks een uur over. Het besef dat hij in China was kwam al na tien seconden.

Lang leve de Volksrepubliek!

Dat uitroepteken was overbodig, de grenswachten waren levende uitroeptekens. Ze stonden stram voor zich uit te staren en gedroegen zich grof, terwijl ze hun rubberstempels op de paspoorten beukten met de woede van vijandige tieners. Maar ze hadden hulptroepen die de slechte indruk wegnamen. Achter de grenswachten stond een rij jonge vrouwen in uniform glimlachend achter een paar lange tafels vol pamfletten die de schoonheid en de deugden van hun land en zijn systeem aanprezen. Als ze huichelden was dat niet te merken.

Bourne had de verraden, bedreigde contactman $ 7000 betaald voor het visum. Het was vijf dagen geldig. Als reden voor het bezoek stond er opgegeven 'zakelijke investeringen in de Economische Zone' en het kon verlengd worden bij de douane in Shenzhen, als er bewijzen werden overlegd van de investering, die bevestigd moesten worden door de aanwezigheid van een Chinese bankier die als tussenpersoon moest optreden voor het geld. Uit dankbaarheid en zonder extra betaling, had de contactman hem de naam gegeven van een bankier in Shenzhen die 'meneer Cruett' gemakkelijk de weg kon wijzen naar investeringsmogelijkheden, omdat genoemde 'meneer Cruett' nog steeds was ingeschreven in het Regent Hotel in Hongkong. Tenslotte was er nog een bonus van de man wiens leven hij had gered in Repulse Bay: het signalement van de man die met een paspoort uit Macao de grens bij Lo Wu was overgestoken. Hij was 'één meter drieëntachtig, vierentachtig kilo, blanke huid, lichtbruin haar'. Jason had die informatie even in zich opgenomen en dacht daarbij onwillekeurig terug aan de gegevens op zijn eigen officiële identiteitskaart: 'LENGTE: één meter drieëntachtig, GEWICHT: vijfentachtig kilo. Blank, mannelijk. HAAR: lichtbruin'. Een vreemd gevoel van angst had zich van hem meester gemaakt. Niet de angst voor een confrontatie; die wilde hij, meer dan wat ook, want hij wilde Marie terugvinden, meer dan wat ook. Nee, het was afschuw omdat hij verantwoordelijk was voor het creëeren van een monster. Een sluipmoordenaar die was voortgekomen uit een dodelijk virus dat hij had geperfectioneerd in het laboratorium van zijn geest en lichaam.

Het was de eerste trein geweest uit Kowloon, en de passagiers waren voornamelijk vaklui en de zakenlieden die werden toegelaten – overgehaald – door de Volksrepubliek in de Vrije Economische Zone van Shenzhen, in de hoop buitenlands geld aan te trekken. Bij elke halte op weg naar de grens, waar steeds meer passagiers instapten, had Bourne door de wagons gelopen en hadden zijn ogen heel even heel intens ieder van de blanke mannen opgenomen, waarvan er in totaal veertien in de trein waren tegen de tijd dat ze Lo Wu bereikten. Niemand had ook maar vaag beantwoord aan de beschrijving van de man uit Macao, zijn eigen signalement. De nieuwe 'Jason Bourne' zou een latere trein nemen. De echte zou wachten aan de andere kant van de grens. Daar wachtte hij nu.

In de vier uur die voorbijgingen legde hij zestien keer uit aan nieuwsgierig douanepersoneel dat hij wachtte op een zakenkennis; hij had kennelijk de vertrektijden verkeerd begrepen en had een veel te vroege trein genomen. Zoals dat gaat met mensen in elk vreemd land, maar vooral in het Oosten, bleek het feit dat een beleefde Amerikaan de moeite had genomen zich verstaanbaar te maken in hun taal een duidelijk voordeel te zijn. Hij kreeg vier koppen koffie aangeboden, zeven koppen gloeiend hete thee en twee van de meisjes in uniform hadden gegiecheld toen ze hem een mierzoet Chinees ijsje aanboden. Hij nam alles aan, het zou onbeleefd zijn geweest te weigeren, en aangezien de meesten van de Bende van Vier niet alleen hun gezicht maar ook hun koppen verloren hadden, was onbeleefdheid niet meer in de mode, behalve voor de grenswachten.

Het was 11.10 uur. De passagiers kwamen te voorschijn door de lange, met hekken afgesloten open gang nadat ze de douane waren gepasseerd, de meesten toeristen, de meesten blanken, en bijna allemaal verbaasd en onder de indruk omdat ze daar waren. Het merendeel hoorde bij kleine reisgezelschappen, vergezeld door gidsen, één uit Hongkong en één uit de Volksrepubliek, die redelijk Engels spraken of Duits of Frans, en met tegenzin Japans voor die bijzonder onwelkome bezoekers die meer geld bezaten dan Marx of Confucius ooit hadden gehad. Jason bekeek iedere blanke man oplettend. De velen die meer dan een meter tachtig lang waren, waren te jong of te oud of te dik of te slank of te opvallend in hun citroengele broeken om de man uit Macao te kunnen zijn.

Wacht! Daarginds! Een oudere man in een bruin gabardine pak die een toerist van middelbare lengte leek te zijn die mank liep, was ineens langer — en hij hinkte niet meer! Hij liep snel de trap af te midden van de mensen en holde de grote parkeerplaats op vol bussen en touringcars en een paar taxi's, elk met een bordje *zhan* — buiten dienst — op hun voorruiten. Bourne rende de man na, ontweek de lijven voor hem, zonder erop te letten wie hij opzij duwde. *Het was de man — de man uit Macao!*

'Hé, ben jij getikt? Ralph, hij heeft me geduwd!'

'Duw dan terug. Wat kan ik daaraan doen?'

'Doe tenminste *iets*!'

'Hij is al weg.'

De man in het gabardine pak sprong in het openstaande portier van een bestelwagen, een donkergroene wagen met getinte ramen die, afgaande op de Chinese lettertekens, behoorde tot een instelling met de naam Chutang Vogelreservaat. Het portier gleed dicht, het voertuig reed onmiddellijk weg van zijn parkeerplaats en zwaaide om de andere wagens heen naar de uitgang. Bourne was ten einde raad, hij kon hem niet laten ontsnappen! Rechts van hem stond een oude taxi met draaiende motor. Hij trok het portier open en werd begroet met een kreet.

'*Zhan*!' gilde de bestuurder.

'*Shi ma*?' brulde Jason en hij trok genoeg Amerikaans geld uit zijn zak om vijf jaar luxe leven in de Volksrepubliek te garanderen.

'*Aiya*!'

'*Zou*!' beval Bourne, terwijl hij op de voorbank sprong en naar de bestelwagen wees die bezig was een halve cirkel te beschrijven. 'Blijf achter hem en je kunt je eigen zaak opzetten in de zone,' zei hij in het Kantonees, 'dat *beloof* ik je!'

Marie, ik ben zo dichtbij! Ik weet zeker dat hij het is! Ik zal hem te grazen nemen! Hij is nu van mij! Hij is onze redding!

De bestelwagen reed met een vaart de uitgang uit, sloeg op het eerste kruispunt rechtsaf en liet het grote plein dat volstond met bussen en waar hele groepen toeristen behoedzaam de eindeloze stroom fietsers ontweken in de straten links liggen. De taxichauffeur vond de bestelwagen weer op een primitieve autoweg die meer was geplaveid met harde klei dan met asfalt. Het voertuig met de donkere ramen was voor hen uit zichtbaar toen het een wijde bocht inreed voor een open vrachtwagen met zware landbouwwerktuigen. Aan het eind van de bocht stond een touringcar te wachten die achter de vrachtwagen de weg opreed. Bourne keek voor de bestelwagen uit. Voor hen lagen heuvels en de weg begon te stijgen. Toen verscheen er nog een touringcar, dit keer achter hen.

'*Shumchun,*' zei de bestuurder.

'*Bin do*?' vroeg Jason.

'Het Shumchun-drinkwaterreservoir,' antwoordde de chauffeur in het Chinees. 'Een prachtig reservoir, een van de mooiste meren in heel China. Het levert drinkwater aan Kowloon en Hongkong. Het is er erg druk met bezoekers in deze tijd van het jaar. Het uitzicht is er magnifiek in de herfst.'

Ineens verhoogde de bestelwagen zijn snelheid, beklom de bergweg en reed weg van de vrachtwagen en de touringcar. 'Kun je niet harder! Haal die bus in, en die vrachtwagen!'

'Veel bochten vóór ons.'

'Probeer het!'

De chauffeur gaf plankgas en zwaaide om de bus heen waarbij hij de uitstulpende motorkap op centimeters na miste toen hij weer de rechterhelft op werd gedwongen door een naderend legervoertuig met twee soldaten in de cabine. Zowel de soldaten als de toeristen gilden tegen hem vanuit de open raampjes. 'Ga in bed maar wat ravotten met jullie lelijke moeders!' krijste de bestuurder, opgewekt door de overwinning die hij had behaald, maar nu met de brede vrachtwagen vol landbouwmachines voor zich die hem de doortocht belette.

Ze naderden een scherpe bocht naar rechts. Bourne hield zich vast aan het raampje en leunde zo ver hij kon naar buiten om een vrij uitzicht te hebben. 'Er komt niets aan!' schreeuwde hij tegen de chauffeur tegen het bulderen van de wind in. 'Vooruit maar! Je kunt er omheen. Nú!'

De bestuurder gehoorzaamde en haalde alles uit de oude taxi wat er nog inzat, waarbij de banden even slipten op een stuk harde klei en de taxi gevaarlijk naar rechts zwiepte voor de vrachtwagen. Nog een bocht, dit keer scherp naar links en een weg die steeds steiler werd. Voor hen uit was de weg recht, tegen een hoge heuvel op. De bestelwagen was nergens te zien; hij was verdwenen over de top van de heuvel.

'*Kuai*!' schreeuwde Bourne. 'Kan dat verdomde kreng niet harder rijden?'

'Hij heeft nog nooit zo hard gereden! Ik ben bang dat die verrekte motor dadelijk uit elkaar spat! En wat moet ik dan doen? Het heeft me vijf jaar gekost om dit koloreding te kopen en een massa kolere steekpenningen om in de Zone te mogen rijden!'

Jason gooide een handvol biljetten op de vloer naast de voeten van de bestuurder. 'Je krijgt tien keer zoveel als we die bestelwagen inhalen! Vooruit nu maar!'

De taxi zeilde over de top van de heuvel en daalde snel af in een reusachtige, nauwe vallei aan de rand van een onmetelijk meer dat zich mijlenver leek uit te strekken. In de verte kon Bourne met sneeuw bedekte bergen onderscheiden en groene eilandjes die her en der in het blauwgroene water van het meer lagen, zo ver het oog reikte. De taxi stopte naast een hoge rood met gouden pagode, bereikbaar via een lange, glimmende betonnen trap. De open balkonnetjes zagen uit over het meer. Overal stonden eetstalletjes en curiositeitenwinkeltjes langs de randen van de parkeerplaats, waar vier touringcars stonden met hun tweetalige gidsen die instructies riepen en hun kudde smeekten aan het einde van hun wandeling niet in de verkeerde bussen te stappen.

De bestelwagen met de donkere ramen was nergens te bekennen. Bourne keek alle kanten uit. Waar *was* die wagen? 'Wat is dat daar voor weg?' vroeg hij de bestuurder.

'Pompstations. Niemand mag die weg oprijden, er wordt gepatrouilleerd door het leger. Om de bocht staat een hoog hek met een wachthuis.'

'Wacht hier.' Jason stapte uit en begon naar de verboden weg te lopen en hij wilde dat hij een camera had of een gids of zoiets zodat hij er meer uitzag als een toerist. Hij kon nu niets beters doen dan wat weifelend lopen met opengesperde ogen zoals een toerist dat zou doen. Hij bekeek alles met evenveel interesse. Hij naderde de bocht in de slecht geplaveide weg; hij zag het hoge hek en een deel van het wachthuis, toen alles. Een lange metalen slagboom lag over de weg, twee soldaten stonden met hun rug naar hem toe te praten en de andere kant uit te kijken, naar twee voertuigen die verderop naast elkaar geparkeerd stonden bij een vierkant, betonnen bouwwerk dat bruin geschilderd was. Een van de voertuigen was de bestelwagen met de donkere raampjes, de andere een grote bruine auto. De bestelwagen zette zich in beweging. Hij reed op de slagboom af!

Bournes gedachten vlogen door zijn hoofd. Hij had geen wapen, het had geen enkele zin er zelfs maar aan te denken er een mee te nemen over de grens. Als hij probeerde die wagen tegen te houden en de killer eruit te sleuren zou de opschudding de aandacht trekken van de wachtposten die hun geweren zeker snel en accuraat zouden gebruiken. Daarom moest hij de man uit Macao naar buiten lokken. Voor de rest was Jason klaar, hij zou de bedrieger op wat voor manier dan ook meenemen.

Mee naar de grens en eroverheen, op wat voor manier dan ook. Geen man kon tegen hem op; geen oog, geen keel, geen lies was veilig tegen een onverhoedse aanval van martelende pijn. David Webb had nooit in die realiteit geleefd. Bourne wel.

Er *was* een manier!

Jason holde terug naar het begin van de verlaten bocht in de weg, buiten het zicht van de poort en de soldaten. Hij nam de houding weer aan van de geboeide toerist en luisterde. Het motorgeluid van de wagen nam af; het kraken betekende dat de slagboom omhoogging. Nog maar even nu. Bourne bleef staan in het bosje naast de weg. Toen de wagen de bocht omkwam koos hij het juiste moment om in actie te komen.

Ineens dook hij op voor het grote voertuig met doodsangst op zijn gelaat en hij sprong opzij tot onder het raampje aan de bestuurderskant en sloeg met vlakke hand keihard op het portier; hij gaf een kreet van pijn alsof hij geraakt was, misschien zelfs wel doodgereden door de bestelwagen. Toen de wagen stopte lag hij languit op de grond. De chauffeur sprong eruit, een onschuldige die zijn onschuld wilde bewijzen. Daarvoor kreeg hij geen kans. Jasons arm lag uitgestrekt; hij gaf een ruk aan de enkel van de man, trok hem onderuit en deed hem met het achterhoofd tegen de zijkant van de bestelwagen belanden. De bestuurder viel bewusteloos neer en Bourne sleurde hem naar de achterkant van de auto onder de getinte ruiten. Hij zag een zwelling onder het jasje van de man; het was een revolver en dat was nauwelijks te verwonderen, gezien zijn vrachtje. Jason trok het wapen te voorschijn en wachtte op de man van Macao.

Hij kwam niet voor de dag. Dat klopte niet.

Bourne rende naar de voorkant van de wagen, greep zich vast aan de met rubber beklede rand onder de bestuurdersstoel en trok zich bliksemsnel omhoog met zijn revolver in de aanslag. Met één oogopslag had hij de achterbanken bekeken.

Niemand. De wagen was leeg.

Hij klom weer naar buiten, liep naar de chauffeur, spuwde in zijn gezicht en sloeg hem op de wangen tot hij bijkwam.

'*Nali*?' fluisterde hij schor. 'Waar is de man die je vervoerde?'

'Daarginds!' antwoordde de bestuurder in het Kantonees en hij schudde zijn hoofd. 'In die officiële auto met een man die niemand kent. Spaar mijn ellendige leven! Ik heb zeven kinderen!'

'Ga weer achter je stuur,' zei Bourne. Hij trok de man op en duwde hem naar het open portier. 'Rij hier weg zo snel als je kunt.'

Meer advies was niet nodig. De bestelwagen schoot het terrein af van het Shumchun-reservoir en vloog met zo'n vaart de bocht door naar de hoofduitgang dat Jason dacht dat hij de bocht zou uitvliegen. *Een man die niemand kent.* Wat wilde dat zeggen? Het deed er niet toe, de man uit Macao zat vast. Hij zat in de grote bruine auto binnen de poort op de verboden weg. Bourne liep op een holletje terug naar de taxi en ging op de voorbank zitten; de bankbiljetten op de vloer lagen er niet meer.

'Bent u tevreden?' vroeg de taxichauffeur. 'Ik krijg tien keer zoveel als u aan mijn onwaardige voeten hebt gegooid?'

'Hou maar op, Charlie Chan! Er komt zo meteen een auto uit die weg naar het pompstation en je gaat precies doen wat ik je zal zeggen. Heb je me begrepen?'

'Begrijpt u tien keer zoveel geld als u hebt laten liggen in mijn gammele, onwaardige taxi?'

'Ik begrijp het. Het zou wel eens vijftien keer zoveel kunnen worden als jij je werk goed doet! Schiet op, *rij weg*. Rij naar de rand van de parkeerplaats. Ik weet niet hoelang we moeten wachten.'

'Tijd is geld, meneer.'

'Och, hou je bek!'

Ze moesten ongeveer twintig minuten wachten. De bruine auto verscheen en Bourne zag wat hij eerder niet had gezien. De raampjes waren nog donkerder getint als die van de bestelwagen. Het was onmogelijk te zien wie erin zat. Toen hoorde Jason de woorden die hij nu helemaal niet verwacht had te zullen horen.

'Neem uw geld maar terug,' zei de chauffeur kalm. 'Ik zal u terugbrengen naar Lo Wu. Ik heb u nooit gezien.'

'*Waarom*?'

'Dat is een officiële auto, een auto van een regeringsfunctionaris, en die rij ik niet achterna.'

'Wacht eens! Wacht nog eens even. *Twintig* keer zoveel als wat ik je heb gegeven, met nog iets extra's als alles goed afloopt! Zolang ik niets anders zeg kun je er een heel eind achterblijven. Ik ben gewoon een toerist die een beetje wil rondkijken. Nee, wacht eens! *Hier,* ik zal het je laten zien! Op mijn visum staat dat ik hier geld investeer. Investeerders mogen hier rondkijken!'

'*Twintig* keer zoveel?' vroeg de bestuurder en hij staarde Jason aan. 'Wat voor garantie heb ik dat u zich aan uw belofte zult houden?'

'Ik zal het op de bank leggen, tussen ons in. Jij rijdt, je zou met deze auto een heleboel kunnen uithalen waarop ik niet ben voorbereid. Ik zal niet proberen het terug te pakken.'

'*Goed*! Maar ik blijf er ver achter. Ik ken deze wegen. Je kunt maar naar bepaalde plaatsen rijden.'

Vijfendertig minuten later, met de bruine wagen nog steeds in het zicht maar ver voor hen uit, zei de chauffeur opnieuw iets. 'Ze gaan naar het vliegveld.'

'Welk vliegveld?'

'Het wordt gebruikt door regeringsfunctionarissen en mensen met geld uit het Zuiden.'

'Mensen die geld steken in fabrieken, in de industrie?'

'Dit is hier de Economische Zone.'

'Ik ben een man met geld,' zei Bourne. 'Op mijn visum staat dat ik wil investeren. Schiet op! Ga er dichter achter rijden!'

'Er zijn nog vijf auto's tussen ons in en we hadden afgesproken... ik blijf er ver achter.'

'Tenzij ik iets anders zeg! Nu is het anders. Ik heb geld. Ik wil investeren in China!'

'We zullen aan de poort worden tegengehouden. Er zal worden getelefoneerd.'

'Ik heb de naam van een bankier in Shenzhen!'

'Heeft die uw naam ook, meneer? En een lijst van de Chinese firma's waarmee u zaken doet? Als dat zo is dan moet u maar praten aan de poort. Maar als die bankier in Shenzhen u niet kent wordt u vastgehouden wegens het geven van valse informatie. U zou net zo lang in China moeten blijven tot ze alles over u hebben nagezocht. Weken, maanden.'

'Ik moet bij die auto zien te komen!'

'Als u bij die auto komt wordt u neergeschoten.'

'*Godverdomme*!' schreeuwde Jason in het Engels en hij ging weer direct over op Chinees. 'Luister nu eens. Ik heb geen tijd om het allemaal uit te leggen, maar ik *moet* die vent zien!'

'Dat zijn mijn zaken niet,' zei de chauffeur kil, behoedzaam.

'Sluit je aan bij die rij en rij naar de poort,' beval Bourne. 'Ik ben een vrachtje dat je in Lo Wu hebt opgepikt, meer niet. Ik zal het woord wel voeren.'

'U vraagt te veel! Ik wil niets met iemand als u te maken hebben.'

'Doe het nou maar,' zei Jason en hij trok de revolver uit zijn riem.

Bournes hart bonsde onverdraaglijk in zijn borst toen hij aan het grote raam stond uit te kijken over het vliegveld. De luchthaven was klein en bestemd voor bevoorrechte passagiers. Het was een ongewoon gezicht er nonchalante Westerse zakenlui te zien met diplomatenkoffertjes en tennisrackets en het verwarde Jason vanwege het schrille contrast met de geüniformeerde wachtposten die overal stram in de houding stonden. Olie en vuur hoorden blijkbaar toch bij elkaar.

Via een tolk had hij in het Engels gesproken met de wachtofficier aan de poort en beweerd dat hij een zakenman was die niet wist wat hij doen moest en die van het consulaat aan Queen's Road in Hongkong te horen had gekregen dat hij naar het vliegveld moest gaan om een regeringsfunctionaris uit Beijing te ontmoeten. Hij wist niet meer hoe de man heette maar hij had hem eens kort ontmoet op het departement van Buitenlandse Zaken in Washington en ze zouden elkaar wel herkennen. Hij liet doorschemeren dat die ontmoeting als zeer gunstig werd beschouwd door belangrijke mensen in het Centrale Comité. Hij kreeg een pas waarmee hij niet verder mocht komen dan het luchthavengebouw en vroeg ten slotte nog of de taxi mocht blijven voor geval hij later nog transport nodig had. Het verzoek werd ingewilligd.

'Als je je geld wilt hebben moet je blijven,' had hij in het Kantonees tegen de bestuurder gezegd terwijl hij de opgevouwen biljetten tussen hen in oppakte.

'U hebt een pistool en u kijkt razend. U gaat iemand doden.'

Jason had de chauffeur aangestaard. 'Dat is wel het laatste wat ik zou willen, de man in die auto vermoorden. De enige moord die ik zou plegen is om zijn leven te beschermen.'

De bruine wagen met de donkere, ondoorzichtige raampjes stond nergens op de parkeerplaats. Bourne liep snel maar zo onopvallend mogelijk het gebouw in, naar het raam waarvoor hij nu stond, en zijn slapen klopten van een stekende pijn van woede en frustratie, want buiten op het veld zag hij de officiële auto. Hij stond geparkeerd op het asfalt iets meer dan vijftien meter van hem af, maar een ondoordringbare muur van glas scheidde hem ervan − en van zijn redding. Ineens schoot de grote auto naar voren naar een middelgroot straalvliegtuig dat een paar honderd meter verderop op de startbaan stond. Bourne spande zijn ogen in en wilde maar dat hij een verrekijker bij zich had! Toen besefte hij dat dat niets zou hebben uitgehaald; de auto draaide om de staart van het toestel heen tot hij uit het zicht was.

Godverdomme!

Enkele tellen later begon de jet naar het begin van de startbaan te rollen en de bruine wagen kwam in een wijde bocht terugrijden naar de parkeerplaats en de uitgang.

Wat kon hij toch *doen? Ik kan hier niet zo achterblijven! Hij is daarginds! Hij is mij en hij is daarginds! Hij ontsnapt me!* Bourne rende naar de eerste balie die hij zag en begon zich te gedragen als iemand die radeloos was.

'Dat toestel dat daar gaat opstijgen! Daar hoor ik in te zitten! Het gaat naar Shanghai en de mensen in Beijing zeiden dat ik het moest nemen. Hou het *tegen!*'

Het meisje achter de balie pakte de telefoon. Ze draaide snel en ademde toen opgelucht door haar opeengeklemde lippen. 'Dat is uw toestel niet, meneer,' zei ze. 'Dat vliegt naar Guangdong.'

'Waar?'

'De grens met Macao, meneer.'

'*Nooit! Het mag niet in Macao zijn!*' had de taipan gegild... '*Het bevel zal direct worden gegeven en de executie zal nog sneller zijn! Uw vrouw zal sterven!*'

Macao. Tafel Vijf. Het Kam Pek Casino.

'*Als hij naar Macao gaat,*' had McAllister zacht gezegd, '*zou hij een afschuwelijk gevaar kunnen betekenen...*'

186

'Einde van de lijn?'
'Dat woord kan ik niet in mijn mond nemen.'

14

'Zoiets kun je mij godsonmogelijk maken!' schreeuwde Edward Newington McAllister. 'Dat *accepteer* ik gewoon niet. Dit valt helemaal buiten mijn competentie. Ik wil het niet eens horen.'
'Dat kun je maar beter wel, Edward,' zei majoor Lin Wenzu. 'Het is gebeurd.'
'Het is mijn schuld,' voegde de Engelse dokter eraan toe, op Victoria Peak vóór het bureau tegenover de Amerikaan. 'Uit elk symptoom dat ze vertoonde viel een prognose op te maken van snelle, neurologische verslechtering. Verlies aan concentratie en moeite met zien, geen eetlust en een daarmee samenhangend gewichtsverlies − en wat er nog het meest op wees, krampen wanneer er een volkomen gebrek aan motorische beheersing optrad. Ik was ervan overtuigd dat het afbrekingsproces een negatieve crisis had bereikt...'
'Wat betekent dat in godsnaam?'
'Dat ze aan het doodgaan was. O, niet binnen een paar uur of zelfs binnen dagen of weken, maar volgens mij kon dat niet meer tegengehouden worden.'
'Had u het bij het rechte eind kunnen hebben?'
'Ik had niets liever willen concluderen dan dat ik gelijk had, dat mijn diagnose in elk geval grond had, maar dat kan ik niet. Kort gezegd: ik ben bedonderd.'
'U hebt u een oor laten aannaaien?'
'Zo zou u het wel kunnen zeggen, ja. Op een zeer pijnlijke manier, onderminister. Mijn beroepstrots is erdoor geraakt. Dat kreng heeft me gewoon belazerd met een kermisnummer en ze weet waarschijnlijk niet eens het verschil tussen een nier en een milt. Ze heeft alles uit berekening gedaan, van het versieren van de verpleegster tot het neerslaan van de bewaker en het uittrekken van zijn kleren. Haar hele actie was doordacht en de enige die er niks van snapte was ik.'
'Verdomme, we moeten het Havilland laten weten!'
'*Ambassadeur* Havilland?' vroeg Lin met opgetrokken wenkbrauwen. McAllister keek hem aan. 'Vergeet maar dat je dat hebt gehoord.'
'Ik zal het niet verder vertellen, maar vergeten kan ik het niet. Alles is nu een stuk duidelijker en Londen snap ik ook beter. Je hebt het nu over de Generale Staf en over 'Overlord' en over hele hoge pieten.'
'Laat niemand die naam horen, dokter.'
'Ik ben hem al vergeten. Ik geloof trouwens niet eens dat ik weet wie hij is.'

'Wat kan ik verder nog zeggen? Wat *doe* je eraan?'
'Alles wat menselijkerwijs gesproken maar mogelijk is,' antwoordde de majoor. 'We hebben Hongkong en Kowloon in parten verdeeld. We lopen alle hotels na en pluizen hun gastenboeken uit. We hebben de politie en de marinepatrouille gewaarschuwd; alle mensen hebben kopieën van haar signalement en er is hun verteld dat er in de hele kolonie niets belangrijker is dan haar op te sporen...'
'Mijn god, wat heb je hun verteld? Hoe heb je het ingekleed?'
'Ik heb daar kunnen helpen,' zei de dokter. 'Gezien mijn stommiteit was dat het minste wat ik kon doen. Ik heb alarm geslagen op medische gronden. Door dat te doen konden we de hulp inroepen van paramedische teams die door alle ziekenhuizen zijn ingeschakeld en die natuurlijk radiografisch in verbinding blijven voor andere spoedgevallen. Ze zoeken alle straten af.'
'Wat voor medisch alarm?' vroeg McAllister fel.
'Zo weinig mogelijk informatie, maar wel van het soort dat opschudding veroorzaakt. Het is bekend dat de vrouw een bezoek heeft gebracht aan een verder niet vermeld eiland in de Straat van Luzon, dat verboden is verklaard voor buitenlandse bezoekers omdat het door en door besmet is met een ziekte die wordt overgebracht door ongewassen keukengerei.'
'Door het in die categorie onder te brengen,' kwam Lin tussenbeide, 'heeft onze goede dokter elke aarzeling weggenomen bij de teams om haar te benaderen en haar vast te houden. Niet dat dat zou gebeuren, maar in elk mandje zit wel een aangestoken appel en dat kunnen we ons niet permitteren. Ik ben er vast van overtuigd dat we haar zullen vinden, Edward. We weten allemaal hoe zij opvalt tussen een groot aantal mensen. Ze is lang, knap, verder dat haar van haar, en meer dan duizend mensen die naar haar op zoek zijn.'
'Ik hoop bij god dat je gelijk hebt. Maar ik maak me zorgen. Ze heeft haar eerste opleiding gekregen van een kameleon.'
'Pardon?'
'Niets bijzonders, dokter,' zei de majoor. 'Een technische term in ons vak.'
'O?'
'Ik moet het hele dossier hebben, *alles* wat er is!'
'Wat, Edward?'
'Er is op hen beiden jacht gemaakt in Europa. Nu zijn ze gescheiden, maar er wordt weer jacht op hen gemaakt. Wat hebben ze toen gedaan? Wat zullen ze nu doen?'
'Een rode draad? Een patroon?'
'Die is er altijd,' zei McAllister en hij wreef over zijn rechterslaap. 'Neem me niet kwalijk, heren, ik moet u vragen weg te gaan. Ik moet een afschuwelijk telefoongesprek voeren.'

Marie had wat kleren geruild en voor een paar dollar er nog wat bijgekocht. Het resultaat was redelijk: met haar haren strak naar achteren onder een slappe hoed met brede rand, zag ze er heel onopvallend uit, in een plooirok en een nietszeggende grijze blouse die de omtrek van haar figuur volledig camoufleerde. Door de platte sandalen leek ze kleiner en de namaak Gucci tas typeerde haar als een onnozele toeriste in Hongkong, precies wat ze niet was. Ze belde het Canadese consulaat en kreeg te horen hoe ze daar per bus kon komen. Ze hadden hun kantoren in Asian House, 13de verdieping, Hongkong. Ze nam de bus vanaf de Chinese Universiteit via Kowloon en de tunnel naar het eiland; ze hield de straten nauwkeurig in de gaten en stapte uit bij haar halte. Ze nam de lift naar boven en merkte tot haar voldoening dat geen van de mannen die met haar naar boven gingen haar voor een tweede keer opnamen; dat was meestal wel anders. Ze had in Parijs geleerd — van een leermeester die een kameleon was — hoe ze zichzelf kon veranderen door gebruik te maken van eenvoudige zaken. Ze begon zich de lessen weer te herinneren.

'Ik zie wel in dat dit bespottelijk zal klinken,' zei ze op nonchalante, grappig verwarde toon tegen de receptioniste, 'maar een achterneef van mij van mijn moeders kant werkt hier en ik heb beloofd hem even op te zoeken.'

'Dat vind ik helemaal niet zo bespottelijk.'

'Dat komt nog wel wanneer ik u vertel dat ik zijn naam ben vergeten.' Beide vrouwen lachten. 'We hebben elkaar namelijk nog nooit ontmoet en wat hem betreft kan dat waarschijnlijk zo blijven, maar ik moet toch de familie thuis iets kunnen vertellen.'

'Weet u op welke afdeling hij werkt?'

'Iets wat met economie heeft te maken, geloof ik.'

'Dat is dan waarschijnlijk de Handelskamer.' De receptioniste trok een la open en haalde er een dun wit boekje uit met de Canadese vlag in reliëf op de omslag. 'Hier is onze telefoongids. Waarom gaat u niet even zitten om die door te kijken?'

'Heel erg bedankt,' zei Marie en ze liep naar een leren leunstoel en ging erin zitten. 'Ik heb het afschuwelijke gevoel dat ik tekort schiet,' voegde ze eraan toe terwijl ze het boekje opensloeg. 'Ik bedoel ik zou zijn naam toch moeten kennen. Ik weet zeker dat *u* de naam kent van uw achterneef aan uw moederskant van de familie.'

'Meid, ik heb niet het flauwste benul.' De telefoon ging over en de receptioniste nam de hoorn op.

Marie sloeg de pagina's om en las ze snel door, een voor een de kolommen doornemend op zoek naar een naam die een gezicht zou oproepen. Ze vond er drie, maar de beelden waren vaag, de gelaatstrekken onduidelijk. Toen kwam er op de twaalfde pagina een stem *en* een gezicht bij haar naar boven toen ze de naam las. *Catherine Staples.*

'Koele' Catherine, 'IJskouwe' Catherine, 'Dooie' Staples. De bijnamen pasten niet bij haar en gaven geen juist beeld of beoordeling van de vrouw. Marie had Catherine Staples leren kennen toen ze bij de Treasury Board werkte in Ottowa toen zij en de anderen op haar afdeling de diplomatieke dienst instrueerden voordat ze naar het buitenland gingen. Staples had ze twee keer meegemaakt, één keer voor een herhalingscursus over de Euromarkt... en de tweede keer, *natuurlijk,* over Hongkong! Het was dertien of veertien maanden geleden, en ofschoon niet kon worden gezegd dat ze innig vriendschap hadden gesloten — vier of vijf lunches — had ze toch het nodige geleerd over de vrouw die haar werk beter deed dan de meeste mannen.

Om te beginnen had haar snelle opkomst in het Departement van Buitenlandse Zaken haar een vroeg gesloten huwelijk gekost. Ze zei dat ze de huwelijkse staat voor de rest van haar leven had afgezworen, omdat het vele reizen en de onmogelijke werktijden van haar baan onaanvaardbare eisen stelden aan een man die de moeite van het trouwen waard was. Staples was midden vijftig, een slanke, energieke vrouw van middelbare lengte die zich modieus maar eenvoudig kleedde. Ze was een vakvrouw die recht door zee ging met een cynisch gevoel voor humor dat haar afkeer inhield van vakjargon, dat ze heel snel doorhad, en van excuses uit eigenbelang, die ze niet kon uitstaan. Ze kon vriendelijk zijn, beminnelijk zelfs, tegen mannen en vrouwen die niet opkonden tegen het werk dat hun was toegewezen, maar ze trad meedogenloos op tegen degenen die hun dat werk hadden gegeven, zonder op rang of stand te letten. Als er een bepaalde uitdrukking was die sloeg op referendaris Buitenlandse Zaken Catherine Staples, dan was dat wel hard-maar-eerlijk... bovendien was ze vaak heel geestig met een zekere mate van zelfspot. Marie hoopte dat ze eerlijk zou zijn in Hongkong. 'Ik zie hier niets dat een lichtje doet branden,' zei Marie, terwijl ze opstond en de telefoongids teruggaf aan de receptioniste. 'Ik voel me zo stom.'

'Hebt u enig idee hoe hij eruit ziet?'

'Dat heb ik eigenlijk nooit gevraagd.'

'Wat jammer.'

'Ik vind het nog erger. Ik zal een heel genant telefoontje met Vancouver moeten plegen... Och, ik heb wel één naam gezien. Die heeft niets te maken met mijn achterneef, maar ik geloof dat ze bevriend is met een vriendin van mij. Een vrouw die Staples heet.'

' "Catherina de Grote"? Die werkt hier inderdaad, al zijn er hier een paar lui die haar maar liever tot ambassadrice gepromoveerd zagen, ergens in Oost-Europa. Ze maakt mensen nerveus. Ze is heel erg goed.'

'O, bedoel je dat ze nu hier is?'

'Nog geen tien meter hiervandaan. Zal ik haar even de naam doorgeven van je vriendin en kijken of ze tijd heeft even met je te babbelen?'

Marie was in verleiding, maar de bureaucratie stond dat snelle, directe contact in de weg. Als alles verlopen was zoals Marie dacht dat het gegaan was en er alarmeringen waren uitgegaan naar bevriende consulaten, dan zou Staples zich verplicht kunnen voelen mee te werken. Dat zou ze waarschijnlijk toch niet, maar ze mocht de onkreukbaarheid van haar ambt niet uit het oog verliezen. Ze had tijd nodig om met Catherine te praten en dat kon niet in een officiële omgeving. 'Dat is erg aardig van je,' zei Marie tegen de receptioniste. 'Dat zou mijn vriendin verschrikkelijk leuk vinden... Wacht 's even. Zei je eigenlijk *"Catherine"?*'

'Ja. Catherine Staples. Geloof mij maar, zo is er maar een.'

'Dat zal zeker zo zijn, maar de vriendin van mijn vriendin heet "Christine". Lieve hemel, ik heb helemaal mijn dag niet. Je bent heel aardig voor me geweest, daarom zal ik je niet langer meer lastig vallen.'

'Ik heb het ook best leuk gevonden, meid. Je moest de lui eens meemaken die hier binnen komen lopen omdat ze denken dat ze een Cartier horloge hebben gekocht voor een prikje, totdat het stil blijft staan en de horlogemaker hun zegt dat de ingewanden bestaan uit twee elastiekjes en een miniatuur jojo.' De blik van de receptioniste viel op de Gucci handtas met de omgekeerde *c*'s. 'O, o,' zei ze zacht.

'Wat is er?'

'Niks. Succes met je telefoontje.'

Marie wachtte in de lobby van Asian House zolang ze dacht zich dat te kunnen veroorloven, ging toen naar buiten en liep bijna een uur lang op en neer voor de ingang in de drukke straat. Het was even na twaalven en ze vroeg zich af of Catherine eigenlijk de tijd wel zou nemen om te gaan lunchen — lunch zou een prima idee zijn. Er was bovendien nog een mogelijkheid, misschien een onmogelijkheid, maar één waar ze om kon bidden, als ze tenminste het bidden nog niet was verleerd. David zou kunnen opduiken, maar dan niet in de persoon van David, maar als Jason Bourne, en dat zou iedereen kunnen zijn. Haar man in de vermommingen van Bourne zou veel slimmer zijn. Ze had zijn vindingrijkheid meegemaakt in Parijs en die behoorde tot een andere wereld, een dodelijke wereld waar één misstap iemand het leven kon kosten. Elke actie was tevoren in drie of vier dimensies uitgedacht. Als ik nu eens...? Als hij nu eens...? Intelligentie speelde in de wereld van het geweld een veel grotere rol dan de niet-gewelddadige intellectuelen ooit zouden willen toegeven, ze zouden het loodje leggen in een wereld die zij minachtend beschouwden als barbaars omdat ze niet snel genoeg of niet diep genoeg konden denken. *Cogito ergo* sloeg hier nergens op. Waarom dacht ze eigenlijk aan die dingen? Zij behoorde tot die laatste wereld en David ook! En toen was het antwoord heel duidelijk. Ze zaten weer in hetzelfde schuitje; ze moesten in leven blijven en elkaar vinden. Daar *had* je haar! Catherine Staples liep — marcheerde — Asian House uit en sloeg rechtsaf. Ze was iets meer dan tien meter van haar vandaan; Marie begon te hollen, duwde lichamen opzij die haar in de weg liepen en probeerde haar in te halen. *Probeer nooit hard te lopen, dan val je op*. Dat kan me niets schelen! Ik moet met haar praten!

Staples stak het trottoir over. Aan de stoeprand stond een auto van het consulaat haar op te wachten, met het insigne van het esdoornblad op het portier. Ze was bezig in te stappen.

'Nee! *Wacht!*' schreeuwde Marie terwijl ze zich door de mensen heenvocht en het portier vastgreep toen Catherine het net wilde sluiten.

'*Párdon?*' riep Staples uit en de chauffeur draaide zich bliksemsnel om, ineens met een pistool in zijn hand.

'*Alsjeblieft! Ik* ben het! Ottawa. De cursussen.'

'*Marie?* Ben *jij* dat?'

'Ja. Ik zit in de nesten en ik heb je hulp nodig.'

'Stap in,' zei Catherine Staples en ze schoof op op de achterbank. 'Doe dat rare ding weg,' beval ze de chauffeur. 'Dit is een vriendin van mij.'

Referendaris BZ Staples instrueerde haar chauffeur hen af te zetten aan het begin van Food Street in Causeway Bay. Haar lunchafspraak had ze afgezegd onder het voorwendsel dat ze een oproep had gekregen van de Britse delegatie, iets wat vaak voorkwam tijdens de ronde-tafelconferenties met de Volksrepubliek over het Verdrag van 1997.

Food Street vertoonde het overdadige schouwspel van ongeveer dertig restaurants binnen een lengte van twee straten. Verkeer was er verboden en zelfs als dat niet het geval was geweest zou gemotoriseerd verkeer zich onmogelijk een weg hebben kunnen banen door de drommen mensen die op zoek waren naar een van de ongeveer vierduizend tafels. Catherine nam Marie mee naar de dienstingang van een restaurant. Ze drukte op de bel en vijftien tellen later ging de deur open, gevolgd door een wolk van geuren van wel honderd oosterse gerechten.

'Juffrouw Staples, wat fijn u weer eens te zien,' zei de Chinees die de witte voorschoot van een kok droeg, een van de vele koks. 'Kom binnen, kom binnen. We hebben, zoals steeds, een tafel voor u.'

Toen ze door de chaos van de grote keuken liepen zei Catherine tegen Marie. 'Godzijdank zitten er nog een paar extraatjes vast aan dit ellendige, onderbetaalde vak. De eigenaar heeft familieleden in Quebec, een verdomd goed restaurant aan St. John Street, en ik zorg ervoor dat zijn visum altijd in orde komt, zoals zij dat noemen "gauw-gauw snel".'

Catherine knikte naar een van de weinige lege tafeltjes achterin het lokaal, het lag vlak bij de keukendeur. Waar ze zaten waren ze letterlijk verborgen achter de stroom van kelners die de zwaaideuren in en uit renden en verder door het voortdurend drukke gedoe aan de vele andere tafeltjes in het volle restaurant.

'Bedankt dat je aan zo'n tent hebt gedacht,' zei Marie.

'Meid,' antwoordde Staples met haar schorre, harde stem, 'iemand die zo knap is als jij en die zich kleedt zoals je nu gekleed gaat en zich opmaakt zoals je er nu uitziet, trekt liever niet de aandacht.'

'Dat is nog maar zacht uitgedrukt. Zal degene met wie je zou lunchen het verhaal over de Britse delegatie accepteren?'

'Die zal er geen minuut aan twijfelen. Het moederland is bezig haar meest vakkundige krachten op te roepen. Beijing koopt van ons enorme hoeveelheden graan dat ze dringend nodig hebben, maar dat weet jij net zo goed als ik, en waarschijnlijk nog een boel meer als het om dollars en centen gaat.'

'Ik ben daar tegenwoordig niet zo goed meer van op de hoogte.'

'Ja, dat begrijp ik.' Staples knikte terwijl ze Marie ernstig maar vriendelijk aankeek met een vragende blik. 'Ik was toen hier, maar we hebben de geruchten gehoord en de Europese kranten gelezen. Ik kan je niet zeggen hoe degenen van ons die jou kenden ons voelden. In de weken daarna probeerden we allemaal erachter te komen wat er gebeurd was maar we kregen te horen dat we het moesten laten rusten, niet verder moesten vragen – in *jouw* belang. "Laat het met rust," zeiden ze steeds maar weer. "Voor haar is het het beste als je je afzijdig houdt". We hoorden ten slotte natuurlijk dat alle klachten tegen jou waren ingetrokken, *verrek,* wat een beledigende uitdrukking na alles wat jullie hadden meegemaakt! Toen verdween je eenvoudig en niemand hoorde meer iets over je.'

'Het was de waarheid wat ze je zeiden, Catherine. Het was inderdaad het beste voor mij – voor ons – om je afzijdig te houden. Maandenlang hebben ze ons verborgen gehouden en toen we weer aan ons normale leven begonnen was dat in een vrij afgelegen plaats en onder een naam die maar weinig mensen kenden. Maar de bewakers waren er nog steeds.'

'Wij?'

'Ik ben getrouwd met de man over wie je in de kranten hebt gelezen. Hij was natuurlijk niet de man die in de kranten *beschreven* werd; hij had een zeer geheime opdracht voor de Amerikaanse regering. Hij heeft een groot deel van zijn leven opgeofferd voor die afschuwelijke, ongewone taak.'

'En nu ben je in Hongkong en je zegt dat je in de nesten zit.'

'Ik ben in Hongkong en ik zit diep in de nesten.'

'Mag ik aannemen dat de gebeurtenissen van het afgelopen jaar iets te maken hebben met de moeilijkheden van nu?'

'Volgens mij wel.'

'Wat kun je me vertellen?'

'Alles wat ik weet, want ik heb je hulp nodig. Ik heb het recht niet je daarom te vragen als je niet alles weet wat ik weet.'

'Ik hou van klare taal. Niet alleen vanwege de duidelijkheid maar ook omdat ze meestal een goed beeld geeft van degene die ze spreekt. Je zegt ook dat ik waarschijnlijk niets kan doen als ik niet alles weet.'

'Daaraan had ik nog niet gedacht, maar je hebt waarschijnlijk gelijk.'

'Goed. Ik stelde je op de proef. In de *nouvelle diplomatie* is openlijke eenvoud zowel een wapen als een dekmantel geworden. Ze wordt vaak gebruikt om dubbelhartigheid te verbergen, en ook om een tegenstander te ontwapenen. Ik hoef maar te wijzen op de recente uitspraken van je nieuwe vaderland – nieuw als echtgenote, natuurlijk.'

'Ik ben econoom, Catherine, geen diplomaat.'

'Als je de talenten waarvan ik weet dat je ze hebt combineert, dan zou je in Washington even hoog kunnen opklimmen als je dat in Ottawa gedaan zou hebben. Maar dan zou je die anonimiteit missen waarnaar je zo verlangt in je nieuwe normale leven.'

'Die *moeten* we hebben. Dat is het enige belangrijke. Ik ben niet belangrijk.'

'Ik stel je weer op de proef. Je had zo je ambities. Je houdt echt van die man van jou.'

'Heel veel. Ik wil hem gaan zoeken. Ik wil hem terughebben.'

Staples hief met een ruk haar hoofd op en ze knipperde met haar ogen. 'Is hij *hier?*'

'Ergens. Daarover gaat het verhaal voor een deel.'

'Is het gecompliceerd?'

'Heel erg.'

'Kun je even wachten, en dat méén ik, Marie, tot we ergens zijn waar het wat rustiger is?'

'Ik heb geduld geleerd van een man wiens leven daar drie jaar lang, vierentwintig uur per dag van heeft afgehangen.'

'Lieve hemel. Heb je honger?'

'Ik stérf. Dat is ook een deel van het verhaal. Kunnen we bestellen, nu je toch hier bent en naar me luistert?'

'De *dim sum* moet je niet nemen, die is te gaar en te hard gebakken. Maar de eend is de beste in heel Hongkong... Kun jij wel wachten, Marie? Wil je niet liever weggaan?'

'Ik kan best wachten, Catherine. Mijn hele leven staat voorlopig stil. Een half uurtje maakt geen verschil. En als ik niet eet kan ik mijn verhaal niet goed vertellen.'

'Ik weet het. Dat is een deel van het verhaal.'

Ze zaten tegenover elkaar in Staples flat, met een salontafeltje tussen hen in, samen thee te drinken.

'Ik geloof,' zei Catherine, 'dat ik zojuist het meest onbeschaamde misbruik heb gehoord van de officiële bevoegdheden van de buitenlandse dienst in dertig jaar – aan onze kant, natuurlijk. Tenzij je iets volkomen verkeerd hebt uitgelegd.'

'Je zegt dus eigenlijk dat je me niet gelooft.'

'Integendeel, meid, je kon dit onmogelijk verzonnen hebben. Heel het verrekte verhaal zit vol onlogische logica.'

'Dat heb ik niet gezegd.'

'Dat hoefde je ook niet, het is nu eenmaal zo. Jouw man krijgt een ontstekingsmechanisme, er wordt hem verteld wat voor gevolgen de zaak voor hem heeft en dan wordt hij als een atoomraket de ruimte in geblazen. *Waarom?*'

'Dat heb ik je gezegd. Er loopt een man rond die mensen vermoordt en beweert dat hij Jason Bourne is, de rol die David drie jaar lang heeft gespeeld.'

'Een killer is een killer, wat voor naam hij ook aanneemt, of het nu Djingiz Chan is of Jack the Ripper, of Carlos de Jakhals als je wilt, of zelfs de sluipmoordenaar Jason Bourne. Er worden voor zulke mannen alleen strikken gezet met toestemming van de jagers.'

'Ik begrijp je niet, Catherine.'

'Luister eens naar me, meid. Hier spreekt iemand die alles al heeft meegemaakt. Weet je nog toen ik bij je kwam voor die herhalingscursus over de Euromarkt, met nadruk op de handel met het Oostblok?'

'Ja. We aten bij elkaar. De etentjes van jou waren beter dan de mijne.'

'Ja, inderdaad. Maar ik was daar in werkelijkheid om te leren hoe ik mijn contacten in het Oostblok ervan kon overtuigen dat ik de fluctuerende wisselkoersen kon gebruiken om hen oneindig veel meer profijt te laten trekken van de inkopen die ze bij ons deden. Dat is me gelukt. Moskou was woedend.'

'Verrek, Catherine, wat heeft dat nu hiermee te maken?'

Staples keek Marie aan en haar vriendelijkheid had opnieuw een vastberaden trek. 'Ik zal het duidelijker zeggen. Mocht je daar over hebben nagedacht dan had je moeten aannemen dat ik naar Ottawa was gekomen om beter op de hoogte te raken van de Europese economie en zo mijn werk beter te kunnen doen. In zekere zin was dat waar, maar het was niet de echte reden. Ik was daar in werkelijkheid om te leren hoe ik de wisselkoersen van de verschillende valuta kon gebruiken en verkoopcontracten kon aanbieden die voor onze potentiële klanten het meest aantrekkelijk waren. Als de Duitse mark omhoog ging, verkochten we tegen francs of guldens of wat dan ook. Dat was verwerkt in de contracten.'

'Dat was voor jullie nauwelijks gunstig te noemen.'

'We waren niet op winst uit, we waren markten aan het openbreken die tot dan toe voor ons gesloten waren. De winsten zouden later wel komen. Jij hebt die speculatie op wisselkoersen heel duidelijk gemaakt. Je maakte duidelijk wat voor nadelen eraan vastzaten en ik moest leren een beetje advocaat van de duivel te spelen — voor een goede zaak, natuurlijk.'

'Goed dan, je nam wat voor slimme ideetjes ik dan ook had over voor een doel waarvan ik niets afwist...'

'Het moest natuurlijk volkomen geheim blijven.'

'Maar wat heeft dat te maken met alles wat ik je heb verteld?'

'De zaak stinkt en ik heb daar een hele goede neus voor. Net zoals ik een bijbedoeling had om naar jou toe te komen in Ottawa, zo heeft degene die jou dit aandoet ook een dieper liggende reden dan het vangen van de kerel die de vroegere naam van jouw man gebruikt.'

'Waarom zeg je dat?'

'Jouw man heeft het eerst gezegd. Dit is in de eerste plaats en precies zoals het hoort een zaak voor de politie, zelfs een zaak voor Interpol die zelf een uitstekende inlichtingendienst heeft. Die zijn veel en veel beter geschikt voor dit soort zaken dan departementen van Buitenlandse zaken, CIA's of een MI 6. Inlichtingendiensten in het buitenland houden zich niet op met niet-politieke misdadigers — gewone moordenaars — dat kunnen ze zich niet veroorloven. Mijn god, de meeste van die ezels zouden elk soort dekmantel die ze zich hebben kunnen aanmeten aan flarden scheuren als ze zich met politiewerk gingen bemoeien.'

'McAllister zei iets anders. Volgens hem hadden de beste mensen in de Amerikaanse en de Britse Inlichtingendiensten de zaak in handen. Volgens hem was de reden dat indien die killer die zich voordeed als mijn man — als datgene wat mijn man in de ogen van de wereld geweest was — een bekend politiek figuur van een van beide zijden zou vermoorden, of een oorlog op gang zou brengen in de onderwereld, de status van Hongkong dan onmiddellijk gevaar zou lopen. Peking zou er geen gras over laten groeien en de zaak overnemen en als excuus het verdrag van 1997 gebruiken. "De oosterling duldt geen ongehoorzaam kind", zo drukte hij het uit.'

'Onaanvaardbaar en *ongelooflijk!*' riep Catherine Staples kwaad uit. 'Die onderminister van jullie is ofwel een leugenaar of hij heeft het IQ van een slak! Hij heeft jullie *precies* de redenen gegeven waarom onze inlichtingendiensten er met hun handen af moesten blijven, zich er absoluut niet mee moesten bemoeien. Zelfs een gerucht over een clandestiene actie zou rampzalig zijn. Dan zouden de wilde jongens in het Centrale Comité pas echt in vuur en vlam raken. Hoe dan ook, ik geloof geen woord van wat hij gezegd heeft. Londen zou dat nooit toestaan, niet eens het noemen van de Speciale Afdeling.'

'Catherine, je hebt ongelijk. Je hebt niet geluisterd. De man die naar Washington vloog om het Treadstone-dossier op te halen was een Engelsman en hij was inderdaad van MI 6. Goeie god, hij werd vermoord vanwege dat dossier.'

'Ik heb je wel gehoord. Ik geloof het eenvoudig niet. Buitenlandse Zaken in Londen zou er in de allereerste plaats op staan dat de hele rotzooi in handen zou blijven van de politie en van niemand anders dan de poli-

tie. Ze zouden MI 6 niet eens met een rechercheur-derde-klas in hetzelfde
restaurant laten samenkomen, niet eens aan Food Street. Geloof me nu
maar, meid, ik weet waarover ik het heb. Dit is een hele kritische tijd
en helemaal geen tijd voor gerotzooi, zeer zeker niet van het soort waarbij een officiële inlichtingenorganisatie gaat stoeien met een sluipmoordenaar. Nee, jij bent hierheen gebracht en je man werd gedwongen je
te volgen om een hele andere reden.'
'*Wat* dan, in hemelsnaam?' riep Marie uit en ze schoot naar voren op
haar stoel.
'Ik weet het niet. Er is misschien nog iemand anders.'
'Wie dan?'
'Daar heb ik geen idee van.'
Stilte. Twee hoogst intelligente paren hersenen dachten na over de
woorden die gesproken waren.
'Catherine,' zei Marie ten slotte. 'Ik accepteer de logica van alles wat
je hebt gezegd, maar je zei ook dat het hele verhaal vol zat met onlogische logica. Stel dat ik gelijk heb, dat de kerels die me gevangen hebben
gehouden geen moordenaars of misdadigers zijn, maar ambtenaren die
bevelen opvolgden die ze niet begrepen, dat er op hun gezichten en in
hun ontwijkende verklaringen alleen maar *regering* te lezen was, zelfs
in hun zorg voor mijn comfort en mijn gezondheid. Ik weet dat jij denkt
dat de McAllister die ik je heb beschreven een leugenaar is of een idioot,
maar stel eens dat hij wel een leugenaar is maar geen idioot? Als je dat
aanneemt − en volgens mij is dat waar − dan hebben we het over *twee*
regeringen die in deze kritische tijden hand in hand werken. Wat dan?'
'Dan staat er een ramp op stapel,' zei referendaris BZ Staples zacht.
'En die draait om mijn man?'
'*Als* jij gelijk hebt, ja.'
'Het zou kunnen, nietwaar?'
'Ik durf er niet eens aan te denken.'

15

Zestig kilometer ten zuidwesten van Hongkong, voorbij de verderop liggende eilanden in de Zuidchinese Zee, ligt het schiereiland Macao, alleen in naam een Portugese kolonie. Haar historische wortels liggen in
Portugal, maar haar moderne, verkwistende aantrekkingskracht voor
de internationale kliek, met haar jaarlijkse *Grand Prix* en haar gokken
en haar jachten, is gebaseerd op de weelde en de manier van leven nagejaagd door de rijkdom van Europa. Maar vergis u niet. Het is Chinees.
Er wordt in Peking aan de touwtjes getrokken.
*Nooit! Het mag in geen geval Macao zijn! Het bevel zal direct worden
gegeven, de executie zal nog sneller zijn! Uw vrouw zal sterven!*

Maar de killer was in Macao en een kameleon moest doordringen in een andere jungle.

Bourne zocht alle gezichten af en tuurde in alle donkere hoekjes van het kleine, drukke havengebouw. Hij liep met de mensenmassa mee naar de aanlegsteiger van de draagvleugelboot voor Macao, een overtocht die ruim een uur duurde. De passagiers waren onder te brengen in drie duidelijk verschillende categorieën: terugkerende inwoners van de Portugese kolonie, over het algemeen Chinezen die weinig drukte maakten; beroepsgokkers, een allegaartje van vele rassen die zacht spraken, als ze al spraken en die voortdurend om zich heen keken om hun concurrentie in de gaten te houden; en nachtelijke feestneuzen, uitsluitend blanken, van wie er velen dronken waren, met gekke hoedjes op en in opvallende tropische hemden.

Hij was uit Shenzhen weggereden met de trein van drie uur van Lo Wu naar Kowloon. De rit had hem uitgeput, hij had geen gevoel meer over en zijn hersenen weigerden dienst. De bedrieger-killer was zo dichtbij geweest! Als hij de man uit Macao maar voor minder dan een minuut alleen had kunnen hebben, dan had hij hem mee kunnen nemen! Er waren wel manieren. Hun visa waren in orde. Een man die diep gebogen liep van de pijn, wiens keel zo beschadigd was dat hij geen woord kon uitbrengen, zou hebben kunnen doorgaan voor een man die niet goed was, die misschien erg ziek was, een onwelkome bezoeker die ze maar al te graag zouden laten vertrekken. Maar het mocht niet zo zijn, dit keer niet. Als hij hem alleen maar even had *gezien!*

Verder was er die verbijsterende ontdekking dat deze nieuwe moordenaar, deze mythe die geen mythe was maar een ordinaire killer, contacten had in de Volksrepubliek. Dat was hoogst verontrustend want Chinese functionarissen die het bestaan van zo'n man erkenden zouden dat alleen doen om hem te gebruiken. Het was een complicatie waaraan David geen enkele behoefte had. Het had niets te maken met Marie en hemzelf, en zijn enige zorg ging uit naar die twee. Zijn *enige* zorg! Jason Bourne: *Breng ons de man uit Macao!*

Hij was teruggekomen in Kowloon en had daar in het New World Centrum een donker nylon jack gekocht dat tot aan zijn middel reikte en een paar marineblauwe gymschoenen met dikke zolen. David Webb maakte zich dodelijk ongerust. Jason Bourne trof voorbereidingen zonder vast plan. Hij bestelde een lichte maaltijd via de etageservice en at daar lusteloos van terwijl hij op bed met nietsziende ogen naar een nieuwsprogramma op de tv zat te kijken. Toen ging David achterover liggen, sloot even zijn ogen en vroeg zich af hoe die woorden in hem konden opkomen. *Rust is een wapen. Vergeet dat niet.* Bourne ontwaakte een kwartier later.

Jason had een kaartje gekocht voor de overtocht van half negen in de Mass Transit hal tijdens het spitsuur in de Tsim Sha Tsui. Om er zeker van te zijn dat hij niet werd gevolgd – en daarvan moest hij *absoluut* zeker zijn – had hij drie verschillende taxi's genomen tot op een halve kilometer van de aanlegsteiger voor de Macao Ferry, een half uur voor het vertrek, en de rest had hij gelopen. Toen was hij begonnen aan een ritueel waarvoor hij getraind was. De herinnering aan die training was vaag, maar de praktijk was glashelder. Hij was ondergedoken in de mensenmassa's voor het havengebouw, was naar links en naar rechts gaan lopen, van het ene groepje passagiers naar het andere en was vervolgens doodstil blijven staan aan de rand van de menigte, had zich geconcentreerd op de bewegingspatronen achter zich, had uitgekeken naar iemand die hij even tevoren had gezien, een gezicht of een paar ogen die hem ongerust in de gaten hielden. Er was niemand geweest. Maar Marie's leven hing af van die zekerheid en daarom had hij het ritueel tweemaal herhaald, totdat hij in het zwak verlichte havengebouw was, vol banken die gekeerd stonden naar de open steiger en het water. Hij bleef uitkijken naar een verwoed zoekend gezicht, naar een hoofd dat in het rond bleef kijken, naar een man die zich snel omdraaide op zijn plaats, erop gespannen iemand te vinden. Weer had hij niemand gezien. Hij was vrij om naar Macao te vertrekken. Hij was nu op weg daarheen.

Hij zat op een bank achterin bij het raam en zag de lichten van Hongkong en Kowloon opgeslokt worden door de gloed van de Aziatische hemel. Nieuwe lichten doken op en verdwenen, naarmate de vleugelboot sneller ging varen en langs de eilanden voor de kust schoot, eilanden die aan China behoorden. Hij stelde zich mannen in uniform voor die door infrarode telescopen en verrekijkers keken, niet zeker waarnaar ze zochten maar met opdracht om alles te observeren. De bergen van de *New Territories* rezen dreigend omhoog, het maanlicht weerkaatste van hun toppen en hun pracht werd erdoor geaccentueerd, maar het maakte ook duidelijk: *Tot hier en niet verder. Voorbij deze bergen zijn wij anders*. Dat was niet echt zo. Mensen ventten met hun koopwaar op de pleinen van Shenzhen. Handwerkslieden werden er rijk; boeren slachtten er hun vee en hadden er een even goed leven als de ontwikkelde klassen in Beijing en Sjanghai, en meestal betere woningen. China was aan het veranderen, maar niet snel genoeg voor het Westen, en het was zeker nog een paranoïde reus, maar al met al, dacht David Webb, waren de opgezwollen buikjes van kinderen die zo domineerden in het China van jaren geleden nu aan het verdwijnen. Velen aan de top van die raadselachtige politieke ladder waren dik, maar op het platteland verhongerden maar weinigen meer. Er was vooruitgang geboekt, peinsde David, of de rest van de wereld het nu eens was met de methoden of niet.

De vleugelboot verminderde vaart, de romp zakte in het water. Ze voer tussen de rotsen van een door mensenhanden gebouwde klip die verlicht werd door schijnwerpers. Ze waren in Macao en Bourne wist wat hem te doen stond. Hij stond op, liep met een verontschuldiging voor de

man naast hem langs en begaf zich naar het middenpad waar een groepje Amerikanen, een paar staande en de rest zittend, opeengedrongen was en een kennelijk gerepeteerde versie zongen van *Mister Sandman.*
Boem boem boem boem...
Mister Sandman, sing me a song
Boem boem boem boem
Oh, mister Sandman...
Ze waren vrolijk, maar niet dronken en ze vielen niemand lastig. Een ander groepje toeristen, zo te horen Duitsers, moedigde de Amerikanen aan en applaudisseerde aan het einde van het lied.
'Gut!'
'Sehr gut!'
'Wunderbar!'
'Danke, meine Herren.' De Amerikaan die het dichtst bij Jason stond boog naar de Duitsers. Er volgde een kort, opgewekt gesprek, waarbij de Duitsers Engels spraken en de Amerikaan in het Duits antwoordde.
'Dat deed me aan thuis denken,' zei Bourne tegen de Amerikaan.
'Hé, een *Landsmann!* Aan dat liedje kun je merken hoe oud jij bent, makker. Een paar van die ouwe deuntjes waren toch maar steengoed, waar of niet? Zeg, hoor jij bij de groep?'
'Wat voor groep is dit?'
'Honeywell-Porter,' antwoordde de man, de naam noemend van een reclamebureau in New York waarvan Jason wist dat het filialen over de hele wereld had.
'Nee, jammer genoeg niet.'
'Dat dacht ik ook al. We zijn zowat met z'n dertigen, als je de Australiërs meerekent, en ik dacht al dat ik zo'n beetje iedereen kende. Waar kom je vandaan? Ik heet Ted Mather. Ik ben van het HP-kantoor in L.A.'
'Ik heet Jim Cruett. Geen kantoor, ik geef les, maar ik kom uit Boston.'
'Hersenburg! Ik zal je eens voorstellen aan jouw *Landsmann,* of is het *Stadtsmann?* Jim, dit is "Hersenburg Harry".' Mather boog opnieuw, dit keer naar een man die languit op de bank zat bij het raam, zijn mond open en zijn ogen dicht. Hij was duidelijk dronken en droeg een basebalpetje van de Red Sox. 'Je hoeft niet tegen hem te praten, hij kan je niet horen. Harry is de vent met hersens uit ons kantoor in Boston. Je had hem drie uur geleden moeten zien. Keurig in het pak, streepjesdas, aanwijsstok in de hand en een stuk of tien schema's die hij alleen kon begrijpen. Maar ik moet wel zeggen, hij heeft ons wakker gehouden. Volgens mij hebben we er daarom allemaal een paar gepakt... hij een paar te veel. Verrek, waarom ook niet, het is onze laatste avond.'
'Jullie gaan morgen terug?'
'Morgenavond laat. Dan hebben we nog tijd om bij te komen.'
'Waarom gaan jullie naar Macao?'

'Ze hebben allemaal de gokjeuk. Jij ook?'
'Ik dacht dat ik het maar eens moest proberen. Verrek, ik krijg heimwee als ik dat petje zie! De Red Sox kunnen nog kampioen worden en tot aan deze reis had ik geen wedstrijd gemist!'
'En Harry zal zijn pet niet missen!' De reclameman lachte, boog zich voorover en rukte het basebalpetje van het hoofd van Hersen-Harry. 'Hier, Jim, draag jij het maar. Je verdient het!'
De vleugelboot legde aan. Bourne ging aan land en door de douane als één van de jongens van Honeywell-Porter. Toen ze de steile betonnen trap afdaalden naar het havengebouw vol posters, Jason met de klep van zijn Red Sox-petje diep in zijn ogen en wat onvast lopend, zag hij tegen de linkermuur een man die de pas aangekomen passagiers stond op te nemen. De man had een foto in zijn hand en Bourne wist dat het gezicht op de foto het zijne was. Hij lachte over een van Ted Mathers opmerkingen terwijl hij de zwaaiende Hersenburg-Harry bij de arm hield.
Kansen zullen zich voordoen. Herken ze als zodanig en maak er gebruik van.

De straten van Macao zijn bijna even schel verlicht als die van Hongkong; wat er ontbreekt is het gevoel van te veel mensen in een te kleine ruimte. En wat er verschillend is — verschillend en anachronistisch — dat zijn de vele gebouwen met fel opvlammende moderne neonreclames met trillende Chinese lettertekens. De architectuur van die gebouwen is zeer oud Spaans, Portugees is eigenlijk juister, maar Spaans volgens het boekje, typerend voor het Middellandse Zeegebied. Het lijkt erop alsof een eerder bestaande cultuur zich had overgegeven aan de alles wegvagende invasie van een andere, maar had geweigerd haar oorspronkelijke afkomst af te staan, trots was op de sterkere invloed van haar stenen boven de bonte vergankelijkheid van gekleurde glasbuizen. Aan de historie wordt met opzet voorbijgegaan; de lege kerken en de ruïnes van de uitgebrande kathedraal vormen een vreemde harmonie met de talloze casino's waar de croupiers Kantonees spreken en de afstammelingen van de oude keizers maar zelden worden gezien. Het is allemaal fascinerend en ook een beetje dreigend. Het is Macao.
Jason glipte weg uit de Honeywell-Portergroep en vond een taxi waarvan de chauffeur het vak waarschijnlijk had geleerd door naar de jaarlijkse Grand Prix van Macao te kijken. Hij werd naar het Kam Pek Casino gebracht — onder protest van de bestuurder.
'Lisboa voor u, niet Kam Pek! Kam Pek voor Chinezen! *Dai Sui! Fan tan!*'
'Kam Pek, *Cheng nei,*' zei Bourne en in het Kantonees voegde hij eraan toe *alstublieft,* maar verder niets meer.
Het was donker in het casino. De atmosfeer was er klam, het stonk er

en de opkringelende rook rond de lampekappen boven de tafels rook zoet en zwaar en prikkelend. Achterin de speelruimte stond een bar, hij liep erheen en ging op een kruk zitten. Om wat kleiner te lijken ging hij voorover zitten. Hij sprak Chinees, met zijn gezicht in de schaduw van het basebalpetje, al was dat waarschijnlijk niet nodig want hij kon nauwelijks de etiketten van de flessen lezen op de bar. Hij bestelde iets te drinken en toen het geserveerd werd gaf hij de barkeeper een royale fooi in Hongkongs geld.

'*Mgoi,*' zei de man met de voorschoot.

'*Hou,*' zei Jason, en hij zwaaide met zijn hand.

Zorg zo spoedig mogelijk dat iemand je goedgezind is. Vooral in een onbekende plaats waar een vijandige ontvangst mogelijk is. Dat contact kan je de kans of de tijd verschaffen die je nodig hebt. Was dat Medusa of was het Treadstone? Het maakte niets uit dat hij het niet meer wist. Hij draaide zich langzaam om op zijn kruk en bekeek de tafels. Hij vond het bordje dat aan het plafond bungelde met het Chinese letterteken voor 'Vijf'. Hij draaide zich weer om naar de bar en haalde zijn notitieboekje en balpen te voorschijn. Hij scheurde een velletje uit het boekje en schreef er het telefoonnummer op van een hotel in Macao dat hij zich in het hoofd had geprent uit een nummer van *Voyager* dat alle passagiers op de vleugelboot hadden gekregen. In blokletters schreef hij er een naam bij die hij zich alleen zou herinneren als het nodig was en voegde daaraan het volgende toe: *Geen vriend van Carlos.*

Hij hield zijn glas onder het blad van de bar, liet de drank eruit lopen en stak zijn hand op voor een tweede borrel. Toen die gebracht werd was hij nog guller dan voorheen.

'*Mgoi saai,*' zei de barkeeper met een buiging.

Msa,' zei Bourne en hij zwaaide weer met zijn hand en hield die ineens stil, een teken voor de barkeeper om te blijven waar hij was. 'Zou u iets voor me willen doen?' vervolgde hij in de taal van de man. 'U bent er binnen tien seconden mee klaar.'

'Wat is het, meneer?'

'Wilt u dit briefje even afgeven aan de dealer aan tafel Vijf. Hij is een goede vriend van mij en ik wil hem laten weten dat ik hier zit.' Jason vouwde het briefje en stak het omhoog. 'Ik zal u ervoor betalen.'

'Het hemels genoegen is aan mij, meneer.'

Bourne keek toe. De dealer nam het briefje aan, vouwde het even open terwijl de barkeeper wegliep en schoof het onder de tafel. Het wachten begon.

Er leek geen eind aan te komen, het duurde zo lang dat de barkeeper voor de rest van de avond werd afgelost. De dealer verhuisde naar een andere tafel en twee uur later werd ook hij afgelost. En twee uur daarna kwam er weer een andere dealer aan tafel Vijf. De vloer aan zijn voeten was nu nat van de whisky, Jason vond het logisch om koffie te bestellen en toen dat er niet was thee te nemen. Nog een uur en hij zou naar het hotel gaan waarvan hij het nummer had opgeschreven en een kamer nemen, al moest hij aandelen in het hotel kopen om erin te komen. Hij begon in te doezelen.

Ineens was hij klaarwakker. Er ging iets gebeuren! Een Chinese vrouw in de jurk met hooggesneden split van een prostituée liep naar tafel Vijf. Ze liep om de spelers heen naar de rechterhoek en sprak snel met de dealer die zijn hand onder de tafel stak en haar onopvallend het gevouwen briefje overhandigde. Ze knikte en liep weg, recht op de deur van het casino af.

Zelf vertoont hij zich natuurlijk niet. Hij gebruikt hoeren van de straat. Bourne verliet de bar en liep de vrouw na. In de donkere straat waar wel wat mensen liepen, maar er naar de maatstaf van Hongkong verlaten uitzag, bleef hij zo'n dikke vijftien meter achter haar, hield nu en dan stil om in de verlichte etalages te kijken en liep dan weer snel door om haar niet uit het oog te verliezen.

Laat de eerste schakel schieten. Zij denken net zo goed na als jij. De eerste zou een arme donder kunnen zijn die op zoek is naar een paar dollars en die niets weet. Zelfs de tweede of de derde. Je herkent de schakel wel. Hij zal anders zijn.

Een gebogen oude man liep op de hoer af. Hun lijven raakten elkaar even en zij krijste naar hem terwijl ze het briefje overgaf. Jason deed alsof hij dronken was, draaide zich om en begon de tweede schakel te volgen.

Vier straten verder gebeurde het, en de man was inderdaad anders. Hij was een kleine, goed geklede Chinees, met een robuust lichaam waarvan de brede schouders en het smalle middel kracht uitstraalden. De snelheid van de gebaren waarmee hij de sjofele oude man betaalde en vlug de straat begon over te steken was een waarschuwing voor elke tegenstander. Voor Bourne was het een uitnodiging die hij niet kon afslaan; dit was een contactman met autoriteit, een schakel met de Fransman. Jason rende de straat over. Hij was ongeveer vijftig meter achter de man en raakte achterop. Het had geen zin nog langer ongezien te volgen; hij begon te hollen. Enkele tellen later kon hij vlak achter de contactman komen omdat de zolen van zijn gymschoenen het geluid van zijn rennende voeten hadden gedempt. Voor hen lag een steegje dat tussen twee gebouwen liep wat kantoren leken te zijn; de ramen waren donker. Hij moest snel zijn, maar zijn actie mocht geen opschudding veroorzaken, ze mocht de nachtelijke voorbijgangers geen reden geven om te gaan roepen of de politie erbij te halen. Daarbij had hij geluk, de meeste mensen die daar rondzwierven waren meer dronken dan nuchter, voor de rest waren het vermoeide werklui die uitgewerkt waren en nu alleen maar naar huis wilden. De contactman naderde de ingang van het steegje. Nú!

Bourne schoot naar voren tot hij naast de man liep. 'De *Fransman!*' zei hij in het Chinees. 'Ik heb nieuws van de Fransman! *Schiet op!*' Hij draaide bliksemsnel de steeg in en de contactman kon niets anders doen dan verbluft en met wijd opengesperde ogen als een verbijsterde robot het slop inlopen. Nú!

Jason sprong uit de schaduw te voorschijn, greep het linkeroor van de man vast, rukte eraan, draaide het om, dwong de man door te lopen en duwde zijn knie tegen de onderkant van zijn ruggegraat met zijn andere hand achter in de nek van de man. Hij smeet hem vooruit het donkere steegje in, rende hem na en schopte met zijn schoen achter in de knieholte van de contactman. Die viel, draaide zich in zijn val en staarde omhoog naar Bourne.

'Jij! Jij bent het!' Toen ineen kromp in het zwakke licht. 'Nee,' zei hij ineens kalm en nadrukkelijk. 'Jij bent het *niet!*'

Zonder een enkele waarschuwing zwiepte de Chinees zijn rechterbeen naar voren en duwde zijn lichaam van de straat als een terugspringend projectiel. Hij raakte de spieren van Jasons linkerzij en volgde die trap op met zijn linkervoet die hij in Bourne's buik ramde terwijl hij overeind sprong, met uitgestoken, strak gehouden handen; zijn gespierde lijf bewoog zich vloeiend, zelfs elegant in een halve cirkel en in afwachtende houding.

Wat nu volgde was een gevecht tussen dieren, twee getrainde killers, elke beweging werd met een intens overleg uitgevoerd, elke klap was dodelijk als ze vol aankwam. De ene vocht voor zijn leven, de andere om in leven te blijven en bevrijd te worden... en voor de vrouw die hij niet kon missen, zonder welke hij niet eens verder *wilde* leven. Ten slotte werd het verschil uitgemaakt door lengte en gewicht en een motief dat zwaarder woog dan het leven, en viel de overwinning toe aan de ene, de nederlaag aan de andere.

Ineengestrengeld tegen een muur, beiden zwetend en vol blauwe plekken, met bloed dat uit de mond en de ogen drupte, kreeg Bourne een worstelgreep om de keel van de contactman, ramde zijn knie onder tegen de rug van de man en zette hem vast door zijn rechterbeen om zijn enkels te klemmen.

'Je weet wat er nu gaat gebeuren!' fluisterde hij en hij sprak de Chinese woorden langzaam en nadrukkelijk uit. 'Eén ruk en je ruggegraat gaat eraan. Geen plezierige manier om dood te gaan. En je *hoeft* niet dood te gaan. Je kunt in leven blijven met meer geld dan de Fransman je ooit zou betalen. Geloof mij maar, de Fransman en zijn killer hebben niet zo lang meer. Kies maar. Nú!' Jason zette zich schrap; de aderen in de keel van de man waren gezwollen tot ze bijna barstten.

'*Ja-ja!*' riep de contactman. 'Ik wil leven, niet doodgaan!'

Ze zaten in het donkere steegje met hun rug tegen de muur een sigaret

te roken. Het bleek dat de man vloeiend Engels sprak dat hij had geleerd van de nonnen op een Portugese katholieke school.

'Jij bent heel goed, weet je dat?' zei Bourne terwijl hij het bloed van
zijn lippen veegde.

'Ik ben kampioen van Macao. Daarom word ik betaald door de Fransman. Maar jij hebt me eronder gekregen. Ik heb mijn gezicht verloren,
wat er verder ook gebeurt.'

'Nee, dat heb je niet. Ik ken alleen een paar vuile trucjes meer dan jij.
Waar jij bent opgeleid leren ze die niet en dat horen ze ook niet te doen.
Bovendien zal niemand het ooit weten.'

'Maar ik ben jong! Jij bent oud.'

'Och, dat weet ik zo net niet. Bovendien ben ik goed in vorm, dank zij
een idiote dokter die me zegt wat ik doen moet. Hoe oud denk je dat
ik ben?'

'Jij bent boven de *dertig!*'

'Klopt.'

'Oud!'

'Bedankt.'

'Jij bent ook heel sterk, heel zwaar — maar het is meer dan dat. Ik heb
mijn verstand nog. Dat heb jij niet!'

'Misschien.' Jason duwde zijn sigaret uit op het wegdek. 'Laten we eens
verstandig praten,' zei hij en hij trok geld uit zijn zak. 'Ik meende wat
ik zei, ik zal je goed betalen... Waar is de Fransman?'

'Alles is niet in evenwicht.'

'Wat bedoel je?'

'Evenwicht is belangrijk.'

'Dat weet ik, maar ik begrijp het niet.'

'Er is geen eendracht en de Fransman is kwaad. Hoeveel wilt u me betalen?'

'Hoeveel kun je me vertellen?'

'Waar de Fransman en zijn killer morgenavond zullen zijn.'

'Tienduizend Amerikaanse dollars.'

'Aiya!'

'Maar alleen als jij me daarheen brengt.'

'Het is over de grens!'

'Ik heb een visum voor Shenzhen. Het is nog drie dagen geldig.'

'Misschien helpt het, maar het geldt niet voor de grens bij Guangdong.'

'Vind er dan maar iets op. Tienduizend Amerikaanse dollars.'

'Ik vind er wel wat op.' De contactman zweeg even en zijn blik was gericht op het geld dat de Amerikaan vasthield. 'Kan ik, zoals jullie dat
volgens mij noemen, een voorschot krijgen?'

'Vijfhonderd dollar, meer niet.'

'Iets regelen aan de grens zal veel meer kosten.'

'Bel me maar. Ik breng je het geld wel.'

'Waar bellen?'

'Zie maar een hotelkamer voor me te krijgen in Macao. Ik zal het geld daar in de kluis deponeren.'

'Het Lisboa.'

'Nee, niet het Lisboa. Daarheen kan ik niet. Ergens anders.'

'Geen enkel probleem. Help me overeind... Née! Het zou beter zijn voor mijn gezicht als ik je hulp niet nodig had.'

'Precies,' zei Jason Bourne.

Catherine Staples zat aan haar bureau, met de hoorn van de telefoon nog in haar hand terwijl het gesprek al verbroken was; ze keek er verstrooid naar en legde op. Ze was stomverbaasd over het gesprek dat ze zojuist had gevoerd. Aangezien er op het moment geen Canadese inlichtingendienst werkte in Hongkong onderhielden functionarissen van BZ hun eigen contacten met de politie in Hongkong wanneer ze betrouwbare informatie nodig hadden. Het waren altijd aangelegenheden in het belang van Canadese burgers die in de kolonie woonden of er op doorreis waren. Het betreft zowel problemen over mensen die gearresteerd waren als mensen die overvallen waren, het ging om Canadezen die bezwendeld waren en ook om lui die zelf zwendelden. Verder waren er zorgen die een diepere grond hadden, kwesties van beveiliging en spionage. Het eerste betrof bezoeken van hoge regeringsfunctionarissen, het laatste had te maken met beschermingsmaatregelen tegen elektronisch afluisteren en het verzamelen van vertrouwelijke informatie door personeel van het consulaat af te persen. Iedereen wist en iedereen zweeg erover, dat agenten van het Oostblok en fanatieke religieuze regimes in het Midden-Oosten drugs en prostitués van beiderlei kunne gebruikten voor alle mogelijke voorliefdes van beide seksen in een onophoudelijk zoeken naar de geheime gegevens van een vijandige regering. Hongkong was een markt voor drugs en seks. En op dat gebied had Staples enkele malen haar beste werk verricht in de kolonie. Ze had de carrières gered van twee attachés in haar eigen consulaat, plus dat van een Amerikaan en drie Britten. Foto's van personeel in compromitterende situaties waren, mèt hun negatieven, vernietigd en de afpersers waren de kolonie uitgezet onder bedreiging, niet alleen met bekendmaking, maar ook met fysiek geweld. Bij een bepaalde gelegenheid had een functionaris van het Iraanse consulaat, die haar razend toegegild had vanuit zijn kantoor in Gammon House, haar ervan beschuldigd zich te bemoeien met zaken die haar helemaal niet aangingen. Ze had naar de ezel geluisterd zolang ze zijn neusklanken kon verdragen, en toen het telefoongesprek beëindigd met een korte opmerking: 'Wist u dan niet dat Khomeini van kleine jongetjes houdt?'

Dat wat allemaal mogelijk door haar relatie met een Engelse weduwnaar van achterin de zestig, die met pensioen was gegaan bij Scotland

Yard en daarna hoofd was geworden van Crown Colonial Affairs in Hongkong. Ian Ballantyne had op zijn zevenenzestigste ingezien dat zijn ambtstermijn bij Scotland Yard voorbij was, maar dat zijn beroepsvaardigheden nog goed te gebruiken waren. Hij had zich graag laten overplaatsen naar het Verre Oosten waar hij de inlichtingenafdeling van de koloniale politie op stelten had gezet en er op zijn kalme manier een agressieve, efficiënte organisatie van had gemaakt, die meer wist over wat zich afspeelde in Hongkongs onderwereld dan welke andere instantie in de kolonie ook, met inbegrip van de Speciale Afdeling van MI 6. Catherine en Ian hadden elkaar ontmoet op een van die ambtelijk saaie diners die nu eenmaal vereist werden door het protocol van het consulaat en na een lang gesprek vol humor waarin zijn tafelgenote hem had leren waarderen, had Ballantyne zich voorover gebogen en gewoon gezegd: 'Wat vind je, meid, denk je dat we het nog zouden kunnen?' 'Laten we het maar eens proberen,' had ze geantwoord.

Dat hadden ze. Het was hun goed bevallen en Ian had zich in het leven van Staples vaste voet verworven, zonder verdere verplichtingen. Ze mochten elkaar graag; dat was voldoende.

En Ian Ballantyne had zojuist alles op losse schroeven gezet wat onderminister van BZ Edward McAllister Marie Webb en haar man in Maine had verteld. Er bestond in Hongkong geen taipan die Yao Ming heette en zijn onberispelijke – dat wil zeggen goedbetaalde – bronnen in Macao hadden hem verzekerd dat er nooit een dubbele moord was gepleegd in het Lisboa Hotel waarbij de vrouw van een taipan en een drughandelaar waren betrokken. Sinds het vertrek van de Japanse bezettingstroepen in 1945 waren dat soort moorden niet meer gepleegd. Er waren de nodige steekpartijen en schietpartijen geweest rond de tafels in het casino, en nogal wat sterfgevallen in kamers door overdoses aan narcotica, maar er was nooit iets voorgevallen zoals Staples had gehoord van haar bron.

'Allemaal gelogen, Cathy,' had Ian gezegd. 'Ik heb geen idee waarom.'
'Mijn bron is absoluut betrouwbaar, schat. Wat ruik jij?'
'Ik ruik wat ranzigs, meid. Iemand is bezig een enorm risico te lopen voor een belangrijk doel. Hij dekt zich natuurlijk in – je kunt hier nu eenmaal alles kopen, ook stilzwijgen – maar de hele rotzooi is verzonnen. Wil je me nog meer vertellen?'
'Als ik je eens zei dat het uit Washington kwam, niet uit Engeland?'
'Dan zou ik je moeten tegenspreken. Als het zover ging zou Londen erbij betrokken moeten zijn.'
'Dat klopt helemaal niet!'
'Vanuit jouw gezichtspunt, Cathy. Je weet niet hoe zij het zien. En dit kan ik je wel vertellen, die maniak van een Bourne heeft ons allemaal voor het blok gezet. Een van zijn slachtoffers is een man die niemand wil noemen. Ik ga het jou niet eens vertellen, meid.'

'Doe je dat wel als ik je meer informatie geef?'
'Waarschijnlijk niet, maar probeer het in elk geval.'
Staples zat aan haar bureau de woorden te overdenken.
Een van zijn slachtoffers is een man die niemand wil noemen.
Wat bedoelde Ballantyne daarmee? Wat was er aan de hand? En waarom bevond een vroegere Canadese econome zich in het centrum van een plotseling opgestoken storm?
Hoe dan ook, ze was nu veilig.

Ambassadeur Havilland schreed met zijn diplomatenkoffertje in de hand het kantoor op Victoria Peak binnen en McAllister sprong op uit zijn stoel om plaats te maken voor zijn meerdere.
'Blijf zitten, Edward. Wat heb je voor nieuws?'
'Jammer genoeg niets.'
'Verdomme, dat is het laatste wat ik wil horen.'
'Het spijt me.'
'Waar is die achterlijke klootzak die dit heeft laten gebeuren?'
McAllister verbleekte toen majoor Lin Wenzu, uit het zicht van Havilland, opstond van de sofa tegen de muur. 'Ik ben de achterlijke klootzak, de pindachinees die het heeft laten gebeuren, excellentie.'
'Ik ga geen excuses aanbieden,' zei Havilland terwijl hij zich omkeerde en grof vervolgde: 'We zijn aan het proberen jullie hachje te redden, niet het onze. Wij komen er wel bovenop. Jullie niet.'
'Ik weet te weinig om u te kunnen volgen.'
'Het is zijn schuld niet,' protesteerde de onderminister.
'Is het de jouwe dan?' schreeuwde de ambassadeur. 'Was jij verantwoordelijk voor haar bewaking?'
'Ik ben verantwoordelijk voor alles hier.'
'Dat is dan heel christelijk van u, meneer McAllister, maar op dit moment zijn we niet bezig met een bijbellezing op de zondagsschool.'
'Het was *mijn* verantwoordelijkheid,' viel Lin in de rede. 'Ik heb de opdracht aangenomen en ik heb gefaald. Om het maar eens simpel te zeggen, de vrouw was slimmer dan wij.'
'U bent Lin, van de Speciale Afdeling?'
'Ja, excellentie.'
'Ik heb veel goeds over u gehoord.'
'Ik weet zeker dat dat te niet wordt gedaan door wat ik nu heb uitgehaald.'
'Ik heb gehoord dat ze ook slimmer was dan een zeer capabele dokter.'
'Dat was ze,' bevestigde McAllister. 'Een van de beste internisten van de kolonie.'
'Een Engelsman,' voegde Lin eraan toe.
'Dat was niet nodig, majoor. Evenmin als het gebruiken van dat woord pindachinees met betrekking tot uzelf. Ik ben geen racist. De mensen

denken daar anders over, maar ze hebben geen tijd voor die onzin.' Havilland liep naar het bureau. Hij legde het koffertje erop en haalde er een dikke grote envelop uit met zwarte randen. 'U hebt om het Treadstone-dossier gevraagd. Hier is het. Onnodig te zeggen dat het deze kamer niet kan verlaten en wanneer u het niet leest bergt u het op in de kluis.'

'Ik wil er zo gauw mogelijk aan beginnen.'

'Denkt u dat u er iets in zult vinden?'

'Ik weet niet waar ik anders zou moeten zoeken. Ik ben trouwens verhuisd naar een kantoor verderop in de gang. Daar is de kluis ook.'

'Je kunt hier binnenlopen wanneer je maar wilt,' zei de diplomaat. 'Hoeveel heb je de majoor verteld?'

'Alleen datgene dat me opgedragen was hem te vertellen.' McAllister keek naar Lin Wenzu. 'Hij heeft zich vaak beklaagd dat hij meer zou moeten weten. Misschien heeft hij gelijk.'

'Ik verkeer niet in een positie om mijn klacht te benadrukken, Edward. Londen heeft voet bij stuk gehouden, excellentie. Natuurlijk accepteer ik de voorwaarden.'

'Ik wil niet dat u iets ''accepteert'', majoor. Ik wil dat u banger bent dan u ooit eerder in uw leven bent geweest. We zullen meneer McAllister rustig laten lezen en een stukje gaan wandelen. Toen ik hier binnenreed zag ik dat er een mooie tuin was. Gaat u met me mee?'

'Ik voel me zeer vereerd, meneer.'

'Dat is de vraag nog, maar noodzakelijk is het wel. U moet er helemaal van doordrongen zijn. U *moet* die vrouw terugvinden!'

Marie stond aan het raam van Catherine Staples' flat naar de drukte beneden te kijken. De straten waren vol mensen, zoals steeds, en ze voelde een onweerstaanbare aandrang het appartement te verlaten en anoniem tussen die mensenmassa's te lopen, daar in die straten, rond te wandelen bij Asian House in de hoop David daar te treffen. Ze zou tenminste iets doen, iets zien, horen, hopen, niet in stilte piekeren en half gek worden. Maar ze kon niet weggaan, ze had het Catherine beloofd. Ze had beloofd binnen te zullen blijven, niemand binnen te laten en de telefoon alleen dan op te nemen als die twee keer had gebeld en direct daarna weer. Dan zou Staples aan het toestel zijn.

Die lieve Catherine, competente Catherine — bange Catherine. Ze probeerde haar angst verborgen te houden, maar die was te horen in haar dringende vragen, die te snel werden gesteld, te intens, in haar te verbaasde reacties op antwoorden, vaak vergezeld door het inhouden van haar adem, terwijl haar ogen doelloos rondzwierven en haar gedachten kennelijk door haar hoofd tolden. Marie had dit niet begrepen, maar ze wist wel dat Staples uitstekend op de hoogte was van wat zich afspeelde in de onderwereld van het Verre Oosten en wanneer iemand die zo goed geïnformeerd was probeerde haar angst te verbergen over dat wat ze hoorde, dan zat er meer vast aan het verhaal dan de verteller wist. De telefoon. Twee keer bellen. Stilte. Toen een derde. Marie rende naar de tafel naast de sofa en pakte de hoorn op toen het toestel voor de derde keer overging. *'Ja?'*

'Marie, toen die leugenaar, McAllister, met jou en je man sprak, had hij het over een nachtclub in de Tsim Sha Tsui, als ik het goed heb. Klopt dat?'

'Ja, inderdaad. Hij zei dat er een UZI – dat is een wapen –'

'Ik weet wat het is, meid. Datzelfde wapen zou zogenaamd gebruikt zijn bij de moord op de vrouw van de taipan en haar minnaar in Macao, was dat niet zo?'

'Precies.'

'Maar zei hij verder ook nog iets over de kerels die in de nachtclub in Kowloon vermoord werden? Wat dan ook?'

Marie dacht terug. 'Nee, ik geloof van niet. Het ging alleen over het wapen.'

'Je weet het zeker.'

'Ja, zeker. Anders zou ik het me herinneren.'

'Dat geloof ik ook wel,' stemde Staples in.

'Ik heb wel duizend keer dat hele gesprek nagelopen. Ben je iets te weten gekomen?'

'Ja. Zo'n moord als McAllister jullie beschreven heeft, is nooit gepleegd in het Lisboa Hotel in Macao.'

'Die is in de doofpot gestopt. De bankier heeft ervoor betaald.'

'Heel wat minder dan mijn feilloze bron heeft betaald, in meer dan geld alleen. Met het verlokkelijke, onberispelijke stempel van zijn ambt dat op hele lange termijn veel meer profijt kan opleveren. In ruil voor informatie, natuurlijk.'

'Catherine, waar heb je het in hemelsnaam over?'

'Dit is ofwel de meest onhandige operatie waarover ik ooit heb gehoord, of het is een briljant uitgedacht plan om je man ergens bij te betrekken op een manier die hij nooit overwogen zou hebben, laat staan dat hij er in zou hebben toegestemd. Ik vermoed dat het laatste het geval is.'

'Waarom zeg je dat?'

'Vanmiddag is er op Kai-tak Airport een man aangekomen, een politicus die altijd veel meer is geweest dan alleen maar een diplomaat. Dat weten wij allemaal, alleen is het niet algemeen bekend. Zijn aankomst heeft overal op de telex gestaan. Hij ging de pers uit de weg toen die probeerde hem te interviewen, beweerde dat hij alleen maar op vakantie was in zijn geliefde Hongkong.'

'En?'

'Hij heeft in zijn hele leven nog nooit vakantie gehouden.'

McAllister rende de ommuurde tuin in vol lattenwerk voor klimplanten en witsmeedijzeren tuinmeubilair en rijen rozen en vijvers met rotspartijen. Hij had het Treadstone-dossier in de kluis geborgen, maar de woorden stonden onuitwisbaar in zijn geest geprent. Waar waren ze toch. Waar was *hij?*

Daar! Ze zaten op twee betonnen banken onder een kersenboom; Lin zat voorover gebogen, aan zijn uitdrukking te zien gebiologeerd. McAllister kon het niet helpen; hij begon te hollen, buiten adem toen hij bij de boom kwam en doordringend de majoor van de Speciale Afdeling van MI 6 aankeek.

'*Lin!* Toen de vrouw van Webb belde met haar man, dat gesprek dat jij hebt beëindigd, wat zei ze toen *precies?*

'Ze begon te praten over een straat in Parijs waar een rij bomen stond, haar lievelingsbomen zei ze volgens mij,' antwoordde Lin verbaasd. 'Ze probeerde hem kennelijk te vertellen waar ze was, maar ze had het helemaal fout.'

'Ze had het helemaal *goed!* Toen ik jou daarover ondervroeg zei je ook dat ze tegen Webb zei dat "het toen afschuwelijk was geweest" in die straat in Parijs, of zoiets...'

'Dat zei ze inderdaad,' onderbrak de majoor hem.

'Maar dat het *hier* beter zou zijn.'

'Dat zei ze.'

'In Parijs werd een man vermoord op de ambassade, een man die probeerde hem te helpen!'

'Wat probeer je toch te vertellen, McAllister,' viel Havilland hem in de rede.

'De *rij* bomen heeft er niets mee te maken, excellentie, maar haar *lievelingsboom* wel. De esdoorn, het esdoorn*blad*. Het symbool van Canada. Er is in Hongkong geen Canadese ambassade, maar wel een consulaat. Dat is het punt waar ze elkaar willen treffen. Dat is het patroon dat erin zit! Het is weer helemaal zoals in Parijs!'

'Je hebt geen bevriende ambassades — consulaten — ingelicht?'

'*Godverdomme!*' barstte de onderminister uit. 'Wat had ik in godsnaam moeten *zeggen?* Ik heb moeten zweren mijn mond te houden, *meneer!*'

'Je hebt volkomen gelijk. Dat is een terechte reprimande.'

'U kunt ons niet helemaal de handen binden, excellentie,' zei Lin. 'U bent iemand voor wie ik het hoogste respect heb, maar iets van datzelfde respect komt enkelen van ons ook toe als we ons werk moeten doen. Hetzelfde respect dat u mij zojuist hebt getoond door me te vertellen over die afschuwelijke zaak. Sheng Chou Yang. *Ongelooflijk!*'

'U mag er met helemaal niemand over spreken.'

'Dat zal ik zeker niet,' zei de majoor.

'Het Canadese consulaat,' zei Havilland. 'Zorg dat ik een lijst krijg van al het personeel.'

16

Om vijf uur 's middags werd er opgebeld en Bourne zat erop te wachten. Namen werden niet genoemd.

'Het is geregeld,' zei de man aan het toestel. 'We moeten om even vóór eenentwintighonderd uur aan de grens zijn, dan wordt de wacht afgelost. Uw visum voor Shenzhen zal goed bekeken worden, rubberstempels zullen heen en weer vliegen maar niet één zal erop terecht komen. Bent u eenmaal binnen dan moet u het zelf rooien, maar u bent niet via Macao gekomen.'

'Hoe zit het met teruggaan? Als het waar is wat u me hebt verteld en alles verloopt goed, dan zal ik iemand bij me hebben.'

'Dat zal ik niet zijn. Ik ga met u mee de grens over tot aan de plek. Daarna ga ik weer terug.'

'Dat is geen antwoord op mijn vraag.'

'Het is niet zo moeilijk als binnen te komen, tenzij u wordt gefouilleerd en ze smokkelwaar vinden.'

'Die zal er niet zijn.'

'Dan zou ik dronkenschap aanraden. Dat is niet ongewoon. Buiten Shenzhen is een vliegveld dat gebruikt wordt door speciale...'

'Dat ken ik.'

'U was misschien in het verkeerde vliegtuig gestapt, dat komt ook nog al eens voor. De dienstregelingen kloppen nooit in China.'

'Hoeveel voor vanavond?'

'Vierduizend Hongkong-dollars en een nieuw horloge.'

'Oké.'

Ongeveer zestien kilometer ten noorden van het dorp Gongbei wordt het land heuvelachtig en die heuvels veranderen spoedig in een kleine keten van dichtbeboste bergen. Jason en zijn eerdere tegenstander uit het steegje in Macao liepen over een landweg. De Chinees bleef staan en keek op naar de heuvels.

'Nog ongeveer vijf of zes kilometer en dan komen we aan een wei. Die steken we over en dan trekken we de tweede gordel van bossen in. We moeten voorzichtig zijn.'

'U weet zeker dat ze daar zullen zijn?'

'Ik heb zelf het bericht gebracht. Als er een kampvuur is zullen ze er zijn.'

'Wat stond er in het bericht?'

'Men vroeg om een bespreking.'

'Waarom over de grens?'

'Het kon *alleen* maar over de grens. Dat stond ook in het bericht.'

'Maar u weet niet waarom?'

'Ik ben alleen maar een koerier. De zaken zijn niet in evenwicht.'

'Dat zei u gisteravond ook al. Kunt u niet uitleggen wat dat betekent?'
'Ik begrijp het zelf niet eens.'
'Kan het zijn omdat de bespreking hier moest plaatsvinden? In China?'
'Dat hoort er zeker bij.'
'Is er meer?'
'*Wen ti,*' zei de gids. 'Vragen die gebaseerd zijn op gevoelens.'
'Ik geloof dat ik het begrijp.' En Jason begreep het ook. Hij had diezelfde gevoelens, dezelfde vragen, toen het hem duidelijk was geworden dat de killer die zich Bourne noemde reed in een officiële auto van de Volksrepubliek.
'U bent te gul geweest met de grenswacht. Dat horloge was te duur.'
'Ik heb hem misschien nog vaker nodig.'
'Misschien staat hij dan ergens anders.'
'Ik zal hem wel vinden.'
'Hij zal dat horloge verkopen.'
'Prima. Dan breng ik een ander voor hem mee.'

Ze renden gebukt door het hoge gras van een wei, met telkens korte sprints. Bourne liep achter de gids en zijn ogen zwierven voortdurend naar links en naar rechts en naar voren; ze zagen schaduwen in het donker, dat niet echt helemaal donker was. Voortjagende, lage wolken trokken voor de maan en filterden het licht, maar nu en dan was het helder en werd het landschap even kort verlicht. Ze kwamen aan een stijgende strook van hoge bomen en begonnen te klimmen. De Chinees hield stil en draaide zich om met beide handen omhoog.
'Wat is er?' fluisterde Jason.
'We moeten langzaam lopen, geen geluid maken.'
'Wachtposten?'
De gids haalde de schouders op. 'Ik weet het niet. Ik vertrouw het niet.'
Ze kropen verder door het dichte bos, bleven staan bij elke kreet van een opgeschrikte vogel en het daarop volgende vleugelgefladder, en wachtten tot het weer stil was. Overal weerklonken de geluiden van het bos; de krekels tjirpten hun onophoudelijk gezang, een eenzame uil kraste en een andere antwoordde en door het kreupelhout schoten kleine, fretachtige diertjes weg. Bourne en zijn gids bereikten het einde van de hoge bomen, voor hen lag een tweede hellende weide met hoog gras en in de verte was het ongelijke, donkere silhouet zichtbaar van weer zo'n stijgend bos.
Er was ook iets anders. Een gloed op het topje van de volgende heuvel, boven het bos uit. Het was een kampvuur, *het* kampvuur! Bourne moest zich in bedwang houden, zich inhouden om niet op te springen, door de wei te hollen en zich in het bos te storten en haastig naar het vuur te klauteren. Geduld was nu van het allerhoogste belang en hij bevond zich in de donkere omgeving die hij zo goed kende. Vage herinne-

ringen zeiden hem dat hij vertrouwen moest hebben in zichzelf, zeiden hem dat er geen betere bestond dan hij. Geduld. Hij zou de wei oversteken en zich stil een weg banen naar het hoogste deel van het bos. Hij zou een plek vinden tussen de bomen waar hij het vuur goed kon zien, de ontmoetingsplek. Hij zou wachten en toekijken; hij zou weten wanneer hij in actie moest komen. Hij had het al zo vaak eerder gedaan, waar en hoe precies wist hij niet, maar het patroon was duidelijk. Een man zou weggaan en als een roofdier dat stil door het oerwoud sluipt zou hij die man volgen tot het moment kwam. Hij zou ook weten wanneer het juiste moment er was en hij zou de man overmeesteren.

Marie, dit keer zal ik je niet in de steek laten. Ik kan me nu bewegen met een verschrikkelijke oprechtheid − ik weet dat dat dwaas klinkt, maar het is wel waar... Ik kan ook oprecht en zuiver haten, dat heb ik, geloof ik, al lang geleden geleerd. Drie bebloede lijken die naar een rivieroever dreven heeft me geleerd te haten. Een bloederige handafdruk op een deur in Maine heeft me geleerd nog dieper te haten en het nooit nog eens te laten gebeuren. Ik ben het niet vaak oneens met jou, mijn schat, maar je had ongelijk in Génève, ongelijk in Parijs. Ik ben wel een killer.

'Wat *mankeert* u eigenlijk?' fluisterde de gids met zijn hoofd vlak bij dat van Jason. 'U reageert niet op mijn teken!'

'Het spijt me. Ik dacht na.'

'Dat deed ik ook, *pang you!* Hoe we in leven kunnen blijven!'

'U hoeft zich geen zorgen te maken. U kunt nu weggaan. Ik kan het vuur ginds op de heuvel zien.' Bourne haalde geld uit zijn zak. 'Ik ga het liefst alleen. Eén man loopt minder kans te worden opgemerkt dan twee.'

'Stel dat er nog meer mannen zijn, wachtposten? U hebt me verslagen in Macao, maar in dit opzicht sta ik mijn mannetje.'

'Als er van die mannen zijn wil ik er een zoeken.'

'*Waarom,* in hemelsnaam?'

'Ik wil een wapen hebben. Ik kon het niet riskeren er een over de grens mee te nemen.'

'*Aiya!*'

Jason gaf de gids het geld. 'Het is er allemaal. Negenduizendvijfhonderd. Wilt u even de bossen ingaan om het te tellen? Ik heb een zaklantaarn.'

'Aan de man die je overwonnen heeft twijfel je niet. Mijn waardigheid laat een dergelijke ongepastheid niet toe.'

'Je gebruikt dure woorden, maar je koopt er geen cent voor. Schiet op, maak dat je wegkomt. Dit is mijn jachtgebied.'

'En dit is mijn pistool,' zei de gids, terwijl hij een wapen uit zijn riem trok en het Bourne overhandigde toen hij het geld aannam. 'Gebruikt u het maar als het niet anders kan. Het magazijn zit vol, negen patronen. Het is niet geregistreerd, het kan niet worden opgespoord. Dat heeft de Fransman me geleerd.'

'Heb je dit meegenomen de *grens* over?'

'U hebt het horloge gekocht, ik niet. Ik had het in een vuilniszak kunnen laten vallen maar toen zag ik zijn gezicht. Ik zal het nu niet nodig hebben.'

'Bedankt. Maar ik moet je wel zeggen, als je tegen me hebt gelogen zal ik je weten te vinden. Reken daar maar op.'

'Dan zouden het mijn leugens niet zijn en het geld zou worden teruggegeven.'

'Je gaat me boven mijn pet.'

'U hebt me overwonnen. Ik kan niet anders dan rechtschapen handelen.'

Bourne kroop langzaam, heel langzaam door het uitgestrekte, lange harde gras vol distels en trok de stekels uit zijn hals en zijn voorhoofd, dankbaar voor het nylon jack dat ze afweerde. Hij wist instinctmatig iets dat zijn gids niet wist, waarom hij de Chinees niet bij zich wilde houden. Een wei met hoog gras was een ideale plek voor wachtposten; de halmen bewogen zich wanneer heimelijk indringers zich er doorheen werkten. Daarom moest je vanaf de grond letten op het wuivende gras en je vooruit bewegen gelijk met de briesjes en de plotselinge windvlagen van de bergen.

Hij zag waar het bos begon, waar de bomen oprezen aan de rand van het gras. Hij begon omhoog te komen tot een gebukte houding, liet zich toen ineens snel zakken en hield zich roerloos. Rechts voor hem uit stond een man aan de rand van de wei met een geweer in de hand naar het gras te kijken in het nu en dan schijnende maanlicht, te letten op een bewegingspatroon in de halmen dat tegen de heersende wind inging. Vanaf de bergen woei een plotselinge windvlaag. Bourne bewoog zich met de richting mee en belandde zo op drie meter afstand van de wachtpost. Decimeter voor decimeter sloop hij naar de rand van de wei. Hij was nu opzij van de man, die voor zich uit stond te kijken en niet op zijn flanken lette. Jason kroop voorzichtig nog wat dichterbij tot hij tussen de halmen kon doorkijken. De wachtpost keek naar links. Nú! Bourne sprong omhoog uit het gras, stormde naar voren en wierp zich op de man. De wachtpost zwaaide instinctmatig en in paniek met de kolf van het geweer om de aanval af te weren. Jason greep de loop vast, wrong die boven het hoofd van de man en liet hem met een klap neerkomen op zijn onbedekte schedel, terwijl hij zijn knie in de ribben van de wachtpost ramde. Hij zakte ineen. Bourne sleurde hem snel het hoge gras in tot hij niet meer gezien kon worden. Met een paar snelle bewegingen trok Jason hem zijn jasje uit, scheurde het overhemd van zijn rug en trok het in repen. Even later was de man zo vastgebonden dat hij bij elke beweging de geïmproviseerde boeien strakker zou aantrekken. Er zat een prop in zijn mond, en een om het hoofd gebonden afgescheurde mouw hield de prop op zijn plaats.

Normaal gesproken zou Bourne net als vroeger – hij wist instinctief dat het bij dit soort gelegenheden de normale gang van zaken was – geen moment verloren laten gaan om vanaf de wei het bos in te rennen in de richting van het vuur. In plaats daarvan bleef hij kijken naar de bewusteloze gedaante van de oosterling aan zijn voeten; iets zat hem niet lekker... iets wat niet klopte. Om te beginnen had hij verwacht dat de wachtpost gekleed zou zijn in het uniform van het Chinese leger, want hij herinnerde zich maar al te duidelijk het officiële voertuig in Shenhzen en hij wist wie daarin zat. Maar het was niet alleen het ontbreken van een uniform, het ging om de kleren die de man droeg. Ze waren goedkoop en smerig en stonken ranzig naar te vet eten. Hij bukte zich, draaide het gezicht van de man opzij en opende zijn mond; er zaten maar een paar tanden in die zwart zagen van het bederf. Wat voor wachtpost was dit, wat voor soort soldaat? Hij was een misdadiger – ongetwijfeld ervaren – maar een gewone misdadiger die gerecruteerd was uit de achterbuurten van het Oosten waar het leven goedkoop was en gewoonlijk geen betekenis had. Toch handelden de mannen op deze 'vergadering' met tienduizenden dollars. De prijs die zij voor een leven betaalden was zeer hoog. Er klopte inderdaad iets niet.

Bourne pakte het geweer en kroop uit het gras. Hij zag niets, hoorde niets anders dan het gemurmel van het bos dat vóór hem lag; hij kwam overeind en rende het bos in. Hij klom snel, geluidloos, bleef net als voorheen staan bij elk vogelgekrijs, elk vleugelgefladder, elk abrupt zwijgen van het krekellied. Nu sloop hij niet, hij kroop voort op zijn knieën en hield het geweer vast bij de loop, een knots als hij die nodig mocht hebben. Schieten kon hij niet, tenzij zijn leven ervan afhing, hij mocht zijn prooi niet waarschuwen. De val werd gespannen, het was nu enkel een kwestie van geduld, geduld en die laatste besluiping wanneer de kaken van de val zouden dichtklappen. Hij bereikte het bovenste deel van het bos en liet zich geruisloos achter een rotsblok glijden aan de rand van de kampplaats. Stil liet hij het geweer op de grond zakken, trok het pistool dat hij van de gids had gekregen uit zijn broekriem en tuurde om het grote rotsblok heen.

Wat hij beneden in de wei verwacht had te zien zag hij nu. Een soldaat in uniform stond stram rechtop, ongeveer zeven meter rechts van het vuur. Het was alsof hij gezien wilde worden, maar niet geïdentificeerd. Het klopte niet. De man keek op zijn horloge; het wachten was begonnen.

Het duurde bijna een uur. De soldaat had vijf sigaretten gerookt. Jason was stil blijven liggen, nauwelijks ademend. En toen gebeurde het, langzaam, geleidelijk, zonder schallende trompetten, een volkomen ondra-

matische opkomst. Een tweede gedaante verscheen. Hij kwam nonchalant uit de schaduwen stappen en duwde de laatste takken van het bos
opzij toen hij in zicht kwam. En zonder enige waarschuwing schoten ineens lichtflitsen omlaag uit de nachtelijke hemel, drongen brandend en
schroeiend door in het hoofd van David Webb en verlamden de geest
van Jason Bourne.

Want toen de man in het licht van het vuur verscheen, stokte Bourne's
adem, hij moest de loop van het geweer vastgrijpen om het niet uit te
gillen, of om niet blindelings te doden. Hij keek naar een geest van zichzelf, een spookachtige verschijning van jaren terug die was teruggekeerd
om hem te achtervolgen, wie nu ook de jager was. Het gezicht was zowel zijn gezicht, als een gezicht dat niet het zijne was, misschien het gezicht dat het zijne had kunnen zijn voordat de chirurgen het veranderden in dat van Jason Bourne. Net als het magere, strakke lichaam was
het gezicht jeugdiger − jonger dan de mythe die hij imiteerde − en in
die jeugd lag kracht, de kracht van een Delta van Medusa. Het was *ongelooflijk*. Zelfs de behoedzame, katachtige gang, de lange armen die
slap opzij van zijn lichaam hingen, die duidelijk zo bedreven waren in
de dodelijke vaardigheden. Het *was* Delta, de Delta over wie hij had gehoord, de Delta die Cain was geworden en ten slotte Jason Bourne. Hij
keek naar zichzelf, en toch ook weer niet naar zichzelf, maar hoe dan
ook een moordenaar. Een killer.

Een geweerschot in de verte overstemde de geluiden van het bos. De
sluipmoordenaar bleef staan, draaide zich toen snel van het vuur af en
dook naar rechts terwijl de soldaat zich op de grond liet vallen. Een oorverdovend, hol klinkend, knetterend salvo automatisch vuur klonk op
uit de bossen; de killer liet zich om en om over het gras van de kampplaats rollen, terwijl kogels de aarde deden opspatten toen hij de duisternis bereikte van de bomen. De Chinese soldaat knielde op één knie
en schoot wild in de richting van de moordenaar.

Het oorverdovende lawaai van het gevecht nam nog toe, niet ineens,
maar in drie verschillende stadia. De explosies volgden elkaar daverend
op. Een eerste granaat verwoestte de kampplaats, gevolgd door een
tweede die bomen uit de grond rukte zodat de door de wind gedroogde
takken vlam vatten, en ten slotte was er een derde die hoog in de lucht
geslingerd werd en met verschrikkelijke kracht ontplofte in het stuk van
het bos van waaruit het machinegeweer was afgevuurd. Ineens flakkerden overal vlammen op en Bourne hield zijn ene hand voor zijn ogen.
En kwam achter het rotsblok vandaan met zijn pistool in de andere
hand. Er was een val gezet voor de moordenaar en hij was erin gelopen!
De Chinese soldaat was dood, zijn geweer was aan flarden geschoten
net als het grootste deel van zijn lichaam. Ineens stormde een gedaante
vanaf links de hel in waar eens het kampvuur had gebrand, draaide zich
twee keer om, zag Jason en schoot op hem. De killer was terug komen

lopen uit het bos, in de hoop degenen te vangen en te doden die hem
hadden willen vermoorden. Bourne draaide om zijn as, sprong eerst
naar rechts en toen naar links en liet zich vervolgens op de grond vallen,
zijn ogen gericht op de rennende nan. Hij kwam overeind en sprong
naar voren. *Hij mocht hem niet laten ontsnappen!* Hij stormde door het
vuur dat overal woedde; de gestalte vóór hem sprong naar links en
rechts tussen de bomen door. Het was de killer! De bedrieger die beweerde die dodelijke mythe te zijn die Azië in vlam had gezet, die die
mythe gebruikt had voor zijn eigen doeleinden, die de oorspronkelijke
man had vernietigd en de vrouw van wie die man hield. Bourne rende
zoals hij nog nooit eerder had gerend, sprong om bomen heen en over
lage struiken met een lenigheid die de jaren tussen Medusa en nu te niet
deden. Hij *was* opnieuw in Medusa! Hij *was Medusa! En met elke tien
meter kwam hij dichterbij, nu nog maar vijf. Hij kende het oerwoud
en elk bos was een jungle en de jungle was zijn vriend. Hij had de jungle
overleefd; zonder na te denken − alleen door zijn gevoel − kende hij
elke kronkeling, elke liaan, de plotselinge kuilen en de ineens opduiken-
de kloven. Hij haalde hem in, haalde hem in!* En toen was hij er, was
de killer nog minder dan een meter vóór hem!
Met wat hem de laatste ademtocht in zijn lijf toescheen wierp Jason zich
naar voren − Bourne tegen Bourne! Zijn handen waren de klauwen van
een bergpoema toen hij de schoudes vastgreep van de rennende gedaante vóór hem, zijn vingers klauwden zich in de harde spieren en botten toen hij de moordenaar achteruit rukte, zijn hakken zetten zich
schrap in de grond, zijn rechterknie ramde hij in de ruggegraat van de
man. Zijn woede was zo fel dat hij zich bewust moest herinneren niet
te doden. *Blijf leven!* Jij bent mijn vrijheid, *onze* vrijheid!
De killer gilde toen de echte Jason Bourne een arm als een schroef om
zijn nek wrong, het hoofd naar rechts rukte en de bedrieger op de grond
dwong. Beiden vielen, Bournes onderarm zat tegen de keel van de man
geklemd, zijn linkerhand was gebald en beukte onophoudelijk in de onderbuik van de killer en forceerde zo de lucht uit het verslappende lijf.
Het gezicht? Het *gezicht?* Waar was het gezicht van jaren geleden? Die
verschijning die hem wilde terugsleuren in een hel die zijn geheugen niet
meer wilde oproepen. Waar was het *gezicht?* Dit was het niet!
'*Delta!*' gilde de man onder hem.
'Hoe noemde je mij?' schreeuwde Bourne.
'*Delta!*' krijste de kronkelende gestalte. 'Cain is voor *Carlos, Delta is
voor Cain!*'
'*Godverdomme,* wie...'
'*D'Anjou! Ik ben d'Anjou! Medusa!* Tam Quan! Wij hebben geen namen, enkel symbolen! In godsnaam, *Parijs!* Het Louvre! Jij hebt mijn
leven gered in *Parijs* − zoals je zovele levens redde in *Medusa!* Ik ben
d'Anjou! Ik heb je in Parijs verteld wat je moest weten! Jij bent Jason

Bourne! De krankzinnige die ons ontloopt is alleen maar een *schepping! Mijn* schepping!'

Webb staarde naar het vertrokken gelaat aan zijn voeten, naar de perfect verzorgde snor en het zilverkleurig haar dat achterover lag gekamd op het hoofd van de oudere man. De nachtmerrie was er weer... hij was in de dampende, stinkende jungle van Tam Quan zonder uitweg en omringd door de dood. Toen was hij ineens in Parijs en naderde de trap naar het Louvre in het verblindende zonlicht van de namiddag. *Pistoolschoten*. Gillende auto's, krijsende mensen. Hij moest het gezicht aan zijn voeten redden! Dat gezicht van Medusa dat hem de ontbrekende stukjes kon verschaffen van een waanzinnige puzzel!

'D'Anjou?' fluisterde Jason. 'Ben jij *d'Anjou?'*

'Als je even mijn keel loslaat,' zei de Fransman met verstikte stem, 'zal ik je een verhaal vertellen. Ik weet zeker dat jij mij ook het nodige te vertellen hebt.'

Philippe d'Anjou bekeek de ravage op de kampplaats, nu één rokende puinhoop. Hij sloeg een kruis toen hij de zakken doorzocht van de dode 'soldaat' en er alles van waarde uithaalde wat hij kon vinden. 'We zullen de man beneden losmaken wanneer we weggaan,' zei hij. 'Het is de enige toegang tot deze plek. Daarom heb ik hem daar neergezet.'

'En waar moest hij van jou op letten?'

'Ik kom van Medusa, net als jij. Grazige weiden — wat dichters en consumenten er ook van zeggen — zijn zowel toegangswegen als valstrikken. Guerrilla's weten dat. Wij wisten dat.'

'Je had toch niet kunnen weten dat *ik* zou komen?'

'Nauwelijks. Maar ik kon wel elke tegenzet van mijn schepping voorkomen en dat heb ik ook gedaan. Hij moest alleen komen. De opdracht was duidelijk, maar wie kon hem vertrouwen, ikzelf nog het minst.'

'Ik kan je niet meer volgen.'

'Dat is deel van mijn verhaal. Je krijgt het wel te horen.'

Ze liepen door het bos naar beneden en de oudere d'Anjou greep zich vast aan boomstammen en jonge boompjes om gemakkelijker te kunnen afdalen. Ze kwamen aan de wei en hoorden de gedempte kreten van de vastgebonden wachtpost toen ze het hoge gras inliepen. Bourne sneed de stroken van stof door met zijn mes en de Fransman betaalde hem.

'Zou ba!' schreeuwde d'Anjou. De man vluchtte weg in het donker. 'Hij is een stuk vullis. Dat zijn ze allemaal, maar ze moorden met genoegen als je genoeg betaalt en verdwijnen dan.'

'Jij hebt vanavond geprobeerd *hem* te vermoorden, nietwaar? Het was een valstrik.'

'Ja. Ik dacht dat hij bij de ontploffingen gewond was geraakt. Daarom ben ik achter hem aan gegaan.'

'En ik dacht dat hij was teruggekomen om jou in de rug aan te pakken.'
'Ja, dat zouden we in Medusa ook gedaan hebben...'
'Daarom dacht ik dat jij hem was.' Jason schreeuwde ineens van woede. 'Wat heb je in hemelsnaam gedaan?'
'Het hoort allemaal bij een verhaal.'
'Dat wil ik horen. Nú!'
'Een paar honderd meter verderop is een vlak stuk terrein, naar links,' zei de Fransman en hij wees. 'Vroeger graasde er vee maar het is de laatste tijd gebruikt door helicopters die hier landden voor een afspraak met een moordenaar. Laten we naar de overkant lopen en wat uitrusten... en praten. Gewoon voor het geval die brand mensen uit het dorp aantrekt.'
'Dat ligt zeven kilometer verderop.'
'Je weet maar nooit, dit is hier China.'

De wolken waren weggedreven, weggeblazen door de nachtelijke wind; de maan stond laag, maar nog hoog genoeg om haar licht te laten schijnen op de bergen in de verte. De twee zo verschillende mannen van Medusa zaten op de grond. Bourne stak een sigaret op en d'Anjou zei: 'Weet je nog in Parijs, dat drukke café waar wij gepraat hebben na die waanzin bij het Louvre?'
'Jazeker. Carlos had ons die middag bijna alle twee te pakken.'
'Jij had de Jakhals bijna in de val.'
'Maar niet helemaal. Wat is er met Parijs, met dat café?'
'Toen vertelde ik je dat ik weer terug zou gaan naar Azië. Naar Singapore of Hongkong, misschien naar de Seychellen heb ik geloof ik nog gezegd. Frankrijk is nooit een goed land voor me geweest, heeft me ook niet goed behandeld. Na Dien Bien Phu – alles wat ik had was daar verwoest, opgeblazen door onze eigen troepen – had het praten over schadevergoeding geen enkele zin. Het was hol geklets van holle kerels. Daarom ben ik bij Medusa gegaan. De enige manier om mijn eigen boedeltje terug te krijgen was via een Amerikaanse overwinning.'
'Ik weet het nog,' zei Jason. 'Wat heeft dat met vanavond te maken?'
'Zoals wel blijkt ben ik dus teruggegaan naar Azië. Aangezien de Jakhals mij had gezien ben ik nogal via omwegen gegaan en zo had ik tijd om na te denken. Ik moest mij een duidelijk oordeel vormen over mijn toestand en over de kansen die ik nog had. Omdat ik voor mijn leven vluchtte had ik niet zo verschrikkelijk veel bij me, maar ik kon er mee rondkomen. Ik nam het risico om die middag terug te gaan naar de zaak in St. Honoré en eerlijk gezegd jatte ik elke *sou* in en buiten de kassa. Ik kende de combinatie van de safe en gelukkig zat er behoorlijk wat in. Ik kon met gemak de halve wereld rondreizen, buiten bereik van Carlos, en verscheidene weken zonder paniek leven. Maar wat moest ik met mezelf aanvangen? Het geld zou opraken en mijn vaardigheden –

die in de beschaafde wereld zo voor de hand lagen — waren niet zodanig dat ze me zouden toestaan de herfst van mijn leven hier door te brengen in het comfort dat me ontstolen was. Toch was ik niet voor niets een slang geweest op het hoofd van Medusa. Het is duidelijk dat ik talenten vond en ontwikkelde waarvan ik nooit had gedroomd dat ik die bezat, en eerlijk gezegd merkte ik dat er geen ethiek aan te pas kwam. Ik was onrechtvaardig behandeld en ik kon anderen ook onrechtvaardig behandelen. En naamloze, gezichtsloze moordenaars hadden me ontelbare keren geprobeerd te vermoorden, daarom kon ik de verantwoordelijkheid aangaan voor de dood van naamloze, gezichtsloze andere vreemdelingen. Je ziet zeker de symmetrie wel? Zodra die weg was werden alle vergelijkingen abstract.'

'Ik hoor een heleboel gelul,' antwoordde Bourne.

'Dan luister je niet goed, Delta.'

'Ik ben Delta niet.'

'Goed dan. Bourne.'

'Ik ben... ga verder. Misschien ben ik dat wel.'

'*Comment?*'

'*Rien*. Ga door.'

'Ik kwam tot de conclusie dat Jason Bourne nooit meer zou opduiken, ondanks wat er in Parijs met je was gebeurd, of je nu gewonnen of verloren had, of je gedood was of gespaard was gebleven. En bij alles wat me heilig was wist ik dat Washington nooit één woord van waardering of verklaring zou uiten, je zou eenvoudig verdwijnen. ''Niet meer te redden,'' zo noemen ze dat, geloof ik.'

'Daarvan ben ik me bewust,' zei Jason. 'Het was dus afgelopen met me.'

'*Naturellement*. Maar er zou geen uitweg worden gegeven, dat *kon* niet. *Mon Dieu,* de killer die zij geschapen hadden was gek geworden — hij had echt gemoord! Nee, er zou niets van komen. Strategen trekken zich terug in de donkerste hoekjes wanneer hun plannen... ''van de rails lopen'' noemen ze dat, geloof ik.'

'Dat weet ik ook.'

'*Bien*. Dan kun je de oplossing begrijpen die ik voor mezelf vond, voor m'n oude dag.'

'Dat begin ik te begrijpen.'

'*Bien encore*. Er was hier in Azië een gat in de markt. Jason Bourne bestond niet meer, maar zijn legende leefde nog. En er zijn mensen die betalen willen voor de diensten van zo'n uitzonderlijk man. Daarom wist ik wat me te doen stond. Het was gewoon een kwestie van de juiste troonopvolger te vinden...'

'Troonopvolger?'

'Goed dan, *zogenaamde* troonopvolger, als je wilt. En hem te trainen in de vaardigheden van Medusa, in de methoden van het beroemdste lid van die zo onofficiële misdadige broederschap. Ik ging naar Singapore en keek daar rond in de onderwereld van de uitgeworpenen, vaak vrezend voor mijn leven, tot ik de man vond. En ik vond hem gauw, dat mag ik er wel bij zeggen. Hij was wanhopig, hij was bijna drie jaar op de vlucht voor de autoriteiten; hij was hen, zoals ze dat zeggen, altijd net één stap voorgebleven. Hij is een Engelsman, een vroegere commando die op een avond dronken werd, amok maakte en zeven mensen vermoordde in de straten van Londen. Vanwege zijn buitengewone staat van dienst werd hij naar een psychiatrisch ziekenhuis in Kent gestuurd; daaruit ontsnapte hij en op een of andere manier − god mag weten hoe − bereikte hij Singapore. Hij bezat alle talenten voor het vak; ze hoefden alleen maar bijgevijld en geleid te worden.'

'Hij lijkt op mij. Zoals ik er vroeger uitzag.'

'Nu nog veel meer dan in het begin. De fundamentele gelijkenis was er, ook het lange lijf en het gespierde lichaam; dat waren plusplunten. Het was eenvoudig een kwestie van een nogal opvallende neus veranderen en een scherpere kin dan ik me herinnerde dat jij had, als Delta, natuurlijk wat afronden. In Parijs was je anders, maar niet zo anders dat ik je niet meer herkende.'

'Een commando,' zei Jason zacht. 'Het klopt. Wie is hij?'

'Hij is een man zonder naam, maar niet zonder een macabere voorgeschiedenis,' antwoordde d'Anjou terwijl hij naar de bergen in de verte staarde.

'Geen naam. . .?'

'Geen enkele naam die hij me gaf en die hij het volgende moment niet onmiddellijk zou ontkennen, geen naam die ook maar in de verte echt leek. Hij houdt die naam verborgen alsof het de enige verzekering is voor zijn leven, alsof het noemen ervan onvermijdelijk zal leiden tot zijn dood. Hij heeft natuurlijk gelijk, de omstandigheden van dit moment bewijzen dat. Als ik een naam had zou ik die anoniem kunnen doorgeven aan de Britse autoriteiten in Hongkong. Hun computerlampjes zouden gaan branden; specialisten zouden worden overgevlogen uit Londen en er zou een mensenjacht op gang worden gebracht die ik nooit had kunnen organiseren. Ze zouden hem nooit levend te pakken krijgen − dat zou hij niet toestaan en hun zou het niets kunnen schelen − en dan had ik mijn zin.'

'Waarom willen de Engelsen hem opruimen?'

'Laten we zeggen dat Washington haar Mai Lai's en naar Medusa heeft gehad, terwijl Londen een veel recentere militaire eenheid heeft, aangevoerd door een psychopatische moordenaar die honderden afgeslachte mensen in zijn kielzog heeft achtergelaten. Er werd maar weinig onderscheid gemaakt tussen de onschuldigen en de schuldigen. Hij kent te veel geheimen die, als ze bekend werden, zouden leiden tot heftige uitbarstingen van wraak in het hele Midden-Oosten en Afrika. Je moet al-

lereerst praktisch zijn, dat weet jij. Of dat hoor je te weten.'
'Hij heeft de leiding gehad?' vroeg Bourne, even verbluft als verbijsterd.
'Hij was geen gewone zandhaas, Delta. Hij was kapitein op zijn tweeëntwintigste en majoor op zijn vierentwintigste, toen promoties zo goed als onmogelijk waren omdat White Hall aan het bezuinigen was op het leger. Hij zou ongetwijfeld nu kolonel of generaal zijn geweest als hij geen pech had gehad.'
'Heeft hij je dat verteld?'
'Tijdens periodes van dronken razernij wanneer er onappetijtelijke waarheden bovenkwamen, alleen nooit zijn naam. Dat gebeurde gewoonlijk één of twee keer per maand, een paar dagen achter elkaar, wanneer hij volkomen van de kaart ging in een dronken zee van zelfverachting. Toch wist hij altijd verdomde goed wanneer zo'n uitbarsting weer opkwam, dan vroeg hij me hem vast te binden, hem op te sluiten, hem tegen zichzelf te beschermen. ... Dan kwamen er weer afgrijselijke gebeurtenissen uit zijn verleden naar boven, die hij vertelde met een holle, schorre keelstem. Als de drank hem te pakken had beschreef hij scènes waarin gemarteld en verminkt werd, gevangenen ondervraagd werden terwijl hun ogen met messen werden doorstoken en hun polsen doorgesneden, waarbij hij zijn gevangenen beval toe te kijken hoe hun leven uit hen wegvloeide. Voor zover ik heb kunnen opmaken uit de brokstukken had hij het commando over vele van de gevaarlijkste en wreedste overvallen tegen de fanatieke onlusten van eind jaren zeventig en begin tachtig, vanaf Yemen tot aan de bloedbaden in Oost-Afrika. Hij heeft me eens in dronken trots verteld hoe zelfs Idi Amin hoogst persoonlijk geen adem meer kon halen wanneer zijn naam werd genoemd, zo wijd verbreid was zijn reputatie in het evenaren — zelfs overtreffen — van Amins strategie van wreedheid.' D'Anjou zweeg even, knikte langzaam en trok zijn wenkbrauwen op in dat typisch Franse gebaar van accepteren wat onverklaarbaar is. 'Hij was een onmens — *is* een onmens — maar met dat alles een zeer intelligent, zogenaamd *officer and gentleman*. Een complete paradox, geheel tegengesteld aan de beschaafde mens... Hij moest lachen om het feit dat zijn minderen hem verachtten en hem een beestmens noemden, maar niemand durfde ooit een officiële klacht in te dienen.'
'Waarom niet?' vroeg Jason, getroffen door wat hij hoorde. 'Waarom rapporteerden ze hem niet?'
'Omdat hij hen altijd uit de soep haalde — de meesten tenminste — wanneer er zaken er hopeloos voor leken te staan.'
'Ik snap het,' zei Bourne en hij liet die opmerking verwaaien op de bries die van de bergen woei. 'Nee, ik snap het *niet!*' riep hij kwaad uit alsof hij plotseling en onverwacht wroeging erover voelde. 'De bevelshiërarchie is *beter* dan dat. Waarom lieten zijn meerderen hem zijn gang

gaan? Ze moesten het toch *weten!*'

'Voor zover ik zijn tirades heb begrepen kreeg hij dingen voor elkaar die anderen niet konden, of niet wilden uitvoeren. Hij kende het geheim dat wij in Medusa al lang geleden kenden. Speel volgens de meest meedogenloze regels van de vijand. Verander de regels, afhankelijk van de cultuur. Een mensenleven betekent tenslotte voor anderen niet hetzelfde als in de joods-christelijke wereld. Hoe zou dat kunnen? Voor zovelen is de dood een bevrijding van ondraaglijke menselijke condities.'

'Ademhalen is voor iedereen hetzelfde!' hield Jason heftig vol. 'Zijn en denken betekent voor iedereen hetzelfde!' voegde David Webb eraan toe. 'Hij is een Neanderthaler.'

'Niet meer dan Delta op bepaalde momenten was. En jij hebt *ons* ook uit ik weet niet hoeveel...'

'Hou daarover op!' protesteerde de man van Medusa en hij legde de Fransman het zwijgen op. 'Dat was niet hetzelfde.'

'Maar het was wél een variant,' hield d'Anjou vol. 'Uiteindelijk doen de motieven er niet echt toe, nietwaar? Alleen de resultaten tellen. Of wil je de waarheid niet onder ogen zien? Eens heb je in die waarheid geleefd. Leeft Jason Bourne nu met leugens?'

'Op dit moment *leef* ik gewoon, van dag tot dag, van nacht tot nacht, tot dit voorbij is. Op de een of andere manier.'

'Je moet wat duidelijker zijn.'

'Wanneer ik dat wil en wanneer ik het moet zijn,' antwoordde Bourne kil. 'Hij is dus goed, nietwaar? Die commando van jou, die majoor zonder naam. Goed in wat hij doet.'

'Even goed als Delta, misschien wel beter. Want zie je, hij heeft totaal geen geweten. Jij, van de andere kant, hoe gewelddadig je ook was, vertoonde nu en dan flitsen van medeleven. Iets in je vereiste dat. "Spaar die man", zei je dan. "Hij heeft een vrouw, een vader, een broer. Stel hem nu buiten gevecht, maar laat hem leven, zorg dat hij later nog kan leven." ...Mijn schepping, jouw bedrieger, zou zoiets nooit doen. Hij verlangt altijd de eindoplossing, de dood waar hij zelf bij is.'

'Wat is er met hem gebeurd? Waarom vermoordde hij die mensen in Londen? Dronkenschap is onvoldoende aanleiding, niet waar hij vandaan komt.'

'Als het een onderdeel uitmaakt van je leven kun je het niet laten.'

'Je houdt je wapen op zijn plaats tenzij je bedreigd wordt. Anders roep je bedreigingen op.'

'Hij gebruikte geen wapen. Alleen zijn handen die avond in Londen.'

'*Wat?*'

'Hij zwierf over straat op zoek naar ingebeelde vijanden, dat heb ik begrepen uit zijn getier. "Ik zag het in hun ogen!" gilde hij. "Je ziet het altijd in de ogen! Ze weten wie ik ben, *wat* ik ben". Ik zeg je, Delta, het was zowel beangstigend als vervelend, en ik hoorde nooit een naam, er werd nooit een naam genoemd behalve die ene keer Idi Amin, en die naam zou elke dronken huursoldaat in zijn mond nemen om te snoeven. De Engelsen in Hongkong erbij betrekken zou inhouden dat ik mezelf bekend moest maken en dat kon ik tenslotte zeker niet doen. De hele zaak is zo frustrerend, daarom deed ik het maar op de manier van Medusa. Doe het zelf. Dat heb jij ons geleerd, Delta. Je hield ons voortdurend voor — je beval ons — onze fantasie te gebruiken. Dat heb ik vanavond gedaan. En ik heb gefaald, zoals een oude man verwachten kan te zullen falen.'

'Antwoord op mijn vraag,' hield Bourne aan. 'Waarom vermoordde hij die mensen in Londen?'

'Voor een even banale als zinvolle reden en maar al te vertrouwd. Hij had een blauwtje gelopen en zijn ego kon die afwijzing niet verdragen. Ik betwijfel sterk of er nog een andere reden was. Zoals dat met al zijn mateloosheid het geval is, is seksuele aktiviteit voor hem gewoon een dierlijke bevrediging; er is geen liefde bij betrokken, want liefhebben kan hij niet. *Mon Dieu,* hij had helemaal *gelijk!*'

'Nog eens. Wat gebeurde er?'

'Hij was gewond teruggekeerd van een bijzonder gewelddadige opdracht in Oeganda, in de verwachting dat hij met een vrouw in Londen gewoon kon verdergaan zoals hij haar had achtergelaten — ik geloof dat het iemand van adel was, vast en zeker iemand die hij van vroeger kende. Maar zij weigerde hem te ontvangen en huurde gewapende bewakers om haar huis in Chelsea te beschermen, nadat hij daar was geweest. Twee van die kerels behoorden tot de zeven die hij die avond vermoordde. Want zij beweerde dat hij zich volledig liet gaan en dat hij wanneer hij dronken was een moordenaar werd en dat was natuurlijk ook zo. Maar voor mij was hij de volmaakte troonopvolger. In Singapore schaduwde ik hem in de buurt van een beruchte bar en ik zag hoe hij twee moordzuchtige misdadigers klem zette in een steegje — het waren *contrebandiers* die een boel geld hadden verdiend met het verkopen van een partij drugs in het havenkwartier — en ik zag hoe hij ze beiden tegen een muur dreef en met één zwaai van zijn mes hen allebei de keel afsneed en hun geld uit hun zakken haalde. Toen wist ik dat hij mijn man was. Ik had mijn Jason Bourne gevonden. Ik liep langzaam en zwijgend op hem af met uitgestoken hand en meer geld erin dan hij had afgenomen van zijn slachtoffers. We praatten. Dat was het begin.'

'Pygmalion schiep dus zijn Galatea en het eerste contract dat je aannam werd Afrodite en bracht het beeld tot leven. Bernard Shaw zou dol op je zijn en ik kan je wel vermoorden.'

'Waarom? Je kwam hier vanavond om hem te zoeken. Ik ben gekomen om hem af te maken.'

'En dat is een onderdeel van jouw verhaal,' hij wendde zijn ogen af van de Fransman naar de bergen onder het maanlicht, denkend aan Maine en aan zijn leven met Marie dat zo gewelddadig was onderbroken. '*Rotzak* die je bent!' schreeuwde hij ineens. 'Ik zou je wel kunnen vermoorden! Heb je enig idee van wat je hebt uitgehaald?'

'Dat is jouw verhaal, Delta. Laat mij. eerst het mijne afvertellen.'

'Hou het kort... *Echo*. Dat was je naam toch? Echo?' *De herinneringen kwamen terug.*

'Inderdaad. Je hebt wel eens tegen Saigon gezegd dat je niet op pad wilde gaan zonder je "ouwe Echo". Je wilde mij in jouw team hebben omdat ik kon zien of er rotzooi kwam met de stammen en de dorpshoofden, de anderen konden dat niet, en dat had weinig te maken met mijn alfabetsletter. Er kwam natuurlijk weinig mystieks bij kijken. Ik had tien jaar in de koloniën gewoond. Ik wist wanneer de *Quan-si* logen.'

'Maak je verhaal af,' beval Bourne.

'Verraad,' zei d'Anjou met uitgestrekte handen. 'Net zoals jij werd geschapen, zo schiep ik mijn eigen Jason Bourne. En net zoals jij gek werd, zo werd mijn schepping dat ook. Hij keerde zich tegen mij; hij werd de werkelijkheid die ik had bedacht. Vergeet Galatea maar, Delta, hij werd Frankensteins monster en van de gewetenskwellingen van dat schepsel had hij geen last. Hij maakte zich van me los en begon voor zichzelf te denken, zelf te handelen. Toen hij eenmaal zijn vertwijfeling kwijt was — met mijn onschatbare hulp en het mes van een chirurg — kreeg hij zijn autoritaire optreden weer terug, zijn arrogantie. Hij beschouwt mij als een prul. Zo noemde hij me, een "prul". Een onbetekenende nul die hem *gebruikte!* En ik had hem nog gemaakt!'

'Je bedoelt dat hij zelf contracten begon af te sluiten?'

'Perverse contracten, grotesk en uitzonderlijk gevaarlijk.'

'Maar ik kwam hem via jou op het spoor, via jouw afspraken met het Kam Pek casino. Tafel Vijf. Het telefoonnummer van een hotel in Macao en een naam.'

'Hij vindt het gemakkelijk die contactmethode aan te houden. En waarom niet? Veiliger kan het haast niet en wat kan ik doen? Naar de politie lopen en zeggen: "Kijk eens, mijne heren, er is hier een vent voor wie ik zo'n beetje verantwoordelijk ben die erop staat afspraken na te komen die ik heb gemaakt, zodat hij voor geld iemand kan vermoorden". Hij gebruikt zelfs mijn contactman.'

'The *Zhongguo ren* met de flitsende handen en nog snellere voeten?'

D'Anjou keek Jason aan. 'Zo heb je het dus voor elkaar gekregen, zo heb je deze plek gevonden. Delta is dus nog niets verleerd, *n'est-ce-pas?* Leeft de man nog?'

'Hij leeft, en hij is tienduizend dollar rijker.'

'Hij is een *cochon* die alleen maar aan geld denkt. Maar wie ben ik om kritiek te hebben? Ik heb hem zelf gebruikt. Ik heb hem vijfhonderd betaald om een boodschap op te halen en af te geven.'

'Waardoor jouw schepping vanavond hierheen kwam zodat je hem kon doden? Waarom was je er zo zeker van dat hij zou komen?'

'Een instinct uit Medusa, en hele vage kennis van een heel vreemd contact dat hem zoveel zou opleveren en zo gevaarlijk was dat heel Hongkong erdoor in oorlog kon komen, de hele kolonie lamgelegd kon worden.'

'Die theorie heb ik al eerder gehoord,' zei Jason en hij herinnerde zich McAllisters woorden van die vooravond in Maine, 'en ik geloof het nog steeds niet. Wanneer killers elkaar beginnen te vermoorden, zijn zij meestal degenen die aan het kortste eindje trekken. Ze werken zich de vernieling in en er kruipen overal verklikkers uit het houtwerk die denken dat zij vervolgens aan de beurt zijn.'

'Als de slachtoffers alleen maar passen in zo'n alledaags patroon dan heb je zeker gelijk. Maar niet wanneer het gaat om een belangrijk politiek figuur van een uitgestrekt en agressief land.'

Bourne staarde D'Anjou aan. *'China?'* vroeg hij zacht.

De Fransman knikte. 'Er zijn vijf lui vermoord in de Tsim Sha Tsui...'

'Dat weet ik.'

'Vier van die lijken waren onbelangrijk. Het vijfde niet. Hij was de vice-premier van de Volksrepubliek.'

'Goeide god!' Jason dacht diep na en het beeld van een auto kwam weer bij hem terug. Een auto met geblindeerde raampjes en een killer als pasagier. Een officiële wagen van de Chinese regering.

'Van mijn bronnen heb ik gehoord dat de telefoonlijnen roodgloeiend stonden tussen Government House en Beijing; de practische aspecten en het dreigende gezichtsverlies wonnen het dit keer nog. Wat deed de vice-premier tenslotte in Kowloon? Was zo'n verheven leider van het Centrale Comité misschien ook al corrupt? Maar, zoals ik al zei, zo was het dit keer nog. Nee, Delta, mijn schepping moet vernietigd worden voordat hij nog een contract afsluit dat ons allemaal in de afgrond kan sodemieteren.

'Sorry, Echo. Niet vernietigd. Gevangen en bij iemand anders afgeleverd.'

'Dat is dus jouw verhaal?' vroeg d'Anjou.

'Een deel ervan, ja.'

'Vertel me maar eens.'

'Alleen wat je moet weten. Mijn vrouw is ontvoerd en naar Hongkong gebracht. Om haar terug te krijgen — en terugkrijgen zal ik haar of iedere klootzak hier gaat eraan — moet ik die kolereschepping van jou afleveren. En nu ben ik daar een stap dichterbij omdat jij me gaat helpen, en ik bedoel *echt* helpen. Als je het niet doet...'

'Je hoeft me niet te dreigen, Delta,' viel de vroegere man van Medusa hem in de rede. 'Ik weet wat jij kunt. Ik heb het je zien doen. Jij wilt hem hebben om jouw redenen, en ik wil hem om de mijne. Het aanvalspact is gesloten.'

17

Catherine Staples stond erop dat haar gast nog een wodka-martini dronk; zelf deed ze dat niet omdat haar glas nog halfvol was.

'Het is ook halfleeg,' zei de tweeëndertigjarige Amerikaanse attaché, terwijl hij flauw en nerveus glimlachte en zijn donkere haar van zijn voorhoofd streek. 'Da's stom van me, Catherine,' voegde hij eraan toe. 'Het spijt me maar ik kan maar niet vergeten dat jij de foto's hebt gezien — dat je mijn carrière en misschien wel mijn leven hebt gered staat daarbuiten — het gaat om die verdomde foto's.'

'Niemand anders heeft ze gezien, behalve inspecteur Ballantyne,'

'Maar jij hebt ze gezien.'

'Ik ben oud genoeg om je moeder te zijn.'

'Dat maakt het alleen maar erger. Als ik naar je kijk schaam ik me zo, dan voel ik me zo verdomd smerig.'

'Mijn vroegere man, waar hij dan ook mag zitten, heeft eens tegen me gezegd dat er bij het seksuele spel helemaal niets als smerig beschouwd kon of mocht worden. Ik vermoed zo dat hij iets voorhad met die opmerking maar toevallig vind ik wel dat hij gelijk heeft. Luister nou 'ns, John, vergeet het nou maar. Ik ben het al lang vergeten.'

'Ik zal mijn best doen.' Er verscheen een kelner, met gebarentaal bestelden ze de drank. 'Sinds jij vanmiddag belde ben ik helemaal hoteldebotel geweest. Ik dacht dat er nog meer te voorschijn was gekomen. Dat was een periode van vierentwintig uur waarin ik compleet geflipt ben.'

'Je was zwaar en zonder medeweten onder de drugs gezet. In die staat was je niet verantwoordelijk. En het spijt me echt, ik had je moeten zeggen dat het niets te maken had met die vorige kwestie van ons.'

'Als je dat had gezegd had ik de afgelopen vijf uur misschien mijn salaris kunnen verdienen.'

'Ik had eraan moeten denken en het was wreed van me. Het spijt me.'

'Oké. Je bent een geweldige meid, Catherine.'

'Ik doe een beroep op je infantiele regressies.'

'Daar zou ik maar niet zo zeker van zijn.'

'Laat dan die vijfde martini van je maar staan.'

'Het is mijn tweede pas.'

'Een *klein beetje* vleierij heeft nog nooit iemand kwaad gedaan.'

Ze lachten zacht. De kelner kwam terug met de borrel voor John Nelson; hij dankte de man en wendde zich weer naar Staples. 'Ik heb zo'n idee dat ik niet getracteerd word op een diner in The Plume vanwege de vleierij. Deze tent zou ik nooit kunnen betalen.'

'Ik ook niet, maar Ottawa wel. Jij komt op mijn rekening als een verschrikkelijk belangrijk persoon. Dat ben je in feite ook.'

'Dat is lief van je. Dat heeft niemand me ooit eerder gezegd. Ik heb hier een vrij aardig baantje omdat ik Chinees heb geleerd. Ik dacht zo dat met al die dure jongens van de Ivy League een knaap van het Upper Iowa College in dat ouwe Fayette ergens iets moest hebben om de overhand te krijgen.'

'Dat heb je ook, John. Het consulaat mag jou graag. Onze 'Gouwe Gang' in het buitenland heeft jou erg hoog zitten en dat hoort ook zo.'

'Als dat zo is heb ik dat aan jou en aan Ballantyne te danken. En *alleen* aan jullie tweeën.' Nelson zweeg even, nam een slok van zijn martini en keek Staples aan over de rand van zijn glas. Hij zette het glas neer en hervatte het gesprek. 'Wat is er, Catherine. Waarom ben ik belangrijk?'

'Omdat ik jouw hulp nodig heb.'

'Zeg maar op. Ik zal *alles* voor je doen.'

'Niet zo vlug, Johnny. Ik zwem in diep water en ik zou erin kunnen verdrinken.'

'Als er iemand een reddingslijn verdient van mij dan ben jij het. Op een paar onbelangrijke probleempjes na, zijn onze twee landen het met elkaar eens en in de grond genomen mogen we elkaar wel, we staan aan dezelfde kant. Wat is het? Hoe kan ik je helpen?'

'Marie St. Jacques... Webb,' zei Catherine en ze lette op het gezicht van de attaché.

Nelson knipperde met zijn ogen en zijn blik zwierf nadenkend rond. 'Niks,' zei hij. 'De naam zegt me niks.'

'Goed dan, laten we Raymond Havilland eens proberen.'

'O, dat is hele andere koek.' De attaché sperde zijn ogen open en hield zijn hoofd schuin. *'Iedereen* kletst over *hem*. Hij is nog niet op het consulaat verschenen, heeft zelfs onze hoogste baas nog niet gebeld, die met hem op de foto wil in de kranten. Havilland is tenslotte zowat het hoogste wat je hebben kunt, iets bovennatuurlijks in onze handel. Hij gaat zo'n beetje terug tot het het scheppingsverhaal en hij heeft waarschijnlijk de hele zwendel op touw gezet.'

'Dan moet je ook weten dat die aristocratische ambassadeur van jullie door de jaren heen met meer te maken heeft gehad dan met diplomatieke onderhandelingen.'

'Niemand zegt dat ooit hardop, maar je moet al heel naïef zijn als je hem alleen maar ziet als een of andere god op de Olympus.'

'Jij bent inderdaad goed, Johnny.'

'Ik hou alleen mijn ogen open. Een stukje van mijn salaris verdien ik best. Wat is het verband tussen een naam die ik ken en eentje die ik niet ken?'

'Ik wou dat ik het wist. Heb jij enig idee waarom Havilland hier is? Heb je misschien iets gehoord?'

'Ik heb geen idee waarom hij hier is maar ik weet wel dat je hem niet in een of ander hotel zult vinden.'

'Ik mag aannemen dat hij rijke vrienden heeft...'

'Dat weet ik wel zeker, maar daar logeert hij ook niet.'

'Oh?'

'Het consulaat heeft in alle stilte een huis gehuurd op Victoria Peak, en er is een tweede contingent mariniers overgevlogen uit Hawaii om daar de bewaking te vormen. Niemand van ons in het middenkader wist er iets van tot er een paar dagen geleden een van die stomme dingen gebeurde. Twee mariniers zaten te eten in het Wanchai en een van hen betaalde de rekening met een tijdelijke cheque op een bank in Hongkong. Nou ja, je weet hoe dat gaat met militairen en cheques; de manager maakte het die korporaal knap lastig. De jongen zei dat noch hij, noch zijn kameraad tijd hadden gehad om aan contanten te komen en dat de cheque helemaal in orde was. Waarom belde de manager het consulaat niet even en praatte hij niet even met een militair attaché?'

'Slimme korporaal,' onderbrak Staples hem.

'Niet zo'n slim consulaat,' zei Nelson. 'De militaire jongens waren er die dag niet en die lefgozers van onze bewakingsdienst met hun eindeloze gezeik over geheimhouding, hadden het contingent van Victoria Peak nog niet op hun lijst staan. De manager vertelde later dat de korporaal een paar identiteitsbewijzen liet zien en dat het hem een aardige jongen leek, dus nam hij het risico maar.'

'Dat was redelijk van hem. Dat zou hij waarschijnlijk niet hebben gedaan als de korporaal zich anders had gedragen. Nogmaals, een slimme marinier.'

'Hij gedroeg zich wel degelijk anders. De volgende morgen op het consulaat. Hij kwam ons de les lezen in wat net nog geen soldatentaal was maar hij deed het zo hard dat zelfs ik hem kon horen en mijn kantoor ligt aan het eind van de gang vanaf de receptie. Hij wilde weten wat wij verdomde burgerklooien wel dachten dat zij daar boven op die berg aan het doen waren en waarom stonden zij nog niet op het dienstrooster, terwijl ze er al een week waren. Ik kan je wel zeggen dat ik zelden iemand zo kwaad heb gezien.'

'En ineens wist het hele consulaat dat er een beveiligd huis was in de kolonie.'

'Jij hebt dat gezegd, Catherine, ik niet. Maar ik zal je precies vertellen wat het memo aan de hele staf ons opdroeg te zeggen: dat memo belandde op onze bureau's een uur nadat de korporaal verdwenen was, nadat hij twintig minuten had doorgebracht bij een paar pijnlijk verlegen clowns van de veiligheidsdienst.'

'En wat jullie opgedragen kregen te zeggen is niet wat jij gelooft.'

'Geen commentaar,' zei Nelson. 'Het huis in Victoria was gehuurd voor het veilig onderbrengen van reizend personeel uit Washington en ook voor vertegenwoordigers van grote Amerikaanse bedrijven die voor zaken in Hongkong waren.'

'Onzin. Vooral dat laatste. Sinds wanneer neemt de Amerikaanse be-

230

lastingbetaler dit soort zaken voor zijn rekening voor General Motors en ITT?'

'Washington is druk bezig onze handel uit te breiden in overeenstemming met onze steeds verder openstaande deur naar de Volksrepubliek. Er zit lijn in. We willen de zaken gemakkelijker maken, meer toegankelijk, en het is hier zo vol als een potje met pieren. Probeer maar eens een behoorlijke kamer te krijgen twee dagen tevoren.'

'Dat klinkt alsof je het uit je hoofd hebt geleerd.'

'Geen commentaar. Ik heb je enkel verteld wat ik kreeg opgedragen je te vertellen als de zaak ter sprake zou komen, en dat kwam ze wel degelijk.

'Natuurlijk kwam ze dat. Ik heb vrienden op de Peak die vinden dat de buurt naar de haaien gaat met al die hoge zakenpieten die daar rondhangen.' Staples nam een slok van haar glas. 'Zit Havilland daar?' vroeg ze en ze zette haar glas weer op tafel.

'Bijna zo goed als zeker.'

'Bijna?'

'Onze persdame — haar kantoor is naast het mijne — wilde wat public relations halen uit de ambassadeur. Ze vroeg de consul-generaal in welk hotel hij logeerde en ze kreeg te horen dat hij nergens logeerde. In welk huis dan? Hetzelfde antwoord 'We zullen moeten wachten tot hij ons belt, als hij dat al doet' zei onze baas. Ze heeft bij mij uitgehuild, maar er was niets aan te doen. Ze mocht niet achter hem aan gaan.'

'Dan zit hij op de Peak,' concludeerde Staples rustig. 'Hij heeft een beveiligd huis gebouwd voor zichzelf en hij heeft een operatie op stapel gezet.'

'En die heeft iets te maken met die Webb, die Marie St. Wiedanook Webb?'

'St. Jacques. Ja.'

'Wil je me er iets over vertellen?'

'Nu niet — in jouw belang en in het mijne. Als ik gelijk heb en iemand zou denken dat jij iets te weten was gekomen zouden ze je kunnen overplaatsen naar Reykjavik, zonder warme trui.'

'Maar je zei dat je niet wist wat het verband was, dat je wilde dat je het wel wist.'

'In de zin dat ik het waarom er niet van kan begrijpen, als er al een waarom is. Ik ken maar één kant van het verhaal en daar zitten een heleboel gaten in. Misschien heb ik ongelijk.' Catherine dronk weer wat van haar whisky. 'Luister, Johnny,' vervolgde ze. 'Jij kunt alleen zelf de beslissing nemen en als die nee luidt zal ik er begrip voor hebben. Ik moet weten of de aanwezigheid van Havilland daarginds iets heeft te maken met een man die David Webb heet en met zijn vrouw Marie St. Jacques. Voordat ze trouwde was ze econoom in Ottawa.'

'Is ze Canadese?'

'Ja. Ik zal je zeggen waarom ik dat moet weten, zonder zoveel los te laten dat jij er moeilijkheden door kunt krijgen. Als het verband er is moet ik de ene kant opgaan, is het er niet, de andere kant, desnoods honderdtachtig graden omgekeerd. Als het laatste het geval is kan ik ermee in de openbaarheid komen. Dan kan ik de kranten inschakelen, de radio, de televisie, alles waardoor ik het bekend kan maken zodat haar man terugkomt.'

'En dat betekent dat hij clandestien op pad is,' onderbrak de attaché haar. 'En jij weet waar zij is, maar de anderen niet.'

'Ik zei het al, jij bent snel van begrip.'

'Maar als het eerste het geval is, als er inderdaad verband is met Havilland, wat volgens jou zo is...'

'Geen commentaar. Als ik daar antwoord op gaf zou ik je meer vertellen dan je hoort te weten.'

'Ik snap het. Het is een linke zaak. Laat me eens denken.' Nelson pakte zijn martiniglas op, maar in plaats van te drinken zette hij het weer neer. 'Als ik nou eens een anoniem telefoontje had gekregen?'

'Zoals bijvoorbeeld?'

'Een zeer ongeruste Canadese vrouw die om inlichtingen vraagt over haar verdwenen Amerikaanse man?'

'Waarom zou ze jou bellen? Ze weet de weg in regeringskringen. Waarom de consul-generaal zelf niet?'

'Die was er niet. Ik wel.'

'Ik wil je niet beledigen, Johnny, maar jij bent niet zijn tweede man.'

'Je hebt gelijk. En iedereen zou navraag kunnen doen bij de centrale en ontdekken dat ik dat telefoontje nooit had gehad.'

Staples fronste haar wenkbrauwen en boog zich voorover. 'Er is wel een manier als je nog een beetje meer wilt liegen. Het is gebaseerd op de werkelijkheid. Het is gebeurd en niemand zou kunnen zeggen dat dat niet zo was.'

'Wat dan?'

'Je bent in Garden Road aangeschoten door een vrouw, toen je het consulaat verliet. Ze vertelde je niet veel, maar genoeg om je ongerust te maken en ze wilde niet naar binnen gaan omdat ze bang was. Zij is de zeer verontruste vrouw op zoek naar haar verdwenen Amerikaanse man. Je zou haar zelfs kunnen beschrijven.'

'Begin maar met haar signalement,' zei Nelson.

Op een stoel voor McAllisters bureau zat Lin Wenzu iets hardop te lezen uit een notitieboekje terwijl de onderminister van BZ luisterde. 'Het signalement klopt wel niet helemaal, maar de verschillen zijn klein en kunnen gemakkelijk bewerkstelligd worden. Strak achterover getrokken haar onder een hoed, geen make-up, platte schoenen om haar kleiner te laten lijken, maar niet veel kleiner — ze is het.'

'En ze beweerde dat ze in de telefoongids geen naam herkende van iemand die haar zogenaamde achterneef kon zijn?'

'Een achterneef van haar moeders kant. Een beetje vergezocht maar toch specifiek genoeg om geloofwaardig te klinken. Volgens de receptioniste was ze nogal onhandig, zenuwachtig zelfs. Ze had ook een handtas bij zich die zo duidelijk een namaak Gucci tas was dat de receptioniste haar aanzag voor een grietje van het platteland. Vriendelijk maar onnozel.'

'Ze herkende wel iemands naam,' zei McAllister.

'Als ze dat deed, waarom vroeg ze hem dan niet even te spreken? Onder de omstandigheden had ze geen tijd te verliezen.'

'Ze ging er waarschijnlijk van uit dat wij alarm hadden geslagen, dat ze het risico niet kon lopen herkend te worden, niet daar in het gebouw.'

'Ik denk niet dat ze zich daarover druk maakte, Edward. Met wat zij weet en wat zij heeft doorgemaakt zou ze heel erg overtuigend kunnen zijn.'

'Met wat ze *denkt* dat ze weet, Lin. Er is niets waarvan ze zeker kan zijn. Ze zal heel erg voorzichtig zijn, bang om een verkeerde stap te zetten. Het is *haar* man die daar ergens rondloopt en je kunt het van mij aannemen — ik heb hen samen gezien — ze beschermt hem als een kloek haar kuikens. Mijn god, ze heeft meer dan vijf miljoen dollar achterovergedrukt alleen maar omdat ze, volkomen terecht, dacht dat zijn eigen mensen hem tekort hadden gedaan. Zoals zij het zag kwam dat geld hem toe — hen toe — en Washington kon met de muziek voorop de pot op.'

'Heeft ze dat gedaan?'

'Havilland heeft alle geheimhouding voor jou opgeheven. Ze heeft dat gedaan en ze is er niet voor gepakt. Wie zou daar gaan roepen? Ze had het clandestiene Washington precies waar ze het hebben wilde. Ze waren bang en ze schaamden zich kapot.'

'Hoe meer ik hoor, hoe meer ik haar bewonder.'

'Je kunt haar bewonderen zoveel je wilt, als je haar maar vindt.'

'Over de ambassadeur gesproken, waar is hij?'

'Die luncht op een rustig plekje met de Canadese ambassadeur van de Gemenebest.'

'Gaat hij hem alles vertellen?'

'Nee, hij gaat hem vragen blindelings samen te werken, met een telefoon op zijn tafeltje zodat hij Londen kan bereiken. Londen zal de ambassadeur vertellen alles te doen wat Havilland hem vraagt. Alles is geregeld.'

'Hij weet wel leven in de brouwerij te brengen.'

'Je vindt er nergens een zoals hij. Hij kan elk ogenblik terugkomen, eigenlijk is hij al laat.' De telefoon ging over en McAllister nam de hoorn op. 'Ja? ...Nee, die is hier niet. *Wie?* ...Oh ja, natuurlijk zal ik met hem praten.' De onderminister dekte de hoorn af en zei tegen de majoor: 'Dat is onze consul-generaal. Ik bedoel de Amerikaanse.'

'Dan is er iets gebeurd,' zei Lin en hij stond nerveus op uit zijn stoel.

'Ja, meneer Lewis, u spreekt met McAllister. U moet van mij aannemen dat we alles op prijs stellen, meneer. Het consulaat heeft erg goed meegewerkt.'

Ineens ging de deur open en Havilland kwam de kamer in.

'De Amerikaanse consul-generaal, excellentie,' zei Lin. 'Ik geloof dat hij naar u vroeg.'

'Ik heb geen tijd voor een van die verdomde etentjes van hem.'

'Een ogenblikje, meneer Lewis. De ambassadeur komt net binnen. Ik weet zeker dat u liever met hem praat.' McAllister stak de hoorn uit naar Havilland die snel op het bureau afliep.

'Ja. Jonathan, wat is er?' De ambassadeur stond zwijgend te luisteren, zijn lange, slanke lichaam stond stram, zijn blik was gericht op iets dat niet zichtbaar was in de tuin achter het hoge erkerraam. Ten slotte zei hij: 'Dank je, Jonathan, je hebt juist gehandeld. Hou tegenover iedereen je mond en dan zal ik het van hieruit wel verder behandelen.' Havilland legde de hoorn op en keek om beurten McAllister en Lin aan. 'Onze meevaller, als het tenminste een meevaller is, komt uit de verkeerde richting. Niet het Canadese maar het *Amerikaanse* consulaat.'

'Het klopt niet,' zei McAllister. 'We zijn niet in Parijs, het gaat niet over de straat met haar lievelingsboom, de esdoorn, het esdoorn*blad*. Dat is het Canadese consulaat, *niet* het Amerikaanse.'

'En als je dat zo interpreteert moeten we het maar vergeten?'

'Natuurlijk niet. Wat is er gebeurd?'

'Een attaché, een zekere Nelson, is op Garden Road aangesproken door een Canadese vrouw die op zoek was naar haar Amerikaanse man. Die Nelson bood aan haar te helpen, met haar naar de politie te gaan maar ze hield voet bij stuk. Ze wilde niets weten van de politie en ze wilde ook niet met hem meegaan naar zijn kantoor.'

'Gaf ze daar een reden voor?' vroeg Lin. 'Ze vraagt om hulp en weigert die vervolgens.'

'Alleen maar dat het persoonlijk was. Nelson beschreef haar als nerveus, overspannen. Ze gaf als naam op Marie Webb en zei dat haar man misschien wel naar het consulaat was gegaan om naar haar te zoeken. Zou Nelson eens kunnen informeren, dan zou ze hem terugbellen.'

'Dat heeft ze eerst niet zo gezegd,' protesteerde McAllister. 'Ze had het duidelijk over wat er met hen was gebeurd in Parijs en dat betekende contact opnemen met een functionaris van haar eigen regering, haar eigen land. Canada.'

'Waarom blijf je zo aanhouden?' vroeg Havilland. 'Ik bedoel dat niet als kritiek, ik wil alleen weten waarom.'

'Ik weet het niet zeker. Iets klopt er niet. Onder andere heeft de majoor

234

hier ontdekt dat ze wel degelijk naar het Canadese consulaat is gegaan.'
'O?' De ambassadeur keek de man van de Speciale Afdeling aan.
'De receptioniste heeft het bevestigd. Het signalement klopte vrijwel helemaal, vooral voor iemand die is getraind door een kameleon. Haar verhaal luidde dat ze haar familie had beloofd een verre neef op te zoeken wiens achternaam ze vergeten was. De receptioniste gaf haar een telefoongids en die heeft ze doorgelopen.'
'Ze vond wel iemand die ze kende,' onderbrak de onderminister hem. 'Ze heeft contact gelegd.'
'Dan is dat je antwoord,' zei Havilland vastberaden. 'Ze ontdekte dat hij *niet* naar een straat was gegaan met een rij esdoorns, daarom nam ze de volgende uitweg. Het Amerikaanse consulaat.'
'En ze maakt zich daar bekend, terwijl ze weet dat er in heel Hongkong naar haar wordt gezocht?'
'Het opgeven van een valse naam zou nergens goed voor zijn geweest,' antwoordde de ambassadeur.
'Ze spreken allebei Frans. Ze had een Frans woord kunnen gebruiken, *toile,* bijvoorbeeld. Dat betekent web.'
'Ik weet wat het betekent, maar volgens mij zoek je te ver.'
'Haar man zou het begrepen hebben. Ze had iets minder voor de hand liggends kunnen doen.'
'Excellentie,' viel Lin Wenzu in de reden terwijl hij langzaam zijn blik afwendde van McAllister. 'Ik hoorde wat u tegen de Amerikaanse consul-generaaal zei, dat hij absoluut zijn mond moest houden en omdat ik nu volledig begrijp waarom u de zaak geheim wilt houden, neem ik aan dat meneer Lewis niet op de hoogte is.'
'Dat klopt, majoor.'
'Hoe wist hij dan dat hij u moest bellen? Er worden zo vaak mensen vermist, hier in Hongkong. Een vermiste man of een vermiste vrouw is niets ongewoons.'
Even lag er een uitdrukking van twijfel op Havillands gelaat. 'Jonathan Lewis en ik kennen elkaar al heel lang,' zei hij en zijn stem klonk niet meer zo autoritair. 'Hij mag dan een beetje een *bon vivant* zijn, maar hij is zeker niet gek. Als hij dat was zou hij hier niet zitten. En de omstandigheden rond de ontmoeting van de vrouw met zijn attaché, nou ja, Lewis kent mij en hij heeft bepaalde conclusies getrokken.' De diplomaat keerde zich tot McAllister, toen hij verder sprak kwam zijn autoriteit geleidelijk terug. 'Bel Lewis terug, Edward. Zeg hem tegen Nelson te zeggen dat hij een telefoontje van jou kan verwachten. Ik zou er de voorkeur aan geven het wat minder direct te doen, maar daar hebben we geen tijd voor. Ik wil dat je hem ondervraagt, hem vraagt over van alles en nog wat, wat je ook maar kunt bedenken. Ik zal meeluisteren via het toestel op jouw kantoor.'
'U bent het er dus mee eens,' zei de onderminister. 'Er klopt iets niet.'

'Ja,' antwoordde Havilland en hij keek Lin aan. 'De majoor heeft het opgemerkt en ik niet. Ik zou er een iets andere uitleg aan geven, maar het is in feite wat hem dwarszit. De vraag is niet waarom Lewis mij belde, het gaat erom waarom een attaché naar *hem* toe kwam. Tenslotte beweert een hoogst nerveuze vrouw dat haar man wordt vermist, maar ze wil niet naar de politie gaan en ook niet naar het consulaat. Normaal negeer je zo iemand als een getikte. Zo oppervlakkig gezien is het geen zaak die je onder de aandacht brengt van een consul-generaal die het toch al druk genoeg heeft. Bel Lewis maar.'

'Natuurlijk. Maar mag ik eerst vragen of alles vlot is verlopen met de Canadese ambassadeur? Zal hij meewerken?'

'Het antwoord op je eerste vraag is nee, alles is niet vlot verlopen. Wat de tweede betreft, hij kon niet anders.'

'Ik begrijp het niet.'

Havilland zuchtte vermoeid en geïrriteerd. 'Via Ottawa zal hij ons een lijst bezorgen van iedereen in zijn staf die ooit in wat voor zin dan ook te maken heeft gehad met Marie St. Jacques... en dat doet hij met tegenzin. Hij heeft opdracht gekregen zover met ons samen te werken, maar het zat hem helemaal niet lekker. Om te beginnen heeft hij zelf vier jaar geleden een tweedaagse cursus bij haar gevolgd en hij schatte dat waarschijnlijk een kwart van het consulaat hetzelfde had gedaan. Zij zou hen niet meer kennen, maar zij zouden zich haar zeker herinneren. Ze was 'hoogstbegaafd,' zo drukte hij het uit. Ze is ook een Canadese die behoorlijk in de knoei is komen zitten door een stelletje Amerikaanse klootzakken — echt, hij had totaal geen scrupules om dat woord te gebruiken — tijdens een of andere volledig geschifte geheime operatie — ja, die uitdrukking gebruikte hij, volledig geschift — een *idiote* operatie door diezelfde klootzakken op touw gezet — jazeker, hij herhaalde het — waarvoor nooit een afdoende verklaring is gegeven.' De ambassadeur zweeg even glimlachend en grinnikte kort. 'Het was allemaal erg verkwikkend. Hij nam geen enkel blad voor zijn mond en ik ben zo niet meer toegesproken sedert mijn dierbare vrouw is overleden. Ik zou dat vaker nodig hebben.'

'Maar u hebt hem toch zeker wel verteld dat het in haar eigen belang was, nietwaar? Dat we haar *moeten* vinden voordat haar iets overkomt.'

'Ik kreeg duidelijk de indruk dat onze Canadese vriend serieus aan mijn verstand twijfelde. Bel Lewis maar. God mag weten wanneer we die lijst zullen krijgen. Onze esdoornvrienden zullen die waarschijnlijk per trein van Ottawa naar Vancouver sturen en vervolgens met een ouwe, verroeste tramp naar Hongkong, waar ze verloren zal raken in de postkamer. Intussen hebben wij een attaché die zich heel vreemd gedraagt. Hij springt over hekken terwijl dat helemaal niet nodig is.'

'Ik ken John Nelson, meneer,' zei Lin. 'Hij is een slimme knaap en hij spreekt behoorlijk Chinees. Hij is vrij populair in de diplomatieke wereld hier.'

'Hij is ook nog iets anders, majoor.'

Nelson legde de hoorn op de haak. Zijn voorhoofd droop van het zweet; hij veegde het af met de achterkant van zijn hand, in de zekerheid dat hij zich zo goed gehouden had als hij kon onder de omstandigheden. Het deed hem vooral goed dat hij de belangrijkste vragen van McAllister gebruikt had tegen zijn ondervrager, zij het dan diplomatiek.

Waarom voelde u zich gedwongen naar de consul-generaal te gaan?
Ik geloof dat uw telefoontje daarop een antwoord geeft, meneer McAllister. Ik had het gevoel dat er iets bijzonders was gebeurd. Ik vond dat de consul op de hoogte moest worden gesteld.
Maar de vrouw weigerde naar de politie te gaan; ze weigerde zelfs naar het consulaat te komen.
Zoals ik al zei, het was heel vreemd, meneer. Ze was nerveus en gespannen, maar ze was niet geschift.
Wat?
Ze was volledig bij haar positieven, ze had zichzelf goed in de hand, zou je zelfs kunnen zeggen, ondanks haar ongerustheid.
Ik begrijp het.
Dat vraag ik me juist af, meneer. Ik heb geen idee wat de consul-generaal tegen u heeft gezegd, maar ik heb wel geopperd dat met dat huis in Victoria Peak, de mariniers op wacht, en dan nog de komst van ambassadeur Havilland, het misschien goed zou zijn als hij daar iemand belde.
Dat hebt u geopperd?
Ja, inderdaaad.
Waarom?
Ik geloof niet dat het enige zin heeft dat ik daarover speculeer, meneer McAllister. Die zaken gaan mij niet aan.
Ja, natuurlijk, u hebt gelijk. Ik bedoel — ja, goed. Maar we moeten die vrouw vinden, meneer Nelson. Ik heb opdracht gekregen u te zeggen dat het u geen windeieren zal leggen als u ons kunt helpen.
Ik wil in elk geval helpen, meneer. Als ze contact met me opneemt zal ik proberen haar ergens te ontmoeten en het u laten weten. Ik weet zeker dat ik juist heb gehandeld, dat ik juist heb gesproken.
We zullen wachten op uw telefoontje.
Catherine had het bij het juiste eind, dacht John Nelson, er was wel degelijk verband. Zoveel verband dat hij niet eens zijn telefoon in het consulaat durfde gebruiken om Staples te bellen. Maar als hij haar aan de lijn had zou hij haar wel enkele indringende vragen stellen. Hij vertrouwde Catherine, maar hij was niet te koop, ondanks die foto's en

wat daar verder aan vastzat. Hij stond op van zijn bureau en liep naar de deur van zijn kantoor. Een afspraak met de tandarts die hij bijna vergeten was zou voldoende zijn. Terwijl hij door de gang naar de receptie liep dacht hij weer aan Catherine Staples. Catherine was een van de sterkste vrouwen die hij ooit had ontmoet, maar de blik in haar ogen gisteravond was geen vaste blik geweest, eerder een soort wanhopige angst. Het was een Catherine die hij nog nooit eerder had gezien.

'Hij heeft jouw vragen voor zijn eigen doeleinden gebruikt,' zei Havilland terwijl hij met de enorme Lin Winzu achter zich het kantoor binnenkwam. 'Bent u dat met me eens, majoor?'
'Ja, en dat betekent dat hij de vragen verwachtte. Hij was erop voorbereid.'
'En dat wil zeggen dat iemand hem erop had voorbereid.'
'We hadden hem nooit moeten bellen,' zei McAllister zacht, vanachter zijn bureau, terwijl zijn nerveuze vingers opnieuw zijn rechterslaap masseerden. 'Bijna alles wat hij aansneed was bedoeld om mij een reactie te ontlokken.'
'We moesten hem bellen,' hield Havilland vol, 'al was het alleen maar om dat te ontdekken.'
'Hij bleef de baas. Ik heb de zaak uit handen gegeven.'
'Je had niet anders kunnen handelen, Edward,' zei Lin. 'Als je anders had gereageerd dan je deed, had je zijn motieven in twijfel getrokken. Je zou hem in feite hebben bedreigd.'
'En op dit moment willen we niet dat hij zich bedreigd voelt,' stemde Havilland in. 'Hij is iets aan het uitzoeken voor iemand en we moeten erachter zien te komen wie dat is.'
'En dat betekent dat Webbs vrouw wel degelijk contact heeft gehad met iemand die ze kende en dat ze die persoon alles heeft verteld.' McAllister leunde voorover met de ellebogen op zijn bureau en zijn handen strak ineen gekneld.
'Je had dus toch gelijk,' zei de ambassadeur en hij keek neer op de onderminister. 'Een straat met haar lievelingsbomen, de esdoorns. Parijs. De onvermijdelijke herhaling. Het is heel duidelijk. Nelson werkt voor iemand in het Canadese consulaat — en wie dat dan ook is, staat in verbinding met de vrouw van Webb.'
McAllister keek op. 'Dan is Nelson een nog grotere idioot dan ik dacht. Hij geeft zelf toe dat hij weet — of in elk geval aanneemt — dat hij te maken heeft met zeer vertrouwelijke informatie, waarbij een adviseur van de president is betrokken. Nog afgezien van ontslag zou hij in de bak kunnen belanden wegens samenzwering tegen te staat.'
'Idioot is hij niet, dat kan ik niet verzekeren,' zei Lin.
'Dan is er ofwel iemand die hem dwingt dit tegen zijn wil te doen — waarschijnlijk wordt hij afgeperst — of hij krijgt ervoor betaald als hij

uitvindt of er verband bestaat tussen Marie St. Jacques en dit huis op Victoria Peak. Iets anders kan het niet zijn.' Havilland ging nadenkend zitten in de stoel voor het bureau.

'Geef me een dag,' vervolgde de majoor van MI 6. 'Misschien kom ik erachter. Als dat zo is halen we wie het dan ook is uit het consulaat.'

'Nee,' zei de diplomaat die de nodige ervaring had in geheime operaties. 'U hebt de tijd tot acht uur vanavond. Eigenlijk kunnen we ons dat niet veroorloven, maar als we een confrontatie kunnen vermijden en de mogelijke kwalijke gevolgen daarvan, moeten we het proberen. Het is van het hoogste belang dat er zo weinig mogelijk mensen bij betrokken raken. Doe je best, Lin, doe in hemelsnaam je best.'

'En na acht uur, excellentie, wat dan?'

'Dan, majoor, halen we die slimme en overal omheen draaiende attaché hierheen en we leggen hem de duimschroeven aan. Ik zou hem veel liever gebruiken zonder dat hij het weet, zonder het risico te lopen dat er alarm wordt geslagen, maar de vrouw komt op de eerste plaats. Acht uur, majoor Lin.'

'Ik zal alles doen wat ik kan.'

'En als we ongelijk hebben,' vervolgde Havilland, alsof Lin Wenzu niets had gezegd, 'als die Nelson gebruikt wordt als een dekmantel zonder iets te weten, dan ga ik dwars door roeien en ruiten. Het kan me niet schelen hoe je het doet of hoeveel het kost aan steekpenningen of aan andere rotzooi die je moet gebruiken om het voor elkaar te krijgen. Ik wil camera's, ik wil telefoons afgeluisterd hebben, elektronische surveillance — alles wat u voor elkaar kunt krijgen — voor letterlijk iedereen in dat consulaat. Iemand daar weet waar ze is. Iemandt houdt haar verborgen.'

'Catherine, met John,' zei Nelson in de cel aan Albert Road.

'Wat aardig van je om te bellen,' antwoordde Staples snel. 'Het is een zware middag geweest, maar laten we een dezer dagen weer eens een borrel gaan drinken. Het zal heel leuk zijn je weer eens te zien na al die maanden, en je kunt me over Canberra vertellen. Maar één ding moet je me nu al vertellen. Had ik gelijk in wat ik tegen jou heb gezegd?'

'Ik moet je spreken, Catherine.'

'Je geeft me niet eens een half woord?'

'Ik moet je spreken. Heb je tijd?'

'Over drie kwartier heb ik een vergadering.'

'Later dan, rond vijven. Er is een restaurant The Monkey Tree in de Wanchai, aan Gloucester...'

'Dat ken ik. Ik zie je daar wel.

John Nelson hing de hoorn op. Hij kon nu niets anders doen dan teruggaan naar kantoor. Hij kon geen drie uur wegblijven, niet na zijn gesprek met de onderminister van Buitenlandse Zaken McAllister; zoals de zaken erbij stonden mocht hij niet afwezig zijn. Hij had het nodige gehoord over McAllister; de onderminister had zeven jaar in Hongkong gewerkt, hij was er pas enkele maanden voordat Nelson kwam, vertrokken. Waarom was hij nu terug? Waarom was er een beveiligd huis in Victoria Peak waar ambassadeur Havilland ineens verbleef? En vooral, waarom was Catherine Staples zo bang? Hij had aan Catherine zijn leven te danken, maar hij moest haar een paar dingen vragen. Hij moest een besluit nemen.

Lin Wenzu's informatiebronnen waren zo goed als opgedroogd. Er was er maar een die hem deed weifelen. Inspecteur Ian Ballantyne beantwoordde, zoals hij meestal deed, vragen met tegenvragen, in plaats van zelf duidelijke antwoorden te geven. Het was om gek van te worden, want je wist nooit of de vroegere man van Scotland Yard, over wie zo hoog werd opgegeven, iets wist of niet over een bepaald onderwerp, in dit geval een Amerikaans attaché die John Nelson heette.
'Ik heb die knaap een paar keer ontmoet,' had Ballantyne gezegd. 'Slimme jongen. Spreekt dat koeterwaals van jullie, wist je dat?'
'Dat ''koeterwaals'' van ons, inspecteur?'
'Nou ja, er waren er maar verdomd weinig bij ons die dat deden, zelfs in de Opiumoorlogen. Een interessante periode in de geschiedenis, vindt u niet, majoor?'
'De Opiumoorlogen? Ik had het over een attaché die John Nelson heet.'
'O, is er verband?'
'Waarmee, inspecteur?'
'Met de Opiumoorlogen?'
'Als dat er is zou hij honderdvijftig jaar oud moeten zijn en in zijn dossier staat tweeëndertig.'
'Echt? Zo jong nog?'
Maar Ballantyne had een paar keer net even te lang gezwegen naar Lins smaak. Hoe dan ook, als die ouwe ijzervreter iets wist zou hij het toch niet vertellen. Alle anderen, van de politie in Hongkong en Kowloon tot de 'specialisten' die voor het Amerikaanse consulaat werkten om tegen betaling inlichtingen in te winnen zeiden dat Nelson van onbesproken gedrag was en dat iedereen in de kolonie hem graag mocht. Als Nelson al een beetje kwetsbaar was dan lag dat aan zijn onuitputtelijke en niet al te kieskeurige hang naar seks, maar aangezien hij hetero was en vrijgezel, kon dat alleen maar worden toegejuicht en niet veroordeeld. Een 'specialist' had Lin verteld te hebben gehoord dat Nelson gewaarschuwd was vrij regelmatig op dokterscontrole te gaan. Dat was geen misdaad; de attaché hield nu eenmaal van de meiden. Je kunt hem rustig te eten vragen.
De telefoon rinkelde. Lin graaide de hoorn eraf. 'Ja?'
'De man die we volgen liep naar de Peak Tram en nam een taxi naar

de Wanchai. Hij zit in een restaurant dat The Monkey Tree heet. Ik ben ook binnen. Ik kan hem zien.'

'Het ligt nogal uit de buurt en het is er erg druk,' zei de majoor. 'Is er iemand bij hem komen zitten?'

'Nee, maar hij heeft naar een tafeltje voor twee gevraagd.'

'Ik kom zo gauw ik kan. Als je weg moet gaan zal ik wel radiocontact opnemen. Je rijdt in wagen Zeven, nietwaar?'

'Wagen Zeven, meneer... Wacht even! Er loopt een vrouw op zijn tafeltje af. Hij staat op.'

'Ken je haar?'

'Het is hier te donker. Nee.'

'Betaal de kelner. Zorg dat er wat tijd gerekt wordt met serveren, maar niet te opvallend, heel even maar. Ik zal onze ambulance gebruiken en de sirene tot ik een paar straten ervandaan ben.'

'Catherine, ik ben jou een heleboel verschuldigd en ik wil je helpen zoveel ik maar kan, maar ik moet meer weten dan wat je me hebt verteld.'

'Er is dus een verband? Havilland en Marie St. Jacques.'

'Ik wil dat niet bevestigen — ik *kan* het niet bevestigen — omdat ik niet met Havilland heb gesproken. Maar ik heb wel gesproken met een andere man, een man over wie ik veel heb gehoord en die vroeger hier werkte — iemand met een scherp stel hersens — en hij klonk al even wanhopig als jij gisteravond deed.'

'Vond je me gisteravond zo?' vroeg Staples en ze streek haar met grijs doorschoten haar glad. 'Ik was me dat niet bewust.'

'Hè, toe nou. Misschien niet in je woorden maar in de manier waarop je praatte. Het was nog net niet schril. Je klonk zoals ik klonk toen jij me de foto's gaf. Geloof me maar, zoiets merk ik.'

'Johnny, jij moet mij geloven. We hebben misschien te maken met iets waar we allebei met onze vingers af moeten blijven, iets wat ver boven onze macht ligt waarover wij — *ik* — onvoldoende weten om een juiste beslissing te kunnen nemen.'

'Ik moet een beslissing nemen, Catherine.' Nelson keek op en zocht naar de kelner. 'Waar blijven die verdomde borrels nou?'

'Ik heb geen haast.'

'Ik wel. Ik ben jou een heleboel verschuldigd en ik mag je graag en ik weet dat je die foto's niet tegen me zult gebruiken, en dat maakt het alleen maar erger...'

'Ik heb ze je allemaal gegeven en we hebben samen de negatieven verbrand.'

'Ik sta dus wel degelijk bij jou in het krijt, zie je dat dan niet? *Verrek,* het kind was, hoe oud helemaal, twaalf jaar?'

'Dat wist je niet. Je zat onder de drugs.'

'Mijn paspoort naar de vergetelheid. Ik zal dus wel nooit minister van buitenlandse zaken worden, hooguit minister van kinderporno. Wat je noemt een *bad trip!'*

'Het is voorbij en je moet er niet zo melodramatisch over doen. Ik wil alleen maar van je horen of er verband bestaat tussen Havilland en Marie St. Jacques, en ik denk dat je dat nu weet. Waarom is dat zo moeilijk? Ik weet precies wat ik in dat geval moet doen.'

'Omdat ik, als ik dat vertel, Havilland op de hoogte zal moeten brengen van wat ik tegen jou heb gezegd.'

'Geef me dan een uur.'

'Waarom?'

'Omdat ik inderdaad nog verschillende foto's heb in mijn kluis op het consulaat,' loog Catherine Staples.

Nelson liet zich verbijsterd achterover vallen in zijn stoel. 'O, mijn *god*. Dat *geloof* ik niet!'

'Probeer het te begrijpen, Johnny. We spelen nu allemaal voor menens en dat komt omdat het in het belang is van onze werkgevers, ons eigen land als je wilt. Marie St. Jacques was een vriendin van mij — is nog steeds een vriendin — en een stelletje opgeblazen kerels gaf geen cent voor haar leven, omdat ze bezig waren met een geheime operatie waarin haar man en zij niet meer dan een paar marionetten waren. Ze hebben van beiden misbruik gemaakt en geprobeerd beiden om zeep te helpen! Ik zal je eens wat zeggen, Johnny. Ik walg van dat Centrale Inlichtingenbureau van jullie en van wat jullie departement van Buitenlandse Zaken zo deftig Consulaire Operaties noemt. Het is niet zozeer dat het klootzakken zijn, het zijn ook nog 'ns zulke *stomme* klootzakken. En als ik het gevoel heb dat er weer een operatie op touw wordt gezet en die mensen die toch al zoveel hebben moeten lijden weer worden ingezet, dan wil ik uitvinden waarom dat zo is en daaruit mijn conclusies trekken. Maar er worden geen blanco cheques meer getrokken op hun levens. Ik heb ervaring en dat hebben zij niet en ik ben kwaad genoeg — nee, *woedend* genoeg — om een paar antwoorden te eisen.'

'O, *Christus*...'

De kelner bracht hun bestelling en toen Staples opkeek om even te danken werd haar blik getrokken naar een man naast een telefooncel in de volle gang buiten het lokaal die naar hen keek. Ze wendde haar ogen af.

'Wat zal het worden, Johnny?' vervolgde ze. 'Bevestiging of ontkenning?'

'Het is een bevestiging,' fluisterde Nelson en hij pakte zijn glas.

'Het huis in Victoria Peak?'

'Ja.'

'Wie was de man met wie je gesproken hebt, die hier gestationeerd is geweest?'

'McAllister. Onderminister van bz McAllister.'

'Goeie *god*!'

Er was even wat opschudding in de gang. Catherine hield haar hand naast haar ogen, draaide haar hoofd een beetje opzij, zodat ze geconcentreerder kon kijken. Er kwam een gezette man naar binnen die naar een telefoon aan de muur liep. Er was maar één zo'n man in heel Hongkong. Het was *Lin Wenzu,* MI 6, Speciale Afdeling! De Amerikanen hadden de beste mensen erbij gehaald, maar het kon voor Marie en haar man het ergste betekenen.

'Je hebt niets verkeerds gedaan, Johnny,' zei Staples terwijl ze opstond. 'We praten nog wel verder maar nu ga ik eerst even naar het damestoilet.'

'Catherine?'

'Wat is er?'

'Menens?'

'Heel erg, lieverd.'

Staples liep langs Lin die zich kleiner probeerde te maken en zich omdraaide. Ze liep het toilet in, wachtte enkele tellen, liep toen weer naar buiten samen met twee vrouwen, scheidde zich af en liep de gang verder door en de keuken van The Monkey Tree in. Zonder iets te zeggen tegen de verblufte kelners en koks zocht ze de uitgang en liep naar buiten. Ze holde het steegje door naar Gloucester Road, sloeg linksaf en begon sneller te lopen tot ze een telefooncel vond. Ze liet er een munt invallen en draaide.

'Hallo?'

'*Marie*, maak dat je wegkomt uit de flat! Mijn auto staat in een garage, één straat verder naar rechts wanneer je het gebouw uitkomt. De garage heet Ming, het is een rood bord. Zie dat je daar zo snel mogelijk bent! Ik zal er ook zijn. *Schiet op!*'

Catherine Staples hield een taxi aan.

'De vrouw heet Staples, Catherine *Staples*,' zei Lin Wenzu met nadruk in de telefoon tegen de gangmuur van The Monkey Tree. Hij moest zijn stem verheffen om boven het lawaai uit te komen. 'Stop de diskette van de consulaten in de computer en zoek die na. *Snel!* Ik moet haar adres hebben en zorg dat je verdomd zeker bent dat het haar huidige adres is!' De kaakspieren van de majoor bewogen zich heftig terwijl hij stond te luisteren. Hij kreeg het antwoord en hij gaf nog een opdracht. 'Als een van onze wagens in de buurt is, zeg hem dan via de radio dat hij daarheen moet gaan. Zo niet, stuur er dan meteen een.' Lin zweeg even en luisterde weer. 'De Amerikaanse vrouw,' zei hij zacht in de telefoon. 'Ze moeten naar haar uitkijken. Als ze gezien wordt moeten ze haar pakken. Wij zijn onderweg.'

'Wagen Vijf, geef *antwoord!*' herhaalde de radiocentralist terwijl hij in een microfoon sprak met zijn hand op een schakelaar in de rechter benedenhoek van het paneel voor hem. Het vertrek was wit geschilderd en had geen ramen, het zoemen van de airconditioner klonk zacht maar constant, het snorren van het luchtverversingssysteem klonk nog zachter. Tegen drie muren stonden batterijen gecompliceerde radio- en computerapparaten met daaronder witte balies van spiegelglad formica. Het vertrek had iets antiseptisch; alles was hard en recht. Het zou een elektronisch laboratorium kunnen zijn in een rijk voorzien medisch centrum. Het was een ander soort centrum. De verbindingscentrale van MI 6, Speciale Afdeling, Hongkong.

'Wagen Vijf *antwoordt!*' schreeuwde een stem buiten adem via de luidspreker. 'Ik ontvang u wel, maar ik was een hele straat verder om de Thai in de gaten te houden. We hadden gelijk. Drugs.'

'Schakel je kryptofoon in!' beval de centralist en hij gooide een schakelaar om. Er klonk een fluitend geluid dat even abrupt ophield als het begonnen was. 'Thai is jullie zaak niet meer,' vervolgde de radioman. 'Jullie zijn het dichtstbij. Ga naar Arbuthnot Road, het is het snelst via de ingang van de Botanische Tuin.' Hij gaf het adres van het gebouw waar Catherine Staples woonde en gaf ten slotte nog een laatste opdracht. 'De Amerikaanse vrouw. Kijk naar haar uit. Grijp haar.'

'*Aiya!*' fluisterde de agent van de Speciale Afdeling, nog steeds buiten adem.

Marie probeerde haar paniek te onderdrukken en zich een zelfbeheersing op te leggen die ze niet voelde. De situatie was belachelijk. Ze was tevens dodelijk ernstig. Ze was gekleed in Catherine's kamerjas die haar slecht paste, want ze had juist lang in een warm bad gezeten, en wat nog erger was, ze had haar kleren gewassen in de gootsteen. Ze hingen over de plastic stoelen op Catherine's kleine balkonnetje en ze waren nog nat. Het had zo gewoon geleken, zo logisch, om de hitte en het stof van Hongkong van zich af te spoelen en uit andermans kleren te wassen. En de goedkope sandalen hadden haar blaren bezorgd op haar voetzolen. Ze had er met een naald eentje doorgestoken die er gemeen uitzag en ze liep nu moeilijk. Maar ze durfde niet gewoon te lopen, ze moest rennen.

Wat was er gebeurd? Catherine was niet iemand om zo'n gebiedende toon te gebruiken. Dat deed ze zelf ook nooit, zeker niet met David. Mensen als Catherine vermeden de gebiedende wijs omdat het denken van een slachtoffer er alleen maar verwarrender door werd, en haar vriendin Marie St. Jacques was nu een slachtoffer. *Opschieten!* Hoe vaak had Jason dat niet gezegd in Parijs en Zürich? Zo vaak, dat ze nog ineenkromp bij het woord.

Ze kleedde zich aan, de natte kleren plakten aan haar lijf en ze zocht in de kast van Staples naar een paar slippers. Ze liepen niet gemakkelijk maar ze waren zachter dan de sandalen. Ze kon hollen; ze *moest* hollen.

Haar haren! Verrek, haar haren! Ze rende de badkamer in waar Catherine een porseleinen pot had staan vol haarpinnen en klemmetjes. In enkele tellen had ze haar haar opgestoken, ze liep snel de kleine woonkamer van de flat in, vond haar dwaze hoed en trok die eroverheen.

Het wachten op de lift duurde eindeloos! Volgens de verlichte nummers boven de deuren bleven beide liften op en neer gaan tussen de verdiepingen 1, 3 en 7, en geen van tweeën kwamen ze tot de negende verdieping. Bewoners hadden vóór haar de vertikale bakbeesten geprogrammeerd en het kon wel even duren voordat ze beneden was.

Vermijd zoveel mogelijk liften. Het zijn valstrikken. Jason Bourne. Zürich.

Marie keek de hele gang door. Ze zag de deur naar de brandtrap en rende erop af.

Buiten adem kwam ze de kleine lobby instormen en ze probeerde zichzelf zoveel mogelijk te kalmeren om niet zo de aandacht te trekken van de vijf of zes huurders die binnenkwamen of weggingen. Ze telde niet hoeveel het er waren, ze zag nauwelijks iets, ze moest weg zien te komen!

Mijn auto staat in een garage, één straat verder naar rechts wanneer je het gebouw uitkomt. Ze heet Ming. Was het wel naar rechts? Of was het naar *links?* Op de stoep aarzelde ze even. *Rechts* of *links?* 'Rechts' betekende zoveel, 'links' was specifieker. Ze probeerde na te denken. Wat had Catherine ook al weer gezegd? Rechts! Ze moest rechtsaf slaan, het was het eerste wat haar te binnen schoot. Daarop moest ze vertrouwen.

Je eerste herinneringen zijn de beste, de meest accurate, omdat je indrukken zijn opgeslagen in je hoofd, net als inlichtingen in een informatiebank. Dat is je hoofd ook. Jason Bourne. Parijs.

Ze begon te hollen. Haar linkerslipper schoot van haar voet; ze bleef staan en bukte om die op te rapen. Ineens kwam er een auto aanscheuren door de poort van de Botanische Tuin aan de overkant van de brede straat; als een dreigend hitte-zoekend projectiel draaide hij naar links en reed recht op haar af. De auto beschreef slippend een halve bocht op de weg. Een man sprong eruit en rende op haar af.

18

Er viel niets anders te doen. Ze was in een hoek gedreven, in een val geraakt. Marie gilde, en gilde weer, en nog eens toen de Chinese agent naderbij kwam, en haar hysterie nam toe toen hij haar beleefd maar stevig bij haar arm greep. Ze herkende hem — hij was een van *hen*, een van die ambtenaren! Ze gilde nu zo hard ze kon. Op straat bleven mensen staan en keerden zich om. Vrouwen hielden hun adem in terwijl geschrokken mannen weifelend naar voren kwamen, anderen keken wild om zich heen of er geen politie kwam en een paar schreeuwden om de politie.

'Alstublieft! Mevrouw!' riep de oosterling en hij probeerde zijn stem in bedwang te houden. 'Er zal u niets gebeuren. Loopt u nu even met me mee naar mijn wagen. We doen het om u te beschermen.'

'Help me!' krijste Marie tegen de verblufte, flanerende menigte die nu in een drom bleef stilstaan. 'Deze man is een *dief!* Hij heeft mijn tas gestolen, mijn geld! Hij probeert me mijn sieraden af te nemen!'

'Zàg, luister 's, kerel!' riep een oudere Engelsman uit die met zijn wandelstok omhoog naar voren kwam strompelen. 'Ik heb een jongen weggestuurd om de politie te halen maar zolang die hier nog niet is, verdikkeme nogantoe, kun je van mij een pak slaag krijgen.'

'Toe nou, meneer.' drong de man van de Speciale Afdeling zacht aan. 'Dit is een zaak voor de autoriteiten en ik werk voor het gezag. Ik zal u even mijn identiteitsbewijs laten zien.'

'Rústig effe, baas!' brulde een stem met een Australisch accent en er stormde een man naar voren, die de oudere Engelsman rustig opzij duwde en zijn wandelstok tegenhield. 'Je bent een prachtvent, ouwetje, maar maak je hierover maar niet druk! Dit soort tuig vraagt om een jonger type.' De potige Australiër ging voor de Chinese agent staan. 'Haal je klauwen weg van die dame, stuk ongeluk! En ik zou er niet te lang over doen, als ik jou was.'

'Toe nou, meneer, dit is een ernstig misverstand. De dame verkeert in gevaar en de autoriteiten willen haar ondervragen.'

'Ik zie dat je helemaal geen uniform aanhebt!'

'Ik zal u even mijn papieren laten zien.'

'Dat zei hij een uur geleden ook al toen hij me overviel in Garden Road!' schreeuwde Marie hysterisch. 'De mensen probeerden me toen ook al te helpen! Hij loog tegen iedereen. Toen stal hij mijn handtas! Hij is me blijven volgen!' Marie wist dat er geen touw was vast te knopen aan alles wat ze gilde. Ze kon alleen maar hopen dat het verwarring zou veroorzaken, iets wat Jason haar had geleerd te gebruiken.

'Ik zeg het je voor de laatste keer, baas!' gilde de Australiër, en hij zette een stap vooruit. 'Blijf met je kolerepoten van die dame af!'

'Alstublieft, meneer. Dat kan ik niet doen. Er zijn al superieuren van me onderweg.'

'Zo zo, *wat* je zegt! Dat soort tuig als jullie opereren in bendes, is 't niet? Nou, tegen de tijd dat ze hier zijn stel jij niet veel meer voor!' De Australiër greep de oosterling bij zijn schouder vast en trok hem naar links. Maar terwijl de man van de Speciale Afdeling zich omdraaide, beschreef zijn rechtervoet, met de teen van zijn leren schoen vooruitgestoken als de punt van een mes, een zwiepende cirkel en ramde de Australiër in zijn onderbuik. De barmhartige Samaritaan uit Australië sloeg dubbel en viel op zijn knieën.

'Ik verzoek u dringend niet tussenbeide te komen, meneer!'

'Is dat zo? Jij kloterige *pindachinees*!' De woedende Australiër sprong overeind, wierp zich op de oosterling en begon hem te bewerken met zijn vuisten. De menigte juichte hem toe en hun geschreeuw klonk door de hele straat, en Marie's arm was ineens *los!* Toen mengden zich andere geluiden in het lawaai. Sirenes, gevolgd door drie snel rijdende auto's, waarbij ook een ambulance. Alledrie beschreven ze slippend een draai met gillende banden en kwamen schokkend tot stilstand.

Marie dook tussen de mensen en bereikte het trottoir. Ze begon te hollen naar het rode reclamebord, een halve straat verder; de gezwollen, kapotte blaren gloeiden en veroorzaakten pijnscheuten in heel haar been. Ze kon zich geen tijd gunnen om aan pijn te denken. Ze moest rennen, *rennen, weg zien te komen!* Toen galmde een stem boven de straatgeluiden uit en ze kreeg een enorme man in het oog die stond te brullen. Het was de reusachtige Chinees die ze de majoor noemden.

'Mevrouw *Webb!* Mevrouw *Webb, ik smeek u!* Blijf staan! We willen u geen kwaad doen. We zullen u *alles* vertellen! Blijf in hemelsnaam staan!'

Alles vertellen! dacht Marie. Leugens vertellen en nog meer leugens! Plotseling stormden er mensen op haar af. Wat deden die nu? Waarom...? Toen renden ze haar voorbij, voor het merendeel mannen, maar niet allemaal, en ze begreep het. *Er was een opstootje op straat, misschien wel een ongeluk, mensen verminkt, mensen dood. Laten we eens gaan kijken! We willen het zien.* Maar wel van afstand natuurlijk. *Gelegenheden zullen zich voordoen. Herken ze als zodanig en maak er gebruik van!*

Marie keerde zich met een ruk om, bukte, drong door de nog steeds toestromende menigte naar de stoeprand, hield haar lichaam zo laag mogelijk en rende terug naar de plaats waar ze bijna was opgepakt. Ze bleef haar hoofd naar links draaien en hopen. Ze *zag* hem tussen de rennende mensen door! De enorme majoor holde haar voorbij in de andere richting. Er was nog een man bij, ook goed gekleed, ook weer een ambtenaar.

De mensen waren voorzichtig, zoals aasgieren altijd voorzichtig zijn. Ze drongen behoedzaam naar voren maar niet zover dat ze erbij betrokken raakten. Wat ze zagen was niet bijster vleiend voor de Chinese toeschouwers of voor degenen die een heilige eerbied hadden voor de Oosterse gevechtskunde. De lenige, potige Australiër was onder een kleurrijk gevloek bezig drie verschillende aanvallers zijn persoonlijke boksring uit te ranselen. Ineens, tot ieders stomme verbazing, pakte de Australiër een van zijn neergeslagen tegenstanders op en brulde even hard als de omvangrijke majoor zojuist had gedaan.

'*Verdomme!* Willen jullie eikels er nu eens mee ophouden? Jullie zijn

geen tuig, dat kan ik zelfs nog wel zien! We zijn allebei belazerd!'
Marie stak hollende de brede straat over naar de ingang van de Botanische Tuin. Ze bleef staan onder een boom naast de poort van waaraf ze rechtstreeks zicht had op Ming's Parkeergarage. De majoor was de garage voorbijgelopen, bleef staan bij de toegang tot een paar steegjes die Arbuthnot kruisten, liet zijn ondergeschikte er enkele onderzoeken en keek voortdurend om zich heen waar zijn hulptroepen bleven. Daar kon hij nog wel even op wachten; dat zag Marie zelf toen de mensen zich wat begonnen te verspreiden. Alle drie stonden ze zwaar hijgend tegen de ambulance geleund, waar de Australiër hen naar toe had gebracht.
Een taxi stopte voor Mings Garage. Aanvankelijk stapte niemand uit, toen kwam de bestuurder te voorschijn. Hij liep de open garage in en sprak met iemand in een glazen hokje. Hij boog dankend, liep terug naar de taxi en sprak met zijn passagier. Voorzichtig ging het achterportier open en de passagier stapte op het trottoir. Het was Catherine! Zij liep ook de brede ingang in, veel sneller dan de chauffeur, sprak even tegen het glazen hokje, schudde met haar hoofd en gaf daarmee aan dat ze te horen had gekregen wat ze niet wilde horen.
Ineens was Lin er weer. Hij was op zijn schreden teruggekeerd, duidelijk woedend op de mannen die *hem* achterna hadden moeten gaan. Hij stond op het punt voor de brede ingang langs te lopen; hij zou Catherine zien!
'Carlos!' gilde Marie en ze nam het ergste maar aan, in de wetenschap dat haar nu alles duidelijk zou worden. *'Delta*!'
De majoor draaide zich bliksemsnel om, zijn ogen verbluft opengesperd. Marie rende de Botanische Tuin in. Dat was de *sleutel! Cain is voor Delta en Carlos zal worden gedood door Cain...* of wat voor codes er dan ook in Parijs verspreid waren geweest! Ze gebruikten David inderdaad weer! Het was niet langer meer een waarschijnlijkheid, het was realiteit! Zij — het — de Amerikaanse regering — stuurden haar man weer uit om de rol te spelen die bijna zijn dood was geweest, een dood veroorzaakt door zijn eigen mensen! Wat waren dat toch voor rotzakken? ...Of, om het anders te zeggen, wat voor soort doel rechtvaardigde de middelen die zogenaamde mensen bij hun volle verstand wilden gebruiken om het te bereiken?
Nu moest ze, méér dan ooit, David vinden, hem vinden voordat hij risico's begon te lopen die anderen hoorden te lopen! Hij had al zoveel gegeven en nu vroegen ze nog meer, eisten ze meer op de wreedst mogelijke manier. Maar om hem te vinden moest ze Catherine zien te bereiken die op minder dan honderd meter van haar vandaan was. Ze moest de vijand weglokken en de straat oversteken zonder dat de vijand haar zag. *Jason,* wat kan ik *doen?*
Ze verstopte zich achter een bosje, kroop er steeds dichter in toen de

248

majoor de poort van de Tuin kwam doorrennen. De gezette oosterling bleef staan en keek om zich heen met zijn loerende, doordringende blik, draaide zich toen om en riep zijn ondergeschikte die kennelijk uit een steegje langs Arbuthnot Road was gekomen. De tweede man had moeite de straat over te steken. Het verkeer was dichter geworden en het kroop bijna, vanwege de stilstaande ambulance en nog twee wagens die de normale verkeersstroom bij de ingang van de Botanische Tuin blokkeerden. De majoor werd ineens woedend toen hij de reden voor het steeds dichter wordende verkeer zag en begreep.

'Laat die idioten de auto's wegrijden!' bulderde hij. 'En stuur ze hierheen... *Nee!* Stuur er een naar de poort aan Albany Road. De rest van jullie komen hierheen! *Schiet op!*'

Er verschenen meer mensen die hun avondwandelingetje gingen maken. Mannen trokken hun dassen los die ze de hele dag op kantoor hadden gedragen, en vrouwen stopten hun schoenen met hoge hakken in draagtassen en trokken er sandalen voor in de plaats aan. Vrouwen met wandelwagentjes werden vergezeld door hun mannen; minnende paartjes omarmden elkaar en liepen arm in arm tussen de rijen overdadige bloemen. Het gelach van rennende kinderen weerklonk door de Tuin en de majoor bleef staan bij de toegangspoort. Marie slikte met moeite en voelde haar paniek toenemen. De ambulance en de twee auto's werden weggereden; het verkeer begon weer normaler te stromen.

Een botsing! In de buurt van de ambulance had een ongeduldige chauffeur de wagen vóór hem geramd. De majoor kon het niet helpen, het ongeluk dat zo dicht bij zijn dienstwagen was gebeurd dwong hem erheen te lopen, kennelijk om te zien of er mensen van hem bij betrokken waren. *Gelegenheden zullen zich voordoen... maak er gebruik van.* Nú!

Marie kwam achter het bosje vandaan rennen en schoot toen het gras over om zich te voegen bij een groepje van vier dat over het grindpad naar de uitgang liep. Ze keek even naar rechts, bang voor wat ze daar misschien zou zien maar wetend dat ze moest kijken. Haar ergste verwachtingen werden bewaarheid; de enorme majoor had gevoeld — of gezien — dat er een gedaante van een vrouw achter hem aanrende. Hij bleef even staan, onzeker, besluiteloos en liep toen met snelle pas op de poort af.

Een claxon weerklonk, vier korte, snelle stoten. Het was Catherine, die naar haar zwaaide vanuit het raampje van een kleine Japanse auto, toen Marie de straat oprende.

'Stap in!' schreeuwde Staples.

'Hij heeft me gezien!'

'Schiet op!'

Marie ging snel voorin zitten en Catherine gaf gas, draaide de kleine wagen half de stoep op en voegde zich toen snel in een interval van het optrekkende verkeer. Ze sloeg een zijstraat in en reed die snel uit tot aan een kruispunt waar een bord stond met een pijl naar rechts gericht. *Central Business District*. Staples sloeg rechtsaf.

'Catherine!' riep Marie uit. 'Hij heeft me *gezien*!'

'Nog erger,' zei Staples. 'Hij heeft de auto gezien!'

'Een tweedeurs, groene Mitsubishi!' schreeuwde Lin in zijn draagbare zender. 'Het kenteken is AOR — Vijf, drie, vijf, nul — de nul kan ook een zes zijn, maar ik geloof van niet. Het doet er niet toe, de eerste drie letters zullen voldoende zijn. Ik wil een bericht aan alle wagens, dit is een noodsituatie en de telefooncentrale van de politie moet gebruikt worden! De chauffeur en de passagier moeten gearresteerd worden en er mag met geen van beiden worden gesproken. Dit is een zaak van Government House en er zullen geen verklaringen worden gegeven. Ga aan de slag! Nú!'

Staples draaide een parkeergarage in aan Ice House Street. Het pas ontstoken, helrode neonbord van The Mandarin was te zien op nauwelijks een straatlengte afstand. 'We zullen een auto huren,' zei Catherine terwijl ze haar kaartje aannam van de man in het hokje. 'Ik ken een paar hoofdportiers in het hotel.'

'Wij parkeren? U parkeren?' De grijnzende bediende hoopte kennelijk op het eerste.

'U parkeert,' antwoordde Staples en ze trok enkele Hongkong-dollars uit haar handtas. 'Kom op, we gaan,' zei ze tegen Marie. 'En blijf aan mijn rechterkant lopen, in de schaduw, vlakbij de gebouwen. Hoe gaat het met je voeten?'

'Daar begin ik liever niet over.'

'Zwijg er dan maar over. Je kunt er nu toch niets aan doen. Hou je haaks, meid.'

'Catherine, schei nou eens uit, je klinkt net als C. Aubrey Smith in vrouwenkleren.'

'Wie is dat?'

'Vergeet het maar. Ik hou van oude films. Laten we maar gaan.'

De twee vrouwen liepen de straat af naar een zij-ingang van The Mandarin. Marie liep te hinken. Ze beklommen de treden naar het hotel en gingen naar binnen. 'Rechts voorbij die rij winkels is een damestoilet,' zei Catherine.

'Ik zie het bordje.'

'Wacht daar maar. Ik kom zo gauw ik een en ander heb geregeld.'

'Is er hier een drogist?'

'Ik zie je liever niet rondlopen. Je signalement zal overal verspreid zijn.'

'Dat snap ik, maar kun jij dan misschien rondlopen? Een beetje maar.'

'De rooie vlag?'

'Nee, mijn *voeten!* Vaseline, huidzalf, sandalen − nee, *geen* sandalen. Iets met rubberriempjes, misschien, en waterstofperoxyde.'
'Ik zal doen wat ik kan, maar de tijd is heel belangrijk.'
'Dat is ze het hele afgelopen jaar geweest. Een afschuwelijke tredmolen. Zal het ooit ophouden, Catherine?'
'Ik doe wat ik kan om het te laten ophouden. Jij bent een vriendin en een landgenote, meid. En ik ben een *razende* vrouw en nu we het daar toch over hebben − hoeveel vrouwen ben jij tegengekomen in de heilige hallen van de CIA of bij die klungelende equivalent op Buitenlandse Zaken, Consulaire Operaties?'
Marie knipperde met haar ogen en probeerde het zich te herinneren. 'Geen één eigenlijk.'
'Laat ze dan maar doodvallen!'
'Er was een vrouw in Parijs...'
'Die is er altijd, meid. Ga maar naar het damestoilet.'

'Een auto is een onding in Hongkong,' zei Lin en hij keek op de klok aan de muur van zijn kantoor op het hoofdkwartier van MI 6, Speciale Afdeling. Het was vier minuten over half zeven. 'Daarom neem ik aan dat ze van plan is Webbs vrouw een stuk per auto mee te nemen, haar te verstoppen en dat ze zal vermijden op de rittenlijsten van taxichauffeurs voor te komen. Onze limiet van acht uur is ingetrokken, de jacht komt daarvoor in de plaats. We moeten haar onderscheppen. Is er iets waaraan we nog niet hebben gedacht?'
'We kunnen de Australiër in de bak gooien,' opperde de kleine, goed geklede ondergeschikte vastberaden. 'We hebben verliezen geleden in de Ommuurde Stad, maar wat hij heeft uitgevreten gebeurde voor de ogen van het publiek. We kunnen hem oppikken. We weten waar hij logeert.'
'Op wat voor aanklacht?'
'Obstructie.'
'Met welk doel?'
De ondergeschikte haalde de schouders op, hij was kwaad. 'Genoegdoening, meer niet.'
'Hiermee heb je antwoord gegeven op je eigen vraag. Je trots staat hier helemaal buiten. Hou je maar aan de vrouw, de vrouwen.'
'U hebt natuurlijk gelijk.'
'De politie heeft contact gehad met elke garage, alle autoverhuurinrichtingen op het eiland en in Kowloon, klopt dat?'
'Jawel, meneer. Maar ik moet u eraan herinneren dat die mevrouw Staples gemakkelijk een beroep kan doen op een van haar vrienden − haar Canadese vrienden − en dan zou ze een auto hebben die wij niet kunnen opsporen.'
'We komen in actie op basis van wat we in de hand hebben, niet van wat buiten onze mogelijkheden ligt. Bovendien, afgaande op wat ik al

wist en wat ik vervolgens heb gehoord over referendaris BZ Staples, zou ik zeggen dat ze voor zichzelf opereert, zeker niet met officiële instemming. Voorlopig zal ze er niemand anders bijhalen.'

'Hoe kunt u dat zeker weten?'

Lin keek zijn ondergeschikte aan, hij moest zijn woorden zorgvuldig kiezen. 'Gewoon een veronderstelling.'

'Uw veronderstellingen komen meestal wel uit.'

'Dat is nogal geflatteerd. Ik gebruik gewoon mijn gezonde verstand.'

De telefoon ging over. De hand van de majoor schoot naar de hoorn. 'Ja?'

'Politiecentrale Vier,' zei een monotone mannenstem.

'We stellen uw medewerking op prijs, Centrale Vier.'

'Een zekere Mings Parkeergarage heeft gereageerd op onze navraag. De Mitsubishi AOR heeft daar een parkeerplaats die per maand wordt gehuurd. De naam van de eigenaar is Staples. Catherine Staples, een Canadese. De auto is ongeveer vierendertig minuten geleden uit de garage gehaald.'

'U hebt ons zeer geholpen, Centrale Vier,' zei Lin. 'Dank u.' Hij legde de hoorn op en keek zijn nieuwsgierige ondergeschikte aan. 'We hebben nu drie nieuwe dingen gehoord. Het eerste is dat de navraag die we door de politie hebben laten doen, ook inderdaad is gedaan. Het tweede is dat er in elk geval één garage de informatie heeft opgeschreven en ten derde dat mevrouw Staples haar parkeerplaats per maand huurt.'

'Het is een begin, meneer.'

'Er zijn drie grote, en misschien een dozijn kleinere verhuurinrichtingen, als je de hotels niet meetelt, die we apart natrekken. Dat zijn getallen, daar kun je iets mee doen, maar dat is met de garages natuurlijk niet het geval.'

'Waarom niet?' wilde de ondergeschikte weten. 'Er zijn er misschien hooguit honderd. Wie geeft er wat om een garage te bouwen in Hongkong, wanneer hij daar misschien een dozijn winkels, kleine zaakjes, kan neerzetten? Als de telefooncentrales van de politie volledig bezet zijn, zijn er op z'n minst twintig, dertig centralisten. Ze kunnen ze allemaal bellen.'

'Het gaat niet om de aantallen, beste man. Het gaat om de mentaliteit van de employés, want de banen zijn nou niet precies benijdenswaardig. De lui die kunnen schrijven zijn ofwel te lui of te vijandig gezind om zich daar druk over te maken, en de kerels die het niet kunnen willen niks met de politie te maken hebben.'

'Eén garage heeft toch maar gereageerd.'

'Een echte Kantonees. Dat was de eigenaar.'

'Dat moet de eigenaar weten!' riep de parkeerbediende in schel Chinees tegen de man in het hokje in de garage aan Ice House Street.

252

'Waarom?'

'Ik heb het je uitgelegd! Ik heb het voor je opgeschreven!'

'Omdat jij toevallig naar school gaat en wat beter schrijft dan ik, daarom kun je hier nog niet de grote baas uithangen.'

'Jij kunt helemaal niet schrijven! En je was zo bang als de neten! Je riep mij erbij toen de man aan de telefoon zei dat het een dringende politiezaak was. Jullie analfabeten lopen altijd weg voor de politie. Dat *was* de auto, de groene Mitsubishi die ik op de tweede laag heb geparkeerd! Als je de politie niet wilt bellen moet je de eigenaar bellen.'

'Er zijn een paar dingen die ze jullie op school niet leren, jongetje met je kleine piemel.'

'Ze leren ons de politie niet tegen te werken. Dat brengt ongeluk.'

'Goed, dan bel ik de politie wel, of misschien wil jij hun held zijn.'

'Prima!'

'Maar eerst moeten die twee vrouwen terugkomen en moet ik even met de bestuurder hebben gesproken.'

'Wat?'

'Ze dacht dat ze mij — ons — twee dollars gaf, maar het waren er elf. Een van de biljetten was er eentje van tien dollar. Ze was heel nerveus, heel erg in de war. Ze is bang. Ze lette niet op haar geld.'

'Jij zei dat het twee dollars waren!'

'En nu ben ik eerlijk. Zou ik eerlijk zijn tegen jou als mij niet het belang van ons beiden voor ogen stond?'

'Op wat voor manier?'

'Ik zal die rijke, bange Amerikaanse — ze sprak Amerikaans — zeggen dat jij en ik de politie nog niet hebben gebeld voor haar eigen bestwil. Ze zal ons ter plekke belonen — heel, *heel* erg royaal — want ze zal begrijpen dat ze haar auto niet terug kan krijgen zonder dat te doen. Jij kunt me in de gaten houden vanuit de garage, aan een ander toestel. Nadat ze betaald heeft zal ik een andere jongen haar auto laten halen en hij zal erg veel moeite hebben die te vinden want ik zal hem de verkeerde plaats aanwijzen, en dan bel jij de politie. De politie komt, wij zullen onze hemelse plicht hebben gedaan en zoveel geld hebben verdiend als we nog nooit eerder bij elkaar hebben gezien in dit ellendige baantje.'

De parkeerbediende staarde hem aan en schudde zijn hoofd. 'Je hebt gelijk,' zei hij. 'Zulke dingen leren ze ons op school niet. En ik neem aan dat ik geen andere keus heb.'

'O, jawel,' zei de andere bediende en hij trok een lang mes uit zijn riem. 'Als je nee zegt dan snij ik die kletstong van jou uit je bek.'

Catherine liep op het bureau af van de hoofdportier in The Mandarin en ze vond het vervelend dat ze geen van beide hulpportiers achter de balie kende. Ze wilde snel om hulp vragen en in Hongkong betekende dat dat je je moest wenden tot iemand die je kende. Toen zag ze tot haar opluchting de hoofdportier die avonddienst had. Hij was in het midden van de lobby bezig te proberen een opgewonden gast tot rust te brengen. Ze schoof wat op naar rechts en wachtte af, in de hoop dat Lee Tengs oog op haar zou vallen. Ze had Teng voor zich gewonnen door talloze Canadezen naar hem te verwijzen wanneer het onmogelijk leek hen ergens anders onder dak te brengen. Ze had hem altijd royaal beloond.

'Mevrouw, kan ik u ergens mee helpen?' vroeg de jonge Chinese hulpportier terwijl hij achter de balie voor Staples ging staan.

'Ik wacht liever even op meneer Teng.'

'Meneer Teng heeft het erg druk, mevrouw. Dit is een hele moeilijke tijd voor meneer Teng. Logeert u in The Mandarin, mevrouw?'

'Ik woon hier in de kolonie en ik ben goed bevriend met meneer Teng. Als het even kan breng ik mijn gasten hier onder zodat zijn mensen daar voordeel uit trekken.'

'O...?' De bediende reageerde op het feit dat Catherine geen toerist was. Hij boog zich voorover en zei in vertrouwen: 'Lee Teng heeft vanavond verschrikkelijk pech. De dame gaat naar het grote bal in Government House, maar haar kleren zijn in Bangkok terecht gekomen. Ze denkt zeker dat meneer Teng vleugels onder zijn jas heeft en straalmotoren in zijn oksels, ja?'

'Een interessante gedachte. Is de dame juist gearriveerd?'

'Ja mevrouw. Maar ze had heel veel koffers. Die ene die ze nu mist, miste ze toen niet. Ze geeft eerst de schuld aan haar man en nu aan Lee Teng.'

'Waar is haar man?'

'In de bar. Hij bood aan het volgende toestel naar Bangkok te nemen, maar zijn vriendelijke gebaar maakte zijn vrouw alleen maar bozer. Hij wil niet uit de bar komen en als hij nu naar Government House gaat zal hij het morgen moeten bezuren. Overal onheil... Misschien kan ik u helpen terwijl meneer Teng zijn best doet iedereen tot rust te brengen?'

'Ik wil een auto huren en ik heb er eentje nodig zo snel als je hem voor me te pakken kunt krijgen.'

'*Aiya,*' zei de bediende. 'Het is zeven uur in de avond en de verhuurbureau's hebben 's avonds niet veel meer te doen. De meeste zijn dicht.'

'Ik weet zeker dat er wel uitzonderingen op zijn.'

'Misschien een auto van het hotel, met chauffeur?'

'Alleen als er niets anders te krijgen is. Zoals ik al zei, ik logeer hier niet en eerlijk gezegd groeit het geld me niet op de rug.'

'Wie van ons wel?' vroeg de bediende raadselachtig. 'Zoals het grote Boek van de christenen zegt — ergens, geloof ik.'

'Het klinkt goed,' stemde Staples in. 'Wil je alsjeblieft gaan bellen en je best doen.'

De jongeman haalde van onder de balie een in plastic gebonden lijst van autoverhuurinrichtingen voor de dag. Hij liep naar de telefoon die ongeveer een meter rechts van hem stond, pakte de hoorn van de haak en begon te draaien. Catherine keek naar Lee Teng; hij had zijn boze dame naar de muur geloodst bij een miniatuur palmboompje in een duidelijke poging haar te beletten de andere gasten te alarmeren die overal in de prachtig ingerichte lobby zaten, hun vrienden begroetten en cocktails bestelden. Hij stond snel en zacht te praten, en, warempel, dacht Staples, hij begon echt tot haar door te dringen. Hoe terecht haar klachten ook mochten zijn, bepeinsde Catherine, de vrouw was stom. Ze droeg een chinchilla stola in zowat het beroerdste klimaat dat er bestond voor dat kwetsbare bont. Niet dat zij, referendaris BZ Staples, ooit met zulke problemen zat. Dat was misschien zo geweest als ze haar baan eraan had gegeven en zich vast had geklampt aan Owen Staples. De rotzak bezat momenteel minstens vier banken in Toronto. Geen rotvent eigenlijk, en om haar schuldgevoel nog wat te versterken was Owen nooit hertrouwd. Niet *eerlijk,* Owen! Drie jaar geleden had ze hem nog even ontmoet, na haar dienstreis naar Europa, terwijl ze beiden de door de Engelsen georganiseerde conferentie in Toronto bijwoonden. Ze hadden een borreltje gedronken in de Mayfair Club in het King Edward Hotel.

'Toe nou, Owen. Zoals jij eruit ziet, met dat geld van jou — en je knappe kop had je al eerder dan je geld — waarom niet? Er zitten zeker duizend knappe meisjes binnen een straal van vijf straten die je zouden willen hebben.'

'Een was genoeg, Cathy. Dat heb ik van jou geleerd.'

'Ik weet het niet, maar je geeft me zo'n gevoel — och, ik weet het niet — zo'n gevoel van schuld. Ik ben bij je weggegaan, Owen, maar niet omdat ik je niet mocht.'

'Me niet mocht?'

'Je weet wel wat ik bedoel.'

'Ja, ik geloof van wel.' Owen had gelachen. 'Je bent bij me weggegaan om allerlei goede redenen, en ik heb zonder animositeit jouw weggaan geaccepteerd om gelijksoortige redenen. Als je nog vijf minuten langer had gewacht had ik je, geloof ik, eruit gesmeten. Ik had die maand de huur al betaald.'

'Rotzak!'

'Helemaal niet, dat waren we geen van beiden. Jij had zo jouw ambities en ik had de mijne. Ze pasten gewoon niet bij elkaar.'

'Maar dat verklaart nog niet waarom jij nooit bent hertrouwd.'

'Dat heb ik je net gezegd. Dat had ik van jou geleerd, meid.'

'Wat had je geleerd? Dat *alle* ambities onverenigbaar waren?'

'Voor zover ze in extreme mate bestonden, ja. Weet je, ik kwam erachter dat ik niet geïnteresseerd was in een permanente band met iemand die geen, wat je zou kunnen noemen, hartstochtelijke "drift" bezat of een doorslaggevende ambitie, maar ik kon met zo iemand niet dag in, dag uit leven. En degenen zonder ambitie, daarmee had ik geen echt volledige relatie. Het blijvende ontbrak.'

'Maar een gezin dan. Kinderen?'

'Ik heb twee kinderen,' had Owen zacht gezegd. 'Op wie ik verschrikkelijk – dol ben. Ik houd enorm veel van hen en hun zeer ambitieuze moeders zijn heel erg lief geweest. Zelfs *hun* mannen die er vervolgens kwamen hebben veel begrip getoond. Terwijl ze opgroeiden heb ik mijn kinderen regelmatig gezien. In zekere zin had ik dus drie gezinnen. Heel gecivliseerd, al was het vaak wel verwarrend.'

'*Jij?* Het lichtende voorbeeld van de gemeenschap, op en top de *bankier!* De man van wie ze zeiden dat hij een douche nam in een lang nachthemd! Diaken in de kerk!'

'Dat heb ik opgegeven toen jij wegging. Hoe dan ook, dat was gewoon goed staatsmanschap van mijn kant. Jij brengt dat elke dag in praktijk.'

'*Owen,* dat heb je me nooit *verteld!*'

'Jij hebt het me nooit gevraagd, Cathy. Jij had jouw ambities en ik had de mijne. Maar ik wil je wel het enige vertellen waarvan ik echt spijt heb gehad, als je dat wilt horen.'

'Dat wil ik wel.'

'Ik heb er echt spijt van dat we nooit samen een kind hebben gehad. Te oordelen naar de twee die ik heb zou hij of zij een pracht van een kind zijn geweest.'

'Rotzak die je bent. Straks ga ik nog huilen.'

'Doe dat nu maar niet. Laten we eerlijk zijn, we hebben er geen van tweeën spijt van.'

Catherine's dromerijen werden plotseling onderbroken. De bediende kwam triomfantelijk terug van zijn telefoongesprek en legde zijn handen op de balie. 'U hebt veel geluk, mevrouw!' riep hij uit. 'De vervoerscoördinator in het Apex bureau aan Bonham Strand East was er nog en hij heeft wel auto's maar niemand om er een hierheen te rijden.'

'Ik neem wel een taxi. Schrijf het adres maar op.' Staples keek om zich heen of ze de drogisterij van het hotel zag. 'Waar kan ik wat – huidzalf of vaseline kopen; sandalen of rubberslippers?' vroeg ze aan de hulpportier.

'Verderop in de gang rechts is een krantenkiosk, mevrouw. Daar hebben ze veel van de dingen die u noemde. Maar wilt u mij alstublieft eerst betalen? U moet in het bureau eerst een kwitantie laten zien. Het is duizend Hongkong dollars, en het verschil wordt ofwel terugbetaald of moet worden aangevuld...'

'Zoveel heb ik niet bij me. Ik zal een kaart moeten gebruiken.'

'Des te beter.'

Catherine opende haar handtas en haalde een creditcard te voorschijn uit een van de vakjes. 'Ik ben zo terug,' zei ze, terwijl ze die op de balie legde. Ze liep naar de gang rechts van haar. Zonder speciale reden keek ze even naar Lee Teng en de radeloze dame. Even had ze er plezier in toen ze zag dat de opzichtig geklede dame in de dwaze bontstola instemmend stond te knikken, terwijl Teng wees naar de rij veel te dure winkels waar je kwam door een trap op te lopen vanuit de lobby. Lee Teng was een echte diplomaat. Hij had de geagiteerde dame er ongetwijfeld op gewezen dat ze de kans had zowel te kopen wat ze nodig had, als haar zenuwen te kalmeren, en daarbij nog haar ontrouwe echtgenoot kon raken in zijn portemonnee. Ze was hier in Hongkong en ze kon het allerbeste en het meest opvallende kopen en als ze maar betaalde zou alles op tijd klaar zijn voor het grote bal in Government House. Staples vervolgde haar weg naar de gang.

'*Catherine!*' De naam werd zo fel uitgesproken dat Staples verstijfd bleef staan. '*Alstublieft, mevrouw Catherine!*'

Staples draaide zich verstard om. Het was Lee Teng die zich had losgemaakt van zijn nu gekalmeerde gast. 'Wat is er?' vroeg ze angstig terwijl de man van middelbare leeftijd op haar af kwam lopen, met een bezorgd gezicht en een kale schedel die glom van het zweet.

'Ik heb u zojuist pas gezien. Ik had een probleem.'

'Ik weet er alles van.'

'Dat doe je inderdaad, Catherine.'

'Pardon?'

Teng keek even naar de balie, vreemd genoeg niet naar de jongeman die haar had geholpen maar naar de andere hulpportier die aan het uiteinde van de balie stond. De man stond er alleen, er stonden geen gasten voor hem, maar hij keek naar zijn compagnon. 'Verdomde pech!' riep Teng zacht uit.

'Waar heb je het over?' vroeg Staples.

'Kom eens even hier,' zei de hoofdportier van de avonddienst en hij trok Catherine opzij, uit het zicht van de balie. Hij stak zijn hand in zijn zak en haalde er een geperforeerde halve pagina uit van een computeruitdraai. 'Er zijn er zo vier uit het kantoor boven gekomen. Ik heb kans gezien er drie te pakken te krijgen maar de vierde ligt onder de balie.'

Dringend. Government House. Een Canadese vrouw, genaamd mevrouw Catherine Staples kan proberen een auto te huren voor persoonlijk gebruik. Ze is zevenenvijftig jaar oud, met gedeeltelijk grijs haar, van middelbare lengte en slank van gestalte. Vertraag alle handelingen en neem contact op met Politiecentrale Vier.

Lin had een conclusie getrokken op basis van een observatie, dacht Catherine, geholpen door de kennis dat iemand die er de voorkeur aan gaf met een auto door Hongkong te rijden ofwel gek moest zijn of een speciale reden daarvoor had. Hij was bezig zich snel en volledig in te dekken. 'De jongeman daar heeft juist een auto voor me geregeld in Bonham Strand East. Hij heeft dit kennelijk niet gelezen.'

'Heeft hij op dit uur nog een wagen voor je gevonden?'

'Hij is op dit moment met mijn credit-card bezig. Denk je dat hij dit zal zien?'

'Over hem maak ik me geen zorgen. Hij loopt hier stage en ik kan hem van alles vertellen en dat zal hij accepteren. Die andere niet, die zit achter mijn baan aan. Wacht hier. Zorg dat ze je niet zien.'

Teng liep naar de balie terwijl de hulpportier bezorgd om zich heen stond te kijken met de reçu's van het betaalbewijs in de hand. Lee pakte ze van hem over en stak ze in zijn zak. 'Die zijn niet meer nodig,' zei hij. 'Onze klant is van gedachten veranderd. Ze heeft in de lobby een vriendin ontmoet die haar wegbrengt.'

'O. Dan moet ik mijn compagnon misschien zeggen dat hij geen moeite hoeft te doen. Omdat het een bedrag is boven de limiet maakt hij het voor mij in orde. Ik weet nog steeds niet precies de weg daarmee en hij bood aan...'

Teng gebaarde dat hij zijn mond moest houden en liep op de tweede bediende af die aan het andere uiteinde van de balie aan het telefoneren was. 'Geef mij die kaart maar en vergeet dat telefoontje. Ik heb vanavond mijn portie radeloze dames wel gehad! Deze heeft een ander middel van vervoer gevonden.'

'Jazeker, meneer Teng,' zei de tweede bediende kruiperig. Hij gaf de creditcard af, verontschuldigde zich vlug bij de telefoniste aan de lijn en legde de hoorn op.

'Een pech-avond.' Teng trok zijn schouders op en liep de drukke lobby weer in. Hij ging op Catherine af en trok zijn portefeuille uit zijn zak. 'Als je krap bij kas zit zal ik je wel voorschieten. Dit moet je niet meer gebruiken.'

'Thuis en op de bank heb ik genoeg, maar ik heb nooit zoveel bij me. Dat is een van die ongeschreven regels.'

'Een van de betere,' zei Teng met een knikje.

Staples nam de bankbiljetten van Teng aan en keek op naar de Chinees. 'Wil je een verklaring hebben?' vroeg ze.

'Dat is niet nodig, Catherine. Wat Centrale Vier ook zegt, ik weet dat jij een goed mens bent en mocht je dat niet zijn en weglopen zonder me mijn geld terug te betalen, dan ben ik toch nog heel wat duizenden Hongkong-dollars beter af.'

'Ik loop niet weg, Teng.'

'Je hoeft helemaal niet te lopen. Een van onze chauffeurs staat nog bij mij in het krijt en hij is nu in de garage. Hij brengt je wel naar je auto in Bonham Strand. Kom, dan breng ik je even naar hem toe.'

'Ik heb nog iemand bij me. Die breng ik buiten Hongkong. Ze is op het toilet.'

'Ik zal in de gang wachten. Maak je wel voort?'

'Soms denk ik wel eens dat de tijd sneller voorbijgaat wanneer we volop in de problemen zitten,' zei de tweede, wat oudere hulpportier tegen zijn jongere collega die stage liep, terwijl hij de halve pagina computeruitdraai onder de balie uithaalde en onopvallend in zijn zak schoof.

'Als dat zo is is meneer Teng nauwelijks een kwartier bezig geweest sinds we twee uur geleden aan de dienst begonnen.'

'Het helpt dat hij geen hoofdhaar heeft. De mensen denken dat hij zeer wijs is, ook al heeft hij weinig wijze woorden te bieden.'

'Toch kan hij goed met mensen omgaan. Ik hoop dat ik het later net zo kan als hij.'

'Zie maar dat je wat haar kwijtraakt,' zei de tweede bediende. 'Intussen, aangezien toch niemand ons lastig valt, ga ik even naar de wc. Overigens, stel dat ik ooit een verhuurinrichting moet hebben die om deze tijd nog open is, het was toch de Apex aan Bonham Strand East, nietwaar?'

'Jazeker.'

'Dat heb je 'm aardig geflikt.'

'Ik ben gewoon de lijst nagelopen. Hij stond bijna achteraan.'

'Er zijn er bij ons die al lang gestopt zouden zijn. Je verdient een pluim.'

'U bent té goed voor een onwaardige stagiaire.'

'Ik heb alleen maar het beste met je voor,' zei de oudere hulpportier. 'Vergeet dat nooit.'

De oudere man verliet de balie. Hij liep behoedzaam langs de palmbomen in potten tot hij Lee Teng zag. De nachtportier stond aan het begin van de gang rechts; dat was voldoende. Hij stond te wachten op de vrouw. De bediende draaide zich snel om en liep de trap op naar de rij winkels, minder afgemeten dan eigenlijk gepast was. Hij had haast en liep de eerste boutique boven aan de trap binnen.

'Hotelzaken,' zei hij tegen de verveelde verkoopster en hij greep de hoorn van een telefoon aan de muur, achter een glazen vitrine met kostbare stenen. Hij draaide.

'Politiecentrale Vier.'

'Uw instructie, meneer, betreffende de Canadese vrouw, mevrouw Staples...

'Hebt u informatie?'

'Ik geloof van wel, meneer, maar het is een beetje pijnlijk voor mij om het door te geven.'

'Waarom? Dit is zeer dringend, prioriteit Government House!'

'U moet me goed begrijpen, agent, ik ben maar een gewone ondergeschikte en het is heel goed mogelijk dat de nachtportier uw instructie vergeten is. Hij heeft het altijd erg druk.'

'Wat probeert u me te vertellen?'

'Kijk, agent — meneer — de vrouw die ik naar de portier hoorde vragen lijkt sprekend op de beschrijving in de officiële instructie. Maar het zou

erg vervelend zijn voor mij als men ontdekte dat ik u had gebeld.'
'U krijgt van ons bescherming. U kunt anoniem blijven. Hoe luidt de informatie?'
'Goed, meneer, ik hoorde...' In zorgvuldig gekozen, ambivalente woorden stelde de eerste hulpportier zichzelf in een zo gunstig mogelijk daglicht en maakte zo zijn baas, Lee Teng, zo zwart mogelijk. Maar zijn laatste verklaring was duidelijk en voor geen tweede uitleg vatbaar. 'Het is het Apex autoverhuurbureau aan Bonham Strand East. Volgens mij kunt u maar beter opschieten, want de vrouw is op weg daar naar toe.'

Het verkeer was in de vroege avond minder dicht dan op het spitsuur, maar nog steeds geducht. Daarom keken Catherine en Marie elkaar ongerust aan op de achterbank van de hotellimousine. In plaats van vaart te zetten toen er ineens vóór hen plaats vrij was, stopte de chauffeur de enorme wagen op een vrije plek langs de stoeprand aan Bonham Strand East. Er was niets te zien van een verhuurinrichting in de onmiddellijke nabijheid, aan geen van beide kanten van de straat.
'Waarom blijven we hier staan?' vroeg Staples vinnig.
'Opdracht van meneer Teng, mevrouw,' antwoordde de chauffeur terwijl hij zich omdraaide op de bank. 'Ik ga de auto afsluiten met het alarm ingeschakeld. Niemand zal u lastig vallen want er knipperen lichtjes onder alle vier de portierkrukken.'
'Dat klinkt erg geruststellend, maar ik zou graag willen weten waarom u ons niet naar de auto brengt.'
'Ik zal de auto naar u toe brengen, mevrouw.'
'Pardon?'
'Opdracht van meneer Teng. Hij stond er absoluut op en hij belt de Apex garage om instructies te geven. Die ligt in de volgende straat, mevrouw. Ik ben zo terug.' De chauffeur zette zijn pet af en trok zijn uniformjasje uit, legde beide op de voorbank, schakelde het alarm in en stapte uit.
'Wat vind jij hiervan?' vroeg Marie, terwijl ze haar been over haar knie legde en papieren zakdoekjes die ze uit het toilet had meegebracht tegen de onderkant van haar rechtervoet drukte. 'Vertrouw jij die Teng?'
'Inderdaad,' antwoordde Catherine met een verbluft gezicht. 'Ik begrijp het niet. Hij is kennelijk heel erg voorzichtig — maar dat betekent ook extra risico voor hem — en ik weet niet waarom. Ik vertelde je al zojuist in The Mandarin dat dat computerbericht over mij iets zei over "Government House". Met dat woord springen ze hier in Hongkong niet licht om. Waar is hij in hemelsnaam mee bezig? En waarom?'
'Het is duidelijk dat ik daarop het antwoord niet weet,' zei Marie. 'Maar ik heb mijn ogen niet in mijn zak.'
'Wat bedoel je daarmee?'
'Ik heb gezien hoe hij naar je keek. Ik weet niet of jij dat hebt gezien.'

'Hoe dan?'

'Volgens mij is hij erg dol op jou.'

'Dol... op mij?'

'Zo zou je het kunnen noemen. Je kunt het natuurlijk ook nog sterker uitdrukken.'

Staples keerde zich om en keek uit het raampje. 'O, lieve hemel,' fluisterde ze.

'Wat is er?'

'Daarstraks, toen we nog in The Mandarin waren, en om een reden die te dwaas is om te analyseren — het begon met een idiote vrouw met een chinchilla stola om — moest ik aan Owen denken.'

'Owen?'

'Mijn vroegere man.'

'Owen Staples? De *bankier*, Owen Staples?'

'Zo luidt mijn naam en dat is mijn vent — wás mijn vent. In die tijd bleef je de naam van je man houden.'

'Je hebt me nooit verteld dat jij met Owen Staples getrouwd bent geweest.'

'Je hebt er nooit naar gevraagd, meid.'

'Ik vind het nogal onduidelijk, Catherine.'

'Dat zal best,' stemde Staples in en ze schudde haar hoofd. 'Maar ik stond te denken aan die keer dat Owen en ik elkaar een paar jaar geleden in Toronto tegen het lijf liepen. We dronken een borreltje in de Mayfair Club en ik hoorde een paar dingen over hem die ik daarvóór nooit geloofd zou hebben. Ik was echt gelukkig voor hem, ondanks het feit dat de rotzak me bijna aan het huilen bracht.'

'Catherine, wat heeft dat in hemelsnaam te maken met dit moment?'

'Het heeft met Teng te maken. Wij hebben op een avond ook eens een borreltje gedronken, niet in The Mandarin natuurlijk, maar in een café aan de haven in Kowloon. Hij zei dat het voor mij niet goed zou zijn als men mij met hem samenzag hier op het eiland.'

'Waarom niet?'

'Dat vroeg ik ook al. Hij beschermde me namelijk toen ook, net als nu. En misschien heb ik hem verkeerd begrepen. Ik nam aan dat hij alleen maar uit was op wat bijverdiensten, maar misschien had ik dat wel helemaal fout.'

'Op wat voor manier?'

'Hij zei die avond iets vreemds tegen me. Hij zei dat hij wilde dat de zaken anders waren, dat de verschillen tussen mensen niet zo voor de hand lagen en dat die verschillen niet zo verontrustend waren voor andere mensen. Ik begreep zijn banaliteiten natuurlijk als een wat dilettanterige poging tot... tot staatsmanschap, zoals mijn vroegere man het uitdrukte. Misschien was het iets anders.'

Marie lachte zacht en ze keken elkaar aan. 'Lieve, *lieve* Catherine. Die

man is verliefd op je.'
'Hemelse goden, dat kan ik nou net niet gebruiken!'

Lin Wenzu zat op de voorbank van wagen Twee van de MI 6 en zijn geduldige blik was gericht op de ingang van het Apex bureau aan Bonham Strand East. Alles was in orde, binnen enkele minuten zou hij beide vrouwen te pakken hebben. Een van zijn mensen was naar binnen gegaan en had met de man achter de balie gesproken. De agent had zijn identiteitsbewijs getoond en een angstige bediende had hem de verhuurlijsten van die avond laten zien. De vervoerscoördinator had inderdaad een reservering voor een mevrouw Catherine Staples maar die was ingetrokken en de betreffende auto was toegewezen aan een andere naam, de naam van een chauffeur van het hotel. En aangezien mevrouw Catherine Staples niet langer meer een auto huurde had de coördinator niet ingezien waarom hij Politiecentrale Vier moest bellen. Wat moest hij zeggen? En nee, dat was onmogelijk, niemand anders kon de wagen ophalen omdat hij gereserveerd was door The Mandarin.
Alles was in orde, dacht Lin. Victoria Peak zou enorm opgelucht zijn zodra hij zijn nieuws doorgaf aan het beveiligde huis. De majoor kende precies de woorden die hij zou gebruiken. 'De vrouwen zijn gearresteerd – de *vrouw* is gearresteerd.'
Aan de overkant van de straat liep een man in hemdsmouwen de deur van het bureau in. Lin dacht dat hij een beetje aarzelde en er was iets...
Plotseling kwam er een taxi aanrijden en de majoor schoot naar voren en stak zijn hand uit naar de deurkruk – de aarzelende man was vergeten.
'Let op, jongens,' zei Lin in de microfoon die verbonden was met de zender onder het dashboard. 'We moeten zo snel en zo onopvallend mogelijk handelen. We kunnen hier geen tweede Arbuthnot Road hebben. En geen wapens natuurlijk. Klaar, nú!'
Maar er was niets om klaar voor te zijn, de taxi reed weg zonder dat er iemand was uitgestapt.
'Wagen Drie!' zei de majoor kortaf. 'Neem dat nummer op en bel het taxibedrijf! Ik wil radioverbinding met hen. Zoek uit wat hun taxi daar precies uitvoerde! Nog beter, rijd hem na en doe wat ik je zeg. Het zou de vrouw kunnen zijn.'
'Volgens mij zat er alleen maar een man op de achterbank, meneer,' zei de bestuurder.
'Misschien zijn ze op de vloer gaan liggen! Verdomme. Een man, zei je?'
'Ja meneer.'
'Ik ruik een verrotte kwal.'
'Waarom majoor?'
'Als ik het wist zou het niet zo stinken.'

262

Het wachten bleef duren en de gezette Lin Wenzu begon te transpireren. De ondergaande zon wierp een verblindend oranje licht door de voorruit en tekende donkere schaduwvlekken langs Bonham Strand East.

'Het duurt te lang,' fluisterde de majoor bij zichzelf.

Uit de radio weerklonk gekraak. 'We hebben het rapport van het taxibedrijf, meneer.'

'Laat horen!'

'De betreffende taxi probeert een importbedrijf te vinden aan Bonham Strand East, maar de chauffeur heeft tegen zijn passagier gezegd dat het adres aan Bonham Strand *West* moet zijn. Kennelijk is zijn passagier verschrikkelijk boos. Hij is uitgestapt en heeft zojuist geld door het raampje de taxi ingegooid.'

'Laat maar schieten en kom terug hierheen,' beval Lin, terwijl hij toekeek hoe er aan de overkant bij het Apex bureau garagedeuren opengingen. Er reed een auto naar buiten, met de man in hemdsmouwen achter het stuur.

Nu droop het zweet van het gezicht van de majoor. Er klopte iets niet! Het verliep niet volgens plan. Wat zat hem toch dwars? Wát dan toch?

'Die vent!' schreeuwde Lin tegen zijn verschrikte chauffeur.

'Meneer?'

'Een gekreukt wit hemd, maar een broek met een messcherpe vouw. Een uniform! *Een chauffeur!* Draai de wagen! Rij hem na!'

De bestuurder hield zijn hand op de claxon gedrukt, zwaaide uit zijn rijbaan en maakte een bocht van honderdtachtig graden terwijl de majoor bevelen gaf aan de reserves, eentje moest er bij het Apex bureau blijven, de anderen moesten zich voegen bij de jacht.

'Aiya!' gilde de chauffeur en hij ging op zijn remmen staan en kwam met gillende banden tot stilstand toen er een bakbeest van een bruine limousine uit een zijstraat kwam schieten en hen de weg versperde. Ze hadden elkaar nauwelijks geraakt, de officiële auto had misschien even het linkerachterportier van de grote wagen geschampt.

'Feng zi!' gilde de chauffeur van de limousine en hij noemde Lins bestuurder een dolle hond, toen hij uit zijn slee sprong om te kijken of zijn voertuig ergens was beschadigd.

'Lai! Lai!' krijste de bestuurder van de majoor, klaar om op de vuist te gaan.

'Hou op !' brulde Lin. 'Zorg alleen dat hij daar opdondert!'

'Hij wil juist niet uit de weg gaan, meneer.'

'Zeg hem dat hij *moet!* Laat hem je identificatie maar zien!'

Al het verkeer kwam tot stilstand. Claxons toeterden, mensen in auto's en op straat gilden woedend. De majoor sloot zijn ogen en schudde gefrustreerd zijn hoofd. Er zat niet anders op dan uitstappen.

En dat deed iemand anders ook uit de limousine. Een Chinees van middelbare leeftijd met een kalend hoofd. 'We hebben, geloof ik, een probleempje,' zei Lee Teng.

'Ik kén jou!' schreeuwde Lin. 'The Mandarin!'

'Vele mensen die de goede smaak bezitten ons prachtige hotel te bezoeken kennen mij, meneer. Het spijt me dat we dat genoegen niet delen. Bent u ooit gast geweest bij ons, meneer?'

'Wat voert u hier uit?'

'Dit is een vertrouwelijke opdracht voor een heer in The Mandarin, en ik ben niet van plan daar nog iets aan toe te voegen.'

'Godverdomme! Er is een instructie van de gouverneur uitgezonden! Een Canadese vrouw die Staples heet! Een van uw mensen heeft ons gebeld!'

'Ik heb niet het flauwste idee waarover u het hebt. Ik ben minstens een uur bezig geweest een probleem uit de weg te ruimen voor een gast die naar het bal van Government House moet vanavond. Ik zal u met alle plezier haar naam opgeven − als u gemachtigd bent die te vragen.'

'En òf ik gemachtigd ben! Ik herhaal! Waarom hebt u ons tegengehouden?'

'Volgens mij was het uw man die probeerde door het rode licht te rijden.'

'Da's niet waar!' gilde Lins chauffeur.

'Dan moeten we de zaak maar laten voorkomen,' zei Lee Teng. 'Kunnen we doorrijden?'

'Nog niet!' antwoordde de majoor en hij liep op de nachtportier van The Mandarin af. 'Ik herhaal opnieuw. Er is een instructie van Government House naar uw hotel gestuurd. Er stond duidelijk in dat een vrouw die Staples heet zou kunnen proberen een auto te huren en u moest dat doorgeven aan Politiecentrale Vier.'

'Laat ik het dan ook nog eens herhalen, meneer. Ik ben meer dan een uur niet op mijn plaats geweest en ik heb zo'n instructie als u beschijft ook niet gezien. Maar ik wil u best vertellen, ook al heb ik uw identiteitspapieren nog steeds niet gezien, dat alle regelingen voor het huren van auto's getroffen moeten worden via mijn eerste assistent, een man die ik, eerlijk gezegd, niet erg hoog heb zitten.'

'Maar ú bent híer!'

'Hoeveel gasten in The Mandarin zijn er niet 's avonds nog voor zaken aan Bonham Street East, meneer? Echt, het is toeval.'

'Uw ogen lachen me uit, *Zhongguo ren*.'

'Het is geen echt lachen, meneer. Ik ga weer verder. De schade stelt weinig voor.'

'Het kan me geen barst verdommen als jij en je mensen daar de hele *nacht* moeten blijven,' zei ambassadeur Havilland. 'Het is de enige kans die we hebben. Zoals jij het hebt beschreven zal ze de wagen terugbrengen en haar eigen auto meenemen. *Godverdomme,* er is morgenmiddag om vier uur een Canadees Amerikaanse strategiebespreking. *Ze moet* terug zijn.' Blijf waar je bent! Laat alle posten uitstaan! Breng haar maar hierheen!'

'Ze zal een aanklacht indienen dat ze lastig gevallen wordt. We gaan regelrecht tegen de wetten in van de internationale diplomatie!'

'Dat *moet* dan maar! Als je haar maar hierheen brengt, voor mijn part in het tapijt van Cleopatra! Ik kan geen tijd verspillen — geen *minuut!*'

Een razende Catherine Staples werd het vertrek binnengeleid in het huis op Victoria Peak, stevig vastgehouden door twee agenten. Lin Wenzu had de deur geopend. Die sloot hij achter zich terwijl Staples stond tegenover ambassadeur Raymond Havilland en onderminister van Buitenlandse Zaken Edward McAllister. Het was 11.35 in de morgen en het zonlicht viel door de grote erkerramen die uitzagen op de tuin.

'U bent te ver gegaan, Havilland,' zei Catherine en haar schorre stem klonk als brokken droog ijs.

'Waar het u betreft bent ik niet ver genoeg gegaan, mevrouw Staples. U hebt een lid van de Amerikaanse legatie gecompromitteerd. U hebt zich schuldig gemaakt aan afpersing en daardoor mijn regering grote schade toegebracht.'

'Dat kunt u niet bewijzen want er is geen bewijsmateriaal, geen foto's...'

'Ik hoef dat niet te bewijzen. De jongeman is om precies zeven uur gisteravond hierheen gekomen en heeft ons alles verteld. Een smerig zaakje, vindt u ook niet?'

'Verdomde idioot! Hem treft geen schuld, maar jullie wel! En aangezien u zelf het woord 'smerig' gebruikt, niets van wat hij heeft gedaan is te vergelijken met de schunnigheid van wat jullie hebben uitgehaald.' Zonder verder nog een blad voor de mond te nemen keek Catherine de onderminister aan. 'Ik neem aan dat dit die leugenaar McAllister is.'

'U bent een lastige klant,' zei de onderminister.

'En u bent een ja-knikker zonder principes die de vuile zaakjes voor een ander opknapt. Ik heb het allemaal gehoord en ik walg ervan!! Maar elke draad is geweven...' Staples draaide haar hoofd met een ruk naar Havilland, 'door een specialist. Wie heeft ú het recht gegeven voor Onze Lieve Heer te spelen? Niemand van u heeft dat recht! Weet u wat u die twee mensen daarginds hebt aangedaan? Weet u wat u van hen hebt geëist?'

'Dat weten we,' zei de ambassadeur kort. 'Ik weet het.'

'Zij weet het ook, ondanks het feit dat ik haar de laatste bevestiging niet durfde geven. *U* McAllister! Toen ik hoorde dat u hier was, wist ik niet zeker of zij het nog wel aan zou kunnen. Op dit moment niet. Maar ik ben wel van plan het haar te vertellen. U en uw leugens! De vrouw van een taipan vermoord in Macao – oh, het klopt allemaal zo prachtig, wat een excuus om de vrouw van een andere man te ontvoeren! *Leugens!* Ik heb mijn bronnen en het is nooit gebeurd! Luistert u nu maar eens goed naar mij. Ik ga haar naar het consulaat brengen onder volledige bescherming van mijn regering. En als ik u was, Havilland, zou ik er verdomd voorzichtig mee zijn woorden als onwettige handelingen in de mond te nemen. U en die verdomde mensen van u hebben een Canadees staatsburger zodanig belogen en bedrogen dat ze in een levensgevaarlijke situatie terecht is gekomen, wat die *dit* keer dan ook weer mag zijn. Uw arrogantie is gewoon *ongelooflijk!* Maar ik verzeker u dat er een eind aan gemaakt zal worden. Of mijn regering dat nu leuk vindt of niet, ik ga het aan iedereen vertellen, alles wat ik van jullie weet! Jullie zijn niet beter dan die barbaren van de KGB. Jawel, de Amerikaanse moloch van clandestiene operaties gaat een fikse bloedneus oplopen! Ik kots van jullie, de hele wereld kotst van jullie!'

'*Verdomme* mevrouw, luister nou eens!' schreeuwde de ambassadeur en hij verloor het laatste beetje zelfcontrole in zijn plotselinge woede. 'U kunt dreigen wat u wilt, maar u zult eerst wel naar me luisteren. En als u de oorlog wilt verklaren nadat u gehoord hebt wat ik u te vertellen heb, dan moet u dat vooral doen! *Mijn* dagen zijn zowat geteld, maar niet van miljoenen anderen! Ik zou graag alles doen wat in mijn macht ligt om die dagen van de anderen te verlengen! Maar misschien bent u het daar niet mee eens, dan verklaart u mij de oorlog maar, mevrouw! Maar, *verdomme*, dan zul je ook de consequenties moeten dragen!'

19

Voorovergeleund op zijn stoel klikte Bourne het trekkersmechanisme uit het huis en bekeek het binnenste van de loop tegen het licht van de plafondlamp boven hem. Hij had dat al een paar keer gedaan en het had geen enkele zin, de boring was vlekkeloos schoon. In de afgelopen vier uur had hij het pistool van d'Anjou drie keer schoongemaakt, het drie keer uit elkaar gehaald en telkens weer elk onderdeel geolied tot het metaal donker glansde. Het was een tijdverdrijf voor hem. Hij had het wapenarsenaal van d'Anjou bekeken en zijn verzameling springstoffen, maar daar het meeste materiaal in afgesloten kisten zat, waarschijnlijk van booby-traps voorzien tegen diefstal, liet hij die met rust en concentreerde hij zich op het ene pistool. Hij had in de flat van de Fransman aan de Rua das Lorchas, met uizicht op Macao's Porto Interiore – de binnenhaven – maar weinig ruimte om op en neer te lopen en ze waren het erover eens dat hij bij daglicht niet naar buiten kon gaan. Binnen was hij zo veilig als hij maar kon zijn in Macao. D'Anjou, die van adres veranderde wanneer hem dat inviel, had de flat aan de haven minder dan twee weken geleden gehuurd, onder een valse naam en via een jurist die hij nog nooit had ontmoet, die op zijn beurt een 'stroman' inschakelde om het contract te tekenen, dat zijn advocaat vervolgens door middel van een koerier naar zijn onbekende cliënt had gestuurd via de garderobe in het drukbezochte drijvende casino. Zo opereerde Philippe d'Anjou nu eenmaal, de vroegere Echo van Medusa.

Jason zette het wapen weer in elkaar, drukte de patronen een voor een in het magazijn en klikte dat omhoog in de handgreep. Hij stond op en liep naar het raam met het pistool in zijn hand. Aan de overkant van het water lag de Volksrepubliek, zo gemakkelijk toegankelijk voor iedereen die wist hoe hij gebruik moest maken van gewone menselijke hebzucht. Sinds de tijd van de farao's was er niets nieuws onder de zon waar het grensovergangen betrof. Grenzen waren er om overschreden te worden — hoe dan ook.

Hij keek op zijn horloge. Het was bijna vijf uur, de namiddagzon was aan het zakken. De Fransman was naar het Peninsula gegaan met Bourne's hotelsleutel, had daar zijn koffer gepakt maar de kamer nog aangehouden en zou de vleugelboot van één uur terug naar Macao nemen. Waar bleef hij? De overtocht duurde nauwelijks een uur en van de kade in Macao tot aan de flat was het ongeveer tien minuten met een taxi. Maar voorspelbare stiptheid was nooit een sterk punt geweest van Echo. Brokstukken van herinneringen aan Medusa kwamen weer boven bij Jason, losgewoeld door de aanwezigheid van d'Anjou. Ofschoon ze pijnlijk en beangstigend waren, waren bepaalde indrukken ook bemoedigend, opnieuw dankzij de Fransman. D'Anjou was niet alleen een doortrapte leugenaar en een eersterangs opportunist, wanneer hem dat in zijn kraam te pas kwam, maar hij was ook verschrikkelijk vindingrijk. Boven alles was de Fransman een pragmaticus. Dat had hij bewezen in Parijs en die herinneringen lagen hem nog vers in het geheugen. Als hij vertraging had opgelopen was daar een goede reden voor. Als hij niet kwam opdagen was hij dood. En dat laatste was voor Bourne onacceptabel. D'Anjou verkeerde in een positie om iets te doen dat Jason meer dan alles zelf wilde doen, maar dat hij niet kon doen omdat hij er Marie's leven bij op het spel zette. Het risico was al groot genoeg doordat hij, door het spoor van de bedrieglijke killer te volgen in Macao terecht was gekomen, maar zolang hij niet in de buurt van het Lisboa Hotel kwam vertrouwde hij op zijn instincten. Hij zou zich verborgen houden voor de mensen die naar hem zochten — die zochten naar iemand die, hoe vaag dan ook, op hem leek qua lengte, of postuur of teint. Iemand die vragen stelde in het Lisboa Hotel.

Eén telefoontje van het Lisboa Hotel naar de taipan in Hongkong en dat betekende het einde voor Marie. De taipan had niet zo maar gedreigd — dreigementen waren maar al te vaak een zinloze truc — hij had een veel dodelijker wapen gebruikt. Na zijn geschreeuw en zijn ge-

timmer met zijn hand op de zwakke armleuning van de stoel, had hij kalm iets beloofd: Marie zou sterven. Het was een belofte die gedaan werd door een man die zijn beloften nakwam, die zijn woord hield.
Maar ondanks alles had David Webb een gevoel dat hij niet onder woorden kon brengen. Die corpulente taipan had iets over zich wat net niet helemaal echt was, iets theatraals, dat niets met zijn dikheid te maken had. Het leek net alsof hij zijn enorme omvang in zijn voordeel had gebruikt op een manier die dikke mensen maar zelden toepassen, omdat ze als regel imponeren door hun grootte. Wie *was* die taipan? Het antwoord lag in het Lisboa Hotel, en aangezien hij daar zelf niet naar toe durfde gaan zou hij kunnen profiteren van d'Anjou's vaardigheden. Hij had de Fransman heel weinig verteld, hij zou hem nu meer vertellen. Hij zou een beschrijving geven van een wrede dubbele moord, waarbij een UZI was gebruikt en hij zou zeggen dat een van de slachtoffers de vrouw was van een machtig taipan. D'Anjou zou de vragen stellen die híj niet kon stellen, en als daar antwoorden op kwamen zou hij weer een stap zetten in Marie's richting.
Speel het spelletje mee. Alexander Conklin.
Wiens spelletje? David Webb.
Je verknoeit je tijd! Jason Bourne. *Zoek die bedrieger. Pak hem!*
Zachte voetstappen buiten op de gang. Jason draaide zich met een ruk om van het raam weg en rende op zijn tenen naar de muur. Hij ging er met zijn rug tegenaan staan met zijn pistool gericht op de deur die hem zou verbergen als hij openzwaaide. Er werd behoedzaam, geluidloos een sleutel in het slot gestoken. De deur ging langzaam open.
Bourne duwde die met geweld terug tegen de indringer aan, draaide eromheen en greep de verbijsterde gedaante in de deuropening. Hij rukte hem naar binnen, schopte de deur dicht en hield het pistool gericht op het hoofd van de man die een koffer en een erg groot pak had laten vallen. Het was d'Anjou.
'Dat moet je vooral doen als je een kogel door je kop wilt krijgen, Echo!'
'*Sacré bleu!* Het is ook de laatste keer dat ik nog ooit rekening zal houden met jou! Je zou jezelf eens moeten zien, Delta. Je ziet er net uit als in Tam Quan, toen je dagen achtereen niet had geslapen. Ik dacht dat je misschien op bed zou liggen.'

Weer flitste er kort een herinnering door hem heen. 'In Tam Quan,' zei Jason, 'zei je tegen me dat ik moest slapen, weet je nog? We verstopten ons in het struikgewas en jullie vormden een kring om me heen en bevalen me bijna dat ik wat moest rusten.'
'Het was je reinste eigenbelang. Wij konden daar niet wegkomen, dat kon jij alleen.'
'Je zei toen iets tegen me. Wat was het ook weer? Ik heb gehoorzaamd.'

'Ik heb je uitgelegd dat rust even goed een wapen was als welk stomp voorwerp ook of welk schiettuig ooit door de mens bedacht.'
'Later heb ik een variant daarop gebruikt. Het is een soort axioma voor me geworden.'
'Het doet me buitengewoon veel plezier te horen dat je zo verstandig was te luisteren naar mensen die het beter weten. Mag ik nu alsjeblieft opstaan? Wil je *alsjeblieft* dat verdomde pistool laten zakken?'
'Oh, neem me niet kwalijk.'
'We hebben geen tijd,' zei d'Anjou terwijl hij opstond en de koffer op de vloer liet staan. Hij scheurde het bruine papier van zijn pak. Er zaten khaki kleren in, twee holsters aan riemen en twee politiepetten. 'Dit zijn uniformen. Ik heb de bijbehorende papieren in mijn zak. Het spijt me dat ik een hogere rang heb dan jij, Delta, maar leeftijd heeft nu eenmaal haar privileges.'
'Dat zijn uniformen van de politie in Hongkong.'
'Kowloon, om het precies te zeggen. Misschien is dit onze *kans*, Delta! Daarom duurde het zo lang voordat ik terugwas. Kai-tak Airport! De beveiliging is waterdicht, precies wat de bedrieger wil om te laten zien dat hij beter is dan jij ooit geweest bent! Er is natuurlijk geen enkele garantie, maar ik wil er mijn leven onder verwedden, het is de klassieke uitdaging voor een geobsedeerde maniak. ''Stel je troepen maar op, ik zal er wel doorheenbreken!'' Met een moordaanslag als deze doet hij weer helemaal de legende opleven dat hij totaal onoverwinnelijk is. Hij is het, ik weet het zeker.'
'Begin maar eens bij het begin,' beval Bourne.
'Ondertussen kleden wij ons aan, ja,' stemde de Fransman in, terwijl hij zijn stem uittrok en zijn broekriem losmaakte. *'Opschieten!* Ik heb een motorboot aan de overkant van de straat. Vierhonderd paarde-krachten. We kunnen over drie kwartier in Kowloon zijn. Hier! Dit is voor jou! *Mon Dieu,* ik moet er van kotsen als ik denk aan al dat geld dat ik heb uitgegeven!'
'De patrouilles van de Volksrepubliek,' zei Jason, terwijl hij zijn kleren uittrok en het uniform pakte. 'Die schieten ons zo naar de kelder!'
'Idioot, bepaalde boten kennen ze en daarover onderhandelen we per radio in code. We hebben tenslotte nog een zeker eergevoel. Hoe dacht je anders dat we onze koopwaar vervoerden? Hoe denk je dat we dit allemaal overleven? We maken afspraken in grotten op de Chinese ei-landen van Teh Sa Wei en daar betalen we. *Opschieten!'*
'Hoe zit het met dat vliegveld? Hoe weet je zo zeker dat hij het is?'
'De gouverneur van de kolonie. Moordaanslag.'
'Wat?' schreeuwde Bourne verbijsterd.
'Ik ben met jouw koffer van het Peninsula naar de Star Ferry gewan-deld. Het is maar een kort stuk en de veerboot is veel sneller dan een auto door de tunnel. Toen ik voorbij het politiebureau aan Salisbury

Road in Kowloon liep zag ik zeven surveillancewagens met een rotgang naar buiten rijden, achter elkaar, en ze sloegen allemaal linksaf, en dat is niet richting magazijnen. Dat vond ik vreemd – ja, twee of drie voor een lokale rel, maar zeven? Daar zwijnde ik mee. Ik belde mijn contactman op het bureau en hij werkte mee, het was daarbinnen toch al geen geheim meer. Hij zei dat ik nog maar eens even moest blijven staan dan zou ik binnen de komende twee uur nog zo'n tien wagens en twintig overvalauto's naar Kai-tak zien rijden. Wat ik gezien had was alleen nog maar de voorhoede geweest. Via hun ondergrondse kanalen hadden ze gehoord dat er een aanslag zou worden gepleegd op het leven van de kroongouverneur.'

'Bijzonderheden!' beval Bourne fel, terwijl hij zijn broekriem vastgespte en het lange khaki hemd pakte dat als jack diende onder de holsterriem vol kogels.

'De gouverneur komt vanavond aan uit Beijing met zijn eigen entourage van het Foreign Office en bovendien met weer een Chinese delegatie. Er zullen krantenmensen zijn, televisieploegen. Beide regeringen willen alles in de openbaarheid. Er zal morgen een gezamenlijke vergadering zijn tussen alle onderhandelaars en de leiders van de financiële sector.'

'Het verdrag van 1997?'

'Weer een nieuwe ronde van eindeloos geouwehoer over de akkoorden. Maar laten we voor ons maar hopen dat ze vriendelijk met elkaar blijven praten.'

'Het *scenario*,' zie Jason zacht en hij bleef doodstil staan.

'Wat voor scenario?'

'Je bent er zelf over begonnen, het scenario waardoor de telefoons roodgloeiend hebben gestaan tussen Peking en Government House. Gaan ze een Kroongouverneur vermoorden in ruil voor de moord op een vice-premier? Of misschien een minister van buitenlandse zaken in ruil voor een vooraanstaand lid van het Centrale Comité – een eerste minister voor een voorzitter? Hoe ver reikt dit? Hoeveel zorgvuldig uitgekozen moorden voordat het breekpunt wordt bereikt? Hoe lang nog voordat de ouder weigert een ongehoorzaam kind te dulden en Hongkong binnenmarcheert? Verrek, het zou kunnen gebeuren. Iemand wil het laten gebeuren!'

D'Anjou bleef roerloos staan met de brede riem van de holster in zijn hand, waar de dreigende rij koperen patronen instaken. 'Waar ik het over had was niet meer dan speculatie, gebaseerd op het willekeurige geweld van een dolgedraaide moordenaar die zonder aanzien zijn contracten accepteert. Er is aan beide kanten voldoende hebzucht en politieke corruptie om grond te geven aan die speculatie. Maar wat jij daar zegt, Delta, is iets heel anders. Jij beweert dat het een plan is, een georganiseerd plan om in Hongkong zoveel opschudding te veroorzaken dat het vasteland de teugels overneemt.'

'Het scenario,' herhaalde Jason Bourne. 'Hoe ingewikkelder het wordt, hoe eenvoudiger het eruit ziet.'

Op de daken van Kai-tak Airport krioelde het van de politie en het was al precies zo bij de toegangspoorten en de tunnels, de douanebalies en de bagageruimten. Buiten op het enorme veld van zwarte asfalt voegden zich rondzwervende, nog fellere zoeklichten bij het licht van de krachtige schijnwerpers, en richtten zich op elk bewegend voertuig, op elke centimeter zichtbare ruimte. Televisieploegen ontrolden kabels onder waakzaam toezicht, terwijl reporters achter de geluidswagens zich oefenden in het uitspreken van een dozijn talen. Verslaggevers en fotografen werden achter de hekken gehouden en vliegveldpersoneel maakte via luidsprekers bekend dat met touwen afgezette delen van het veld spoedig beschikbaar zouden zijn voor al die journalisten die in het bezit waren van de juiste pasjes, verstrekt door de directie van het vliegveld. Het was een gekkenhuis. En toen gebeurde er iets totaal onverwachts, plotseling scheerde er een kletterende regenbui over de kolonie uit de donkere lucht aan de westelijke horizon. Het was weer zo'n typische herfstbui.

'De bedrieger heeft geluk, waar of niet?' zei d'Anjou toen hij samen met Bourne in hun uniformen tegelijk met een hele rij politiemensen door een overdekte gang liep onder een dak van golfplaten, op weg naar een van de enorme onderhoudshangars. Het kletteren van de regen was oorverdovend.

'Geluk heeft daar niks mee te maken,' antwoordde Jason. 'Hij heeft de weerberichten bestudeerd helemaal tot in Sichuan. Elk vliegveld heeft die. Hij moet het gisteren gezien hebben, misschien wel twee dagen geleden. Het weer is ook een wapen, Echo.'

'Maar hij had er geen enkele zeggenschap over dat de Kroongouverneur zou arriveren in een Chinees toestel. Die zijn vaak uren te laat, ze zijn meestal uren te laat.'

'Maar geen dagen, dat is niet gewoon. Wanneer hoorde de politie in Kowloon over de moordaanslag?'

'Dat heb ik speciaal gevraagd,' zei de Fransman. 'Ongeveer half twaalf vanmorgen.'

'En het toestel uit Peking zou vanavond aankomen?'

'Dat zei ik je, ja. De mensen van de kranten en de televisie moesten hier tegen negen uur zijn.'

'Hij heeft de weerberichten bestudeerd. Gelegenheden doen zich voor. Die grijp je aan.'

'En dat moet jij ook doen, Delta! Je moet denken zoals hij, je moet je in zijn schoenen verplaatsen. Dit is jouw kans!'

'Wat denk je dat ik nu doe? ...Als we bij die hangar komen wil ik me losmaken van deze groep. Kan dat, met die nep-identificatie van jou?'

'Ik ben een Britse sectorcommandant van het wijkbureau in Mongkok.'
'Wat betekent dat in hemelsnaam?'
'Ik heb er geen idee van, maar meer kon ik niet doen.'
'Je klinkt niet erg Engels.'
'Wie zou zoiets hier op Kai-tak weten, *old chap?*'
'De Engelsen.'
'Daar blijf ik dan wel bij uit de buurt. Mijn Chinees is beter dan dat van jou. De *Zhongguo ren* zullen daar respect voor hebben. Jij zult vrij kunnen rondzwerven.'
'Dat moet ik wel,' zei Jason Bourne. 'Als het jouw commando is, wil ik hem zien voordat iemand anders hem in de gaten krijgt! Hier. Nú!'

Onderhoudspersoneel in glimmende gele regenkleding bracht palen met afzetkoorden uit de hoge hangar. Toen kwam er een vrachtwagen aanrijden vol met gele jassen voor de politiemensen. De mannen vingen ze op toen ze achter uit de wagen werden gegooid. Ze trokken ze aan en gingen in een paar groepen bijeenstaan om hun instructies in ontvangst te nemen van hun meerderen. Snel werd er orde geschapen in de verwarring die was ontstaan door de pas aangekomen, verbaasde politietroepen en in de opschudding die werd veroorzaakt door de onverwachte stortbui. Het was het soort orde waarop Bourne niet bijster was gesteld. Het was allemaal te glad, te conventioneel voor het karwei dat voor hen lag. Hele rijen opvallend geklede politietroepen die het veld op marcheerden bevonden zich op de verkeerde plaats en het was de verkeerde tactiek als ze guerrilla's moesten opsporen, al was het dan maar één man die getraind was in guerrillavechten. Elke politieman in zijn gele regenkleding vormde zowel een waarschuwing als een doelwit, en hij was bovendien nog iets anders. Een pion. Hij kon vervangen worden door een ander die precies zo gekleed was, door een killer die zich kon vermommen als zijn eigen vijand.
Toch was het je reinste zelfmoord om te infiltreren met het doel een moordaanslag te plegen en Jason wist dat zijn bedrieger niet dacht aan een zelfmoordactie. Tenzij... tenzij het wapen dat hij ging gebruiken zo zacht klonk dat het zou ondergaan in het geluid van de regen... maar zelfs dan kon de reactie van het doelwit niet onmiddellijk zijn. De plaats van de aanslag zou direct worden afgezet met een cordon, zo gauw men zag dat de Kroongouverneur ineenzakte. Elke uitgang zou worden afgesloten, iedereen zou onder bedreiging van wapens gedwongen worden op zijn plaats te blijven. Een vertraagde reactie? Een heel klein pijltje, afgeschoten met een luchtbuks, waarvan de prik zou lijken op die van een speld, dat maar weinig hinder zou veroorzaken, zoiets als een vervelende vlieg die je van je afsloeg, terwijl de dodelijke druppel gif doordrong in de bloedstroom en langzaam maar onvermijdelijk de dood bracht, hoe lang het ook zou duren. Het was mogelijk, maar

ook daarbij lagen teveel hindernissen in de weg, de vereiste accuratesse kon niet worden bereikt met een luchtdrukwapen. De Kroongouverneur zou ongetwijfeld een kogelvrij vest dragen en op het gezicht mikken was uitgesloten. De gezichtszenuwen accentueerden pijn en elk vreemd voorwerp dat zo dicht bij de ogen doel trof zou een onmiddellijke en overdreven reactie oproepen.

Dan bleven de handen en de keel nog over. De eerste waren te klein en men mocht verwachten dat ze zich te snel zouden bewegen, het tweede trefgebied was gewoon te beperkt. Een krachtig geweer vanaf een dak? Een geweer van een dodelijke accuratesse en uitgerust met een infrarood telescopisch vizier? Ook een mogelijkheid, een maar al te vertrouwde gele regenjas die toevallig wel om de schouders van de moordenaar hing. Maar ook dat leek op zelfmoord, want zo'n wapen zou een enkele, geïsoleerde knal veroorzaken en het gebruiken van een geluiddemper zou de trefzekerheid zodanig verminderen dat je op het geweer niet meer kon vertrouwen. Het risico was te groot voor een moordenaar op een dak. De schotrichting zou direct opvallen.

De moord op zich was het belangrijkste van alles. Dat begreep Bourne, vooral onder deze omstandigheden. D'Anjou had gelijk. Alle factoren waren aanwezig voor het plegen van een spectaculaire moordaanslag. Carlos de Jakhals had het niet beter kunnen wensen, en Jason Bourne al evenmin, bedacht David Webb. Te slagen, ondanks de onovertroffen veiligheidsmaatregelen, zou van de nieuwe 'Bourne' een koning maken in zijn misselijke beroep. Hoe dan? Wat voor manier zou hij gebruiken? En als de beslissing eenmaal was gevallen, hoe kon hij dan het snelste en het beste ontkomen?'

Het lag te veel voor de hand om met een van de televisiewagens met hun ingewikkelde apparatuur te ontsnappen. De onderhoudsploegen voor het aankomende vliegtuig waren gecontroleerd, vast en zeker twee of drie keer gecontroleerd. Een indringer zou daar direct opvallen. Alle journalisten moesten door elektronische poortjes lopen, die alles boven de tien milligram metaal zouden oppikken. En de daken waren ook uitgesloten. Hoe dan?

'Je hebt permissie,' zei d'Anjou die ineens naast hem opdook met een stuk papier in de hand. 'Dit is ondertekend door het hoofd van politie van het vliegveld.'

'Wat heb je hem verteld?'

'Dat jij een Israëli bent die door Mossad speciaal is getraind in anti-terroristische acties en dat je bij ons zit in het kader van een uitwisselingsprogramma. Het zal worden rondverteld.'

'Goeie god, ik spreek helemaal geen Hebreeuws!'

'Wie hier dan wel? Haal je schouders maar op en praat verder in jouw acceptabele Frans, dat spreken ze hier wel, zij het erg slecht. Het lukt je best.'

'Je bent onmogelijk, weet je dat?'

'Ik weet dat Delta, toen hij onze aanvoerder was in Medusa, tegen het hoofdkwartier in Saigon zei dat hij niet in actie wilde komen zonder zijn "ouwe Echo".'

'Ik moet hartstikke gek zijn geweest.'

'Dat scheelde in die tijd inderdaad niet zo veel.'

'Bedankt, Echo. Duim maar voor me.'

'Jij hebt geen geluk nodig,' zei de Fransman. 'Jij bent Delta. Jij zult altijd Delta zijn.'

Bourne trok de felgele regenjas uit en zette zijn politiepet af. Toen liep hij naar buiten en liet zijn pasje zien aan de bewakers bij de hangardeuren. In de verte werden de persmensen door het electronische poortje geleid naar de met touwen afgezette gedeelten. Aan de rand van de startbaan stonden microfoons opgesteld en overvalwagens met politie op motoren vormden een dichte halve cirkel rond het gebied waar de persconferentie gehouden zou worden. De voorbereidingen waren zo goed als klaar, alle beveiligingstroepen stonden opgesteld, de apparatuur van de pers werkte. Het vliegtuig uit Peking was kennelijk in de stortregen aan zijn daling begonnen. Over enkele minuten zou het aan de grond staan, minuten waarvan Jason wilde dat hij ze kon verlengen. Er was nog zoveel wat hij wilde onderzoeken en hij had er zo weinig tijd voor. *Waar? Wat?* Alles was zowel mogelijk als onmogelijk. Voor welke methode had de killer gekozen? Vanuit welke geschikte positie zou hij zijn volmaakte moordaanslag plegen? En hoe zou hij op de meest logische manier levend ontsnappen van de plaats van de misdaad?

Bourne had elke mogelijkheid die hij kon bedenken onder de loep genomen en ze allemaal verworpen. *Denk verder!* En nog eens *verder!* Er waren nog maar enkele minuten. Blijf rondlopen en begin bij het begin... het begin. De opzet: het vermoorden van de Kroongouverneur. Omstandigheden: zo te zien waterdicht, met veiligheidspolitie die vanaf de daken alles onder schot had, die elke ingang, elke uitgang, elke trap en lift blokkeerde en die in radiocontact stonden met elkaar. De kansen van slagen waren minimaal. Zelfmoord... Toch waren het diezelfde minimale kansen die de bedrieglijke moordenaar onweerstaanbaar aantrokken. D'Anjou had weer gelijk gehad: met één spectaculaire aanslag onder deze omstandigheden zou de suprematie van een sluipmoordenaar gevestigd zijn — of opnieuw gevestigd. Wat had de Fransman ook al weer gezegd? *Met één zo'n aanslag vestigt hij opnieuw de legende van onoverwinnelijkheid.*

Wie? Waar? Hoe? Denk na! Kijk uit!

De stortregen doorweekte zijn uniform van de Kowloonse politie. Hij veegde voortdurend het water uit zijn gezicht terwijl hij rondliep en naar alles en iedereen tuurde. *Niets!* En toen was in de verte het gedempte brullen te horen van de straalmotoren. Het straalvliegtuigje uit Peking had bijna de drempel aan het uiteinde van de landingsbaan bereikt. Het ging landen.

Jason nam de mensen op die binnen het door touwen afgezette gedeelte stonden. Het gouvernement van Hongkong had, uit achting voor Peking en omdat men alles volledig wilde openstellen voor de pers, gedienstig gezorgd voor poncho's en stukken zeildoek en goedkope plastic regenjassen voor iedereen die ze hebben wilde. De staf van Kai-tak had de eisen van de pers voor een uitgebreide persconferentie afgewezen door eenvoudig te stellen — en wijselijk zonder nadere verklaring — dat het de veiligheid niet ten goede zou komen. Er zouden korte verklaringen worden afgelegd, alles bij elkaar zou het niet langer dan vijf of zes minuten duren. De geachte leden van de persgemeenschap zouden toch zeker wel wat regen willen verdragen voor zo'n belangrijke gebeurtenis. De fotografen? *Metaal!* De poortjes lieten wel camera's door, maar niet alle 'camera's' namen foto's. Je kon er een betrekkelijk eenvoudige voorziening in aanbrengen en hem vastzetten op een driepoot, een krachtig mechanisme dat een kogel afschoot — of een pijltje — met behulp van een telescopische beeldzoeker. Was dat de manier? Had de killer die mogelijkheid gekozen en had hij verwacht de 'camera' te kunnen vertrappen en een andere uit zijn zak te halen terwijl hij zich naar de rand van de groep persmensen bewoog, met een identiteitsbewijs dat even echt was als dat van d'Anjou en van de 'anti-terrorist' van de Mossad? Het was mogelijk.

Het enorme toestel was geland. Bourne liep snel het afgezette deel binnen en nam elke fotograaf die hij zag nauwkeurig op, zoekend en speurend naar de man die eruitzag als hijzelf. Er stonden wel een paar dozijn kerels met camera's. Zijn angst nam toe toen het vliegtuig uit Peking in de richting van de wachtende menigte kwam taxiën. De schijnwerpers en zoeklichten concentreerden nu hun bundels op de ruimte rond de microfoons en de televisieploegen. Hij liep van de ene fotograaf naar de volgende, stelde snel vast dat de man de moordenaar niet kon zijn, keek dan opnieuw of er niemand bijstond met gebogen rug of er geen gezichten waren opgemaakt. Weer *niets!* Niemand! Hij moest hem vinden, moest hem te pakken krijgen! Voordat iemand anders hem ontdekte. Met de moordaanslag had hij niets te maken, die zei hem niets! Het enige belangrijke was Marie!

Begin weer eens vooraan! Doelwit: de Kroongouverneur. Omstandigheden: zeer ongunstig voor een aanslag, het doelwit werd maximaal beschermd, droeg ongetwijfeld zelf een kogelvrij vest, alle veiligheidstroepen waren zeer gedisciplineerd, de officieren hadden de zaak goed in de hand... Het begin? Er ontbrak iets. Ga maar weer terug. De Kroongouverneur — het doelwit, één enkel slachtoffer. Methode van de aanslag: het enige dat geen zekere zelfmoordpoging vormde was een vertraagde actie – een pijltje of een luchtbukskogeltje – maar de eisen voor trefzekerheid maakten het gebruik van zo'n wapen onlogisch, en de luide knal van een normaal wapen zou onmiddellijk de hele veiligheidsmacht in het geweer brengen. *Vertraging?* Vertraagde *actie*, maar niet op het slachtoffer! Het begin, de eerste veronderstelling was verkeerd! Het doelwit was niet alleen de Kroongouverneur. Niet een aanslag op één man, maar op meerdere mensen, gewoon lukraak! Hoeveel spectaculairder was dat niet! Hoeveel effectiever voor een maniak die chaos wilde scheppen in Hongkong. En de chaos zou direct beginnen bij de veiligheidstroepen. Er zou wanorde ontstaan, ontsnappen zou mogelijk zijn!

Bourne's gedachten tolden door zijn hoofd terwijl hij in de slagregen tussen de mensen zwierf en zijn ogen overal liet rondzwerven. Hij probeerde zich elk wapen voor de geest te halen dat hij ooit had gekend. Een wapen dat geluidloos kon worden afgevuurd of weggeslingerd, onopgemerkt zelfs vanuit een niet te grote, dichte drom mensen, waarvan de uitwerking lang genoeg vertraagd was om de killer de gelegenheid te geven een nieuwe positie te kiezen en ongehinderd te ontsnappen. Het enige dat hem te binnen schoot waren handgranaten, maar dat verwierp hij meteen. Toen dacht hij aan dynamiet of een kneedbom met een tijdontsteking. Dat laatste was veel gemakkelijker te gebruiken voor wat betreft de vertraging van de actie en het verborgen houden. Kneedbare springstoffen konden worden ingesteld op enkele minuten en fracties van minuten, in plaats van slechts enkele seconden. Je kon ze wegstoppen in kleine doosjes of in papier gewikkelde pakjes, zelfs in platte aktetassen... of dikkere koffertjes die zogenaamd vol zaten met fotoapparatuur, en die hoefden ook niet direct door een fotograaf te worden gedragen. Hij begon opnieuw, liep weer tussen de verslaggevers en fotografen, terwijl zijn ogen over het zwarte asfalt zwierven onder broekspijpen en rokken, op zoek naar een alleenstaande koffer, zo maar op de grond. Het was logisch dat hij zich concentreerde op de rijen mannen en vrouwen die het dichtst bij de afzetting langs de landingsbaan stonden. In zijn geest zag hij het 'pakje' als niet langer of dikker dan 25 centimeter, 50 als het een diplomatenkoffertje was. Een kleinere lading zou de onderhandelaars van beide regeringen niet doden. De lichten van het vliegveld waren krachtig, maar ze veroorzaakten ontelbare schaduwplekken, donkerder nuances in de duisternis. Hij wilde dat hij eraan had gedacht een zaklantaarn mee te nemen. Die had hij anders altijd bij zich gehad, al was het nog zo'n kleintje geweest, want ook dat was een wapen! Waarom was hij dat in hemelsnaam vergeten? Toen zag hij tot zijn verbazing de lichtbundels van zaklantaarns kriskras de zwarte bodem van het vliegveld afzoeken, spelend tussen dezelfde broekspijpen en rokken die hij ook had afgezocht. De veiligheidspolitie had dezelfde gedachte gehad, en waarom ook niet? La Guardia Airport, 1972;

Lod Airport, Tel Aviv, 1974; Rue de Bac, Parijs, 1975; Harrods, Londen, 1982. En een half dozijn ambassades van Teheran tot Beiroet, natuurlijk hielden ze daar rekening mee! Voor hen was dat het nieuwe terrorisme, hij liep achter wat dat betreft. Zijn denkproces verliep te traag en dat kon hij zich niet veroorloven!

Wie? Waar?

De enorme regeringsboeing 747 van de Volksrepubliek kwam in zicht als een grote, zilveren vogel, het brullen van zijn straalmotoren overstemde de stortregen en nam langzaam af toen het toestel op onbekende grond op zijn standplaats werd gemanoeuvreerd. De deuren gingen open en de optocht begon. De twee leiders van de Britse en de Chinese delegaties stapten samen uit. Ze zwaaiden en liepen samen de metalen trap af, de ene in de voor Whitehall gepaste kleding, de andere in het saaie uniform zonder onderscheidingstekenen van het Volksleger. Achter hen aan kwamen twee rijen assistenten en adjudanten, westerlingen en oosterlingen die hun best deden er eensgezind uit te zien voor de camera's. De leiders liepen naar de microfoons, en terwijl hun woorden eentonig door de luidsprekers galmden en de regen overstemden, werden de volgende minuten voor Jason één vage indruk. Met een deel van zijn gedachten was hij bij de ceremonie die plaatsvond onder de schijnwerpers, maar zijn geest concentreerde zich vooral op de laatste speurtocht, want het zou inderdaad de laatste zijn. Als de bedrieger hier was moest hij hem vinden, vóór de aanslag, vóórdat de chaos losbarstte! Maar *waar*, verdomme? Bourne liep tot voorbij de touwafzetting helemaal naar rechts om beter te kunnen zien wat er zich afspeelde. Een bewaker maakte bezwaar; Jason liet de man zijn pas zien en bleef roerloos staan kijken naar de televisieploegen, lettend op hun ogen, hun gezichten, hun apparatuur. Als de moordenaar daartussen stond, welke man was hij dan?

'Wij zijn beiden zeer blij bekend te kunnen maken dat er verdere vooruitgang is geboekt betreffende de Akkoorden. Wij van het Verenigd Koninkrijk...'

'Wij van de Volksrepubliek China — het enige ware China op aarde — geven uitdrukking aan onze wens tot overeenstemming te willen komen met hen die wensen...'

De speeches volgden elkaar op, elke leider bevestigde wat zijn tegenhanger vertelde, maar liet iedereen merken dat er nog heel wat onderhandeld moest worden. De beleefdheden waren gespannen, de woorden waren zoethoudertjes, de glimlachjes waren gemaakt. En Jason zag niets waarop hij zich kon concentreren, helemaal niets, daarom veegde hij de regen uit zijn gezicht en knikte tegen de bewaker terwijl hij onder het touw doorkroop en weer tussen de mensen ging staan achter de afzetting. Hij zocht zich een weg naar de linkerkant van de persconferentie. Ineens werd Bourne's blik getrokken door een tweetal koplampen in de regen die van achter op het vliegveld de landingsbaan opzwaaiden en snel het geparkeerde toestel naderden. Toen weerklonk er, als op een afgesproken teken, een luid applaus. De korte ceremonie was voorbij en dat bleek uit het naderen van de officiële limousines die, elk met een escorte van motorrijders aan kwamen rijden tussen de delegaties en het afgezette deel met journalisten en fotografen. De politie stelde zich op rond de televisiewagens en beval iedereen in hun voertuigen te stappen, met uitzondering van de twee tevoren aangewezen cameramensen.

Dit was het moment. Als er iets ging gebeuren zou het nu gebeuren. Als er een moordtuig gebruikt ging worden, om binnen een minuut of minder te ontploffen, zou dat nú zijn!

Een paar meter links van hem zag hij een hogere politiebeambte, een lange man die zijn ogen even snel liet rondgaan als hij dat deed. Jason boog zich naar de man en sprak hem aan in het Chinees, terwijl hij zijn pas naar voren stak, met zijn hand erboven vanwege de regen. 'Ik ben de man van de Mossad,' gilde hij in een poging om boven het applaus uit te komen.

'Ja, ik ben op de hoogte!' schreeuwde de inspecteur. 'We hebben het gehoord. We zijn dankbaar dat u hier bent.'

'Hebt u een zaklantaarn?'

'Ja natuurlijk. Wilt u hem hebben?'

'Heel graag.'

'Hier.'

'Help me met passeren!' beval Bourne terwijl hij het touw optilde en de inspecteur gebaarde hem te volgen. 'Ik heb de tijd niet om mijn pas te laten zien!'

'Natuurlijk!' De Chinees liep achter hem aan, stak zijn hand uit en hield een bewaker tegen die op het punt stond Jason tegen te houden, desnoods door hem neer te knallen. 'Laat hem door! Hij hoort bij ons! Hij is specialist in dit soort zaken!'

'De Israëli van de Mossad?'

'Inderdaad.'

'We hebben het gehoord. Dank u, meneer... Maar, hij kan me natuurlijk niet verstaan.'

'Vreemd genoeg spreekt hij Guangdong hua.'

'In Food Street hebben ze, wat ze noemen, een kosjer restaurant waar je onze gerechten kunt krijgen...'

Bourne bevond zich nu tussen de rij officiële auto's en de afzetting. Terwijl hij langs de touwen liep met zijn zaklantaarn omlaag gericht op het zwarte asfalt, gaf hij bevelen in het Chinees en het Engels, hij riep en toch riep hij ook weer niet. Het waren de bevelen van een verstandige man die, misschien, op zoek was naar iets wat hij verloren had. Een voor een stapten de mannen en de vrouwen van de pers achteruit, uitleg gevend aan de mensen achter hen. Hij naderde de voorste limousine; de vlaggen van zowel Groot Brittanië als de Volksrepubliek waren zichtbaar respectievelijk rechts en links, aangevend dat Engeland als gastheer optrad en dat China de gast was. De vertegenwoordigers reden samen in dezelfde wagen. Jason concentreerde zich op de grond. De hooggeplaatste passagiers stonden op het punt in het lange voertuig te stappen, samen met hun belangrijkste assistenten, terwijl het applaus bleef aanduren.

Het *gebeurde*, maar Bourne was er niet zeker van wat het was! Met zijn linkerschouder raakte hij een andere schouder en het contact was als een elektrische schok. De man die hij even had aangeraakt kwam een moment uit balans en herstelde die met zo'n heftige beweging dat Jason op zijn beurt zijn evenwicht verloor. Hij draaide zich om en keek naar de man op de politiemotor, tilde toen zijn zaklantaarn op en tuurde door het donkere plastic van de helm.

Lichtflitsen schoten als gevorkte bliksems door zijn hoofd, zijn ogen staarden gebiologeerd terwijl hij probeerde het ongelooflijke te verwerken. Hij staarde naar *zichzelf*, van nog slechts enkele jaren geleden! De donkere gelaatstrekken achter het ondoorzichtige ronde vizier waren van hem! Het was de *commando*! De *bedrieger*! De *killer*!

De ogen die hem aanstaarden stonden ook verschrikt, maar ze waren sneller dan die van Webb. Een vlakke, stram gehouden hand vloog omhoog, zwiepte tegen Jasons keel en maakte spreken en denken onmogelijk. Bourne tuimelde achteruit, niet in staat om te schreeuwen en hij greep naar zijn keel, terwijl de killer met een zwaai van zijn motor stapte. Hij rende langs Jason en dook onder het touw.

Pak hem! Grijp hem! . . . *Marie!* De woorden bleven uit, het waren enkel hysterische gedachten die geluidloos werden uitgegild in Bourne's hoofd. Hij kokhalsde, bevrijdde zijn keel enigszins van de gevolgen van de klap, sprong over het touw, stortte zich tussen de mensen en volgde het pad van omgetuimelde lichamen die door de killer uit de weg waren gestompt in zijn ren naar de vrijheid.

'Hou hem. . . *tegen!*' Alleen het laatste woord ontsnapte aan Jasons keel. Het was niet meer dan een schor gefluister. 'Laat me *erdoor!*' Alleen dat ene woord kwam eruit maar niemand luisterde ernaar. Ergens in de buurt van het stationsgebouw stond een muziekkapel te spelen in de regen.

De weg was afgesloten! Er waren niets dan mensen, alleen maar *mensen!* Waar is hij? Grijp hem! *Marie!* Hij is weg! Hij is *verdwenen!* 'Laat me erdoor!' gilde hij en de woorden klonken nu verstaanbaar maar niemand lette erop. Hij rukte en trok en stompte zijn weg naar de rand van de mensenmassa, en hij zag weer hele drommen mensen tegenover zich achter de glasdeuren van het stationsgebouw.

Niets! Niemand! De moordenaar was verdwenen!
Moordenaar? De moord*aanslag!*

Het was de limousine, de voorste limousine met de vlaggen van de beide landen! Díe was het doelwit! Ergens in die auto of onder die auto zat het tijdmechanisme dat de wagen hemelhoog de lucht in zou blazen, en de leiders van de beide delegaties zou doden. Gevolg — het scenario... chaos. *Overname!*

Bourne draaide zicht met een ruk om en zocht vertwijfeld naar iemand met gezag. Twintig meter voor het touw stond een inspecteur van de Kowloonse politie in de houding terwijl het Britse volkslied werd gespeeld. Aan zijn riem zat een zendertje vast. Een *kans!* De limousines waren begonnen aan hun statige aftocht naar een onzichtbare poort van het vliegveld.

Jason rukte het touw omhoog, deed een paaltje omvallen en begon te rennen naar de kleine, stram staande Chinese inspecteur. *'Xun su!'* brulde hij.

'Shemma?' antwoordde de man geschrokken terwijl hij instinctief naar het pistool in zijn holster reikte.

'Hou ze *tegen!* De auto's, de *limousines!* De *voorste!'*

'Waar hebt u het over? Wie bent u?'

Bourne sloeg bijna naar de man in zijn ergernis. *'Mossad!'* gilde hij.

'U bent die man uit Israël? Ik heb gehoord...'

'Luister naar me! Pak je radio en zeg dat ze moeten stoppen! Laat iedereen uitstappen! Hij gaat de lucht in! Nu!'

De inspecteur keek op door de regen en zag Jasons ogen, knikte toen even en trok de radio van zijn riem. 'Dit is zeer dringend! Maak de golflengte vrij en verbind me met *Red Star One.* Nu *meteen.'*

'Alle wagens!' onderbrak Bourne hem. 'Zeg dat ze de rij verlaten!'

'Herstel!' riep de politieman. 'Waarschuw alle voertuigen. Verbind me door!' En met gespannen maar beheerste stem sprak de Chinees duidelijk en met nadruk op elk woord: 'Dit is Colony Five en dit is hoogst dringend. De man van de Mossad staat naast me en ik geef zijn instructies door. Er moet onmiddellijk gevolg aan worden gegeven. *Red Star One* moet onmiddellijk stoppen en iedereen moet uitstappen en dekking zoeken. Alle andere wagens moeten naar links draaien naar het midden van het veld, uit de buurt van *Red Star One.* Uitvoering *nu direct!'*

De mensen keken verbijsterd toe toen in de verte het motorgeluid aanzwol. Vijf limousines draaiden de rij uit en verdwenen snel in het donker van het vliegveld. De voorste wagen kwam met gillende banden tot stilstand; de portieren gingen open en mannen sprongen eruit en renden alle kanten op.

Acht seconden later gebeurde het. De limousine met de roepnaam *Red Star One* ontplofte op vijftien meter van een openstaande poort. Brandend metaal en glasscherven schoten omhoog de regen in en de muziek van de kapel stopte abrupt.

Peking. 11.25 n.m.

Boven de noordelijke buitenwijken van Peking ligt een uitgestrekt complex waarover zelden wordt gesproken en dat zeker niet voor het publiek toegankelijk is. De belangrijkste reden is beveiliging, maar er komt ook een zekere schaamte bij in deze maatschappij die de gelijkheid voor iedereen predikt. Want binnen die uitgestrekte, beboste enclave in de heuvels liggen de villa's van China's machtigste mannen. Het complex is gehuld in geheimzinnigheid, zoals dat past bij een complex dat omgeven is door een hoge muur van grijze steen, waarvan de toegangen bewaakt worden door ervaren militairen, waar in de bossen voortdurend wordt gepatrouilleerd met woeste honden. Als je zou gaan speculeren over de maatschappelijke of politieke relaties die daar worden onderhouden, dan moet worden opgemerkt dat geen enkele villa in het zicht van een andere ligt, want elk gebouw heeft zijn eigen omringende muur, en alle bewakers zijn er uitgekozen op basis van jarenlange gehoorzaamheid en vertrouwen. Wanneer de naam wordt uitgekozen luidt ze Jade Tower Mountain en dat heeft geen betrekking op een echte berg maar op een reusachtige heuvel die boven de andere uitrijst. Bij tijd en wijle, met het op- en afgaan van de politieke lotsbeschikking, hadden hier mannen gewoond als Mao Zedong, Lin Shaoqi, Lin Biao en Zhou Enlai. Tot de bewoners behoorde nu een man die de economische toekomst van de Volksrepubliek aan het opbouwen was. In de wereldpers werd over hem gesproken als Sheng, en de naam was bij iedereen bekend. Zijn volle naam luidde Sheng Chou Yang.

Een bruine sedan reed snel de weg af voor de imposante grijze muur. Hij naderde Poort Nummer Zes en alsof de bestuurder aan iets anders zat te denken trapte hij plotseling op de rem en de wagen slipte schuin op de ingang af en bleef stilstaan op slechts centimeters van de helder oranje slagboom. Een wachtpost kwam naderbij.

'Voor wie komt u hier en hoe luidt uw naam? Ik zal uw officiële papieren moeten zien.'

'Minister Sheng,' zei de bestuurder. 'En mijn naam is niet belangrijk, en mijn papieren al evenmin. Geeft u alstublieft door aan de woning van de minister dat zijn afgezant uit Kowloon is gearriveerd.'

De soldaat haalde de schouders op. Dat soort antwoorden waren gewoon op Jade Tower Mountain en verder aandringen zou kunnen leiden tot een mogelijke overplaatsing uit deze hemelse dienst waar het eten wat er overbleef onvoorstelbaar was en waar zelfs buitenlands bier werd verstrekt aan degenen die onvoorwaardelijk gehoorzaamden. Toch gebruikte de wachtpost de telefoon. De bezoeker moest volgens de regels worden toegelaten. Als je het anders deed zou dat kunnen eindigen in een wei waar je moest knielen en waar je een schot door je hoofd kreeg. De wachtpost keerde terug naar zijn hokje aan de poort en belde de villa van Sheng.

'Laat hem binnen. *Snel!*'

Zonder terug te keren naar de sedan drukte de wacht op een knop en de oranje slagboom ging omhoog. De auto schoot naar binnen, veel te snel over dat grind, dacht de wacht. De afgezant had grote haast.

'Minister Sheng is in de tuin,' zei de legerofficier aan de deur, terwijl zijn ogen langs de bezoeker overal het duister afzochten. 'Gaat u maar naar hem toe.'

De afgezant liep haastig door de voorkamer die volstond met roodgelakt meubilair naar een gewelfde uitgang waarachter een ommuurde tuin lag. Vier met elkaar in verbinding staande lelievijvers vulden de tuin, geraffineerd verlicht door gele onderwaterlampen. Twee elkaar kruisende paden, bestrooid met wit grind, vormden een X tussen de vijvers en aan elk uiteinde van elk pad stonden lage, zwarte rieten tafeltjes en stoelen binnen een ovalen platform. Aan het uiteinde van het rechterpad bij de muur zat een man alleen, slank en van middelbare lengte, met kortgeknipt grijs haar en magere gelaatstrekken. Als er iets aan hem was dat iemand zou kunnen doen schrikken bij een eerste ontmoeting, dan waren dat wel zijn ogen, want het waren de donkere ogen van een dode, de oogleden knipperden nooit ook maar even. Tegelijkertijd waren het ook de ogen van een fanaticus wiens blinde toewijding de kern van zijn kracht vormde; in de pupillen brandde witte hitte, in de oogbol flitste de bliksem op. Het waren de ogen van Sheng Chou Yang, en op dit moment laaide er een vuurgloed in.

'*Vertel* het me!' bulderde hij en zijn beide handen omknelden de zwarte armleuningen van de rieten stoel. 'Wie doet me dit aan?'

'Het is allemaal gelogen, excellentie! We hebben het nagevraagd bij onze mensen in Tel Aviv. Zo'n man als beschreven werd bestaat niet. Er bestaat geen agent van de Mossad in Kowloon! Het is *gelogen!*'

'Wat voor actie hebt u genomen?'

'Het is allemaal erg verwarrend...'

'Wat voor *actie?*'

'We zijn op het spoor van een Engelsman in de Mongkok die niemand schijnt te kennen.'

'Dwazen en *idioten!* Idioten en *dwazen!* Met wie hebt u gesproken?'

'Onze belangrijkste man bij de politie in Kowloon. Hij is verbijsterd en het spijt me het te zeggen, maar hij is ook bang. Hij refereerde een paar keer aan Macao en zijn stem stond me niet aan.'

'Hij is er geweest.'

'Ik zal uw instructies overbrengen.'

'Ik ben bang dat dat niet gaat.' Sheng gebaarde met zijn linkerhand, zijn rechter was in de schaduw verborgen; hij hield haar onder het lage tafeltje. 'Kom en betoon uw onderworpenheid aan de Kwo-Min-Tang,' beval hij.

De afgezant liep op de minister af. Hij boog diep en stak zijn hand uit naar de linkerhand van de grote man. Sheng verplaatste zijn rechterhand. Ze hield een pistool omklemd.

Ecn zware knal volgde en een kogel doorboorde het hoofd van de afgezant. Stukken schedel en hersenweefsel vlogen de lelievijvers in. De legerofficier verscheen in de toegang naar de kamer, toen het lijk door de kracht van het schot achteruit werd geslingerd op het witte grind.

'Ruim hem op,' beval Sheng. 'Hij heeft te veel gehoord, is te veel te weten gekomen... heeft zich te veel vrijheden veroorloofd.'

'Zeker, excellentie.'

'En neem contact op met de man in Macao. Ik heb instructies voor hem die onmiddellijk moeten worden uitgevoerd, terwijl de branden in Kowloon de hemel nog verlichten. Ik wil hem hier zien.'

Toen de officier op de dode afgezant toeliep stond Sheng plotseling op uit de stoel en liep langzaam naar de rand van de dichtstbijzijnde vijver, waar zijn gelaat werd verlicht door de lampen onder het wateroppervlak. Hij sprak nogmaals en zijn stem klonk vlak maar vol vastberadenheid.

'Over korte tijd geheel Hongkong en de rest van de kolonie,' zei hij en hij staarde in de vijver. 'Korte tijd daarna geheel China.'

'Onder uw leiding, excellentie,' zei de officier, Sheng aankijkend met ogen die gloeiden van toewijding. 'Wij volgen. De mars die u hebt beloofd is begonnen. We keren terug naar onze Moeder en het land zal ons weer behoren.'

'Ja, dat zal het,' stemde Sheng Chou Yang in. 'Het kan ons niet worden ontzegd. Het kan *mij* niet worden ontzegd.'

20

Rond het middaguur van die rampzalige dag, toen Kai-tak nog gewoon een vliegveld was en geen slagveld, had ambassadeur Havilland een verbijsterde Catherine Staples in brede lijnen de samenzwering van Sheng beschreven met haar oorsprong in de Kwo-Min-Tang. Doel: een consortium van taipans met een centrale leider, van wie Sheng de zoon was, zou Hongkong overnemen en de kolonie veranderen in het financiële privé-domein van de samenzweerders. Onvermijdelijk gevolg: de samenzwering zou mislukken en de razende reus van de Volksrepubliek zou van zich af slaan, Hongkong binnenvallen, de Akkoorden nietig verklaren en het Verre Oosten veranderen in een chaos. Catherine had er geen woord van geloofd en had bewijzen geëist en toen het kwart over twee was had ze tweemaal het lange en zeer geheime dossier van Buitenlandse Zaken over Sheng Chou Yang gelezen, maar ze bleef zich hardnekkig verzetten omdat niet kon worden geverifiëerd of de samenstellers het bij het juiste eind hadden. Om half vier had men haar meegeno-

men naar de communicatiecentrale en via een versluierde satellietver-
binding had ze een hele serie 'feiten' voorgeschoteld gekregen van een
man die Reilly heette van de Nationale Veiligheidsraad in Washington.
'Voor mij bent u alleen maar een stem, meneer Reilly,' had Staples gezegd. 'Hoe kan ik weten dat u niet ergens onder aan de Peak in Wanchai
zit?'
Op dat moment had er duidelijk een klik geklonken in de lijn en een
stem die Catherine en de hele wereld heel goed kenden sprak haar toe.
'U spreekt met de president van de Verenigde Staten, mevrouw Staples.
Als u daaraan twijfelt dan stel ik voor dat u uw consulaat belt. Vraag
hen zich in verbinding te stellen met het Witte Huis via een diplomatieke
lijn en een bevestiging van ons gesprek te vragen. Ik blijf wel wachten.
U zult die bevestiging krijgen. Op dit moment heb ik niets beters te doen
– niets wat echt van vitaler belang is.'
Catherine had haar hoofd geschud en even haar ogen gesloten en rustig
geantwoord: 'Ik geloof u, meneer de president.'
'Mij kunt u rustig vergeten, gelooft u maar wat men u heeft verteld. Het
is de waarheid.'
'Het is gewoon zo ongelooflijk – zo *onvoorstelbaar*.'
'Ik ben geen specialist, mevrouw Staples, en ik heb me daarop ook
nooit beroepen, maar ook het Paard van Troje was niet erg geloofwaardig. Dat is dan misschien een legende en de vrouw van Menelaos is misschien een verzinsel geweest in de fantasie van een bard, maar het con-
cept blijft toepasselijk, het is het symbool geworden van een vijand die
zijn tegenstander van binnenuit vernietigt.'
'Menelaos...?'
'Gelooft u maar niet wat ze in de kranten schrijven, ik heb echt wel een
paar boeken gelezen, mevrouw Staples. We hebben u nodig. Als het
moet zal ik uw premier bellen maar om heel eerlijk te zijn doe ik dat
liever niet. Hij zou het nodig kunnen vinden er anderen bij te betrekken.'
'Nee, meneer de president. Geheimhouding is belangrijker dan wat ook.
Ik begin nu ambassadeur Havilland te begrijpen.'
'Dan bent u verder dan ik. Ik begrijp hem lang niet altijd.'
'Misschien is het zo ook maar beter, meneer.'

Om twee minuten vóór vier was er een dringend gesprek – met de
hoogste prioriteit – binnengekomen in het beveiligde huis in Victoria
Peak, maar het was noch bestemd voor de ambassadeur, noch voor onderminister McAllister. Het was voor majoor Lin Wenzu en het vormde
het begin van een afschuwelijke periode van afwachten die vier uur
duurde. De schaarse informatie bracht zoveel opschudding teweeg dat
alles werd geconcentreerd op de crisis en dat Catherine Staples haar
consulaat belde om de ambassadeur van de Gemene Best te zeggen dat

ze zich niet goed voelde en niet aanwezig zou zijn op de strategiebespreking met de Amerikanen die middag. Haar aanwezigheid in het beveiligde huis werd toegejuicht. Ambassadeur Havilland wilde de functionaris van de Canadese diplomatieke dienst met eigen ogen laten zien en haar laten begrijpen hoe dicht het Verre Oosten bij een algehele ontreddering was. Hoe een onvermijdelijke fout zowel van de kant van Sheng als van zijn huurmoordenaar een explosie teweeg kon brengen die zo heftig was dat troepen van de Volksrepubliek binnen enkele uren Hongkong zouden kunnen binnenvallen. Daarbij zou niet alleen de complete internationale handel in Hongkong worden lamgelegd, maar het zou ook overal diep menselijk leed veroorzaken — overal zouden heftige rellen uitbreken, moordploegen zowel van rechts als van links zouden wraakgevoelens die veertig jaar teruggingen gaan uitbuiten, splinterpartijtjes van verschillende rassen en verschillende provincies zouden elkaar in de haren vliegen en tegen het leger in opstand komen. Er zou bloed vloeien in de straten en in de haven, en aangezien bijna alle landen erbij betrokken zouden zijn, was een nieuwe wereldbrand een zeer reële mogelijkheid. Hij zei die dingen tegen haar terwijl Lin als een razende aan het telefoneren was, links en rechts bevelen uitdeelde en zijn mensen coördineerde met de politie van de kolonie en de bewakingsdienst van het vliegveld.

Het was allemaal begonnen toen de majoor van MI 6 zijn hand over de hoorn legde en met kalme stem in dat Victoriaanse vertrek in Victoria Peak de woorden sprak: 'Vanavond op Kai-tak. De Chinees-Britse delegaties. Moordaanslag. Het doelwit is de Kroongouverneur. Ze geloven dat het Jason Bourne is.'

'Ik snap het niet!' protesteerde McAllister terwijl hij opsprong van de sofa. 'Het is voorbarig. Sheng is nog niet klaar! We zouden er iets over gehoord hebben als dat wel zo was — een officiële verklaring van zijn ministerie die zinspeelt op het voorstellen van een of andere commissie. Het klopt niet!'

'Een misrekening?' vroeg de ambassadeur kil.

'Dat kan. Of iets anders. Een strategie waaraan we niet hebben gedacht.'

'Doe uw werk maar, majoor,' zei Havilland.

Nadat Lin zijn laatste opdrachten had gegeven kreeg hij zelf een laatste instructie van Havilland voordat hij naar het vliegveld vertrok. 'Laat u niet zien, majoor,' zei de ambassadeur. 'Dat meen ik.'

'Onmogelijk,' antwoordde Lin. 'Met alle respect, meneer, ik moet bij mijn mensen zijn ter plekke. Die ogen van mij hebben de nodige ervaring.'

'Met even groot respect,' vervolgde Havilland. 'Ik moet er een voorwaarde van maken, anders komt u hier niet eens de poort uit.'

'*Waarom,* excellentie?'

'U bent zo scherpzinnig, het verbaast me dat u dat vraagt.'
'Dat moet ik doen. Ik begrijp het niet.'
'Dan is het misschien mijn schuld, majoor. Ik dacht dat ik het duidelijk had gemaakt waarom we zulke extreme maatregelen hadden genomen om *onze* Jason Bourne hierheen te halen. Ga uit van het feit dat hij uitzonderlijk slim is, zijn verleden bewijst dat. Hij is niet alleen zeer goed op de hoogte maar hij vangt bovendien alles op wat er zo rondzweeft. We moeten er daarom vanuit gaan, als de medische prognose juist is en er delen van zijn geheugen terug blijven komen, dat hij contacten heeft in alle hoekjes en gaatjes van dit deel van de wereld waarover wij niets weten. Stel − neem nu eens aan, majoor − dat een van die contacten hem bericht dat er vanavond het allerhoogste alarm is geslagen voor Kai-tak Airport, dat er een uitgebreid beveiligend scherm van troepen is opgetrokken rond de Kroongouverneur. Wat denkt u dan dat hij zal doen?'
'Hij zal daar zijn,' antwoordde Lin zacht en met tegenzin. 'Ergens.'
'En stel dat onze Bourne u daar zag? Neem me niet kwalijk, maar men kijkt nu eenmaal niet gemakkelijk aan u voorbij. De discipline van zijn logische geest − logica, discipline en verbeeldingskracht zijn altijd zijn middelen geweest om in leven te blijven − zou hem ertoe dwingen precies uit te vinden wie u bent. Moet ik nog meer zeggen?'
'Ik geloof van niet,' zei de majoor.
'Het verband is gelegd,' zei Havilland zonder te letten op Lins woorden. 'Er bestaat geen taipan met een jonge vrouw die vermoord is in Macao. In plaats daarvan is er een hoog aangeschreven functionaris van de Britse Inlichtingendienst die zich voordoet als een fictieve taipan, die hem opnieuw een leugen heeft verkocht, bovenop een vroegere leugen. Hij zal weten dat hij opnieuw gemanipuleerd wordt door regeringsinstellingen, gemanipuleerd wordt op de meest wrede manier − via de ontvoering van zijn vrouw. De hersenen, majoor, zijn een gevoelig instrument, die van hem gevoeliger dan de meeste. Er is een grens aan de stress die ze kunnen verdragen. Ik wil er niet eens aan denken wat hij zou kunnen doen, wat *wij* gedwongen zouden kunnen worden te doen.'
'Het was altijd al het zwakste aspect van het scenario en toch was het de kern,' zei Lin.
' "Een ingenieus plan",' viel Havilland hem in de rede en hij haalde kennelijk iets aan. ' "Weinig wraakacties worden zo gemakkelijk begrepen als oog om oog". Uw eigen woorden, Lin.'
'Als dat zo is had u mij niet moeten kiezen om uw taipan te spelen!' hield de majoor vol. 'Er is een crisissituatie hier in Hongkong en u hebt mij buitenspel gezet.'
'Het is dezelfde crisis die we nu allen onder ogen zien,' zei Havilland zacht. 'Alleen zijn we dit keer gewaarschuwd. Bovendien, Lin, wie hadden we anders kunnen kiezen? Welke andere Chinees, behalve het erva-

ren hoofd van de Speciale Afdeling zou door Londen zijn vrijgegeven voor wat u in het begin verteld is, laat staan voor wat u nu weet? Richt uw hoofdkwartier in in de controletoren van het vliegveld. Het glas is donker.'

De corpulente majoor draaide zich kwaad om en verliet het vertrek. 'Is het verstandig hem te laten vertrekken?' vroeg McAllister, terwijl hij net als Catherine en de ambassadeur de vertrekkende Lin nakeek.

'Jazeker,' antwoordde de diplomaat van de clandestiene operaties.

'Ik heb hier een paar weken samengewerkt met MI 6,' vervolgde de onderminister direct daarop. 'Het is bekend dat hij in het verleden niet altijd heeft gehoorzaamd.'

'Alleen wanneer de bevelen werden gegeven door dikdoenerige Britse officieren met minder ervaring dan hijzelf. Hij heeft er nooit een berisping voor gehad, hij had gelijk. Net zoals hij weet dat ik gelijk heb.'

'Hoe kunt u dat zo zeker weten?'

'Waarom denk je dat hij zei dat we hem buitenspel hadden gezet? Hij vindt het niet leuk maar hij accepteert het.' Havilland ging achter zijn bureau staan en zei tegen Catherine: 'Gaat u alstublieft zitten, mevrouw Staples. En, Edward, ik zou je graag om een gunst verzoeken en die heeft niets te maken met geheimhouding. Jij weet net zoveel als ik, je bent waarschijnlijk beter op de hoogte van de lopende zaken, en ik zal je er zeker bijhalen wanneer ik inlichtingen nodig heb. Maar ik zou graag even met mevrouw Staples alleen willen spreken.'

'Natuurlijk,' zei de onderminister en hij haalde zijn paperassen van het bureau terwijl Catherine in een stoel ging zitten tegenover de diplomaat. 'Ik heb nog heel wat denkwerk te doen. Als deze zaak op Kai-tak geen afleidingsmanoeuvre is – als het een rechtstreeks bevel is van Sheng – dan heeft hij een plan uitgebroed waaraan we werkelijk nog niet hebben gedacht en dat is gevaarlijk. Hoe ik het ook heb bekeken, hij moet dat *clearing house* van hem, die verdomde economische commissie, kunnen aanbieden onder stabiele omstandigheden, niet in een *onstabiele* situatie. Hij zou alles kunnen verzieken, maar hij is niet stom, hij is briljant. Waarmee is hij *bezig?*'

'Je zou eens moeten denken,' onderbrak de ambassadeur hem terwijl hij fronsend ging zitten, 'aan het tegengestelde van onze benadering, Edward. In plaats van zijn financiële *clearing house* van verscheidene taipans op te richten in een periode van stabiliteit, doet hij het tijdens een *onstabiele* tijd – maar wel met het nodige gevoel voor de situatie en met het doel snel de orde te herstellen. Geen razende reus maar eerder een beschermende vader die zorgt voor zijn verontruste kinderen, die hen tot kalmte wil manen.'

'Met welk doel?'

'Om hier snel de baas te worden, meer niet. Wie zou er nu een groep van gerespecteerde financiers uit de kolonie nauwkeurig onder de loep gaan nemen die de touwtjes in handen nemen tijdens een crisis? Zij *vertegenwoordigen* tenslotte stabiliteit. Daar moet je eens over nadenken.'

McAllister keek Havilland aan, de papieren in zijn hand. 'Dat zou een te grote gok voor hem zijn,' zei hij. 'Sheng riskeert het verliezen van het beheer over het Centrale Comité, de oude militaire revolutionairen die alleen maar op zoek zijn naar een excuus om de kolonie binnen te trekken. Een crisis die is gebaseerd op geweld zou een kolfje naar hun hand zijn. Dat is het scenario dat we Webb hebben gegeven en het is een realistisch scenario.'

'Tenzij Shengs eigen positie nu sterk genoeg is om hen eronder te houden. Je zei het zelf al, Sheng Chou Yang heeft een heleboel geld verdiend voor China en als er ooit een volk is geweest dat diep in z'n hart kapitalistisch is, dan zijn het de Chinezen wel. Ze hebben een meer dan heilig respect voor geld, het is een obsessie.'

'Ze hebben ook respect voor de oude mannen van de Lange Mars en dat is ook een obsessie. Zonder die eerste Maoïsten zouden de meesten van de jonge Chinese leiders zich nog kapot staan te werken op hun akkers. Ze aanbidden die ouwe soldaten. Sheng zou een confrontatie niet riskeren.'

'Dan is er een andere theorie die een combinatie zou kunnen zijn van wat we beiden beweren. We hebben Webb niet verteld dat er in maanden al niets meer is vernomen over de meest luidruchtige van Pekings oude garde. En in verscheidene gevallen, wanneer er officieel iets over werd gezegd, heette het dat die of die een natuurlijke dood was gestorven, of dat ze een tragisch ongeluk hadden gehad, en in één geval dat iemand in ongenade was gevallen. Als het dus juist is wat wij aannemen, dat tenminste een paar van die tot zwijgen gebrachte mannen het slachtoffer zijn geworden van Shengs huurmoordenaar...'

'Dan heeft hij zijn positie versterkt door anderen op te ruimen,' viel McAllister hem in de rede. 'Peking is vol met mensen uit het Westen, de hotels zitten tjokvol. Een meer of minder zal niet opvallen, zeker niet als het een sluipmoordenaar is die in iedere huid kan kruipen, een attaché, een zakenman... een kameleon.'

'En wie kan beter dan de sluwe Sheng geheime bijeenkomsten organiseren tussen *zijn* Jason Bourne en geselecteerde slachtoffers. Hij kan daar allerlei voorwendsels voor gebruiken, maar in de eerste plaats spionage rond zeer technische militaire geheimen. De slachtoffers zouden erom vechten.'

'Als iets van dat alles ook maar de waarheid benadert, dan is Sheng veel verder dan wij gedacht hadden.'

'Neem je paperassen mee. Vraag onze inlichtingenmensen en MI 6 om alles wat je nodig hebt. Bestudeer alles, Edward, maar zorg dat je een rode draad vindt. Als we vanavond een Kroongouverneur verliezen kunnen we op weg zijn binnen enkele dagen Hongkong te verliezen. En om redenen die nergens kloppen.'

'Hij zal beschermd worden,' mompelde McAllister en hij liep met een bezorgd gezicht op de deur af.

'Daar reken ik op,' zei de ambassadeur toen de onderminister het vertrek verliet. Havilland wendde zich tot Catherine Staples. 'Begint u mij nu *echt* een beetje te begrijpen?' vroeg hij.

'Ik begrijp de woorden en wat ze impliceren, ja, maar bepaalde specifieke zaken ontgaan me,' antwoordde Catherine en ze wierp een vreemde blik op de deur die de onderminister zojuist achter zich had gesloten. 'Hij is een eigenaardige man, nietwaar?'

'McAllister?'

'Ja.'

'Maakt u zich zorgen over hem?'

'Integendeel. Hij verleent een bepaalde geloofwaardigheid aan alles wat me verteld is. Door u, door die man Reilly — zelfs door uw president ben ik bang.' Staples keek de ambassadeur weer aan. 'Ik zeg het maar eerlijk.'

'Ik vind het fijn dat u dat doet. En ik begrijp ook uw gedachtengang. McAllister heeft een van het meest analytische stel hersens op Buitenlandse Zaken, hij is een briljant ambtenaar die nooit zal opklimmen tot het niveau dat hij echt waard is.'

'Waarom niet?'

'Ik denk dat u dat weet, maar als u het niet weet voelt u het aan. Hij is een door en door ethisch mens en die moraal van hem heeft zijn promotie in de weg gestaan. Als ik gebukt zou gaan onder zijn gevoel van morele verontwaardiging zou ik nooit de man zijn geworden die ik nu ben — en ter verontschuldiging van mezelf, ik zou nooit hebben bereikt wat ik heb bereikt. Maar volgens mij weet u dat ook. U zei dat eigenlijk al toen u hier binnenkwam.'

'Nu bent u degene die eerlijk is. Ik apprecieer dat.'

'Ik ben blij. Ik wil dat er tussen ons geen misverstanden meer bestaan want ik heb uw hulp nodig.'

'Marie?'

'En nog verder,' zei Havilland. 'Zijn er nog bepaalde dingen die u niet begrijpt? Wat kan ik verder nog uitleggen?'

'Dat *clearing house,* die commissie van bankiers en taipans die Sheng zal voorstellen voor de leiding van het financiële beleid van de kolonie.'

'Ik zal u even vóór zijn,' viel de diplomaat haar in de rede. 'Voor het oog zullen ze verschillend zijn van aard en positie en uitzonderlijk acceptabel. Ik heb al tegen McAllister gezegd toen we elkaar voor het eerst ontmoetten, als we dachten dat het hele waanzinnige plan maar een kleine kans van slagen had, dan zouden we de andere kant uitkijken en hun veel succes toewensen, maar het heeft geen schijn van kans. Alle machtige mannen hebben vijanden. Zowel hier in Hongkong als in Peking zullen er mensen zijn die er sceptisch tegenover staan – dat zijn de jaloerse splintergroepen die buitengesloten zijn – en ze zullen dieper graven dan Sheng verwacht. Ik denk dat u weet wat ze zullen vinden.'

'Dat alle wegen, zowel boven als onder de grond, naar Rome leiden. En dat Rome is hier de taipan, Shengs vader, wiens naam in die zeer geheime documenten van u nooit wordt genoemd. Hij is de spin die elk lid van dat *clearing house* in zijn web heeft. Hij heeft hen in zijn macht. Verdomme, wie *is* hij in godsnaam?'

'Ik wou dat we het wisten,' zei Havilland met vlakke stem.

'Weet u dat echt niet?' vroeg Catherine Staples stomverbaasd.

'Als we het wisten zou het leven veel eenvoudiger zijn en ik zou het u verteld hebben. Ik speld u niets op de mouw, we hebben nooit ontdekt wie hij is. Hoeveel taipans zijn er in Hongkong? Hoeveel fanatici die op elke mogelijke manier hun gram willen halen op Peking voor de zaak van de Kwo-Min-Tang? Zoals zij het zien is China hun ontstolen. Hun vaderland, de graven van hun voorvaderen, hun bezittingen – alles. Er waren een hoop fatsoenlijke mensen bij, mevrouw Staples, maar vele anderen waren dat niet. De politieke leiders, de bandietengeneraals, de landeigenaren, de enorm rijken, zij vormden een bevoorrechte klasse die zich verrijkte aan het zweet en de onderdrukking van miljoenen. Dat mag dan klinken als de leugens van de tegenwoordige communistische propaganda, het was ook een klassiek voorbeeld van eerdere provocatie die dat gezever heeft veroorzaakt. We hebben te maken met een handjevol fanatieke ex-patriotten die terug willen halen wat hun ontnomen is. Ze vergeten de corruptie die tot hun eigen ondergang heeft geleid.'

'Hebt u ooit overwogen Sheng zelf ter verantwoording te roepen. Privé?'

'Natuurlijk en zijn reactie valt maar al te gemakkelijk te voorspellen. Hij zou woede veinzen en ons plompverloren vertellen dat, als we doorgaan met zulke verachtelijke fantasieën in een poging hem in discrediet te brengen, hij de China-Akkoorden nietig zal verklaren, onder voorwendsel van verraad, en Hongkong onmiddellijk onder het financiële beheer van Peking zal brengen. Hij zou beweren dat vele Marxístische oudgedienden in het Centrale Comité zo'n actie zouden toejuichen en hij zou gelijk hebben. Dan zou hij ons aankijken en waarschijnlijk zeggen: "Mijne heren, daar ligt uw keuze. Ik wens u goedendag".'

'En als u Shengs samenzwering aan het daglicht bracht zou hetzelfde gebeuren en hij weet dat u dat weet,' zei Staples fronsend. 'Peking zou zich inderdaad terugtrekken uit de Akkoorden en Taiwan en het Westen de schuld geven dat ze er een rotzooitje van maken. Hun gezicht is vuurrood van interne kapitalistische corruptie, en dus marcheert de kolonie verder achter de Marxistische trommels aan, ze zouden in feite geen andere keus hebben. En wat daarop volgt is economische chaos.'

'Zo zien wij het gebeuren,' stemde Havilland in.

'De oplossing?'

'Er is er maar één. Sheng.'

Staples knikte. 'Voor altijd,' zei ze.

'De meest extreme actie, als u dat soms bedoelt.'

'Het is duidelijk dat ik dat bedoel,' zei Catherine. 'En Marie's man, die Webb, die is wezenlijk noodzakelijk voor die oplossing?'

'Jason Bourne moeten we hiervoor absoluut hebben.'

'Omdat die bedrieger, die killer die zich Bourne noemt, gepakt kan worden door die uitzonderlijke man die hij tracht te evenaren, zoals McAllister het uitdrukte, zij het in een ander verband. Hij neemt zijn plaats in en hij lokt Sheng uit zijn tent zodat hij de oplossing kan uitvoeren, de eindoplossing... Verrek, hij vermoordt hem gewoon.'

'Ja. Ergens in China natuurlijk.'

'In China... natuurlijk.'

'Ja en hij wekt daarbij de indruk alsof het een interne bloedvete is waarbij niemand van buiten betrokken is. Peking kan niemand anders de schuld geven dan vijanden van Sheng binnen zijn eigen kliek. Trouwens op het kritieke ogenblik dat het gebeurt doet het niets ter zake. De wereld zal pas weken later officieel te horen krijgen dat Sheng dood is en wanneer het wordt aangekondigd zal zijn 'plotseling verscheiden' ongetwijfeld worden toegeschreven aan een hartaanval of een hersenbloeding, zeker niet aan moord. De reus hangt zijn vuile was niet buiten, die stopt hij weg.'

'En dat is precies wat u wilt.'

'Natuurlijk. Het leven gaat verder, de taipans zijn van hun bron afgesneden, Shengs *clearing house* zakt als een kaartenhuis in elkaar, redelijke mensen zullen de Akkoorden nakomen en iedereen zal er profijt van trekken. Maar van dat punt zijn we nog ver verwijderd, mevrouw Staples. Om te beginnen is er vandaag, vanavond. Kai-tak. Het zou het begin van het einde kunnen zijn want we hebben geen directe tegenmaatregelen voor zoiets. Het lijkt misschien alsof ik rustig ben, maar die illusie kan ik wekken omdat ik jarenlang geleerd heb mijn spanning te verbergen. De enige troost die ik op dit moment heb is dat de veiligheidsdiensten van de kolonie tot de beste ter wereld behoren en, ondanks de tragiek van de dood, dat Peking op de hoogte is gesteld van de situatie. Hongkong houdt niets verborgen en daarvoor heeft het ook geen enkele reden. In zekere zin wordt het dus een gezamenlijk risico en een gezamenlijke onderneming om de Kroongouverneur te beschermen.'

'Wat hebben we daaraan als de zaak fout loopt?'

'Een psychologisch voordeel, voor zover dat wat waard is. Het kan de schijn, zo niet het feit vermijden van onstabiliteit, want de noodsituatie is tevoren als zodanig kenbaar gemaakt als een alleenstaande daad van geweld met voorbedachte rade, die niet symptomatisch is voor onrust in de kolonie. En wat het belangrijkste is, we zijn er beiden bij betrokken. Beide delegaties hebben hun eigen militaire escortes. Daar zal gebruik van worden gemaakt.'

'Kan er op zulke spitsvondige punten van protocol een crisis worden bezworen?'

'Voor zover ik het begrepen heb hoeft ú geen les te krijgen in het bezweren van een crisis, laat staan in het oproepen ervan. Bovendien kan alles toch nog van de rails lopen wanneer er ineens iets gebeurt waardoor alle subtiliteiten op de mesthoop belanden. Ondanks alles wat ik heb gezegd ben ik doodsbang. Er kunnen zoveel fouten worden gemaakt, zoveel kan er mis gaan, zij zijn onze vijanden, mevrouw Staples. We kunnen alleen maar afwachten en wachten is het moeilijkste, het meest uitputtende.'

'Ik heb nog meer vragen,' zei Catherine.

'Ga gerust uw gang, zoveel als u wilt. Breng mij maar aan het denken, zet me maar klem als u dat kunt. Het kan ons beiden helpen het wachten te vergeten.'

'U had het zojuist over mijn twijfelachtige capaciteiten om een crisis te bezweren. Maar u voegde daaraan toe — volgens mij met meer vertrouwen — dat ik ze ook kon veroorzaken.'

'Het spijt me, ik kon dat niet laten. Het is een slechte gewoonte.'

'Ik neem aan dat u doelde op de attaché, John Nelson.'

'Wie?... O, ja, de jongeman van het consulaat. Wat hij mist aan inzicht maakt hij goed met lef.'

'U hebt ongelijk.'

'Wat dat inzicht betreft?' vroeg Havilland en zijn dichte wenkbrauwen trokken een verbaasde boog. 'Echt?'

'Ik zoek geen excuus voor zijn zwakheden, maar hij is een van de beste mensen die u hebt. Hij heeft een betere kijk op zijn beroep dan de meesten van uw meer ervaren personeel. U kunt het iedereen in de consulaten vragen die hem op vergaderingen heeft meegemaakt. Hij is ook een van de weinigen die verrekt goed Kantonees spreekt.'

'Hij heeft ook een operatie in gevaar gebracht waarvan hij wist dat ze zeer geheim was,' zei de diplomaat kortaf.

'Als hij dat niet had gedaan zou u mij niet hebben gevonden. En u zou ook niet binnen handbereik zijn gekomen van Marie St. Jacques, en daar bent u nu. Binnen handbereik.'

'Binnen handbereik...?' Havilland boog zich voorover en zijn ogen stonden boos en vragend. 'U gaat toch zeker niet verder met haar te verstoppen?'

'Waarschijnlijk niet. Ik heb nog geen besluit genomen.'

'Mijn *god*, mevrouw, na alles wat u van ons hebt gehoord! Ze *moet* hier komen! Zonder haar zijn we verloren, zijn we alles kwijt! Als

Webb erachter zou komen dat wij haar niet meer hebben, dat ze verdwenen was, zouden alle stoppen bij hem doorslaan! U *moet* haar aan ons overdragen!'

'Daar gaat het juist om. Ik kan haar altijd aan u overdragen. Het hoeft niet te zijn op het moment dat u het zegt.'

'*Nee!*' raasde de ambassadeur. 'Wanneer en indien onze Jason Bourne zijn opdracht heeft uitgevoerd volgt er een reeks telefoontjes die hem rechtstreeks in contact zullen brengen met zijn vrouw!'

'Ik geef u geen telefoonnummers,' zei Staples zakelijk. 'Dan kan ik u net zo goed een adres geven.'

'U weet niet wat u doet! Wat moet ik zeggen om u ervan te *overtuigen?*'

'Eenvoudig. Geef John Nelson een mondelinge berisping. Als u wilt kunt u hem aanraden er een advocaat bij te halen, maar laat alles buiten zijn dienststaat en houd hem hier in Hongkong waar hij het beste promotie kan maken.'

'*Verdomme!*' viel Havilland uit. 'Hij is verslaafd aan drugs!'

'Dat is belachelijk, maar het typeert de primitieve reactie van een Amerikaanse moralist als hij een half woord heeft gehoord.'

'Mevrouw Staples, toe nou...'

'Hij is onder verdoving gebracht, hij *gebruikt* geen verdovende middelen. Hij drinkt nooit meer dan drie wodka-martini's en hij houdt van meisjes. Een paar van die mannelijke attaché's van u geven natuurlijk de voorkeur aan jongens, en zij drinken nooit meer dan zes martini's, maar wie daarop let is een kniesoor. Eerlijk gezegd kan het mij persoonlijk geen barst verdommen wat volwassenen doen binnen de vier muren van een slaapkamer — ik geloof nu eenmaal niet dat het, wat het dan ook is, enige invloed heeft op wat ze *buiten* de slaapkamer doen — maar Washington heeft nu eenmaal van die eigenaardige vooroordelen wat betreft...'

'Goed dan, mevrouw Staples! Nelson krijgt een berisping, van mij, en de consul-generaal krijgt er niets over te horen en er komt niets op zijn dienststaat. Bent u nu tevreden?'

'We schieten op. Bel hem vanmiddag en vertel hem dat. En zeg hem ook dat hij, in zijn eigen belang moet ophouden met die buitenissige spelletjes van hem.'

'Dat zal ik met plezier doen. Is er misschien nog iets?'

'Ja en ik geloof niet dat ik weet hoe ik dat moet inkleden zonder u te beledigen.'

'Daar had u tot nu toe weinig moeite mee.'

'Ik heb er nu moeite mee omdat ik veel meer weet dan ik drie uur geleden wist.'

'Beledig me dan maar, beste mevrouw.'

Catherine zweeg even en toen ze weer sprak klonk haar stem als een kreet om begrip. Ze klonk hol maar toch vibrerend en ze vulde de hele kamer. '*Waarom?* Waarom hebt u dit gedaan? Was er helemaal geen andere manier?'

'Ik neem aan dat u mevrouw Webb bedoelt.'

'Natuurlijk bedoel ik mevrouw Webb, en evenzeer haar man! Ik heb het u al eerder gevraagd, hebt u enig idee wat u hun hebt *aangedaan?* Het is *barbaars* en ik mééń dat woord in de volle smerige betekenis. U hebt hen beiden op een soort middeleeuwse pijnbank gelegd, u hebt letterlijk hun geest en hun lichaam vaneengescheurd, door hen het besef te geven dat ze elkaar misschien nooit meer zullen terugzien, door ieder van hen te laten geloven dat ze door een verkeerde beslissing te nemen de dood van de ander kunnen veroorzaken. Een Amerikaans jurist heeft eens ooit een vraag gesteld in een hoorzitting van de senaat en het spijt me, maar ik moet u ook die vraag stellen... Hebt u dan geen enkel besef van fatsoen, excellentie?'

Havilland keek Staples vermoeid aan. 'Ik heb plichtsbesef,' zei hij, met een matte stem en een afgetobd gelaat. 'Ik moest een situatie in het leven roepen die een onmiddellijke reactie zou uitlokken, een totale verbintenis om direct in actie te komen. Het was gebaseerd op een voorval in Webbs verleden, een afschuwelijke zaak die een beschaafd jong geleerde veranderde in... ze gebruikten een uitdrukking om hem te beschrijven die luidde "de volmaakte guerrilla". Die man had ik nodig, die jager, om alle redenen die ik u heb verteld. Hij is hier, hij is aan zijn jacht begonnen en ik mag aannemen dat zijn vrouw ongedeerd is en het is duidelijk dat we nooit iets anders met haar van plan waren.'

'Het voorval in Webbs verleden. Was dat zijn eerste vrouw? In Cambodja?'

'Dat weet u dus?'

'Marie heeft het me verteld. Zijn vrouw en zijn twee kinderen werden gedood door een alleen opererend gevechtsvliegtuig dat een rivier afvloog en het water onder vuur nam waarin zij aan het spelen waren.'

'Hij is een andere man geworden,' zei Havilland en hij knikte. 'Er knapte iets in zijn geest en het werd *zijn* oorlog ondanks het feit dat hij weinig of geen respect had voor Saigon. Hij reageerde zijn woede af op de enige manier die hij kende, door tegen een vijand te vechten die hem zijn leven had ontnomen. Hij nam meestal alleen de moeilijkste en gevaarlijkste opdrachten aan met belangrijke doelwitten, die alle betrekking hadden op stafpersoneel. Er was een dokter die zei dat Webb in die geestelijke kronkel die hij had de moordenaars doodde die andere meedogenloze killers uitzonden. Volgens mij zat daar wel iets in.'

'En door zijn tweede vrouw in Maine te ontvoeren riep u dat spookbeeld weer op van zijn eerste verlies. Het voorval dat hem maakte tot die "volmaakte guerrilla", en later tot Jason Bourne, de jager op Carlos, de Jakhals.'

'Ja, mevrouw Staples, *jager,*' onderbrak de diplomaat haar zacht. 'Ik wilde die jager onmiddellijk hier hebben. Ik kon geen tijd verspillen – nog geen minuut – en ik kende geen andere manier om direct resultaat te boeken.'

'Hij heeft Oosterse Wetenschappen gestudeerd!' riep Catherine uit. 'Hij begrijpt de dynamiek van het Oosten een verrekt stuk beter dan wie van ons ook, en wij noemen ons zo graag specialisten. Had u dan geen beroep op hem kunnen doen, een beroep kunnen doen op zijn gevoel voor de historie, hem de gevolgen onder ogen kunnen brengen van wat er zou kunnen gebeuren?'

'Hij is dan misschien een wetenschapsman, maar hij is op de eerste plaats een man die gelooft – en niet helemaal ten onrechte – dat hij door zijn regering is verraden. Hij vroeg om hulp en er werd een val gespannen om hem te vermoorden. Geen enkel beroep van mijn kant zou die barrière hebben kunnen doorbreken.'

'U had het kunnen proberen!'

'En vertraging riskeren terwijl elk uur telde? Eigenlijk spijt het me dat u nooit in mijn schoenen hebt gestaan. Dan zou u mij misschien echt kunnen begrijpen.'

'Vraag,' zei Catherine en ze stak uitdagend haar hand op. 'Waarom denkt u dat David Webb achter Sheng aan naar China zal gaan als hij inderdaad de bedrieger vindt en gevangen neemt. Voor zover ik het heb begrepen is de afspraak dat hij de man die zich Jason Bourne noemt moet afleveren en dat hij dan Marie weer terugkrijgt.'

'Als het eenmaal zover is komt het er natuurlijk weinig meer op aan. *Dan* zullen we hem vertellen waarom we gedaan hebben wat we deden. Dan zullen we een beroep doen op zijn kennis van het Verre Oosten en op de wereldomvattende gevolgen van de kuiperijen van Sheng en de taipans. Als hij weigert hebben we verschillende ervaren buitenmensen die zijn plaats kunnen innemen. Het zijn geen kerels die u graag mee naar huis zou nemen om aan uw moeder voor te stellen, maar ze zijn beschikbaar en ze kunnen het.'

'Hoe?'

'Codes, mevrouw Staples. De methoden van de oorspronkelijke Jason Bourne hielden altijd codes in tussen hem en zijn opdrachtgevers. Zo is de mythe indertijd verbreid en de bedrieger heeft elk aspect van het origineel bestudeerd. Zodra we de nieuwe Bourne in handen hebben zullen we op wat voor manier dan ook de nodige informatie eruit wringen, bevestigd natuurlijk door een ondervraging onder drugs. We zullen weten hoe we Sheng moeten bereiken en meer hoeven we niet te weten. Eén afspraak buiten de stad en buiten Jade Tower Mountain. Eén dodelijk instrument en de wereld draait verder. Ik kan onmogelijk met een andere oplossing komen. U wel?'

'Nee,' zei Catherine zacht en ze schudde langzaam haar hoofd. 'Het moet op de harde manier.'

'Geef ons mevrouw Webb.'

'Ja, natuurlijk, maar niet vanavond. Ze kan nergens heen en u hebt al genoeg op uw bord met Kai-tak. Ik heb haar naar een flat gebracht in Tuen Mun in de *New Territories*. Die is van een vriend van mij. Ik ben ook met haar naar een dokter gegaan die haar voeten heeft verbonden – die zaten vol blaren na haar vlucht voor Lin – en hij heeft haar een kalmeringsmiddel gegeven. Mijn god, ze is een wrak. Ze heeft in dagen niet geslapen en de pillen haalden gisteravond niet veel uit voor haar, ze was te gespannen, nog te bang. Ik ben bij haar gebleven en ze heeft gepraat tot het licht werd. Laat haar rusten. Ik zal haar morgenvroeg ophalen.'

'Hoe gaat u dat klaarspelen? Wat gaat u haar zeggen?'

'Dat weet ik nog niet. Ik zal haar straks bellen en proberen haar tot rust te brengen. Ik zal haar zeggen dat ik vorderingen maak, misschien meer dan ik dacht dat mogelijk zou zijn. Ik wil haar gewoon wat hoop geven om de spanning te breken. Ik zal haar zeggen in de buurt van de telefoon te blijven, zoveel mogelijk te rusten en dat ik haar dan morgenvroeg zal opzoeken, naar ik hoop met goed nieuws.'

'Ik zou graag een paar mensen meesturen als steun voor u,' zei Havilland. 'Met McAllister erbij. Hij kent haar en ik geloof echt dat zijn morele overredingskracht invloed op haar zal hebben. Dan komt u ook steviger in uw schoenen te staan.'

'Dat zou wel eens kunnen,' stemde Catherine in met een knikje. 'Zoals u al zei heb ik het aangevoeld. Goed dan, maar ze moeten op afstand blijven tot ik met haar heb gesproken en dat zou wel een paar uur kunnen duren. Ze heeft een fijne neus waar het haar wantrouwen tegenover Washington betreft en ik zal heel wat overredingskracht moeten opbrengen. Het is haar man die daar buiten rondzwerft en ze houdt verschrikkelijk veel van hem. Ik kan haar niet zeggen, en dat zal ik ook niet doen, dat ik het goedkeur wat u hebt gedaan, maar ik kan zeggen dat ik, in het licht van deze buitengewone omstandigheden – niet in het minst gezien de mogelijke economische ineenstorting van Hongkong –, begrijp waarom u het hebt gedaan. Wat zij op zijn minst moet begrijpen is, dat ze dichter bij haar man is wanneer ze bij u is dan wanneer ze hier niet is. Ze kan natuurlijk proberen u te vermoorden maar dat is uw probleem. Ze is heel vrouwelijk, een knappe meid, meer dan aantrekkelijk, opvallend mooi eigenlijk, maar vergeet niet dat ze van een boerderij in Calgary komt. Ik zou u niet aanraden alleen met haar in een kamer te blijven. Ik ben er zeker van dat ze kalveren die heel wat sterker zijn dan u tegen de grond heeft gekregen.'

'Ik zal een sectie mariniers meenemen.'

'Doet u dat maar niet. Ze zou ze tegen u opzetten. Ze is een van de meest overtuigende mensen die ik ooit heb ontmoet.'

'Dat moet ze wel zijn,' antwoordde de ambassadeur en hij leunde achterover in zijn stoel. 'Ze dwong een man zonder geheugen, met overweldigende schuldgevoelens, ertoe in zichzelf te kijken en de tunnels van zijn eigen verwarring te verlaten. Niet gemakkelijk... Vertelt u me eens iets over haar, niet de droge feiten van een dossier, maar over haar *persoon*.'

Dat deed Catherine en ze vertelde hem wat ze wist door observatie en door haar instinct en van het een kwam het ander en steeds kwamen er weer nieuwe vragen. De tijd ging voorbij, de minuten en de halve uren werden onderbroken door herhaalde telefoongesprekken die Havilland op de hoogte hielden van wat er gebeurde op Kai-tak Airport. De zon zakte achter de muren van de tuin. De staf serveerde een licht souper.

'Zou u meneer McAllister willen vragen wat met ons mee te eten?' vroeg Havilland de steward.

'Ik heb meneer McAllister gevraagd of ik hem iets te eten kon brengen, meneer, en hij zei het nogal duidelijk, meneer. Hij zei me dat ik moest ophoepelen en hem met rust moest laten.'

'Laat dan maar zitten, dank u.'

De telefoontjes bleven komen, het onderwerp Marie St. Jacques was uitgeput en het gesprek ging nu uitsluitend over de ontwikkelingen op Kai-tak. Staples volgde de diplomaat verbaasd, want hoe dieper de crisis zich ontwikkelde, hoe langzamer en beheerster hij ging praten.

'Vertelt u me eens iets over uzelf, mevrouw Staples. Alleen dat wat u zelf wilt, uit beroepsoogpunt natuurlijk.'

Catherine keek Raymond Havilland aandachtig aan en begon zacht: 'Ik ben geboren uit een maïskolf in Ontario...'

'Ja, natuurlijk,' zei de ambassadeur volkomen oprecht, terwijl hij naar de telefoon keek.

Nu begreep Staples het. Deze beroemde staatsman was in staat over koetjes en kalfjes te praten terwijl zijn hersenen zich intens bezighielden met een volkomen ander onderwerp. Kai-tak. Zijn ogen bleven maar naar de telefoon afdwalen. Hij draaide voortdurend zijn pols om op zijn horloge te kunnen kijken en toch was hij steeds alert voor de stiltes in hun gesprek waarop hij verondersteld werd een antwoord te geven.

'Mijn vroegere man verkoopt schoenen...'

Havillands hoofd kwam met een ruk omhoog van zijn horloge. Het was onvoorstelbaar dat hij beschaamd zou kunnen glimlachen, maar nu deed hij dat. 'U hebt me betrapt,' zei hij.

'Al een hele tijd terug,' zei Catherine.

'Er is een reden. Ik ken Owen Staples vrij goed.'

'Dat is te verwachten. Ik stel me voor dat u en hij zich in dezelfde kringen bewegen.'

'Ik heb hem verleden jaar getroffen bij de Queens Plate races in Toronto. Ik geloof dat een van zijn paarden aardig goed liep. Hij zag er erg deftig uit in zijn rokkostuum, maar hij behoorde dan ook tot de escorte van de Koningin-Moeder.'

'Toen we trouwden kon hij zich niet eens een confectiepak veroorloven.'

'Weet u,' zei Havilland, 'toen ik de gegevens over u las en merkte dat u met Owen getrouwd was geweest was ik even in de verleiding hem te bellen. Natuurlijk niet om iets te zeggen, maar om hem naar u te vragen. Toen dacht ik, mijn God, stel ze dat elkaar nog nu en dan zien, in deze tijd waarin je vrienden blijft na een scheiding. Dan zou ik de boel verraden.'

'We praten nog steeds met elkaar en u verried de boel toen u naar Hongkong kwam vliegen.'

'Voor u misschien. Maar pas nadat Webbs vrouw contact met u had gekregen. Vertelt u me eens, wat dacht u toen u voor het eerst hoorde dat ik hier was.'

'Dat Engeland u erbij had geroepen als consulent voor de Akkoorden.'

'U vleit me...'

De telefoon ging over en Havillands hand vloog naar de hoorn. Lin belde en rapporteerde over de vooruitgang die er gemaakt werd op Kai-tak, of eigenlijk, naar bleek, over het gebrek aan vooruitgang.

'Waarom annuleren ze dat hele gezeik eigenlijk niet?' vroeg de ambassadeur kwaad. 'Stop ze in hun wagen en laat ze als de sodemieter zorgen dat ze daar wegkomen!' Wat de majoor daarop ook antwoordde bracht Havilland alleen nog maar meer tot wanhoop. 'Dat is belachelijk! Het gaat er hier niet om wie het meeste lef heeft, we hebben te maken met een mogelijke moordaanslag! Niemands gezicht of eer staat onder deze omstandigheden op het spel, en geloof mij maar, de wereld zit echt niet ademloos te wachten op die verdomde persconferentie. De meeste mensen maffen trouwens, in hemelsnaam!' Opnieuw luisterde de ambassadeur toe. Lins opmerkingen verbaasden hem niet alleen, ze maakten hem woedend. 'Hebben de *Chinezen* dat gezegd? Het is *belachelijk!* Peking heeft het recht niet zoiets te eisen! Het is...' Havilland keek even naar Staples. 'Het is *barbaars!* Iemand zou hun eens moeten bijbrengen dat het niet om hun Aziatische gezichten gaat die gered moeten worden, het gaat om de Engelse Kroongouverneur en *zijn* gezicht zit vast aan zijn hoofd en dat staat hij op het punt te verliezen!' Stilte. De ogen van de ambassadeur knipperden in boze berusting. 'Ik weet het, ik weet het. De hemelse rode ster moet blijven schitteren in een hemelse duisternis. U kunt niets doen, majoor, doet u dus uw best maar. Hou me op de hoogte. Zoals een van mijn kleinkinderen het zegt, dit is een stelletje rukeenden, wat dat dan ook mag betekenen.' Havilland legde de hoorn op en keek Catherine aan. 'Orders uit Peking. De delegaties mogen niet vluchten voor het westerse terrorisme. Bescherm iedereen zo goed mogelijk, maar het feest moet doorgaan.'

'Londen zou het er waarschijnlijk mee eens zijn. *"The show must go on"* heeft een bekende klank.'

'Bevelen uit Peking...' zei de diplomaat zacht, zonder naar Staples te luisteren. 'Bevelen van *Sheng!*'

'Weet u dat heel zeker?'

'Dit is *zijn* pakkie-an! Hij deelt de lakens uit. Mijn god, hij is inderdaad klaar!'

Met elk kwartier nam de spanning toe totdat de lucht knetterde van de elektriciteit. Het begon te regenen en de plensbui roffelde meedogenloos tegen de erkerramen. Er werd een televisieapparaat binnengebracht en aangezet en de Amerikaanse ambassadeur zonder portefeuille en de Canadese referendaris van Buitenlandse Zaken keken angstig zwijgend toe. De Engelse en de Chinese erewachten kwamen het eerst naar buiten, gelijktijdig aan beide zijden van de open deur. Hun verschijnen was alarmerend, want in plaats van statig de trappen af te lopen, zoals te verwachten viel van een militair escorte, haastten deze secties zich omlaag en namen onder aan de trap parallel lopende posities in, dicht aaneengesloten en met hun wapens in de aanslag. Toen kwamen de leiders naar buiten. Ze zwaaiden naar de toeschouwers en begonnen de trap af te lopen, gevolgd door twee rijen van onwennig grijnzende ondergeschikten. De vreemde 'persconferentie' begon en onderminister Edward McAllister stormde de kamer binnen en deed de zware deur met een dreun tegen de muur belanden toen hij ze openzwaaide.

'Ik *heb* het!' riep hij uit met een stuk papier in de hand. 'Ik weet *zeker* dat ik het heb!'

'Rustig nou, Edward! Praat eens verstaanbaar.'

'De Chinese delegatie!' schreeuwde McAllister buiten adem. Hij rende op de diplomaat af en duwde het stuk papier onder zijn neus. 'Die wordt geleid door een man die Lao Sing heet! Zijn tweede man is een generaal Yunshen! Beiden machtige figuren en beiden hebben ze zich jarenlang verzet tegen Sheng Chou Yang, hebben ze zich in het Centrale Comité openlijk gekeerd tegen zijn beleid! Sheng wilde zich kennelijk bereid tonen de zaak in evenwicht te houden, daarom zijn zij opgenomen in de onderhandelingsteams, en in de ogen van de oude garde leek hij daarmee fair te handelen.'

'Wat probeer je in hemelsnaam toch te zeggen?'

'Het gaat *niet* om de Kroongouverneur! Niet *alleen* om hem! Het gaat om hen allemaal! Met één klap ruimt hij zijn twee sterkste tegenstanders in Peking uit de weg en maakt hij vrij baan voor zichzelf. Vervolgens zet hij er, zoals u dat noemt, zijn *clearing house* neer — zijn taipans — in een periode van *onbestendigheid,* nu in *beide* regeringen!'

Havilland rukte de telefoonhoorn van de haak. 'Verbind me met Lin op Kai-tak,' beval hij de centrale. '*Snel!*... Majoor Lin, alstublieft. *Direct!*... Wat bedoelt u dat hij er niet is? Waar *zit* hij?... Met wie spreek ik? Ja, ik weet wie u bent. Luister naar me en luister heel goed!

Het doelwit is niet de Kroongouverneur alleen, het is erger. Twee leden van de Chinese delegatie moeten ook het slachtoffer worden. Haal alle groepen uit elkaar... Dat *weet* u al?... Een man van de *Mossad?!* Wel, verdomme...! Zo'n afspraak is er helemaal niet gemaakt, die zou niet *kunnen* bestaan!... Ja, natuurlijk zal ik de lijn vrijmaken.' Snel ademend en met zijn gegroefde, bleke gelaat naar de muur gekeerd, zei de diplomaat met een nauwelijks hoorbare stem: 'Ze hebben het ontdekt, God mag weten hoe, en ze nemen onmiddellijke tegenmaatregelen... *Wie?* Wie was het, in godsnaam?'
'*Onze* Jason Bourne,' zei McAllister zacht. 'Die is daar.'
Op het televisiescherm kwam de limousine die het verst weg was met een schok tot stilstand terwijl de andere vanuit de rij het donker indraaiden. Uit de stilstaande wagen vluchtten enkele gedaanten in paniek en een paar tellen later vulde een verblindende explosie het scherm.
'Hij is er,' fluisterde McAllister. 'Hij is er vast en zeker!'

21

De motorsloep stampte hevig in het donker waarin de regen neerkletterde. De tweekoppige bemanning hoosde het water naar buiten dat voortdurend over de boorden sloeg, terwijl de grijze Chinees-Portugese kapitein door de grote ramen van de stuurhut tuurde en voorzichtig zijn weg zocht naar de zwarte omtrekken van het eiland. Bourne en d'Anjou stonden aan weerszijden van de booteigenaar. De Fransman vroeg boven het lawaai van de gietbui uit: 'Hoe ver schat u dat het is naar het strand?'
'Tweehonderd meter, tien of twintig meer of minder,' zei de kapitein.
'Het is tijd voor de lamp. Waar is die?'
'In het kastje aan uw voeten. Rechts. Nog vijfenzeventig meter en dan stop ik. Als ik verder ga kunnen de rotsen gevaarlijk worden in dit weer.'
'We moeten tot op het strand komen!' riep de Fransman uit. 'Dat is noodzakelijk, dat heb ik u *gezegd!*'
'Ja, maar u vergat me te vertellen dat het zo zou regenen en dat de golven zo hoog zouden zijn. Over negentig meter kunt u de kleine boot gebruiken. De motor is sterk, u haalt het wel.'
'*Merde!*' snauwde d'Anjou en hij trok het kastje open en haalde er een door glas afgesloten lamp uit. 'Dan blijft er nog zo'n dikke honderd meter over!'
'Het zouden er in elk geval niet minder zijn dan vijftig, dat heb ik tegen ú gezegd.'
'En dat maakt net het verschil uit tussen diep en ondiep water!'
'Zal ik omkeren en terugvaren naar Macao?'

'En ons door de patrouilles uit het water laten schieten? Je betaalt je afgesproken geld of je haalt je bestemming niet! Dat *weet* u!'
'Honderd meter, meer niet.'
D'Anjou knikte kregelig en hield de lantaarn hoog tegen zijn borst. Hij drukte op een knop en heel even werd het raam van de stuurhut verlicht door een spookachtige, donkerblauwe flits. Enkele tellen later was er door het glas vol waterdruppels een overeenkomend blauw signaal zichtbaar op de kust van het eiland. 'Ziet u, *mon capitaine,* als we ons niet aan onze afspraak hadden gehouden zou deze ellendige praam naar de kelder zijn gejaagd.'
'U vond haar vanmiddag anders prima!' zei de stuurman terwijl hij met moeite het roer in bedwang hield.
'Dat was *gistermiddag.* Het is nu half twee in de volgende morgen en ik ken onderhand die boevenstreken van jou.' D'Anjou zette de lamp weer in het kastje en keek Bourne even aan die zijn blik op hem hield gericht. Beiden deden ze wat ze in de tijd van Medusa zo vaak hadden gedaan: ze controleerden kleding en uitrusting van de partner. Beide mannen hadden hun kleren in canvas zakken gerold – broek, trui en een polocap van dun rubber, alles zwart. De enige uitrusting behalve het automatische pistool van Jason en het kleine .22 kaliber pistool van de Fransman bestond uit messen in scheden, verborgen in hun kleding.
'Nader zo dicht als u kunt,' zei d'Anjou tegen de kapitein. 'En denk erom, u krijgt de rest van uw geld niet als u hier niet bent wanneer wij terugkeren.'
'Stel dat ze u uw geld afnemen en u *vermoorden?*' riep de stuurman terwijl hij het roer omgooide. 'Dan zit ik in de boot!'
'Och, wat spijt me dat nou,' zei Bourne.
'Daar hoef je niet bang voor te zijn,' antwoordde de Fransman met een woedende blik op de halfbloed Chinees. 'Ik heb al heel vaak en heel wat maanden met deze kerel te maken gehad. Net als u heeft hij een snelle boot en hij is net zo'n grote dief als u. Ik spek zijn Marxistische zakken zodat zijn maîtresses kunnen leven als de concubines van het Centrale Comité. Bovendien vermoedt hij dat ik alles noteer. We zijn in Gods handen, misschien zelfs wel in nog betere handen.'
'Neem dan de lamp mee,' mompelde de kapitein met tegenzin. 'Die kunt u nodig hebben en ik heb niets aan u als u vast komt te zitten en door de rotsen aan mootjes wordt gebeukt.'
'Ik krijg tranen in mijn ogen van uw goede zorgen,' zei d'Anjou en hij pakte de lamp weer en knikte naar Jason. 'Laten we eens even gaan kijken naar die boot en naar de motor.'
'De motor zit dicht ingepakt in canvas. U moet hem niet eerder starten dan wanneer u in het water bent!'
'Hoe weten we dat die motor wel zál starten?' vroeg Bourne.
'Omdat ik mijn geld wil hebben, stille diender.'

Tijdens de tocht naar het strand werden ze kletsnat. Beiden zochten ze houvast aan de schotten van de kleine boot, Jason met twee handen aan de dolboorden en d'Anjou hield zich vast aan de helmstok en de achterplecht om te verhinderen dat hij overboord werd geslingerd. Ze schuurden over een ondiepte. Metaal knarste op rotssteen toen de Fransman het roer naar stuurboord duwde en vol gas gaf.

De vreemde, blauwe flits lichtte weer op vanaf het strand. In de regen en de duisternis waren ze van hun koers afgeweken; d'Anjou koerste de boot in de richting van de lamp en binnen enkele minuten knarstte de boeg op het zand. De Fransman duwde de helmstok omlaag, zodat de motor omhoog kwam, terwijl Bourne overboord sprong, de lijn greep en het kleine vaartuig op het strand trok.

Hij schrok toen er opeens een man naast hem opdook die de lijn vóór hem vastgreep. 'Vier handen zijn beter dan twee,' schreeuwde de vreemdeling, een oosterling, in perfect Engels, met een licht Amerikaans accent.

'Bent u de contactman?' schreeuwde Jason, verbaasd en zich afvragend of de regen en de golven zijn gehoor parten speelden.

'Dat is zo'n dwaas woord!' antwoordde de man, ook hard roepend. 'Ik ben gewoon een vriend!'

Vijf minuten later hadden de drie mannen de boot op het strand getrokken en liepen ze door het dichte struikgewas vlak aan de kust, dat ineens overging in naargeestige boompjes. De 'vriend' had een primitief onderkomen gebouwd uit een scheepszeil. Naar de kant van de dichte bossen aan de open zijde brandde een vuurtje, dat van opzij en van achteren onzichtbaar was door het zware zeildoek. De warmte was welkom, de wind en de zware regen hadden Bourne en d'Anjou tot op het bot verkleumd. Ze zaten met gekruiste benen rond het vuur en de Fransman sprak met de Chinees in uniform.

'Dit was nauwelijks nodig geweest, Gamma...'

'Gamma?' vroeg Jason fel.

'Ik heb bepaalde tradities uit ons verleden hier weer toegepast, Delta. Ik zou eigenlijk *Tango* of *Foxtrot* hebben kunnen gebruiken, het was niet allemaal Grieks, dat weet je wel. Het Grieks was gereserveerd voor de leiders.'

'Dit is je reinste gelul waar we nu mee bezig zijn. Ik wil weten waarom we hier zijn. Waarom heb je hem niet betaald en zijn we niet als de sodemieter omgedraaid?'

'Moozes...!' zei de Chinees en hij rekte het woord geïrriteerd. 'Wat is die jongen zenuwachtig! Waar mekkert-ie nou over?'

'Waar ik over mekker, Mozes, is dat ik terug wil naar die boot. Ik heb echt geen tijd om thee te drinken.'

'Wat dacht je van whisky?' vroeg de officier van de Volksrepubliek. Zijn arm verdween achter zijn rug en kwam te voorschijn met een fles hele goede whisky. 'We zullen uit de fles moeten drinken, maar ik denk niet dat we elkaar zullen aansteken. We baden, we poetsen onze tanden, we slapen met zindelijke hoeren, *mijn* hemelse regering zorgt er in elk geval voor dat ze zindelijk zijn.'

'Wie ben jij, *verdomme?*' vroeg Jason Bourne.

'Gamma is voldoende, daarvan heeft Echo me overtuigd. *Wat* ik ben laat ik aan jouw fantasie over. Je zou het eens kunnen proberen met de Universiteit van Zuid-Californë, met aansluitende studies op Berkeley, al die protesten in de jaren zestig, dat weet je toch zeker nog wel?'

'Heb jij meegedaan met dat stelletje?'

'Zeer zeker niet! Ik was een doorgewinterde conservatieveling, lid van de John Birch Society die ze allemaal wilde laten neerknallen. Een stel gillende hippies zonder enig respect voor de morele verplichtingen van hun land.'

'Dit is echt gelul!'

'Mijn vriend Gamma,' onderbrak d'Anjou hem, 'is de volmaakte tussenpersoon. Hij is een ontwikkelde dubbelagent of misschien wel drievoudig of viervoudig, die voor alle kanten werkt ten profijte van zijn eigen zak. Hij is de volmaakt amorele man en daar respecteer ik hem om.'

'Ben jij teruggekeerd naar China? Naar de Volksrepubliek?'

'Daar viel geld te verdienen,' gaf de officier toe. 'Elke onderdrukkingsmaatschappij schept geweldige kansen voor de mensen die bereid zijn een te verwaarlozen risico te nemen ten behoeve van de onderdrukten. Vraag het maar aan de commissarissen in Moskou en in het Oostblok. Je moet natuurlijk contacten hebben in het Westen en ook bepaalde talenten bezitten die de regimentscommandant van pas kunnen komen. Gelukkig kan ik buitengewoon goed met boten omgaan, dankzij vrienden in de Bay Area die jachten hadden en kleine motorboten. Ik ga nog wel eens terug. Ik was echt dol op San Francisco.'

'Probeer maar niet uit te vissen hoeveel hij op de bank in Zwitserland heeft staan,' zei d'Anjou. 'Laten we maar liever eens proberen te ontdekken waarom Gamma zo'n leuk tentje voor ons heeft opgezet in de regen.' De Fransman pakte de fles en dronk.

'Het gaat je geld kosten, Echo,' zei de Chinees.

'Alsof jij ooit iets voor niks geeft. Wat is het?' D'Anjou gaf de fles door aan Jason.

'Kan ik spreken waar je partner bij is?'

'Ga je gang.'

'Ik kan je garanderen dat je de informatie hebben wilt. Het kost je duizend Amerikaanse dollars.'

'Niet meer?'

'Het moet genoeg zijn,' zei de Chinese officier en hij nam de fles whisky over van Bourne. 'Jullie zijn met tweeën en mijn patrouilleboot ligt zowat een kilometer verderop in de zuidelijke grot. Mijn bemanning denkt dat ik een geheime ontmoeting heb met onze spionnen in de kolonie.'

' ''Ik zou die informatie willen hebben en jij zou dat garanderen''. Voor die woorden moet ik zo maar duizend dollar uit mijn zak trekken terwijl het heel goed mogelijk is dat je een half dozijn *Zhongguo ren* daarbuiten in de bosjes hebt staan.'

'Er zijn nu eenmaal dingen die je in goed vertrouwen moet doen.'

'Niet met mijn geld,' wierp de Fransman tegen. 'Je krijgt geen *sou* als ik niet eerst een idee heb van wat je gaat verkopen.'

'Jij bent door en door Frans,' zei Gamma en hij schudde zijn hoofd. 'Goed dan. Het gaat over jouw discipel, de leerling die niet meer naar zijn meester luistert, maar in plaats daarvan zijn dertig zilverlingen opstrijkt en nog een heleboel meer.'

'De *huurmoordenaar?*'

'*Betaal* hem!' beval Bourne die de Chinese officier strak zat aan te kijken.

D'Anjou keek naar Jason en naar de man die Gamma werd genoemd, trok toen zijn trui omhoog en gespte de riem los van zijn doornatte broek. Hij stak zijn hand diep achter de riem en trok met moeite een geldgordel van wasdoek te voorschijn. Hij ritste de middelste zak open, schoof er één voor één met zijn vingers de biljetten uit en stak ze uit naar de Chinese officier. 'Drieduizend voor vanavond en duizend voor die nieuwe informatie. De rest is vals geld. Ik heb altijd zo'n duizend extra bij me voor onvoorziene omstandigheden, maar niet meer dan duizend...'

'De informatie!' kwam Bourne tussenbeide.

'Hij heeft ervoor betaald,' antwoordde Gamma. 'Ik zal het hem vertellen.'

'Het kan me geen barst verdommen wie je het vertelt, als je maar praat.'

'De vriend die we beiden kennen in Guangzhou,' begon de officier tegen d'Anjou. 'De radioman op Hoofdkwartier Eén.'

'We hebben wel eens zaken gedaan,' zei de Fransman behoedzaam.

'Omdat ik wist dat ik jou hier op dit uur zou ontmoeten heb ik brandstof ingenomen aan de pompen in Zhuhai Shi na half elf. Er lag daar een boodschap dat ik contact met hem moest opnemen — we hebben een veilige verbinding. Hij vertelde me dat er een gesprek was omgeleid via Beijing met een ongeïdentificeerde prioriteitscode van Jade Tower. Het was voor Soo Jiang...'

D'Anjou kwam met een ruk naar voren, met beide handen op de grond. 'Dat *zwijn!*'

'Wie is hij?' vroeg Bourne snel.

'Hij is eigenlijk het hoofd van de inlichtingendienst voor Macao,' antwoordde de Fransman, 'maar hij zou zijn moeder verkopen aan een bordeel als de prijs hoog genoeg was. Op dit moment is hij de contactman voor mijn vroegere discipel. Mijn *Judas!*'

'Die ineens wordt opgeroepen naar Beijing,' onderbrak de man die Gamma werd genoemd hem.

'Dat weet u zeker?' vroeg Jason.

'Onze gezamenlijke vriend is er zeker van,' antwoordde de Chinees en hij keek nog steeds naar d'Anjou. 'Een adjudant van Soo kwam naar Hoofdkwartier Eén en keek alle vluchten van morgen van Kai-tak naar Beijing na. Met de nodige autorisatie van zijn afdeling reserveerde hij op elke vlucht één enkele plaats. In verschillende gevallen betekende dat dat de oorspronkelijke passagiers op de wachtlijst werden geplaatst. Toen een officier in Hoofdkwartier Eén om Soo's persoonlijke bevestiging vroeg zei de adjudant dat die voor dringende zaken naar Macao was vertrokken. Wie moet er nu tegen middernacht nog zaken doen in Macao? Alles is dicht.'

'Behalve de casino's,' opperde Bourne. 'Tafel Vijf. De Kam Pek. Omstandigheden volledig onder controle.'

'En dat betekent, in het licht van de gereserveerde plaats,' zei de Fransman, 'dat Soo er niet zeker van is wanneer hij de killer zal treffen.'

'Maar hij is er wel zeker van dát hij hem zal treffen. Wat voor bericht hij ook heeft, het moet wel een bevel zijn waaraan gehoor moet worden gegeven.' Jason keek de Chinese officier aan. 'Zorg dat we in Beijing komen,' zei hij. 'Het vliegveld, de eerste vlucht. Je zult rijk worden, dat garandeer ik.'

'*Delta,* je bent hartstikke *gek!*' riep d'Anjou uit. 'Peking is uitgesloten!'

'Waarom? Niemand is naar ons op zoek en het barst in de stad van de Fransen, Engelsen, Italianen, Amerikanen en godweet wie nog meer. We hebben alletwee paspoorten die ons door de douane zullen krijgen.'

'Wees nou redelijk!' smeekte Echo. 'We zijn aan hen overgeleverd. Omdat we zulke gevaarlijke dingen weten zullen we ter plekke worden neergeknald als we ontdekt worden onder omstandigheden die ook maar even verdacht zijn! Hij komt hier wel weer opdagen, hoogst waarschijnlijk over een dag of twee.'

'Ik heb geen dag of twee,' zei Bourne kil. 'Ik ben dat stuk ongeluk van jou al twee keer kwijtgeraakt. Ik ben niet van plan hem een derde keer te missen.'

'Denk je dat je hem in *China* kunt grijpen?'

'Waar anders zal hij zich volkomen veilig voelen?'

'*Waanzin!* Je bent gek!'

'Regel het maar,' beval Jason de Chinese officier. 'De eerste vlucht vanaf Kai-tak. Wanneer ik de tickets krijg zal ik vijftigduizend Amerikaanse dollars geven aan de man die ze me brengt. Stuur iemand die je kunt vertrouwen.'

'Vijftig*duizend*. . .?' De man die Gamma werd genoemd staarde Bourne aan.

De lucht boven Peking was wazig, het stof dat werd opgeworpen door de wind die vanuit de vlakten in Noord-China woei vormde dofgele en bruine wolken in het zonlicht. Het vliegveld was immens groot, net als alle internationale luchthavens, en de landingsbanen vormden een lappendeken van elkaar kruisende zwarte lanen, enkele meer dan drie kilometer lang. Als er verschil te zien was tussen Peking Airport en zijn tegenhangers in het Westen, dan lag dat in het enorme koepelvormige luchthavengebouw met het aangrenzende hotel en verschillende autowegen die naar het complex voerden. Het geheel zag er tijdelijk uit, maar straalde iets doelmatigs uit, al was er weinig oogstrelends aan. Het was een vliegveld dat gebruikt moest worden en dat alleen bewondering vroeg voor zijn doeltreffendheid en niet voor zijn schoonheid.

Bourne en d'Anjou passeerden de douane zonder enige moeite en de passage werd hun gemakkelijk gemaakt doordat ze vloeiend Chinees spraken. De wachtposten waren zelfs vriendelijk tegen hen, keken nauwelijks naar hun minimale bagage en waren nieuwsgieriger naar hun taalkundige bekwaamheid dan naar hun bezittingen. De belangrijkste functionaris aanvaardde zonder meer het verhaal van twee geleerden in de Oosterse Wetenschappen die op vakantie waren en die hoopten dat ze bij dat reizen hier en daar ook nog wat lezingen konden houden. Ze wisselden duizend dollar in tegen *renminbi,* letterlijk het Geld van het Volk, en kregen er bijna tweeduizend *yuan* de man voor terug. En Bourne zette de bril af die hij in Washington van zijn vriend Cactus had gekocht.

'Eén ding zit me dwars,' zei de Fransman terwijl ze voor het electronische bord stonden waarop de aankomsten en vertrektijden voor de komende drie uur stonden aangegeven. 'Waarom zou hij met een burgertoestel komen? De man die hem betaalt heeft toch zeker wel een regeringstoestel of een militair vliegtuig ter beschikking?'

'Die toestellen moeten, net als bij ons, officiële toestemming hebben waarvan aantekening wordt gemaakt,' antwoordde Jason. 'En wie die man ook is, hij moet afstand bewaren tussen hem en jouw killer. Hij moet arriveren als toerist of zakenman en dan begint het ingewikkelde proces om contact te leggen. Daar reken ik tenminste op.'

'*Waanzin!* Zeg me eens, Delta, als je hem inderdaad te pakken krijgt — en ik voeg eraan toe dat dat "als" erg belangrijk is want hij is bijzonder capabel — heb je dan enig idee hoe je hem hieruit zult krijgen?'

'Ik heb geld, Amerikaans geld, grote denominaties, meer dan jij je kunt voorstellen. Het zit in de voering van mijn jasje.'

'Daarom zijn we zeker eerst in het Peninsula geweest? Daarom zei je me gisteren dat ik je kamer moest aanhouden. Daar ligt je geld.'

'Daar lag het. In de hotelkluis. Ik krijg hem er wel uit.'

'Op de vleugelen van Pegasus?'

'Nee, waarschijnlijk een toestel van Pan Am, waarbij wij tweeën een hele zieke vriend moeten helpen. Ik geloof zelfs dat ik dat idee ergens van jou heb gekregen.'

'Dan moet ik hartstikke gek zijn geweest!'

'Blijf bij het raam staan,' zei Bourne. 'Het duurt nog zowat twaalf minuten voordat het volgende toestel van Kai-tak arriveert, maar het kunnen evengoed twee minuten als twaalf uur zijn. Ik ga een cadeautje kopen voor ons beiden.'

'Waanzin,' mompelde de Fransman, die zo moe was dat hij alleen zijn hoofd kon schudden.

Jason kwam terug, leidde d'Anjou naar een hoek van waaruit ze de deuren naar de douane konden zien, die dicht werden gehouden behalve voor de passagiers die de controle gepasseerd waren. Bourne stak zijn hand in zijn binnenzak en trok er een lange, dunne, felgekleurde doos uit met het soort bonte papier dat je vond in de souvenirwinkels over de hele wereld. Hij haalde het deksel eraf. Op namaak vilt lag een smalle koperen briefopener, met Chinese lettertekens op de greep. De punt was duidelijk scherp geslepen. 'Pak aan,' zei Jason. 'Steek het in je riem.'

'Hoe is de balans?' vroeg Medusa's Echo terwijl hij het mes onder zijn broekriem schoof.

'Niet slecht. Ze ligt ongeveer halverwege de onderkant van de greep en door het koper heb je wat gewicht. Je moet er behoorlijk mee kunnen gooien.'

'Ja, ik weet het nog,' zei d'Anjou. 'Een van de eerste regels was nooit een mes te gooien, maar op een avond zag jij in de schemering een Gurkha een verkenner buiten gevecht stellen die op drie meter afstand stond, zonder een schot af te vuren of een handgemeen te riskeren. De bajonet van zijn karabijn vloog door de lucht als een zoevend projectiel, precies in de borst van de verkenner. De volgende morgen gaf je de Gurkha opdracht het ons te leren, sommigen leerden het beter dan anderen.'

'Hoe ging het met jou?'

'Redelijk goed. Ik was ouder dan jullie allemaal en ik voelde me aangetrokken tot elke verdedigingstechniek die niet te veel lichamelijke inspanning vroeg. En ik ben blijven oefenen. Je hebt dat gezien, je had het er vaak over.'

Jason keek de Fransman aan. 'Het is gek, maar dat herinner ik me helemaal niet.'

'Ik dacht natuurlijk gewoon... Het spijt me, Delta.'

'Geeft niet. Ik begin te leren dingen te vertrouwen die ik niet begrijp.'

Het wachten duurde voort en het deed Bourne denken aan zijn lange wachttijd in Lo Wu toen de ene volle trein na de andere de grens overkwam. Hij had toen niemand gezien tot in de verte een kleine oudere man met een mank been ineens iemand anders werd. Het toestel van

11.30 was twee uur te laat. Bij de douane zou het nog vijftig minuten duren.

'*Die* daar!' riep d'Anjou uit en hij wees naar een gestalte, die uit de deur naar de douane kwam lopen.

'Met een stok?' vroeg Jason. 'Hinkend?'

'Zijn sjofele kleren kunnen zijn schouders niet verbergen!' riep Echo uit. 'Het grijze haar is te echt, hij heeft het niet voldoende geborsteld en de donkere bril is hem te groot. Hij is moe, net als wij. Je had gelijk. Hij moest gehoorzamen aan de oproep naar Beijing en hij wordt onvoorzichtig.'

'Omdat "rusten een wapen is" en hij dat naliet.'

'Ja. Die avond op Kai-tak gisteren moet hem niet in de kouwe kleren zijn gaan zitten, maar wat belangrijker is, hij moest gehoorzamen. *Merde!* Zijn honorarium moet in de honderdduizenden lopen!'

'Hij gaat naar het hotel,' zei Bourne. 'Blijf jij hier, ik zal hem volgen, op afstand. Als hij jou ziet zou hij ervandoor gaan en dan zouden we hem kwijt zijn.'

'Hij kan jou ook ontdekken!'

'Niet waarschijnlijk. Dit spelletje heb ik uitgevonden. Bovendien blijf ik achter hem. Blijf hier. Ik kom je wel halen.'

Met de schoudertas in de hand en schuifelend als iemand die de vermoeidheid voelt van een lange vlucht, sloot Jason zich aan in de rij van passagiers die naar het hotel liepen. Hij bleef de grijze man vóór hem in het oog houden. Tweemaal bleef de vroegere Britse commando staan en draaide hij zich om en twee keer draaide ook Bourne zich om, met dezelfde schouderbewegingen, en bukte hij zich alsof hij een insekt van zijn been wilde strijken of de riem van zijn tas wat aan wilde halen, zonder zijn lichaam of gezicht te laten zien. Er kwamen steeds meer mensen aan de receptiebalie en Jason stond acht mensen achter de moordenaar in de tweede rij, zorgde dat hij zo weinig mogelijk opviel en bukte zich telkens om zijn schoudertas naar voren te trekken. De commando werd geholpen door het tweede meisje achter de balie. Hij toonde zijn papieren, tekende het gastenboek en hinkte met zijn stok naar een batterij bruine liften aan de rechterkant... Zes minuten later kwam Bourne tegenover hetzelfde meisje te staan. Hij sprak Mandarijns.

'*Ni neng bang-zhu wo ma?*' begon hij, hij vroeg om hulp. 'Het was een onverwachte reis en ik heb geen kamer. Alleen maar voor vannacht.'

'U spreekt onze taal heel goed,' zei het meisje en de blik in haar amandelvormige ogen toonde haar waardering. 'Wij zijn zeer vereerd.'

'Ik hoop dat u dat nog vaak zult zijn tijdens mijn verblijf hier. Ik ben op studiereis.'

'De beste reis die er is. Er zijn hier in Beijing vele kunstschatten, en elders natuurlijk ook, maar dit is de hemelse stad. U hebt geen kamer besproken?'

'Het spijt me, nee. Alles kwam neer op de laatste minuut, als u weet wat ik bedoel.'

'Omdat ik beide talen spreek kan ik u vertellen dat u het in onze taal correct hebt uitgedrukt. Alles moet zo haastig gebeuren. Ik zal zien wat ik kan doen. Het zal natuurlijk niet bijzonder luxueus zijn.'

'Ik kan me niets bijzonder luxueus' permitteren,' zei Jason verlegen. 'Maar ik heb een kamergenoot — als het nodig is kunnen we in één bed slapen.'

'Daar zal het zeker wel op neerkomen op zo'n korte termijn.' Het meisje bladerde door de reserveringskaarten. 'Hier,' zei ze. 'Een enkele kamer aan de achterkant op de eerste verdieping. Dat zal u wel uitkomen als u zuinig moet zijn...'

'Die nemen we,' stemde Bourne in. 'Overigens, ik zag hier enkele minuten geleden een man in de rij staan die ik volgens mij zeker ken. Hij is nu wat ouder geworden maar volgens mij is hij vroeger mijn professor geweest toen ik in Engeland studeerde. Grijze haren, met een stok... ik weet zeker dat hij het is. Ik zou hem graag eens opzoeken.'

'O ja, ik weet het weer.' Het meisje zocht nu tussen de reserveringskaarten die ze pas had uitgeschreven. 'De naam luidt Wadsworth, Joseph Wadsworth. Hij is in tweevijfentwintig. Maar misschien vergist u zich. Als beroep staat hier opgegeven dat hij een Engelse consulent is voor onderzeese oliewinning.'

'U hebt gelijk, dat is de man niet,' zei Jason, verlegen zijn hoofd schuddend. Hij pakte zijn hotelsleutel op.

'We kunnen hem pakken! Nú!' Bourne greep d'Anjou bij de arm en trok hem uit de afgelegen hoek van het stationsgebouw.

'Nu? Zo gemakkelijk? Zo snel? Het is ongelooflijk!'

'Integendeel,' zei Jason en hij liep voor d'Anjou uit naar de drommen voor de rij glazen deuren die de toegang vormden tot het hotel. 'Het is heel goed te geloven. Die man van jou moet op dit moment aan een dozijn dingen tegelijk denken. Hij mag niet gezien worden. Hij kan niet telefoneren via de centrale, daarom zal hij op zijn kamer blijven wachten totdat hij gebeld wordt en instructies krijgt.' Ze liepen door een glazen deur, keken in het rond en liepen naar het linkeruiteinde van de lange balie. Bourne sprak snel verder. 'Kai-tak is gisteravond mislukt, dus moet hij aan een andere mogelijkheid gaan denken. Hij kan nu zelf opgeruimd worden, want degene die de springstoffen onder de auto heeft ontdekt, heeft hem gezien en geïdentificeerd — en dat is ook zo. Hij moet erop staan dat zijn cliënt alleen verschijnt op het afgesproken punt, zodat hij maar één man tegenover zich heeft. Die bescherming heeft hij minimaal nodig.' Ze vonden een trap en begonnen die te beklimmen. 'En zijn kleren,' vervolgde Medusa's Delta. 'Hij moet andere kleren hebben. Hij kan niet voor de dag komen zoals hij wás en evenmin zoals hij ís. Hij moet iemand anders worden.' Ze waren nu op de tweede verdieping en Jason draaide zich om naar d'Anjou, met zijn hand op de knop van de deur. 'Neem dat maar van mij aan, Echo, die jongen van jou heeft het razend druk. Hij is bezig problemen uit te werken in zijn hoofd waar een Russische schaker U tegen zou zeggen.'

'Spreekt nu de geleerde of de man die ze vroeger Jason Bourne noemden?'

'Bourne,' zei David Webb met ijskoude ogen en kille stem. 'Als hij het ooit is geweest dan is hij het nu.'

Met zijn tas aan zijn schouder opende Jason langzaam de deur en schoof zijn lichaam behoedzaam naar voren. Twee mannen in donkere streepjespakken kwamen in de gang in zijn richting lopen, klagend over het gebrek aan etageservice. Hun accent was Engels. Ze openden de deur naar hun kamer en gingen naar binnen. Bourne trok de deur van het trappenhuis open en duwde d'Anjou erdoor, ze liepen de gang af. De kamernummers waren aangegeven in het Chinees en in Arabische cijfers.

241, 239, 237 – ze waren in de juiste gang, de kamer lag aan de linkerkant. Uit een bruine lift verschenen ineens drie Indiase stelletjes, de vrouwen in sari, de mannen in strak zittende broeken. Ze liepen Jason en d'Anjou voorbij, kwebbelend met elkaar, op zoek naar hun kamers en de mannen kennelijk geërgerd dat ze hun eigen bagage moesten dragen.

235, 233, 231...

'Dit *pik* ik verder niet meer!' schreeuwde een vrouwenstem en uit een deur aan hun rechterkant kwam strijdlustig een dikke vrouw in een badjas en met haarkrullers aanmarcheren. De nachtjapon die onder haar peignoir uitkwam sleepte achter haar aan en ze struikelde er twee keer over. Ze rukte die omhoog en liet een paar benen zien die een rhinoreces niet zouden hebben misstaan. 'Het toilet werkt niet en de telefoon kun je helemaal vergeten!'

'Isabel, ik heb het je toch gezegd!' schreeuwde een man in een rode pyama die haar nakeek door de open deur. 'Het komt door de vermoeiende reis. Ga nu wat slapen en denk eraan dat we niet in Short Hills zijn! Hou nou op met dat muggeziften. Ontspan je een beetje!'

'Aangezien ik de w.c. niet kan gebruiken kan ik niet anders! Ik ga op zoek naar zo'n schele rotzak en ik ga alles bij elkaar gillen! Waar is de trap? Ik kijk wel uit om met zo'n verdomde lift te gaan. Als ze al werken bewegen ze zich waarschijnlijk opzij en botsen ze recht door de muren heen tegen zo'n verrekte Zeven-Vier-Zeven aan!'

De ontredderde vrouw liep hen voorbij op weg naar de deur naar het trappenhuis. Twee van de drie Indiase paartjes hadden moeilijkheden met hun sleutels en werden ten slotte het slot de baas door een paar fikse trappen tegen de deur en de man in de rode pyama knalde zijn deur

310

dicht na zijn vrouw woedend te hebben nageschreeuwd: 'Het is weer net als bij die reünie in de club! Ik schaam me *kapot* over jou, Isabel!' 229, 227... *225*. De kamer. De gang was leeg.

Door de deur heen konden ze de klanken horen van oosterse muziek. De radio stond hard aan, en zou nog harder worden gezet zodra de telefoon overging. Jason trok d'Anjou achteruit en sprak zacht met zijn gezicht naar de muur. 'Ik herinner me geen Gurkha's en geen verkenners...'

'Een deel van je deed dat wel, Delta,' onderbrak Echo hem.

'Misschien, maar dat heeft er niets mee te maken. Dit is het begin van het einde van de weg. We laten onze bagage hier staan. Ik pak de deur aan en jij komt direct achter me aan. Hou je mes klaar. Maar je moet één ding goed begrijpen en daarin mag je absoluut geen fouten maken: gooi het alleen als het helemaal niet anders kan. Als je het doet, mik dan op de benen. Nooit boven zijn middel.'

'Jij hebt meer vertrouwen in de trefzekerheid van een oudere man dan ik.'

'Ik hoop dat ik er geen beroep op hoef te doen. Deze deuren zijn van dun triplex en jouw killer heeft heel wat om over na te denken. Hij is bezig plannen te maken, hij denkt niet aan ons. Hoe zouden we kunnen weten dat hij hier is, en zelfs als we dat wisten, hoe zouden we dan in zo'n korte tijd over de grens kunnen komen? En ik *moet* hem hebben! Ik ga hem *pakken!* Klaar?'

'Het is nu of nooit,' zei de Fransman en hij liet zijn kleine koffer zakken en trok de koperen briefopener uit zijn riem. Hij liet het lemmet op zijn hand rusten, met gespreide vingers, zoekend naar de balans.

Bourne liet de tas van zijn schouder op de grond glijden en stelde zich geruisloos op voor kamer 225. Hij keek d'Anjou aan. Echo knikte en Jason sprong op de deur af. Zijn linkervoet gebruikte hij als een stormram die hij met geweld deed belanden op de plek onder het slot. De deur zwaaide naar binnen alsof ze werd opgeblazen; het hout vloog aan splinters, de scharnieren werden losgerukt. Bourne stortte zich de kamer in, duikelde om en om over de vloer en bleef naar alle kanten kijken.

'Arrêtez!' brulde d'Anjou.

In een binnendeur verscheen een gestalte, de man met grijs haar, de *killer!'* Jason sprong overeind, wierp zich op zijn prooi, greep de man bij zijn haren, rukte hem naar links, toen naar rechts, en duwde hem met geweld terug door de deuropening. Ineens gilde de Fransman, het koperen lemmet van de briefopener flitste door de lucht en boorde zich in de muur met een trillende greep. Hij had opzettelijk gemist, het was een waarschuwing.

'Delta, néé!'

Bourne bewoog zich niet meer, zijn prooi kon geen kant meer op. Hij was hulpeloos in zijn greep en onder zijn gewicht.

'*Kijk* eens!' riep d'Anjou.

Jason stapte langzaam achteruit met gestrekte armen de gestalte vóór hem vasthoudend. Hij staarde in het magere, gerimpelde gezicht van een heel oude man met dunnend grijs haar.

22

Marie lag op het smalle bed naar het plafond te staren. De stralen van de middagzon vielen door de ramen zonder gordijnen en vulden de kamer met een fel licht en een drukkende warmte. Haar gezicht was bezweet en haar gescheurde blouse kleefde aan haar vochtige huid. Haar voeten deden pijn van die waanzin die ze vanmorgen had doorleefd en die begonnen was als een wandelingetje over een onvoltooide kustweg naar een rotsachtig strand beneden – het was stom van haar geweest dat te doen, maar op dat moment had ze niets anders *kunnen* doen, anders was ze gek geworden.

De geluiden van de straat drongen door in de kamer, een vreemde kakofonie van hoge stemmen, plotseling gegil en fietsbellen en de loeiende claxons van vrachtwagens en stadsbussen. Het leek alsof een brok van Hongkong, vol met krioelende mensen, uit het eiland was gerukt en verplaatst was naar een afgelegen plek waar een brede rivier en onafzienbare akkers en verder weg liggende bergen de plaats innamen van Victoria Harbour en de talloze rijen opklimmende hoge gebouwen van glas en steen. In zekere zin klopte die overplaatsing ook, bedacht ze. De miniatuurstad Tuen Mun was een van die satellietsteden die ten noorden van Kowloon in de *New Territories* uit de grond waren gerezen. Het ene jaar was het een dorre riviervlakte geweest, het volgende een zich snel ontwikkelende metropool met bestrate wegen en fabrieken, winkelwijken en steeds meer woonflats. Alles lokte de mensen uit het zuiden met de belofte van woonruimte en duizenden banen, en zij die zich lieten verleiden brachten de onmiskenbare hysterie met zich mee van Hongkongs handel. Zonder die hysterie zouden ze volzitten met onbetekenende zorgen, niet eens de moeite waard te worden weggenomen. Dit waren de afstammelingen van Guangzhou – de provincie Kanton – niet de lui uit Shanghai die levensmoe zijn.

Marie was wakker geworden bij het eerste licht, het beetje slaap dat ze had gehad was verscheurd geweest door nachtmerries en ze wist dat ze opnieuw eindeloos zou moeten wachten totdat Catherine haar belde. Staples had gisteravond nog gebeld en haar uit een slaap van totale uitputting gehaald en ze had haar alleen maar raadselachtig verteld dat er een paar ongewone dingen waren gebeurd die zouden kunnen leiden tot gunstig nieuws. Ze was nu in gesprek met een man die interesse had getoond, een bijzondere man die zou kunnen helpen. Marie moest in de flat blijven, in de buurt van de telefoon, voor geval zich nieuwe ontwikkelingen zouden voordoen. Aangezien Catherine haar opdracht had gegeven geen namen of bijzonderheden te noemen over de telefoon, had Marie niet gevraagd waarom ze zo kort belde. 'Ik bel je morgenvroeg direct, meid.' Staples had abrupt de verbinding verbroken.

Om half negen had ze niet gebeld en om negen uur nog niet en toen het over half tien was kon Marie het niet langer uithouden. Ze bedacht dat namen onnodig waren daar ze elkaars stemmen zouden herkennen, en Catherine moest toch begrijpen dat de vrouw van David Webb er recht op had 'morgenvroeg direct' tenminste iets te horen. Marie had de flat van Staples in Hongkong gebeld. Daar kreeg ze geen gehoor, daarom draaide ze opnieuw om er zeker van te zijn dat ze het nummer goed had. Niets. Geërgerd en zonder dat het haar iets kon schelen had ze het consulaat gebeld.

'Referendaris BZ Staples, graag. Ik ben een vriendin van de Treasury Board in Ottawa. Ik wil haar graag verrassen.'

'De verbinding is prima, zeg.'

'Ik zit niet in Ottawa, ik ben hier,' zei Marie die zich het gezicht van de kletsgrage receptioniste maar al te goed kon voorstellen.

'Het spijt me, mevrouw Staples is niet in het gebouw en ze heeft niet gezegd waar ze is. Om u de waarheid te zeggen is de ambassadeur ook al op zoek naar haar. Waarom geeft u me niet een nummer...'

Marie liet de hoorn op de haak zakken, ze was helemaal in paniek. Het was bijna tien uur en Catherine hield van vroeg opstaan. 'Morgenvroeg direct' kon elk moment betekenen tussen half acht en half tien, het waarschijnlijkst in het midden van die periode, maar geen tien uur, *niet* onder deze omstandigheden. En toen had 12 minuten later de telefoon gerinkeld. Het was het begin van een nog veel ergere paniek.

'Marie?'

'*Catherine,* is alles *goed* met je?'

'Ja, natuurlijk.'

'Je zei "morgenvroeg direct"! Waarom heb je niet eerder gebeld? Ik zit hier langzaamaan gek te worden! Kun je praten?'

'Ja, ik sta in een telefooncel...'

'Wat is er gebeurd? Wat is er nu aan het gebeuren? Wie is die man die je hebt ontmoet?'

Even was het stil geweest aan de Hongkong-kant van de lijn. Even leek het een vreemde stilte en Marie had niet geweten waarom. 'Ik wil dat je kalm blijft, meid,' zei Staples. 'Ik heb niet eerder gebeld omdat je alle rust nodig hebt die je krijgen kunt. Misschien heb ik de antwoorden die je wilt horen, die je nodig hebt. De zaken staan er niet zo verschrikkelijk voor als je denkt en je *moet* kalm blijven.'

'Verdomme, ik *ben* kalm, ik ben tenminste redelijk bij mijn verstand!

313

Waar heb je het in godsnaam over?'

'Ik kan je zeggen dat je man nog leeft.'

'En ik kan jou vertellen dat hij heel goed is in de dingen die hij doet, die hij *deed*. Je vertelt me helemaal niks nieuws!'

'Over een paar minuten ga ik op weg naar je toe. Het verkeer is een puinhoop, zoals gewoonlijk, en nu is het nog erger door al die beveiliging rond de Chinees-Britse delegaties, de straten en de tunnel zijn erdoor verstopt, maar ik moet het in anderhalf uur kunnen halen, hooguit twee.'

'Catherine, ik wil weten waar ik aan toe ben!'

'Dat krijg je te horen, Marie, in elk geval iets. Rust nog wat, Marie, probeer je te ontspannen. Alles komt in orde. Ik ben er gauw.'

'Die man,' vroeg David Webbs vrouw gespannen. 'Heb je die bij je?'

'Nee, ik zal alleen zijn, er zal niemand bij zijn. Ik wil met je praten. Je ontmoet hem later wel.'

'Goed.'

Was het de klank geweest van Staples' stem? Marie had het zich afgevraagd nadat ze de hoorn had opgelegd. Of het feit dat Catherine haar letterlijk niets had gezegd, nadat ze had toegegeven dat ze vrijuit kon praten vanuit een telefooncel? De Staples die ze kende zou geprobeerd hebben de angst van een dodelijk bevreesde vriendin te sussen als ze concrete feiten als troost te bieden had gehad, al was het maar één brokje belangrijke informatie geweest als het geheel te ingewikkeld was. *Iets.* David Webbs vrouw verdiende in elk geval *iets!* In plaats daarvan was het wat diplomatiek gebabbel geweest, een zinspelen op werkelijkheid maar niets echt reëels. Er klopte inderdaad iets niet, maar wat het was kon ze niet bevatten. Catherine had haar in bescherming genomen, ze had uit het oogpunt van haar beroep enorme risico's genomen door het consulaat er niet bij te betrekken en persoonlijk door zich aan direct fysiek gevaar bloot te stellen. Marie wist dat ze zich dankbaar moest voelen, heel erg dankbaar, maar in plaats daarvan voelde ze de twijfel toenemen. *Zeg het nog eens, Catherine,* had ze bij zichzelf gegild, *zeg dat alles goed zal gaan! Ik kon niet meer denken. Ik kan hier binnen niet meer denken! Ik moet naar buiten... ik moet de buitenlucht in!*

Ze had onzeker in de kamer de kleren bijeengezocht die ze voor haar hadden gekocht toen ze gisteravond in Tuen Mun aankwamen, kleren die ze gekocht hadden nadat Staples haar had meegenomen naar een dokter die haar voeten had verzorgd, gaaskussentjes had aangebracht, haar ziekenhuisslippers had gegeven en gezegd dat ze zachte schoenen met dikke zolen moest kopen als ze in de komende paar dagen veel moest lopen. Catherine had eigenlijk de kleren uitgezocht terwijl Marie in de auto wachtte, en ofschoon Staples nog wel wat anders aan haar hoofd had, had ze zowel praktische als leuke kleren uitgezocht. Een lichtgroene, zuiver katoenen rok paste bij een witte katoenen blouse en een kleine handtas van witte parelmoer. Ook een donkergroene lange broek – een korte broek zou ongeschikt zijn – en een tweede, gemakkelijke blouse. Alle kledingstukken waren keurig nagemaakte modellen van bekende ontwerpers en de labels waren allemaal goed gespeld.

'Ze zijn erg leuk, Catherine. Dank je wel.'

'Ze passen bij je haar,' had Staples gezegd. 'Niet dat iemand in Tuen Mun dat zal opmerken – ik wil dat je in de flat blijft – maar we zullen hier toch een keer weg moeten. En voor geval ik soms vast kom te zitten op kantoor en je iets nodig hebt, heb ik wat geld in je tasje gedaan.'

'Ik dacht dat ik verondersteld werd in de flat te blijven, dat we een paar dingen op de markt zouden kopen.'

'Ik weet al evenmin als jij wat ik in Hongkong zal aantreffen. Lin zou wel eens zo woedend kunnen zijn dat hij misschien een oude koloniale wet opscharrelt en me onder huisarrest stelt... In Blossom Soon Street is een schoenwinkel. Je zult er zelf naar binnen moeten gaan om die gemakkelijke schoenen te passen. Ik ga natuurlijk met je mee.'

Even was het stil geweest en Marie had gevraagd: 'Catherine, hoe komt het dat je hier zo goed de weg weet? Ik heb tot nu toe nog geen blanke gezien op straat. Van wie is die flat?'

'Van een vriend,' had Staples gezegd zonder er verder op in te gaan. 'Niemand gebruikt hem lang achtereen, daarom kom ik hier nog wel eens om lekker op mezelf te zijn.' Meer had Catherine niet gezegd. Het onderwerp stond niet open voor verdere discussie. Zelfs toen ze zowat de hele nacht hadden doorgepraat had ze van Staples niets meer te horen gekregen, al had ze er nog een paar keer naar gevist. Het was een onderwerp waarover ze gewoon niet wilde praten.

Marie had de broek en de blouse aangetrokken en met enige moeite de veel te grote linnen schoenen. Behoedzaam was ze de trap afgelopen en de drukke straat op en ze was zich direct bewust geweest van de starende blikken die op haar werden gericht. Ze vroeg zich af of ze niet beter kon omdraaien en weer naar binnen kon gaan. Ze kon het niet, ze genoot van een paar minuten vrijheid, een bevrijding na het muffe opgesloten zitten in het kleine appartement en ze knapte er direct van op. Ze wandelde langzaam, moeizaam, over het trottoir, gebiologeerd door de kleuren en de jachtige drukte en het eindeloze, staccato gekwetter om haar heen. Net als in Hongkong staken overal kakelbonte reclameborden boven de gebouwen uit en overal stonden mensen met elkaar te onderhandelen bij kramen en in winkelingangen. Het leek inderdaad of er een brokje van de kolonie was uitgegraven en overgeplant in een uitgestrekt, onontgonnen gebied.

Ze had een weg in aanleg gevonden aan het einde van een zijstraatje. Het werk was kennelijk in de steek gelaten, maar slechts tijdelijk want aan de rand stonden allerlei wegenbouwmachines, ongebruikt en roestend. Aan beide kanten van de afhellende ongeplaveide weg ston-

315

den twee borden met Chinese lettertekens. Stap voor stap daalde ze voorzichtig de steile helling af tot aan de verlaten kust waar ze op een stapeltje rotsen ging zitten. Die paar minuten vrijheid begonnen te veranderen in kostbare momenten van vrede met zichzelf. Ze keek over het water naar de boten die vanuit de haven van Tuen Mun de zee opzeilden, en ook naar de vaartuigen die binnen kwamen lopen vanuit de Volksrepubliek. Voor zover ze kon opmaken waren de eerste vissersboten die hun netten uitgespreid hadden liggen op hun boegen en boorden, terwijl de schepen van het Chinese vasteland meestal kleine vrachtboten waren waarvan de dekken volstonden met kisten vol handelswaar... maar niet allemaal. Er waren ook slanke, grijsgeschilderde marinevaartuigen bij met de vlag van de Volksrepubliek. Dreigende stukken geschut staken links en rechts uit de patrouilleboten, en ernaast stonden roerloze mannen in uniform door verrekijkers te turen. Nu en dan praaide een marineschip een vissersboot en begonnen de vissers wild en opgewonden te gebaren. Er werd stoïcijns op gereageerd en dan draaiden de krachtige patrouillevaartuigen langzaam om en gleden weer weg. Het was gewoon een spelletje, dacht Marie. Het Noorden liet rustig zien dat zij hier de baas was terwijl het Zuiden niets anders kon doen dan protesteren dat hun visgronden verstoord werden. De eersten hadden de kracht van hard staal en gedisciplineerde matrozen, de laatsten hadden zachte netten en doorzettingsvermogen. Niemand kwam als overwinnaar te voorschijn, alleen die twee tegengestelde zusters, Verveling en Vrees.

'*Jing-cha!*' riep een mannenstem achter haar in de verte.

'*Shei!*' gilde een tweede. '*Ni zai zher han shemma?*'

Marie draaide zich met een ruk om. *Verderop op de weg kwamen twee mannen aanrennen;* ze holden de ongeplaveide weg af in haar richting, hun geschreeuw was tegen haar gericht, het klonk als een bevel. Moeizaam kwam ze overeind en hield zich in evenwicht op de rotsen terwijl zij op haar af renden. Beide mannen gingen gekleed in een soort paramilitaire uniformen en toen ze naar hen keek besefte ze dat ze jong waren, oudere tieners, hooguit twintig.

'*Bu xing!*' blafte de grootste jongen. Hij keek achter zich naar boven en gebaarde zijn metgezel dat hij haar vast moest grijpen. Wat het ook was, het moest snel gebeuren. De tweede jongen pakte haar armen van achteren vast.

'Hou daar mee op!' riep Marie zich verzettend. 'Wie zijn jullie?'

'Mevrouw spreekt Engels,' merkte de eerste jongeman op. '*Ik* spreek Engels,' voegde hij er trots aan toe, zij het een beetje zalvend. 'Ik heb gewerkt voor een juwelier in Kowloon.' Opnieuw keek hij achter zich de weg af.

'Zeg dan tegen uw vriend dat hij me los moet laten!'

'De dame zegt niet mij wat ik moet doen. Ik zeg de dame.' De oudste van de twee kwam dichterbij en zijn ogen waren gericht op de zwelling van Marie's borsten onder haar blouse. 'Dit is verboden weg, een verboden stuk van de kust. De dame heeft de borden niet gezien?'

'Ik kan geen Chinees lezen. Het spijt me, ik zal wel weggaan. Zeg hem alleen maar dat hij me los moet laten.' Ineens voelde Marie hoe de jongen achter haar zijn lijf dicht tegen het hare drukte. *'Hou daar mee op!'* gilde ze en ze hoorde zacht lachen in haar oren, voelde een warme adem in haar nek.

'Moet de dame boot ontmoeten met misdadigers van de Volksrepubliek? Geeft ze signalen aan mannen op het water?' De langste Chinees stak zijn handen uit naar Marie's blouse, legde zijn vingers op de bovenste knoopjes. 'Verbergt zij misschien een radio, een instrument om te seinen? Het is onze plicht zulke dingen te onderzoeken. De politie verwacht dat van ons.'

'*Godverdomme*, wil je met je vuile poten van me afblijven!' Marie draaide zich met een felle ruk om en schopte voor haar uit. De man achter haar trok haar naar achteren zodat ze omviel en de lange jongen greep haar benen vast en klemde die tussen zijn eigen benen. Ze kon zich niet bewegen. Haar lichaam werd strak schuin omhoog gehouden en ze kon geen kant meer uit. De eerste Chinees rukte haar blouse van haar lijf en toen haar beha en legde zijn beide handen om haar borsten. Ze gilde en verzette zich en gilde opnieuw tot ze in haar gezicht werd geslagen en twee vingers zich in haar keel plantten zodat ze geen enkel geluid meer kon uitbrengen, op enkele schorre kuchjes na. De nachtmerrie van Zürich kwam weer bij haar terug, verkrachting en dood aan de Guisan Quai.

Ze droegen haar naar een stuk waar hoog gras groeide, waarbij de jongen achter haar zijn hand over haar mond klemde en direct daarna snel zijn rechterarm zodat ze geen lucht meer kreeg en onmogelijk kon gillen terwijl hij haar naar voren duwde. Ze werd op de grond gesmeten, een van haar aanvallers lag nu met zijn blote maag op haar mond terwijl de andere haar broek begon uit te trekken en zijn handen tussen haar benen stak. Het was weer helemaal Zürich, alleen was het worstelen in het koude donker van Zwitserland nu een vechten geworden in de vochtige hitte van het Oosten. In plaats van de Limmat was er een andere rivier, veel breder, veel meer verlaten, in plaats van één beest waren er twee. Ze kon het lichaam van de lange Chinees boven op haar voelen, paniekerig duwend, woedend omdat hij niet in haar kon doordringen omdat haar gekronkel hem dat belette.

Even stak de jongen die op haar gezicht lag zijn hand in zijn broek naar zijn lies, een kort moment was er wat ruimte en voor Marie barstte de hel los! Ze begroef haar tanden in de huid boven haar, proefde bloed, voelde de misselijkmakende huidwelving in haar mond.

Gekrijs klonk op. Haar armen werden losgelaten. Ze schopte toen de

317

jonge oosterling wegrolde met zijn handen op zijn maag gedrukt. Ze ramde haar knie tegen het ontblote orgaan boven haar middel, klauwde toen naar het vertrokken, zwetende gezicht van de lange man, gilde nu zelf ook, krijste, smeekte, schreeuwde zoals ze nog nooit eerder had geschreeuwd in haar leven. De jongen stopte zijn geslachtsdelen weer in zijn korte broek en wierp zich bovenop haar, niet langer meer denkend aan verkrachting, alleen maar hoe hij haar stil moest krijgen. Marie stikte bijna en het begon al donker te worden voor haar ogen, toen ze in de verte andere stemmen had gehoord, opgewonden stemmen die steeds dichterbij kwamen en ze wist dat ze nog een laatste keer om hulp moest roepen. Met inspanning van al haar krachten begroef ze haar nagels in het vertrokken gezicht boven haar en maakte even haar mond vrij van de greep.

'Hier! Hierheen!'

Ineens was er om haar heen een heftig bewegen van lichamen. Ze kon klappen en schoppen horen en woedend gegil, maar die waanzin was niet tegen haar gericht. Toen was het donker geworden en haar laatste gedachten waren maar voor een deel aan haarzelf gewijd. *David! David, waar ben je in godsnaam! Blijf leven, lieveling! Laat ze niet opnieuw je geest afpakken. Wat er ook gebeurt, laat dat nooit toe! Ze willen mijn geest en die zal ik hun niet geven! Waarom doen ze ons dit aan? O, mijn god, waarom?*

Ze was bijgekomen op een veldbed in een klein vertrek zonder ramen. Een jonge Chinese vrouw, eigenlijk nog een meisje, veegde haar voorhoofd af met een koele, geparfumeerde doek. *'Waar...?'* fluisterde Marie. 'Waar is dit? Waar ben ik?'

Het meisje glimlachte lief en haalde de schouders op met een knikje naar een man aan de andere kant van het bed, een Chinees die Marie in de dertig schatte, gekleed in een tropenpak, met daaronder een wit smokinghemd. 'Mag ik mij even aan u voorstellen?' zei de man in duidelijk Engels met een licht accent. 'Ik heet Jitai, en ik werk op het Tuen Mun kantoor van de Hang Chow Bank. U bent in een achterkamer van een textielatelier, eigendom van een vriend en cliënt, meneer Chang. Ze hebben u hierheen gebracht en mij erbij gehaald. U bent overvallen door twee schooiers van de *Di-di Jing Cha,* wat u kunt vertalen als de Hulppolitie van de Jongeren. Het is een van die goedbedoelde sociale programma's waar veel uitkomt, maar waartussen nu en dan ook een paar behoorlijke rotte appels kunnen zitten, zoals u dat in Amerika zegt.'

'Waarom denkt u dat ik Amerikaanse ben?'

'Uw accent. Toen u bewusteloos was sprak u over een man die u David noemde. Ongetwijfeld een dierbare vriend. U wilt hem terugvinden.'

'Wat heb ik nog meer gezegd?'

'Niets bijzonders. U sprak nogal onsamenhangend.'

'Ik ken niemand die David heet,' zei Marie op overtuigende toon. 'Niet op die manier. Ik denk dat ik behoorlijk heb liggen ijlen.'

'Het is onbelangrijk. Het enige belangrijke is dat u weer gezond wordt. We voelen ons diep beschaamd en erg verdrietig over wat er is gebeurd.'

'Waar zijn die stukken tuig, die *rotzakken?*'

'We hebben hen gepakt en ze zullen gestraft worden.'

'Ik hoop dat ze voor tien jaar de bak indraaien.'

De Chinees had bezorgd gekeken. 'Om dat te bereiken zal de politie erbij gehaald moeten worden, een aanklacht moet worden ingediend, vóórkomen voor de politierechter, een heleboel wettelijke plichtplegingen.' Marie staarde de bankemployé aan. 'Kijk, als u dat wilt zal ik met u meegaan naar de politie en optreden als uw tolk, maar wij vonden dat we eerst moesten horen wat u zelf hierin wilde. U hebt veel meegemaakt, en u bent hier in Tuen Mun om redenen die u alleen kent.'

'Nee, meneer Jitai,' zei Marie zacht. 'Ik dien liever geen aanklacht in. Ik ben weer in orde en ik ben niet zo gebrand op wraaknemen.'

'Dat is onze zaak, mevrouw.'

'Wat bedoelt u?'

'Uw overvallers zullen er spijt van houden tot in hun huwelijksbed waar hun prestaties minder zullen zijn dan verwacht wordt.'

'Ik snap het. Ze zijn nog zo jong...'

'We zijn te weten gekomen dat het vanmorgen niet de eerste keer was. Het zijn een paar walgelijke kerels en ze moeten hun lesje krijgen.'

'Vanmorgen? O, mijn god, hoe laat is het? Hoe lang heb ik hier gelegen?'

De bankemployé keek op zijn horloge. 'Bijna een uur.'

'Ik moet direct terug naar mijn flat. Het is belangrijk.'

'De dames willen uw kleren herstellen. Ze kunnen uitstekend naaien en het zal niet lang duren. Maar ze meenden dat u niet zonder kleren wakker zou moeten worden.'

'Ik heb geen tijd. Ik moet nu terug. Och, verdomme! Ik weet niet waar het is en ik heb geen adres.'

'Wij kennen het gebouw, mevrouw. Een rijzige, aantrekkelijke vrouw in Tuen Mun valt op. Er wordt over gesproken. We zullen u er direct naar toe brengen.' De bankemployé draaide zich om en zei snel iets in het Chinees door een half geopende deur, terwijl Marie overeind ging zitten. Ineens zag ze dat er een heel stel mensen naar binnen stond te gluren. Ze ging staan — op haar pijnlijke voeten — en bleef even wankelend overeind maar vond langzaam haar evenwicht weer terwijl ze de flarden van haar blouse bijeenhield.

De deur ging open en er kwamen twee oude vrouwen naar binnen; beiden droegen een kledingstuk van felgekleurde zijde. Het eerste leek op een kimono die voorzichtig over haar hoofd werd getrokken en zo een soort halve jurk werd die haar gescheurde blouse bedekte en een stuk van haar besmeurde broek. Het tweede was een lange, brede sjerp die om haar middel werd gewonden en ook voorzichtig vastgezet. Bij alle spanning die Marie voelde zag ze toch dat het prachtige kledingstukken waren.

'Kom, mevrouw,' zei de bankemployé en hij raakte haar elleboog aan. 'Ik zal met u meelopen.' Ze liepen het naaiatelier in en Marie knikte en probeerde te glimlachen terwijl de groep Chinese mannen en vrouwen naar haar bogen, met trieste donkere ogen.

Ze was teruggekeerd naar het kleine appartement, had de prachtige sjerp en kimono uitgetrokken en was op het bed gaan liggen in een poging weer tot zichzelf te komen. Ze duwde haar gelaat in het kussen en probeerde de afschuwelijke herinneringen van die morgen uit haar hoofd te bannen, maar ze kon de smerige beelden niet kwijtraken. In plaats daarvan brak het zweet haar uit en hoe strakker ze haar ogen dichtkneep, hoe meer de gewelddadige herinneringen op haar afkwamen, vermengd met die afschuwelijke gedachten aan Zürich op de Guisan Quai toen een man die Jason Bourne heette haar leven had gered. Ze onderdrukte een kreet, sprong op van haar bed en bleef bevend staan. Ze liep het kleine keukentje in, draaide de kraan open en pakte een glas. Er kwam maar een dun straaltje water uit en ze keek verstrooid toe terwijl het glas volliep, met haar gedachten ergens anders.

Er zijn tijden waarop de mensen de wieltjes in hun kop stil moeten zetten — Ik zweer je, ik doe dat vaker dan een redelijk gerespecteerd psychiater hoort te doen... We raken ondergesneeuwd... We moeten alles weer op een rijtje zetten. Morris Panov, vriend van Jason Bourne. Ze draaide de kraan dicht, dronk het lauwwarme water en liep terug naar de kamer naast het keukentje dat een drieledige functie had: te slapen, te zitten en te ijsberen. Ze ging in de deuropening staan, keek om zich heen en ze wist wat ze zo belachelijk vond aan haar schuilplaats. Het was een cel, ze had net zo goed in een of andere onbekende gevangenis kunnen zitten. Wat het nog erger maakte was dat het in feite een vorm van eenzame opsluiting was. Opnieuw was ze alleen met haar gedachten, met haar angsten. Ze liep naar een raam, zoals een gevangene dat zou doen en keek naar de buitenwereld. Wat ze zag was een verlengstuk van haar cel, daar beneden in die mudvolle straat was ze ook niet vrij. Het was een wereld die ze kende maar die haar buitensloot. Helemaal los van die vunzige waanzin van vanmorgen op het strand, ze was hier een indringer die niets kon begrijpen en ook niet begrepen werd. Ze was alleen en die eenzaamheid maakte haar gek.

Marie keek naar de straat met nietsziende ogen. De *straat?* Daar was ze! Catherine! Ze stond met een man naast een grijze auto, ze keek om naar *nog* drie mannen tien meter achter haar naast een tweede auto. Alle vijf liepen ze verschrikkelijk in het oog want niemand op straat was zoals zij. Het waren westerlingen in een zee van Chinezen, vreemdelin-

320

gen op een plaats waar ze niet thuishoorden. Ze waren duidelijk opgewonden, ze waren ergens bezorgd over want ze bleven maar knikken en alle kanten opkijken, vooral naar de overkant van de straat. Naar het flatgebouw. Die knikkende hoofden? *Haar!* Drie van de mannen hadden kortgeknipt haar, een militair kapsel... mariniers. *Amerikaanse mariniers!*

De man bij Catherine, aan zijn kapsel te oordelen een burger, stond snel te praten, en zijn wijsvinger priemde door de lucht... Marie *kende* hem! Het was de man van Buitenlandse Zaken, de man die hen had opgezocht in Maine! De onderminister met de dode ogen, die steeds maar over zijn slapen wreef en nauwelijks protesteerde toen David hem zei dat hij hem niet vertrouwde. Het was *McAllister!* Hij was de man die ze volgens Catherine zou ontmoeten.

Ineens vielen onbegrepen en afschuwelijke stukjes van de angstaanjagende puzzel op hun plaats terwijl Marie bleef kijken naar het tafereel beneden. De twee mariniers bij de tweede auto staken de straat over en gingen uit elkaar. De militair die bij Catherine stond praatte even met McAllister, holde toen naar rechts en trok een kleine walkie-talkie uit zijn zak. Staples zei iets tegen de onderminister en keek omhoog naar het flatgebouw. Marie draaide zich snel van het raam weg.

Ik zal alleen zijn, er zal niemand bij zijn.

Goed.

Het was een valstrik! Catherine Staples was omgepraat. Ze was geen vriendin, ze was de *vijand!* Marie wist dat ze snel moest maken dat ze wegkwam. *Maak in godsnaam dat je wegkomt!* Ze greep de wit parelmoeren handtas met het geld, en staarde heel even naar de zijden kleren uit het atelier. Ze pakte ze op en rende het appartement uit.

Er waren twee gangen, een liep over de breedte van het gebouw langs de voorgevel en had rechts een trappenhuis naar beneden, de andere gang sneed de eerste halverwege, vormde een omgekeerde T en leidde naar een deur in de achtermuur. Die tweede gang werd gebruikt om vuilnis naar de containers te brengen in het achtersteegje. Catherine had het haar toevallig verteld toen ze er aankwamen en uitgelegd dat er een verordening was die vuilnis op straat verbood, omdat het de hoofdstraat van Tuen Mun was. Marie rende de gang door die de poot van de T vormde naar de achterdeur en duwde die open. Ze schrok heftig toen ze ineens tegenover de gebogen gestalte stond van een oude man met een bezem in zijn hand. Hij staarde haar even aan en schudde toen zijn hoofd met een uitdrukking van intense nieuwsgierigheid. Ze liep de donkere overloop op toen de Chinees naar binnen ging. Ze hield de deur op een kier en wachtte op het verschijnen van Staples wanneer die uit het trapportaal zou komen. Als Catherine de flat leeg aantrof, snel terugliep naar het trappenhuis en naar de straat holde naar McAllister en de mariniers, kon Marie terugglippen naar het appartement en de kleren pakken die Staples voor haar had gekocht. In haar paniek had ze daaraan maar vluchtig gedacht en de zijden kleren gegrepen, omdat ze geen kostbare tijd wilde verliezen door in de kast te zoeken waar Catherine ze had opgehangen, tussen verschillende andere kleren. Ze dacht er nu over. Ze kon niet door de straten lopen, laat staan rennen, in een gescheurde blouse en een smerige broek. Er klopte iets niet. Het was de oude man! Hij stond daar maar te staren naar de spleet in de deuropening.

'Ga *weg!*' fluisterde Marie.

Voetstappen. Het geklik van hoge hakken die snel de trap beklommen aan de voorkant van het gebouw. Als het Staples was zou ze op haar weg naar de flat de kruising van de twee gangen passeren.

'Deng yi deng!' piepte de oude Chinees, die daar nog steeds doodstil naar haar stond te staren. Marie trok de deur verder dicht en keek door een spleet van nauwelijks een centimeter.

Staples kwam in zicht, ze keek heel even nieuwsgierig naar de oude man omdat ze waarschijnlijk zijn scherpe hoge stem boos had horen roepen. Zonder haar pas te vertragen liep ze de gang verder door, erop gespannen haar flat te bereiken. Marie wachtte, het bonzen in haar borst leek een echo te vormen in de donkere overloop. Toen weerklonken er woorden, een hysterisch smeken.

'Nee! Marie! Marie, waar *ben* je?' De voetstappen roffelden nu in snelle pas op het beton. Catherine kwam de hoek omrennen naar de oude Chinees en de deur... naar *haar.* 'Marie, het is anders dan je denkt! Stop in *hemelsnaam!'*

Marie Webb draaide zich snel om en holde de donkere trap af. Ineens viel er een heldere bundel zonlicht over de trap naar boven en even plotseling was die weer verdwenen. De deur van de benedenverdieping, drie etages lager was opengegaan. Een gestalte in een donker pak was snel naar binnen gekomen, een marinier die zijn post innam. De man rende de trap op. Marie hurkte neer in de hoek van de tweede overloop. De man bereikte de bovenste trede, stond op het punt de hoek om te slaan en hield zich vast aan de leuning. Marie viel naar hem uit en haar hand – de hand met de opgepropte zijden kleren – stompte de verbaasde militair in het gezicht en hij verloor zijn evenwicht; ze ramde haar schouder in de borst van de marinier en wierp hem zo wankelend de trap af. Marie liep zijn tuimelende lichaam voorbij op de trap terwijl ze boven haar het gillen hoorde.

'Marie! *Marie!* Ik weet dat jij het bent! Luister in *godsnaam* naar me!' Ze stormde het steegje in en weer begon een afschuwelijke nachtmerrie zich af te spelen, dit keer in het verblindende zonlicht van Tuen Mun. Marie rende de verbindingsstraat door achter de rij flatgebouwen en haar voeten begonnen te bloeden in de linnen schoenen. Ze wierp de kimono over haar hoofd en hield even stil bij een rij vuilnisbakken waar ze haar groene broek uittrok en die in de dichtstbijzijnde bak gooide. Toen drapeerde ze de brede sjerp over haar hoofd, bedekte er haar haren mee en holde de volgende steeg in die naar de hoofdstraat voerde. Die bereikte ze en seconden later dook ze onder in de mensenmassa die een stukje Hongkong vormde in het onontgonnen gebied van de kolonie. Ze stak de straat over.

'*Daar!*' schreeuwde een mannenstem. 'Die lange!'

De jacht begon, maar ineens, zonder dat ze merkte hoe, was alles anders. Een man rende op het trottoir achter haar aan en hij werd plotseling tegengehouden door een kraampje op wielen dat op zijn weg verscheen. Hij probeerde het opzij te schuiven maar stak daarbij zijn handen in de verzonken potten kokend vet. Hij gilde, gooide de kar omver en stond nu ineens tegenover de krijsende eigenaar die kennelijk betaald wilde worden, terwijl anderen de marinier omringden en hem de straat opduwden.

'Daar heb je het *kreng!*'

Marie hoorde de woorden. Ze stond tegenover een slagorde van vrouwen met boodschappentassen. Ze draaide naar rechts en holde een ander steegje in, weg van de straat, een steegje waarvan ze ineens merkte dat het doodliep; het eindigde bij de muur van een Chinese tempel. Opnieuw gebeurde het! Vijf jongemannen — tieners in paramilitaire uniformen — doken plotseling op uit een deur en gebaarden haar dat ze door moest lopen.

'Yankie *boef!* Yankie *dief!*' De kreten klonken in het ritme van uit het hoofd geleerde vreemde woorden. De jongemannen haakten de armen ineen en onderschepten zonder geweld de man met het kortgeknipte haar en duwden hem tegen een muur.

'Maak dat jullie wegkomen, klootzakken!' schreeuwde de marinier. 'Donder op of ik pak jullie één voor één, snotneuzen!'

'Als u uw handen omhoog doet... of een wapen...' schreeuwde een stem op de achtergrond.

'Ik heb het helemaal niet over een wapen *gehad!*' riep de militair van Victoria Peak.

'Maar als u een van beide doet,' vervolgde de stem, 'zullen ze hun armen losmaken en vijf *Di-di Jing Cha* — van wie er zovelen zijn getraind door onze Amerikaanse vrienden — zullen zeker één man in bedwang kunnen houden.'

'Godverdomme, *meneer!* Ik probeer alleen maar mijn opdracht uit te voeren! Het gaat u niks aan!'

'Het spijt me, dat doet het wel, meneer. Om redenen die u niet kent.'

'*Shit!*' De marinier leunde buiten adem tegen de muur en keek naar de glimlachende jonge gezichten vóór hem.

'*Lai!*' zei een vrouw tegen Marie en ze wees naar een brede, vreemd gevormde deur die er dik en ondoordringbaar uitzag en waarop geen hendel te zien was van buiten. *'Xiao xin.* Vooj-zich.'

'Voorzichtig? Ik begrijp het.' Een gedaante met een voorschoot om opende de deur en Marie rende naar binnen waar ze onmiddellijk een felle, koude luchtstroom voelde. Ze stond in een grote vriesruimte waar vleeskarkassen spookachtig aan haken hingen onder de gloed van in draadwerk opgesloten lampen. De man in de voorschoot wachtte een volle minuut met zijn oor tegen de deur. Marie draaide de brede zijden sjerp om haar hals en hield haar armen strak langs haar lichaam tegen de plotselinge, bittere kou die ze nog erger voelde door de tegenstelling met de drukkende hitte buiten. Ten slotte gebaarde de bediende haar dat ze hem moest volgen: dat deed ze en ze zocht zich een weg om de karkassen heen tot ze de ingang bereikten van de enorme vriesruimte. De Chinees rukte aan een metalen hefboom en duwde de zware deur open, met een hoofdknikje naar een bibberende Marie dat ze door moest lopen. Nu bevond ze zich in een lange, smalle en verlaten slagers- winkel, waar het felle middaglicht gefilterd werd door bamboe jalou- zieën. Een man met wit haar stond achter de toonbank bij het meest rechtse raam door de latten naar de straat te gluren. Hij gebaarde naar Marie dat ze snel bij hem moest komen staan. Opnieuw deed ze wat haar werd opgedragen en ze zag daarbij een vreemd gevormde bloemen- krans achter het glas van de voordeur die op slot leek te zijn.

De oudere man maakte duidelijk dat Marie door het raam moest kijken. Ze duwde twee gebogen bamboestroken vaneen en hield stomverbaasd haar adem in bij het zien van wat er buiten gebeurde. De zoekactie was op een bezeten hoogtepunt. De marinier met de verbrande handen liep ermee door de lucht te zwaaien terwijl hij aan de overkant van de straat winkel in, winkel uit liep. Ze zag Catherine Staples en McAllister in een heftig gesprek gewikkeld met een menigte Chinezen die er kennelijk be- zwaar tegen maakten dat de vreemdelingen de vredige, zij het wat opge- wonden gang van zaken in Tuen Mun verstoorden. McAllister had in zijn paniek zeker iets geroepen wat hun niet aanstond en hij werd uitge- daagd door een man die twee keer zo oud was als hij, een stokoude Chi- nees in een lang oosters gewaad, die door jongeren die het hoofd koel hielden moest worden tegengehouden. De onderminister liep met opge- heven handen en zich verontschuldigend achteruit, terwijl Staples, zon- der dat het iets uithaalde, stond te schreeuwen om hen beiden uit de woedende menigte te bevrijden.

Plotseling kwam de marinier met de gewonde handen uit een deur aan de overkant vliegen. Glassplinters vlogen alle kanten op terwijl hij op het trottoir rolde, gillend van de pijn toen zijn gewonde handen het ce- ment raakten. Hij werd achterna gezeten door een jonge Chinees, ge- kleed in het witte tuniek, sjerp en broek tot aan de knieën van een in- structeur in de Chinese vechtkunst. De marinier sprong overeind en toen zijn oosterse tegenstander op hem af kwam rennen, plaatste hij een lage linkerhoek in de nier van de jongeman, en liet die volgen door een goed gemikte rechtervuist in het gezicht van de oosterling, waarna hij zijn aanvaller terugranselde tot tegen de winkelpui, al die tijd gillend van de pijn aan zijn gewonde handen.

Een laatste marinier van Victoria Peak kwam de straat afhollen, hinkend met één been en met gebogen schouders alsof hij zojuist gevallen was. En dat was hij ook, hij was van de trap gevallen, dacht Marie terwijl ze verbaasd bleef toekijken. Hij kwam zijn gekwelde kameraad te hulp en hij deed dat uitstekend. De onbeholpen strijdpogingen van de in witte tunieken geklede leerlingen van de bewusteloze instructeur werden teniet gedaan door een wirwar van uitschietende benen, hakkende handen en de rondtollende manoeuvres van een judo-expert.

Opnieuw onverwacht, zonder enige waarschuwing, weergalmden de kakofonische klanken van oosterse muziek door de straat, de bekkens en de primitieve houtinstrumenten zwollen aan tot abrupte crescendo's met elke pas van de haveloze band die door de straat kwam marcheren. Achter hen aan volgde een groepje met kartonnen borden, versierd met bloemen. Het vechten hield op en overal werden opgeheven armen tegengehouden. Langs heel de drukke handelsstraat van Tuen Mun werd het doodstil. De Amerikanen wisten niet hoe ze het hadden. Catherine Staples onderdrukte haar ergernis en Edward McAllister stak woedend zijn handen omhoog.

Marie keek toe, letterlijk gehypnotiseerd door de verandering buiten. Alle beweging hield op, alsof er een halt aan was toegeroepen door een of andere naargeestige verschijning die niets ontzegd kon worden. Ze keek even een andere kant op door de spleet in de bamboe jalouzie en zag hoe de ordeloze groep kwam aanlopen. Voorop liep de bankemployé Jitai! Ze kwamen recht op de slagerij af!

Het ontging Marie's snel op en neer schietende ogen niet dat Catherine Staples en McAllister langs het vreemde groepje voor de winkel holden. Toen begonnen aan de overkant ook de twee mariniers weer aan hun zoekactie. Allen verdwenen ze in het verblindende zonlicht.

Er werd op de voordeur van de slagerij geklopt. De oude man met het witte haar haalde de krans weg en opende de deur. De bankemployé Jitai kwam naar binnen en boog naar Marie.

'Hebt u genoten van onze optocht, mevrouw?' vroeg hij.

'Ik wist niet zeker wat het was.'

'Een begrafenisstoet. In dit geval is die ongetwijfeld bedoeld voor de geslachte dieren in de vriesruimte van meneer Woo.'

'U...? Was dit allemaal vooraf *beraamd?*'

'De voorbereidingen ervoor waren getroffen zou u kunnen zeggen,' legde Jitai uit. 'Onze landgenoten uit het noorden slagen er vaak in de grens over te steken — niet de dieven, maar familieleden die zich willen herenigen met hun eigen mensen — en de soldaten willen hen alleen maar vangen en terugzenden. We moeten erop voorbereid zijn de onzen in bescherming te nemen.'

'Maar mij...? U wist het dus?'

'We hebben een oogje in het zeil gehouden; en gewacht. U was ondergedoken, u was voor iemand op de loop, dát wisten we wel. Dat hebt u ons verteld toen u zei dat u liever niet voor de politierechter wilde verschijnen, "geen aanklacht wilde indienen" zoals u het uitdrukte. U werd naar het steegje hier buiten geleid.'

'De rij vrouwen met boodschappentassen...'

'Ja. Zij staken de straat over gelijk met u. We moeten u helpen.'

Marie keek naar de bezorgde gezichten van de mensen achter de bamboe jalouzie en toen weer naar de bankemployé. 'Hoe weet u dat ik geen misdadigster ben?'

'Dat doet er niet toe. U bent aangerand door twee van onze mensen en dat doet er wel toe. Bovendien, mevrouw, ziet u er niet uit als iemand die op de vlucht is voor de wet en zo spreekt u ook niet.'

'Dat ben ik ook niet. En ik heb inderdaad hulp nodig. Ik moet terug naar Hongkong, naar een hotel waar ze me niet zullen vinden, waar ik kan telefoneren. Ik weet echt nog niet wie ik moet bellen, maar ik moet mensen bereiken die me kunnen helpen... ons kunnen helpen.' Marie zweeg en keek Jitai strak aan. 'De man die ik David noemde is mijn echtgenoot.'

'Ik begrijp het,' zei de bankemployé. 'Maar eerst moet er een dokter naar u kijken.'

'Wat?'

'Uw voeten bloeden.'

Marie keek omlaag. Door het verband heen was bloed gesijpeld en het was zichtbaar op het linnen van haar schoenen. Ze zagen er walgelijk uit. 'Ik geloof dat u gelijk hebt,' stemde ze in.

'Verder zijn er kleren nodig, transport... Ik zal zelf een hotel voor u bespreken op elke naam die u wenst. Dan is er nog een kwestie van geld. Hebt u geld?'

'Ik weet het niet,' zei Marie; ze legde de zijden kleren op de toonbank en opende de wit parelmoeren handtas. 'Dat wil zeggen, ik heb nog niet gekeken. Een vriendin — iemand van wie ik dacht dat ze een vriendin was — heeft me wat geld gegeven.' Ze trok de bankbiljetten te voorschijn die Staples in haar tasje had gestopt.

'We zijn hier niet rijk in Tuen Mun, maar misschien kunnen we helpen. Er werd over gesproken een collecte te houden.'

'Ik ben niet arm, meneer Jitai,' viel Marie hem in de rede. 'Als het nodig is en, eerlijk gezegd, als ik in leven blijf, zal elke cent worden terugbetaald met rente die veel hoger is dan de normale rentevoet.'

'Zoals u wilt. Ik werk op een bank. Maar wat weet zo'n knappe dame als u van rente en rentevoeten?' Jitai glimlachte.

'U werkt op een bank en ik ben econoom. Wat weten bankiers over de invloed op zwevende valuta, veroorzaakt door geflatteerde rente, vooral als het gaat om de normale rentevoet?' Marie glimlachte voor het eerst in hele lange tijd.

Terwijl ze in de taxi zat, tijdens haar rit naar Kowloon door het vredige landschap, had ze een uur om na te denken. Over drie kwartier zouden ze de minder vredige buitenwijken bereiken, zeker wanneer ze in dat drukke district kwamen dat Mongkok heette. De schuldbewuste mensen van Tuen Mun hadden niet alleen gul gegeven en haar in bescherming genomen, ze waren ook erg vindingrijk geweest. Jitai had hen kennelijk duidelijk gemaakt dat het slachtoffer van de schoften een blanke vrouw was die zich verborgen hield en op de vlucht was voor haar leven en omdat ze ging proberen mensen te benaderen die haar konden helpen zou haar uiterlijk misschien een beetje kunnen worden veranderd. Westerse kleren werden aangedragen uit verschillende winkels, kleren die Marie een beetje vreemd vond. Ze leken saai en degelijk, keurig maar onopvallend. Niet goedkoop, maar het soort kleren die een vrouw zou kiezen die ofwel weinig modegevoelig was of die zich daarboven verheven voelde. Toen had ze, na een uur te hebben doorgebracht in de achterkamer van een schoonheidssalon, begrepen waarom die kleren waren uitgekozen. De vrouwen legden haar in de watten, haar haar werd gewassen en gedroogd, en toen alles klaar was had ze in de spiegel gekeken en haar adem bleef stokken toen ze dat deed. Haar gezicht — strak, bleek en vermoeid — werd omlijst door een haardos die niet langer opvallend kastanjebruin was maar muisgrijs, met hier en daar een wit lokje. Ze was meer dan tien jaar ouder geworden. Het was een doorvoeren van dat wat ze had geprobeerd nadat ze uit het ziekenhuis was ontsnapt, maar het was veel genuanceerder, veel completer. Zij was het evenbeeld van wat de Chinezen beschouwden als de betere burgerstand, een serieuze toeriste — waarschijnlijk een weduwe — zo een die hautain haar bevelen uitdeelde, haar geld telde, en die nergens heenging zonder haar reisgids, die ze voortdurend raadpleegde bij elke bezienswaardigheid op haar lijstje. De mensen van Tuen Mun kenden zulke toeristen goed en het beeld dat ze ervan geschapen hadden klopte. Jason Bourne zou het er mee eens zijn.

Maar er waren nog andere gedachten die haar bezighielden tijdens haar rit naar Kowloon, wanhopige gedachten die ze probeerde te beheersen en in perspectief te houden, waarbij ze de paniek onderdrukte die haar zo gemakkelijk kon overweldigen, die haar ertoe zou brengen de verkeerde dingen te doen, een verkeerde beslissing te nemen die David kwaad zou kunnen doen — zijn dood zou kunnen zijn. *O, mijn god, waar ben je? Hoe kan ik je vinden? Hoe?*

Ze pijnigde haar geheugen naar iemand die haar kon helpen, verwierp de ene na de andere naam en elk gezicht dat haar voor de geest kwam omdat ze op de een of andere manier allemaal deel hadden uitgemaakt van dat afgrijselijke plan dat zo'n dreigende benaming had gekregen: *niet meer te redden* – wanneer de dood van een mens de enige aanvaardbare oplossing bood. Behalve natuurlijk Morris Panov, maar in de ogen van de regering was Mo een paria. Hij had de officiële moordenaars bij hun juiste namen genoemd: klungels en killers. Hij zou niets kunnen bereiken en zou mogelijk aanleiding kunnen geven voor een tweede bevel voor *niet meer te redden.*

Niet meer te redden... Ze zag een gezicht voor zich, een gezicht dat nat was van tranen, een stem die bevend om vergeving smeekte, een man die eens een goede vriend was geweest van een jonge functionaris van Buitenlandse Zaken met zijn vrouw en kinderen op een verre buitenpost Phnom Penh. *Conklin! Alexander Conklin* heette hij! Zonder op te geven had hij, tijdens Davids lange periode van herstel, geprobeerd haar man te bezoeken, maar David weigerde hem de toegang, zei dat hij de man van CIA zou vermoorden als hij zijn kamer binnenstapte. De kreupele Conklin had ongegronde, stomme beschuldigingen geuit tegen David, had niet geluisterd naar het smeken van een man zonder geheugen, was integendeel overtuigd geweest van verraad en 'overlopen', zo overtuigd dat hij zelf had geprobeerd David te vermoorden buiten Parijs. En ten slotte had hij een laatste poging gedaan in 71st Street in New York, in een beveiligd huis Treadstone 71, een poging die bijna slaagde. Toen de waarheid over David aan het licht kwam werd Conklin verscheurd door schuldgevoelens, was hij helemaal kapot van wat hij had gedaan. Ze had eigenlijk medelijden met hem gehad. Zijn lijden was zo echt, zijn schuld was ondraaglijk voor hem. Ze had met Alex koffie gedronken en gepraat op de veranda, maar David weigerde hem te ontvangen. Ze kon niemand anders bedenken die iets zinnigs zou kunnen doen, echt iets zinnigs.

Het hotel heette The Empress, aan Chatham Road in Kowloon. Het was een klein hotel in het overvolle Tsim Sha Tsui waar mensen van elk ras verbleven, niet direct rijk maar ook niet echt arm, voornamelijk vertegenwoordigers uit het Oosten en het Westen die zaken moesten doen zonder de overdaad van een onuitputtelijke onkostenvergoeding. De man van de bank, Jitai, had zijn belofte gehouden; er was een enkele kamer gereserveerd voor een mevrouw Austin, Penelope Austin. Dat 'Penelope' was Jitai's idee geweest, want hij had veel Engelse romans gelezen, en 'Penelope' leek 'precies te passen'. *Dat moest dan maar,* zou Jason Bourne hebben gezegd, dacht Marie.

Ze zat op de rand van het bed en pakte de telefoon, nog niet wetend wat ze zou gaan zeggen maar wel wetend dat ze het moest zeggen. 'Ik moet het telefoonnummer hebben van iemand in Washington D.C., in

de Verenigde Staten,' zei ze tegen de telefoniste. 'Het is erg dringend.'
'Informatie over het buitenland is niet gratis...'
'U kunt het doorbelasten,' onderbrak Marie. 'Het is dringend. Ik blijf
aan de lijn.'
'Ja?' zei de slaperige stem. *'Hallo?'*
'Alex, met Marie Webb.'
'Godverdomme, waar *zit* je? Waar zitten jullie *beiden?* Hij heeft je ge-
vonden!'
'Ik weet niet waarover je het hebt. Ik heb hem niet gevonden en hij mij
niet. Hoe wéét je dat allemaal?'
'Verrek, wie dacht je dat vorige week bijna mijn nek heeft gebroken
toen hij naar Washington kwam? *David!* Via elk nummer waaronder
ik bereikbaar ben kunnen ze me bellen als er iets gebeurt. Mo Panov
heeft dezelfde instructies gegeven! Waar zit je?'
'Hongkong – Kowloon, geloof ik. The Empress Hotel, onder de naam
Austin. Heb jij contact gehad met *David?'*
'En met Mo! Hij en ik hebben alle trucs geprobeerd om erachter te komen wat er, verdomme, aan de hand is en we zijn overal met onze kop
tegen de muur gelopen! Nee, dat is niet juist, niet met de kop tegen de
muur gelopen, niemand anders heeft enig idee wat er gaande is! Als ze
dat hadden zou ik het weten! Goeie God, Marie. Ik heb vanaf afgelopen
donderdag geen borrel meer gedronken!'
'Ik wist niet dat je het miste.'
'Reken maar! Wat is er aan de *hand?'*
Marie vertelde het hem, vertelde over het onmiskenbare officiële ambte-
narenstempel van haar ontvoerders, en over haar ontsnapping, en de
hulp die ze had gekregen van Catherine Staples, hulp die was veranderd
in een valstrik, opgezet door een man McAllister die ze op straat met
Staples had gezien.
'McAllister? Heb je die echt gezien?'
'Hij is hier, Alex. Hij wil mij weer in handen hebben. Via mij heeft hij
macht over David en hij zal hem *doden!* Dat hebben ze al eerder geprobeerd!'
Even was het stil op de lijn, een kwellende stilte. 'Wíj hebben het al eerder geprobeerd,' zei Conklin zacht. 'Maar dat was toen, niet nu.'
'Wat moet ik *doen?'*
'Blijf waar je bent,' beval Alex. 'Ik pak het eerste vliegtuig naar Hong-
kong. Blijf in je kamer. Bel niemand meer op. Ze zijn naar je aan het
zoeken, dat kan niet anders.'
'David loopt hier rond, Alex! Wat het dan ook is dat ze hem dwingen
te doen via mij, ik ben doodsbang!'
'Delta was de beste man die ze in Medusa ooit hadden. Niemand is beter
dan hij waar hij nu is. Ik weet het. Ik heb het meegemaakt.'
'Dat is één aspect en ik heb mezelf geleerd dat te aanvaarden. Maar het

andere, Alex! Zijn *verstand!* Wat zal er met zijn verstand gebeuren?'
Conklin zweeg opnieuw en toen hij sprak klonk zijn stem nadenkend.
'Ik breng een vriend mee, een vriend van ons allemaal. Mo zal dit niet
weigeren. Blijf waar je bent, Marie. Het wordt onderhand tijd dat de
billen blootkomen. En verdomd als 't niet waar is, maar ik zorg ervoor
dat er wat broeken gaan afzakken!'

23

'Wie bent u?' schreeuwde Bourne razend en hij hield de oude man bij
zijn keel en drukte hem tegen de muur.
'Delta, hou daar mee op!' beval d'Anjou. 'Je stem! De mensen zullen
je horen. Ze zullen denken dat je hem aan het vermoorden bent. Ze zullen de receptie waarschuwen.'
'Misschien vermoord ik hem ook wel en de telefoons werken niet!' Jason liet de bedriegelijke bedrieger los, liet zijn keel los maar greep hem
bij de voorkant van zijn hemd, scheurde het stuk toen hij de man in een
stoel slingerde.
'De deur!' vervolgde d'Anjou vastberaden en kwaad. 'Zet die in hemelsnaam weer een beetje op zijn plaats. Ik wil hier levend uit Beijing
wegkomen en die vooruitzichten boor jij met de seconde de grond in.
De *deur!*'
Half gek draaide Bourne zich met een ruk om, tilde de kapotte deur op
en drukte die in de omlijsting, zette de zijkanten recht en schopte ze op
hun plaats. De oude man masseerde zijn keel en probeerde ineens op
te springen uit zijn stoel.
'Non, mon ami!' zei de Fransman en hij ging voor hem staan. 'Blijf
waar u bent. Trek u van mij niets aan, maar let op hem. Want hij zou
u wel eens echt kunnen doden. Hij is zo woedend dat hij geen respect
heeft voor grijze haren, maar omdat ik die ook begin te krijgen, heb ik
dat wel.'
'Woedend? Dit is een *schandaal!*' sputterde de oude man en hij hoestte
de woorden uit. 'Ik heb bij El Alamein gevochten en, bij god, ik zal nu
wéér vechten!' Opnieuw probeerde de oude man uit zijn stoel te komen
en opnieuw duwde d'Anjou hem erin toen Jason terugkwam.
'Moet je nu zo'n stoïcijns heldhaftige Engelsman eens horen,' merkte
de Fransman op. 'U was tenminste fatsoenlijk genoeg om niet over
Agincourt te beginnen.'
'Schei uit met dat gelul!' schreeuwde Bourne en hij duwde d'Anjou opzij, legde beide handen op de stoelleuningen, boog zich voorover en
deed de oude man achteruitdeinzen. 'U gaat me vertellen waar hij is en
u gaat me dat gauw vertellen anders zou u willen dat u nooit was teruggekomen uit El Alamein!'

'Waar *wie* is, maniak die je bent?'

'U bent niet de man van beneden! U bent niet Joseph Wadsworth die naar kamer tweevijfentwintig ging.'

'Dit is kamer tweevijfentwintig en ik ben wel degelijk Joseph Wadsworth! Generaal, gepensioneerd, Royal Engineers!'

'Wanneer bent u in het hotel ingeschreven?'

'Die moeite is me bespaard gebleven,' antwoordde Wadsworth hautain. 'Als gast van de regering zijn me bepaalde voorrechten verleend. Men heeft mij door de douane geleid en rechtstreeks hierheen gebracht. Ik moet zeggen dat de etageservice weinig voorstelt — het is hier warempel niet het Connaught — en die verdomde telefoon weigert meestal dienst.'

'Ik vroeg u *wanneer!*'

'Gisteravond, maar aangezien het vliegtuig zes uur vertraging had zou ik eigenlijk moeten zeggen vanmorgen.'

'Wat voor instructies hebt u gekregen?'

'Ik geloof niet dat u daar iets mee te maken hebt.'

Bourne rukte de koperen briefopener uit zijn riem en drukte de scherpe punt in de keel van de oude man. 'Dat heb ik wel als u levend uit die stoel wilt komen.'

'Goeie God, u bent inderdaad een maniak.'

'U hebt gelijk, ik heb weinig tijd om me met gezond verstand bezig te houden. Eigenlijk helemaal geen tijd. De *instructies!*'

'Die zijn heel onschuldig. Ik zou zo ongeveer rond twaalven opgehaald worden en daar het nu al na drieën is mag je aannemen dat de Volksregering al evenmin op tijd werkt als haar luchtvaartmaatschappij.'

D'Anjou raakte Bourne's arm aan. 'Het toestel van half twaalf,' zei de Fransman zacht. 'Hij is de lokvogel zonder het zelf te weten.'

'Dan is jouw Judas hier in een andere kamer,' antwoordde Jason achterom kijkend. 'Daar *moet* hij zijn!'

'Zwijg nu verder maar, hij zal worden ondervraagd.' Met een onverwachte autoriteit schoof d'Anjou Bourne van de stoel vandaan en begon hij te spreken met de ongeduldige stem van een hoger officier. 'Moet u eens luisteren, generaal, we bieden u onze verontschuldigingen aan voor het ongemak, het is verdomd vervelend, dat weet ik. Dit is de derde kamer al waar we zijn binnengevallen, we hebben de namen opgevraagd van elke bewoner om een onverwachte ondervraging te kunnen uitvoeren.'

'Wat voor ondervraging? Ik begrijp u niet.'

'Er zijn op deze verdieping vier mensen en één van hen heeft voor meer dan vijf miljoen dollar aan narcotica binnengesmokkeld. Daar het geen van u drieën is, weten we nu wie we hebben moeten. Ik stel voor dat u hetzelfde doet als de anderen. Zegt u maar dat er een dronken woesteling uw kamer is binnengedrongen, die woedend was over de kamer waarin hij was ondergebracht, dat zeggen zij ook. Zoiets komt hier nogal eens voor en het is maar beter geen verdenking op u te laden, zelfs wanneer het een vergissing betreft. De autoriteiten hier willen nog wel eens te krachtig reageren op zoiets.'

'Dat zou ik niet willen,' sputterde Wadsworth, vroeger in dienst bij de Royal Engineers. 'Dat verdomde pensioen is al klein genoeg om van rond te moeten komen. Wat ik verder nog kan meepikken is mooi meegenomen.'

'De deur, majoor,' beval d'Anjou en hij sprak Jason aan. 'Voorzichtig nu. Probeer die overeind te houden.' De Fransman sprak opnieuw de Engelsman aan. 'Helpt u even de deur vasthouden, generaal. Laat ze maar weer terugvallen en geef ons twintig minuten om onze man te pakken, daarna kunt u doen wat u wilt. Denk er om, een dronken woesteling. Voor uw eigen bestwil.'

'Ja, ja, natuurlijk. Dronken. Woesteling.'

'Kom op, majoor!'

Op de gang pakten ze hun bagage weer op en liepen snel naar het trappenhuis. 'Schiet op!' zei Bourne. 'We hebben nog tijd. Hij moet zich opnieuw omkleden, dat zou ik ook moeten doen! We controleren de ingangen aan de straat, de taxistandplaatsen, probeer er twee te nemen die voor de hand liggen, of anders, godverdomme, die niet voor de hand liggen. We zullen er ieder eentje nemen en signalen afspreken.'

'Eerst nog twee deuren,' viel d'Anjou hem ademloos in de rede. 'Op deze gang. Pak er zo maar twee maar doe het snel. Trap ze open en gil maar wat vloeken en scheldwoorden, maar zorg dat je onduidelijk spreekt.'

'Je meende het dus?'

'Heel zeker, Delta. We hebben zelf gezien dat de uitleg volkomen aanvaardbaar is en ze zullen zich te zeer generen om een officieel onderzoek in te stellen. De directie zal onze generaal ongetwijfeld ervan overtuigen dat hij beter zijn mond kan houden. Anders raken ze hun luizebaantjes kwijt!'

Jason bleef staan bij de volgende deur aan de rechterkant. Hij zette zich schrap, stormde er toen op af en ramde zijn schouder midden tegen het dunne bovenpaneel. De deur vloog open.

'Madad demaa!' krijste een vrouw in het Hindi. Ze had haar sari half uitgetrokken, die lag om haar voeten geplooid.

'Kyaa baat hai?' gilde een naakte man die uit de badkamer kwam rennen en haastig zijn genitaliën bedekte.

Beiden stonden ze met open mond naar de razende indringer te kijken, die met wilde ogen rondzwalkte en voorwerpen van de dichtstbijzijnde toilettafel veegde, gillend met een schorre, dronken stem. 'Rothotel! Toiletten werken niet, telefoons werken niet! Niks — *verrek,* dit is mijn kamer niet! Sssjpijt me...'

Bourne zwaaide naar buiten en gooide de deur met een klap dicht.

'Dat was prima!' zei d'Anjou. 'Zij hadden al moeite met hun slot. *Schiet op!* Nog eentje. *Die daar!*' De Fransman wees naar een deur aan de linkerkant. 'Ik heb daarbinnen horen lachen. Twee stemmen.'

Opnieuw ramde Jason een deur open en brulde hij zijn dronken klaagzang. Maar in plaats van twee geschrokken gasten tegenover zich te zien, werd hij geconfronteerd met een jong stel die beiden naakt waren tot aan het middel en die ieder aan een dunne sigaret trokken, diep inhaleerden met glazige ogen.

'Welkom, buurman,' zei de Amerikaanse jongeman op zwevende toon met een hele preciese uitspraak, al kwam het er nogal langzaam uit. 'Je moet je niet zoveel aantrekken van die zaken. De telefoons werken niet, maar onze plee wel. Gebruik die maar, je mag gerust. Doe toch niet zo nijdig.'

'Wat doen jullie, godverdomme, in *mijn* kamer?' gilde Jason, dronkener dan ooit zodat zijn woorden bijna onverstaanbaar waren.

'Als dit jouw kamer is, stoere bink,' kwam het meisje ertussen, zwaaiend in haar stoel, 'dan heb je dingen gezien die heel erg intiem zijn en zo zijn wij niet.' Ze giechelde.

'Jézus, jullie zijn *stoned!*'

'En zonder de naam van de Heer ijdel te gebruiken,' wierp de jongeman tegen, 'jij bent starnakel bezopen.'

'Wij geloven niet in alcohol,' voegde het meisje dat high was eraan toe. 'Daar word je maar onvriendelijk van. Het stijgt naar het oppervlak als Lucifers demonen.'

'Zorg dat je maar weer nuchter wordt, buurman,' vervolgde de jonge Amerikaan zangerig. 'En zoek dan je gezondheid in *grass*. Ik zal je leiden naar de weiden waar je je ziel terug zult vinden...'

Bourne rende de kamer uit, klapte de deur dicht en greep d'Anjou bij zijn arm. 'Laten we *gaan,*' zei hij en dichtbij het trappenhuis voegde hij eraan toe: 'Als dat verhaal dat jij de generaal hebt verteld algemeen bekend wordt, gaan die twee voor twintig jaar naar Buiten-Mongolië om schapen te castreren.'

Het dwangmatige van de Chinezen om alles goed in de gaten te houden en intens te beveiligen had ervoor gezorgd dat het luchthavenhotel aan de voorkant één enkele brede ingang had voor gasten, en een tweede voor employé's aan de zijkant van het gebouw. Bij die laatste ingang krioelde het van wachtposten in uniform die ieders werkvergunning controleerden en alle handtassen en zakken en uitpuilende broekzakken doorzochten wanneer de employé's na hun werk vertrokken. Er bestond weinig vertrouwelijkheid tussen militairen en hotelemployé's en dat wees erop dat de eersten vaak werden gewisseld, om te voorkomen dat ze konden worden omgekocht.

'Hij zal het risico van die wachtposten niet nemen,' zei Jason, toen ze langs de dienstingang liepen na haastig hun twee stukken bagage te hebben afgegeven, als excuus aanvoerend dat ze te laat waren voor een vergadering omdat het vliegtuig vertraging had gehad. 'Zo te zien krijgen ze punten voor goed gedrag als ze iemand betrappen op het stelen van een kippepootje of een stuk zeep.'

'Ze hebben bovendien oneindig de pest aan de lui die hier werken,' stemde d'Anjou in. 'Maar waarom weet je zo zeker dat hij nog in het hotel is? Hij kent Beijing. Hij had al lang een taxi kunnen nemen naar een ander hotel, een andere kamer kunnen boeken.'

'Niet zoals hij eruit zag in dat vliegtuig, dat zei ik je toch. Dat zou hij nooit doen. *Ik* zou het ook niet doen. Hij wil de vrijheid hebben rond te kunnen lopen zonder gezien of geschaduwd te worden. Die moet hij hebben voor zijn eigen veiligheid.'

'Als dat het geval is zouden ze op dit moment zijn kamer in het oog kunnen houden. Het resultaat is hetzelfde. Ze zullen weten hoe hij er uitziet.'

'Als ik hem was — en dat is het enige waaraan ik me kan houden — is hij daar niet. Dan heeft hij gezorgd voor een andere kamer.'

'Je spreekt jezelf tegen!' protesteerde de Fransman terwijl ze op de drukke ingang van het luchthavenhotel afliepen. 'Je zei dat hij zijn instructies telefonisch zou krijgen. Wie er dan ook belt, hij zal vragen naar de kamer die zij voor me hebben gereserveerd, zeker niet naar die van de lokvogel, niet die van Wadsworth.'

'Als de telefoons werken, een omstandigheid die overigens in het voordeel is van jouw Judas, dan is het heel eenvoudig gesprekken te laten overzetten op andere kamers. Dat is een kwestie van een pen in het schakelbord steken als het een ouderwetse centrale is, of intoetsen als de telefoon gecomputeriseerd is. Zo gepiept. Een zakengesprek, oude bekenden op het vliegtuig — daar kun je achter zoeken wat je wilt — of helemaal geen verklaring wat waarschijnlijk het beste is.'

'Fout!' verklaarde d'Anjou. 'Zijn cliënt hier in Beijing zal alle centralisten in de hotels waarschuwen. Hij krijgt via de centrale een rechtstreekse verbinding.'

'Dat is het enige wat hij zeker niet zal doen,' zei Bourne en hij duwde de Fransman door de draaideur het trottoir op dat vol stond met beduusde toeristen en zakenlui die transport probeerden te krijgen. 'Dat is een risico dat hij zich niet kan veroorloven,' vervolgde Jason terwijl ze langs een rij gammele busjes en behoorlijk oude taxi's aan de stoeprand liepen. 'De cliënt van jouw commando moet zich zover mogelijk van hem vandaan houden. Hij mag geen enkele kans lopen dat er een verband kan worden gelegd, en dat betekent dat alles beperkt is tot een zeer klein, zeer uitgelezen kringetje mensen, die zich verre houden van de telefooncentrales, die op niemand de aandacht vestigden, zeker niet op jouw commando. Ze zullen ook niet riskeren door het hotel te gaan zwerven. Ze zullen bij hem uit de buurt blijven, het aan hem overlaten

contact te zoeken. Er is hier te veel geheime politie. Iemand uit dat uitgelezen kringetje zou wel eens herkend kunnen worden.'
'De telefoon, Delta. Voor zover we gehoord hebben werkt die niet. Wat
gaat hij dan doen?'
Jason liep nadenkend verder alsof hij probeerde iets in zijn geheugen
terug te roepen. 'De tijd werkt voor hem, dat is zijn voordeel. Hij zal
reserve-afspraken hebben gemaakt voor geval hij binnen een bepaalde
tijdsperiode na zijn aankomst nog geen contact heeft gehad − om wat
voor reden dan ook − en dat kan van alles zijn, gezien de voorzorgsmaatregelen die ze moeten nemen.'
'In dat geval zijn ze nog steeds naar hem op zoek, denk je niet? Ze
wachten waarschijnlijk ergens buiten het hotel, en proberen daar contact met hem te leggen, of niet soms?'
'Natuurlijk, en dat weet hij. Hij moet langs hen heen glippen en zijn
uitgangspositie bereiken zonder gezien te worden. Dat is de enige manier voor hem om de zaak weer in handen te krijgen. Het is het eerste
wat hij doen moet.'
D'Anjou greep Bourne bij zijn elleboog. 'Dan geloof ik dat ik juist een
van de uitkijkers ontdekt heb.'
'Wat?' Jason draaide zich om, keek neer op de Fransman en ging langzamer lopen.
'Blijf doorlopen,' beval d'Anjou. 'Loop op die vrachtwagen af, die
daar half uitsteekt op de rijweg met de man op de uitschuifladder.'
'Dat klopt,' zei Bourne. 'Dat is de reparatiedienst van de telefoon.' Ze
doken onder in de menigte en bereikten de vrachtwagen.
'Kijk omhoog. Doe alsof je geïnteresseerd bent. Kijk dan naar links. De
bestelwagen die een heel eind vóór de eerste bus staat. Zie je die?'
Jason zag hem en hij wist meteen dat de Fransman gelijk had. De bestelwagen was wit en vrij nieuw en had getinte raampjes. Op de kleur na
had het de wagen kunnen zijn waarin de killer was meegereden in
Shenzhen, aan de grens bij Lo Wu. Bourne begon de Chinese lettertekens op het portier te ontcijferen. *Niao Jing Shan*... Mijn god, het is
dezelfde! De naam doet er niet toe, het is een wagen van een *vogelreservaat,* het Jing Shan vogelreservaat! In Shenzhen was het Chutang, hier
is het iets anders. Hoe merkte je die op?'
'De man in het open raam, de laatste autoruit aan deze kant. Je kunt
hem van hieruit niet al te duidelijk zien maar hij kijkt achteruit naar de
ingang. Het is ook niet iemand die je direct zou verwachten − niet als
je naar iemand uitkijkt die in een vogelreservaat werkt tenminste.'
'Waarom?'
'Het is een legerofficier, en aan de snit van zijn tuniek te zien en de duidelijk goede kwaliteit van de stof, heeft hij een hoge rang. Neemt het
roemrijke Volksleger nu pronkhanen in dienst voor zijn stormtroepen?
Of is hij iemand die ongerust zit te wachten op een man die hij volgens

335

zijn opdracht moet ontdekken en schaduwen, en maakt hij gebruik van een vrij aannemelijke dekmantel die alleen wordt bedorven door een moeilijke gezichtshoek waardoor hij het raam moet openzetten?'

'Zonder Echo kun je ook niks beginnen,' zei Jason Bourne, eens Delta, de gesel van Medusa. 'Vogelreservaten, verrek, het kon niet mooier. Wat een rookscherm. Zo ver van de wereld, zo vredig. Het is een magnifieke dekmantel.'

'Het is ook zo typisch Chinees, Delta. Het rechtschapen masker dekt het ondeugdzame gelaat. De fabels van Confucius waarschuwen er al tegen.'

'Daar heb ik het niet over. In Shenzhen, bij Lo Wu, waar die knaap van jou mij het eerst ontglipte, werd hij ook opgepikt door een bestelwagen – met getinte ramen – en die was ook van een staatsvogelreservaat.'

'Zoals je al zei, een uitstekende dekmantel.'

'Het is meer dan dat, Echo. Het is een soort herkenningsteken.'

'Vogels zijn in China al eeuwenlang vereerd,' zei d'Anjou en hij keek Jason niet begrijpend aan. 'In hun schilderkunst worden ze altijd afgebeeld, op de beroemde zijdetaferelen. Men beschouwt ze als delicatessen, zowel voor het oog als voor het gehemelte.'

'In dit geval zouden ze wel eens een middel kunnen zijn om iets eenvoudigers, iets meer praktisch te bereiken.'

'Zoals?'

'Vogelreservaten zijn grote, afgesloten terreinen. Ze staan open voor het publiek maar er gelden staatsvoorschriften, net als overal.'

'Wat wil je zeggen, Delta?'

'In een land waar tien lui die het niet eens zijn met de officiële politiek bang zijn samen te worden gezien is er geen betere plek dan een natuurreservaat dat zich gewoonlijk over kilometers uitstrekt. Geen kantoren of huizen of flats die in het oog worden gehouden, geen afgetapte telefoons of electronische surveillance. Gewoon onschuldige vogelliefhebbers in een land dat gek is op vogels, ieder met een officiële pas waarmee hij toegang heeft tot het reservaat wanneer dat officieel gesloten is, bij dag of bij nacht.'

'Van Shenzhen tot Peking? Je hebt het nu over een situatie die veel omvangrijker is dan we ons hadden voorgesteld.'

'Wat het dan ook is,' zei Jason, en hij keek om zich heen, 'het gaat ons niets aan. Hij is de enige in wie we geïnteresseerd zijn... We moeten uit elkaar gaan maar elkaar wel in het oog houden. Ik zal...'

'Niet nodig!' onderbrak de Fransman hem. 'Daar is hij!'

'Waar?'

'Ga achteruit. Dichter bij de vrachtwagen. In de schaduw.'

'Wie?'

'De priester die het kind op het hoofd klopt, dat kleine meisje,' antwoordde d'Anjou, die met zijn rug tegen de vrachtwagen de mensenmassa voor het hotel in de gaten hield. 'Een geestelijke,' vervolgde de Fransman bitter. 'Een van de vermommingen die ik hem geleerd heb te gebruiken. Hij had een zwart priesterpak laten maken in Hongkong, met een kruisje op zijn kraag genaaid, onder de naam van een deftige kleermaker aan Savile Row. Het pak herkende ik het eerst. Ik heb ervoor betaald.'

'Je komt van een rijk diocees,' zei Bourne terwijl hij nauwgezet de man opnam die hij meer dan wie ook in zijn leven nu op dit moment zou willen vastgrijpen, overmeesteren, met geweld naar een hotelkamer brengen om dan terug te keren naar Marie. De vermomming van de moordenaar was goed, méér dan goed, en Jason probeerde die opinie te analyseren. Grijze bakkebaarden kwamen onder de donkere hoed van de killer uit, een bril met een dun draadmontuur hing laag op de neus van zijn bleke, kleurloze gelaat. Zijn grote ogen en opgetrokken wenkbrauwen toonden zijn vreugde en verbazing over wat hij hier zag op die onbekende plaats. Allemaal waren het de werken Gods en de kinderen Gods en dat liet hij zien door naar een klein Chinees meisje toe te lopen, haar liefdevol op haar bolletje te kloppen, met een glimlach en een elegant knikje naar de moeder. Dat was het, dacht Jason, en hij voelde respect, tegen zijn zin in. De rotzak straalde *liefde* uit. Dat bleek uit elk gebaar, elke aarzelende beweging, elke blik uit zijn vriendelijke ogen. Hij was echt een geestelijke vol erbarmen, een schaapherder van zijn kudde, die veel groter was dan een parochie of een vicariaat. En als zodanig zou men in een menigte wel even naar hem kijken maar direct weer de blik afwenden, om verder te zoeken naar een moordenaar.

Bourne herinnerde het zich weer. *Carlos!* De Jakhals had zich als priester verkleed, met een donker, zuidelijk gezicht boven de gesteven witte boord, terwijl hij de kerk uit kwam lopen in Neuilly-sur-Seine in Parijs. Jason had hem *gezien!* Ze hadden elkaar gezien, elkaar fel aangekeken, terwijl ieder wist wie de ander was zonder dat er een woord werd gewisseld. *Pak Carlos. Vang Carlos. Caïn is voor Charlie en Carlos is voor Caïn!* De codes hadden door zijn hoofd gedaverd terwijl hij achter de Jakhals aanrende door de straten van Parijs... maar hij was hem kwijtgeraakt in het verkeer, terwijl een oude bedelaar die gehurkt op het trottoir zat vals had geglimlacht.

Dit was Parijs niet, dacht Bourne. Er was hier geen leger van stervende oude mannen die de killer beschermden. Hier in Peking zou hij zijn jakhals vangen.

'Hou je klaar om te sprinten!' onderbrak d'Anjou Jasons herinneringen. 'Hij gaat op de bus af.'

'Die is vol.'

'Dat is 't 'm net. Hij zal als laatste instappen. Wie zal er nu het dringend verzoek weigeren van een priester die haast heeft? Een van mijn lessen natuurlijk.'

Weer had de Fransman gelijk. De deur van het gammele, bomvolle busje begon zich te sluiten, maar werd tegengehouden door de priester die er zijn arm tussenstak, zijn schouder naar binnen wrong en kennelijk erom smeekte losgemaakt te worden aangezien hij gevangen zat. De deur klapte open, de killer werkte zich naar binnen en de deur ging dicht.

'Het is de rechtstreekse bus naar het T'ien An Men Plein,' zei d'Anjou. 'Ik heb het nummer.'

'We moeten een taxi zien te krijgen. Schiet op!'

'Het zal niet gemakkelijk zijn, Delta.'

'Daar heb ik een techniek voor ontwikkeld,' antwoordde Bourne en hij stapte, met de Fransman achter hem aan uit de schaduw van de telefoondienst-wagen terwijl de bus voorbij reed. Ze zochten zich een weg door de mensenmassa voor het luchthavenhotel en liepen de rij taxi's af tot ze bij de laatste kwamen. Er kwam net een taxi aanrijden om de rotonde, op het punt zich aan te sluiten aan de rij, toen Jason de straat oprende en onopvallend zijn handpalmen naar voren stak. De taxi stopte en de bestuurder stak zijn hoofd uit het raampje.

'Shemma?'

'Wei!' riep Bourne, hij holde op de bestuurder af en hield Yuan-biljetten voor vijftig Amerikaanse dollar omhoog die niet op de meter verantwoord hoefden te worden. *'Bi yao bang zhu,'* zei hij, de man duidelijk makend dat hij dringend hulp nodig had en ervoor wilde betalen.

'Hao!' riep de chauffeur terwijl hij het geld greep. *'Bingli ba!'* voegde hij eraan toe en hij verontschuldigde daarmee zijn daad tegenover zijn collega's, omdat er een toerist plotseling ziek was geworden.

Jason en d'Anjou stapten in en de bestuurder protesteerde heftig tegen de tweede passagier die vanaf het trottoir in de taxi ging zitten. Bourne liet nog twintig yuan op de voorbank vallen en de man was gesust. Hij beschreef een bocht en reed weg van de rij taxi's via de uitrit van de luchthaven.

'Er rijdt een bus vóór ons,' zei d'Anjou, vooroverbuigend op de bank, en hij sprak de bestuurder aan in gebrekkig Mandarijns. 'Verstaat u mij?'

'U spreekt Guanzhou, maar ik versta u.'

'Die bus gaat naar het T'ien An Men Plein.'

'Welke poort?' vroeg de chauffeur. 'Welke brug?'

'Ik weet het niet. Ik ken alleen het nummer vóór op de bus. Dat is zeven-vier-twee-één.'

'Uitgang nummer één,' zei de bestuurder. 'T'ien poort, tweede brug. Ingang Keizerstad.'

'Is er een parkeerplaats voor de bussen?'

'Er zal een hele rij bussen staan. Allemaal vol. Ze hebben veel passagiers. Het is erg druk op T'ien An Men bij deze stand van de zon.'

'We zouden de bus waarover ik het heb onderweg moeten inhalen, wat gunstig is voor ons want we willen op T'ien An Men zijn voordat ze aankomt. Lukt u dat?'

'Geen centje pijn,' antwoordde de chauffeur grijnzend. 'Bussen zijn heel oud en krijgen vaak pech. Misschien komen we er wel aan een paar dagen voordat ze aan de Hemelse Noorderpoort arriveert.'

'Dat meent u, hoop ik, toch niet echt,' onderbrak Bourne hem.

'Oh nee, vrijgevige toerist. Alle bestuurders zijn uitstekende monteurs, als ze het geluk hebben de motor te kunnen vinden.' De bestuurder lachte smalend en drukte het gaspedaal op de plank.

Drie minuten later passeerden ze de bus waarin de killer zat. Iets meer dan drie kwartier daarna reden ze de brug van gebeeldhouwd wit marmer op over het stromende water van een uitgegraven gracht vóór de reusachtige Poort van de Hemelse Vrede, van waaraf China's leiders zich vertoonden op het brede platform erboven om de parade af te nemen van het voorbijrijdende oorlogstuig. Achter die poort met de ontoepasselijke naam, lag een van de meest opmerkelijke monumenten ter wereld. T'ien An Men Plein. Het wervelende middelpunt van Peking. Het oog van de bezoeker wordt het eerst getroffen door het majestueuze van het uitgestrekte plein, vervolgens door de architectonische onmetelijkheid van het grote Volkspaleis aan de rechterkant, waar ontvangstruimten wel drieduizend mensen kunnen herbergen. De enkele eetzaal heeft plaats voor meer dan vijfduizend mensen, in de grote conferentiezaal kunnen er tienduizend zitten en dan is er nog ruimte over. Tegenover de Poort rijst een enorme vierzijdige stenen zuil omhoog, een obelisk die geplaatst is op een terras van twee verdiepingen hoog met een marmeren balustrade. Dat alles glinstert in het zonlicht en in de schaduw beneden op de reusachtige basis van het bouwwerk zijn de worstelingen en de triomfen van Mao's revolutie uitgehakt in steen. Het is het Monument voor de Volkshelden, en Mao neemt de eerste plaats in in het pantheon. Er staan nog meer gebouwen, nog meer bouwsels – gedenktekenen, musea, poorten en bibliotheken – die zich uitstrekken zover het oog reikt. Maar het oog wordt boven alles getroffen door de fascinerende uitgestrektheid van de open ruimte. Ruimte en mensen... en voor het oor is er nog iets, iets totaal onverwachts. Een dozijn van de grootste stadions in de wereld, alle groter dan het Romeinse Colosseum, zouden volkomen verzinken in het T'ien An Men Plein, honderdduizenden mensen kunnen er rondzwerven op het plein en ruimte overlaten voor nog eens honderdduizenden. Maar er ontbreekt een element, iets wat nooit zou ontbreken in de bloederige arena in Rome, en wat zeker niet gemist zou worden in de moderne grote stadions van de wereld. Geluid; het is er nauwelijks, het is slechts enkele decibels boven de stilte en die wordt alleen onderbroken door het zachte getinkel van fietsbellen. De rust is aanvankelijk vredig en dan beangstigend. Het is net alsof een enorme, transparante, geodesische koepel is neergelaten over een oppervlak van zo'n veertig hectare, terwijl een niet uitgesproken maar wel gehoord bevel uit een soort schimmenrijk de aardse wezens beneden herhaaldelijk duidelijk maakt dat ze zich in een kathedraal bevinden. Het is onnatuurlijk, onwezenlijk en toch is er geen weerstand tegen die ongehoorde stem, alleen aanvaarding — en dat is nog meer beangstigend. Vooral wanneer de kinderen stil zijn.

Jason nam dat alles snel en onbewogen in zich op. Hij betaalde de chauffeur het bedrag dat stond aangegeven op de meter en richtte zijn aandacht op het doel en de problemen die vóór hem en d'Anjou lagen. Om welke reden dan ook, of men hem nu had gebeld, of dat hij gebruik wilde maken van de reserve-afspraken, de commando was op weg naar het T'ien An Men Plein. De pavane zou beginnen wanneer hij aankwam, de langzame stappen van de behoedzame dans die de killer steeds dichter brachten bij de vertegenwoordiger van zijn cliënt, waarbij men moest aannemen dat de cliënt zelf onzichtbaar zou blijven. Maar er zou geen contact worden gelegd tot de bedrieger er zeker van was dat de ontmoetingsplaats veilig was. Daarom zou de 'priester' zelf de zaak verkennen, hij zou de afgesproken plaats van alle kanten bespieden, overal zoeken naar mogelijke gewapende handlangers. Hij zou er een, of misschien twee, verrassen, hen onder bedreiging met een mes of met een pistool met geluiddemper in de ribben gedrukt dwingen te vertellen wat hij wilde weten. Een verdachte blik in de ogen zou hem duidelijk maken dat de afspraak het voorspel was voor een executie. Ten slotte, als de kust veilig leek, zou hij een handlanger met een pistool bedreigen en hem ertoe brengen de vertegenwoordiger van de cliënt te benaderen en deze zijn ultimatum te geven: de cliënt, zou het dodelijke evenwicht moeten vormen. Er zou een tweede afspraak worden gemaakt. De cliënt zou daar als eerste arriveren en op het eerste teken van bedrog zou hij overhoop worden geschoten. Zo zou Jason Bourne dat doen. Zo zou ook de commando dat doen als hij een greintje verstand had.

Bus nummer 7421 rolde futloos naar zijn plaats aan het einde van de rij voertuigen waaruit massa's toeristen stapten. De killer in zijn priesterkleding kwam te voorschijn, hielp een oude dame met uitstappen en klopte haar op de hand terwijl hij vriendelijk goedendag knikte. Hij draaide zich om, liep snel naar de achterkant van de bus en verdween.

'Blijf zo'n tien meter achter me en hou me goed in de gaten,' zei Jason. 'Doe wat ik doe. Als ik blijf staan blijf jij ook staan. Wanneer ik me omdraai draai jij je ook om. Zorg dat je mensen om je heen hebt. Loop van de ene groep naar de andere maar zorg dat er altijd mensen om je heen zijn.'

'Voorzichtig, Delta. Hij is geen amateur.'

'Dat ben ik ook niet.' Bourne holde naar het einde van de bus, bleef staan en werkte zich langzaam om de hete, stinkende radiator heen van de motor achterin. Zijn priester liep zo'n vijftig meter voor hem uit, zijn zwarte pak vormde een donker baken in de zee van wazig zonlicht. Mensen of geen mensen, hij was gemakkelijk te volgen. De vermomming van de commando was zeker goed, en zoals hij het speelde was het nog beter, maar net als de meeste vermommingen was er altijd één in het oog lopend risico dat hij zich niet had gerealiseerd. In het beperken van die risico's lag het verschil tussen de besten en degenen die alleen maar beter waren. Beroepsmatig was Jason het eens met de keuze van de geestelijke stand, maar niet met de geestelijke kleur. Een priester uit Rome mocht dan gebonden zijn aan zwart, een Anglicaans geestelijke was dat niet. Puur grijs zou volmaakt aanvaardbaar zijn geweest onder de boord. Grijs vervaagde in het zonlicht, dat deed zwart niet.

Plotseling verliet de moordenaar de mensenmassa's en liep van achteren op een Chinees militair af die foto's stond te nemen, met de camera voor zijn ogen. Het hoofd van de militair was voortdurend in beweging. Bourne begreep het. Dit was geen onbetekenende infanterist op verlof in Beijing; hij was er te oud voor, zijn uniform paste hem te goed, precies zoals d'Anjou had opgemerkt over de legerofficier in de bestelwagen. De camera was duidelijk een middel om de mensen goed te kunnen bekijken. De eerste ontmoetingsplaats was niet ver weg. De commando speelde nu zijn rol voluit en legde een vaderlijke rechterhand op de linkerschouder van de militair. Zijn linkerhand was onzichtbaar maar zijn zwarte colbertje vulde de ruimte tussen de twee — er was een pistool in de ribben van de officier gedrukt. De militair bleef stokstijf staan en zijn uitdrukking was nog steeds stoïcijns, ondanks zijn paniek. Hij bewoog zich voor de killer uit en de commando hield nu zijn arm in een knelgreep en gaf hem bevelen. De militair boog zich abrupt en heel ongewoon voorover, met zijn hand aan zijn linkerzij, kwam snel overeind en schudde zijn hoofd; het wapen was opnieuw in zijn ribben gedrukt. Hij zou bevelen gehoorzamen of hij zou sterven op het T'ien An Men Plein. Er was geen tussenweg.

Bourne draaide zich snel om, bukte en bond een perfect gestrikte veter opnieuw vast, met verontschuldigingen voor de mensen die achter hem stonden. De killer was verdacht op zijn rugdekking; hij moest nu proberen onder te duiken. Jason ging weer rechtop staan. Waar *was* hij? Waar was de bedrieger? *Daar!* Bourne begreep er niets van, de commando had de militair laten gaan! Waarom? De legerofficier rende ineens tussen de mensenmassa's door, gillend en wild gebarend met zijn armen, zakte toen uitzinnig kronkelend in elkaar terwijl een kwebbelende, opgewonden menigte zich om zijn bewusteloze lichaam begon te verzamelen.

Afleidingsmanoeuvre! Hou *hem* in de gaten. Jason begon te rennen, hij had het gevoel dat het nu de juiste tijd was. Het was geen pistool geweest, maar een naald. Die was niet tegen de ribbenkast van de militair aangedrukt, maar was er in doorgedrongen. De moordenaar had één beschermer opgeruimd, hij zou nu op zoek zijn naar een volgende, en misschien daarna nog wel een. Het scenario dat Bourne had voorzien werd nu gespeeld. En daar de aandacht van de killer uitsluitend was gericht op het zoeken naar zijn volgende slachtoffer, was het inderdaad de juiste tijd. Nú! Jason wist dat hij iedereen die hij maar wilde buiten gevecht kon stellen met een verlammende klap op de nieren, vooral een man die er helemaal niet op was verdacht zelf aangepakt te worden — want de prooi was zelf in de aanval en daarop totaal geconcentreerd. Bourne verkleinde de afstand tussen zichzelf en de bedrieger. Twintig meter, vijftien, twaalf, tien... hij maakte zich los uit één groep mensen en dook onder in een volgende... de 'priester' in het zwarte pak was binnen bereik. Hij kon hem *pakken! Marie!*

Een militair. Weer een militair! Maar nu was het geen onverhoedse aanval, er werd contact gelegd. De man uit het leger knikte en gebaarde naar links. Jason keek verbijsterd die kant op. Aan de voet van een brede stenen trap die voerde naar de ingang van een gigantisch gebouw, waar granieten kolommen overal dubbele glooiende pagodedaken ondersteunden, stond een kleine Chinees in burger die een officiële aktetas droeg. Het gebouw lag vlak achter het Heldenmonument en de in steen uitgehouwen karakters maakten duidelijk dat dit de Gedenkhal was van Voorzitter Mao. Twee rijen mensen beklommen de treden en bewakers hielden de twee groepen uiteen. De burger stond tussen de twee rijen in en zijn aktetas was een symbool van autoriteit; men liet hem met rust. Ineens, zonder vooraf te laten merken dat hij zoiets zou doen, greep de lange killer de arm van de militair en duwde de kleinere man van het leger voor zich uit. De rug van de officier was naar achteren gebogen, zijn schouders recht getrokken. Er was een wapen in zijn ruggegraat geduwd en het bevel was duidelijk.

Bij de toenemende opwinding en terwijl de mensen en de politieagenten nog steeds naar de ineengezakte eerste militair holden, liepen de moordenaar en zijn gevangene zonder aarzelen op de burger af aan de voet van de trap naar Mao's Gedenkhal. De man was bang zich te bewegen en opnieuw begreep Bourne waarom. De killer kende deze mensen; zij hoorden tot de kern van dat kleine, uitgelezen kringetje dat voerde naar de cliënt van de moordenaar en die cliënt was in de buurt. Dit waren geen onbeduidende handlangers. De mindere figuren verzonken in het niet zodra deze mensen op het toneel verschenen want dat gebeurde maar heel zelden. De afleidingsmanoeuvre die nu was teruggebracht tot een onbeduidend opstootje waarbij de politie de mensen snel onder controle had en het lichaam had weggedragen, had de bedrieger die enkele seconden verschaft die hij nodig had om de bevelshiërarchie die naar de cliënt voerde in zijn macht te krijgen. De militair die hij vasthad was dood als hij niet gehoorzaamde, en iemand die ook maar een beetje behoorlijk kon schieten zou vervolgens met één schot de man bij de trap kunnen opruimen. De ontmoeting vond in twee etappes plaats en zolang de killer de tweede etappe volkomen in handen had had hij geen enkel bezwaar ermee door te gaan. De cliënt was blijkbaar ergens in het enorme mausoleum en kon niet weten wat er buiten gebeurde, en een gewone voetsoldaat zou nooit zijn meerderen durven volgen naar de plek van de bijeenkomst.

Jason wist dat hij verder geen tijd voor analyses had. Hij moest optreden. *Snel.* Hij moest in het monument van Mao Zedong zien te komen en uitkijken, wachten tot de ontmoeting hoe dan ook voorbij was — en hij besefte met walging dat er zich een situatie zou kunnen voordoen waarin hij de moordenaar zou moeten beschermen. Toch was dat heel goed mogelijk en het enige voordeel dat hij had was het feit dat de bedrieger een draaiboek volgde dat hij zelf had kunnen creëeren. En als de samenkomst zonder geweld verliep was het eenvoudig een kwestie de killer te schaduwen, die dan ongetwijfeld zou zijn opgemonterd door het succes van zijn tactiek en door datgene wat zijn cliënt hem gegeven had, en een man te grijpen op het T'ien An Men Plein die niets vermoedend heel erg met zichzelf was ingenomen.

Bourne draaide zich om en zocht naar d'Anjou. De Fransman stond bij een groepje toeristen dat door hun gidsen zorgvuldig bijeen werd gehouden; hij knikte alsof hij Delta's gedachten geraden had. Hij wees omlaag naar de grond en trok een cirkel met zijn wijsvinger. Het was een geluidloos signaal uit hun dagen in Medusa. Het betekende dat hij zou blijven waar hij was, maar als hij zich moest verplaatsen zou hij die specifieke plek in het oog houden. Het was genoeg. Jason liep achter de killer en zijn gevangene langs, dwars door de mensenmassa heen en hij stak snel de open ruimte over naar de rij aan de rechterkant van de trap, op weg naar de bewaker. Hij sprak hem aan in het Mandarijns, beleefd en enigszins smekend.

'Edelgestrenge officier, ik ben in grote verlegenheid! Ik was zo verdiept in de karaktertekens op het Volksmonument dat ik mijn groep ben kwijtgeraakt die hier enkele minuten geleden gepasseerd is.'

'U spreekt onze taal zeer goed,' zei de verbaasde wachtpost, die kennelijk gewend was aan een vreemd mengelmoes van talen die hij niet kende en evenmin wilde kennen. 'U bent zeer beleefd.'

'Ik ben niet meer dan een slecht betaalde leraar uit het Westen die een zeer grote liefde koestert voor uw machtige natie, edelgestreng officier.'

De wacht lachte. 'Zo edelgestreng ben ik niet, maar onze natie is machtig. Mijn dochter draagt op straat een blauwe spijkerbroek.'

'Pardon?'

'Het doet er niet toe. Waar is het herkenningsplaatje van uw tourgroep?'

'Mijn wat?'

'Het plaatje met uw naam erop dat op alle buitenkleding moet worden gedragen.'

'Het viel voortdurend van mijn pak,' zei Bourne en hij schudde hulpeloos zijn hoofd. 'Het bleef maar niet zitten. Ik ben het zeker verloren.'

'Wanneer u uw groep hebt teruggevonden moet u aan uw gids een nieuw vragen. Loopt u maar door. Sluit u maar achter aan de rij aan. Er is iets aan de hand. Misschien moet de volgende groep wel wachten. Straks mist u uw rondleiding nog.'

'Oh? Zijn er moeilijkheden?'

'Ik weet het niet. We krijgen onze bevelen van de ambtenaar met die officiële aktetas. Volgens mij is hij de yuans aan het tellen die hier verdiend zouden kunnen worden en vindt hij dat deze geheiligde plek net zoiets moet worden als de ondergrondse in Beijing.'

'U bent erg vriendelijk voor me geweest.'

'Maakt u nu maar voort, meneer.'

Bourne holde de trap op, bukte zich achter de drom mensen, maakte weer een stevig gestrikte veter vast en hield zijn hoofd schuin om te zien waar de killer heenging. De bedrieger stond zacht te praten met de burger en hij had de militair nog steeds vast, maar iets klopte er niet. De kleine Chinees in het donkere pak knikte, maar zijn ogen waren niet gericht op de bedrieger; ze keken langs de commando heen. Of niet misschien? Jasons gezichtshoek was niet zo best. Het gaf ook niets, men volgde het draaiboek, het contact met de cliënt verliep volgens de voorwaarden van de killer.

Hij liep door de dubbele deuren het halfdonker in en raakte, net als iedereen vóór hem, onmiddellijk onder de indruk door het plotseling zichtbaar worden van het enorme witmarmeren standbeeld van een zittende Mao, dat zo hoog en zo majestueus oprees dat men bijna de adem inhield als men aan de voet stond. Er was bovendien voor het nodige theater gezorgd. De lichtbundels die op het magnifieke, bijna transparante marmer vielen, zorgden voor een ijl effect dat de gigantische zittende gedaante losmaakte van de fluwelen gordijnen erachter en de duisternis eromheen. Het massieve standbeeld met zijn doordringende ogen leek zelf te leven.

Jason wendde zijn blik af en zocht naar deuren en gangen. Die waren er niet. Het was inderdaad een mausoleum, een hal die gewijd was aan een volksheilige. Maar er waren brede, hoge marmeren pilaren die een bepaalde afscherming boden. De ontmoeting zou plaats kunnen vinden in de schaduw van een van die zuilen. Hij zou wachten. Hij zou ook achter een van die zuilen gaan staan en afwachten.

Zijn groep liep de tweede zaal binnen en die was zo mogelijk nog indrukwekkender dan de eerste. Voor hen lag een glazen doodskist waarin het lichaam van Mao Zedong rustte, gewikkeld in de rode vlag, het wasbleke lichaam lag vredig, maar de gesloten ogen leken elk moment open te kunnen gaan om je met woedende afkeuring aan te staren. Rond de sarcofaag op een voetstuk lag het vol met bloemen en langs de tegenover elkaar liggende muren stonden twee rijen donkergroene pijnbomen in enorme potten van aardewerk. Ook hier zorgden lichtbundels voor een dramatisch lichtspel, werden donkere plekken doorsneden door elkaar kruisende stralen die speelden over het helle geel en rood en blauw van de bloembedden.

Het respectvolle stilzwijgen van de mensen werd even verstoord door een kort tumult in de eerste zaal, maar dat hield even abrupt op als het begonnen was. Omdat Bourne de laatste toerist in de rij was kon hij zich afscheiden zonder door de anderen te worden opgemerkt. Hij gleed achter een zuil, verborgen in het halfdonker en gluurde om het glimmend witte marmer heen.

Wat hij zag deed hem verstijven en tientallen gedachten tolden rond in zijn hoofd, en alles werd overheerst door dat ene woord *valstrik!* Er kwam geen groep meer achter hem aan! Hij was als laatste toegelaten − *hij* was de laatste *persoon* die was binnengelaten − voordat de zware deuren gesloten werden. Dat was het geluid dat hij had gehoord, het sluiten van de deuren en het teleurgestelde kreunen van de mensen die buiten wachtten om te worden toegelaten.

Er is iets aan de hand... Misschien moet de volgende groep wel wachten... Een vriendelijke wachtpost op de trap.

Mijn god, het was vanaf het begin een valstrik geweest! Elke zet, alles wat hij had gezien was tevoren berekend geweest! Vanaf het begin! De informatie waarvoor hij had betaald op een door regen gegeseld eiland, de vliegtickets die bijna niet te krijgen waren, het eerste ontdekken van de killer op het vliegveld, een beroepsmoordenaar die zich veel beter had kunnen vermommen, met te opvallende haren, met kleren die hem slecht pasten. Vervolgens de complicatie met een oude man, een gepensioneerd generaal van de Royal Engineers − alles was zo onlogisch logisch! Zo juist, het spoor van bedrog zo precies, zo onweerstaanbaar! Een militair aan het raampje van een vrachtwagen, die niet uitkeek naar *hem* maar naar *hen!* Het zwarte priesterpak − een donker baken in het zonlicht, betaald door de schepper van de namaak-Bourne − dat zo gemakkelijk ontdekt, zo gemakkelijk gevolgd kon worden! *Verrek,* vanaf het begin! Ten slotte het scenario dat zich had afgespeeld op het immense plein, een scenario dat Bourne zelf had kunnen schrijven − ook dat weer onweerstaanbaar vóór de achtervolger. Een omgekeerde valstrik: vang de jager terwijl hij zijn prooi besluipt!

Jason keek vertwijfeld om zich heen. Een eind vóór hem in de verte scheen een bundel zonlicht. De uitgangen waren aan het andere einde van het mausoleum; die zouden bewaakt worden, elke toerist zou bij het uitgaan nauwkeurig worden opgenomen.

Voetstappen. Rechts achter hem. Bourne draaide zich bliksemsnel naar links en trok de koperen briefopener uit zijn riem. Een gestalte in een grijs Mao-pak, van militaire snit, liep behoedzaam langs de brede pilaar in het gefilterde licht van de pijnbomen. Hij was op nog geen twee meter van hem af. Hij had een pistool in de hand en de dikke cilinder op de loop garandeerde dat een knal niet luider zou klinken dan een kuchje. Jason maakte zijn dodelijke berekeningen op een manier die David Webb nooit zou begrijpen. Hij moest met het lemmet zodanig toesteken dat de dood er onmiddellijk op volgde. Er mocht geen geluid opklinken uit de mond van zijn vijand wanneer het lichaam het donker in werd getrokken.

Hij deed zijn uitval, de strak gehouden vingers van zijn linkerhand klemden zich als een bankschroef over het gezicht van de man terwijl hij de briefopener in de nek van de soldaat stak en met het lemmet, dwars door zenuwen en kwetsbaar weefsel heen, de luchtpijp doorsneed. In één vloeiende beweging liet Bourne zijn linkerhand zakken, greep het zware wapen dat zijn vijand nog in de hand hield, zwaaide het lichaam om en liet er zich mee vallen onder de takken van de rij pijnbomen langs de rechtermuur. Hij duwde het lichaam uit het zicht in de donkere schaduw tussen twee grote aardewerken potten waarin de wortels van twee bomen geplant waren. Hij kroop over het lijk heen, het wapen op gezichtshoogte, en wurmde zich achteruit langs de muur naar de eerste zaal, waar hij kon zien zonder gezien te worden.

Een tweede man in uniform liep door de lichtbundel die de duisternis verlichtte van de ingang naar de tweede zaal. Hij bleef staan voor de glazen doodskist van Mao, die spookachtig werd verlicht door de stralen, en keek om zich heen. Hij hield een walkie-talkie bij zijn gezicht, sprak erin en luisterde; vijf tellen later kwam er een bezorgde uitdrukking op zijn gezicht. Hij begon snel naar rechts te lopen, de route volgend die aan de eerste man was toegewezen. Jason scharrelde snel terug naar het lijk, op handen en voeten kruipend over de marmeren vloer, en schoof naar de rand van de laaghangende takken.

De soldaat naderde, liep nu langzamer, bekeek de laatste mensen in de rij vóór hem. Nú! Bourne sprong op toen de man hem voorbijliep, nam zijn nek in een knelgreep, sneed elk geluid af terwijl hij hem terugsleurde tussen de takken en drukte het pistool diep boven de maag van de militair. Hij haalde de trekker over; het gedempte geluid klonk als een korte luchtstoot, meer niet. De man stootte een korte, felle ademtocht uit en zakte ineen.

Hij moest naar buiten! Als hij werd vastgezet en gedood in de eerbiedige stilte van het mausoleum zou de moordenaar weer op vrije voeten rondlopen en Marie zou zeker worden vermoord. Zijn vijanden waren bezig de omgekeerde val te sluiten. Hij moest de zaken opnieuw omkeren en op wat voor manier ook in leven zien te blijven. *Ontsnappen kun je het best in etappes, gebruik makend van elke verwarring die er is of die je kunt scheppen.*

Etappe een en twee lagen achter hem. Een zekere verwarring was er al wanneer andere mannen in hun radio's stonden te fluisteren. Wat hij nu moest bedenken was een brandpunt van ontwrichting zo heftig en onverwacht dat degenen die in het halfdonker jacht op hem maakten zelf de slachtoffers zouden worden van een plotselinge, hysterische jacht.

Er was maar één manier en Jason voelde niets macaber heldhaftigs in de geest van 'ik kan omkomen in de poging'. Hij *moest* het doen! Hij moest zorgen dat het lukte. In leven blijven was het enige belangrijke en de reden daarvan had niets te maken met hemzelf. Hij was weer op het topje van zijn oude beroep, rustig en vastberaden.

Bourne ging staan, liep tussen de takken door en stak de open ruimte over naar de kolom die vóór hem lag. Vervolgens rende hij naar de zuil daarachter en toen weer naar de volgende, de eerste pilaar in de tweede maal, tien meter van de theatraal verlichte sarcofaag. Hij schoof voorzichtig om het marmer heen en wachtte af, zijn ogen gericht op de ingang.

Het gebeurde. Ze kwamen te voorschijn. De officier die de 'gevangene' was van de killer kwam naar binnen met de kleine burger met zijn officiële aktetas. De militair had een walkie-talkie in de hand. Hij bracht die naar zijn mond om te spreken en daarna te luisteren, schudde zijn hoofd, schoof de radio in zijn rechterzak en trok een pistool uit zijn holster. De burger knikte kort, stak zijn hand onder zijn jasje en haalde er een revolver met een korte loop uit. Beiden liepen ze op de glazen kist af met het stoffelijk overschot van Mao Zedong, keken elkaar aan en gingen uit elkaar, één naar links en één naar rechts.

Nú! Jason hief zijn wapen op, mikte snel en schoot. Eén keer! Iets verder naar rechts. Twéé keer! Het korte kuchen weerklonk in het halfdonker terwijl beide mannen tegen de sarcofaag vielen. Bourne greep de rand van zijn colbertje, pakte er de hete cilinder op de loop van zijn pistool mee vast en draaide die eraf. De knallen weergalmden in het mausoleum, echo's weerkaatsten van de marmeren muren, het glas van de doodkist sprong aan scherven, de kogels sloegen in het krampachtig schokkende lichaam van Mao Zedong, één drong door in het bleke voorhoofd, een andere verdween in een oog.

Sirenes begonnen te loeien; rinkelende bellen sneden oorverdovend door de stilte en van alle kanten kwamen soldaten aanrennen en holden in paniek naar de plek van de afschuwelijke misdaad. De twee rijen toeristen die zich ingesloten voelden in het spookachtige licht van dit huis des doods, stoven in paniek uit elkaar. De mensen renden en masse naar de deuren en het zonlicht, vertrapten degenen die hen in de weg liepen. Jason Bourne sloot zich bij hen aan, vocht zich een weg naar het midden van een rij. Hij bereikte het verblindende zonlicht van het T'ien An Men Plein en holde de trappen af.

D'Anjou! Jason stormde naar rechts, om de hoek van de muur heen en rende langs de zijkant van het gebouw met de rij pilaren tot hij de voorkant bereikte. Wachtposten deden hun best de opgewonden mensen tot bedaren te brengen terwijl ze zelf probeerden te ontdekken wat er aan de hand was. Het ging een enorme rel worden.

Bourne keek naar de plek waar hij d'Anjou het laatst had gezien, en liet toen zijn ogen zwerven over imaginaire vierkanten waar de Fransman zich logischerwijs zou kunnen bevinden. Er was niemand die ook maar in de verte op hem leek.

Plotseling weerklonk het gillen van banden op een weg een heel stuk links van Jason. Hij draaide zich met een ruk om en keek. Een bestelwagen met getinte raampjes was om een met palen afgezette rotonde gedraaid en reed nu snel in de richting van de zuidelijke poort van het T'ien An Men Plein.

Ze hadden d'Anjou te pakken. Echo was verdwenen.

24

Qu'est-ce qu'il y a?'
'Des coups de feu! Les gardes sont en panique!'

Bourne hoorde het geroep en voegde zich al hollend bij het groepje Franse toeristen dat geleid werd door een gids die helemaal in beslag werd genomen door de chaos op de trappen van het mausoleum. Hij knoopte zijn jasje dicht zodat het pistool in zijn riem niet te zien was en liet de geperforeerde geluiddemper in zijn zak glijden. Hij keek om zich heen en liep snel tussen de mensen door naar een man die langer was dan hijzelf, een goedgeklede man met een hooghartige uitdrukking op zijn gezicht. Jason was er dankbaar voor dat er verscheidene anderen van bijna gelijke lengte voor hem stonden; als hij geluk had zou hij in de opschudding onopgemerkt blijven. Bovenaan de trap naar het mausoleum stonden de deuren gedeeltelijk open. Mannen in uniform renden de trappen op en af. De leiding was kennelijk één grote chaos en Bourne wist waarom. Die was op de vlucht geslagen, was eenvoudig verdwenen omdat ze niet bij die afschuwelijke gebeurtenissen betrokken wilden raken. Het enige dat Jason nu interesseerde was de killer. Zou hij naar buiten komen? Of had hij d'Anjou gevonden, had hij zijn schepper zelf in zijn macht gekregen en was hij er met Echo vandoor gegaan in de bestelwagen, ervan overtuigd dat de echte Jason Bourne in de val was gelopen, dat er een tweede lijk zou liggen in het ontwijde mausoleum.

'Qu'est-ce qu'il se passe?' vroeg Jason aan de lange, goedgeklede Fransman naast hem.

'Ongetwijfeld weer zo'n ergerlijk oponthoud,' antwoordde de man met een wat geaffecteerd Parijs' accent. 'Het is hier een gekkenhuis en ik heb er schoon genoeg van! Ik ga terug naar mijn hotel.'

'Kunt u dat doen?' Bourne deed zijn uiterste best zo goed mogelijk Frans te spreken. Voor een Parijzenaar betekende dat heel veel. 'Ik bedoel mogen we zo maar weggaan bij zo'n rondleiding? We krijgen voortdurend te horen dat we bij elkaar moeten blijven.'

'Ik ben zakenman, geen toerist. Deze "rondleiding" zoals u die noemt, staat niet op mijn agenda. Eerlijk gezegd had ik een vrije middag — die mensen hier treuzelen eindeloos over een beslissing — en ik besloot een paar bezienswaardigheden te gaan bekijken, maar er was geen Frans sprekende chauffeur beschikbaar. De portier deelde me in — moet u nagaan, deelde me in — bij deze groep. De gids, moet u weten, is een studente Franse literatuur en ze spreekt alsof ze in de Zeventiende Eeuw geboren is. Ik heb er geen flauw benul van wat dit voor soort rondleiding is.'

'Het is de excursie van vijf uur,' legde Jason correct uit, want hij had de Chinese karakters gelezen op het naamkaartje dat vastzat op de — lapel van de man. 'Na het T'ien An Men Plein bezoeken we de Ming tomben en dan rijden we naar de Grote Muur om van daaraf de zon te zien ondergaan.'

'Nee maar, ik *heb* de Grote Muur al gezien! Mijn god, het was het eerste dat alle twaalf ambtenaren van de Handelscommissie me lieten zien, eindeloos kwetterend via hun tolk dat dit een teken was van hun onvergankelijkheid. *Merde!* Als de arbeidskrachten niet zo ongelofelijk goedkoop waren en de winst niet zo bijzonder...'

'Ik ben ook zakenman, maar een paar dagen ben ik toerist. Ik importeer rieten meubelen. Wat doet u, als ik dat vragen mag?'

'Textiel natuurlijk, wat anders? Tenzij u denkt aan electronica, of olie, of steenkool, of parfum — zelfs aan rieten meubelen.' De zakenman veroorloofde zich een superieur maar sluw glimlachje. 'Ik zeg u, die mensen zitten hier op alle schatten van de wereld en ze hebben er geen benul van wat ze ermee moeten doen.'

Bourne bekeek de lange Fransman nauwlettend. Hij dacht aan Medusa's Echo en aan een Frans aforisme dat zei dat hoe meer de dingen veranderden, ze steeds meer hetzelfde bleven. *Gelegenheden zullen zich voordoen. Herken ze als zodanig en maak er gebruik van.* 'Ik zei u al,' vervolgde Jason terwijl hij keek naar de chaos op de trap, 'dat ik ook zakenman ben die een paar dagen vakantie heeft genomen — dankzij de belastingpremies van onze regering voor degenen van ons die de akkers in den vreemde bewerken — maar ik heb hier in China veel gereisd en ik spreek hun taal vrij aardig.'

'Rieten meubilair moet dan aardig belangrijk geworden zijn,' zei de Parijzenaar spottend.

'Ons belangrijkste artikel is een witgeëmailleerd produkt van de Côte d'Azur en uit de verre omgeving daarvan. De familie Grimaldi is al jarenlang een grote afnemer van ons.' Bourne hield zijn blik gericht op de trap.

'Dan heb ik me vergist, beste zakenvriend... op de akkers in den vreemde.' De Fransman keek Jason voor het eerst eens goed aan.

'En ik kan u nu vertellen,' zei Bourne, 'dat er in Mao's tombe geen bezoekers meer zullen worden toegelaten en dat er een cordon gelegd zal worden om alle tourgroepen in de buurt en dat die waarschijnlijk vastgehouden zullen worden.'

'Mijn god, *waarom?*'

'Er is binnen kennelijk iets verschrikkelijks gebeurd en de wachtposten lopen te schreeuwen over buitenlandse gangsters... Zei u dat u was *ingedeeld* bij deze rondleiding maar er niet echt bijhoorde?'

'In wezen wel.'

'Dat is een reden voor die lui om zich af te vragen waarom, nietwaar? Dan zult u zo goed als zeker vastgehouden worden.'

'Ondenkbaar!'

'Dit is China...'

'Dat is onmogelijk! Er staan miljoenen en miljoenen francs op het spel. Ik ben hier alleen bij die afschuwelijke rondleiding omdat...'

'Ik raad u aan hier weg te gaan, beste vriend. Zegt u maar dat u een wandelingetje maakte. Geef me uw naamplaatje en dan zorg ik wel dat ik het kwijtraak voor u...'

'Oh, is het dát?'

'Het land waar u vandaan komt en uw pasnummer staan erop vermeld. Zo houden ze u in de gaten terwijl u meedoet met een rondleiding.'

'Ik ben u oneindig dankbaar!' riep de zakenman uit en hij rukte het plastic kaartje van zijn lapel. 'Als u ooit in Parijs komt...'

'Ik breng mijn meeste tijd door met de prins en zijn familie in...'

'Maar *natuurlijk!* Nogmaals, hartelijk dank!' De Fransman die zo anders was dan Echo en toch zoveel op hem leek, liep haastig weg en zijn elegante gedaante viel op in het wazige, geelachtige zonlicht toen hij op de Hemelse Poort afliep. Hij was even opvallend als de valse prooi die een jager in een val had gelokt.

Bourne speldde het plastic kaartje op zijn eigen lapel en werd daarmee lid van een officiële rondleiding; het was zijn ontsnappingsmogelijkheid via de poorten van het T'ien An Men Plein. Nadat de groep haastig van het mausoleum naar het Volkspaleis was geloodst, reed de bus door de noordelijke poort en Jason zag door het raampje de vuurrood aangelopen Fransman bij een politieagent uit Beijing staan pleiten om alsjeblieft te worden doorgelaten. Brokken van wat er gerapporteerd was begonnen wat duidelijkheid te verschaffen. Het raakte links en rechts bekend. Een blanke westerling had op een afgrijselijke manier de sarcofaag en het vereerde lichaam van Voorzitter Mao geschonden. Een blanke terrorist van een rondleiding zonder het vereiste naamplaatje op zijn buitenkleding. Een wacht op de trappen had zo'n man gerapporteerd.

'Het ligt mij in het geheugenis,' zei de tourgids in verouderd Frans. Ze stond naast het beeld van een woedende leeuw aan die vreemde Avenue der Dieren waar reusachtige stenen afbeeldingen van leeuwen en tijgers, paarden, olifanten en verscheurende legendarische beesten langs de weg stonden en zo de toegang bewaakten naar de graftomben van de Ming Dynastie. 'Maar mijn herinnering ontglipt mij waar uw gebruik van onze taal mijn beschouwingen van dit moment betreft. En het komt mij zonder enige twijfel voor dat u zojuist die lankmoedigheid hebt betoond.'

Een studente in de Franse literatuur en ze spreekt alsof ze geboren is in de Zeventiende Eeuw... een verontwaardigd zakenman die nu ongetwijfeld nog veel bozer zou zijn.

'Dat heb ik tot dusver niet gedaan,' antwoordde Bourne in het Mandarijns, 'omdat er anderen bij waren en ik liever niet opviel. Maar laat ons nu in uw taal spreken.'

'Die spreekt u uitstekend.'

'Dank u. Dan weet u nog wel dat ik op het laatste moment aan uw rondleiding ben toegevoegd?'

'De manager van het Beijing Hotel heeft het met mijn meerdere geregeld, maar ja, ik weet het nog.' De vrouw glimlachte schouderophalend. 'Om u de waarheid te zeggen, want het is immers zo'n grote groep, herinner ik me alleen dat ik een lange man zijn naamkaartje heb gegeven en dat kaartje zie ik nu vlak voor mijn neus. U zult hiervoor in het hotel extra in yuan moeten betalen. Het spijt me, maar u maakt geen deel uit van het toeristenprogramma.'

'Nee, inderdaad niet, omdat ik een zakenman ben die onderhandelingen voert met uw autoriteiten.'

'Ik wens u al succes mee,' zei de gids met haar pikante glimlachje. 'Er zijn er die het hebben, anderen hebben het niet.'

'Waar het mij om gaat is dat ik misschien helemaal geen succes zal hebben,' zei Jason, ook met een glimlach. 'Ik spreek veel beter Chinees dan dat ik het lees. Een paar minuten geleden legde ik ineens verband tussen enkele woorden en ik besefte dat ik over ongeveer een half uur in het Beijing Hotel moet zijn voor een bespreking. Hoe lukt me dat?'

'Het gaat erom transport te vinden. Ik zal voor u opschrijven wat u doen moet en dat kunt u dan laten zien aan de wachtposten aan de Dahongmen...'

'De Grote Rode Poort?' viel Bourne haar in de rede. 'Die met die bogen?'

'Ja. Daar staan bussen die u naar Beijing zullen brengen. Misschien bent u te laat, maar ik begrijp dat het voor autoriteiten ook de gewoonte is wat later te komen.' Ze haalde een notitieboekje uit de zak van haar Mao-jasje en vervolgens een hele dunne balpen.

'Ze zullen me niet tegenhouden?'

'Als ze dat doen, vraag dan degenen die het doen de autoriteiten te bellen,' zei de gids terwijl ze haar instructies opschreef in het Chinees en het blaadje losscheurde.

'Dit is uw rondleiding niet!' snauwde de chauffeur van de bus in ordinair Mandarijns en hij schudde zijn hoofd en wees met zijn vinger naar Jasons lapel. De man verwachtte kennelijk dat zijn woorden geen enkele uitwerking zouden hebben op de toerist, daarom compenseerde hij ze met overdreven gebaren en een schelle stem. Het was ook duidelijk dat hij hoopte door zijn waakzame gedrag de aandacht te trekken van een van zijn superieuren onder de bogen van de Grote Rode Poort. Dat gebeurde ook.

'Wat is de moeilijkheid?' vroeg een militair in correct Chinees, terwijl hij snel naar de deur van de bus liep en de toeristen achter Bourne opzij duwde.

Gelegenheden zullen zich voordoen...

'Er is geen enkele moeilijkheid,' zei Jason kortaf, zelfs wat arrogant in het Chinees en hij trok het briefje van de gids terug en duwde het in de hand van de jonge officier. 'Tenzij u de verantwoording wilt dragen dat ik een dringende bijeenkomst mis met een delegatie van de Handelscommissie, waarvan generaal Liang of zo iemand de militaire inkoopchef is.'

'U spreekt Chinees.' De militair keek verbluft op van het briefje.

'Ik zou zeggen dat zoiets voor de hand liggend is. Dat vindt generaal Liang ook.'

'Ik begrijp niet waarom u kwaad bent.'

'Misschien zult u generaal Liangs boosheid beter begrijpen,' viel Bourne hem in de rede.

'Ik ken geen generaal Liang, meneer, maar er zijn ook zoveel generaals. Bevalt de rondleiding u niet?'

'Die idioten die me zeiden dat dit een rondleiding was van drie uur in plaats van een van vijf zoals nu blijkt, die bevallen mij niet! Als ik die vergadering misloop vanwege incompetentie, zullen er een paar *zeer* boze commissieleden zijn, met inbegrip van een machtig generaal van het Volksleger die erop is gebrand bepaalde inkopen in Frankrijk te doen.'

Jason zweeg even, stak zijn hand op en vervolgde toen snel op zachtere toon. 'Maar, als ik daar nog op tijd zou komen, zal ik zeker lovend spreken over en de naam noemen van de man die me geholpen heeft.'

'Ik zal u graag helpen, meneer!' zei de jonge officier, met ogen die glinsterden van toewijding. 'Deze stomme bus zal er met haar slakkegangetje meer dan een uur over doen en dan nog alleen als die sufferd van een bestuurder het karkas op de weg weet te houden. Ik heb een veel sneller voertuig ter beschikking en een uitstekende chauffeur die met u mee zal gaan. Ik zou het zelf doen, maar ik mag mijn post niet verlaten.'

'Ik zal van uw plichtsbetrachting melding maken bij de generaal.'

'Zoiets ligt in mijn natuur, meneer. Mijn naam is...'

'Ja, geef me vooral uw naam. Schrijf die maar op dat stukje papier.'

Bourne zat in de drukke lobby van de oostvleugel van het Beijing Hotel met een half opgevouwen krant voor zijn gezicht, waarvan hij de linkerkant iets had omgevouwen zodat hij de ingang in de gaten kon houden. Hij zat te wachten en uit te kijken naar ene Jean Louis Ardisson uit Parijs. Het was voor Jason niet moeilijk geweest zijn naam te weten te komen. Twintig minuten geleden was hij naar de rondleidingsbalie gelopen en had in zijn beste Mandarijns tegen het meisje daar gezegd:

'Het spijt me dat ik u lastig moet vallen, maar ik ben Eerste Tolk voor alle Franse delegaties die zaken doen met de staatsindustrie en ik ben bang dat ik een van mijn verwarde schapen ben kwijtgeraakt.'

'U moet een uitstekende tolk zijn. U spreekt het Chinees vloeiend. Wat is er gebeurd met uw... verbijsterde schaap?' De vrouw verstoutte zich een kort gegiechel over de uitdrukking.

'Ik weet het niet zeker. We zaten koffie te drinken in het cafetaria, we wilden zijn tijdindeling nog even bekijken, en toen keek hij op zijn horloge en zei dat hij me later wel zou bellen. Hij ging met een van de rondleidingen van vijf uur mee en hij was kennelijk al laat. Het was vervelend voor me maar ik weet wat er gebeurt wanneer bezoekers voor het eerst in Beijing komen. Ze zijn totaal overweldigd.'

'Dat wil ik geloven,' stemde de vrouw in. 'Maar wat kunnen wij voor u doen?'

'Ik moet weten hoe zijn naam precies wordt gespeld en of hij een dubbele naam heeft en ook zijn voornaam — allemaal bijzonderheden die vermeld moeten worden op de officiële papieren die ik voor hem zal invullen.'

'Maar hoe kunnen we u daarbij van dienst zijn?'

'Hij heeft dit in het cafetaria laten liggen.' Jason liet het naamkaartje van de Fransman zien. 'Ik begrijp niet dat hij nog met die tour is meegekomen.'

De vrouw lachte even en ze haalde het rondleidingsregister voor die dag vanonder de balie uit. 'Men heeft hem gezegd waar de tour vertrok en de gids begreep het; alle gidsen hebben een lijst bij zich. Die dingen vallen steeds af en ze heeft hem ongetwijfeld een tijdelijk kaartje gegeven.' Ze pakte het naamkaartje aan en begon de bladzijden om te slaan terwijl ze vervolgde: 'Ik zal u zeggen, de idioten die die dingen maken zijn die paar yuan die ze ervoor krijgen niet eens waard. We hebben allemaal die nauwgezette instructies, die strikte regels, en we staan al direct aan het begin voor gek. Wie is wie?' De vrouw hield haar vinger stil bij een naam in het register. 'Oh, wat een pech,' zei ze zacht en ze keek op naar Bourne. 'Ik weet niet of uw schaap verbijsterd is maar ik kan u zeggen dat het heel wat te blaten heeft. Hij heeft een hele hoge dunk van zichzelf en hij was ook heel onaangenaam. Toen hij hoorde dat er geen chauffeur was die Frans sprak beschouwde hij dat als een belediging van de eer van zijn land en van zijn eigen eer, en die was voor hem nog belangrijker. Hier, leest u de naam maar. Ik kan hem niet uitspreken.' 'Heel hartelijk dank,' zei Jason al lezend.

Vervolgens was hij naar een huistelefoon gelopen waarboven 'Engels' stond aangegeven en had de telefonist gevraagd naar de kamer van meneer Ardisson.

'U kunt rechtstreeks bellen, meneer,' had de man gezegd met een triomfantelijke, technologische klank in zijn stem. 'Het is kamer één-zeven-vier-drie. Een prachtige kamer. Fantastisch uitzicht over de Verboden Stad.'

'Dank u.' Bourne had gebeld. Er werd niet opgenomen. Monsieur Ardisson was nog niet teruggekeerd en onder de omstandigheden zou dat nog wel een tijdje kunnen duren. Maar een schaap dat zo doordringend kon blaten zou niet blijven zwijgen als zijn waardigheid of zijn zakelijke belangen op het spel stonden. Jason besloot te wachten. Hij begon vaag een plan te zien. Het was een wanhopig plan, gebaseerd op waarschijnlijkheden, maar hij had niets anders. Hij kocht een Frans tijdschrift van een maand oud aan een tijdschriftenkiosk en ging zitten. Ineens voelde hij zich doodmoe en hulpeloos.

Het gezicht van Marie verscheen voor het geestesoog van David Webb en toen klonk haar stem in de muffe lucht die hem omringde, ze weergalmde in zijn oren, nam al zijn gedachten in beslag en veroorzaakte een felle pijn in het midden van zijn voorhoofd. Jason Bourne zette die inbreuk met geweld van zich af. Het scherm van zijn geest werd donker en de laatste flikkering van licht werd verdreven door ruwe bevelen, gesproken met kille autoriteit. *Hou daarmee op! Daar is geen tijd voor. Concentreer je op dat we moeten overdenken. Op niets anders!*

Jasons ogen zwierven nu en dan kort in het rond, keerden steeds weer terug naar de ingang. De clientèle van de lobby in de oostvleugel was internationaal, een mengelmoes van talen, van kleding van Fifth en Madison Avenue, Savile Row, St. Honoré en de Via Condotti, en ook de minder opvallende kledingstukken van de beide Duitslanden en de Scandinavische landen. De gasten wandelden de helder verlichte winkels in en uit, geamuseerd en geïntrigeerd door de apotheek waar alleen Chinese geneesmiddelen verkocht werden, en ze liepen in drommen binnen in de zaken waar kunstnijverheid te koop was naast een muur met een grote reliëfkaart van de wereld. Nu en dan kwam er iemand met een heel gevolg achter zich aan naar binnen, onderdanige tolken bogen en vertaalden gesprekken tussen geuniformeerde staatsambtenaren die hun best deden er nonchalant uit te zien en dodelijk vermoeide zakenlieden van de andere kant van de aardbol van wie de ogen wazig stonden van de lange vliegreis en de behoefte aan slaap, naar ze hoopten vooraf gegaan door een stevige whisky. Dit was dan misschien Rood China, maar onderhandelingen waren er eerder dan er kapitalisme bestond, en de kapitalisten die zich bewust waren van hun slaap wilden niet over zaken spreken tot ze weer behoorlijk konden denken. Bravo Adam Smith en David Hume.

Daar was hij! Jean Louis Ardisson werd naar binnen geleid door niet minder dan vier Chinese ambtenaren die allen hun best deden hem te sussen. Een haastte zich vooruit naar de drankwinkel in de lobby terwijl de anderen hem ophielden bij de lift en voortdurend tegen hem praatten via de tolk. De koper keerde terug met een plastic zak waarvan de bodem uitzakte onder het gewicht van verscheidene flessen. Er werd geglimlacht en gebogen toen de liftdeuren opengingen. Jean Louis Ardisson accepteerde zijn beloning en knikte even toen de deuren dichtgingen.

Bourne bleef zitten en lette op de lichtjes van de opstijgende lift. *Vijftien, zestien, zeventien.* De lift had de bovenste verdieping bereikt, Ardissons verdieping. Jason stond op en liep weer naar de batterij van telefoons. Hij lette op de secondenwijzer van zijn horloge. Hij kon de tijd alleen maar schatten, maar een opgewonden man zou niet op zijn gemak naar zijn kamer wandelen als hij eenmaal de lift had verlaten. De kamer betekende een rustpunt voor hem, zelfs de opluchting van alleen te zijn na een uur vol spanning en paniek. Ondervraagd te worden door de politie in een vreemd land was voor iedereen al erg genoeg, maar het werd dodelijk beangstigend wanneer een onbegrijpelijke taal en volkomen andere gezichten het besef vergrootten dat de gevangene zich in een land bevond waar mensen vaak zonder één enkel spoor achter te laten verdwenen. Na een dergelijke beproeving zou een man in zijn kamer komen en zich in de eerste de beste stoel laten vallen, bevend van angst en uitputting. Hij zou de ene sigaret na de andere opsteken, omdat hij vergeten was waar hij de laatste had neergelegd. Hij zou een paar stevige borrels drinken en snel slikken om eerder het effect te voelen. De telefoon grijpen om die afschuwelijke ervaring aan iemand te kunnen vertellen, onbewust hopend de nawerking ervan te verkleinen door ze met een ander te delen. Bourne kon Ardisson wel toestaan zich in zijn stoel te laten vallen, en voor zijn part kon hij net zoveel wijn en sterke drank drinken als hij kon verdragen, maar bij de telefoon moest hij hem vandaan houden. Hij mocht zijn angst niet verminderen door die met iemand te delen. Ardissons angst moest eerder verhoogd worden tot op een punt waarop hij verlamd zou zijn van schrik, vreesde voor zijn leven als hij zijn kamer verliet. Er waren vijfenveertig seconden voorbijgegaan; het was tijd te bellen.

'*Allo?*' De stem klonk gespannen, buiten adem.

'Ik zal snel spreken,' zei Jason zacht in het Frans. 'Blijf waar u bent en gebruik de telefoon niet. Over precies acht minuten zal ik op uw deur kloppen, tweemaal snel, dan nog één keer. Laat mij binnen, ma*á*r laat niemand vóór mij binnen. Vooral geen kamermeisje of etagekelner.'

'Wie bént u?'

'Een landgenoot die met u moet spreken. Voor uw eigen veiligheid. Acht minuten.' Bourne legde de hoorn op en liep terug naar zijn stoel. Hij hield de minuten bij en berekende de tijd die het zou duren voor een lift met een normaal aantal mensen van de ene verdieping naar de andere was gegaan. Op elke verdieping was het van de lift naar welke kamer ook maar een halve minuut. Er verstreken zes minuten en Jason stond op, knikte naar een verbaasde onbekende naast hem en liep naar de lift waarvan de verlichte cijfers aangaven dat hij het eerst de lobby zou bereiken. Acht minuten waren ideaal om iemand te prepareren, vijf was te kort, niet lang genoeg om de juiste mate van spanning te bereiken. Zes was beter, maar die gingen te snel voorbij. Acht minuten echter vormden nog een tijdruimte die urgent genoemd kon worden, terwijl ze net die extra momenten van ongerustheid meebrachten waardoor iemands weerstand werd verzwakt. Bourne had het plan nog niet duidelijk voor ogen. Het doel was echter absoluut kristalhelder. Het was het enige dat hij nog had en elke vezel instinct in zijn lijf zei hem de kans aan te grijpen. Delta Eén kende de oosterse gedachtengang. In een bepaald opzicht was die eeuwenlang onveranderd gebleven. Geheimhouding was tienduizend tijgers waard, zo niet een koninkrijk.

Hij stond voor de deur van 1743 en keek op zijn horloge. Precies acht minuten. Hij klopte tweemaal, wachtte even en klopte toen weer. De deur ging open en een dodelijk geschrokken Ardisson staarde hem aan.

'*C'est vous!*' riep de zakenman uit en hij bracht zijn hand naar zijn lippen.

'*Soyez prudent,*' zei Jason terwijl hij naar binnen ging en de deur achter zich sloot. 'We moeten praten,' vervolgde hij in het Frans. 'Ik moet weten wat er gebeurd is.'

'U! U stond naast me op dat afschuwelijke plein. We hebben met elkaar gesproken. U hebt me mijn naamkaartje afgepakt! U bent de oorzaak van alles geweest!'

'Hebt u mij genoemd?'

'Dat durfde ik niet. Het zou lijken alsof ik iets onwettigs had gedaan, door mijn pas aan iemand anders te geven. Wie bént u? Waarom bent u híer? U hebt me vandaag al genoeg last bezorgd! U kunt maar beter weggaan, monsieur.'

'Pas wanneer u mij precies hebt verteld wat er gebeurd is.' Bourne liep de kamer door en ging in een stoel zitten naast een roodgelakt tafeltje. 'Ik moet dat dringend weten.'

'Zo. En ik vind het niet dringend u dat te vertellen. U hebt het recht niet om hier binnen te lopen, op uw gemak te gaan zitten en mij bevelen te geven.'

'Het spijt me, dat recht heb ik wel. Die tour van ons was privé en u hebt zich opgedrongen.'

'Ik werd *ingedeeld* bij die verdomde rondleiding!'

'Op wiens bevel?'

'De portier, of hoe je die idioot beneden ook noemt.'

'Hij niet. Iemand boven hem. Wie was het?'

'Hoe kan ik dat nu weten. Ik heb niet het flauwste idee waarover u praat.'

'U ging weg.'

'Mijn god, u zei me zelf dat ik weg moest gaan!'

'Ik stelde u op de proef.'

'Op de proef...? Dit is gewoon niet te gelóven!'

'Gelooft u me maar,' zei Bourne. 'Als u de waarheid zegt zal u niets overkomen.'

'Niets overkómen?'

'Wij doden geen onschuldige mensen, alleen de vijand.'

'De vijand... doden?'

Bourne stak zijn hand onder zijn colbertje, trok het pistool uit zijn riem en legde het op het tafeltje. 'Overtuigt u me nu maar eens dat u de vijand niet bent. Wat is er gebeurd nadat u bij ons bent weggegaan?'

Verbijsterd wankelde Ardisson achteruit tegen de muur en zijn wijdopenstaande angstige ogen staarden gebiologeerd naar het wapen. 'Ik zweer u bij alle heiligen dat u de verkeerde man voor hebt,' fluisterde hij.

'Overtuigt u me dan maar eens.'

'Waarvan?'

'Van uw onschuld. Wat is er gebeurd?'

'Ik... op het plein,' begon de dodelijk verschrikte zakenman. 'Ik dacht aan die dingen die u me verteld had, dat er iets afschuwelijks was gebeurd in het mausoleum van Mao en dat de Chinese wachtposten iets schreeuwden over buitenlandse gangsters en hoe men een cordon zou leggen om de mensen en hen zou vasthouden, vooral iemand zoals ik die zo maar aan de rondleidingsgroep was toegevoegd... Daarom begon ik hard te lopen; mijn gód, ik kon onmogelijk in zo'n situatie terecht komen! Er zijn miljoenen francs bij betrokken, de helft van de kosten van Singapore, winsten van een grootte die ongehoord is in de mode-industrie! Ik ben niet zomaar een onderhandelaar, ik vertegenwoordig een consortium!'

'U begon dus hard te lopen en zij hielden u tegen,' onderbrak Jason hem, want hij wilde de niet essentiële zaken zo snel mogelijk achter zich hebben.

'Já! Ze spraken zo snel dat ik geen woord verstond van wat ze zeiden en het duurde een uur voordat ze iemand vonden die Frans sprak!'

'Waarom vertelde u hen niet eenvoudig de waarheid? Dat u bij onze tour hoorde.'

'Omdat ik juist weghólde van die verdomde tour en ik ú mijn verrekte naamkaartje had gegeven! Wat zouden die barbaren daarvan denken, die in elk blank gezicht een fascist zien?'

'Het Chinese volk is niet barbaars, monsieur,' zei Bourne zacht. Toen schreeuwde hij ineens: 'Het is alleen de politieke filosofie van hun regering die barbaars is! Zonder de genade van de Almachtige God, met alleen de zegening van satan!'

'Pardon?'

'Straks misschien,' antwoordde Jason, ineens weer op rustige toon. 'Er kwam dus iemand die Frans sprak. Wat gebeurde er toen?'

'Ik zei hem dat ik een eindje was gaan wandelen, dat was úw suggestie, monsieur. En dat ik me ineens herinnerde dat ik een telefoongesprek uit Parijs verwachtte en me daarom terughaastte naar het hotel, vandaar mijn hollen.'

'Heel aannemelijk.'

'Niet voor die functionaris die Frans sprak, monsieur. Hij begon me uit te schelden, maakte de meest beledigende opmerkingen en insinueerde de meest afschuwelijke dingen. Ik vraag me af wat er in hemelsnaam is gebeurd in die grafkelder?'

'Het was een magnifiek stukje werk, monsieur,' antwoordde Bourne met wijd opengesperde ogen.

'Pardon?'

'Straks misschien. De functionaris was dus beledigend?'

'Heel erg! Maar hij ging te ver toen hij de modehuizen in Parijs een decadente bourgeoise-industrie noemde! Ik bedoel maar, uiteindelijk betálen wij geld voor die verdomde textiel van hen, al hoeven ze natuurlijk niet de winstmarges te weten.'

'Wat hebt u toen gedaan?'

'Ik heb een lijst bij me met de namen van de mensen met wie ik in onderhandeling ben. Ik begrijp dat er een paar belangrijke bij zijn, en dat moet ook wel, gezien het geld dat erbij is betrokken. Ik stond erop dat de ambtenaar contact met hen zou opnemen en ik weigerde — ik weigerde absoluut — ook maar één antwoord te geven op verdere vragen totdat er in elk geval een paar van die mensen kwamen opdagen. Nou dan, dat gebeurde na nog eens *twee* uur en ik kan u vertellen dat er toen een en ander veranderde! Ik werd teruggebracht naar het hotel in wat in China een limousine is, verdomd benauwd voor iemand van mijn lengte met nog vier kerels erbij. En wat nog erger is, ze zeiden me dat onze laatste bijeenkomst opnieuw is uitgesteld. Die zal niet morgenvroeg zijn maar morgenavond. Wat is dát nu voor tijd om zaken te doen?' Ardisson verliet hijgend zijn plaats tegen de muur en zijn ogen stonden smekend. 'Meer kan ik u niet vertellen, monsieur. U hebt echt de verkeerde man voor. Ik ben hier bij niets anders betrokken dan bij mijn consortium.'

'Dat hoorde u wel te zijn!' riep Jason uit op beschuldigende toon en hij verhief opnieuw zijn stem. 'Zakendoen met de goddelozen is het werk van de Here onteren!'

'Pardon?'

'U hebt mij overtuigd,' zei de kameleon. 'U bent gewoon een vergissing.'

'Een wát?'

'Ik zal u nu eens vertellen wat er gebeurd is in het mausoleum van Mao Zedong. Dat hebben wij gedaan. We hebben de glazen kist aan stukken geschoten en ook het lijk van die infame ongelovige!'

'Wát hebt u gedaan?'

'En we zullen doorgaan de vijanden van Christus te vernietigen, overal waar we hen aantreffen! We zullen Zijn liefdesboodschap weer terugbrengen in de wereld, al zouden we er elk verziekt beest dat daar anders over denkt voor moeten doden! Het zal een *christelijke* aardbol worden of helemaal geen aardbol meer!'

'Maar er is toch zeker wel ruimte voor onderhandelen. Denkt u eens aan het geld, de bijdragen?'

'Niet van satan!' Bourne stond op uit de stoel, pakte het pistool en schoof het onder zijn riem, knoopte vervolgens zijn colbertje dicht en trok aan de stof alsof het een militair tuniek was. Hij liep op de angstige zakenman af. 'U bent de vijand niet, maar het scheelt niet veel, monsieur. Mag ik nu uw portefeuille en uw handelsdocumenten, met inbegrip van de namen met wie u onderhandelt?'

'Geld...?'

'Wij accepteren geen bijdragen. Die hebben we niet nodig.'

'Waarom dán?'

'Voor uw bescherming en voor die van ons. Onze cellen hier moeten iedereen natrekken om te zien of u niet als stropop wordt gebruikt. Iets wijst erop dat men ons misschien heeft geïnfiltreerd. Morgen krijgt u alles weer terug.'

'Ik moet werkelijk protesteren...'

'Doet u dat nu maar niet,' onderbrak hem de kameleon en hij stak opnieuw zijn hand onder zijn jasje en liet ze daar rusten. 'U vroeg toch wie ik was? Laat ik volstaan met te zeggen dat wij, zoals onze vijanden gebruik maken van de diensten van groepen als de PLO, de fanatici van de Ayatolla en Baader Meinhof, onze eigen brigades hebben gevormd.

Wij schenken geen genade en wij verwachten geen genade. Dit is een dodelijke worsteling.'

'Mijn god!'

'Wij strijden in Zijn naam. Verlaat deze kamer niet. Bestel uw maaltijd via de etageservice. Bel niet met uw collega's of uw tegenhangers hier in Beijing. Ik moet u naar waarheid zeggen dat ikzelf geschaduwd werd en als het bekend raakt dat ik op uw kamer ben geweest zult u eenvoudig verdwijnen.'

'Niet te gelóven. . .!' Ardissons ogen stonden ineens wazig en hij begon te beven over zijn hele lichaam.

'Uw portefeuille en uw documenten, alstublieft.'

Door de hele reeks documenten van Ardisson te tonen, met inbegrip van de lijst van staatsonderhandelaars in het bezit van de Fransman, kon Jason een auto huren onder de naam van Ardissons consortium. Hij maakte het een opgeluchte manager van het Chinese Internationale Reisbureau aan de Chaoyangmenstraat duidelijk dat hij zowel Mandarijns las als sprak, en daar de gehuurde auto bestuurd zou worden door een van de Chinese ambtenaren, was er geen chauffeur bij nodig. De manager zei hem dat de auto om zeven uur 's avonds bij het hotel zou zijn. Als alles verder lukte zou hij vierentwintig uur hebben om zich zo vrij door Beijing en omgeving te bewegen als maar mogelijk was voor een westerling. In de eerste tien uur zou hij te weten komen of een plan dat uit wanhoop was geboren hem uit de duisternis zou leiden of dat het zowel Marie als David Webb in een afgrond zou doen belanden. Maar Delta Eén kende de oosterse gedachtengang. In één opzicht was die in twintig eeuwen niet veranderd. Geheimhouding was tienduizend tijgers waard, ja zelfs een koninkrijk.

Bourne wandelde terug naar het hotel en bracht enige tijd door in het drukke winkelcentrum van Wang Fu Jing, om de hoek van de oostelijke vleugel van het hotel. Op nummer 255 lag het grote warenhuis waar hij de nodige inkopen deed aan kleding en uitrusting. Op nummer 261 vond hij een winkel, Tuzhang Menshibu, hetgeen betekende Winkel voor Stempelgravering, waar hij het meest officieel uitziende briefpapier uitkoos dat hij kon vinden. (Tot zijn verbazing en genoegen stonden er op Ardissons lijst niet één, maar twee generaals, en waarom ook niet? De Fransen produceerden de Exocet, en ofschoon die nauwelijks onder de mode was te rekenen, stond ze hoog op de lijst van militairen die op technische zaken uit waren.) Ten slotte kocht hij in een winkel voor tekenmaterialen, op nummer 265 aan de Wang Fu Jing, een schoonschrijfpen en een kaart van Beijing en omgeving, en nog een kaart waarop alle wegen stonden die vanuit Beijing naar de steden in het zuiden voerden.

Hij nam zijn aankopen mee naar het hotel, liep naar een bureau in de lobby en begon met zijn voorbereidingen. Eerst schreef hij een briefje in het Chinees waarin hij de bestuurder van de huurauto onthief van alle verantwoordelijkheid bij het overdragen van de wagen aan de buitenlander. Het was ondertekend door een generaal en kwam neer op een bevel. Vervolgens spreidde hij de kaart uit en trok een kring om een klein groen gebied in de buitenwijken ten noordwesten van Beijing. Het Jing Shan Vogelreservaat.

Geheimhouding was tienduizend tijgers waard, zo niet een koninkrijk.

25

Marie sprong op uit haar stoel toen de telefoon schril rinkelend overging. Ze holde hinkend en met vertrokken gezicht door de kamer en nam de hoorn op. 'Ja?'

'Mevrouw Austin, naar ik aanneem?'

'*Mo?*... Mo Panov! Godzijdank!' Marie sloot haar ogen van dankbaarheid en opluchting. Het was bijna dertig uur geleden sinds ze met Alexander Conklin had gesproken en het wachten, de spanning en vooral haar hulpeloosheid hadden haar op de rand van paniek gebracht. 'Alex zei dat hij je ging vragen met hem mee te gaan. Hij dacht wel dat je dat doen zou.'

'Dacht hij dat? Was er dan enige twijfel? Hoe voel je je, Marie? En je hoeft er geen doekjes om te winden.'

'Ik word gek, Mo. Ik probeer het tegen te houden, maar ik word gék!'

'Zo lang je dat nog niet bent zou ik zeggen dat je je bewonderenswaardig hebt gedragen, en het feit dat je door blijft knokken zegt nog meer. Maar je zit niet te wachten op een lesje nep-psychologie van mij. Ik wilde alleen maar een excuus hebben je stem weer eens te horen.'

'Om te ontdekken of ik al een wauwelend wrak was geworden,' zei Marie zacht en nadrukkelijk.

'We hebben samen al zoveel meegemaakt dat ik zo'n derderangs smoesje niet nodig heb, het zou me bij jou toch nooit lukken. Daarom deed ik het ook niet.'

'Waar is Alex?'

'Die staat in een cel naast me te telefoneren, hij vroeg me jou te bellen. Hij wil kennelijk met je praten terwijl degene met wie hij belt nog aan de lijn is... Wacht even. Hij staat te knikken. De volgende stem die je hoort, enzovoorts, enzovoorts.'

'Marie?'

'*Alex?* Dank je. Be*dankt* dat je gekomen bent...'

'Zoals je man zou zeggen: "Daar hebben we geen tijd voor". Wat droeg je toen ze je het laatst hebben gezien?'

'Wat droeg ik?'

'Toen je hen ontsnapte.'

'Ik ben twee keer ontsnapt. De tweede keer was in Tuen Mun.'

'Niet toen,' viel Conklin in de rede. 'Het groepje was toen klein en er was te veel verwarring, als ik me goed herinner wat je me vertelde. Een paar mariniers hebben je inderdaad gezien maar verder niemand. *Hier*. Hier in Hongkong. Dat is waarschijnlijk het signalement waarvan ze uitgaan, dat zullen ze onthouden. Wat droeg je toen?'

'Even denken. In het ziekenhuis...'

'Later,' onderbrak Alex. 'Je zei iets tegen me over het ruilen van kleren en dat je een paar dingen had gekocht. Het Canadese consulaat, de flat van Staples. Weet je het nog?'

'Lieve hemel, hoe weet jíj dat allemaal nog.'

'Niets geheimzinnigs, ik maak aantekeningen. Dat is een van de bijprodukten van de alcohol. Opschieten, Marie. Wat droeg je zo in het algemeen?'

'Een plooirok, ja, een grijze plooirok, dat was het. En een soort blauwachtige blouse met een hoge boord...'

'Dat zou je waarschijnlijk veranderen.'

'Wat?'

'Laat maar zitten. Wat verder?'

'O, een hoed, met een vrij brede rand om mijn gezicht te verbergen.
'Goed zo!'

'En een nephandtas van Gucci die ik op straat had gekocht. Oh, en sandalen om me kleiner te laten lijken.'

'Ik wil de lengte weten. We zullen het op hoge hakken houden. Dat is prima, meer heb ik niet nodig.'

'Waarvoor, Alex? Wat ben je aan het doen?'

'Ik speel verstoppertje. Ik weet heel goed dat de paspoortcomputers van Buitenlandse Zaken me ontdekt hebben en met mijn vlotte, atletische tred konden zelfs die ezels van BZ me signaleren bij de douane. Ze weten geen barst, maar iemand geeft hun bevelen en ik wil weten wie er verder nog te voorschijn komt.'

'Ik geloof niet dat ik het begrijp.'

'Ik leg het later wel uit. Blijf waar je bent. We komen zo gauw we ongezien weg kunnen glippen. Maar het moet absoluut ongezien zijn, daarom kan het nog wel een uur of zo duren.'

'Hoe zit het met Mo?'

'Die moet bij mij blijven. Als we nu uit elkaar gaan zullen ze hem op z'n minst schaduwen en in het ergste geval pikken ze hem op.'

'En jij dan?'

'Mij zullen ze niet aanraken, alleen goed in de gaten houden.'

'Je hebt nogal vertrouwen.'

'Ik ben kwaad. Ze kunnen onmogelijk weten wat ik heb achtergelaten of bij wie, of wat voor instructies ik heb gegeven als er een onderbreking

362

komt in tevoren afgesproken telefoontjes. Voor hen ben ik op dit moment een lopende − hinkende − megabom die hun hele operatie de lucht in kan jagen, wat voor kolere-operatie het dan ook is.'

'Ik weet dat je zult zeggen dat er geen tijd voor is, Alex, maar ik moet je iets vertellen. Ik weet niet zeker waarom maar ik moet het doen. Ik geloof dat een van de dingen die jou betroffen en die David zo pijn deden en kwaad maakten het feit was dat jij volgens hem je werk het beste deed. Zo nu en dan, als hij een paar borrels ophad of niet helemaal helder praatte − wanneer hij meer met zijn gedachten bij het verleden was − dan schudde hij bedroefd met zijn hoofd of hij sloeg woedend met zijn vuist op tafel en vroeg zich af *waarom*. "Waarom," zei hij dan. "Hij had beter moeten weten... hij was de beste".'

'Ik kon niet tegen Delta op. Dat kon niemand. Nooit.'

'Volgens mij ben jij verschrikkelijk goed.'

'Omdat ik niet uit vijandig gebied kom, ik trek er juist in. Met een betere reden dan ik ooit eerder heb gehad.'

'Wees voorzichtig, Alex.'

'Zeg maar tegen hém dat ze voorzichtig moeten zijn.' Conklin legde de hoorn op de haak en Marie merkte dat de tranen langzaam langs haar wangen drupten.

Morris Panov en Alex kwamen uit de souvenirwinkel in het spoorwegstation van Kowloon en liepen op de roltrap af die naar de benedenverdieping voerde, sporen 5 en 6. Mo was als vriend volledig bereid de opdrachten van zijn vroegere patiënt op te volgen. Maar Panov kon het als psychiater niet nalaten zijn beroepsmening te berde te brengen.

'Geen wonder dat jullie allemaal geschift zijn,' zei hij, met een pandaspeelgoedbeest onder zijn arm en een fel gekleurd tijdschrift in zijn hand. 'Eens kijken of ik dit goed heb begrepen. Wanneer we naar beneden gaan, sla ik rechtsaf, dat is spoor 6 en dan loop ik naar links, naar het achterste stuk van de trein waarvan we aannemen dat die over enkele minuten binnenloopt. Juist, tot dusver?'

'Klopt,' antwoordde Conklin die zweetdruppels op zijn voorhoofd had terwijl hij voorthinkte naast de dokter.

'Dan wacht ik bij de laatste pilaar, met dit stinkende beest onder mijn arm terwijl ik de bladzijden bekijk van dit uiterst pornografische tijdschrift, tot er een vrouw op me afkomt.'

'Klopt ook,' zei Alex en ze stapten op de roltrap. 'De panda is een volkomen normaal cadeautje. De lui uit het Westen zijn er dol op. Zie het maar als een geschenk voor haar kind. Het pornotijdschrift is gewoon de andere helft van het herkenningsteken. Panda's en vieze plaatjes met naakte vrouwen gaan gewoonlijk niet samen.'

'Integendeel, de combinatie zou op iets echt Freudiaans kunnen wijzen.'

'Eén-nul voor het gekkenhuis. Doe nou maar wat ik zeg.'
'Zeggen? Je hebt me helemaal niet gezegd wát ik tegen de vrouw moet zeggen.'
'Probeer het maar met "Leuk je te ontmoeten", of "Hoe gaat het met je kind?" Het doet er niet toe. Geef haar de panda en loop terug naar deze roltrap zo snel je kunt, maar zonder te hollen.' Ze kwamen op het lager gelegen perron en Conklin raakte Panovs elleboog aan terwijl hij de dokter naar rechts loodste. 'Het zal je best lukken, coach. Doe nou maar wat ik gezegd heb en kom hier terug. Alles zal prima verlopen.'
'Dat zeg ik gemakkelijker vanuit mijn bureaustoel.'
Panov liep naar het einde van het perron terwijl de trein uit Lo Wu het station kwam binnendenderen. Hij ging bij de laatste pilaar staan en toen de passagiers met honderden tegelijk de deuren uitstroomden hield de dokter onhandig de zwart-witte panda onder zijn arm en het tijdschrift voor zijn gezicht. En toen het gebeurde viel hij bijna flauw.
'Jij moet Harold zijn!' klonk de luide falsetstem toen een lange gedaante, zwaar opgemaakt onder een slappe hoed met brede rand en gekleed in een grijze plooirok hem op de schouder sloeg. 'Ik zou je *overal* terugkennen, schat!'
'Leuk je te zien. Hoe gaat het met het kind?' Morris kon nauwelijks iets uitbrengen.
'Hoe gaat het met *Alex?*' vroeg een lage mannenstem plotseling zacht. 'Ik sta bij hem in het krijt en ik betaal mijn schulden, maar dit is waanzin! Heeft-ie ze nog wel allevijf op een rijtje?'
'Ik weet niet of iemand van jullie dat wel heeft,' zei de stomverbaasde psychiater.
'*Snel,*' zei de vreemde figuur. 'Ze komen dichterbij. Geef me de panda en als ik begin te rennen verdwijnt u tussen de mensen en zorgt u dat u hier wegkomt! Gééf hem me nou!'
Panov deed wat hem werd gezegd en hij zag dat er een paar mensen bezig waren zich tussen de verspreide groepjes passagiers heen te worstelen en op hen afkwamen. Plotseling rende de zwaar opgemaakte man in vrouwenkleren achter de dikke pilaar en kwam aan de andere kant weer te voorschijn. Hij had zijn hoge hakken uitgeschopt, was weer om de pilaar heengelopen en dook als een rugbyspeler tussen de mensen die het dichtst bij de trein waren, liep een Chinees voorbij die hem wilde vastgrijpen, ontweek opzijgeduwde lichamen en verschrikte gezichten. Achter hem voegden meer mannen zich bij de achtervolging, gehinderd door de steeds vijandiger passagiers die koffers en rugzakken begonnen te gebruiken om de onverwachte aanvallen af te weren. In de opschudding werd de pandabeer in de handen geduwd van een rijzige oosterse vrouw die een opengevouwen dienstregeling stond te bekijken. De vrouw werd beetgepakt door twee goedgeklede Chinezen, ze gilde. Ze keken haar aan, gilden tegen elkaar en renden weer verder.

Morris Panov deed opnieuw wat hem was opgedragen: hij verdween snel tussen de weglopende mensenmassa aan de andere kant van het perron en haastte zich langs de rand van spoor 5 terug naar de roltrap waarvoor inmiddels een queu stond. Een queu, maar geen Alex Conklin! Mo onderdrukte zijn paniekgevoel, ging langzamer lopen maar bleef in beweging terwijl hij om zich heen keek, de mensen afzocht op het perron en ook degenen die op de roltrap stapten. Wat was er gebeurd? Waar was de CIA-man?

'Mó!'

Panov draaide zich met een ruk naar links en de korte kreet was zowel een opluchting voor hem als een waarschuwing. Conklin was behoedzaam gedeeltelijk achter een pilaar gaan staan, tien meter van de roltrap vandaan. Met zijn snelle, jachtige gebaren maakte hij duidelijk dat hij moest blijven waar hij was en dat Mo naar hem toe moest komen, maar langzaam en voorzichtig. Panov deed zich voor als iemand die genoeg had van de queu, iemand die liever wilde wachten tot er wat minder mensen stonden voordat hij naar de roltrap zou lopen. Hij wilde dat hij rookte of dat hij tenminste het pornotijdschrift niet had weggegooid, dan had hij in elk geval wat te doen. Daarom legde hij zijn handen maar achter op zijn rug, wandelde nonchalant langs de lege plekken op het perron, keek twee keer om zich heen en bekeek nadenkend de spoorrails. Hij kwam aan de pilaar, liep er terloops achter en bleef staan met ingehouden adem.

Aan Conklins voeten lag een verbijsterde man van middelbare leeftijd in een regenjas en Conklins horrelvoet rustte op het midden van zijn rug. 'Ik zou je graag willen voorstellen aan Matthew Richards, dokter. Matt is een ouwe bekende uit het Verre Oosten, nog uit de vroegste tijd in Saigon toen we elkaar voor het eerst ontmoetten. Hij was toen natuurlijk jonger en heel wat sneller ter been. Maar ja, dat waren we toen allemaal.'

'Godverdorie, Alex, laat me opstaan!' smeekte de man die Richards heette en hij schudde zijn hoofd voor zover hij dat kon in zijn liggende positie. 'Mijn kop doet verrekte zeer! Waar heb je me mee geraakt, met een breekijzer?'

'Nee, Matt. Met de schoen die aan de voet hoorde die ik niet meer heb. Zwaar, vind je niet? Maar die moet ook tegen heel wat stootjes kunnen. Wat jou op laten staan betreft, je weet dat ik dat niet doen kan voordat je antwoord hebt gegeven op mijn vragen.'

'Godverdomme, die heb ik beantwoord! Ik ben maar een gewone zandhaas, geen hoofd van het bureau hier. We hebben je opgepikt via een instructie uit Washington waarin stond dat we je moesten schaduwen. Toen is BZ ertussen gekomen met een andere instructie die ík niet heb gezien!'

'Ik zei het je al, ik kan dat moeilijk geloven. Jullie hebben hier een klei-

ne groep; iedereen ziet alles. Wees nou redelijk, Matt, we kennen elkaar al heel lang. Wat stond er in die instructie van BZ?'
'Ik wéét het niet. Die was alleen bestemd voor de SC!'
'Dat betekent "Stationschef", dokter, hoofd van het plaatselijk bureau,' zei Conklin en hij keek Panov aan. 'Dat is de oudste smoes die we hebben. We gebruiken het steeds wanneer we stront hebben met andere regeringsbureau's. "Wat weet ík daarvan? Vraag het de SC maar". Zo houden we schone handen, want niemand wil er het hoofd van een bureau lastig vallen. Want weet je, SC's hebben een rechtstreeks lijntje met Langley en Langley heeft, afhankelijk wie de sukkel in het Ovale Kantoor is, een rechtstreeks lijntje met het Witte Huis. Het is één politiek zootje, dat kan ik je wel vertellen, en het heeft heel weinig te maken met het verzamelen van inlichtingen.'
'Zo leer je nog eens wat,' zei Panov en hij staarde naar de liggende man, niet wetend wat hij anders moest zeggen en dankbaar dat het perron nu practisch verlaten was en dat het een beetje donker was achter de achterste pilaar.
'Het ís geen smoes!' gilde Richards terwijl hij zich verzette onder het drukkende gewicht van Conklins zware schoen. 'Verrék, ik zeg je de waarheid! Komende maand februari ga ik met pensioen. Waarom zou ik uitzien op moeilijkheden met jou of met wie dan ook op het hoofdkwartier?'
'Oh, Matt, arme Matt, jij bent nooit een van de slimsten geweest. Je hebt net antwoord gegeven op je eigen vraag. Jij kunt dat pensioen al proeven, net als ik en je wilt geen rotzooi trappen. Ik sta geboekt als iemand die gezocht moet worden en nauwlettend bewaakt moet worden, en jij wilt geen gedonder met een instructie die jou aangaat. Goed dan, knaap, ik zal een evaluatierapport terugseinen waardoor ze jou overplaatsen naar de afdeling Springstoffen in Midden-Amerika totdat je tijd voorbij is, als je het tenminste zo lang uithoudt.'
'Hou daar mee op!'
'Stel je voor, je bent als een stinkdier in een val gelokt achter een pilaar in een druk spoorwegstation door een rottige mankepoot. Ze zullen je waarschijnlijk helemaal alleen een stel mijnen in een haven laten leggen.'
'Ik wéét niks!'
'Wie zijn die Chinezen?'
'Ik wéét. . .'
'Het is geen politie, wie zijn het dan?'
'Regering.'
'Wat voor afdeling? Dat moeten ze je verteld hebben, dat moet de SC je verteld hebben. Hij kan niet verwacht hebben dat jullie blindelings zouden gaan werken.'
'Dat is 't 'm juist, dat doen we wél! Het enige wat hij tegen ons heeft

gezegd is dat ze van de allerhoogste instanties in DC toestemming hebben. Hij beweerde bij hoog en laag dat hij niet meer wist! Verrek, wat moesten we doen? Hem vragen om hun rijbewijs?'

'Dus niemand is verantwoordelijk omdat niemand er iets vanaf weet. Het zou mooi zijn als het Chinese communisten waren die achter een overloper aanzitten, denk je niet?'

'De SC is verantwoordelijk. Wij schuiven het naar hém door.'

'Och, wat zijn we toch weer braaf. "We gehoorzamen alleen maar aan een bevel, *Herr General*".' Conklin gebruikte voor de rang de vette Duitse *G*. '*Ach, natürlich, Herr General* weet ook geen sodemieter want hij volgt zíjn bevelen op.' Alex zweeg en kneep zijn ogen half dicht. 'Er was één vent bij, een enorme kerel die eruitzag als een Chinese Paul Bunyan.' Conklin zweeg. Richards' hoofd schokte even en zijn lijf ook.

'Wie is hij, Matt?'

'Ik weet het niet... zeker.'

'*Wie?*'

'Ik heb hem ook gezien, meer niet. Je kunt hem moeilijk over het hoofd zien.'

'Dat is niet alles. Omdat hij zo moeilijk over het hoofd te zien is én omdat jij hem op bepaalde plaatsen hebt gezien, heb je ook vragen gesteld. Wat heb je gehoord?'

'Toe nou, Alex! Het zijn maar kletspraatjes, geen zekerheid.'

'Ik ben dol op kletspraatjes. Roddel maar eens, Matt, anders zou dat lelijke zware ding aan mijn poot wel eens op je gezicht kunnen stampen. Want zie je, ik ben er geen baas over; dat ding denkt voor zichzelf en het mag jou niet. Het kan verrekt vijandig zijn, zelfs tegen mij.' Met moeite tilde Conklin opeens zijn horrelvoet op en liet die met kracht neerkomen tussen Richards' schouderbladen.

'Verdómme! Je breekt mijn rug!'

'Nee, volgens mij wil het je gezicht aan flarden stampen. Wie ís hij, Matt?' Alex tilde opnieuw met een grimas zijn kunstvoet op en liet die nu zakken tot achter op de schedel van de CIA-man.

'Goed dan! Zoals ik al zei, het is niet zeker, maar ik heb gehoord dat hij heel hoog zit in de inlichtingendienst van de kroonkolonie.'

'Inlichtingendienst kroonkolonie,' legde Conklin uit aan Morris Panov 'wil zeggen de Britse Inlichtingendienst hier in Hongkong en dat wil zeggen dat zij hun bevelen uit Londen krijgen.'

'Zo hoor je inderdaad nog 'ns wat,' zei de psychiater, even verbluft als verbijsterd.

'Zeg dat wel,' stemde Alex in. 'Mag ik je stropdas hebben, dokter?' vroeg Conklin en hij begon de zijne los te knopen. 'Ik zal hem je terugbetalen van mijn onkostenrekening want dit is een frisse nieuwe benadering. Ik ben officieel aan het werk. Langley steunt kennelijk met geld – via Matthews salaris en zijn tijd – iets wat te maken heeft met een

367

geheime operatie van een bondgenoot. Als ambtenaar die ook tot die club behoort moet ik mijn schouders eronderzetten. Jouw stropdas heb ik ook nodig, Matt.'

Twee minuten later lag zandhaas Richards achter de pilaar aan handen en voeten gebonden en met strak afgesloten mond, en dat alles was bereikt met drie stropdassen.

'De kust is veilig,' zei Alex terwijl hij de restanten van de mensenmenigte bekeek. 'Ze zijn allemaal achter onze lokvogel aan, die nu onderhand halverwege Maleisië zit.'

'Wie was zij — hij?? Ik bedoel maar, hij was in elk geval geen vrouw.'

'Dat is niet sexistisch bedoeld, maar een vrouw was hier waarschijnlijk niet zo maar weggekomen. Dat is hij wel en hij heeft de anderen meegenomen, achter hem aan. Hij sprong over de leuning van de roltrap en werkte zich naar boven toe. We gaan. De kust is veilig.'

'Maar wie ís hij?' hield Panov aan terwijl ze om de pilaar heenliepen in de richting van de roltrap en de paar achterblijvers die een korte rij vormden.

'We hebben hem hier een paar keer gebruikt, voornamelijk als een paar extra ogen voor de afgelegen grensovergangen, waar hij wat vanaf weet omdat hij er langs moet met zijn koopwaar.'

'Drugs?'

'Die raakt hij nog niet aan, hij is een eersteklas atleet. Hij smokkelt gestolen goud en juwelen en hij opereert tussen Hongkong, Macao en Singapore. Volgens mij heeft het iets te maken met wat hem een paar jaar geleden is overkomen. Ze hebben hem zijn medailles afgenomen voor onbetamelijk gedrag. Hij poseerde voor een paar geile foto's toen hij nog studeerde en het geld nodig had. Later zijn die boven water gekomen via de goede diensten van een verlopen uitgever met de ethiek van een rioolrat, en dat betekende zijn einde als atleet.'

'Dat tijdschrift dat ik bij me had!' riep Mo uit terwijl ze beiden op de rolstap stapten.

'Zoiets denk ik.'

'Wat voor medailles?'

'Olympiade negentien zesenzeventig. Atletiek. Hordenloop was zijn specialiteit.'

Panov staarde Alexander Conklin sprakeloos aan terwijl ze naar boven gingen met de roltrap en de ingang van de stationshal naderden. Een hele groep straatvegers met brede bezems over hun schouders verscheen op de roltrap omlaag naar het perron. Alex rukte even zijn hoofd in hun richting, knipte met de vingers van zijn rechterhand en wees met zijn opgestoken duim in de richting van de uitgang van de stationshal boven. De boodschap was duidelijk. Over enkele momenten zou er achter een pilaar een vastgebonden CIA-man worden gevonden.

'Dat is dan waarschijnlijk de man die ze de majoor noemen,' zei Marie, gezeten in een stoel tegenover Conklin, terwijl Morris Panov naast haar knielde en haar linkervoet bekeek. 'Au!' riep ze uit en ze trok haar ge-kruiste been terug. 'Het spijt me, Mo.'
'Hoeft niet,' zei de dokter. 'Het is een lelijke kneuzing over het tweede en derde middenvoetsbeentje. Je moet een behoorlijke smak hebben ge-maakt.'
'Verscheidene. Heb jij verstand van voeten?'
'Op dit moment voel ik me beter thuis in de chiropedie dan in de psychi-atrie. Jullie leven hier in een wereld die mijn beroep weer terug zou drij-ven tot in de Middeleeuwen – ook al zitten de meesten van ons daar nog steeds, het klinkt zo alleen een beetje leuker.' Panov keek op naar Marie, zijn ogen dwaalden naar haar serieuze kapsel met het met grijs doorschoten haar. 'Medisch ben je prima verzorgd, donkere kastanje-kop die je vroeger was. Behalve het haar. Dat ziet er afgrijselijk uit.'
'Het is briljant,' verbeterde Conklin hem.
'Wat weet jij daar nou van? Je bent patiënt geweest bij mij.' Mo bekeek de voet weer. 'Ze zijn allebei goed aan het herstellen, dat wil zeggen de sneden en de blaren, de kneuzing zal wat langer duren. Ik zoek straks wel wat spullen bij elkaar om het verband te verversen.' Panov stond op en trok een stoel met een rechte rug onder de kleine schrijftafel uit.
'Logeren jullie dan hier?' vroeg Marie.
'Verderop in de gang,' zei Alex. 'Ik kon geen van beide kamers hier-naast krijgen.'
'Hoe heb je zelfs dat nog klaargespeeld?'
'Geld. We zijn hier in Hongkong, en iemand die niet komt opdagen raakt altijd zijn reserveringen kwijt... Terug naar de majoor.'
'Hij heet Lin Wenzu. Catherine Staples vertelde me dat hij voor de Brit-se Inlichtingendienst werkt en Engels spreekt met een echt Engels ac-cent.'
'Wist ze dat zeker?'
'Heel zeker. Volgens haar wordt hij beschouwd als de beste inlichtin-genman in Hongkong, met inbegrip van iedereen in de KGB en in de CIA.'
'Dat is niet moeilijk te begrijpen. Hij heet Lin, niet Ivanowitsj of Joe Smith. Iemand die hier geboren is en die talent heeft wordt naar Enge-land gestuurd, krijgt daar zijn schoolopleiding en zijn training en wordt dan teruggebracht om hier een hoge positie in de regering te bekleden. Dat is de normale koloniale politiek, vooral op het gebied van de wets-handhaving en de plaatselijke veiligheid.'
'Dat is het zeker vanuit een psychologisch oogpunt,' voegde Panov er-aan toe terwijl hij ging zitten. 'Op die manier krijg je minder schele ogen en er wordt weer een brug geslagen naar de buitenlandse gemeen-schap die onder het bewind leeft.'

'Dat begrijp ik,' zei Alex met een knikje, 'maar er ontbreekt iets, de stukjes passen niet. Dat Londen het groene licht geeft voor een geheime operatie van Washington — en alles wat we tot dusver hebben gehoord wijst erop dat 't dat is, het is alleen meer bizar dan gewoonlijk — dat is één ding, maar voor MI 6 is het iets anders hun locale mensen in een kolonie die nog onder Engels bewind staat uit te lenen.'

'Waarom?' vroeg Panov.

'Verschillende redenen. Ten eerste vertrouwen ze ons niet. Och, het is niet zo dat ze er kwade bedoelingen achter zoeken, ze wantrouwen alleen onze hersenen. Op een bepaalde manier terecht, maar van een andere kant hebben ze groot ongelijk, dat moeten ze overigens zelf weten. Ten tweede, waarom zouden ze het risico lopen hun eigen personeel bloot te geven in het belang van beslissingen die worden genomen door een Amerikaanse bureaucraat die geen enkele ervaring heeft in het runnen van een plaatselijke geheime operatie. Om dat punt gaat het, en Londen zou dat direct van de hand wijzen.'

'Ik neem aan dat je het over McAllister hebt,' zei Marie.

'Daar heb ik het over tot Pasen en Pinksteren op één dag vallen.' Conklin schudde het hoofd en zuchtte diep terwijl hij dat deed. 'Ik heb het nodige onderzoek gedaan en ik kan je vertellen dat hij ofwel de sterkste of de zwakste schakel is in heel dat pokkescenario. Ik vermoed het laatste. Hij is één bonk kouwe hersenen, net als McNamara voordat die werd bekeerd tot twijfelen.'

'Schei nou eens uit met lullen,' zei Mo Panov. 'Zeg het nou eens recht voor z'n raap, niet met zo'n nepverhaaltje. Die kun je beter aan mij overlaten.'

'Wat ik bedoel, dókter, is dat Edward Newington McAllister een haas is. Zo gauw hij ook maar iets merkt van een conflict of van iets wat scheef dreigt te gaan, spitst hij zijn oortjes en gaat ervandoor. Hij is een analyticus en daarin een van de besten, maar hij is niet geschikt om in het veld te werken, laat staan op te treden als bureauchef, en vergeet het maar dat hij ooit de strateeg zal zijn achter een belangrijke geheime operatie. Ze zouden hem de zaal uitlachen, neem dat maar van mij aan.'

'Hij klonk verschrikkelijk overtuigend tegenover David en mij,' onderbrak Marie hen.

'Hij had een draaiboek gekregen. "Bereid het slachtoffer voor", hadden ze hem verteld. Hou je aan dat ingewikkelde verhaal dat het slachtoffer duidelijker zal worden in etappes wanneer hij eenmaal in actie is gekomen, en hij moest in actie komen want jij was weg.'

'Wie heeft dat draaiboek geschreven?' vroeg Panov.

'Ik wou dat ik het wist. Niemand die ik het heb gevraagd in Washington weet het, en daar zitten mensen tussen die het hoorden te weten. Ze logen niet; na al die jaren merk ik het wanneer iemand slikt onder het praten. Het zit zo verdomde diep en er zitten zoveel tegenstellingen in, dat

Treadstone 71 in vergelijking ermee een amateuristisch zaakje lijkt —
en dat was het zeker niet.'

'Catherine heeft me iets verteld,' viel Marie hem in de rede. 'Ik weet niet
of je er iets aan hebt, maar ik heb het onthouden. Ze zei dat er iemand
naar Hongkong is komen vliegen, een "staatsman" noemde ze hem, iemand die "veel meer was dan een diplomaat", of zoiets. Ze dacht dat
het misschien in verband stond met alles wat er gebeurd is.'

'Hoe heette die man?'

'Dat heeft ze me nooit gezegd. Toen ik later McAllister beneden in de
straat met haar zag, nam ik aan dat hij het was. Maar misschien ook
niet. De analyticus die jij zojuist beschreef en de nerveuze man die met
David en mij heeft gesproken is nauwelijks een diplomaat, laat staan
een staatsman. Het moest iemand anders zijn.'

'Wanneer heeft ze je dat verteld?' vroeg Conklin.

'Drie dagen geleden toen ze me verborgen hield in haar flat in Hongkong.'

'*Voordat* ze je naar Tuen Mun reed?' Alex boog zich voorover in zijn
stoel.

'Ja.'

'Ze heeft het daarna niet meer over hem gehad?'

'Nee, en toen ik haar ernaar vroeg zei ze dat het geen zin had voor ons
onze verwachtingen te hoog te stellen. Ze moest nog verder graven, zoals ze het uitdrukte.'

'En daar nam jij genoegen mee?'

'Jazeker, omdat ik op dat moment meende het te begrijpen. Ik had toen
geen redenen om aan haar te twijfelen. Ze liep persoonlijk en beroepsmatig een risico door mij te helpen, door mijn beweringen zonder
meer te accepteren zonder op het consulaat om advies te vragen, wat anderen misschien gedaan zouden hebben, gewoon om zich in te dekken.
Je gebruikte het woord "bizar", Alex. Nou ja, laten we wel wezen, wat
ik haar vertelde was zó bizar, het was niet minder dan misdadig. Het
hield een heel netwerk van leugens in van het Amerikaanse Departement
van Buitenlandse Zaken, bewakers van het Centrale Inlichtingenbureau
die zomaar verdwenen, verdenkingen die wezen op de hoogste regionen
in jullie regering. Iemand die niet zo sterk was als jij zou zijn handen
ervan hebben afgetrokken en zich hebben ingedekt.'

'Dankbaarheid daargelaten,' zei Conklin vriendelijk, 'ze hield toch informatie achter waar jij recht op had. *Verrek,* na alles wat David en jij
hadden meegemaakt...'

'Je hebt ongelijk, Alex,' zei Marie zacht. 'Ik zei je dat ik dacht haar te
begrijpen maar ik heb het niet afgemaakt. Het wreedste dat je iemand
kunt aandoen die elk uur in paniek leeft is hem of haar een hoop op
ontsnapping te bieden die vals blijkt te zijn. Wanneer de ineenstorting
komt is dat onverdraaglijk. Geloof mij maar, ik heb meer dan een jaar

geleefd met een man die wanhopig op zoek was naar antwoorden. Hij heeft er nogal wat gevonden, maar wat hij vergeefs is nagelopen omdat het verkeerd bleek te zijn, heeft hem bijna zijn kop gekost. Het is helemaal niet leuk als iemands verwachtingen de bodem worden ingeslagen.'

'Ze heeft gelijk,' zei Panov. Hij knikte en keek Conklin aan. 'En volgens mij weet jij dat, waar of niet?'

'Het is gebeurd,' antwoordde Alex schouderophalend en hij keek op zijn horloge. 'Hoe dan ook, het wordt tijd voor Catherine Staples.'

'Zij zal onder bewaking staan!' Nu was het Marie die naar voren schoof op haar stoel met een bezorgde uitdrukking en vragende ogen. 'Ze zullen aannemen dat jullie alletwee hierheen zijn gekomen vanwege mij en dat jullie contact met mij hebben gekregen en dat ik jullie over haar heb verteld. Ze zullen verwachten dat jij achter haar aangaat. Ze zullen je opwachten. Als ze in staat zijn tot de dingen die ze tot nu toe hebben gedaan, dan zouden ze je ook kunnen vermoorden!'

'Nee, dat kunnen ze niet,' zei Conklin en hij stond op en hinkte naar de telefoon naast het bed. 'Daar zijn ze niet goed genoeg voor,' voegde hij er simpelweg aan toe.

'Je bent al zo goed als kapot!' fluisterde Matthew Richards vanachter het stuurwiel van de kleine auto die in de straat tegenover de flat van Catherine Staples stond geparkeerd.

'Je bent niet erg dankbaar, Matt,' zei Alex die in de schaduw zat naast de CIA-man. 'Ik heb niet alleen dat evaluatierapport niet ingestuurd maar ik heb er ook voor gezorgd dat je me weer kunt schaduwen. Je moet me bedanken, niet beledigen.'

'Barst maar!'

'Wat heb je hun op kantoor verteld?'

'Wat dacht je? Dat ik overvallen ben natuurlijk.'

'Door hoeveel lui?'

'Door minstens vijf van die tienerrotzakken. *Zhongguo ren.*'

'En als je had teruggevochten en een hoop lawaai had gemaakt, had ik jou kunnen opmerken.'

'Zo ongeveer,' stemde Richards in met zachte stem.

'En toen ik je belde was het natuurlijk een van je verklikkers die jij erop nahoudt, die een blanke man met een manke poot gezien hadden.'

'Precies.'

'Misschien krijg je zelfs wel promotie.'

'Ik wil er alleen maar onderuit.'

'Je haalt het wel.'

'Niet op deze manier.'

'Dus die ouwe Havilland zelf is hier binnengevallen.'

'Dat heb je niet van mij gehoord! Het stond in de krant.'

'Het beveiligde huis in Victoria Peak stond niet in de krant, Matt.'
'Hé, toe nou, dat hadden we geruild! Jij bent lief voor mij, ik ben lief voor jou. Ik krijg geen rotrapport dat ik ben afgetuigd door een schoen zonder voet erin en jij krijgt een adres. Hoe dan ook, ik zal het ontkennen. Je hebt het van Garden Road gehoord. Het hele consulaat weet het, dankzij een nijdige marinier.'
'Havilland,' peinsde Alex hardop. 'Dat klopt. Hij is twee handen op één buik met de Engelsen, hij praat zelfs net als zij... Mijn god, ik had de stem moeten herkennen!'
'De stem?' vroeg een verblufte Richards.
'Via de telefoon. Weer een bladzijde in het draaiboek. Het was Havilland! Zoiets zou hij nooit aan een ander overlaten! "We zijn haar kwijtgeraakt". Och, verdomme, en ik ben er helemaal ingetrapt!'
'Waarin?'
'Vergeet het maar '
'Met plezier.'
Een auto kwam langzaam aanrijden en stopte aan de overkant van de straat voor het flatgebouw waar Staples woonde. Een vrouw stapte uit via het achterportier aan de stoeprand en toen Conklin haar zag onder het licht van de straatlantaarns wist hij wie ze was. Catherine Staples. Ze knikte naar de chauffeur, draaide zich om en liep over het trottoir naar de dikke glazen deuren van de ingang.
Plotseling weergalmde de stille straat bij het park van het hoge loeien van een motor. Een lange zwarte sedan kwam van een parkeerplaats ergens achter hen zwaaien en kwam krijsend tot stilstand naast de auto van Staples. Een alles overheersend fel geratel klonk op uit het tweede voertuig. Glas vloog aan scherven zowel op straat als langs het trottoir toen de raampjes van de geparkeerde auto kapotgeschoten werden, het hoofd van de bestuurder werd doorboord en de deuren van het flatbouw werden besproeid met kogels. Met bloed bespatte stukken vlogen eraf toen het lichaam van Catherine Staples onder het moordende salvo tegen de posten werd genageld.
Met gierende banden vloog de zwarte sedan de donkere straat in, een slachting met overal bloed en verscheurde ledematen achterlatend.
'Godver*domme!*' brulde de CIA-man.
'Maak dat we hier wegkomen,' beval Conklin.
'*Waarheen?* Waar wil je in godsnaam naar toe?'
'Victoria Peak.'
'Ben jij helemaal gek geworden?'
'Nee, maar iemand anders wel. Er zit daar een deftige klootzak die ze besodemieterd hebben. Hij is in zijn zak getast. En dat zal hij het eerst van mij te horen krijgen. *Schiet op!*'

26

Bourne stopte de zwarte *Sjanghai* sedan op het donkere, met bomen afgezette verlaten stuk weg. Volgens de kaart was hij voorbij de oostelijke
poort van het Zomerpaleis gereden, eigenlijk een hele reeks van oude
koninklijke villa's gebouwd in een tuinlandschap van enkele hectaren
groot, gedomineerd door een meer, Kunming. Hij had de kust gevolgd
naar het noorden tot de gekleurde lichten van de uitgestrekte keizerlijke
lusthof achter hem verdwenen waren en plaats hadden gemaakt voor
het donker van de landweg. Hij doofde de koplampen en stapte uit. Hij
droeg zijn aankopen, die nu in een waterdichte rugzak verpakt waren,
naar de rij bomen langs de weg en stampte met zijn hak in de grond.
De aarde was zacht en dat maakte zijn werk gemakkelijker, want de
mogelijkheid dat zijn huurwagen doorzocht zou worden was niet uitgesloten. Hij stak zijn hand in de rugzak, haalde er een paar werkhand-
schoenen uit en een jachtmes met een lang lemmet. Hij knielde en groef
een gat dat groot genoeg was om de rugzak in te verstoppen; hij liet de
bovenkant onbedekt, pakte het mes en sneed een inkeping in de stam
van de dichtsbijzijnde boom tot het lichte hout onder de bast zichtbaar
werd. Hij stopte mes en handschoenen weer in de rugzak, duwde die stevig in de grond en spreidde er aarde over uit. Hij ging terug naar de auto, keek op de kilometerteller en startte de motor. Als de kaart even accuraat de afstanden aangaf als de gebieden in en rond Beijing waar het
verboden was met de auto te komen, bevond hij zich op ruim een kilometer van de ingang naar het Jing Shan Reservaat, voorbij een wijde
bocht die vóór hem lag.
De kaart klopte. Twee koplampen beschenen de hoge, groen metalen
poort onder reusachtige panelen waarop felgekleurde vogels stonden afgebeeld. De poort was gesloten. In een klein glazen hokje aan de rechterkant zat één enkele bewaker. Toen hij Jasons koplampen zag naderen was hij opgesprongen en naar buiten gerend. Het viel moeilijk op
te maken of het jasje en de broek van de man een uniform vormden of
niet. Een wapen was er niet te zien.
Bourne reed de sedan tot op een meter van de poort, stapte uit en liep
op de Chinees af die erachter stond; hij zag tot zijn verbazing dat de
man achter in de vijftig of begin zestig was.
'Bei tong, bei tong!' begon Jason voordat de bewaker iets kon zeggen,
en hij verontschuldigde zich daarmee dat hij hem moest storen. 'Ik heb
een afschuwelijke tijd gehad,' vervolgde hij snel terwijl hij de lijst met
de onderhandelaars van de Fransman uit zijn binnenzak trok. 'Ik had
hier drieëneenhalf uur eerder moeten zijn, maar de auto kwam maar
niet en ik kon geen verbinding krijgen met minister...' Hij zocht de
naam van de minister voor textielzaken op de lijst. 'Wang Xu, en ik ben
er zeker van dat hij al even ongerust is als ik!'

'U spreekt onze taal,' zei de verbaasde bewaker. 'U hebt een auto zonder chauffeur.'

'Daar heeft de minister voor gezorgd. Ik ben heel, heel vaak in Beijing geweest. We zouden samen dineren.'

'Wij zijn gesloten en er is hier geen restaurant.'

'Heeft hij misschien een briefje voor me achtergelaten?'

'Niemand laat hier iets achter, alleen gevonden voorwerpen. Ik heb een hele mooie Japanse verrekijker die ik u goedkoop kan overdoen.'

Het gebeurde. Achter de poort, zowat dertig meter verderop langs een zandweg zag Bourne een man in de schaduw van een hoge boom, een man die een lang tuniek droeg – vier knopen – een *officier*. Rond zijn middel zat een brede riem met een holster. Een wapen.

'Het spijt me, ik kan geen verrekijker gebruiken.'

'Als cadeautje, misschien?'

'Ik heb weinig vrienden en mijn kinderen stelen als raven.'

'Dan bent u te beklagen. Kinderen zijn alles – en vrienden – en de voorvaderen natuurlijk.'

'Nee, echt, ik moet gewoon de minister hebben. We zijn aan het onderhandelen over miljoenen *reminbi!*'

'De verrekijker kost maar een paar yuan.'

'Goed dan! Hoeveel?'

'Vijftig.'

'Haal hem maar voor me,' zei de kameleon ongeduldig terwijl hij zijn hand in zijn zak en zijn blik toevallig liet dwalen achter het groene hek. De bewaker haastte zich naar het wachthuisje. De Chinese officier had zich verder teruggetrokken in de schaduw maar hij hield nog steeds de poort in de gaten. In Jasons borst denderde zijn hart weer als een stel pauken – zoals het zo vaak had gedaan in zijn Medusatijd. Hij had iets voor elkaar gekregen, een strategie blootgelegd. Delta kende de oosterse gedachtengang. *Geheimhouding*. De eenzame gedaante was daarvoor natuurlijk geen bevestiging, maar ook geen ontkenning.

'Kijk eens hoe geweldig hij is !' riep de bewaker en hij holde terug naar het hek en liet de verrekijker zien. 'Honderd yuan.'

'U zei vijftig!'

'Ik had de lenzen nog niet goed bekeken. Die zijn fantastisch. Geef me het geld en ik zal hem over de poort gooien.'

'Goed dan,' zei Bourne die op het punt stond het geld door het gaas van het hek te steken. 'Maar onder één voorwaarde, díef. Als ze jou toevallig vragen stellen over mij, dan wil ik geen gezicht verliezen.'

'Vragen stellen? Dat is dwaas. Er is hier niemand anders dan ik.'

Delta had gelijk.

'Maar als het soms gebeurt dan sta ik erop dat u de waarheid vertelt! Ik ben een Frans zakenman die dringend de minister van textielaangelegenheden moet hebben omdat mijn auto onvergeeflijkerwijs vertraagd

was. Ik wil absoluut geen gezicht verliezen!'
'Zoals u wilt. Het geld, alstublieft.'
Jason schoof de yuanbiljetten door het gaas. De bewaker graaide ze uit zijn hand en wierp de verrekijker over de poort. Bourne ving hem op en keek de Chinees smekend aan. 'Hebt u enig idee waarheen de minister gegaan kan zijn?'
'Ja, en ik wilde het u net vertellen, zonder extra geld. Mannen die zo deftig zijn als u en hij zouden ongetwijfeld naar het restaurant Ting Li Guan gaan. Het is heel populair bij rijke buitenlanders en machtige mannen van onze hemelse regering.'
'Waar ligt het?'
'In het Zomerpaleis. U bent er op weg hierheen voorbijgereden. U moet vijftien, twintig kilometer terugrijden en dan ziet u de grote *Dong An Men* poort. Daar moet u binnenrijden en de gidsen zullen u de weg wijzen, maar laat uw papieren zien, meneer. U reist op een hoogst ongewone manier.'
'Dank u!' schreeuwde Jason en hij rende naar de auto. *'Vive la France!'*
'Wat mooi,' zei de bewaker schouderophalend en hij liep terug naar zijn post terwijl hij zijn geld natelde.

De officier liep geruisloos naar het wachthuisje en tikte op het glas. Verbaasd sprong de nachtwaker uit zijn stoel en opende de deur.
'O, meneer, u brengt me aan het schrikken! Ik zie dat u ingesloten bent. Misschien bent u in slaap gevallen op een van onze prachtige rustplaatsen. Wat een pech. Ik zal direct de poort voor u openen!'
'Wie was die man?' vroeg de officier rustig.
'Een buitenlander, meneer. Een Frans zakenman die veel pech heeft gehad. Voor zover ik hem begreep had hij hier uren geleden de minister van textielzaken moeten ontmoeten en daarna zouden ze samen gaan dineren, maar zijn auto was vertraagd. Hij is erg in de war. Hij wil geen gezicht verliezen.'
'Welke minister van textielzaken?'
'Ik geloof dat hij zei minister Wang Xu.'
'Wilt u buiten even wachten?'
'Natuurlijk meneer. Zal ik de poort vast openen?'
'Direct.' De militair pakte de telefoon op de smalle balie en draaide. Enige tellen later sprak hij weer. 'Mag ik alstublieft het nummer van een minister van textielaangelegenheden die Wang Xu heet? ...Dank u.'
De officier drukte de haak neer, liet die los en draaide opnieuw. 'Mag ik minister Wang Xu, alstublieft?'
'Daar spreekt u mee,' zei een wat geïrriteerde stem aan de andere kant van de lijn. 'Met wie spreek ik?'
'Een bediende op het kantoor van de Handelsraad, meneer. Bij onze normale controle zijn we op een Franse zakenman gestoten die u als re-

ferentie op een lijst heeft staan...'
'O, lieve hemel, toch niet die idioot van een *Ardisson?* Wat heeft-ie nou weer uitgehaald?'
'Kent u hem, meneer?'
'Ik wou dat ik hem niet kende! Dit is niet goed en dat is niet goed! Hij denkt als hij poept nog dat de plee volhangt met seringengeur.'
'Zou u vanavond met hem gaan dineren, meneer?'
'Dineren? Ik kan van alles hebben gezegd om hem vanmiddag tot rust te brengen. Hij hoort natuurlijk alleen wat hij wil horen en zijn Chinees is afgrijselijk. Van de andere kant is het heel goed mogelijk dat hij mijn naam gebruikt om ergens een tafeltje te krijgen als hij dat niet gereserveerd had. Ik zei het u al, dit deugt niet en dat deugt niet! Geef hem maar wat hij hebben wil. Hij is gek maar hij is ongevaarlijk. We zouden hem al lang met het eerste het beste vliegtuig hebben teruggestuurd naar Parijs als die idioten die hij vertegenwoordigt niet zoveel betaalden voor dat derderangs materiaal. Hij heeft vergunning om naar de beste illegale hoeren in Beijing te gaan! Val me alleen niet lastig, ik heb gasten.' De minister legde de hoorn op.
Gerustgesteld legde de officier ook op en liep naar buiten naar de nachtwaker. 'U had het bij het juiste eind,' zei hij.
'De vreemdeling was zeer zenuwachtig, meneer. En erg verward.'
'Ik hoor zojuist dat hij dat altijd is.' De militair zweeg even en voegde er toen aan toe: 'U kunt nu de poort openen.'
'Zeker, meneer.' De bewaker stak zijn hand in zijn zak en trok er een bos sleutels uit. 'Ik zie geen auto, meneer. Het is nog een heel eind voordat u vervoer vindt. Het Zomerpaleis zou de eerste...'
'Ik heb om een wagen gebeld. Die moet hier zijn over tien of vijftien minuten.'
'Het spijt me, maar dan zal ik hier niet meer zijn, meneer. Ik zie het licht al van de fiets van mijn aflosser. Over vijf minuten is mijn dienst voorbij.'
'Misschien wacht ik hier wel,' zei de officier en hij negeerde de woorden van de bewaker. 'Er komen wolken aandrijven uit het noorden. Als er regen komt kan ik in het wachthuisje schuilen tot mijn wagen komt.'
'Ik zie geen wolken, meneer.'
'Uw ogen zijn niet meer wat ze geweest zijn.
'Maar al te waar.' Het herhaalde rinkelen van een fietsbel verbrak de stilte buiten. De wachtaflossing naderde het hek terwijl de bewaker de poort begon te openen. 'Die jonge kerels maken een lawaai als ze aankomen alsof ze neerdalende geesten uit de hemel zijn.'
'Ik zou u graag nog iets willen zeggen,' zei de officier abrupt en de bewaker bleef staan waar hij stond. 'Net als de buitenlander wil ook ik geen gezicht verliezen omdat ik een uurtje slaap heb ingehaald op een van uw prachtige rustplaatsen. Hebt u een goede baan hier?'

'Jazeker, meneer.'

'En u vindt het prettig de kans te krijgen dingen te verkopen, zoals een Japanse verrekijker die u in bewaring is gegeven?'

'Pardon, meneer?'

'Mijn oren zijn uitstekend en u hebt een duidelijke, schelle stem.'

'Pardon, *meneer?*'

'Als u niets zegt over mij dan zal ik niets vertellen over uw onethische praktijken die u ongetwijfeld zouden doen belanden in een wei met een pistool tegen uw hoofd. Uw gedrag is laakbaar.'

'Ik heb u niet eens gezíen, meneer! Ik zweer het bij mijn voorvaderen!'

'In de partij vinden wij zulke gedachten verwerpelijk.'

'Dan op alles wat u maar wilt!'

'Open de poort en maak dat u hier wegkomt!'

'Eerst mijn fiets, meneer!' De bewaker liep naar het uiteinde van het hek, haalde zijn fiets en opende de poort. Hij zwaaide die naar achteren en knikte van opluchting toen hij de nieuwe man letterlijk zijn sleutelbos toewierp. Hij stapte op en reed snel weg.

De tweede bewaker liep nonchalant door de poort met zijn fiets aan de hand.' 'Kunt u zich dat voorstellen?' vroeg hij de officier. 'De zoon van een Kwo-Min-Tang krijgsheer die de plaats inneemt van een achterlijke boer die normaal bij ons in de keuken zou werken.'

Bourne zag de witte inkeping in de boomstam en reed de sedan van de weg af tussen twee pijnbomen door. Hij doofde de lichten en stapte uit. Snel brak hij een groot aantal takken af om de auto in het donker te camoufleren. Hij had instinctmatig snel gewerkt – dat zou hij toch gedaan hebben – maar hij was gealarmeerd toen hij, binnen enkele tellen nadat hij de auto had verstopt, koplampen zag naderen uit de richting Beijing. Hij bukte zich, knielde in het struikgewas en wachtte tot de auto voorbij was, gefascineerd door het zien van een fiets die op de imperiaal van de auto lag gebonden. Hij maakte zich zorgen toen een paar momenten later het geluid van de motor abrupt stopte. De auto was voorbij de bocht verderop blijven stilstaan. Erop verdacht dat een deel van zijn auto was opgemerkt door een ervaren buitenman die uit het zicht zou stoppen en te voet zou terugkeren, holde Jason de weg over en het dichte struikgewas in achter de bomen. Hij rende met korte sprintjes naar rechts, van boom tot boom, tot hij halverwege de bocht stond waar hij opnieuw neerknielde tussen het donkere kreupelhout, afwachtte, elke decimeter van de berm bekeek en luisterde naar elk geluid dat niet thuishoorde bij het nachtelijk gonzen van de verlaten landweg.

Niets. Toen ten slotte toch iets en bij het zien daarvan begreep hij het niet meer. Of toch wel? De man op de fiets met de dynamo aan het voorwiel kwam de weg afrijden alsof zijn leven afhing van een snelheid die hij onmogelijk kon bereiken. Toen hij dichterbij kwam zag Bourne dat het de bewaker was... op een fiets... en er had een fiets gelegen op het dak van de auto die gestopt was voorbij de bocht. Was die voor de bewaker geweest? Natuurlijk niet; dan zou de wagen zijn doorgereden tot de poort. ...Een tweede fiets? Een tweede bewaker, die op een fiets arriveerde? Natuurlijk! Als het waar was wat hij geloofde zou de wacht aan de poort worden afgelost en een samenzweerder zou zijn plaats innemen.

Jason had gewacht tot het licht van de fiets van de bewaker een klein puntje was in de verte, toen was hij de weg teruggerend naar zijn wagen en de boom met de inkeping in de bast. Hij groef zijn rugzak op en begon zijn gereedschappen eruit te halen. Hij trok zijn jasje en zijn witte overhemd uit en verving die door een zwarte coltrui; hij maakte de schede van het jachtmes vast aan de riem van zijn zwarte broek en stak het automatische pistool met een enkele patroon in de kamer aan de andere kant in de riem. Hij pakte twee spoelen op die verbonden waren door een stuk dunne draad van een meter en dacht dat dit dodelijke stuk gereedschap heel wat beter was dan dat wat hij in Hongkong had geknutseld. Waarom niet? Als hij ook maar iets waardevols had geleerd in dat lang gelden Medusa was hij nu veel dichter bij zijn doelwit. Hij verdeelde de draad gelijk op over de beide spoelen en duwde het geheel voorzichtig in de rechter achterzak van zijn broek. Vervolgens pakte hij een kleine, dunne zaklantaarn en stak die vast aan de onderrand van zijn rechter broekzak. Hij schoof een lange, dubbele streng van grote Chinese voetzoekers, die dubbelgevouwen was en vastzat met een elastiek, in zijn linker broekzak, samen met drie mapjes lucifers en een stukje kaars. Het onhandigste voorwerp was een met de hand te bedienen draadschaar, niet al te groot, van het formaat van een normale tang. Hij schoof die met de kop omlaag in zijn linker achterzak, ontspande vervolgens het handvat zodat de twee korte hendels tegen de stof van zijn zak klemden en zette het instrument zo vast. Ten slotte pakte hij een bundeltje stevig opgerolde kleren op, niet dikker dan een kegel. Hij hield het tegen het midden van zijn ruggegraat, trok de elastische band om zijn middel en knipte de beide gespen in elkaar. Misschien had hij die kleren helemaal niet nodig maar hij kon niets overlaten aan het toeval, hij was nu te dicht bij zijn doel!

Ik zal hem te grazen nemen, Marie! Ik zweer je dat ik hem te pakken krijg en dan hebben we ons leven weer terug. Ik ben David en ik hou zoveel van je. Ik heb je zo nodig!

Hou daarmee op! Er bestaan geen mensen, alleen doelwitten. Geen emoties, alleen operaties en afmaken en mensen die moeten worden opgeruimd omdat ze in de weg staan. Ik kan jou niet gebruiken, Webb. Jij bent een slappeling en ik veracht je. Luister naar Delta, luister naar Jason Bourne!

De killer die alleen een killer was uit nood, begroef de rugzak met zijn witte overhemd en zijn tweed jasje en ging rechtop staan tussen de pijnbomen. Hij ademde diep in bij de gedachte aan wat hem te doen stond, een deel van hem was bevreesd en onzeker, het andere deel woedend en ijskoud.

Jason sloeg rechtsaf naar de bocht en liep van boom tot boom zoals hij eerder had gedaan. Hij bereikte de auto die hem voorbij gereden was met de fiets op het dak. Hij stond opzij van de weg geparkeerd en er zat met tape een groot bord vast onder de voorruit. Hij kwam voorzichtig dichterbij en las de Chinese karakters, bij zichzelf glimlachend.

Dit is een officieel voertuig van de regering dat panne heeft. In het ongerede brengen van enig deel van de machine is een zware misdaad. Diefstal van dit voertuig zal resulteren in onmiddellijke terechtstelling van de overtreder.

In de linker benedenhoek stond een kolommetje kleine letters:
Volksdrukkerij Nummer 72. Sjanghai.

Bourne vroeg zich af hoevele honderdduizenden van dergelijke waarschuwingen er gedrukt waren door Drukkerij Nummer 72. Misschien vervingen ze een garantiebewijs en kreeg je er twee per auto.

Hij ging weer in het donker lopen en vervolgde zijn weg om de bocht tot hij de open ruimte bereikte voor de met schijnwerpers verlichte poort. Hij liet zijn blik gaan langs het groene hek. Aan de linkerkant verdween het in het donker van het bos. Naar rechts strekte het zich uit tot misschien tweehonderd meter voorbij het wachthuisje, langs heel de lengte van een parkeerplaats met genummerde vakken voor touringcars en taxi's, tot het een scherpe hoek maakte. Zoals hij verwacht had zou een vogelreservaat in China met een hek zijn afgezet, om stropers af te weren. Zoals d'Anjou het had uitgedrukt: 'Vogels zijn in China al eeuwenlang vereerd. Men beschouwt ze als delicatessen zowel voor de ogen als voor het gehemelte.' Echo. Echo was verdwenen. Hij vroeg zich af of d'Anjou nog pijn had geleden... *geen tijd daarvoor.*

Stemmen! Bourne draaide met een ruk zijn hoofd naar de poort. De Chinese officier en een andere, veel jongere bewaker — nee, nu echt een wachtpost — kwamen van achter het wachthuisje aanlopen. De wachtpost hield een fiets aan de hand terwijl de officier een kleine radio tegen zijn oor drukte.

'Direct na negen uur zullen ze beginnen te arriveren,' zei de militair, terwijl hij de radio liet zakken en de antenne omlaag duwde. 'Zeven voertuigen met een tussenruimte van drie minuten.'

'De vrachtwagen?'

'Die komt als laatste.'

De wachtpost keek op zijn horloge. 'Misschien kunt u dan maar beter de auto gaan halen. Als er een telefooncontrole komt weet ik wat ik zeggen moet.'

'Een goed idee,' stemde de officier in en hij klemde de radio aan zijn riem en pakte het rechter handvat van de fiets vast. 'Ik kan het geduld niet opbrengen voor die bureaucratische wijven die loeien als koeien.'

'Maar dat moet u juist wel doen,' zei de wachtpost lachend. 'En u moet juist de eenzamen uitzoeken, de lelijkerds, en uw uiterste best doen tussen hun benen. Stel dat u een ongunstig rapport krijgt? Dan zou u die hemelse baan kunnen verliezen.'

'Je bedoelt dat die achterlijke boerenpummel geloofde...'

'Nee, nee,' onderbrak de wachtpost hem en hij liet de fiets los. 'Ze zoeken de jongeren op, de knappen, net als ik. Van onze foto's natuurlijk. Hij is anders; hij betaalt hen met yuan die hij verdient aan het verkopen van zijn gevonden voorwerpen. Ik vraag me wel eens af of dat nog iets opbrengt.'

'Ik heb er moeite mee jullie burgers te begrijpen.'

'Als ik dat even mag corrigeren, kolonel. In het ware China ben ik kapitein in de Kwo-Min-Tang.'

Jason was verbijsterd door de opmerking van de jongere man. Wat hij gehoord had was ongelooflijk! *In het ware China ben ik kapitein in de Kwo-Min-Tang.* Het *ware* China? *Taiwan?* Goeie God, was het *begonnen*? De oorlog tussen de twee China's? Waren deze twee kerels daarmee bezig? *Waanzin!* Een massale slachtpartij! Het Verre Oosten zou vernietigd worden! Mijn God! Was hij bij zijn jacht op een killer toevallig op het *ondenkbare* gestoten?

Hij kon het niet meer bevatten, het was te beangstigend, te rampzalig. Hij moest nu opschieten, alle gedachten van zich afzetten, zich alleen concentreren op beweging. Hij keek op de verlichte cijfers van zijn horloge. Het was zes minuten vóór negen en hij had heel weinig tijd om dat te doen wat gedaan moest worden. Hij wachtte tot de officier hem op de fiets voorbij was gereden en naderde toen voorzichtig en geruisloos door het struikgewas het hek. Hij liep ernaar toe, trok de dunne lantaarn uit zijn broekzak en liet het licht tweemaal opflitsen om de afmetingen te schatten. Die waren fors. De hoogte was minstens vier meter en de bovenkant stak in een hoek naar buiten, zoals de versperring rond een gevangenis, met spiraalvormig prikkeldraad dat tussen parallel lopende staaldraden was gespannen. Hij tastte in zijn achterzak, duwde het handvat van de draadschaar ineen en trok die uit de zak. Hij tastte met zijn linkerhand rond in het donker en toen hij de elkaar kruisende draden voelde die het dichtst bij de grond liepen, duwde hij de kop van de schaar tegen de laagste draad.

Als David Webb niet wanhopig was geweest en Jason Bourne niet woedend zou hij het nooit hebben klaargespeeld. Het hek was geen gewoon hek. Het metaal was veel en veel sterker dan dat van welke draadversperring ook waarachter de allergevaarlijkste misdadigers waren opgesloten. Elke draad vergde alle kracht die Jason had en hij moest de schaar heen en weer bewegen tot het metaal losknapte. En losknappen deed het, maar telkens gingen er kostbare minuten verloren.

Opnieuw keek Bourne op de verlichte wijzerplaat van zijn horloge. *Zes minuten over negen*. Door zijn schouder te gebruiken en zijn voeten schrap te zetten in de grond, boog hij de verticale rechthoek van nauwelijks een meter naar binnen door het hek. Hij kroop naar binnen, helemaal nat van het zweet, en bleef zwaar ademend op de grond liggen. *Er was geen tijd. Acht minuten over negen.*

Moeizaam kwam hij overeind op zijn knieën, schudde zijn hoofd om de duizeligheid kwijt te raken en begon naar rechts te kruipen, zich vasthoudend aan het hek tot hij de hoek bereikte tegenover de parkeerplaats. De verlichte poort lag zeventig meter naar links.

Plotseling was het eerste voertuig er. Het was een Russische Zia limousine, daterend van eind jaren zestig. Ze draaide de parkeerplaats op en ging in het eerste vak rechts van het wachthuisje staan. Er stapten zes mannen uit en ze liepen in een gelijke, militaire pas naar wat kennelijk het hoofdpad was van het vogelreservaat. Ze verdwenen in het donker en verlichtten hun weg met zaklantaarns. Jason lette goed op, die weg moest hij ook nemen.

Drie minuten later, precies volgens schema, reed er een tweede auto door de poort en parkeerde naast de Zia. Via het achterportier stapten drie mannen uit terwijl de bestuurder en de passagier voorin even bleven praten. Een paar tellen later kwamen de twee mannen te voorschijn en Bourne kon zich nauwelijks in bedwang houden. Hij hield zijn blik strak gericht op de passagier die zich katachtig bewoog toen hij naar de achterkant van de auto liep om zich bij de bestuurder te voegen. Het was de moordenaar! De chaos op Kai-Tak Airport had de ingewikkelde valstrik in Beijing noodzakelijk gemaakt. Wie het dan ook was die achter deze killer aanzat moest snel buiten gevecht worden gesteld. Informatie moest uitlekken naar de schepper van de killer, want wie anders kende de tactiek van de huurmoordenaar beter dan de man die hem had opgeleid? Wie was er meer op wraak uit dan de Fransman? Wie anders was in staat de andere Jason Bourne aan het daglicht te brengen? D'Anjou was de sleutel en de cliënt van de bedrieger wist dat.

En het instinct van Jason Bourne — naar boven gekomen uit de geleidelijke, pijnlijke herinneringen aan Medusa — was juist geweest. Toen de valstrik zo rampzalig was opengesprongen in het mausoleum van Mao, een schennis die de republiek op haar grondvesten zou doen wankelen, moest het elitaire kringetje van samenzweerders zich snel hergroeperen, in het geheim, buiten het toezicht van hun collega's. Ze stonden tegenover een ongehoorde crisis. Er mocht geen tijd verloren gaan voor het vaststellen van hun volgende actie.

Maar belangrijker dan wat ook was geheimhouding. Waar zij ook samenkwamen was geheimhouding hun allerbelangrijkste wapen. *In het ware China ben ik kapitein in de Kwo-Min-Tang.* Goeie god! Was dat *mogelijk?*

Geheimhouding. Voor een koninkrijk dat verloren was gegaan? Waar kon die beter worden gevonden dan in de wildernis van idyllische staatsreservaten voor vogels, officiële parken die beheerd werden door machtige geheime aanhangers van de Kwo-Min-Tang in Taiwan. Een plan dat in wanhoop was geboren had Bourne gevoerd naar de kern van een ongelooflijke onthulling. *Er is geen tijd! Dit is jouw zaak niet! Hij alleen is dat!*

Achttien minuten later stonden alle wagens op hun plaatsen en hadden de passagiers zich verspreid, zich gevoegd bij hun collega's, ergens tussen het donkere geboomte van het reservaat. Ten slotte kwam er, éénentwintig minuten na de aankomst van de Russische limousine, een met zeildoek bedekte vrachtwagen de poort inhotsen. Hij beschreef een wijde cirkel en parkeerde naast de laatst aangekomen wagen, op nog geen tien meter van Jason vandaan. Verbijsterd keek hij toe hoe geboeide mannen en vrouwen, met proppen in hun mond die door stroken stof op hun plaats werden gehouden, uit de laadruimte werden geduwd. Allen vielen ze en rolden ze over de grond, kreunend in protest en van de pijn. Toen zag hij, net onder het zeil boven de achterklep, een man zich hevig verzetten, kronkelend met zijn korte, magere lijf en trappend naar zijn twee bewakers, die hem van zich afhielden en hem ten slotte op de met grind bedekte parkeerplaats smeten. Het was een blanke... Bourne verstijfde. Het was d'Anjou! In het schijnsel van de schijnwerpers in de verte kon hij zien dat Echo's gezicht gehavend was en zijn ogen gezwollen. Toen de Fransman zich overeind werkte bleef zijn linkerbeen gebogen en hij kon er nauwelijks op staan. Toch gaf hij niet toe aan het gehoon van zijn bewakers, hij bleef uitdagend overeind.

Neem actie! Doe wat! Wat? *Medusa — we hadden signalen.* Wat ook al weer? O, mijn god, wát ook al weer? Stenen, stokjes... *grind!* Gooi iets om geluid te maken, een geluidje dat de aandacht afleidt en dat van alles kan zijn — ergens buiten de plaats waar ze waren, ervóór, zo ver mogelijk naar voren! Dan direct daarna iets doen. *Snel!*

Jason liet zich op zijn knieën vallen waar het hek een hoek maakte en waar het goed donker was. Hij graaide een handjevol grind van de grond en gooide dat de lucht in boven de hoofden van de gevangenen die zich met moeite overeind werkten. Het korte kletteren op de daken van verscheidene auto's gingen grotendeels verloren tussen de gedempte kreten van de geboeide gevangenen. Bourne herhaalde het, nu met wat meer steentjes. De bewaker die het dichtst bij d'Anjou stond keek even in de richting van het kletterende grind, maar was het direct weer vergeten toen zijn aandacht opeens werd getrokken door een vrouw die overeind was gekomen en naar de poort begon te rennen. Hij schoot op haar af, pakte haar bij de haren en smeet haar weer tussen de groep. Opnieuw pakte Jason wat steentjes.

Hij bleef roerloos zitten. D'Anjou had zich op de grond laten vallen, zijn gewicht steunde op zijn rechterknie en zijn gebonden handen ondersteunden hem op het grind. Hij lette op de afgeleide bewaker en draaide zich toen langzaam in Bourne's richting. Medusa was nooit erg ver weg uit Echo's gedachten, *hij had het zich herinnerd*. Snel stak Jason de palm van zijn hand naar voren, één keer, twee keer. Het vage licht dat weerkaatste van zijn huid was voldoende, de blik van de Fransman werd naar hem getrokken. D'Anjou knikte, wendde zich toen af en kwam moeizaam en met pijn overeind toen de bewaker terugkeerde. Jason telde de gevangenen. Het waren twee vrouwen en vijf mannen, met inbegrip van Echo. Ze werden bijeen gedreven door de bewakers, die beiden zware politieknuppels uit hun riemen hadden getrokken en die gebruikten om de groep met porren naar het pad buiten de parkeerplaats te loodsen. D'Anjou viel. Hij zakte door zijn linkerbeen en draaide zijn lichaam om toen hij op de grond viel. Bourne lette goed op, er was iets vreemds aan die val. Toen begreep hij het. De vingers van zijn handen, die vóór hem waren vastgebonden, waren uitgespreid. Echo schepte twee handenvol grind op en kon dat ongezien doen achter de dekking van zijn lichaam; toen de bewaker kwam aanlopen en hem overeind trok keek d'Anjou heel even in Jasons richting. Het was een teken. Echo zou de steentjes laten vallen zolang hij er nog had, zodat zijn makker van Medusa een spoor kon volgen.

De gevangenen werden naar rechts geleid, van de parkeerplaats met grind af, terwijl de jonge bewaker, de 'kapitein in de Kwo-Min-Tang' de poort afsloot. Jason rende uit het donker bij het hek naar de schaduwplek van de vrachtwagen, trok het jachtmes uit de schede terwijl hij neerhurkte bij de motorkap en keek naar het wachthuisje. De bewaker stond net buiten de deur in zijn walkie-talkie te praten, zijn verbinding met de plaats van de bijeenkomst. Die radio moest worden opgeruimd. De man ook.

Bind hem vast. Gebruik zijn kleren voor een prop in zijn mond.
Dood hem! Loop geen extra risico. Luister naar mij!

Bourne liet zich op de grond vallen, stak zijn jachtmes in de linker voorband van de vrachtwagen, en toen de lucht eruit liep, sprong hij op, rende naar de achterkant en deed daar hetzelfde. Om de achterzijde van de vrachtwagen heen rende hij de tussenruimte in naast de volgende geparkeerde wagen. Heen en weer zwenkend sneed hij de overblijvende banden van de vrachtwagen door en die aan de linkerkant van de personenwagen. Langs heel de rij auto's deed hij hetzelfde tot alle banden waren doorgestoken, behalve die van de Russische Zia, die maar zo'n tien meter van het wachthuisje stond. Het was tijd voor de bewaker.

Bind hem...
Dood hem! Elke voetstap moet worden uitgewist en elke stap voert te-
rug naar je vrouw!

Geruisloos opende Jason het portier van de Russische auto, stak zijn
hand naar binnen en trok de handrem los. Hij sloot het portier even
zacht als hij het had geopend en schatte de afstand van de motorkap
tot aan het hek; die was iets meer dan anderhalve meter. Hij legde zijn
hand tegen de richel om het raampje, duwde uit alle macht en met vertrokken gezicht, tot de enorme wagen begon te rollen. Hij gaf het voertuig nog een laatste stevige duw en sprong voor de auto die naast de Zia
stond toen de limousine tegen het hek klapte. Hij bukte zich tot hij niet
meer gezien kon worden en stak zijn hand in zijn rechter achterzak.

Toen de verschrikte bewaker de klap hoorde rende hij om het wacht-
thuisje heen de parkeerplaats op, keek alle kanten uit en staarde toen
naar de stilstaande Zia. Hij schudde zijn hoofd alsof hij het onverklaarbare defect van de wagen accepteerde en liep naar de portier.

Bourne sprong uit het donker te voorschijn met de spoelen in beide handen en wipte de draad over het hoofd van de bewaker. In minder dan
drie tellen was het gebeurd, en het enige geluid was een weerzinwekkend
klinkende luchtstoot. De garrotte was dodelijk, de kapitein van de Kwo-
Min-Tang was dood.

Jason trok de radio van de man uit zijn riem en doorzocht zijn kleren.
Er was altijd een kans dat er iets te vinden was, iets wat waarde had.
Dat was er — waren er! Het eerste was een wapen, een pistool, zoals
te verwachten was. Van hetzelfde kaliber als dat welke hij van een andere samenzweerder in Mao's graftombe had afgenomen. Speciale wapens
voor speciale mensen, opnieuw een herkenningsteken, steeds dezelfde
wapens. In plaats van één patroon zaten er nu negen in het magazijn,
met daarbij nog een geluiddemper die verhinderde dat de gerespecteerde
dode in een gerespecteerd mausoleum gestoord zou worden. Het tweede
was een portefeuille waar geld in zat en een officieel document waarop
stond dat de drager lid was van de geheime Volkspolitie. De samenzweerders hadden collega's in hoge regionen. Bourne rolde het lijk onder de limousine, stak de linkerbanden door, rende om de wagen heen
en stak zijn jachtmes in de banden aan de rechterkant. De reusachtige
wagen zakte tot op zijn velgen. De kapitein van de Kwo-Min-Tang had
een veilige, verborgen laatste rustplaats gekregen.

Jason rende naar het wachthuis, bij zichzelf overleggend of hij de
schijnwerpers uit zou schieten, maar hij besloot dat niet te doen. Als hij
alles overleefde zou hij de verlichting nodig hebben als een herkennings-
punt. Als — *als?* Hij móest het overleven! *Marie!* Hij liep naar binnen,
knielde neer tot onder het vensterkozijn, haalde de patronen uit het automatische pistool van de bewaker en laadde er zijn eigen pistool mee.
Toen keek hij om zich heen of er roosters of instructies waren. Tegen

de muur naast een sleutelbos hing een lijst aan een spijker. Hij greep de sleutelbos.

De telefoon ging over! Het oorverdovende gerinkel weergalmde van de glazen wanden van het wachthuisje. *Als er een telefooncontrole komt weet ik wat ik zeggen moet. Een kapitein van de Kwo-Min-Tang.* Bourne kwam overeind, nam de hoorn van de haak en hurkte weer, met zijn vingers gespreid over de microfoon.

'Jing Shan,' zei hij schor. 'Ja?'

'Hallo daar, mijn trouwe vlindertje,' antwoordde een vrouwenstem in wat Jason herkende als duidelijk onbeschaafd Mandarijns. 'Hoe gaat het vanavond met jouw vogeltjes?'

'Daarmee gaat het prima, maar met mij niet.'

'Je klinkt tenminste heel anders. Dit is Wo toch wel?'

'Met een afschuwelijke verkoudheid en overgeven en elke twee minuten naar de plee rennen. Er wil niets binnen blijven.'

'Ben je dan morgen wel weer in orde? Ik wil niet besmet worden.'

Zoek de eenzamen uit, de lelijkerds...

'Ik wil ons afspraakje niet missen...'

'Je zult te zwak zijn. Ik bel je morgenavond wel.'

'Mijn hart treurt als de verlepte bloem.'

'Stuk koeiestront!' De vrouw legde op.

Onder het praten vielen Jasons ogen op een zware ketting die op een hoop lag in de hoek van het wachthuis en hij begreep het. In China, waar mechanische dingen zo vaak kapot gingen, was de ketting een reserve als het slot in het midden van de poort dienst zou weigeren. Bovenop de hoop schakels lag een gewoon ijzeren hangslot. Een van de sleutels van de bos moest erop passen dacht hij en hij probeerde er verschillende tot het slot opensprong. Hij pakte de ketting op, wilde naar buiten lopen, bleef toen staan, draaide zich om en rukte de telefoon uit de muur. Alweer was er een instrument kapot.

Bij de poort haalde hij de ketting uiteen en draaide die in zijn hele lengte rond het midden van de twee binnenste spijlen tot er een dikke prop van ineengedraaid ijzer ontstond. Hij duwde vier schakels van de ketting tegen elkaar zodat de openingen vrij kwamen, stak er de beugel doorheen en knipte het geheel op slot. Alles stond strak gespannen en als de massa hard metaal werd getroffen door een kogel zou ze niet, zoals algemeen werd aangenomen, kapot springen maar alleen de kans vergroten dat een ketsende kogel de schutter zou doden en de levens van iedereen in de buurt in gevaar zou brengen. Hij draaide zich om en begon het middenpad af te lopen en ook nu bleef hij in het donker van de berm.

Het pad was donker. Het schijnsel van de verlichte poort werd tegengehouden door de dichtopeenstaande bomen van het vogelreservaat, maar het licht was nog wel te zien in de lucht. Door zijn linker handpalm beschermend om het licht van zijn lantaarn te houden en zijn arm uit te strekken naar de grond, kon hij ongeveer elke twee meter een steentje zien van het grind. Toen hij de eerste twee, drie eenmaal had gevonden wist hij waarop hij moest letten: haast onmerkbare kleurverschillen met de donkere grond, op vrijwel gelijke afstanden van elkaar. D'Anjou had elk steentje naar buiten gedrukt, waarschijnlijk tussen zijn duim en wijsvinger, en het zo stevig mogelijk afgewreven om het vuil van de parkeerplaats eraf te krijgen en er iets op over te brengen van zijn huidvet zodat het op zou vallen. De gehavende Echo had al zijn positieven nog bij elkaar.

Plotseling waren er twee stenen, niet eentje, en ze lagen maar enkele centimeters uit elkaar. Jason keek op en tuurde in het zwakke schijnsel van de afgeschermde zaklantaarn. Die twee stenen waren er niet toevallig, het was weer een teken. Het hoofdpad bleef rechtdoor lopen, maar de groep gevangenen was scherp rechtsaf geslagen. Twee stenen betekenden een afslag.

Toen kwam er ineens een verandering in de afstanden tussen de steentjes. Ze kwamen steeds verder uit elkaar te liggen en net toen Bourne dacht dat er geen meer zouden komen zag hij er weer eentje. Plotseling lagen er twee op de grond, alweer een kruising. D'Anjou wist dat zijn steentjes begonnen op te raken en daarom was hij overgeschakeld op een andere strategie, een tactiek die Jason snel doorhad. Zolang de gevangenen op één bepaald pad bleven zouden er geen steentjes zijn, maar wanneer ze ergens afsloegen gaven twee stukjes grind de richting aan. Hij liep langs de rand van drassige grond, stak stukken grasland over en kwam weer aan de weg en hoorde overal het plotselinge fladderen van vleugels en het krijsen van opgeschrikte vogels als die wegvlogen in de door de maan verlichte hemel. Ten slotte was er nog maar één smal pad en dat voerde naar een soort nauwe vallei . . .

Hij bleef staan en doofde onmiddellijk de zaklantaarn. Onder hem, ongeveer dertig meter verder op het smalle pad zag hij het opgloeien van een sigaret. Het bewoog zich langzaam, nonchalant op en neer, een man die nergens op verdacht was en die een sigaret rookte, maar in elk geval een man die daar niet voor niets stond. Toen bekeek Jason het donker verderop, want het was een ander soort donker. Lichtpuntjes flikkerden hier en daar door het dichte geboomte van de neerglooiende helling. Toortsen misschien, want de nauwelijks zichtbare lichtpuntjes bleven nooit op dezelfde plaats. Natuurlijk toortsen. Hij was waar hij zijn moest. Beneden in die vallei in de verte, voorbij de wachtpost met zijn sigaret, lag de plaats van de bijeenkomst.

Bourne dook het dichte kreupelhout in rechts van het pad. Hij wilde bukken maar merkte dat de ineengestrengelde halmen net visnetten leken, de stengels waren in elkaar verward geraakt door jaren van grillige winden. Die halmen uiteen te trekken of te breken zou geluid veroorzaken, dat niet paste bij de normale geluiden van het reservaat. Geknak en ritselend gekrab was wat anders dan het plotselinge fladderen van vleugels of het gekrijs van opgeschrikte bewoners. Het was onnatuurlijk en betekende een andere verstoring. Hij pakte zijn mes en wilde dat het lemmet wat langer was, en hij begon aan een tocht die niet meer dan een halve minuut geduurd zou hebben als hij op het pad had kunnen blijven. Nu deed hij er bijna twintig minuten over om zich geruisloos een weg te snijden tot hij de wachtpost kon zien.

'Mijn gód!' Jason hield zijn adem in en onderdrukte de kreet in zijn keel. Hij was uitgegleden. Het kronkelende, sissende beest onder zijn linkervoet was bijna anderhalve meter lang. Het drapeerde zich om zijn broekspijp en in paniek greep hij een stuk van het lijf vast, trok het van zijn been en sneed het middendoor met zijn mes. De slang kronkelde heftig, nog enkele seconden lang, toen hielden de stuiptrekkingen op. Hij lag dood en slap aan zijn voeten. Hij sloot zijn ogen, huiverde en kwam weer tot zichzelf. Opnieuw bukte hij zich en kroop dichter naar de wachtpost toe, die nu weer een sigaret opstak of probeerde hem op te steken met de ene lucifer na de andere die weigerde te ontvlammen. De wachtpost leek woedend op zijn door de regering verstrekte lucifers. *'Ma de shizi, shizi!'* mompelde hij binnensmonds met de sigaret in zijn mond.

Bourne kroop naar voren, sneed de laatste halmen van het taaie gras door tot hij op bijna twee meter van de man was. Hij stak het jachtmes in de schede en haalde opnieuw de garrotte uit zijn rechter achterzak. Hij mocht niet missteken met zijn mes want dan kon er een gil op volgen, het moést volkomen stil blijven, hoogstens een geruisloze luchtstoot.

Hij is een menselijk wezen! Een zoon, een broer, een vader!
Hij is de vijand. Hij is ons doelwit. Meer hoeven we niet te weten. Marie is van jou, niet van hen.'

Jason Bourne sprong op uit het gras toen de wachtpost zijn eerste trek van zijn sigaret deed. De rook werd met geweld uit zijn gapende mond gestoten. De garrotte zat om de keel gedraaid, de luchtpijp werd doorgesneden en de wachtpost viel achterover in het struikgewas. Zijn lichaam werd slap, zijn leven was voorbij.

Jason trok de bloederige draad los, veegde die schoon aan het gras, rolde de spoelen weer op en stak ze terug in zijn zak. Hij trok het lijk verder tussen de struiken, van het pad vandaan, en begon de zakken te doorzoeken. Het eerste wat hij vond voelde aan als een dikke prop opgerold toiletpapier, helemaal niet ongewoon voor China waar zulk papier altijd schaars was. Hij trok de lantaarn los van zijn zakrand, hield zijn hand eromheen en keek verbaasd naar zijn vondst. Het papier was opgevouwen en zacht maar het was geen toiletpapier. Het was *renminbi*, duizenden yuan, voor de meeste Chinezen verschillende malen hun jaarinkomen. De wacht aan de poort, de 'kapitein van de Kwo-Min-

388

Tang' had geld gehad — iets meer dan Jason voor normaal hield — maar het haalde het niet bij dit bedrag. Vervolgens kwam er een portefeuille. Er zaten kinderfoto's in die Bourne snel weer terugstak, een rijbewijs, een toewijzing voor een huis, en een officieel document waarop stond dat de drager... een lid was van de geheime *Volkspolitie!* Jason haalde het papier voor de dag dat hij uit de portefeuille van de eerste wacht had gehaald en legde ze naast elkaar op de grond. Ze waren hetzelfde. Hij vouwde beide op en stak ze in zijn zak. Een laatste voorwerp was al even vreemd als interessant. Het was een pas die de drager toegang verschafte tot de Vriendschapswinkels, die winkels waar buitenlandse reizigers konden kopen en die voor de meeste Chinezen verboden waren, op de allerhoogste ambtenaren na. Wat voor lui dat ook waren daar beneden, dacht Bourne, het was een vreemd en zeldzaam stelletje. Gewone wachtposten hadden enorme geldbedragen bij zich, genoten voorrechten die lichtjaren boven hun posities lagen, en hadden documenten bij zich waaruit bleek dat ze lid waren van de geheime staatspolitie. Als ze inderdaad lid waren van een samenzwering — en alles wat hij had gezien en gehoord, vanaf Shenzhen, het T'ien An Men Plein tot dit natuurreservaat leek dat te bevestigen — dan zaten de samenzweerders tot heel diep in de hiërarchie van Beijing verborgen. *Geen tijd! Dat gaat jou niets aan!*

Het wapen aan een riem om het middel van de man was, zoals hij al verwachtte, hetzelfde als dat wat hij in zijn eigen riem had, en als dat wat hij aan de poort van Jing Shan in de struiken had gegooid. Het was een uitstekend wapen en wapens waren symbolen. Een verfijnd wapen was al evenzeer een statussymbool als een duur horloge, waarvan misschien vele imitaties konden bestaan, maar de echtheid ervan zou door hen die daar het juiste oog voor hadden altijd herkend worden. Je kon het gewoon laten zien om je status te bevestigen, of je kon het afdoen als een door de staat uitgereikt pistool dat door het leger werd ingekocht van elke beschikbare bron op de wereld. Het was een verfijnd herkenningsteken, maar één van de vele die verschaft waren aan een elitair kringetje. *Geen tijd! Dat gaat jou niks aan! Schiet op!*

Jason haalde de patronen uit het magazijn, stak ze in zijn zak en gooide het pistool het bos in. Hij kroop naar het pad en begon stil en behoedzaam naar het flikkerende licht te lopen achter het hoge scherm van bomen beneden hem.

Het was meer dan een nauwe vallei, het was een enorme diepte, uitgeschept uit de prehistorische grond, een scheur uit de ijstijd die nog niet was geheeld. Vogels fladderden erboven, verschrikt en nieuwsgierig, uilen krasten kwaad en vals klinkend. Bourne stond aan de rand van een steile helling en keek door de bomen heen neer op de groep mensen beneden hem. Een flakkerende kring van toortsen verlichtte de vergaderplaats. David Webbs adem stokte in zijn keel, hij wilde braken, maar het kille bevel verbood hem dat.

Hou op. Kijk toe. Weet waarmee we te maken hebben.

Aan een boomtak gebonden met een touw dat vastzat aan zijn geboeide polsen, zijn armen uitgestrekt boven zich, zijn voeten op enkele centimeters van de grond, hing een man in paniek te kronkelen, terwijl gedempte kreten opklonken uit zijn keel en zijn ogen verschrikt en smekend uitkeken boven zijn geknevelde mond.

Een slanke man van middelbare leeftijd, gekleed in een Mao-jasje en broek, stond voor het heftig kronkelende lichaam. Zijn rechterarm was uitgestrekt en de hand omklemde het met juwelen bezette gevest van een neerhangend zwaard met een lange smalle kling, waarvan de punt in de aarde stak. David Webb herkende het wapen — een wapen en toch ook weer geen wapen. Het was het ceremoniële zwaard van een krijgsheer uit de veertiende eeuw, een meedogenloze klasse van militaristen die dorpen en steden brandschatten — hele provincies — en waarvan men zelfs aannam dat ze zich durfden verzetten tegen de wil van de Yuan keizers, Mongolen die niets dan vuur en dood en het gillen van kinderen achter zich lieten. Het zwaard werd ook gebruikt voor ceremonies die helemaal niet zo symbolisch waren, veel wreder dan het uiterlijk van het keizerlijk hof deed vermoeden. David voelde zich helemaal misselijk worden en een golf van angst overspoelde hem terwijl hij neerkeek op het tafereel beneden hem.

'Luister naar mij!' schreeuwde de slanke man voor de gevangene, en hij draaide zich om en sprak tot zijn toehoorders. Zijn stem klonk schel, maar ze was vast en bevelend. Bourne kende hem niet, maar zijn gezicht zou moeilijk te vergeten zijn. Het kort geknipte grijze haar, de magere, bleke gelaatstrekken en meer dan wat ook, de blik in zijn ogen. Jason kon de ogen niet duidelijk zien maar het was genoeg voor hem dat het licht van de toortsen erin weerkaatste. Die ogen brandden ook.

'De avonden van de grote kling *beginnen!*' gilde de slanke man plotseling. 'En ze zullen ávond na ávond doorgaan totdat allen die ons willen verraden naar de hél zijn gezonden! Ieder van deze giftige insecten heeft misdaden begaan tegen onze heilige zaak, misdaden die bij ons bekend zijn, die alle zouden kunnen leiden tot de zwaarste misdaad die vraagt om de grote kling.' De spreker wendde zich tot de hangende gevangene. 'Jij! Spreek de waarheid en niets dan de waarheid! Ken jij die westerling?'

De gevangene schudde zijn hoofd en kreunde schor.

'Leugenaar!' krijste een stem uit de toeschouwers. 'Hij was vanmiddag op T'ien An Men!'

Weer schudde de gevangene krampachtig en in paniek met zijn hoofd.

'Hij heeft tegen het ware China gesproken!' schreeuwde een andere stem. 'Ik heb hem gehoord in het Hua Gong Park, tussen de jonge mensen!'

'En in het koffiehuis aan de Xidan Bei!'

De gevangene kromp ineen, zijn opengesperde, verbijsterde ogen waren vol angst op de toeschouwers gericht. Bourne begon het te begrijpen. De man hoorde leugens en hij wist niet waarom, maar Jason wist het wel. De hoogste inquisitiekamer hield zitting. Een lastpost, of een man die twijfelde, werd uit de weg geruimd onder het mom van een zwaardere misdaad. En de hele kleine kans dat hij die misschien ook had begaan. *De avonden van de grote kling beginnen — avond aan avond!* Het was een terreurbewind binnen een klein, bloedig koninkrijk in een uitgestrekt land waar bandietengeneraals het eeuwenlang voor het zeggen hadden gehad.

'Heeft hij die dingen gedaan?' schreeuwde de spreker met het uitgemergelde gezicht. 'Heeft hij die dingen gezégd?'

Een verward koor van bevestigingen weergalmde in de vallei.

'Op het T'ien An Men...!'

'Hij sprak met de westerling...!'

'Hij heeft ons allen verraden...!'

'Hij veroorzaakte de opschudding in de graftome van de gehate Mao...!'

'Hij ziet ons het liefst dood, onze zaak verloren...!'

'Hij ageert tegen onze leiders en wil hen dood zien...!'

'Zich verzetten tegen onze leiders,' zei de spreker met rustige maar steeds luider klinkende stem, 'is hetzelfde als hen *belasteren,* en door dat te doen is men onvoorzichtig met de kostbare gave die het leven wordt genoemd. Gebeuren deze zaken dan moet de gave worden teruggenomen.'

De hangende man kronkelde nog heftiger, zijn kreten werden luider en klonken als het kreunen van de andere gevangenen die gedwongen waren voor de spreker te knielen met een onbelemmerd zicht op de op handen zijnde executie. Alleen één bleef weigeren, probeerde voortdurend ongehoorzaam en oneerbiedig op te staan, en werd voortdurend neergeslagen door de bewaker die bij hem stond. Het was Philippe d'Anjou. Echo wilde Delta weer iets duidelijk maken, maar Jason Bourne kon het niet begrijpen.

'...deze verziekte, ondankbare hypocriet, deze leraar van de jeugd, die als een broeder werd verwelkomd in onze toegewijde rangen omdat we de woorden geloofden die hij sprak — zo moedig, dachten wij — zich verzettend tegen de kwelgeesten van ons vaderland, die man is niet meer dan een *verrader.* Zijn woorden klinken hól. Hij is een toegewijd metgezel van de verraderlijke winden en die zouden hem voeren naar onze vijanden, de kwelgeesten van Moeder China! Moge hij gezuiverd worden in zijn dood!' De nu schel klinkende spreker trok het zwaard uit de grond. Hij hield het boven zijn hoofd.

En opdat zijn zaad zich niet verspreiden moge, reciteerde de weten-

schapsman David Webb bij zichzelf, denkend aan de woorden van de
oeroude formule en alleen maar wensend dat hij zijn ogen kon sluiten,
maar dat niet kon, bevolen werd door zijn andere ik dat niet te doen.
*We vernietigen de bron waaruit het zaad voortkomt en bidden tot onze
voorvaderen om alles te verwoesten waarin het hier op aarde is doorgedrongen.*
Het zwaard flitste verticaal omlaag en hakte in de lies en de geslachtsdelen van het krijsende, kronkelende lichaam.
*En opdat zijn gedachten zich niet verspreiden kunnen, de onschuldigen
en de zwakken bedervend, bidden wij tot de voorvaderen ze te vernietigen waar ze zich ook mogen bevinden, zoals wij hier de bron vernietigen
waaruit ze voortkomen.*
Het zwaard werd nu horizontaal gezwaaid en het hakte door de hals van
de gevangene. Het stuiptrekkende lichaam viel op de grond en werd besproeid met het bloed van het afgehakte hoofd, waarop de slanke man
met de ogen van vuur zijn woede bleef koelen met de kling, tot er geen
menselijk gelaat meer te herkennen was.
De rest van de dodelijk beangstigde gevangenen vervulden de vallei met
kreten van afschuw terwijl ze rondkropen over de grond, zich bevuilden
en om genade smeekten. Op één na. D'Anjou kwam overeind en staarde
zwijgend naar de bezeten man met het zwaard. De wachtpost naderde.
De Fransman hoorde hem, draaide zich om en spuugde hem in het gezicht. De wacht was gebiologeerd, voelde zich misschien misselijk door
wat hij had meegemaakt en hij wankelde achteruit. Wat was Echo toch
aan het doen? *Wat wilde hij zeggen?*
Bourne keek weer naar de beul met het uitgemergelde gezicht en het
kort geknipte, grijze haar. Hij was bezig de lange kling van het zwaard
schoon te vegen met een witte zijden sjaal, terwijl adjudanten het lijk
wegtrokken en wat er nog over was van het hoofd van de gevangene.
Hij wees naar een opvallend knappe vrouw die nu door twee bewakers
naar het touw werd gesleurd. Ze hield zich kaarsrecht, uitdagend. Delta
bekeek het gezicht van de beul. Onder de fanatieke ogen waren de dunne lippen vertrokken tot een spleet. Hij glimlachte.
Hij was zo goed als dood. Ooit zou het gebeuren. Ergens. Misschien
vanavond. Een slager, een met bloed bespatte, blinde fanaticus die het
Verre Oosten in een ondenkbare oorlog zou storten − China tegen China, en de rest van de wereld zou volgen.
Vanavond!

27

'Deze vrouw is een koerierster, een van degenen in wie wij ons vertrouwen hadden gesteld,' vervolgde de spreker en hij liet langzaam zijn stem

stijgen als een boeteprediker die de liefdesboodschap predikt met één oog op het werk van de duivel. 'Het vertrouwen was niet verdiend, ze kreeg het op goed gezag, want zij is de vrouw van een der onzen, een moedig soldaat, een oudste zoon van een beroemde familie uit het ware China. Een man die, terwijl ik hier spreek, zijn leven op het spel zet door zich heimelijk te mengen tussen onze vijanden in het zuiden. Ook hij heeft haar zijn vertrouwen geschonken... en zij heeft dat vertrouwen misbruikt, ze heeft die moedige echtgenoot *verraden,* ze heeft ons allen verraden! Zij is niet meer dan een hoer die slaapt met de vijand! En hoeveel geheimen heeft ze verraden terwijl ze haar vuige lusten bevredigde, hoeveel dieper gaat haar verraad? Is zij het contact van de westerling hier in Beijing? Is zij degene die ons verraadt, die onze vijanden vertelt waarop ze moeten letten, wat ze moeten verwachten? Hoe had anders deze afschuwelijke dag kunnen gebeuren? Onze meest ervaren, meest toegewijde mensen spannen een valstrik voor onze vijanden die dodelijk had moeten zijn voor hen, zodat we de westerse misdadigers van ons af hadden kunnen schudden die alleen maar uit zijn op rijkdommen door zich te vernederen voor China's kwelgeesten. Men heeft verteld dat zij vanmorgen op het vliegveld was. Het *vliegveld!* Waar de valstrik werd gespannen! Heeft ze haar geile lichaam geschonken aan een toegewijd man, hem misschien bedwelmd? Heeft haar minnaar haar gezegd wat ze moest doen, wat ze moest zeggen aan onze *vijanden?* Wat heeft deze slet gedaan?'

Alles was voorbereid, dacht Bourne. Het was een 'zaak' die zo overduidelijk voorbijging aan feiten en 'samenhangende' feiten, dat zelfs een rechtbank in Moskou een marionettenaanklager zou hebben teruggestuurd naar de schoolbanken. *Het terreurbewind binnen de stam van de bandietengeneraal duurde voort. Wied het onkruid uit tussen het onkruid. Zoek de verrader. Dood iedereen, hem of haar, die de verrader zou kunnen zijn.*

Een gedempt maar woedend koor van 'Hoer!' en 'Verraadster!' klonk op uit de toehoorders, terwijl de geboeide vrouw worstelde met de twee bewakers. De spreker stak zijn handen op om stilte. Die viel onmiddellijk.

'Haar minnaar was een verachtelijk journalist voor het Xinhua Nieuwsbureau, dat leugenachtige, schandelijke orgaan van het verachtelijke regime. Ik zeg ''was'' want het walgelijke creatuur is nu een uur dood, door het hoofd geschoten en de keel afgesneden opdat allen zullen weten dat ook hij een verrader was! Ik heb zelf gesproken met de man van deze hoer want ik houd hem in ere. Hij gaf me opdracht datgene te doen wat onze voorvaderen eisen. Hij wil niets meer met haar te maken hebben...'

'Aiyaaa!' Met onverwachte kracht en woede rukte de vrouw de stevig vastgebonden doek van haar mond. 'Leugenaar!' gilde ze. 'Moorde-

naar zoals er geen ander bestaat! Je hebt een fatsoenlijke man vermoord en ik heb *niemand* verraden! Ik ben degene die verraden is! Ik was niet op het vliegveld en dat weet jij! Ik heb die westerling nooit gezien, en dat weet je ook! Ik wist niets van die valstrik voor westerse misdadigers en je kunt de waarheid van mijn gezicht aflezen! Hoe zou ik dat kúnnen doen?'

'Door te hoereren met een toegewijd dienaar van de zaak en door hem te corrumperen, hem te bedwelmen! Door hem je borsten aan te bieden en die misbruikte tunnel-van-corruptie, door te aarzelen, je terug te trekken totdat de kruiden hem gék maakten!'

'Jij bent gek! Je zegt deze dingen, deze leugens, omdat je mijn man naar het zuiden hebt gestuurd en dagenlang bij mij bent gekomen, eerst met beloften en toen met dreigementen. Ik moest me aan jou onderwerpen. Je zei dat dat mijn plicht was! Je hebt met mij geslapen en ik ben dingen te weten gekomen...'

'Vrouw, gij zijt *verachtelijk!* Ik ben bij je gekomen om je te smeken aan de eer van je man te denken, aan de zaak! Om je minnaar te verlaten en om vergeving te vragen.'

'Een leugen! Er zijn mannen bij je gekomen, taipans uit het zuiden, gestuurd door mijn man, mannen die niet gezien mochten worden bij je deftige kantoor. Ze kwamen heimelijk naar de winkels onder mijn flat, de flat van een zogenaamde eerzame weduwe — weer zo'n leugen die je mij en mijn kind hebt achtergelaten!'

'*Hoer!*' krijste de woest ogende man met het zwaard.

'Leugenaar tot in de diepten van de noordelijke meren!' schreeuwde de vrouw ten antwoord. 'Mijn man heeft, net als jij, vele vrouwen en hij geeft niets om mij! Hij ranselt mij en jij zegt me dat dat zijn goed recht is, want hij is immers zo'n beroemde zoon van het ware China! Ik breng boodschappen van de ene stad naar de andere, en als ik daarbij betrapt werd zou ik tot de dood toe gemarteld worden, en ik ontvang alleen minachting, ik kreeg nooit betaald voor mijn treinkaartjes, of voor de yuan die ik miste door weg te blijven op mijn werk, want jij zegt maar steeds dat het mijn plicht is! Hoe moet mijn kleine meisje eten? Het kind dat jouw beroemde zoon van China nauwelijks erkent, want hij wilde alleen zoons!'

'De voorvaderen wilden je geen zonen schenken, want het zouden vrouwen worden, een schande voor een beroemde familie uit China! Jij bent de verraadster! Jij ging naar het vliegveld en nam contact op met onze vijanden en liet zo een zwaar misdadiger ontsnappen! Jij zou ons weer voor duizend jaar tot slaven maken...'

'Jij zou ons maken tot vee voor tienduizend!'

'Jij weet niet wat vrijheid betekent, vrouw.'

'Vrijheid? Uit jouw mond? Jij vertelt me — jij vertelt óns — dat je ons de vrijheid zult weergeven die onze voorvaderen hadden in het ware

China, maar wat voor vrijheden, leugenaar? De vrijheid die blinde gehoorzaamheid vereist, die mijn kind de rijst ontneemt, een kind dat
door een vader verstoten is die alleen gelooft in *heren — krijgs*heren,
*land*heren, heersers over de aarde! *Aiya!*' De vrouw keerde zich tot de
toehoorders, en rende naar voren, weg van de spreker. 'Júllie!' riep ze
uit. 'Jullie allemaal! Ik heb jullie niet verraden en ook niet onze zaak,
maar ik heb vele dingen gehoord. En dat klopte niet allemaal met wat
deze aartsleugenaar zegt! Er ís veel pijn en ontbering, dat weten we allemaal, maar er was vroeger ook pijn, vroeger ook ontbering! ... Mijn
minnaar was geen slecht mens, geen blinde navolger van het regime.
maar een geletterd man, een lieve man, en een die geloofde in het *eeuwige* China! Hij wilde dezelfde dingen als wij! Hij vroeg alleen tijd om
het kwaad recht te zetten dat onze oude mannen in de comité's die ons
leiden had besmet. Er zullen veranderingen komen, zei hij me. Er zijn
er die ons de weg wijzen. Nú! ... Laat die leugenaar mij dit niet aandoen! Sta niet toe dat hij het júllie aandoet!'
'*Hoer! Verrader!*' De kling flitste omlaag en onthoofdde de vrouw.
Haar romp viel naar links, haar hoofd naar rechts en uit beide delen
spoot het bloed op. De frenetieke spreker hakte met zijn zwaard in op
haar stoffelijk overschot, maar de stilte die de toeschouwers had bevangen was zwaar vervuld van vrees. Hij hield op, hij was zijn overwicht
kwijtgeraakt. Snel herwon hij het. 'Moge de geheiligde geesten der
voorvaderen haar rust en zuiverheid schenken!' schreeuwde hij en zijn
ogen zwierven in het rond, hielden stil en staarden elk lid van zijn congregatie aan. 'Want ik beëindig haar leven niet in haat, maar uit medelijden voor haar zwakheid. Ze zal vrede en vergeving vinden. De voorvaderen zullen het begrijpen, maar wij moeten het hier begrijpen in het
vaderland! Wij mogen niet afwijken van onze koers, we moeten stérk
zijn. We moeten...'
Bourne had genoeg van die maniak. Hij was de geïncarneerde haat. En
hij was ook zo goed als dood. Eens zou het gebeuren. Ergens. Misschien
vanavond, als het kon *vanavond!*
Delta trok zijn mes uit de schede en bewoog zich naar rechts. Hij kroop
door het dichte bos van Medusa, met een hartslag die vreemd rustig was
en er groeide in hem een woedende kern van zekerheid — David Webb
was verdwenen. Er waren vele zaken die hij zich niet meer kon herinneren uit die vage, verre dagen, maar veel was er ook weer bij hem teruggekomen. Scherp stond het hem nog niet voor de geest, maar zijn instincten waren helder. Die leidden hem en hij was één met de duisternis
van het woud. De jungle was geen tegenstander. Hij was zijn bondgenoot want hij had hem al eerder beschermd, had hem eerder gered in
die verre, warrige herinneringen. De bomen en de lianen en het kreupelhout waren zijn vrienden, hij bewoog zich door en om hen heen als een
groot roofdier, met vaste, snelle schreden.

Hij sloeg linksaf boven de oeroude vallei en begon af te dalen, terwijl hij zijn ogen gericht hield op de boom waar de killer zo nonchalant stond. De spreker had opnieuw zijn tactiek veranderd in het bespelen van zijn congregatie. Hij probeerde nog wat te redden door een andere vrouw te redden, en zoiets goed te maken bij zijn gehoor voor het afslachten van de eerste vrouw. De hartstochtelijke smeekbeden van een nu dode, verminkte vrouwelijke gevangene moesten uit hun gedachten worden verbannen. De spreker was een meester in zijn vak — in zijn kunst, misschien — en hij wist wanneer hij moest terugvallen op de liefdesboodschap en Lucifer even moest vergeten. Adjudanten hadden snel het bewijsmateriaal van de gewelddadige dood verwijderd en de enige andere vrouw werd met een gebaar van het ceremoniële zwaard opgeroepen. Ze was hooguit achttien, als ze dat al was. Een knap meisje, dat huilde en braakte terwijl ze naar voren werd gesleurd.

'Jouw tranen en jouw misselijkheid zijn onnodig, mijn kind,' zei de spreker op zijn meest vaderlijke toon. 'Het was steeds al onze intentie jou te sparen, want er werden van jou plichten geëist waarvoor je veel te jong was, je hoorde geheimen die je niet kon bevatten. De jeugd spreekt maar al te vaak wanneer ze moet zwijgen... Jij bent gezien in het gezelschap van twee broeders uit Hongkong, maar geen broeders van ons. Mannen die werken voor de onteerde Engelse regering, dat verzwakte, decadente bewind dat ons vaderland heeft verkocht aan onze kwelgeesten. Ze gaven je sieraden, mooie juwelen en lippenstift en Franse parfum uit Kowloon. Welnu, mijn kind, wat heb jij hún gegeven?'

Het jonge meisje dat hysterisch braaksel ophoestte door haar prop, schudde heftig haar hoofd, terwijl de tranen langs haar wangen stroomden.

'Haar hand was onder een tafel, tussen de benen van een man, in een café aan de Guangquem!' schreeuwde een aanklager.

'Hij was een van die zwijnen die voor de Engelsen werken!' voegde een ander eraan toe.

'De hartstocht van de jeugd is nu eenmaal snel geprikkeld,' zei de spreker en hij keek met felle ogen naar degenen die gesproken hadden, alsof hij stilzwijgen gebood. 'Onze harten zijn vol van vergeving voor zulke uitbundigheid — zolang verraad geen deel uitmaakt van die hartstocht, van die uitbundigheid.'

'Ze was aan de Qian Men Poort...!'

'Ze was níet op T'ien An Men, dat heb ikzelf vastgesteld!' schreeuwde de man met het zwaard. 'Uw informatie klopt niet. De enige vraag die overblijft is een eenvoudige vraag. *Kind!* Heb je over ons gesproken? Zouden je woorden kunnen zijn overgebracht aan onze vijanden, hier of in het zuiden?'

Het meisje kronkelde op de grond, haar hele lijfje zwaaide vertwijfeld heen en weer en ontkende zo de gesuggereerde beschuldiging.

'Ik accepteer je onschuld, zoals een vader dat zou doen, maar niet je dwaasheid, kind. Je houdt je te gemakkelijk op met anderen, je bent te dol op sieraden. Wanneer die ons niet kunnen dienen kunnen ze gevaarlijk zijn.'

Het jonge meisje werd overgedragen aan een zelfvoldaan, corpulent lid van het koor voor 'opvoeding en beschouwende meditatie'. Te oordelen naar de uitdrukking op het gezicht van de oudere man was het duidelijk dat zijn mandaat zich veel verder zou uitstrekken dan dat wat was voorgeschreven door de spreker. En wanneer hij genoeg van haar had, van een kinderlijke sirene aan wie de geheimen bekend waren van de hiërarchie in Beijing die dol was op kleine meisjes — menend dat zulke banden, zoals Mao het had gezegd, hun leven zou verlengen — dan zou ze verdwijnen.

Twee van de drie overblijvende Chinese mannen werden letterlijk aan een proces onderworpen. De oorspronkelijke aanklacht was handel in verdovende middelen, en ze opereerden tussen Sjanghai en Beijing. Maar hun misdaad was niet het distribueren van drugs, maar het voortdurend afromen van de winst en het deponeren van enorme geldbedragen op persoonlijke bankrekeningen bij talloze banken in Hongkong. Tussen de toeschouwers stapten er verscheidene naar voren om de belastende bewijzen te bekrachtigen. Ze zeiden dat ze als ondergeschikte handelaren hun twee 'bazen' enorme sommen aan baar geld hadden gegeven die nooit verantwoord waren in de geheime boeken van de organisatie. Dat was de oorspronkelijke aanklacht, maar niet de belangrijkste. Die werd uitgesproken met de schelle, monotone stem van de spreker.

'Jullie reizen naar het zuiden naar Kowloon. Eenmaal, tweemaal, vaak driemaal per maand. Kai-Tak Airport... Jij!' gilde de fanaticus met het zwaard en hij wees naar de gevangene links van hem. 'Jij bent vanmiddag komen terugvliegen. Jij was gisteravond in Kowloon. Gisteravond! Op Kai-Tak! Wij zijn gisteravond verráden op Kai-Tak!' De spreker liep dreigend uit de lichtkring van de toortsen op de twee versteende mannen toe die aan zijn voeten knielden. 'Jullie devotie voor het geld is groter dan jullie devotie voor onze zaak,' dreunde hij monotoon als een trieste maar boze patriarch. 'Bloedbroeders en broeders in diefstal. We hebben het nu al vele weken geweten, het was bekend omdat er zoveel onrust gepaard ging met jullie hebzucht. Jullie geld moest groeien zoals ratten zich vermenigvuldigen in stinkende riolen, daarom gingen jullie naar de misdadige triades in Hongkong. Hoe ondernemend, volijverig, en hoe verschrikkelijk stom! Denken jullie soms dat wij bepaalde triades niet kennen of dat wij niet bekend zijn bij hen? Denken jullie soms dat er geen gebieden zijn waarop we gemeenschappelijke interesses kunnen hebben? Denken jullie soms dat zij minder walgen van verraders dan wij?'

De twee geboeide broeders kropen jammerend door het zand, richtten zich smekend op op hun knieën en schudden ontkennend hun hoofden. Hun gedempte kreten waren smeekbeden om gehoord te worden, toestemming te krijgen om te spreken. De spreker liep op de gevangene aan zijn linkerkant toe en rukte de prop omlaag, waarbij het touw langs de huid van de man schuurde.

'Wij hebben niemand verraden, edele heer!' krijste hij. 'Ik heb niemand verraden. Ik was op Kai-Tak, jawel, maar alleen tussen de mensen. Om te *kijken,* meneer! Om vervuld te worden van diepe vreugde!'

'Met wie heb je gesproken?'

'Met niemand, edele heer! Oh ja, met de baliebediende. Om mijn vlucht van de volgende morgen te bevestigen, meneer, meer niet, ik zweer het bij de geesten van mijn voorvaderen. Op die van mijn jongere broer en op de mijne, meneer.'

'Het geld. Hoe zit het met het geld dat jullie gestolen hebben?'

'Niet gestolen, edele heer. Ik zwéér het! Wij geloofden in onze trotse harten − harten die trots verworven hadden door de zaak − dat wij het geld konden gebruiken tot voordeel van het ware China! Elke yuan aan winst zou worden terugbetaald aan de zaák!'

De toehoorders reageerden daarop luidkeels. Een afkeurend gejoel tegen de gevangenen klonk op. Koor en tegenkoor weergalmden door de vallei met verraad en diefstal. De spreker hief zijn handen op om stilte. De stemmen stierven weg.

'Laat het overal worden rondverteld,' zei hij langzaam en met steeds luider stem. 'Degenen in ons groeiende gezelschap die misschien zouden denken aan verraad mogen gewaarschuwd zijn. Wij kennen geen genade, want wij hebben zelf ook geen genade ondervonden. Onze zaak is rechtvaardig en zuiver en zelfs gedachten aan verraad zijn verachtelijk. Laat iedereen het horen. Jullie weten niet wie wij zijn of waar wij zijn, of het een ambtenaar in een ministerie betreft of een lid van de Veiligheidspolitie. Wij zijn nergens en wij zijn overal. Zij die weifelen en twijfelen zullen de dood vinden... Het proces van deze schurftige honden is voorbij. Ik laat het aan jullie over, mijn kinderen.'

Het oordeel kwam snel en het was unaniem: schuldig op de eerste aanklacht, waarschijnlijk schuldig op de tweede. Het vonnis: één broeder moest sterven, de andere zou in leven blijven en worden teruggevoerd naar Hongkong waar hij het geld van de bank moest halen. De keuze zou worden beslist door het eeuwenoude ritueel van *Yi zang li,* letterlijk een begrafenis. Elke man kreeg eenzelfde mes met een vlijmscherp lemmet met zaagtanden. Ze moesten vechten in een cirkel die tien passen in doorsnee mat. De twee broers stonden tegenover elkaar en het wrede ritueel nam een aanvang, waarbij de ene een wanhopige uitval deed en de ander de aanval ontweek door opzij te stappen, terwijl zijn mes het gezicht van de aanvaller openreet.

Het duel binnen de dodelijke kring en de primitieve reacties van de toeschouwers erop, vormden een dekmantel voor elk geluid dat Bourne maakte in zijn besluit om snel te handelen. Hij rende door het kreupelhout, brak takken af en hakte in op de gevlochten halmen van het hoge gras, tot hij zich op zeven meter bevond van de boom waar de moordenaar stond. Hij zou terugkeren en dichter naderen, maar eerst was er d'Anjou. Echo moest weten dat hij er was.

De Fransman en de laatste mannelijke Chinese gevangene stonden aan de rechterkant van de cirkel met bewakers aan weerszijden. Jason sloop naar voren terwijl de toeschouwers beledigingen en aanmoedigingen brulden naar de gladiatoren. Een van de strijders, die nu beiden bedekt waren met bloed, had met zijn mes een bijna dodelijke stoot gegeven, maar het leven dat hij wilde beëindigen was taai. Bourne stond op niet meer dan een meter of drie van d'Anjou. Hij tastte langs de grond en pakte een afgevallen tak op. Toen de waanzinnige toeschouwers opnieuw brulden brak hij de tak twee keer door. Van de drie stukken die hij in zijn hand hield stroopte hij de bladeren af en hij maakte van de stukjes hout hanteerbare stokjes. Hij mikte en wierp het eerste draaiend door de lucht, in een lage boog. Hij haalde het been van de Fransman net niet. Hij gooide het tweede, dat kwam tegen de achterkant van Echo's knieën! D'Anjou knikte tweemaal om te bevestigen dat hij zich bewust was van Delta's aanwezigheid. Toen deed de Fransman iets vreemds. Hij begon zijn hoofd langzaam heen en weer te bewegen. Echo probeerde hem iets duidelijk te maken. Ineens zakte d'Anjou door zijn linkerbeen en hij viel op de grond. Hij werd ruw omhooggetrokken door de bewaker links van hem, maar de man had zijn aandacht bij de bloedige strijd die plaatsvond in de cirkel van de ene begrafenis.

Weer schudde Echo langzaam zijn hoofd, nadrukkelijk, en ten slotte hield hij het stil en staarde naar zijn linkerkant, met zijn blik gericht op de moordenaar die van de boom was weggelopen om naar de strijd op leven en dood te kijken. Toen draaide hij zijn hoofd opnieuw en richtte nu zijn blik op de maniak met het zwaard.

D'Anjou zakte weer ineen maar dit keer worstelde hij zich overeind voordat de bewaker hem kon aanraken. Met het opstaan bewoog hij zijn magere schouders heen en weer. En Bourne sloot zwaar ademend zijn ogen in dat ene korte moment dat hij zich kon veroorloven om te treuren. De boodschap was duidelijk. Echo offerde zichzelf op. Hij zei Delta achter de killer aan te gaan, en terwijl hij dat deed de fanatieke evangelist te doden. D'Anjou wist dat hij te gehavend was, te zwak om nog te kunnen ontsnappen. Hij zou alleen maar tot last zijn en de bedrieger was het belangrijkste... Marie was het belangrijkste. Echo's leven was voorbij. Maar hij zou zijn beloning krijgen met de dood van de frenetieke slager, de zeloot die hem zeker zou ombrengen.

Een doordringende gil weergalmde door de vallei. De toeschouwers waren ineens stil. Bourne keek met een ruk naar links waar hij langs de rand van de rij toeschouwers vrij uitzicht had. Wat hij zag was al even walgelijk als wat hij gezien had tijdens de afgelopen gewelddadige minuten. De fanatieke spreker had zijn ceremoniële zwaard in de nek gestoken van een van de strijders; hij trok het los en het bloederige lijk kuchte een kort doodsgereutel uit en viel languit op de grond. De minister van moordzaken hief zijn hoofd op en sprak.

'Dokter!'

'Jawel, meneer?' sprak een stem uit de toeschouwers.

'Zorg voor de overlevende. Lap hem zo goed u kunt op voor zijn komende reis naar het zuiden. Als ik dit had laten doorgaan zouden beiden dood zijn geweest en wij zouden ons geld zijn kwijtgeraakt. Deze hechte families vieren jaren van haat bot in zo'n *Yi zang li*. Haal zijn broer weg en gooi hem met de anderen in het moeras. Allen zullen ze een welkome prooi zijn voor de meer agressieve vogels.'

'Zeker, meneer.' Een man met een zwart doktersvalies stapte in de cirkel waarvan de omtrek met zand was aangegeven, terwijl het lijk werd weggesleept en een draagbaar opdook uit het donker van achter de toeschouwers. Alles was tevoren voorbereid, aan alles was gedacht. De dokter stak een injectienaald in de arm van de kreunende, met bloed bedekte broer die uit de kring van broedermoord werd gedragen. De spreker veegde zijn zwaard schoon met een nieuwe zijden doek en knikte in de richting van de twee overblijvende gevangenen.

Stomverbaasd keek Bourne toe hoe de Chinees naast d'Anjou rustig zijn geboeide polsen losmaakte en zijn handen naar zijn nek bracht om de zogenaamd wurgende strook van stof los te knopen die hem zogenaamd in staat stelde met zijn open mond alleen enkele schorre geluiden voort te brengen. De man liep op de spreker toe en richtte zich met luide stem zowel tot zijn leider als tot de groep volgelingen. 'Hij zegt niets en laat niets merken. Toch spreekt hij vloeiend Chinees en heeft hij volop kans gehad met me te praten voordat we op de vrachtwagen moesten en de proppen werden voorgebonden. Zelfs toen heb ik met hem gesproken door mijn eigen prop losser te maken en hem aan te bieden hetzelfde voor hem te doen. Hij weigerde. Hij is halsstarrig en ontaard moedig, maar ik weet zeker dat hij iets weet wat hij ons niet wil vertellen.'

'*Tong ku, tong ku!*' klonken woeste kreten uit de toehoorders en ze eisten martelingen. Daaraan werd toegevoegd *fen hong gui* waarmee ze de pijn wilden concentreren op de geslachtsdelen van de westerling.

'Hij is oud en zwak en hij zal weer bewusteloos raken, zoals het al eerder is gebeurd,' drong de namaak-gevangene aan. 'Daarom zou ik het volgende willen voorstellen, met de toestemming van onze leider.'

'Als er kans van slagen is, doe dan maar wat je wilt,' zei de spreker. 'We hebben hem zijn vrijheid aangeboden in ruil voor de informatie maar hij vertrouwt ons niet. Hij heeft te lang met de Marxisten te maken gehad. Ik stel voor dat we onze tegenstribbelende bondgenoot naar Beijing Airport brengen en mijn positie gebruiken om hem op het volgende toestel naar Kowloon te zetten. Ik zal hem door de douane loodsen en hij hoeft mij alleen maar de informatie te geven voordat hij met zijn ticket instapt. Kunnen we nog meer vertrouwen laten zien? We zullen ons te midden van onze vijanden bevinden en als hij zo'n last heeft van zijn geweten hoeft hij alleen maar zijn stem te verheffen. Hij heeft meer gezien en gehoord dan wie ook die ons ooit levend heeft verlaten. We zouden op den duur bondgenoten kunnen worden, maar eerst moet er vertrouwen zijn.'

De spreker staarde de provocateur aan, richtte toen zijn blik op d'Anjou die kaarsrecht en met een stalen gezicht stond te luisteren, terwijl hij toekeek vanonder zijn gezwollen oogleden. De man met het bloederige zwaard draaide zich om en richtte zich tot de killer naast de boom, plotseling Engels sprekend. 'We hebben aangeboden deze onbetekenende manipulator te sparen als hij ons vertelt waar we zijn kameraad kunnen vinden. Bent u het daarmee eens?'

'De Fransman zal liegen!' zei de killer met een afgemeten Engels accent terwijl hij naar voren stapte.

'Waarom?' vroeg de spreker. 'Hij behoudt zijn leven, zijn vrijheid. Hij geeft weinig of niets om anderen, dat bewijst zijn hele dossier.'

'Ik weet het niet,' zei de Engelsman. 'Ze hebben samengewerkt in een ploeg die Medusa heette. Hij had het daar steeds maar over. Er waren regels, codes zou u ze kunnen noemen. Hij zal liegen.'

'De beruchte Medusa bestond uit menselijk uitschot, mannen die op het slagveld hun broers zouden doden als ze daarmee hun eigen leven konden redden.'

De huurmoordenaar haalde de schouders op. 'U hebt naar mijn mening gevraagd,' zei hij. 'Meer kan ik niet zeggen.'

'Laten we het de man vragen die we bereid zijn genade te betonen.' De spreker ging weer over in Mandarijns, gaf een paar bevelen, terwijl de killer terugliep naar de boom en een sigaret opstak. D'Anjou werd naar voren gehaald. 'Maak zijn handen los, hij kan toch niet weg. En haal dat touw weg van zijn mond. Ik wil hem wel eens horen. Laat hem zien dat wij... vertrouwen kunnen schenken, ook al heeft onze aard minder aantrekkelijke kanten.'

D'Anjou ontspande zijn handen en bracht toen zijn rechterhand naar zijn mond om die te masseren. 'Uw vertrouwen is al even barmhartig en overtuigend als uw behandeling van de gevangenen,' zei hij in het Engels.

'Dat vergat ik.' De spreker trok zijn wenkbrauwen op. 'U verstaat ons, nietwaar?'

'Iets beter dan u denkt,' antwoordde Echo.

'Goed. Ik spreek liever Engels. In zekere zin is dit iets tussen ons tweeën, nietwaar?'

'Er is niets tussen ons tweeën. Ik probeer nooit te onderhandelen met krankzinnigen, ze zijn zo onvoorspelbaar.' D'Anjou keek even naar de killer bij de boom. 'Ik heb natuurlijk fouten gemaakt. Maar op een bepaalde manier geloof ik dat er een zal worden rechtgezet.'

'U kunt leven,' zei de spreker.

'Voor hoelang?'

'Langer dan vanavond. De rest ligt in uw eigen handen, afhankelijk van uw gezondheid en uw vaardigheden.'

'Nee, dat is niet zo. Alles is afgelopen wanneer ik uit dat vliegtuig stap op Kai-Tak. Dan zult u mij niet missen zoals u gisteravond miste. Er zullen geen veiligheidstroepen zijn, geen kogelvrije limousines, alleen maar een enkele man die uit het stationsgebouw wandelt en een andere man met een pistool met geluiddemper of een mes. Zoals uw weinig overtuigende "medegevangene" het al zei, ik ben vanavond hier geweest. Ik heb dingen gezien, dingen gehoord en wat ik gezien en gehoord heb betekent mijn doodvonnis... Overigens, als hij zich afvraagt waarom ik geen vertrouwen in hem stelde, zeg hem dan maar dat hij het er veel te dik oplegde, veel te begerig was — en dan die prop die zo maar ineens loszat. Toe nou! Ik had hem nooit als leerling willen hebben. Net als u slijmt hij met woorden, maar in de grond genomen is hij stom.'

'Net als ík?'

'Ja, en voor u is er geen enkel excuus. U bent een ontwikkeld man, u bent over de hele wereld geweest, het is te horen in uw spraak. Waar bent u afgestudeerd? In Oxford soms? Cambridge?'

'De London School of Economics,' zei Sheng Chou Yang, voordat hij zich kon inhouden.

'Heel goed, echt een van de ouwe hap. Maar ondanks dat alles bent u hol. Een clown. U bent geen geleerde, niet eens een student, u bent niet meer dan een fanaticus die alle begrip voor de realiteit mist. U bent een idioot.'

'Dat durft u tegen míj te zeggen?'

'*Kai sai zuan,*' zei Echo en hij richtte zich tot de toehoorders. '*Shenjing bing!*' voegde hij er lachend aan toe, zo duidelijk makend dat hij aan het praten was met iemand die een klap van de molen had gehad.

'*Zwijg!*'

'*Wei shemme?*' vervolgde de verzwakte Fransman, en hij vroeg *Waarom?* aan heel de groep Chinezen. 'U sleurt deze mensen mee de dood in vanwege uw krankzinnige theorieën om lood in goud te veranderen! Pis in wijn! Maar zoals die ongelukkige vrouw al zei: wiens goud, wiens wijn? Die van u of die van hen?' D'Anjou zwaaide met zijn hand naar de toeschouwers.

'Ik *waarschuw* u!' riep Sheng in het Engels.

'Ziet u wel!' schreeuwde Echo schor en zwak in het Mandarijns. 'Hij wil niet eens met me praten in uw taal! Hij verstopt zich voor u! Dit kleine mannetje op zijn spillebeentjes met zijn grote zwaard — heeft hij dat soms om goed te maken wat hij ergens anders mist? Hakt hij vrouwen in mootjes met zijn kling omdat hij geen ander instrument heeft en niets anders met hen kan doen? En moet je die kop zien als een ballon met die dwaze platte bovenkant...'

'*Genoeg!*'

'...en de ogen van een krijsend, ongehoorzaam, *lelijk* kind! Ik zei het al, hij heeft vast een klap van de molen gehad. Waarom luisteren jullie nog naar hem? Hij geeft jullie in ruil alleen maar pis, helemaal geen wijn!'

'Ik zou daarmee ophouden als ik u was,' zei Sheng terwijl hij naar voren stapte met zijn zwaard. 'Ze zullen u vermoorden voordat ik het doe.'

'Daar twijfel ik een beetje aan,' antwoordde d'Anjou in het Engels. 'Uw woede belemmert uw gehoor, monsieur Windbuil. Hebt u niet een paar keer horen giechelen? Ik wel.'

'*Gou le!*' brulde Sheng Chou Yang en hij gebood Echo te zwijgen. 'U zult ons nu de informatie geven die we hebben moeten,' vervolgde hij en zijn schelle Chinees klonk als het blaffen van een man die eraan gewend is gehoorzaamd te worden. 'Het is uit met de spelletjes en we zullen u niet langer dulden! Waar is de killer die u hebt meegebracht van Macao?'

'Daarginds,' zei d'Anjou nonchalant en hij gebaarde met zijn hoofd naar de huurmoordenaar.

'Hij niet! De man die daarvóór kwam. Die krankzinnige die u uit het graf hebt teruggeroepen om u te wreken! Waar zou u hem ontmoeten? Waar ziet u hem? U hebt uw basis hier in Beijing, waar is die?'

'Er is geen ontmoetingsplaats,' antwoordde Echo en hij ging weer over op Engels. 'Geen hoofdkwartier, geen plannen om elkaar te zien.'

'Er wáren plannen! Mensen als jullie houden altijd rekening met onverwachte gebeurtenissen, noodgevallen. Zo blijven jullie in leven.'

'Bleven we in leven. Voor mij is dat verleden tijd, ben ik bang.'

Sheng hief zijn zwaard op. 'U zegt het ons of u sterft... op een onprettige manier, monsieur.'

'Zoveel kan ik u wel vertellen. Als hij mijn stem kon horen, zou ik hem uitleggen dat u degene bent die hij moet doden. Want u bent de man die geheel Azië op de knieën zult brengen, terwijl er miljoenen zullen verdrinken in zeeën van hun broeders' bloed. Hij moet eerst zijn eigen zaken afhandelen, dat begrijp ik, maar ik zou hem met mijn laatste ademtocht zeggen dat u deel moet uitmaken van die zaken! Ik zou hem zeggen dat hij in actie moest komen. Snél!'

Bourne was gebiologeerd door het optreden van d'Anjou en hij kromp

403

nu ineen alsof hij geslagen werd. Echo gaf hem een laatste teken! *Actie!* Nú! Jason haalde de inhoud van zijn linker broekzak te voorschijn, terwijl hij snel door het struikgewas kroop achter het toneel van het wrede ritueel. Hij vond een grote steen die zowat een halve meter uit de grond stak. Daarachter was het windstil en de rots was groot genoeg om te verbergen wat hij ging doen. Toen hij begon kon hij d'Anjou's stem horen; ze klonk zacht en bevend, maar toch uitdagend. Echo putte uit zijn reservekrachten, niet alleen om zich op te maken voor zijn laatste ogenblikken maar ook om voor Delta de kostbare tijd te winnen die hij zo nodig had.

'...Niet zo vlug, *mon général* Djingiz Chan, of hoe u ook mag heten. Ik ben een oud man en uw handlangers hebben hun werk verricht. Zoals u al zei, ik kan toch niet weg. Van de andere kant weet ik nog niet zo zeker of ik wel dol ben op de plek waarheen u me wilt sturen... We waren niet handig genoeg om de valstrik te zien die u voor ons had gespannen. Hadden we dat wel gedaan dan zouden we er nooit ingetrapt zijn, waarom denkt u dus dat we slim genoeg waren om tevoren een afspraak te maken?'

'Omdat u er wel degelijk ingetrapt bent,' zei Sheng Chou Yang rustig. 'U volgde — híj volgde de man uit Macao in het mausoleum. De krankzinnige verwachtte eruit te zullen komen. Bij uw onverwachte gebeurtenissen zou u gerekend hebben op chaos en een plaats van samenkomst hebben afgesproken.'

'Oppervlakkig gezien lijkt uw logica onaantastbaar...'

'Waar?' schreeuwde Sheng.

'Mijn beloning?'

'Uw leven!'

'Oh ja, daar had u het al over.'

'Uw tijd raakt op.'

'Ik zal *weten* wanneer het mijn tijd is, monsieur!' *Een laatste boodschap. Delta begreep het.*

Bourne ontstak een lucifer, hield zijn hand om de vlam en stak het dunne kaarsje aan, waarvan de pit ongeveer een halve centimeter verzonken was in de top. Hij kroop snel dieper het bos in, waarbij hij het touw losknoopte dat vastzat aan de opeenvolgende dubbele rollen vuurwerk. Hij kwam aan het einde en ging terug naar de boom.

'...wat voor garantie heb ik voor mijn leven?' drong Echo aan, die er een pervers plezier in leek te hebben als een schaakmeester zijn eigen, onvermijdelijke dood voor te bereiden.

'De waarheid,' antwoordde Sheng. 'Meer hebt u niet nodig.'

'Maar mijn vroegere leerling zegt tegen u dat ik zal liegen — zoals u vanavond ook zo aan één stuk hebt staan liegen.' D'Anjou zweeg en herhaalde zijn opmerking in het Mandarijns. *'Liao jie?'* vroeg hij de toeschouwers of ze het begrepen hadden.

'Hou daar mee op!'

'U herhaalt uzelf aan één stuk. U moet echt leren dat te beheersen. Het is zo'n vermoeiende gewoonte.'

'En mijn geduld is op! Waar is die gek van u?'

'Bij uw werk, *mon général,* is geduld niet alleen een deugd maar een noodzaak.'

'Wacht 'ns even!' schreeuwde de killer en hij verbaasde iedereen door weg te springen van de boom. 'Hij houdt u aan het lijntje! Hij spéélt met u! Ik kén hem!'

'Met welke reden?' vroeg Sheng, met zijn zwaard omhoog.

'Ik weet het niet,' zei de Engelse commando. 'Het bevalt me helemaal niet en voor mij is dat reden genoeg!'

Drie meter achter de boom keek Delta op de verlichte wijzerplaat van zijn horloge en hij concentreerde zich op de kleine wijzer. Hij had in de auto de brandtijd van de kaars gemeten, en de tijd was nu voorbij. Hij sloot even de ogen in een kort, onbegrepen smeekbede, pakte een handvol aarde en gooide die rechts van de boom, in een boog nog verder naar rechts van d'Anjou. Toen Echo het eerste gekletter hoorde in de takken, verhief hij zijn stem en brulde zo hard hij kon:

'Moet ik met jou een afspraak maken? Ik verkocht me nog liever aan de aartsengel van de *duisternis.'* Misschien moet ik dat nog wel, maar misschien ook niet, want een God die genadig is zal weten dat jij zonden hebt begaan waaraan ik nog niet kan tippen, en ik verlaat deze aarde met als enige wens dat ik jóu kan meenemen! Afgezien van jouw weerzinwekkende wreedheid, *mon général,* ben je een ijdele, vervelende *ouwehoer,* iemand voor wie jouw volk zich hoort te schamen! Laten we *samen* sterven generaal Koeiestront!'

Met die laatste woorden wierp d'Anjou zich op Sheng Chou Yang, klauwde naar zijn gezicht, spuwde hem in de wijdopengesperde, verbijsterde ogen. Sheng sprong achteruit en kliefde het ceremoniële zwaard door de lucht, hakte met de kling in op het hoofd van de Fransman. Gelukkig was alles snel voorbij voor Echo.

Het begon! De vallei weergalmde van een knetterend losbarsten van vuurwerk, dat in hevigheid toenam terwijl de verbijsterde toeschouwers in paniek raakten. Mannen lieten zich op de grond vallen, anderen zochten dekking achter bomen en in het kreupelhout en gilden van doodsangst.

De killer sprong achter de boom, en knielde daar neer met een pistool in de hand. Bourne had de geluiddemper op zijn pistool geschroefd, hij liep op de moordenaar af en ging achter hem staan. Hij mikte en schoot; het pistool vloog uit de hand van de killer en het bloed spoot op uit het vlees tussen de duim en de wijsvinger van de commando. De killer draaide zich bliksemsnel om met opengesperde ogen, zijn mond wijd open van schrik. Jason schoot opnieuw en dit keer schampte de kogel langs het jukbeen van de huurmoordenaar.

'Draai je om!' beval Bourne, en hij duwde de loop van het pistool in het linkeroog van de commando. 'Nu pak je die boom vast! Pak 'm vást! Met beide armen, strak, nog strakker!' Jason porde het wapen in de nek van de killer en gluurde om de stam van de boom heen. Een paar toortsen die in de grond hadden gezeten waren er nu uitgerukt en hun vlam was gedoofd.

Dieper in het bos weerklonk opnieuw een serie knallen. In paniek geraakte mannen begonnen hun pistolen af te schieten in de richting van de geluiden. Het been van de moordenaar bewoog zich! Toen zijn rechterhand! Bourne schoot twee keer recht in de boom; de kogels trokken voren in het hout en stukken schors vlogen op een centimeter langs het hoofd van de commando. Hij greep de stam vast en hield zijn lichaam strak en stil.

'Hou je kop naar links!' zei Jason ruw. 'Nog één beweging en je bent er geweest!' *Waar was hij? Waar was de moordende maniak met zijn zwaard? Dat was Delta in elk geval verschuldigd aan Echo. Waar... dáár!* De man met de fanatieke ogen kwam overeind van de grond, keek alle kanten tegelijk op, schreeuwde bevelen naar de mensen in zijn buurt en eiste een wapen. Jason kwam achter de boomstam vandaan en hief zijn pistool op. Het hoofd van de dweper bewoog zich niet meer. Ze keken elkaar recht in de ogen. Bourne schoot precies op het moment dat Sheng een bewaker voor zich trok. De soldaat kromde zijn lichaam naar achteren en zijn nek knakte om onder de inslag van de kogels. Sheng bleef het lichaam vasthouden en gebruikte het als een schild terwijl Jason nog twee keer vuurde en het lijk van de bewaker deed opspringen. Het lukte hem niet! Wie de maniak ook was, hij bleef achter de dekking van het lichaam van de dode soldaat! Delta kon de opdracht van Echo niet uitvoeren! Generaal *Koeiestront* zou in leven blijven! *Het spijt me, Echo! Ik heb geen tijd meer! Ik moet opschieten! Echo was er niet meer... Marie!*

De killer bewoog zijn hoofd en probeerde te kijken. Bourne haalde de trekker over. Schorssplinters verblindden de moordenaar, hij sloeg zijn handen voor zijn gezicht en schudde met zijn ogen knipperend zijn hoofd om weer te kunnen zien.

'Sta op!' beval Jason en hij greep de commando bij zijn keel, draaide hem in de richting van het pad dat hij door het kreupelhout had gevormd en rende de vallei in. 'Jij gaat met mij mee!'

Een derde reeks voetzoekers, nog dieper in het bos, knetterde los in snelle, dooreenklinkende salvo's. Sheng Chou Yang schreeuwde hysterisch, beval zijn volgelingen zich in twee richtingen te verspreiden — naar de boom en achter de schietgeluiden aan. Het knetteren hield op en Bourne duwde zijn gevangene het struikgewas in, beval hem languit te gaan liggen en zette zijn voet achter in zijn nek. Hij knielde neer en tastte over de grond; hij pakte drie stenen op en gooide die achter elkaar in de lucht langs de mannen die rond de boom alles afzochten; elke steen kwam telkens iets verderop terecht. De afleidingsmanoeuvre werkte.

'Nali!'

'Shu ner!'

'Bu! Caodi ner!'

Ze begonnen het bos in te trekken, met hun wapens in de aanslag. Een paar renden er vooruit en stortten zich in de lage struiken. Anderen liepen hen na toen het vierde en laatste salvo voetzoekers losbarstte. Ondanks de afstand klonken de knallen even hard of harder dan de voorgaande explosies. Het was het laatste bedrijf, de climax van de voorstelling, langer en luider daverend dan het eerdere geknetter.

Delta wist dat hij nu nog maar enkele minuten de tijd had, en als een woud ooit zijn vriend was geweest, dan moest dat dit keer het geval zijn. Over enkele tellen, enkele seconden misschien zouden de mannen het uiteengespatte karton van de voetzoekers vinden op de grond en de tactische afleidingsmanoeuvre zou bekend worden. Dan zou er één massale, hysterische run naar de poort volgen.

'Schiet op!' beval Bourne; hij greep de killer bij zijn haren, rukte hem overeind en duwde hem vooruit. 'Denk erom, rotzak, elk trucje dat jij hebt geleerd, heb ik geperfectioneerd, en dat compenseert het verschil in onze leeftijden! Als je ook maar de verkeerde kant op*kijkt* heb je twee kogelgaten in plaats van oogkassen. Schiet op nu!'

Terwijl ze het hobbelige pad afrenden door het struikgewas van de vallei, haalde Bourne uit zijn zak een handvol patronen. De killer rende voor hem uit, wreef buiten adem door zijn ogen en veegde het bloed van zijn wang. Jason haalde het magazijn uit het pistool, vulde het met patronen en klikte het weer terug in de handgreep. Toen de commando hoorde dat het magazijn uit het pistool werd gehaald, keek hij snel om maar hij besefte dat hij te laat was, het pistool was weer compleet. Bourne schoot en de kogel schampte langs het oor van de killer. 'Ik heb je gewaarschuwd,' zei hij terwijl hij luid maar regelmatig ademhaalde. 'Waar wil je 'm hebben? Midden in je voorhoofd?' Hij hield het pistool strak voor zich uit.

'Mijn *god,* die slager had gelijk!' riep de Engelse commando uit met zijn hand tegen zijn oor. 'Jij bent inderdaad krankzinnig!'

'En jij bent dood als je niet opschiet. *Sneller!*'

Ze kwamen bij het lijk van de wachtpost die had gestaan op het nauwe pad dat omlaag voerde de vallei in. 'Rechtsaf!' blafte Jason.

'Waar, in godsnaam? Ik zie geen flikker!'

'Er is een pad. Je voelt de ruimte wel. Schiet op!'

Toen ze zich eenmaal op de zandpaden van het vogelreservaat bevonden bleef Bourne zijn pistool in de ruggegraat van de killer porren en dwong hem zo sneller, steeds sneller te lopen. Even was David Webb er weer en een dankbare Delta liet hem toe. Webb was een hardloper, een fanatieke jogger, en de redenen daarvoor reikten terug naar vroeger en betroffen kwellende herinneringen, voorbij de tijd van Jason Bourne, tot aan de roemruchte Medusa. Hollende voeten en zweet en de wind in zijn gezicht maakten het leven elke dag gemakkelijker voor David, en op dit moment ademde Jason Bourne moeizaam maar hij was lang niet zo buiten adem als de jongere, sterkere killer.

Delta zag het schijnsel in de lucht. Nog één open stuk en drie donkere, kronkelende paden en daar lag de poort. Nog minder dan een kilometer! Hij vuurde een schot af tussen de pompende benen van de commando. 'Ik wil dat je *harder* loopt!' zei hij en hij dwong zijn stem beheerst te klinken, alsof de inspannende beweging maar weinig effect op hem had.

'Verrek, ik kán niet meer! Ik heb geen adem meer!'

'Zie maar dat je die krijgt,' beval Jason.

Plotseling hoorden ze in de verte achter zich de hysterische kreten van mannen die van hun frenetieke leider bevel kregen naar de poort te gaan, bevel een indringer te zoeken en te doden, zó gevaarlijk dat hun leven en hun fortuin op het spel stonden. De uiteengereten kartonnen snippers van het vuurwerk waren ontdekt. Men had een radio gebruikt en geen reactie gekregen van de poort. *Zoek hem! Hou hem tegen! Dood hem!*

'Mocht je soms nog plannen hebben, majoor, dan kun je die wel vergeten!' schreeuwde Bourne.

'*Majoor?*' zei de commando die nauwelijks nog iets kon uitbrengen onder het lopen.

'Jij bent voor mij een open boek en ik moet kotsen van wat ik gelezen heb! Je liet d'Anjou afmaken als een varken. Je stond te grijnzen, *rotzak!*'

'Hij wílde dood! Hij wilde míj doden!'

'Ik zal jou kapot maken als je niet verder loopt. Maar voordat ik dat doe zal ik je opensnijden van je ballen tot aan je keel en wel zo langzaam dat je nog liever met de man was meegegaan die je gemaakt heeft.'

'Wat voor keuze heb ik? Je vermoordt me toch!'

'Misschien niet. Denk er maar eens over na. Misschien red ik je leven wel. Pieker daar maar eens over!'

De killer begon harder te lopen. Ze renden over het laatste stuk van het donkere pad en bereikten de open ruimte bij de verlichte poort.

'De parkeerplaats!' schreeuwde Jason. 'Helemaal naar rechts!' Bourne bleef staan. '*Stop!*' De verblufte moordenaar bleef met een ruk staan. Jason haalde zijn zaklantaarn te voorschijn en richtte zijn pistool. Hij liep van achteren op de killer toe en vuurde vijf schoten af, een miste er. De schijnwerpers ploften uit elkaar, het werd donker bij de poort en Bourne ramde het pistool vlak onder de schedel van de commando. Hij ontstak de zaklantaarn en liet het licht schijnen op de zijkant van het gezicht van de moordenaar. 'We hebben de situatie in de hand, majoor,' zei hij. 'De operatie gaat verder. Schiet op, klootzak!'

Ze renden de donkere parkeerplaats over en de killer struikelde en viel voorover op het grind. Jason schoot twee keer bij het schijnsel van de lantaarn; de kogels schampten weg vlak langs het hoofd van de commando. Hij kwam overeind en bleef langs de auto's en de vrachtwagen rennen naar het einde van de parkeerplaats.

'Het hek!' fluisterde Bourne luid. 'Die kant op.' Aan het einde van het grind gaf hij nog een bevel. 'Op handen en voeten en récht voor je uitkijken! Als je je nu omdraait ben ik de laatste die je ooit ziet. Nou, kruipen!' De moordenaar bereikte het gat in het hek. 'Kruip erdoor,' zei Jason en opnieuw haalde hij patronen uit zijn zak en trok geluidloos het magazijn uit het pistool. 'Stóp!' fluisterde hij toen de commando halverwege onder het hek lag. Hij vulde het magazijn weer bij en klikte het in de greep. 'Voor geval je soms geteld mocht hebben,' zei hij. 'Nu kruip je verder en tot op drie meter van het hek af. Schiet op!'

Terwijl de killer onder het gebogen gaas doorkroop liet Bourne zich vallen en schoof snel door het gat, op een decimeter achter de man aan. De commando had iets anders verwacht en hij draaide zich bliksemsnel om en ging op de knieën zitten. De bundel van de zaklantaarn scheen hem recht in het gezicht en bij het schijnsel was het pistool zichtbaar dat precies op zijn hoofd was gericht. 'Ik zou hetzelfde hebben gedaan,' zei Jason terwijl hij overeind kwam. 'Ik zou hetzelfde hebben gedacht. Nou ga je vlug weer naar dat hek en je rukt dat stuk gaas weer op zijn plaats. Opschieten!'

De moordenaar deed wat hem bevolen werd en trok met moeite de dikke draden weer recht. Toen hij er bijna mee klaar was zei Bourne: 'Zo is het genoeg. Sta op en loop langs me heen met je handen op je rug. Je loopt rechtdoor en werkt je met je schouders door de takken heen. Ik schijn mijn licht op je handen. Als je die losmaakt schiet ik je neer. Begrepen?'

'Denk je dat ik een tak in je gezicht zou laten zwiepen?'

'Ik zou zoiets doen.'

'Ik heb het begrepen.'

Ze kwamen aan de weg voor de spookachtig donkere poort. De kreten in de verte klonken nu duidelijker, de eersten waren niet ver meer weg. 'De weg op,' zei Jason. 'Rénnen!' Drie minuten later deed hij de lantaarn weer aan. 'Blijf staan!' schreeuwde hij. 'Die stapel groen daarginds, zie je die?'

'Waar?' vroeg de killer buiten adem.

'Ik schijn er op.'

'Dat zijn takken, stukken van de pijnbomen.'

'Trek ze opzij. Opschieten!'

De commando begon de takken te verwijderen en even later kwam de zwarte *Sjanghai* sedan voor de dag. Het was tijd voor de rugzak. Bourne zei: 'Loop mijn licht na, naar de linkerkant van de motorkap.'

'Waarheen?'

'De boom met de lichte inkeping op de stam. Zie je die?'

'Ja.'

'Daaronder, zowat een halve meter vóór je is de grond los. Daaronder zit een rugzak. Graaf die voor me uit.'

'Echte knutselaar ben jij, nietwaar?'

'Jij soms niet?'

Zonder antwoord te geven groef de stuurse killer in de grond en trok de rugzak te voorschijn. Met de riemen in zijn rechterhand zette hij een stap naar voren als wilde hij de zak aan zijn vijand geven. Ineens zwiepte hij de rugzak in een schuine zwaai in de richting van Jasons wapen en de zaklantaarn en tegelijkertijd stortte hij zich naar voren met de vingers van zijn handen uitgespreid als de uitstaande klauwen van een reusachtige, woedende kat.

Bourne was erop voorbereid. Het was precies het moment dat híj gebruikt zou hebben om de overhand te krijgen, erg doorzichtig maar het zou hem de paar seconden hebben gegeven die hij nodig had om weg te rennen in het donker. Hij zette een stap achteruit en liet het pistool met een harde klap neerkomen op het hoofd van de killer toen die langs hem heen schoot.

Hij perste zijn knie in de rug van de languit liggende commando en greep diens rechterarm terwijl hij de lantaarn tussen zijn tanden klemde.

'Ik heb je gewaarschuwd,' zei Jason en hij rukte de killer overeind aan zijn rechterarm. 'Maar ik heb je ook nodig. In plaats van je dus te vermoorden zullen we eventjes gaan opereren met een kogel.' Hij plaatste de loop van zijn pistool van opzij tegen het spiergedeelte van de arm van de moordenaar en haalde de trekker over.

'Godverdómme!' krijste de killer toen de echo van het kuchje wegstierf en het bloed opwelde.

'Ik heb geen bot gebroken,' zei Delta. 'De kogel is door je spieren gegaan en je kunt je arm nu verder wel vergeten. Je hebt geluk dat ik medelijden met je heb. In die rugzak zit verbandgaas en leukoplast en desinfecterend spul. Je kunt jezelf repareren, majoor. Dan ga je autorijden. Jij zult mijn chauffeur zijn in de Volksrepubliek. Begrijp me goed, ik ga achterin zitten met mijn pistool tegen je kop en ik heb een kaart. Als ik jou was zou ik maar geen verkeerde afslag nemen.'

Twaalf van Sheng Chou Yangs mannen renden naar de poort, en samen hadden ze maar vier lantaarns.

'Wei shemme? Cuo wu!'
'Mafan! Feng Kuang!'
'You mao bing!'
'Wei fan!'
Een dozijn stemmen vervloekten de uitgedoofde schijnwerpers, gaven alles en iedereen de schuld van slordigheid en verraad. Het wachthuisje werd nagezocht. De elektrische schakelaars en de telefoon werkten niet meer, de wachtpost was nergens te zien. Een paar bekeken de dikke ketting die om het slot van de poort zat gedraaid en gaven anderen bevelen. Omdat er niemand naar buiten kon, redeneerden ze, moest de aanvaller nog in het reservaat zijn.
'Biao!' schreeuwde de provocateur, de zogenaamde medegevangene van d'Anjou. *'Quan bu zai zheli!'* krijste hij en hij zei de anderen daarmee met de zaklantaarns de parkeerplaats af te zoeken, de bossen eromheen en het moeras daarachter. De achtervolgers verspreidden zich met hun pistolen in de aanslag en ze renden over de parkeerplaats verschillende kanten uit. Er kwamen nog zeven man bij en slechts één van hen had een lantaarn. De provocateur eiste die op, begon de situatie uit te leggen en formeerde een tweede patrouille. Er werden tegenwerpingen gemaakt dat ze aan één lamp niet genoeg hadden in het donker. Geërgerd slingerde de organisator hen een reeks vervloekingen naar het hoofd, en noemde iedereen een ongelooflijk stomme hond, behalve zichzelf.
De dansende vlammen van toortsen namen toe in helderheid toen de laatste samenzweerders terugkeerden uit de vallei, aangevoerd door de snel voortstappende gedaante van Sheng Chou Yang met het ceremoniële zwaard slingerend aan zijn zij in de schede aan de riem. De provocateur toonde hem de vastgedraaide ketting en vertelde hem wat hij had gedaan.
'U denkt helemaal verkeerd,' zei Sheng geïrriteerd. 'Dat is een hele verkeerde benadering! Die ketting is daar niet aangebracht door een van onze eigen mensen om de misdadiger of misdadigers erin te houden. Die is daar om het slot gedraaid door de mensen die dit hebben gedaan om ons op te houden, ons óns binnen te houden!'
'Maar er ligt hen zoveel in de weg...'
'Dat is allemaal bekeken en overwogen!' schreeuwde Sheng Chou Yang. 'Moet ik het dan opnieuw herhalen? Dit zijn lui die weten hoe ze in leven moeten blijven. Dat hebben ze gedaan in dat misdadigersbataljon Medusa omdat ze alles tevoren overwogen! Ze zijn naar buiten *geklommen*!'
'Onmogelijk,' protesteerde de jongere man. 'De bovenste stang en het uitstekende stuk prikkeldraad staan onder stroom, meneer. Alles wat zwaarder weegt dan dertig pond sluit de stroom kort. Op die manier worden de vogels en de dieren niet gehinderd door de elektriciteit.'

411

'Dan hebben ze de schakelaars gevonden en die uitgedraaid!'

'De schakelaars zitten bínnen, en minstens vijfenzeventig meter van de poort, onder de grond. Zelfs ik weet niet precies waar ze zitten.'

'Stuur iemand naar boven,' beval Sheng.

De ondergeschikte keek om zich heen. Een meter of vijf van hem vandaan stonden twee mannen zacht en snel met elkaar te praten en het viel te betwijfelen of zij het opgewonden gesprek hadden gehoord. 'Jij daar!' zei de jonge leider tegen de man aan de linkerkant.

'Meneer?'

'Klim over het hek!'

'Jawel, meneer!' De man rende op het hek af en sprong ertegen op. Met zijn handen greep hij zich vast in de diagonale mazen van de draad en met zijn voeten zette hij zich met kracht af. Hij bereikte de bovenste stang en begon over het uitstekende stuk prikkeldraad te klimmen. *'Ai-yaaa!'*

Een fel geknetter van elektriciteit ging vergezeld van een verblindende blauwwitte vonkenregen. De klimmer viel achterover met een strak gespannen lichaam, zijn hoofdhaar en wenkbrauwen tot op de wortels afgeschroeid, en kwam op de grond terecht met de klap van een zware, platte steen. Lichtbundels van lantaarns werden op hem gericht. De man was dood.

'De vrachtwagen!' gilde Sheng. 'Dit is je reinste waanzin! Haal de vrachtwagen en ram door de poort heen! Doe wat ik zeg! Meteen!'

Twee mannen renden de parkeerplaats op en binnen enkele seconden weergalmde het brullen van de krachtige motor door het donker. De logge vrachtwagen schokte achteruit, het hele chassis schudde heftig tot alles ineens tot stilstand kwam. De lege banden draaiden in het rond, rook kronkelde op van het brandende rubber. Sheng Chou Yang keek toe met toenemende schrik en woede.

'De andere!' gilde hij. 'Start de andere! Allemaal!'

Een voor een werden de wagens gestart en de een na de andere reed even schokkend achteruit en zakte vervolgens rammelend en kreunend in het grind. Sheng stormde vertwijfeld op de poort af, trok een pistool te voorschijn en schoot twee keer in de ineengedraaide ketting. Een man rechts van hem gilde en viel op de grond met zijn hand tegen zijn bloedende voorhoofd. Sheng keek omhoog naar de donkere hemel en stootte een oerkreet van wanhoop uit. Hij rukte zijn ceremoniële zwaard uit de schede en begon ermee in te hakken op de ketting rond het slot. Het haalde helemaal niets uit.

De kling brak af.

28

'Daar heb je het huis, dat met die hoge muur,' zei de man van de CIA in Hongkong, Matthew Richards, terwijl hij de helling van Victoria Peak opreed. 'Volgens onze informatie stikt het er van de mariniers en het is niet erg gezond voor mij als ik daar met jou word gezien.'

'Volgens mij wil jij nog voor een paar dollars meer bij mij in het krijt staan,' zei Alex Conklin en hij tuurde voorovergebogen door de voorruit. 'Er valt over te praten.'

'Ik wil er juist niks mee te máken hebben, verdomme! En ik heb helemaal geen dollars.'

'Arme Matt, zielige Matt. Jij neemt de dingen veel te letterlijk.'

'Ik weet niet waarover je het hebt.'

'Dat weet ik ook niet zo zeker, maar rij het huis maar voorbij alsof je op weg bent naar een ander adres. Ik zal je wel zeggen wanneer je moet stoppen om mij te laten uitstappen.'

'Je gaat uitstappen?'

'Onder bepaalde voorwaarden. Dat zijn de dollars.'

'Och, *shit*!'

'Die zijn niet te moeilijk om aan te nemen en misschien herinner ik je er niet eens aan. Voor zover ik het nu kan bekijken wil ik afwachten en onzichtbaar blijven. Met andere woorden ik wil een mannetje binnen de poorten hebben. Ik zal je een paar keer per dag bellen om te vragen of onze lunch- of dineerafspraken nog doorgaan, en of ik je nog zal treffen bij de Happy Valley Race...'

'Dáár niet,' onderbrak Richards hem.

'Goed dan, het Wassenbeeldenmuseum, wat dan ook, behalve de renbaan. Als jij zegt "Nee, ik heb het te druk" dan weet ik dat ze mij niet op het spoor zijn. Als je "Ja" zegt maak ik dat ik wegkom.'

'Ik weet, verdomme, niet eens waar je logeert! Ik moest je oppikken op de hoek van Granville en Carnavon.'

'Volgens mij zal jouw afdeling erbij worden gehaald om de zaken volgens het boekje te laten verlopen en de verantwoordelijkheden daar te leggen waar ze thuishoren. De Engelsen zullen daarop staan. Zij gaan niet alleen op hun kont vallen als DC de zaak in de soep laat lopen. Het zijn moeilijke tijden voor de Engelsen hier en daarom zullen ze zich willen indekken.'

Ze reden voorbij de poort. Conklin wendde zijn blik van de voorruit af en bekeek de brede Victoriaanse ingang.

'Alex, ik zweer je dat ik niet weet waarover je het hebt.'

'Des te beter. Doe je mee? Ga jij mijn goeroe worden binnen de poorten?'

'Verrek, ja. Die mariniers kan ik missen als kiespijn.'

'Goed zo. Stop hier maar. Als er iemand belangstelling heeft dan ben ik met de tram naar de Peak gegaan, heb daar een taxi genomen naar het verkeerde huis en ben ik naar het juiste adres gaan lopen, maar een paar honderd meter verderop. Vind je het leuk, Matt?'

'Ik lach me te barsten,' zei de CIA-man met gefronst voorhoofd en hij stopte de wagen.

'Ga maar eens lekker slapen. Het is lang geleden sinds Saigon en we hebben allemaal meer rust nodig naarmate we ouder worden.'

'Ik heb gehoord dat jij het op een zuipen hebt gezet. Dat is dus niet waar?'

'Je hebt gehoord wat wij je wilden laten horen,' antwoordde Conklin met vlakke stem. Maar dit keer kon hij zijn vingers van beide handen kruisen voordat hij moeizaam uitstapte.

Even werd er geklopt en toen werd de deur opengesmeten. Havilland keek verschrikt op toen Edward McAllister met een asgrauw gelaat snel de kamer inliep. 'Conklin staat aan de poort,' zei de onderminister. 'Hij eist een gesprek met u en hij zegt dat hij daar de hele nacht zal blijven als dat nodig is. Hij zegt ook dat hij op de weg een vuurtje zal gaan stoken als het soms fris wordt.'

'Kreupel of niet, zijn lef heeft hij nog niet verloren,' zei de ambassadeur.

'Dit is volkomen onverwacht,' vervolgde McAllister en hij wreef over zijn rechterslaap. 'We zijn niet klaar voor een confrontatie.'

'Het ziet er naar uit dat we niet anders kunnen. Dat is daar een openbare weg en het is het terrein van de brandweer van de kolonie voor geval onze buren ongerust worden.'

'Maar hij zou toch zeker niet...'

'Maar hij zou toch zeker wel,' viel Havilland hem in de rede. 'Laat hem maar binnen. Dit is niet alleen onverwacht, het is ook uiterst vreemd. Hij heeft de tijd niet gehad om de feiten op een rijtje te zetten of een aanval te beginnen die hem enig voordeel zou opleveren. Hij geeft openlijk toe dat hij erbij betrokken is en gezien zijn achtergrond in clandestiene operaties zou hij dat niet zo gemakkelijk doen. Het is veel te gevaarlijk. Hij heeft zelf ooit het bevel gegeven om iemand "niet meer te redden" te verklaren.'

'We mogen aannemen dat hij contact heeft met de vrouw,' protesteerde de onderminister en hij liep naar de telefoon op het bureau van de ambassadeur. 'Dan heeft hij alle feiten die hij nodig heeft!'

'Nee, dat is niet waar. Die heeft zij niet.'

'En u,' zei McAllister met zijn hand op de telefoon. 'Hoe weet hij dat hij naar u moest vragen?'

Havilland glimlachte grimmig. 'Hij hoefde alleen maar te horen dat ik in Hongkong ben. Bovendien hebben we met elkaar gesproken en ik weet zeker dat hij het verband heeft gelegd.'

414

'Naar dit huis?'
'Dat zal hij ons nooit vertellen. Conklin heeft jarenlang in het Verre Oosten gezeten, onderminister en hij heeft contacten die niemand van ons kent. En we zullen pas weten waarom hij hierheen is gekomen wanneer we hem binnen laten, nietwaar?'
'Ja, inderdaad.' McAllister nam de hoorn van de haak; hij draaide drie cijfers. 'Wachtofficier? ... Laat u meneer Conklin maar door de poort, controleer hem op wapens en brengt u hem zelf naar het kantoor in de oostelijke vleugel ... Wát heeft hij? ... Laat hem snel binnen en blus dat verdomde zaakje.'
'Wat is er gebeurd?' vroeg Havilland toen de onderminister de hoorn oplegde.
'Hij heeft aan de overkant van de weg een vuurtje gestookt.'

Alexander Conklin kwam het rijk ingerichte Victoriaanse vertrek binnenhinken en de officier van de mariniers sloot de deur. Havilland stond op uit zijn stoel en kwam met uitgestoken hand om het bureau heenlopen.
'Meneer Conklin?'
'Uw hand kunt u houden, excellentie. Ik word liever niet besmet.'
'Ik begrijp het. Woede sluit beleefdheid uit?'
'Nee, ik wil echt niets oplopen. Zoals ze dat hier zeggen bent u een onheilsprofeet. U hebt iets. Een ziekte, denk ik.'
'En wat voor ziekte dan wel?'
'De dood.'
'Zo melodramatisch? Toe nou, meneer Conklin, we zijn wel anders van u gewend.'
'Nee, ik meen het. Minder dan twintig minuten geleden heb ik iemand vermoord zien worden, neergeknald midden op straat met veertig of vijftig kogels in haar lijf. Ze werd door de glazen deuren van haar flatgebouw geblazen en haar chauffeur werd gedood in de auto. Ik kan u zeggen dat het daar één grote rotzooi is, bloed en glas over het hele trottoir...'
Havillands ogen stonden wijd opengesperd van schrik, maar het was de hysterische stem van McAllister die de CIA-man tot zwijgen bracht.
'Haar? Zij? Was het een vróuw?'
'Een zekere vrouw,' zei Conklin en hij draaide zich naar de onderminister die hij tot dan toe genegeerd had. 'Ben jij McAllister?'
'Ja.'
'Dan wil ik jou ook geen hand geven. Zij heeft met jullie allebei te maken gehad.'
'Is Webbs vrouw dóód?' gilde de onderminister terwijl hij daar als versteend stond.
'Nee, maar bedankt voor de bevestiging.'

415

'Goeie gód!' riep de ambassadeur die al vele jaren de clandestiene operaties van Buitenlandse Zaken vertegenwoordigde. 'Het was Staples. Catherine *Staples*!'

'Geef die man een plofsigaar. En weer bedankt voor de tweede bevestiging. Hebt u soms plannen om binnenkort met de ambassadeur van het Canadese consulaat te gaan eten? Ik zou er dolgraag bij willen zijn, al was het alleen maar om de beroemde ambassadeur Havilland aan het werk te zien. Verdomd nogantoe, ik wed dat wij gewone jongens van de vlakte daar een boel van kunnen leren.'

'Hou je bék, verdomde idioot!' schreeuwde Havilland terwijl hij terugliep achter zijn bureau en zich in zijn stoel liet vallen. Hij leunde achterover met gesloten ogen.

'Dat is het enige dat ik níet zal doen,' zei Conklin en zijn horrelvoet stampte op de vloer toen hij naar voren stapte. 'U bent *verantwoordelijk... meneer!*' De CIA-man boog zich voorover en greep zich vast aan de rand van het bureau. 'Precies zoals u verantwoordelijk bent voor wat er met David en Marie Webb is gebeurd! Wat ben jij eigenlijk voor een *fucking* ezel? En als mijn taalgebruik u shockeert, *meneer,* dan moet u de afleiding van dat beledigende woord maar eens opzoeken. Het komt van een uitdrukking uit de Middeleeuwen, die betekent een zaad in de grond stoppen, en op een bepaalde manier is dat uw specialiteit! Alleen zijn het in jouw geval rotte zaadjes, je graaft in onbesmette grond en maakt er drek van. Jouw zaden zijn leugens en bedrog. Ze groeien binnen in mensen en maken hen tot bange, boze mensen, die dansen aan jouw touwtjes volgens jouw verrekte scenario's! Ik herhaal het, jij deftige klootzak, wie denk je verdomme wel dat je bent?'

Havilland opende zijn zware oogleden tot een spleet en boog zich naar voren. Hij zag eruit als een oude man die zich had overgegeven aan de dood, al was het alleen maar om geen pijn meer te hoeven lijden. Maar diezelfde ogen flonkerden van een kille woede die dingen zag die een ander niet kon zien. 'Zou uw argument versterkt worden wanneer ik u vertelde dat Catherine Staples in wezen hetzelfde tegen mij heeft gezegd?'

'Het zou het versterken en volledig maken!'

'Toch werd zij vermoord omdat ze zich bij ons aansloot. Ze deed dat niet graag, maar volgens haar was er geen ander alternatief.'

'Weer zo'n marionet?'

'Nee. Een menselijk wezen met een grote intelligentie en een heleboel ervaring die begreep waar wij tegenover stonden. Ik betreur haar verlies — en de manier waarop ze stierf — meer dan u zich kunt voorstellen.'

'Is het haar verlies, *meneer,* of is het het feit dat uw heilige operatie verraden is?'

'Hoe dúrft u!' Havilland sprak met zachte, kille stem, kwam uit zijn stoel en staarde de CIA-man aan. 'Het is wat laat voor u, meneer Conklin, om nu aan het moraliseren te gaan. Uw tekortkomingen op het ge-

bied van bedrog en ethiek zijn maar al te duidelijk geweest. Als u uw zin had gekregen zou er geen David Webb en geen Jason Bourne meer hebben bestaan. U hebt hem niet-te-redden verklaard, niemand anders. U hebt zijn terechtstelling beraamd en u bent er bijna in geslaagd.'
'Ik heb voor die misser betaald. En hóe, verdomme!'
'En ik vermoed dat u er nog steeds voor aan het betalen bent, anders zou u nu niet in Hongkong zijn,' zei de ambassadeur, langzaam knikkend. Het kille was uit zijn stem verdwenen. 'Laat uw kanonnen maar zakken, meneer Conklin, dan doe ik dat met de mijne ook. Catherine Staples begreep het werkelijk en als er enige betekenis zit in haar dood, laten we die dan proberen op te sporen.'
'Ik heb niet het flauwste benul waar ik moet beginnen te zoeken.'
'U zult alles te horen krijgen... net als Staples dat gehoord heeft.'
'Misschien kan ik het maar beter niet horen.'
'Ik kan niet anders doen dan erop staan dat u het hoort.'
'Volgens mij luistert u niet. Uw operatie is verraden! Die mevrouw Staples werd vermoord omdat men aannam dat ze informatie bezat waarvoor ze uit de weg geruimd moest worden. Kort gezegd, de mol die zich hier een weg naar binnen heeft gegraven heeft haar gezien bij een gesprek of bij gesprekken met u beiden. Het verband met Canada werd gelegd, het bevel werd uitgevaardigd en u hebt haar zonder bescherming laten rondlopen!'
'Bent u bang voor uw leven?' vroeg de ambassadeur.
'Aan één stuk door,' antwoordde de CIA-man. 'En op dit moment ben ik ook bang voor het leven van iemand anders.'
'Dat van Webb?'
Conklin zweeg even en bekeek het gezicht van de oude diplomaat. 'Als het waar is wat ik denk,' zei hij zacht. 'Er is niets wat ik zou kunnen doen voor Delta wat hij niet veel beter voor zichzelf kan doen. Maar als hij het niet haalt, dan weet ik wat hij me zou vragen. Marie te beschermen. En dat kan ik het beste doen door tegen jullie te vechten, en niet door naar jullie te luisteren.'
'En hoe denkt u tegen mij te vechten?'
'Op de enige manier die ik ken. Zo smerig mogelijk. Ik zal in al die donkere hoeken in Washington rondvertellen dat u dit keer te ver bent gegaan, dat u het niet meer aankunt, misschien gek bent geworden op uw leeftijd. Ik heb het verhaal van Marie, van Mo...'
'*Morris* Panov?' viel Havilland hem aarzelend in de rede. 'Webbs psychiater?'
'U hebt weer een sigaar verdiend. En, als laatste van alles, mijn eigen bijdrage. Overigens wil ik er u nog even aan herinneren dat ik de enige ben die met David heeft gesproken voordat hij hierheen ging. Alles bij elkaar, met inbegrip van het afslachten van een employée van de Canadese buitenlandse dienst, zou het een interessant verhaal zijn, als beë-

digde verklaringen, verspreid onder met zorg uitgekozen mensen, natuurlijk.'

'Als u dat doet zou u álles op het spel zetten.'

'Dat is uw probleem, niet het mijne.'

'Dan zou er opnieuw voor mij maar één keuze zijn,' zei de ambassadeur met een kille blik en met een ijzige stem. 'U hebt ooit iemand niet-meer-te-redden verklaard, in dit geval zou ik gedwongen worden hetzelfde te doen. U zou niet levend dit huis uitkomen.'

'O, mijn gód!' fluisterde McAllister.

'Dat zou het stomste zijn wat u kunt doen,' zei Conklin, met zijn blik strak op Havilland gericht. 'U kunt nooit weten wat ik heb achtergelaten, en bij wie. Of wat er wordt gepubliceerd als ik op een bepaalde tijd niet met bepaalde mensen bel, en gaat u maar door. Onderschat mij niet.'

'We dachten wel dat u uw toevlucht zou nemen tot zo'n tactiek,' zei de diplomaat. Hij draaide de CIA-man de rug toe, alsof hij niets meer met hem te maken wilde hebben en ging weer in zijn stoel zitten. 'U hebt ook nog iets anders achtergelaten, meneer Conklin. Om het vriendelijk te zeggen, en misschien ook wel juist, was het bekend dat u een chronische ziekte had, die alcoholisme wordt genoemd. Omdat u toch binnenkort met pensioen zou gaan, en als erkenning voor uw prestaties in het verre verleden, werden er geen disciplinaire maatregelen tegen u genomen, maar u hebt ook geen enkele verantwoordelijkheid meer gekregen. U werd niet meer dan getolereerd, een nutteloos aandenken dat binnenkort met pensioen zou gaan, een dronkelap over wiens paranoïde uitbarstingen uw collega's zich ernstig zorgen maakten. Wat er ook te voorschijn zou komen, uit welke bron ook, zou terecht worden beschouwd als het verwarde geleuter van een kreupele, psychopatische alcoholicus.' De ambassadeur leunde achterover in zijn stoel, met zijn elleboog op de armleuning, en streek met de lange vingers van zijn rechterhand langs zijn kin. 'Men moet medelijden hebben met u, meneer Conklin, men mag u niet bekritiseren. Bij dat alles wat bekend is zou uw zelfmoord op een dramatische manier passen...'

'Havilland!' riep McAllister verbijsterd uit.

'Maakt u zich niet ongerust, onderminister,' zei de diplomaat. 'Meneer Conklin en ik kennen elkaar. We hebben dat alletwee al eens meegemaakt.'

'Er is wel een verschil,' wierp Conklin tegen en hij bleef Havilland strak aankijken. 'Ik heb het spel nooit met plezier gespeeld.'

'Dacht u soms ík dan wel?' De telefoon ging over. Havilland schoot vooruit en graaide de hoorn op. 'Ja?' De ambassadeur luisterde met gefronst voorhoofd en staarde naar het donkere erkerraam. 'Als ik er nogal rustig onder blijf, majoor, dan komt dat omdat ik het een paar minuten geleden al heb gehoord... Nee, niet de politie, maar een man die ik vanavond graag aan u zou willen voorstellen. Laten we zeggen over twee uur, schikt u dat? ... Ja, hij hoort nu bij de ingewijden.' Havilland keek Conklin aan. 'Er zijn er die zeggen dat hij beter is dan de meesten van ons, en ik veronderstel dat zijn staat van dienst in het verleden dat bevestigt... Ja, hij is het... Ja, ik zal het hem zeggen... Wat? Wát zei u daar?' De diplomaat keek weer naar het erkerraam en de frons groefde zich opnieuw in zijn voorhoofd. 'Ze hebben er geen gras over laten groeien, vindt u wel? Over twee uur, majoor.' Havilland legde de hoorn op en leunde met beide ellebogen op het bureau, met samengevouwen handen. Hij zuchtte diep, een uitgeputte, oude man die zich vermande en op het punt stond iets te zeggen.

'Hij heet Lin Wenzu,' zei Conklin en zowel Havilland als McAllister keken verrast op. 'Hij werkt voor de Inlichtingendienst van de Kroon en dat betekent in de sfeer van MI 6 waarschijnlijk Speciale Afdeling. Hij is een Chinees en opgeleid in Engeland en hij wordt beschouwd als de beste inlichtingenman in de kolonie. Alleen zijn omvang staat hem in de weg. Hij wordt gemakkelijk opgemerkt.'

'Waar...?' McAllister zette een stap in de richting van de CIA-man.

'Een klein kaboutertje met een rode baard heeft me dat verteld,' zei Conklin.

'Eerder eentje met rood haar, neem ik aan,' zei de diplomaat.

'Om u de waarheid te zeggen, niet meer,' antwoordde Alex.

'Ik begrijp het.' Havilland deed zijn handen vaneen en liet zijn armen op het bureau zakken. 'Hij weet ook wie u bent.'

'Dat kan niet anders. Hij was bij die ploeg op het station in Kowloon.'

'Hij zei me dat ik u geluk moest wensen, u te zeggen dat uw Olympische hordenloper hen ontkomen is. Hij is ontsnapt.'

'Dat is hem best toevertrouwd.'

'Hij weet waar hij hem kan vinden maar hij wil er geen tijd aan verspillen.'

'Heel verstandig. Tijdverspilling heeft geen enkele zin. Hij heeft u ook nog iets anders verteld en aangezien ik uw vleiende oordeel over mijn verleden hoorde, wilt u me misschien wel vertellen wat dat is?'

'U zult dus naar me luisteren?'

'Of hier in een kist worden weggedragen? Of in kisten? Wat voor keuze heb ik?'

'Ja, precies,' zei de diplomaat. 'U weet dat ik niet anders zou kunnen.'

'Ik weet dat ú het weet, *Herr General*.'

'U beledigt me.'

'En u mij. Wat heeft de majoor u verteld?'

'Een terroristische tong uit Macao heeft het South China News Agency gebeld en de verantwoordelijkheid opgeëist voor de moorden. Alleen zeiden ze dat de vrouw een ongelukje was, het doelwit was de chauffeur. Als Chinees lid van de gehate Britse veiligheidsdienst had hij twee weken geleden een van hun leiders doodgeschoten in de Wanchai haven. Dat bericht klopt. Hij was de bescherming die was toegewezen aan Catherine Staples.'

'Dat is gelogen!' schreeuwde Conklin. 'Zíj was het doelwit!'

'Lin zegt dat het tijdverspilling is een valse bron na te trekken.'

'Hij weet het dus?'

'Dat we een verrader in ons midden hebben?'

'Verdomme, wat anders?' zei de geïrriteerde CIA-man.

'Hij is een trotse *Zhongguo ren,* met een briljant verstand. Hij heeft de pest aan iets wat fout loopt, zeker nu. Ik vermoed dat hij al op jacht is gegaan... Gaat u zitten, meneer Conklin. We hebben heel wat te bespreken.'

'Dat gaat mijn verstand te boven!' riep McAllister hevig ontdaan uit. 'U hebt het over moorden, over doelwitten, over "niet meer te redden"... over een zogenaamde zelfmoord en het slachtoffer zit erbij en praat over zijn eigen dood, het is net of jullie zitten te praten over de Dow-Jones Index of over een menu in een restaurant! Wat zíjn jullie eigenlijk voor mensen?'

'Ik heb het u al gezegd, onderminister,' zei Havilland zacht. 'Wij zijn mensen die doen wat anderen niet willen of niet kunnen of niet horen te doen. Er is niets mysterieus aan, er zijn geen duivelse universiteiten waar we worden opgeleid, er is geen dringende behoefte om mensen te vermoorden. Wij zijn hier maar toevallig in terecht gekomen omdat er vacatures waren die bezet moesten worden en er maar weinig kandidaten waren. Ik geloof dat het allemaal een beetje toevallig is. En als het maar vaak genoeg gebeurt merk je dat je het aankunt of niet... omdat iemand die zaakjes moet opknappen. Bent u het daarmee eens, meneer Conklin?'

'Dit is verspilling van tijd.'

'Nee, dat is niet waar,' verbeterde de diplomaat hem. 'Legt u het meneer McAllister maar eens uit. Gelooft u me maar, hij is waardevol en we hebben hem nodig. Hij moet ons begrijpen.'

Conklin keek de onderminister van Buitenlandse Zaken aan en er lag geen greintje medelijden in zijn ogen. 'Hem hoef ik niets uit te leggen, hij is een analyticus. Hij ziet het allemaal even duidelijk als wij het zien, misschien wel duidelijker. Hij weet verrekte goed wat er in de tunnels aan de hand is, hij wil het alleen niet toegeven en de gemakkelijkste manier om erbuiten te blijven is net te doen of hij het vreselijk vindt. Hoed je voor het schijnheilige intellect in wat voor fase van dit soort zaken ook. Wat hij bijdraagt aan hersens neemt hij je weer af met achterbakse tegenbeschuldigingen. Hij is de diaken in een hoerenkeet die daar materiaal verzamelt voor een preek die hij zal schrijven wanneer hij eenmaal naar huis gaat om met zichzelf te spelen.'

'U had zojuist gelijk,' zei McAllister en hij draaide zich om naar de

420

deur. 'Dit is tijdverspilling.'

'Edward?' Havilland was duidelijk woedend op de kreupele CIA-man, en hij sprak tegen de onderminister met medeleven. 'We kunnen niet altijd de mensen kiezen met wie we werken, en dat gaat hier duidelijk op.'

'Ik begrijp het,' zei McAllister kil.

'Neem alle mensen van Lin onder de loep,' vervolgde de ambassadeur. 'Het kunnen er nooit meer dan tien of twaalf zijn die iets over ons weten. Help hem. Hij is een vriend van ons.'

'Ja, dat is waar,' zei de onderminister en hij verliet het vertrek.

'Was dat nu nodig?' snauwde Havilland toen hij met Conklin alleen was.

'Ja, inderdaad. Als u me ervan kunt overtuigen dat wat u gedaan hebt de enige weg was die u kon inslaan – en dat betwijfel ik – of als ik niet met een plan kan komen zodat Marie en David het er levend vanaf zullen brengen, en liefst nog bij hun volle verstand, dan zal ik met u moeten samenwerken. Het alternatief van niet-meer-te-redden is onaanvaardbaar om verschillende redenen, voornamelijk persoonlijk maar ook omdat ik bij de Webbs in het krijt sta. Zijn we het zover eens?'

'Wij werken samen, hoe dan ook. Schaakmat.'

'Als we dan toch met de realiteit bezig zijn dan wil ik dat die klootzak van een McAllister, dat *konijn,* weet waar ik vandaan kom. Hij zit er tot zijn nek toe in, net als wij allemaal en die briljante hersenen van hem kunnen maar beter in de drek duiken en te voorschijn komen met elke waarschijnlijkheid en elke mogelijkheid. Ik wil weten wie we om zeep moeten helpen – zelfs al is hun betrokkenheid niet helemaal zeker – om hier nog enigszins heelhuids uit te komen en de Webbs te redden. Ik wil dat hij weet dat hij zijn ziel alleen maar kan redden door alles op alles te zetten. Als wij falen, dan faalt hij ook en hij kan niet meer teruggaan om les te geven op de zondagsschool.'

'U beoordeelt hem te scherp. Hij is een analyticus, geen beul.'

'Waar denkt u dan dat de beulen hun instructies vandaan krijgen? Waar krijgen wíj onze instructies vandaan? Van wie? Van de voorvechters voor toezicht door het Congres soms?'

'Opnieuw schaakmat. U bent inderdaad zo goed als ze beweren. Hij heeft de oplossingen gevonden. Daarom is hij hier.'

'Praat u maar tegen míj, meneer,' zei Conklin vanuit zijn stoel waarin hij zat met rechte rug en met zijn horrelvoet in een lastige hoek. 'Ik wil uw verhaal horen.'

'Eerst de vrouw. Webbs vrouw. Maakt ze het goed? Is ze veilig?'

'Het antwoord op uw eerste vraag ligt zó voor de hand dat het me verbaast hoe u dat zo kunt vragen. Nee, het is niet goed met haar. Haar man wordt vermist en ze weet niet of hij nog leeft of dood is. Wat de tweede vraag betreft, ja, ze is veilig. Bij mij, niet bij u. Ik kan me vrij bewegen en ik ken hier de weg. U moet hier blijven.'

'We zitten verschrikkelijk omhoog,' smeekte de diplomaat. 'We hebben haar nodig.'

'U hebt ook ergens een verrader zitten, dat schijnt niet tot u door te dringen. Ik ga haar daaraan niet blootstellen.'

'Dit huis is als een vesting!'

'Er is niet meer voor nodig dan een verraderlijke kok in de keuken. Eén krankzinnige op een trap.'

'Conklin, lúister naar me! We hebben alle paspoorten gecontroleerd – alles klopt. Hij is het, dat weten we. Webb is in Peking. Nú! Hij zou daar nooit naar toe zijn gegaan als hij niet achter zijn mannetje aanzat, het enige doel dat hem interesseert. Als jouw Delta op wat voor manier dan ook, god mag weten hoe, met de koopwaar komt opdagen en zijn vrouw is niet op de afgesproken plaats, dan zal hij de enige band die we absoluut hebben moeten doden! Zonder die band zijn we verloren. Zijn we allemaal verloren.'

'Dat was dus het scenario vanaf het begin. *Reductio ad absurdum*. Jason Bourne op jacht naar Jason Bourne.'

'Ja. Doodsimpel, maar zonder de steeds ingewikkelder complicaties zou hij er nooit in hebben toegestemd. Dan zou hij nog steeds in dat oude huis in Maine over zijn studieboeken gebogen zitten. Dan zouden we niet de jager hebben die we nodig hebben.'

'U bent inderdaad een rotzak,' zei Conklin langzaam en zacht en er klonk een beetje bewondering in zijn stem. 'En u was ervan overtuigd dat hij het nog steeds kon doen? Dat hij dit soort Azië nog aankon zoals hij het jaren geleden als Delta heeft gedaan?'

'Hij wordt elke drie maanden helemaal onderzocht door de artsen, dat is een onderdeel van het protectieprogramma van de regering. Hij heeft een uitstekende conditie, ik begrijp dat dat iets te maken heeft met dat bezeten lopen dat hij doet.'

'Begint u maar bij het begin.' De CIA-man ging wat gemakkelijker in zijn stoel zitten. 'Ik wil het stap voor stap horen want volgens mij zijn de geruchten waar. Ik zit hier bij de meester van alle klootzakken.'

'Nauwelijks, meneer Conklin,' zei Havilland. 'We tasten allemaal in het duister. Ik wil natuurlijk commentaar van u horen.'

'Dat krijgt u wel. Begint u maar.'

'Goed. Ik zal beginnen met een naam die u zeker zult kennen. Sheng Chou Yang. Commentaar?'

'Hij is een taaie onderhandelaar en ik vermoed dat er onder dat welwillende uiterlijk een vent van staal zit. Maar toch is hij een van de redelijkste kerels in Peking. Er zouden er duizend moeten zijn zoals hij.'

'Als dat zo was zouden de kansen voor een wereldbrand in het Verre Oosten duizend keer groter zijn.'

Lin Wenzu mepte met zijn vuist op het bureau, zodat de negen foto's

422

die voor hem lagen trilden en de samenvattingen van hun dossiers die eraan vastzaten even opsprongen. *Welke? Wie?* Iedere man was via Londen goedgekeurd, elke achtergrond was nagetrokken en nog eens gecontroleerd en voor een derde keer. Er konden geen vergissingen gemaakt zijn. Dit waren niet gewoon zeer ontwikkelde *Zhongguo ren* die via een ambtelijk proces geselecteerd waren, maar de produkten van een intensief onderzoek naar de knapste hersenen in regeringsdienst – en in een paar gevallen buiten die dienst – die gerecruteerd konden worden in een van de meest geheime afdelingen. Het was Lin die gezegd had dat het mene tekel op de muur stond – op de Grote Muur misschien – en dat een uitgelezen speciale inlichtingendienst, bestaande uit eigen mensen uit de kolonie, wel eens haar eerste verdedigingslinie zou kunnen vormen vóór 1997 en, in geval van een overname, haar eerste linie van georganiseerd verzet daarna. De Engelsen waren gedwongen het leiderschap op het terrein van geheime inlichtingenoperaties af te staan en de redenen daarvoor waren zowel duidelijk als onverkwikkelijk voor Londen: de westerling zou de eigenaardige kronkels in de oosterse gedachtengang nooit helemaal kunnen begrijpen, en dit was de tijd er niet naar om met misleidende of verkeerd geëvalueerde inlichtingen te komen. Londen moest precies weten – het Westen moest precies weten – hoe de zaken er voorstonden... in het belang van Hongkong, in het belang van het hele Verre Oosten.

Lin geloofde niet zozeer dat zijn groeiende speciale eenheid van inlichtingenverzamelaars onmisbaar was voor beleidsbeslissingen. Maar hij geloofde er onvoorwaardelijk en met volle overtuiging in dat, áls de kolonie een Speciale Afdeling moest hebben, die dan moest bestaan uit en geleid moest worden door de mensen die die taak het best konden verrichten. Dat betekende niet dat het veteranen moesten zijn, hoe briljant ze ook waren, van de op Europa ingestelde Britse geheime diensten. Om te beginnen zagen ze er allemaal hetzelfde uit en ze pasten niet in de omgeving en spraken de taal niet. En na jaren zwoegen, na bewezen te hebben wat hij waard was, was Lin Wenzu ontboden in Londen en was hem drie dagen lang het hemd van het lijf gevraagd door zuurkijkende inlichtingenspecialisten voor het Verre Oosten. Op de morgen van de vierde dag echter was er hier en daar een glimlach verschenen toen de aanbeveling luidde dat de majoor de leiding moest krijgen van de Hongkong Afdeling met zeer verstrekkende bevoegdheden. En een aantal jaren lang daarna, dat wist hij, had hij voldaan aan de verwachtingen van het comité. Hij wist ook dat hij nu had gefaald in de meest belangrijke operatie van zowel zijn persoonlijke als zijn beroepsleven. Hij had achtendertig functionarissen van de Speciale Afdeling onder zijn bevel en hij had er negen uitgekozen – negen persoonlijk geselecteerd – die deel moesten uitmaken van deze uitzonderlijke, krankzinnige operatie. Krankzinnig, totdat hij de uitzonderlijke verklaring van de ambassadeur had gehoord. De negen waren absoluut de besten van zijn eenheid van achtendertig man, ieder van hen was in staat de leiding over te nemen mocht hun leider uitvallen. Dat had hij letterlijk zo geschreven in hun beoordelingsrapporten. En hij had gefaald. Eén van de negen door hem persoonlijk geselecteerden was een verrader.

Het had geen enkele zin de dossiers opnieuw door te nemen. Wat voor inconsequenties hij ook mocht vinden, het zou veel te lang duren om die – of die ene – boven water te brengen, want ze waren immers ontsnapt zowel aan zijn eigen ervaren ogen als aan die van Londen. Er was geen tijd voor ingewikkelde analyses, voor het pijnlijk lange nasnuffelen van negen individuele levens. Er stond hem maar één ding te doen. Hij moest elke man rechtstreeks aanpakken, en het woord 'rechtstreeks' was wezenlijk voor zijn plan. Als hij de rol kon spelen van een taipan, dan kon hij ook de rol van een verrader spelen. Hij besefte dat zijn plan niet zonder risico was, een risico dat noch Londen, noch de Amerikaan Havilland zou goedkeuren, maar het moest worden genomen. Als hij faalde zou Sheng Chou Yang gewaarschuwd worden over de geheime oorlog die tegen hem werd gevoerd en zijn tegenmaatregelen zouden rampzalig zijn. Maar Lin Wenzu was niet van plan te falen. Als mislukking geschreven stond in de noordenwinden dan zou niets anders nog van belang zijn, zijn eigen leven het minst van alles.

De majoor pakte de telefoon op. Hij drukte op de knop in het paneel om de radiocentralist in het gecomputeriseerde verbindingsnet van MI 6, Speciale Afdeling, op te roepen.

'Ja meneer?' sprak de stem uit het witte, steriele vertrek.

'Wie heeft er nog dienst bij Dragonfly?' vroeg Lin Wenzu en hij gebruikte de naam van de elite-eenheid van negen die rapporteerden maar nooit verklaringen gaven.

'Twee, meneer. In voertuigen Drie en Zeven, maar de rest kan ik binnen enkele minuten bereiken. Er hebben er vijf gerapporteerd – die zijn thuis – en de andere twee hebben telefoonnummers opgegeven. De ene is tot half twaalf in de Pagoda Cinema, en dan gaat hij terug naar zijn flat, maar ik kan hem voor die tijd bereiken via zijn piepertje. De andere is op de Jachtclub in Aberdeen met zijn vrouw en haar familie. Zij is Engelse zoals u weet.'

Lin lachte zacht. 'En hij brengt de rekening van zijn Engelse familie ongetwijfeld ten laste van ons hopeloos ontoereikende budget van Londen.'

'Is dat mogelijk, majoor? Als dat zo is, zou u dan misschien willen overwegen mij ook op te nemen in Dragonfly, wat het dan ook is?'

'Jij moet niet zo brutaal zijn.'

'Het spijt me, meneer...'

'Ik maak een grapje, jongeman. Volgende week ga ik zelf een keer lekker met jou dineren. Je doet je werk uitstekend.'

'Dank u, meneer!'

'Het genoegen is aan mij.'

'Zal ik contact opnemen met Dragonfly en hen alarmeren?'

'Je kunt één voor één contact met hen opnemen, maar je moet ze juist niet alarmeren. Ze zijn allemaal overwerkt, en ze hebben al een paar weken niet één echte vrije dag gehad. Je moet natuurlijk tegen ieder van hen zeggen dat ze het laten weten als ze ergens anders naar toe gaan, maar tenzij ze iets anders horen, hebben we de komende vierentwintig uur niets bijzonders, en de kerels in voertuigen Drie en Zeven kunnen naar huis rijden. Ze mogen echter niet naar het vasteland gaan om de kroeg in te duiken. Zeg hun maar dat ik heb gezegd dat ze allemaal maar eens een volledige nachtrust moeten nemen of de tijd doorbrengen zoals ze willen.'

'Ja, meneer. Dat zullen ze op prijs stellen, meneer.'

'Ikzelf ga een beetje rondrijden in voertuig Vier. Misschien hoor je nog wel van me. Blijf wakker.'

'Natuurlijk, majoor.'

'Dat diner hou je te goed, jongeman.'

'Als u me toestaat, meneer,' zei de enthousiaste radiocentralist, 'en ik weet dat ik spreek namens ons allemaal. We zouden onder niemand anders dan onder u willen werken.'

'Misschien wel twee diners.'

Lin stond geparkeerd voor een flatgebouw aan Yun Ping Road toen hij de microfoon van de haak onder het dashboard tilde. 'Radio, dit is Dragonfly Nul.'

'Ja, meneer?'

'Schakel me over op een rechtstreekse telefoonlijn met een kryptofoon. Is het niet zo dat ik weet dat de kryptofoon is aangesloten wanneer ik de echo hoor van mijn deel van de conversatie?'

'Klopt meneer.'

De zwakke echo klonk hol door over de lijn met de kiestoon. De majoor drukte de cijfers in. De bel ging over en een vrouwenstem antwoordde. 'Ja?'

'Meneer Zhou. *Kuai!*' zei Wenzu, haastig sprekend en hij maakte de vrouw duidelijk dat ze moest opschieten.

'Zeker,' antwoordde ze in het Kantonees.

'Zhou hier,' zei de man.

'Xun su! Xiaoxi!' Lin sprak schor fluisterend. Het was de stem van een wanhopige man die erom smeekte gehoord te worden. 'Sheng! Direct contact opnemen! Saffier is verdwenen!'

'Wát? Met wie spreek ik?'

De majoor drukte de haak omlaag en duwde op een knop op de rechterkant van de microfoon. De radiocentralist antwoordde direct.

'Ja, Dragonfly?'

'Sluit me aan op mijn privé-telefoon, ook via de kryptofoon, en geef alle gesprekken aan mij door. Nu metéén! Dat moet je zo laten tot ik je andere instructies geef. Begrepen?'

'Jawel, meneer,' zei de centralist zacht.

De mobilofoon zoemde en Lin pakte hem op en antwoordde nonchalant: 'Ja?', met een onderdrukte geeuw.

'Majoor, u spreekt met Zhou! Ik heb juist een heel vreemd telefoontje gehad. Een vent belde me — hij klonk alsof hij zwaar gewond was — en zei me dat ik contact moest opnemen met iemand die Sheng heet. Ik moest zeggen dat Saffier verdwenen was.'

'Saffier?' vroeg de majoor, ineens klaarwakker. 'Tegen niemand iets zeggen, Zhou! Verdomde computers. Ik weet niet hoe dit gebeurd is maar dat gesprek was voor mij bestemd. Dit heeft niets met Dragonfly te maken. Ik herhaal, zeg niemand iets!'

'Begrepen, meneer.'

Lin startte de auto en reed een paar straten verder naar Tanlung Street. Hij herhaalde het spelletje en opnieuw kreeg hij het gesprek via zijn privé-lijn.

'Majoor?'

'Ja?'

'Ik heb net de hoorn neergelegd na een telefoontje van een vent die klonk of hij de pijp uitging! Hij wilde me...'

De uitleg was dezelfde: er was een gevaarlijke fout gemaakt, die niets had te maken met Dragonfly. Er mocht niets worden doorverteld. Het bevel werd begrepen.

Lin belde nog drie nummers, telkens van vlak voor het huis of het pension van de man die hij telefoneerde. Alle uitkomsten waren negatief; elke man belde hem terug binnen enkele seconden met zijn alarmerende nieuws en niemand was naar buiten komen rennen naar een telefoon die niet kon worden afgetapt. De majoor wist maar één ding zeker. Wie de verrader ook was, hij zou zijn eigen telefoon niet gebruiken om contact te zoeken. Telefoonrekeningen vermeldden alle gedraaide nummers en alle rekeningen werden ter controle voorgelegd aan de afdeling. Dat was een normale procedure die de agenten niet onwelkom was. Extra telefoontjes werden door de Speciale Afdeling betaald als ze betrekking hadden op zaken.

Toen de twee mannen in voertuigen Drie en Zeven vrij hadden gekregen van hun dienst hadden ze zich tegen de tijd van het vijfde telefoontje op het hoofdkwartier gemeld. Een was er bij een vriendin thuis en hij maakte het duidelijk dat hij de eerste vierentwintig uur niet van plan was daar weg te gaan. Hij smeekte de centralist alle 'dringende telefoontjes van cliënten' aan te nemen en tegen iedereen die probeerde hem te bereiken te zeggen dat zijn meerderen hem naar de Zuidpool hadden gestuurd. *Negatief. Zo werkte een dubbelagent niet, ook niet met die humor. Hij vermeed nooit contacten en liet ook niet weten waar hij zich bevond om eventueel gebeld te kunnen worden.* De tweede man was, zo mogelijk, nog negatiever. Hij deelde het verbindingscentrum van het hoofdkwartier mee dat hij beschikbaar stond voor welke problemen zich ook zouden voordoen, grote of kleine, al dan niet verband houdend met Dragonfly, hij wilde zelfs de telefoondienst overnemen. Zijn vrouw was pas bevallen van een drieling, en hij vertrouwde de centralist toe op een toon die je bijna paniekerig kon noemen dat hij meer rust kreeg tijdens zijn werk dan thuis. *Negatief.*

Zeven gehad, zeven negatief. Dan bleef er nog één man over die nog veertig minuten in de Pagoda Cinema zou zitten en de andere in de Jachtclub in Aberdeen.

Zijn mobilofoon zoemde, het scheen hem toe met nadruk, of was dat zijn eigen ongerustheid? 'Ja?'

'Ik heb zojuist een bericht voor u ontvangen, meneer,' zei de radiocentralist. ' "Adelaar aan Dragonfly Nul. Dringend. Geef antwoord".'

'Dank je.' Lin keek op de klok in het midden van het dashbord. Hij was vijfendertig minuten te laat voor zijn afspraak met Havilland en de legendarische manke agent van jaren terug, Alexander Conklin. 'Jongeman?' zei de majoor en hij bracht de microfoon naar zijn mond, zonder de verbinding verbroken te hebben.

'Ja, meneer?'

'Ik heb geen tijd voor de ongeduldige en misschien wat onbelangrijke "Adelaar" maar ik wil hem niet beledigen. Hij zal wel weer bellen wanneer ik geen antwoord geef en ik wil dat je dan netjes uitlegt dat je mij niet hebt kunnen bereiken. Als je dat doet moet je me natuurlijk wel direct daarvan op de hoogte stellen.'

'Dat zal ik maar al te graag doen, majoor.'

'Pardon?'

'De "Adelaar" die belde deed heel vervelend. Hij schreeuwde maar over afspraken die moesten worden nagekomen wanneer ze bevestigd waren en dat...'

Lin luisterde naar het klaagverhaal uit de tweede hand en nam zich voor dat hij, als hij na vanavond nog leefde, eens met Edward McAllister moest praten over telefoonetiquette, vooral tijdens noodsituaties. Met stroop bereikte je meer dan met azijn. 'Ja, ja, ik begrijp het, jongeman. Zoals onze voorvaderen misschien zouden zeggen: Moge de snavel van de adelaar vast komen zitten in zijn afscheidingskanaal. Doe nu maar wat ik gezegd heb en intussen moet je — van nu af over een kwartier — onze man in de Pagoda Cinema oproepen. Wanneer hij belt geef je hem mijn geheime nummer op de vierde verdieping en je verbind dat door op deze golflengte, natuurlijk met de kryptofoon aangesloten.'

'Natuurlijk, meneer.'

Lin reed snel rechtsaf via Hennessy Road langs het Southorn Park naar Felming, waar hij linksaf sloeg naar Johnston en vervolgens weer rechtsaf op Burrows Street naar de Pagoda Cinema. Hij draaide de parkeerplaats op en ging in het vak staan dat gereserveerd was voor de Assistent-Manager. Hij stak een politiekaart op de voorruit, stapte uit en holde naar de ingang. Er stonden maar een paar mensen aan de kassa voor de nachtvoorstelling van *Hartstocht in het Verre Oosten,* een vreemde keuze voor de agent die binnen zat. Maar om geen aandacht op zichzelf te vestigen en omdat hij nog zes minuten had, ging hij achter de drie man staan voor het loket. Anderhalve minuut later had hij zijn kaartje betaald en gekregen. Hij ging naar binnen, gaf het aan de ouvreuse en gaf zijn ogen de gelegenheid te wennen aan het donker en aan de pornografische film op het verafgelegen scherm. Het was inderdaad een ongewone keuze voor de man die hij op de proef ging stellen, maar hij had bij zichzelf gezworen dat hij er geen vooroordelen op na zou houden, de ene verdachte niet zou afwegen tegen de andere.

Maar hij moest toegeven dat het in dit geval niet gemakkelijk was. Niet dat hij bijzonder gecharmeerd was van de man die daar ergens in dat donkere theater, samen met het koortsachtig aandachtige publiek, zat te kijken naar de seksuele gymnastiek van de houterige 'acteurs'. Hij mocht die man eigenlijk helemaal niet. Hij erkende alleen maar dat hij één van de besten was onder zijn bevel. De agent was arrogant en onaangenaam maar hij was ook een dappere kerel die nu al achttien maanden uit Beijing was overgelopen en wiens leven in de communistische hoofdstad elk uur in gevaar was geweest. Hij was een hoge officier geweest bij de veiligheidspolitie, die toegang had gehad tot inlichtingen die van onschatbare waarde waren. En in een hartverscheurend gebaar van opoffering had hij een geliefde vrouw en een klein meisje achtergelaten toen hij naar het zuiden ontsnapte en hij had hen afgedekt met een verkoold, met kogels doorzeefd lijk en ervoor gezorgd dat het later geïdentificeerd werd als het zijne — een held van China die was neergeschoten en vervolgens verbrand in de recente misdaadgolf die over het Vasteland was gespoeld. Moeder en dochter waren veilig, genoten een pensioen van de regering en, zoals het geval was met alle overlopers met hoge rang, was hij onderworpen aan de meest rigoureuze ondervraging die er helemaal op was gericht mogelijke infiltranten te laten struikelen. Hierbij had zijn arrogantie hem eigenlijk geholpen. Hij had geen enkele poging gedaan te trachten in het gevlei te komen; hij was helemaal zichzelf en wat hij had gedaan was allemaal in het belang van Moeder China geweest. De autoriteiten konden hem ofwel accepteren met alles wat hij te bieden had of ze konden ergens anders gaan zoeken. Alles klopte, behalve het welzijn van zijn vrouw en dochter. Voor hen werd niet gezorgd op de manier zoals de overloper had verwacht. Daarom werd er heimelijk geld gestuurd naar de plaats waar ze werkte, zonder verdere verklaring. Men kon haar niets vertellen. Als er ook maar even een vermoeden ontstond dat haar man nog leefde, zou ze gemarteld kunnen worden om informatie die ze niet bezat. De scherpe typering van zo'n man was niet de karakterschets van een dubbelagent, wat voor smaak in films hij dan verder ook mocht hebben.

Dan bleef de man in Aberdeen nog over en die vormde enigszins een raadsel voor Lin. De agent was ouder dan de anderen, een kleine man die zich steeds onberispelijk kleedde, een logische denker die vroeger boekhouder was geweest en die zoveel loyaliteit uitstraalde dat Lin hem bijna in vertrouwen had genomen, maar zich nog net op tijd had ingehouden toen hij op het punt stond dingen te gaan vertellen die hij voor zich moest houden. Misschien voelde hij een sterkere band omdat de man dichter bij hem stond in leeftijd... Van de andere kant, was dit niet een buitengewoon goede dekmantel voor een mol uit Beijing? Getrouwd met een Engelse vrouw, en via zijn huwelijk lid van een rijke en deftige jachtclub. Alles klopte aan hem; hij was de achtenswaardigheid zelve. Het kwam Lin ongelooflijk voor, zijn naaste collega, die geïrriteerde oudere man die zo van orde en regelmaat hield maar die toch een Australische ruziestoker wilde arresteren omdat hij gezichtsverlies had veroorzaakt voor Dragonfly, hij geloofde niet dat zo'n man voor Sheng Chou Yang werkte en een verrader was... Nee, het was onmogelijk! Misschien, dacht de majoor, moest hij toch maar liever terugkeren en een nader onderzoek instellen naar een humoristische agent die vrijaf had en die tegen al zijn cliënten wilde laten zeggen dat hij op de Zuidpool zat, of anders de overwerkte vader van een drieling, die liever telefoons wilde beantwoorden om zo te ontsnappen aan zijn huiselijke plichten.

Dat soort speculaties waren ongepast! Lin Wenzu schudde zijn hoofd alsof hij zulke gedachten wilde uitbannen. Nú. Híer. Concentreer je! Zijn onverwachte besluit om op onderzoek te gaan kwam op bij het zien van een trap. Hij liep er naar toe en beklom de treden naar het balkon; de cabine lag vlak vóór hem. Hij klopte even op de deur en ging naar binnen en het gewicht van zijn lichaam deed de goedkope, zwakke grendel op de deur breken.

'Ting zhi!' gilde de operateur. Er zat een vrouw op zijn schoot en hij had zijn hand onder haar rok. De jonge vrouw vloog op van haar zitje en draaide zich naar de muur.

'Kroonpolitie,' zei de majoor en hij liet zijn identiteitsbewijs zien. 'En ik wil jullie geen van beiden kwaad doen, gelooft u dat alstublieft.'

'Dat zou u niet eens kunnen,' antwoordde de operateur. 'Dit is nu niet precies een plaats om te bidden.'

'Daarover zouden we nog kunnen bekvechten, maar het is zeker geen kerk.'

'Wij opereren onder een volledige vergunning...'

'Daar heb ik niets tegen in te brengen, meneer,' viel Lin hem in de rede. 'De Kroon wil even gebruik maken van uw assistentie en het zou nauwelijks in uw nadeel kunnen zijn als u meewerkte.'

'Wat dan?' vroeg de man, terwijl hij opstond en boos moest toezien hoe de vrouw de deur uitglipte.

'Zet die film voor, laten we zeggen een halve minuut stop en draai de lichten aan. Maak maar bekend aan het publiek dat er een storing is en dat die snel verholpen zal zijn.'

De operateur trok een gezicht. 'De film is bijna uit! Ze gaan gillen!'

'Zolang er maar licht aan is. Doe het nu maar!'

De projector kwam zoemend tot stilstand. De lichten gingen aan en de aankondiging klonk via de luidsprekers. De operateur had gelijk. Er weerklonk een fluitconcert in de zaal, vergezeld door zwaaiende armen en talloze opgeheven middelvingers. Lins ogen zochten het publiek af, van links naar rechts, rij voor rij.

Dáar zat zijn man... *Twee* mannen – de agent zat voorovergebogen te praten met iemand die Lin Wenzu nog nooit eerder had gezien. De majoor keek op zijn horloge en wendde zich toen tot de operateur. 'Is er beneden een openbare telefoon?'

'Als-ie werkt is er een. Als-ie niet kapot is.'

'Werkt hij nu?'

'Ik weet het niet.'

'Waar is hij?'

'Onder de trap.'

'Dank u. Start u de film maar weer over een minuut.'

'U zei een halve minuut!'

'Ik ben van gedachten veranderd. En omdat er een vergunning is hebt u hier toch zeker ook een goede baan?'

'Het zijn beesten daar beneden!'

'Zet maar een stoel tegen de deur,' zei Lin terwijl hij naar buiten ging. 'Het slot is kapot.'

In de hal onder de trap kwam de majoor voorbij de openbare telefoon aan de muur. Hij hield nauwelijks zijn pas in terwijl hij het spiraalvormige koord uit het toestel rukte en liep naar buiten naar zijn auto. Toen hij aan de overkant van de straat een telefooncel zag bleef hij staan. Hij rende erheen, nam het nummer op, prentte het onmiddellijk in zijn hoofd en rende terug naar zijn wagen. Hij ging achter het stuur zitten en keek op zijn horloge. Hij reed de auto achteruit en daarna de straat op en parkeerde dubbel, een dikke honderd meter voorbij de ingang naar het theater. Hij doofde de koplampen en hield de uitgang in de gaten.

Een minuut en vijftien seconden later kwam de overloper uit Beijing te voorschijn, keek eerst naar rechts en toen naar links, duidelijk van streek. Toen keek hij recht voor zich uit, en zag wat hij hoopte te zien en wat Lin verwachtte dat hij zou zien, aangezien de telefoon in het theater kapot was. Het was de telefooncel aan de overkant van de straat. Lin draaide terwijl zijn ondergeschikte erop af holde. De telefoon rinkelde voordat de man er een munt in kon stoppen.

'*Xun su! Xiao Xi!*' fluisterde Lin hoestend. 'Ik wist dat je de telefoon zou vinden! *Sheng!* Waarschuw hem direct! Saffier is verdwenen!' Hij legde de microfoon terug, maar hield zijn hand op het instrument met de bedoeling die weg te halen wanneer de agent hem belde op zijn privé-lijn.

Het gesprek bleef uit. Hij draaide zich om op de voorbank en keek achter zich naar de open plastic koepel van de munttelefoon aan de overkant. De agent had een ander nummer gedraaid, maar de overloper sprak niet met hem. Het was niet nodig om naar Aberdeen te rijden. De majoor stapte uit zijn auto zonder geluid te maken, stak de straat over tot hij uit het licht stond op het trottoir aan de overkant en begon naar de munttelefoon te lopen. Hij bleef in het betrekkelijke donker, bewoog zich langzaam en vestigde zo weinig mogelijk aandacht op zijn omvang, terwijl hij de genen vervloekte die zijn corpulente figuur hadden veroorzaakt. Hij bleef zoveel mogelijk uit het licht terwijl hij de telefooncel naderde. De overloper stond op iets meer dan twee meter van Lin vandaan, met zijn rug naar hem toe, opgewonden te praten en zijn ergernis klonk door in elke zin.

'Wie is Saffier? Waarom deze telefoon? Waarom moest hij míj bellen? ... Nee, dat heb ik u gezegd, hij gebruikte de naam van de leider! ... Ja, dat klopt, zijn náám! Geen code, geen symbool! Het was wáánzin!' Lin Wenzu had alles gehoord wat hij moest horen. Hij trok zijn dienstpistool en kwam snel uit het donker te voorschijn.

'De film brak en ze draaiden de lichten aan! Mijn contactman en ik waren...'

'Hang de hoorn op!' beval de majoor.

De overloper draaide zich bliksemsnel om. 'Jij!' gilde hij.

Lin overrompelde de man, zijn enorme lijf perste de dubbelagent in de plastic koepel, toen hij de hoorn afpakte en die op het metalen toestel kwakte. 'Genoeg!' brulde hij.

Plotseling voelde hij het lemmet met een ijskoude hitte in zijn onderbuik glijden. De overloper bukte zich met het mes in de linkerhand en Lin haalde de trekker over. De knal weergalmde in de rustige straat en de verrader viel op het trottoir met een keel die was opengereten door de kogel, terwijl het bloed langs zijn kleren omlaagstroomde en een rode plas begon te vormen op het cement.

'*Ni made!*' gilde een stem links van de majoor vloekend tegen hem. Het was de tweede man, de contactman die in het theater met de overloper had zitten praten. Hij hief een pistool op en schoot terwijl de majoor naar hem uitviel en met zijn reusachtige, bloedende torso als een muur op de man plofte. Boven in de rechterborst van Lin scheurde het vlees uiteen, maar de killer had zijn evenwicht verloren. De majoor vuurde zijn pistool af. De man viel neer met zijn hand op zijn rechteroog. Hij was dood.

Aan de overkant van de straat was de pornofilm afgelopen en de mensen begonnen de straat op te komen, stuurs, boos, ontevreden. En met wat er nog over was van Lins gewonde kracht pakte hij de lijken van de twee dode samenzweerders op en droeg ze, sleurde ze meer, terug naar zijn auto. Een aantal mensen uit het publiek van de Pagoda bekeek hem met wazige of ongeïnteresseerde blikken. Wat ze zagen was een werkelijkheid die ze niet konden bevatten en die ze niet aankonden. Het lag buiten de enge grenzen van hun verbeeldingskracht.

Alex Conklin stond op uit zijn stoel en hinkte moeizaam en luidruchtig naar het donkere erkerraam. 'Verdómme, wat wilt u dat ik zeg?' vroeg hij en hij draaide zich om en keek de ambassadeur aan.

'Dat ik, gezien de omstandigheden, de enige weg heb genomen die me openstond, de enige waarmee ik Jason Bourne kon recruteren.' Havilland stak zijn hand op. 'Voordat u antwoord geeft moet ik u in alle eerlijkheid zeggen dat Catherine Staples het niet met me eens was. Zij vond dat ik een rechtstreeks beroep had moeten doen op David Webb. Hij was tenslotte een geleerde die het Verre Oosten kent, een expert die de belangen zou begrijpen en de tragedie die erop zou kunnen volgen.'

'Zij was gek,' zei Alex. 'Hij zou u gezegd hebben dat u de pot opkon.'

'Bedankt daarvoor.' De diplomaat knikte.

'Wacht eens even,' liet Conklin er direct op volgen. 'Hij zou dat gezegd hebben niet omdat hij dacht dat u ongelijk had, maar omdat hij dacht dat hij het niet meer aan zou kunnen. Wat u gedaan hebt — door hem Marie te ontnemen — was hem dwingen terug te gaan en iemand te zijn die hij wilde vergeten.'

'O?'

'Jij bent écht een enorme klootzak, klootzak die je bent!'

Plotseling begonnen er sirenes te loeien, door heel het enorme huis en in de tuin eromheen, terwijl er schijnwerpers hun zoekende stralen op de ramen lieten vallen. Geweerschoten gingen vergezeld van het geluid van botsend metaal en buiten klonk het geluid van gierende banden. De ambassadeur en de CIA-man lieten zich op de grond vallen. In enkele tellen was het allemaal voorbij. Beide mannen kwamen overeind en de deur werd opengesmeten. Met borst en buik doordrenkt van het bloed wankelde Lin Wenzu naar binnen met twee lijken onder zijn armen.

'Hier is uw verrader, meneer,' zei de majoor en hij liet beide lijken vallen. 'Met een collega. Met deze twee geloof ik dat we Dragonfly hebben losgesneden van Sheng...' Wenzu's ogen rolden omhoog in hun kassen tot er alleen wit te zien was. Hij stootte een zucht uit en viel neer.

'Roep een ambulance!' schreeuwde Havilland tegen de mensen die in de deuropening verschenen waren.
'Haal verbandgaas, leukoplast, handdoeken, ontsmettingsmiddelen... godverdomme, alles wat je vinden kunt!' gilde Conklin terwijl hij zich hinkend naar de Chinees spoedde. 'Laten we die verrekte bloeding stelpen!'

29

Bourne zat op de achterbank in een flitsend spel van licht en schaduw, wanneer de heldere maan nu en dan plekken bleek licht afwisselde met donker in de auto. Op plotselinge, onregelmatige, onverwachte momenten boog hij zich voorover en drukte de loop van zijn pistool in de nek van zijn gevangene. 'Als je probeert de weg af te rijden gaat er een kogel door je kop. Begrijp je me?'
En steeds werd hetzelfde antwoord gegeven, of met een lichte variant, uitgesproken in een afgemeten Engels accent. 'Ik ben niet gek. Jij zit achter me en je hebt een wapen en ik kan je niet zien.'
Jason had de achteruitkijkspiegel van zijn steun gerukt; de arm was gemakkelijk afgeknakt in zijn hand. 'Ik kijk nu wel voor jou hier achter, denk daaraan. En ik ben ook het einde van je leven.'
'Begrepen,' had de vroegere officier in de Royal Commando's uitdrukkingsloos herhaald.
Met de officiële wegenkaart uitgespreid op zijn knieën, de zaklantaarn afgeschermd in zijn linkerhand en het pistool in zijn rechter, bekeek Bourne de wegen die naar het zuiden liepen. Met het verstrijken van elk half uur en het herkennen van oriëntatiepunten, begon Jason te begrijpen dat de tijd zijn grootste vijand was. Ofschoon de rechterarm van de killer afdoende buiten gevecht was gesteld, wist Bourne dat hij wat zuiver uithoudingsvermogen betrof niet opkon tegen de jongere, sterkere man. Al dat geconcentreerde geweld gedurende de laatste drie dagen had zijn tol van hem geëist, fysiek, mentaal en, of hij dat nu wilde erkennen of niet, ook emotioneel. Jason Bourne hoefde dat niet toe te geven maar David Webb maakte het duidelijk met elke vezel van zijn emotionele wezen. De geleerde moest op afstand worden gehouden, diep worden weggestopt in zijn binnenste, zijn stem tot zwijgen gebracht. *Laat me met rust! Ik heb geen barst aan jou!*
Nu en dan voelde Jason zijn loodzware oogleden over zijn ogen zakken. Dan sperde hij ze weer wijd open en nam wraak op een deel van zijn lichaam, kneep hard in het zachte, gevoelige vlees van de binnenkant van zijn dij of drukte zijn nagels in zijn lippen, om de uitputting te verjagen door de plotselinge, felle pijn. Hij wist wat dat betekende — alleen een idioot met zelfmoordplannen zou daaraan voorbijzien — en er

was geen tijd en geen plaats om dat axioma toe te passen dat hij had geleerd van Medusa's Echo. *Rust is ook een wapen, vergeet dat nooit.* Vergeet het, Echo... dappere Echo... er is geen tijd om te rusten, geen plaats waar ik rust zal vinden.

En terwijl hij zijn eigen beoordeling over zichzelf accepteerde moest hij ook zijn oordeel over zijn gevangene aanvaarden. De killer was volkomen op zijn hoede. Zijn vaardigheid aan het stuurwiel liet zien hoe alert hij was, want Jason eiste snelheid op de onbekende, onvertrouwde wegen. Het was te zien aan het voortdurend bewegen van zijn hoofd en het bleek uit zijn ogen telkens wanneer Bourne die zag, en hij zag ze vaak wanneer hij de moordenaar beval langzamer te rijden en uit te kijken naar een afslag rechts of links. De bedrieger draaide zich dan om op de bank — het zien van die zo vertrouwde gelaatstrekken deed Jason altijd weer schrikken — en vroeg of de weg die eraankwam de afslag was die zijn 'ogen' hebben wilden. De vragen waren overbodig. De vroegere commando was voortdurend bezig met zijn eigen beoordeling van de fysieke en mentale conditie van zijn bewaker. Hij was een doorgewinterde killer, een dodelijke machine die wist dat zijn leven ervan afhing of hij zijn vijand te slim af kon zijn. Hij zat te wachten, te loeren, te hopen op het moment waarop de oogleden van zijn tegenstander zich heel even zouden sluiten, of wanneer het pistool ineens op de vloer zou vallen of het hoofd van zijn vijand heel kort zou rusten op de zachte leuning van de achterbank. Dat waren de tekenen waarop hij zat te wachten, de fouten die hij kon benutten om de toestand met geweld te veranderen. Bourne's verdediging hing daarom af van zijn geest, in het doen van het onverwachte zodat de psychologische balans in zijn voordeel zou blijven. Hoe lang kon dat duren, hoe lang kon hij het nog uithouden?

De tijd was zijn vijand, de killer vóór hem kwam op de tweede plaats. In zijn verleden — dat vaag herinnerde verleden — had hij al eerder met killers te maken gehad. Hij had ze al eerder in zijn macht gehad, omdat ze menselijke wezens waren, afhankelijk van de sluwheid van zijn verbeelding. Verrék, daarop kwam het neer! Het was zo simpel, zo logisch — en hij was zo moe... Zijn géést! Iets anders was er niet over! Hij moest blijven denken, hij moest zijn verbeeldingskracht blijven prikkelen en die dwingen zijn werk te blijven doen. Evenwicht, *evenwicht!* Dat moest hij in zijn voordeel blijven houden! *Denk na. Handel.* Doe iets *onverwachts!*

Hij schroefde de geluiddemper van zijn pistool, richtte het wapen op het gesloten rechter voorraampje en haalde de trekker over. De knal was oorverdovend, het binnenste van de gesloten auto weergalmde ervan en het glas versplinterde en vloog de voorbijstromende nachtlucht in.

'Verdómme, waar was dat nou voor nodig?' gilde de moordenaar en hij knelde het stuurrad vast om een onwillekeurige zwenking tegen te gaan.

'Om jou een lesje te geven in evenwicht,' antwoordde Jason. 'Het moet tot je doordringen dat ik uit mijn evenwicht ben. De volgende kogel zou wel eens door je kop kunnen gaan.'

'Jij bent hartstikke gek, als je dat maar weet!'

'Ik ben blij dat je dat doorhebt.'

De kaart. Een van de meer beschaafde eigenschappen van de wegenkaarten in de Volksrepubliek − en overeenkomend met de kwaliteit van haar voertuigen − bestond uit de sterretjes waarmee garages werden aangegeven die dag en nacht open waren langs de grote wegen. Je hoefde alleen maar te denken aan de verwarring die zou ontstaan wanneer militaire en officiële transporten tot stilstand zouden worden gebracht en dan begreep je de noodzaak. Voor Bourne was dat een geschenk uit de hemel.

'Zowat zes kilometer verderop langs deze weg is een benzinestation,' zei hij tegen de killer − tegen *Jason Bourne* bedacht hij. 'We gaan daar stoppen en bijtanken en jij zegt geen woord, wat trouwens dwaas zou zijn als je het probeerde, want je spreekt de taal niet eens.'

'Jij dan wel?'

'Daarom ben ik de originele Bourne en jij de nep.'

'Van mij mag je het hóuden, meneer Origineel!'

Jason vuurde het pistool weer af en schoot de rest van het raampje naar buiten. 'Jij bent nép!' gilde hij en hij verhief zijn stem boven het geluid van de wind door het raampje. 'Vergeet dat niet.'

De tijd was de vijand.

In gedachten maakte hij een inventaris op van alles wat hij had en veel was dat niet. Geld was zijn belangrijkste munitie. Hij had meer bij zich dan honderd Chinezen in honderd levens konden verdienen, maar geld op zich bracht de oplossing niet. Alleen de tijd bracht een oplossing. Als hij ook maar een kleine kans had om uit dit uitgestrekte China te komen dan moest dat door de lucht gebeuren, niet over de begane grond. Zo lang zou hij het niet uithouden. Opnieuw bekeek hij de kaart. Het zou dertien tot vijftien uur duren voordat hij Sjanghai bereikte. Als de auto het uithield en áls hij het uithield en áls ze voorbij de grensovergangen naar de provincies zouden komen waar zeker alarm zou zijn geslagen voor een westerling, of twee westerlingen die zouden proberen daarlangs te komen. Hij zou gevangen genomen worden, zíj zouden vast komen zitten. En zelfs wanneer ze in Sjanghai kwamen, waar het op het vliegveld vrij slordig toeging, hoeveel complicaties zouden zich dan daar nog voordoen?

Er was een andere keuze, er waren altijd andere mogelijkheden. Het was waanzin, maar het was het enige wat hem nog overbleef.

De tijd was de vijand. Doe het. Andere keus heb je niet.

Hij trok een kringetje rond een klein symbool aan de rand van de stad Jinan. Een vliegveld.

Ochtendschemering. Alles in de omtrek was nat. De grond, het hoge gras en het metalen hek glommen van de dauw. De enkele landingsbaan achter het hek was een glimmende zwarte strook die dwars over het kortgemaaide veld lag, met plekken groen van de dauw en plekken dof bruin waar de zon van gisteren op had staan branden. De *Sjanghai* sedan stond een heel stuk van de weg naar het vliegveld vandaan, zo ver als de killer had kunnen rijden en hij was opnieuw verborgen onder takken. Weer was de bedrieger weerloos gemaakt, dit keer door zijn duimen. Jason had het pistool tegen de rechterslaap van de killer gedrukt en hem bevolen de spoelen draad in dubbele slipsteken rond elke duim te draaien en vervolgens had hij de spoelen losgeknipt met zijn draadschaar, de draad er weer opgewonden en de twee overgebleven stukken vast om de polsen van de killer gedraaid. De commando kwam er al spoedig achter dat de draad bij de geringste druk dieper in zijn vlées drong, zoals bij voorbeeld door het draaien of uiteenhalen van zijn handen.

'Als ik jou was,' zei Bourne, 'zou ik maar oppassen. Kun je je voorstellen hoe het zou zijn als je geen duimen had? Of als je polsen waren doorgesneden?'

'Kloteknutselaar!'

'Als je dat maar doorhebt.'

Aan de overkant van het vliegveld werd er een licht ontstoken in een gebouw van één verdieping met aan de zijkant een rij kleine ramen. Het was een soort barak, simpel en functioneel in opzet. Toen verschenen er nog meer lichten, naakte lampen waarvan het schijnsel verblindde. Een barak. Jason pakte de opgerolde bundel met kleren die hij van zijn rug had gehaald. Hij knoopte de touwen los, vouwde de kledingstukken uit op het gras en legde ze apart. Er was een groot Mao-jasje bij, een te grote, gekreukelde broek en een pet met een klep die bij de kleren hoorde. Hij zette de pet op, trok het jasje aan, knoopte het dicht over zijn donkere trui, kwam toen overeind en trok de grote broek aan over de zijne. Hij hield hem op met een geweven riem. Hij streek het kleurloze, lompe jasje glad over de broek en wendde zich naar de killer die hem stomverbaasd en nieuwsgierig stond aan te kijken.

'Ga daar naar het hek,' zei Jason en hij bukte zich om iets uit de rugzak te halen. 'Ga op je knieën liggen en leun tegen het hek,' vervolgde hij, terwijl hij een stuk dun nylontouw van bijna twee meter voor de dag haalde. 'Druk je gezicht tegen het gaas. Kijk recht voor je uit! Schiet op!'

De killer deed wat hem werd bevolen, hij hield zijn gebonden handen onhandig en met pijn vóór zich tussen zijn lichaam en het hek, en drukte zijn gezicht tegen het gaas. Bourne liep snel op hem toe en vlocht met vlugge bewegingen het touw door het hek rechts van de nek van de moordenaar; met zijn vingers pakte hij door de mazen het uiteinde aan, trok het touw voor het gezicht van de commando langs en haalde het weer door het hek heen. Hij rukte het strak en knoopte het vast aan de onderkant van zijn nek. Hij had zo snel en onverwacht gewerkt dat de vroegere officier nauwelijks de woorden kon uitbrengen voordat hij besefte wat er gebeurd was.

'Verrék waar ben je nou... au, verdómme!'

'Zoals die maniak ook al zei over d'Anjou voordat hij met zijn zwaard zijn hoofd bewerkte, jij kunt toch niet weg, majoor.'

'Laat je me hier áchter?' vroeg de killer ontdaan.

'Laat naar je kijken. Wij zijn net als buddy's bij het duiken. Waar ik heenga, daar ga jij mee. Jij gaat zelfs het eerst.'

'Waarheen?'

'Door het hek,' zei Jason en hij haalde de draadschaar uit zijn rugzak. Hij begon de mazen door te knippen langs de omtrek van het bovenlijf en hij was opgelucht dat de draad lang niet zo dik was als die van het vogelreservaat. Toen de omtrek was doorgesneden stapte Bourne achteruit tilde zijn rechtervoet op en plaatste die tussen de schouderbladen van de killer. Hij duwde zijn been naar voren. Commando en hek vielen voorover in het gras aan de andere kant.

'Jézus!' De killer schreeuwde van de pijn. 'Jij bent zeker de leukste thuis?'

'Ik voel me helemaal niet leuk,' antwoordde Jason. 'Ik ben zo serieus als de pest bij alles wat ik doe. Sta op en praat niet zo hard.'

'Godverdomme, ik zit vast aan dat pokkehek!'

'Het is los. Sta op en draai je om.' De moordenaar kwam onhandig overeind. Bourne bekeek zijn werk. Het was inderdaad grappig zoals de omtrek van het hekwerk vast zat tegen het bovenlijf van de killer, alsof het op zijn plaats werd gehouden door een vooruitstekende neus. Maar de reden ervoor was helemaal niet grappig. Alleen wanneer hij de moordenaar veilig in het vizier kon houden was er geen enkel risico meer. Jason had geen zeggenschap over dat wat hij niet kon zien en wat hij niet kon zien kon hem zijn leven kosten... Wat veel belangrijker was, het leven van David Webbs vrouw, zelfs David Webb. Blijf uit mijn buurt! *Bemoei je er niet mee! We zijn nu te dicht bij het einde!*

Bourne stak zijn hand uit en rukte de slipsteek los met één uiteinde van het touw. Het hekstuk viel eraf en voordat de killer zich kon herstellen zwiepte Jason het touw om diens hoofd precies zo hoog dat het in de mond van de killer terecht kwam. Hij rukte de lijn strak, nóg strakker, totdat de kaak van de moordenaar werd opengetrokken en er een gapend gat ontstond dat was afgezet met een rand van witte tanden. Er kwamen plooien in de huid en onverstaanbare geluiden klonken op uit de keel van de commando.

'Dit is niet mijn idee, majoor,' zei Bourne terwijl hij het nylontouw vastknoopte en de overgebleven driekwart meter los liet bungelen. 'Ik heb d'Anjou en de anderen gezien. Die konden niet praten, ze konden alleen maar kokhalzen in hun eigen braaksel. Jij hebt hen ook gezien en je stond erbij te grijnzen. Hoe voelt het nou, majoor? ... Och, dat was ik vergeten, je kunt immers niks zeggen?' Hij duwde de killer voor zich uit, pakte hem toen bij zijn schouder en loodste hem naar links. 'We zullen langs het uiteinde van de landingsbaan lopen,' zei hij. 'Opschieten!'

Terwijl ze de grasrand van het vliegveld volgden en daar in het donker bleven, bekeek Jason de vrij primitieve luchthaven. Achter de barak stond een klein rond gebouw met heel veel glas, waar geen enkel licht brandde, op een enkele lamp na in een klein, vierkant uitsteeksel midden op het dak. Het gebouw was het luchthavengebouw van Jinan, dacht hij, het nauwelijks verlichte vierkant op het dak de verkeerstoren. Links van de barak, bijna zeventig meter verder naar het westen, lag een donkere, open onderhoudshangar met een hoog plafond en met enorme rijdende ladders vlakbij de brede deuren die het eerste licht weerkaatsten. De hangar was kennelijk leeg, de monteurs zouden nog wel slapen. Aan het uiteinde van het veld achter hen stonden, aan weerszijden van de landingsbaan en nauwelijks zichtbaar, vijf vliegtuigen, alle met propelleraandrijving en geen van alle erg imposant. De luchthaven van Jinan was maar een hulpvliegveldje. Hij zou ongetwijfeld worden uitgebreid om buitenlandse investeerders van dienst te zijn, zoals dat het geval was met zovele vliegvelden in China, maar het had nog lang geen internationale status. Maar de luchtcorridors waren immers niet meer dan kanalen door het luchtruim en ze waren niet afhankelijk van het fraaie uiterlijk of de technische inrichting van vliegvelden. Je hoefde alleen maar te zorgen dat je in die kanalen kwam en koers bleef houden. De hemel kende geen grenzen; dat was alleen iets voor aan de grond gebonden mensen en machines. De combinatie van die twee vormde een ander probleem.

'We gaan die hangar in,' fluisterde Jason en hij porde de commando in de rug. 'Denk erom, als je geluid maakt hoef ik je niet te doden, dat doen zij wel. En ik zal mijn kans hebben om te ontsnappen, die krijg ik dan van jou. Twijfel daar maar niet aan. Omláág nu!'

Dertig meter van hen vandaan kwam een wachtpost uit het gapende bouwwerk lopen, met een geweer aan een riem over de schouder; hij had zijn armen uitgestrekt en zijn borst volgezogen in een enorme geeuw. Bourne wist dat dit het moment was om in actie te komen; er zou zich geen beter voordoen. De moordenaar lag voorover op de grond, zijn gebonden handen lagen onder hem, zijn wijdopen mond was in het zand gedrukt. Jason pakte het losse stuk nylontouw vast, greep de killer bij zijn haar, rukte zijn hoofd omhoog en draaide de lijn twee keer om de nek van de commando. 'Als je je beweegt, stik je,' fluisterde Bourne en hij stond op.

Hij rende geruisloos naar de muur van de hangar, liep toen snel naar de hoek en keek er voorzichtig omheen. De wachtpost had zich nauwelijks bewogen. Toen begreep Jason het — de man stond te urineren. Volkomen natuurlijk en volkomen volmaakt. Bourne zette een stap van het gebouw vandaan, duwde zijn rechtervoet in het gras en rende naar voren. Zijn wapen was een strak gehouden rechterhand en een opzwaaiende linkervoet die het benedendeel van de ruggegraat van de wachtpost raakte. De man zakte bewusteloos ineen. Jason sleurde hem terug naar de hoek van de hangar en toen over het gras naar de plek waar de killer onbeweeglijk lag, bang zich te verroeren.

'Je begint het te leren, majoor,' zei Bourne en hij greep de killer weer bij zijn hoofd en trok het nylontouw los van zijn nek. Het feit dat de touwlus de bedrieger evenmin zou hebben doen stikken als een losse waslijn rond iemands nek leerde Delta iets. De killer kon niet rechtlijnig denken. Spanningen waren niet het sterkste punt in de gedachtengang van de moordenaar, alleen de uitgesproken bedreiging met de dood. Dat moest hij onthouden. 'Sta op,' beval Jason. Dat deed de killer en hij zoog diep de lucht in met zijn wijdopen mond, met woedende blik en haat in zijn ogen. 'Denk maar eens aan Echo,' zei Bourne en zijn eigen blik weerspiegelde de walging van de killer. 'Pardon, ik bedoel d'Anjou. De man die jou je leven teruggaf, één leven in elk geval, en eentje dat je kennelijk beviel. Jouw Pygmalion, *old chap!* ... Luister nou naar me en luister goed. Wil je dat ik het touw weghaal?'

'Ahrhr!' kreunde de killer, knikkend en met ogen die nu niet meer haatten maar smeekten.

'En wil je je duimen weer losgemaakt hebben?'

'Ahrhr, ahrhr!'

'Je bent geen guerrilla, je bent een gorilla,' zei Jason en hij trok het pistool uit zijn riem. 'Maar zoals wij dat vroeger zeiden — lang vóór jouw tijd, *old chap* — er zijn "voorwaarden" aan verbonden. Kijk eens, we komen hier allebei levend uit of we verdwijnen en ons stoffelijk overschot komt in een Chinees vuur terecht, geen verleden en geen heden meer, en zeker geen terugblik meer op onze minderwaardige bijdragen aan de maatschappij... Ik merk dat ik je verveel. Sorry, ik zal de hele zaak vergeten.'

'Ahrhr!'

'Goed dan, als je erop staat. Ik geef je natuurlijk geen wapen, en als je probeert er eentje te grijpen — en dat zal ik doen wanneer jij het probeert — dan ben je er geweest. Maar als je je netjes gedraagt dan zouden we misschien — heel misschien — kunnen ontsnappen. Wat ik je eigenlijk probeer bij te brengen, meneer *Bourne,* is dat die cliënt van jou, wie hij hier dan ook is, zich niet kan veroorloven jou in leven te laten, net zo min als hij zich dat met mij kan veroorloven. Begrijp je dat? Heb je het door? *Capice?'*

'Ahrhr!'

'Nog iets,' voegde Jason eraan toe, terwijl hij aan het touw trok dat over de schouder van de commando hing. 'Dit is nylon of polyurethaan of hoe ze het ook noemen mogen. Wanneer het verbrand wordt zwelt het op net als marshmallow; je kunt het onmogelijk losknopen. Het zal vastzitten aan alletwee je enkels en beide knopen komen in elkaar te zitten als brokken cement. Je benen krijgen een bewegingsruimte van ongeveer anderhalve meter, alleen omdat ik zo'n goeie knutselaar ben. Is dat duidelijk?'

De killer knikte en terwijl hij dat deed sprong Bourne naar rechts, schopte de commando in zijn knieholten zodat hij op de grond terecht kwam en het bloed uit zijn vastgebonden duimen drupte. Jason knielde met het pistool in zijn linkerhand in de mond van zijn tegenstander gedrukt terwijl hij met de vingers van zijn rechterhand de knoop op het achterhoofd van de commando losmaakte.

'Goeie gód!' riep de killer uit toen het touw los was.

'Ik ben blij te horen dat je een beetje godsdienstig bent,' zei Bourne en hij liet het wapen vallen en bond het touw snel om de enkels van de commando met een platte knoop om het vast te zetten. Toen knipte hij zijn aansteker aan en stak de uiteinden in brand. 'Dat kon je wel eens nodig hebben.' Hij pakte het pistool weer op, hield het tegen het voorhoofd van de killer en maakte de draad los om de polsen van zijn gevangene. 'Haal zelf de rest er maar af,' beval hij. 'Voorzichtig met je duimen, die zijn beschadigd.'

'Mijn rechterarm is anders ook geen lolletje!' zei de Engelsman terwijl hij met moeite de knopen losmaakte. Toen hij zijn handen vrij had schudde de killer ermee en zoog toen het bloed van zijn wonden. 'Heb je je toverdoosje bij de hand, meneer *Bourne?*' vroeg hij.

'Altijd binnen handbereik,' antwoordde Jason. 'Wat heb je nodig?'

'Leukoplast. Mijn vingers bloeden. Dat noemen ze zwaartekracht.'

'Je hebt braaf je best gedaan op school.' Bourne stak zijn hand achteruit naar de rugzak, trok die naar voren en liet hem voor de commando vallen terwijl hij het pistool op diens hoofd hield gericht. 'Voel er maar in. Ergens bovenop ligt wel wat.'

'Ik heb het,' zei de moordenaar en hij draaide wat leukoplast los en wond het snel om zijn duimen. 'Het is verrekte gemeen om iemand zoiets aan te doen,' voegde hij eraan toe toen hij klaar was.

'Denk maar aan d'Anjou,' zei Jason vlak.

'Hij wílde dood, godverdomme! Wat had ik nog kunnen doen?'

'Niks. Omdat je niks voorstelt.'

'Nou dan, dan zit ik zo'n beetje op jouw niveau, nietwaar, kerel? Hij heeft me naar jouw gelijkenis gemaakt!'

'Jij hebt daar het talent niet voor,' zei Jason Bourne. 'Je schiet tekort. Je kunt niet rechtlijnig denken.'

'Wat stelt dát nu weer voor?'

'Denk er maar eens over na.' Delta kwam overeind. 'Sta op,' beval hij.

'Nou moet je me toch eens vertellen,' zei de killer terwijl hij omhoog kwam en staarde naar het wapen dat op zijn hoofd was gericht. 'Waarom ik? Waarom ben jij ooit uit de zaken gestapt?'

'Omdat ik er nooit in heb gezeten.'

Plotseling werd het vliegveld fel verlicht door schijnwerpers die één voor één aansprongen en bij die egale, felle verlichting verschenen gele markeerlichten langs de hele lengte van de landingsbaan. Mannen kwamen de barak uitrennen, een aantal liep op de hangar af, anderen renden achter hun woonbarak waar de motoren van onzichtbare voertuigen ineens brullend startten. De lichten in het stationsgebouw floepten aan. Ineens was er overal volop leven.

'Trek zijn jasje uit en doe zijn pet af,' beval Bourne en hij wees met zijn pistool naar de bewusteloze wacht. 'Trek die aan!'

'Die zullen me niet passen!'

'Dan kun je ze wel laten veranderen op Savile Row. Maak vóórt!'

De bedrieger deed wat hem bevolen werd maar hij had zoveel moeite met zijn rechterarm dat Jason de mouw voor hem omhoog moest houden. Terwijl Bourne de commando met zijn pistool in de rug porde renden beide mannen naar de muur van de hangar en bewogen zich vervolgens voorzichtig naar het uiteinde van het gebouw.

'Zijn we het eens?' vroeg Bourne fluisterend en hij keek naar het gezicht dat zozeer op het zijne leek van jaren geleden. 'We ontsnappen of we gaan eraan?'

'Begrepen,' antwoordde de commando. 'Die krijsende klootzak met zijn mooie sabel vol bloed is zo gek als een malloet. Ik wil wég!'

'Dat was anders niet aan je gezicht te zien.'

'Als het te zien was geweest had die maniak mij ook afgemaakt!'

'Wie is hij?'

'Ik heb zijn naam nooit gehoord. Alleen een serie tussenpersonen om contact met hem te krijgen. De eerste was een man van het garnizoen van Guangdong, die Soo Jiang heette...'

'Die naam ken ik. Ze noemen hem "Het varken".'

'Dat kan best zijn, ik weet het niet.'

'Vervolgens?'

'Dan wordt er een nummer afgegeven aan Tafel Vijf in het casino in...'

'Het Kam Pek in Macao,' onderbrak Jason hem. 'En dan?'

'Ik bel dat nummer en spreek Frans. Die Soo Jiang is een van de weinige spleetogen die die taal spreken. Hij bepaalt de tijd van de ontmoeting; de plaats is altijd dezelfde. Ik steek de grens over naar een wei in de heuvels waar een helicopter landt en iemand mij de naam van het slachtoffer geeft. En de helft van het geld voor de moord... Kijk! Daar komtie! Hij maakt een cirkel om te gaan landen.'

'Ik heb mijn pistool op je hoofd gericht.'

'Begrepen.'

'Heb jij bij je training soms geleerd hoe je zo'n ding moet vliegen?'

'Nee. Alleen hoe ik eruit moet springen.'

'Daar zullen we niet veel aan hebben.'

Het vliegtuig dat ging landen gleed, met knipperende rode lichten aan de uiteinden van de vleugels, uit de oplichtende hemel neer in de richting van de landingsbaan. Het toestel maakte een perfecte landing. Het taxiede naar het eind van de landingsbaan, maakte een bocht naar rechts en begon terug te rollen naar het stationsgebouw.

'Kai guan qi you!' schreeuwde een stem voor de hangar en een man wees naar de drie tankauto's die aan de kant stonden.

'Ze gaan benzine tanken,' zei Jason. 'Het vliegtuig gaat weer opstijgen. Laten we zien dat we aan boord komen.'

De killer draaide zich om en er lag een smekende uitdrukking op zijn gezicht — dát gezicht. 'Geef me in godsnaam een mes of zoiets!'

'Niks.'

'Ik kan meehelpen!'

'Dit is mijn pakkie-an, majoor, niet het jouwe. Met een mes zou je mijn maag openritsen. Vergeet 't maar, *old chap.*'

'Da long xia!' riep dezelfde stem van voor de hangar, en hij beschreef de regeringsfunctionarissen als een soort grote krabben. *'Fang song,'* vervolgde hij, aangevend dat iedereen kalm aan kon doen, dat het vliegtuig terug zou komen van het luchthavengebouw en dat de eerste van de drie tankwagens het tegemoet moest rijden.

'Het zal ongeveer tien minuten duren,' zei de killer. 'Het is een Chinese versie van een verbeterde DC-3.'

Het toestel stopte, de motoren werden afgezet, rolladders werden tegen de vleugels geplaatst en mannen klommen erop. De brandstoftanks werden geopend en de mondstukken erin gestoken terwijl de onderhoudsploegen aan één stuk met elkaar kwetterden. Ineens ging de deur in het midden van de romp open en een metalen trap klapte neer. Twee mannen in uniform kwamen naar buiten.

'De piloot en zijn tweede piloot,' zei Bourne, 'en het is niet om hun benen te strekken. Ze controleren alles wat die lui aan het doen zijn. We zullen dit heel precies moeten uitkienen, majoor, en als ik zeg "Vooruit!" dan schiet je op.'

'Recht op de deur af,' stemde de killer in. 'Wanneer die tweede kerel op de eerste tree stapt.'

'Zoiets ongeveer.'

'Afleidingsmanoeuvre?'

'Wat voor een?'

'Jij had gisteravond een hele aardige. Je hebt je privé Nieuwjaar gevierd, inderdaad.'

442

'Kan niet. Bovendien heb ik er geen meer over... Wacht 's even. De brandstofwagen.'

'Als je die opblaast gaat het hele vliegtuig mee. Je kunt het ook niet zo uitkienen dat de kerels net terug aan boord gaan.'

'Die wagen niet,' zei Jason en hij schudde zijn hoofd en staarde langs de commando. 'Die daarginds.' Bourne gebaarde naar de dichtstbijzijnde van de twee rode tankwagens die voor hen stonden, op ongeveer dertig meter afstand. 'Als die ontplofte zouden ze het eerst van alles het vliegtuig hier moeten weghalen.'

'En dan zouden we een heel stuk dichterbij zijn dan nu het geval is. Laten we dat doen.'

'Nee,' corrigeerde Jason hem. 'Jij gaat het doen. Precies op de manier als ik het je zal zeggen met mijn pistool op een paar centimeter van je kop. Vooruit!'

Met de killer voorop renden ze naar de tankwagen, onder dekking van het schemerlicht en de drukte om het toestel. De piloot en zijn tweede bestuurder schenen met zaklantaarns over de motoren en schreeuwden ongeduldige bevelen naar de onderhoudsploegen. Bourne beval de commando gebukt vóór hem te gaan zitten terwijl hij knielend de open rugzak voor zich hield en de rol verbandgaas eruit haalde. Hij haalde het jachtmes uit zijn riem, trok een stuk slang van de spoel waarop die gerold zat, liet het op de grond vallen en liet zijn linkerhand naar het uiteinde glijden waar de slang aansloot op de tank.

'Hou die kerels in de gaten,' zei hij tegen de commando. 'Hoeveel tijd hebben we nog? En doe het langzaam, majoor. Ik hou je in het oog.'

'Ik zei dat ik wilde ontsnappen. Ik ga de zaak niet verpesten!'

'Natuurlijk wil je ontsnappen, maar ik heb zo'n idee dat je het het liefst alleen doet.'

'Daar heb ik geen moment aan gedacht.'

'Dan ben je mijn mannetje niet.'

'Hartelijk bedankt.'

'Nee, dat meende ik. Ik zou daar wel aan hebben gedacht... Hoeveel tijd nog?'

'Ongeveer twee à drie minuten voorzover ik het kan bekijken.'

'Hoe goed kun jij zoiets bekijken?'

'Iets meer dan twintig opdrachten in Oman, Jemen en alles ten zuiden. Vliegtuigen van ongeveer dezelfde bouw en dezelfde motoren. Ik ken ze goed, kerel. Ouwe koek voor mij. Twee à drie minuten, meer niet.'

'Goed. Kom hierheen.' Jason stak met zijn mes in de slang en maakte er een klein gat in, voldoende om er een constant stroompje brandstof uit te laten stromen, maar niet zoveel dat de pomp nauwelijks meer zou werken. Hij kwam overeind, hield de killer onder schot met zijn pistool en gaf hem de rol verbandgaas. 'Trek er zowat twee meter vanaf en drenk het in de brandstof die eruit loopt.' De killer knielde en deed zoals Bourne hem had gezegd. 'Nu stop je het uiteinde in de spleet die ik in de slang heb gestoken,' vervolgde Jason. 'Verder, vérder. Gebruik je duim!'

'Mijn arm is niet meer wat hij geweest is.'

'Gebruik dan je linkerhand maar! Harder duwen!' Bourne keek snel om naar het toestel dat volgetankt werd – dat nu volgetankt wás. De commando had het goed geschat. Er klommen kerels van de vleugels af en ze begonnen de slangen weer in de tankwagen op te rollen. Plotseling waren de piloot en zijn tweede man bezig met de laatste controle. Ze zouden in minder dan een minuut teruglopen naar de trap! Jason haalde lucifers uit zijn zak en gooide ze voor de killer neer, met zijn pistool op diens hoofd gericht. 'Steek aan. Nú!'

'Dan gaat de zaak de lucht in als een staaf dynamiet! We zullen alletwee opgeblazen worden, ik zeker!'

'Niet als je het goed doet. Leg het gaas op het gras, dat is nat...'

'Zal de vlam tegenhouden...?'

'Schiet nou op! Steek aan!'

'Gebeurd!' De vlam sprong op aan het uiteinde van de stofstrook, zakte toen weer ineen en begon langzaam langs het gaas te lopen. 'Verdomde knutselaar,' mompelde de commando binnensmonds terwijl hij overeind kwam.

'Kom vóór me lopen,' beval Bourne terwijl hij de rugzak vastknoopte aan zijn riem. 'Ga recht vooruit lopen. Maak je wat kleiner en trek je schouders in zoals je dat in Lo Wu hebt gedaan.'

'Verrék! Was jíj...'

'Schiet op!'

De tankwagen begon weg te rijden van het vliegtuig, maakte toen een draai naar voren langs de rolladders en reed naar links waar de eerste rode wagen stond geparkeerd... maakte weer een draai, nu naar rechts vlak achter beide stilstaande wagens en stopte naast de tankauto waar de vlam van het ontstoken gaas nu op weg was naar de tank. Jason keek snel om en staarde strak naar het brandende verband. Dat brandde nu volop! Er hoefde nu maar één vonk via het snuifkraantje binnen te dringen en de ontploffende tank zou gloeiend heet metaal tegen de kwetsbare rompen van de andere wagens doen belanden. Elk moment nu!

De piloot gebaarde naar zijn tweede piloot. Samen liepen ze op de rompdeur af.

'Sneller!' schreeuwde Bourne. 'Hou je klaar om te rennen!'

'Wanneer?'

'Dat merk je wel. Trek je schouders in! Krom je ruggegraat, verdomme!' Ze sloegen rechtsaf naar het toestel en liepen recht door de groep onderhoudsmensen heen die op weg waren naar de hangar. *'Gongju ne?'* riep Jason en hij verweet een collega dat die zijn waardevolle gereedschapskist had achtergelaten bij het vliegtuig.

'Gong ju?' schreeuwde de man aan het eind van de groep en hij pakte Bourne bij diens arm en hield een gereedschapskist omhoog. Hun blikken kruisten elkaar en de monteur bleef als versteend staan met zijn gezicht vertrokken van angst. *'Tian a!'* gilde hij.

Het gebeurde. Het was te laat voor een uitleg die eventueel nog gevolgen kon hebben. De tankwagen ontplofte en perste onregelmatige wolken vuur omhoog terwijl dodelijke brokken verwrongen metaal boven en opzij van het brandende voertuig wegvlogen. De monteurs gilden in koor. Kerels renden alle kanten op, de meesten naar de beschutting van de hangar.

'Rennen!' schreeuwde Jason. De killer had geen aansporing nodig. Beide mannen renden naar het vliegtuig en de rompdeur waar de piloot die al naar binnen was geklommen nu stomverbaasd naar buiten stond te staren, terwijl de tweede piloot als versteend op de trap bleef staan. *'Kùai!'* gilde Bourne die zijn gezicht in het donker hield en de commando dwong omlaag naar de traptreden te kijken. *'Jiu fei ji...'* voegde hij er krijsend aan toe en hij zei de piloot daarmee uit de buurt van de brand te gaan om het toestel te redden, hij hoorde bij de onderhoudsploegen en zou de deur sluiten.

Een tweede wagen ging de lucht in en de tegenover elkaar liggende vuurwanden vormden een vulkanische uitbarsting van vlammen en uiteenspattend metaal.

'U hebt gelijk!' schreeuwde de piloot in het Chinees. Hij greep zijn tweede piloot bij zijn hemd en trok hem naar binnen, beiden holden ze door het korte gangetje naar de cockpit.

Dit was het moment, dacht Jason. *Hij verbaasde zich.* 'Stap in!' beval hij de commando toen de derde tankwagen zijn vlammende inhoud over het hele veld sproeide in het eerste ochtendlicht.

'Oké!' gilde de killer, hij hief zijn hoofd op en strekte zijn lichaam om de trap op te rennen. Ineens, toen er nog een ontploffing weerklonk en de motoren brullend tot leven kwamen, draaide de killer zich bliksemsnel om op de trap, zijn rechtervoet bewoog zich zwiepend naar Bourne's lies, zijn rechterhand vloog naar voren om het wapen af te weren. Jason was erop voorbereid. Hij smakte de loop van zijn wapen tegen de enkel van de commando, zwaaide het wapen toen omhoog en liet het dreunend neerkomen op de slaap van de killer. Het bloed stroomde eruit en de moordenaar viel achteruit de romp in. Bourne sprong de treden op en schopte het bewusteloze lichaam van de bedrieger over de metalen vloer. Hij rukte de deur dicht, smakte de hendels omlaag en zette de deur vast. Het toestel begon te taxiën en zwaaide direct naar links, weg van de gevaarlijke brandhaard. Jason trok de rugzak van zijn riem, haalde er een tweede stuk nylontouw uit en bond de killer met zijn polsen vast aan twee ver uiteenstaande stoelpoten. De commando kon zichzelf onmogelijk bevrijden – Bourne kon tenminste geen enkele manier bedenken – maar om er helemaal zeker van te zijn sneed Jason het touw door dat de voeten van de killer aan elkaar bond en knoopte elke voet apart aan de tegenover elkaar liggende stoelpoten in het gangpad. Hij kwam overeind en ging op weg naar de cockpit. Het vliegtuig bevond zich nu op de startbaan, het taxiede over het asfalt. Ineens werden de motoren stopgezet. Het toestel ging stoppen voor het luchthavengebouw waar de groep regeringsfunctionarissen bijeen stond, starend naar de steeds heviger opflakkerende brand op minder dan een halve kilometer van hen vandaan naar het noorden.

'*Kai ba!*' zei Bourne en hij hield de loop van zijn pistool tegen het achterhoofd van de piloot. De tweede piloot draaide zich met een ruk om in zijn stoel. Jason sprak in duidelijk Mandarijns terwijl hij zijn arm verplaatste. 'Let op uw instrumenten en maak u gereed op te stijgen, geef me dan uw kaarten.'

'Ze zullen ons niet laten gaan!' gilde de piloot. 'We moeten nog vijf vertrekkende commissarissen meenemen!'

'Waarheen?'

'Baoding.'

'Dat ligt in het noorden,' zei Bourne.

'Noordwesten,' beweerde de tweede piloot.

'Goed zo. Vlieg dan maar naar het zuiden.'

'Dat zal niet worden toegestaan!' schreeuwde de piloot.

'Uw eerste plicht is het redden van het vliegtuig. U weet niet wat daarbuiten aan de hand is. Het kan best sabotage zijn, een revolutie, een opstand. Doe wat ik zeg of u gaat er beiden aan. Het kan me echt niks schelen.'

De piloot draaide met een ruk zijn hoofd om en keek omhoog naar Jason. 'U bent een westerling! U spreekt Chinees maar u bent een westerling! Wat bent u van plan?'

'Ik kaap dit vliegtuig. U hebt nog voldoende startbaan over. Stijg op! Naar het zuiden! En geef mij de kaarten!'

De herinneringen doken weer op. Verre geluiden, vage beelden.

'*Slangevrouw, slangevrouw! Geef antwoord! Welke sectorcoördinaten?*'

Ze waren op weg naar Tam Quan en Delta weigerde de radiostilte te verbreken. Hij wist waar ze waren en dat was het enige belangrijke. Het hoofdkwartier in Saigon kon naar de bliksem lopen, hij was niet van plan de Noordvietnamese luisterposten enig idee te geven waarheen ze op weg waren.

'*Als u niet wilt of niet kunt antwoorden, Slangevrouw, blijf onder de zeshonderd voet! Dit is een vriend die hier spreekt, klootzakken! Jullie hebben er hier toch al niet zoveel! Hun radar zal jullie oppikken boven de zeshonderdvijftig.*'

Dat weet ik, Saigon, en mijn piloot weet het ook, al vindt-ie het hele-
maal niet leuk en ik verbreek toch die radiostilte niet.
'Slangevrouw, we zijn jullie helemaal kwijt! Hebben jullie misschien
nog een mongool aan boord die een luchtkaart kan lezen?'
Jawel, ik kan dat heel goed, Saigon. Dacht je soms dat ik met mijn
ploeg zou vertrekken en iemand van jullie zou vertrouwen? Godver-
domme, daar beneden zit mijn broer! Ik ben niet belangrijk voor jullie
maar hij is dat wel!

'U bent gek, westerling!' gilde de piloot. 'Bij de naam van mijn voorvaderen, dit is een zwaar vliegtuig en we zitten nauwelijks boven de boom-
toppen!'
'Hou de neus omhoog,' zei Bourne terwijl hij de kaart bekeek. 'Blijf
laag, maar zorg dat u voldoende hoogte houdt, meer niet.'
'Dat is ook waanzin!' schreeuwde de tweede piloot. 'Eén valwind op deze hoogte en we vliegen het bos in! We zijn er gewéést!'
'Het weerbericht op uw radio zegt dat er geen turbulentie wordt verwacht. . .'
'Dat is voor veel hóger,' gilde de piloot. 'U begrijpt de gevaren niet! Dat
geldt niet voor hier beneden!'
'Wat was het laatste rapport uit Jinan?' vroeg Jason, die dat heel goed
wist.
'Ze hebben geprobeerd deze vlucht te volgen naar Baoding,' zei de officier. 'De laatste drie uur hebben ze dat niet kunnen doen. Ze zoeken nu
in de Hengshui bergen. . . Bij mijn voorvaderen, waarom zeg ik dat tegen ú?! U hebt de rapporten zelf gehoord! U spreekt beter dan mijn ouders en die zijn op school geweest!'
'Twee-nul voor de luchtmacht van de republiek. . . Goed dan, beschrijf
een bocht van honderdzestig graden over tweeëneenhalve minuut en
klim tot een hoogte van duizend voet. Dan zijn we boven water.'
'We zijn dan in het luchtgebied van Japan! Die zullen ons neerschieten!'
'Steek maar een witte vlag uit, of nog beter, ik zal de radio wel pakken.
Ik bedenk wel iets. Misschien escorteren ze ons wel naar Kowloon.'
'Kowloon!' krijste de tweede piloot. 'We zullen neergeknald worden!'
'Best mogelijk,' stemde Bourne in. 'Maar niet door mij,' voegde hij eraan toe. 'Want ziet u, als puntje bij paaltje komt dan moet ik daar aankomen zonder jullie. Jullie kan ik zelfs helemaal niet gebruiken bij wat
ik van plan ben. Ik kan dat niet toestaan.'
'Ik kan er geen touw aan vastknopen wat u zegt,' zei de wanhopige piloot.
'Maakt u nou maar die bocht van honderdzestig graden, wanneer ik het
zeg.' Jason bekeek de luchtsnelheid, zette die om in knopen op de kaart
en berekende ongeveer de afstand die hij hebben wilde. Beneden zich
zag hij door het raam de kust van China achter hen verdwijnen. Hij

keek op zijn horloge. Er was anderhalve minuut verstreken. 'Beschrijf uw bocht, kapitein,' zei hij.
'Die zou ik in elk geval hebben gemaakt!' riep de piloot uit. 'Ik ben geen goddelijke Kamikaze-wind. Ik vlieg mijn eigen dood niet tegemoet.'
'Niet eens voor uw hemelse regering?'
'Voor hen nog het minst.'
'De tijden veranderen,' zei Bourne en hij bekeek opnieuw geconcentreerd de luchtkaart. 'De zaken veranderen.'

'Slangevrouw, slangevrouw! Opdracht afbreken! Als u me kunt horen maak dan dat u daar wegkomt en keer terug naar het basiskamp. Dit is hopeloos! Verstaat u me? Opdracht afbreken!'
'Wat wil je doen, Delta?'
'Blijf doorvliegen, vader. Over drie minuten kun je hier opdonderen.'
'Dat ben ik. Wat gebeurt er met jou en je mensen?'
'Wij halen het wel.'
'Je gaat zelfmoord plegen, Delta.'
'Moet je mij vertellen... Oké, laat iedereen zijn valscherm controleren en gereedmaken om te springen. Laat iemand Echo helpen, leg zijn hand op het koord.'
'Déraisonable!'

De luchtsnelheid lag dicht bij de 595 kilometer per uur. De route die Jason had gekozen, laag vliegend door de Straat van Formosa, voorbij Longhai en Shantou aan de Chinese kust, en Hsinchu en Fengshan op Taiwan, was bijna 2310 kilometer. Daarom was een schatting van vier uur, plus of min een paar minuten redelijk. De eerste eilanden ten noorden van Hongkong zouden over minder dan een half uur onder hen liggen.
Ze waren tijdens de vlucht tweemaal opgeroepen per radio, één keer vanuit het Nationalistische garnizoen op Quemoy en de andere keer vanuit een patrouillevliegtuig voor Raoping. Bourne had telkens de microfoon ter hand genomen en had in het eerste geval uitgelegd dat ze op zoek waren naar een schip met averij dat met goederen uit Taiwan op weg was naar het vasteland, en in het tweede geval had hij een wat dreigender klinkende verklaring afgegeven dat ze in een toestel van de Staatspolitie van de Volksrepubliek de kust afzochten naar smokkelvaartuigen die ongetwijfeld ontkomen waren aan de patrouilles uit Raoping. Voor dat laatste gesprek was hij niet alleen onaangenaam arrogant geweest maar hij had ook de naam en het officiële − zeer geheime − identiteitsnummer gebruikt van een dode samenzweerder die onder een Russische limousine lag in het Jing Shan Vogelreservaat. Of iedere ontvanger hem geloofde of niet had, naar hij verwachtte, niets met de zaak te maken. Niemand had er zin in de *status quo* te verstoren. Het

leven was al ingewikkeld genoeg. *Laat de zaken maar lopen, laat ze met rust. Er dreigde immers geen gevaar?*

'Waar is uw uitrusting?' vroeg Jason aan de piloot.

'Daar vlíeg ik in!' antwoordde de man terwijl hij zijn instrumenten bekeek en zichtbaar schrok van elk gekraak uit de radio, elk radiogesprek van een burgertoestel. 'Ik weet niet of u het weet, maar we hebben geen vluchtplan. We kunnen wel recht op een dozijn verschillende vliegtuigen aanvliegen!'

'Daarvóor zitten we te laag,' zei Bourne, 'en het zicht is prima. Ik vertrouw op uw ogen om nergens tegenop te botsen.'

'U bent gék!' schreeuwde de piloot.

'Integendeel. Ik sta op het punt weer helemaal normaal te worden. Waar is uw nooduitrusting? Afgaande op de manier waarop die lui bij jullie hun spullen in elkaar schroeven, kan ik me niet voorstellen dat u die niet aan boord hebt.'

'Wat voor nooduitrusting?' vroeg de piloot.

'Vlotten, seinpistolen... parachutes.'

'Oh, mijn lieve voorvaderen!'

'Waar?'

'Een kast achter in het toestel, de deur rechts van de galley.'

'Het is allemaal voor de hoge heren,' voegde de tweede piloot er nors aan toe. 'Als er moeilijkheden komen zijn ze voor hen bestemd.'

'Dat is redelijk,' zei Bourne. 'Hoe kunnen jullie je anders met jullie zaken bemoeien?'

'Waanzin.'

'Ik ga naar achteren, heren, maar mijn pistool blijft op jullie gericht. Blijf koers houden, kapitein. Ik ben heel ervaren en erg gevoelig. De minste verandering in koers of hoogte kan ik voelen, en als ik dat voel zijn we allemaal dood. Begrepen?'

'Maniák!'

'Moet je mij vertellen.' Jason stapte uit de cockpit en liep naar achteren door de romp. Hij stapte over de uitgestrekte en vastgebonden gevangene die zijn pogingen om los te komen had opgegeven. Geronnen bloed zat gekoekt op de wond aan zijn linkerslaap. 'Hoe is 't ermee, majoor?'

'Ik heb misgekleund. Wat wil je nog meer?'

'Jouw levende lijf in Kowloon, dat wil ik.'

'Zodat een of andere klootzak me voor een executiepeloton kan poten?'

'Dat ligt aan jou. Nu ik de zaken op een rijtje begin te zetten zou het best eens kunnen zijn dat een of andere klootzak jou een medaille zal geven als je je kaarten uitspeelt zoals je ze moet spelen.'

'Jij bent erg goed in het uitslaan van wartaal, Bourne. Wat wil je daarmee nu weer zeggen?'

'Een beetje geluk, en je komt erachter.'

'Buitengewoon bedankt!' schreeuwde de Engelsman.

'Je hoeft mij niet te bedanken. Je hebt me zelf op het idee gebracht, ke-rel. Ik vroeg je of je bij je training geleerd had hoe je een van deze din-gen moest vliegen. Weet je nog wat je toen zei?'
'Wat dan?'
'Je zei dat je alleen wist hoe je eruit moest springen.'
'Krijg de pést!'
De commando zat, met de parachute stevig op zijn rug gegespt, rechtop tussen twee stoelen vastgebonden, met handen en voeten geboeid en zijn rechterhand vastgesjord aan het trekkoord.
'Je ziet eruit als een kerstkalkoen bij een poelier, majoor. En je bent nog lekker vers ook.'
'Hou in godsnaam op met in kryptogrammen te praten!'
'Neem me niet kwalijk. Mijn andere ik probeert maar steeds ertussen te komen. Je gaat niks stoms uithalen, rotzak, want je gaat door het luik! Heb je me gehoord? Begrepen?'
'Begrepen.'
Jason liep naar de cockpit, ging op de vloer zitten, pakte de kaart en vroeg aan de tweede piloot: 'Waar zitten we?'
'Over zes minuten boven Hongkong als we nergens tegenaan botsen.'
'Ik heb alle vertrouwen in u, maar ook al zouden jullie willen overlo-pen, we kunnen niet op Kai-Tak landen. Vlieg maar naar de *New Terri-tories.*'
'*Aiya!*' gilde de piloot. 'Dan vliegen we door een radarzone! Die krank-zinnige Gurkha's schieten op alles wat maar even op het Vasteland lijkt!'
'Niet als ze u niet zien, kapitein. Blijf tot aan de grens beneden de zes-honderd voet en klim dan over de bergen bij Lo Wu. Daar kunt u radio-contact opnemen met Shenzhen.'
'En wat moet ik hun, bij de naam van mijn voorvaderen, zeggen?'
'U bent gewoon gekaapt. Ik kan me niet in uw gezelschap vertonen. We kunnen niet landen in de kolonie. Dan zou u de aandacht vestigen op een hele verlegen man, en op zijn vriendje.'

De parachutes klapten open boven hen, het touw van twintig meter dat hen bij hun middel verbond ging strak staan in de wind, terwijl het vliegtuig zich snel verwijderde naar het noorden, richting Shenzhen.

Ze landden in het water van een viskwekerij ten zuiden van Lok Ma Chau. Bourne haalde het touw in en trok de geboeide killer naar zich toe, terwijl de eigenaars van de kwekerij stonden te schreeuwen op de oevers van hun rechthoekige vijvers. Jason stak geld omhoog — meer geld dan de man en vrouw in een jaar konden verdienen.
'Wij zijn overlopers!' riep hij. 'Ríjke overlopers! Wie zal zich druk ma-ken?'

Niemand maakte zich druk en de eigenaars van de kwekerij nog het minst. *'Mgoi! Mgoissaai!'* bleven ze maar zeggen, en ze bedankten die vreemde roze wezens die uit de hemel waren komen vallen, terwijl Bourne de killer uit het water sleurde.

Nadat ze hun Chinese kleren hadden uitgetrokken en de polsen van de commando op diens rug waren gebonden, bereikten Bourne en zijn gevangene de weg die naar het zuiden naar Kowloon liep. Hun doorweekte kleren droogden snel op in de warme zon, maar hun uiterlijk was niet opvallend genoeg om de aandacht te trekken van de paar voertuigen die op de weg reden en nog minder van wagens die bereid zouden zijn lifters mee te nemen. Het was een probleem dat om een oplossing vroeg. Een snelle oplossing en een afdoende. Jason was uitgeput. Hij kon nauwelijks lopen en zijn concentratie begon te vervagen. Eén misstap en hij was verloren, maar hij mócht niet verliezen! Niet nú!

Boeren sjokten langs de rand van de weg, voornamelijk vrouwen, en hun enorme, breedgerande zwarte hoeden beschermden gerimpelde gezichten tegen de zon; op frêle schouders rustten jukken waaraan manden met koopwaar hingen. Een paar keken er nieuwsgierig naar de slordig geklede westerlingen. Heel even maar, verrassingen konden ze in hun wereld niet gebruiken. Zolang ze maar in leven bleven, hun herinneringen waren scherp.

Herinneringen. *Bekijk alles nauwkeurig. Je vindt wel iets wat je gebruiken kunt.*

'Ga zitten,' zei Bourne tegen de killer. 'Opzij van de weg.'

'Wat? Waaróm?'

'Omdat je geen drie seconden daglicht meer zult zien als je het niet doet.'

'Ik dacht dat je me in levende lijve in Kowloon wilde hebben!'

'Als het moet kan ik het ook af met een dood lijf. Omlaag! Op je rug! Je kunt overigens zo hard schreeuwen als je wilt, niemand zal je verstaan. Je zou er me waarschijnlijk zelfs mee helpen.'

'Verrék, hoe dan?'

'Je bent gewond.'

'Wát?'

'Ga liggen! Nú!'

De killer liet zich zakken op de weg, draaide zich op zijn rug en staarde in het heldere zonlicht, terwijl zijn borst zwaar hijgend op en neer ging. 'Ik heb de piloot wel gehoord,' zei hij. 'Ik mag barsten als jij niet hartstikke gek bent!'

'Iedereen mag zijn eigen uitleg geven, majoor.' Plotseling draaide Jason zich om op de weg en begon te schreeuwen tegen de boerinnen. *'Jiu-ming!'* krijste hij. *'Ring bang mang!'* Hij smeekte de taaie oudjes om hulp voor zijn gewonde metgezel, die ofwel zijn rug had gebroken of gekneusde ribben had. Hij haalde geld uit zijn rugzak, legde uit dat elke minuut kostbaar was en dat zo snel mogelijke medische hulp noodzakelijk was. Als zij hem konden helpen zou hij heel goed betalen voor hun behulpzaamheid.

Alle boeren kwamen aanrennen, ze keken niet naar de patiënt maar naar het geld. Hun hoeden waaiden af, hun jukken waren vergeten.

'Na gunzi lai!' schreeuwde Bourne en hij vroeg om palen of stokken waarmee ze de gewonde man recht zouden kunnen houden.

De vrouwen liepen het veld in en kwamen terug met lange bamboestaken waarvan ze de vezels afsneden zodat de arme man die zo'n pijn had een beetje gemakkelijk kon liggen als hij eenmaal vastgesjord was. En nadat ze dat hadden gedaan en schel hun sympathie hadden betuigd ondanks de protesten van de patiënt in het Engels, namen ze het geld van Bourne aan en verdwenen.

Op één na. Ze zag een vrachtwagen aankomen uit het noorden.

'Duo shao qian?' zei ze, en ze vroeg dicht bij Jasons oor hoeveel hij wilde betalen.

'Ni shuo ne,' antwoordde Bourne en hij zei haar een prijs te noemen. Dat deed ze en Delta accepteerde. Met uitgestrekte armen liep de vrouw de weg op en de vrachtwagen stopte. Weer werd er onderhandeld met de bestuurder en de killer werd achterop geladen, languit liggend en vastgesjord aan de bamboestaken. Jason klom achter hem aan.

'Hoe gaat het met je, majoor?'

'Dit kreng hier zit vol met kolere eenden!' gilde de commando, en hij staarde om zich heen naar de stapels houten kooien die hem omringden, waaruit een doordringende, misselijkmakende stank opsteeg.

In haar ondoorgrondelijke wijsheid koos een bepaald stuk pluimvee juist dat moment uit om een straal eendepoep in het gezicht van de killer te spuiten.

'Volgende station, Kowloon,' zei Jason Bourne en hij sloot zijn ogen.

30

De telefoon ging over. Marie draaide zich snel om in haar stoel maar ze werd tegengehouden door de opgeheven hand van Mo Panov. De dokter liep de hotelkamer door, pakte de telefoonhoorn op naast het bed en sprak. 'Ja?' zei hij zacht. Hij luisterde met gefronste wenkbrauwen, keek vervolgens even naar Marie, alsof hij besefte dat zijn uitdrukking de patiënt ongerust kon maken, en zwaaide nu met zijn hand elke mogelijke ongerustheid weg die ze misschien gevoeld had vanwege het telefoontje. 'Goed,' vervolgde hij na bijna een minuut. 'We blijven hier totdat we iets van je horen, maar ik moet je iets vragen, Alex, en vergeef me dat ik het op de man af doe. Heeft iemand je een borrel gegeven?'

Panov vertrok zijn gezicht tot een grimas terwijl hij de hoorn even weg-trok van zijn oor. 'Ik kan alleen maar zeggen dat ik gewoon veel te aar-dig en te ervaren ben om me af te vragen wie jouw voorouders zijn. Ik spreek je nog wel.' Hij legde op.

'Wat is er gebeurd?' vroeg Marie en ze kwam half overeind uit haar stoel.

'Zoveel dat hij geen bijzonderheden kon vertellen, maar het was ge-noeg.' De psychiater zweeg even en keek neer op Marie. 'Catherine Sta-ples is dood. Ze is neergeschoten voor haar flatgebouw, een paar uur geleden...'

'Oh, mijn gód,' fluisterde Marie.

'Die corpulente inlichtingenman,' vervolgde Panov. 'Die wij hebben ge-zien op het station van Kowloon, die jij de majoor noemde en die Sta-ples identificeerde als een man die Lin Wenzu heette...'

'Wat is er met hem?'

'Hij is zwaar gewond en ligt met levensgevaar in het ziekenhuis. Daar belde Conklin, via een munttelefoon in het ziekenhuis.'

Marie keek Panov gespannen aan. 'Er is verband tussen de dood van Catherine en Lin Wenzu, nietwaar?'

'Ja. Toen Staples werd vermoord was het duidelijk dat de operatie ver-raden was...'

'Wélke operatie? Door wíe?'

'Alex zei dat we dat later nog wel zouden horen. Hoe dan ook, het be-gint nu spannend te worden en die Lin heeft misschien zijn leven wel opgeofferd om de infiltranten onschadelijk te maken, te "neutralise-ren" noemde Conklin het.'

'Oh, god,' riep Marie uit met wijdopengesperde ogen en haar stem klonk bijna hysterisch. 'Operaties! Verraad... neutraliseren, Lin, zelfs Catherine — een vriendin die me verraden heeft — het kan me allemaal niks schelen! Hoe is het met David?'

'Ze zeggen dat hij naar China is gegaan.'

'Lieve God, ze hebben hem vermoord!' gilde Marie terwijl ze opsprong uit haar stoel.

Panov haastte zich naar haar toe en pakte haar bij de schouders. Hij greep haar steviger vast en dwong haar op te houden met spastisch haar hoofd te schudden, smeekte haar zwijgend hem aan te kijken. 'Ik zal je vertellen wat Alex tegen me gezegd heeft... Luister naar me!'

Langzaam, hijgend, alsof ze zocht naar een helder moment in haar ver-warring en uitputting, bleef Marie staan en staarde haar vriend aan. 'Wat?' fluisterde ze.

'Hij zei dat hij op een bepaalde manier blij was dat David daar was — daar in vijandelijk gebied — omdat hij volgens hem een betere kans had in leven te blijven.'

'En jij gelóóft dat?' schreeuwde David Webbs vrouw terwijl de tranen opwelden in haar ogen.

'Misschien wel,' zei Panov knikkend en zijn stem klonk zacht. 'Conklin maakte me erop attent dat David hier in Hongkong in een drukke straat kan worden neergestoken of neergeschoten — mensenmassa's, zo drukte hij het uit, konden zowel vijandelijk zijn als beschermend werken. Vraag me niet waar die lui hun beeldspraak vandaan halen, ik weet het niet.'

'Wat probeer je me, verdomme, bij te brengen?'

'Wat Alex me heeft verteld. Hij zei dat ze hem gedwongen hebben terug te gaan, dat ze hem gemaakt hebben tot iemand die hij wilde vergeten. Toen zei hij dat er nog nooit iemand was geweest als ''Delta''. ''Delta'' was de beste die ze ooit hadden gehad... David Webb wás ''Delta'', Marie. Wat hij dan ook uit zijn gedachten wilde bannen, hij wás *''Delta''*. Jason Bourne kwam pas later, dat was een verlenging van de pijn die hij zichzelf wilde aandoen, maar hij heeft zijn vaardigheden geleerd als ''Delta''... In bepaalde opzichten ken ik jouw man net zo goed als jij hem kent.'

'In dat opzicht veel beter, dat weet ik zeker,' zei Marie, en ze liet haar hoofd rusten tegen de brede borst van Morris Panov. 'Er waren zóveel dingen waarover hij niet wilde praten. Hij was te bang, hij schaamde zich te zeer... Oh, mijn god, Mo! Komt hij nog ooit terug?'

'Volgens Alex zal ''Delta'' terugkomen.'

Marie boog zich achterover en keek de psychiater in de ogen. Haar blik stond star, door haar tranen heen. 'Hoe zit het met Dávid?' vroeg ze klaaglijk fluisterend. 'Zal hij ook terugkomen?'

'Daarop kan ik geen antwoord geven. Ik wou dat ik het kon, maar het is onmogelijk.'

'Ik begrijp het.' Marie liet Panov los en liep naar een raam. Ze keek omlaag naar de drommen mensen beneden in de drukke, schel verlichte straten. 'Je vroeg Alex of hij gedronken had. Waarom deed je dat, Mo?'

'Ik had achteraf mijn tong wel kunnen afbijten.'

'Omdat je hem beledigde?' vroeg Marie terwijl ze zich weer omkeerde naar de psychiater.

'Nee. Omdat ik wist dat jij het had gehoord en een verklaring zou vragen. Die zou ik je niet kunnen weigeren.'

'Nu dan?'

'Het ging om het laatste wat hij me zei, twee dingen eigenlijk. Hij zei dat je ongelijk had wat Staples betrof...'

'Ongelijk? Ik was erbij! Ik heb het gezien! Ik hoorde de leugens!'

'Ze probeerde je te beschermen zonder je in paniek te brengen.'

'Nog meer leugens! Wat was het andere?'

Panov bleef staan waar hij stond en zei simpelweg, terwijl hij Marie strak aankeek: 'Alex zei dat er in alles toch een zeker verband zit, hoe

waanzinnig het ook lijkt.'
'Mijn god, ze hebben hem ook omgepraat!'
'Niet helemaal. Hij wil hun niet vertellen waar jij bent, waar wij zijn. Hij zei me dat we ons gereed moesten houden om binnen een paar minuten te vertrekken, na zijn volgende telefoontje. Hij kan het risico niet lopen hier terug te komen. Hij is bang dat hij gevolgd zal worden.'
'We zijn dus weer op de vlucht en we kunnen nergens anders heen dan naar een volgende schuilplaats. En ineens zit er een rotte plek in onze dekking. Onze kreupele Sint Joris die draken verslaat wil nu met hen heulen.'
'Dat is niet eerlijk, Marie. Dat heeft hij niet gezegd en dat heb ik ook niet gezegd.'
'Gelúl, dokter! Het is míjn man die daarginds rondzwerft. Ze gebruiken hem, ze vermóórden hem, zonder ons te zeggen waarom! Och, misschien — heel misschien — blijft hij wel in leven omdat hij zo verschrikkelijk goed is in wat hij doet — *deed* — en wat hij uit de grond van zijn hart verachtte, maar wat blijft er over van de man en van zijn geest? Jij bent de specialist, dokter! Wat blijft er van hem over wanneer alle herinneringen weer terugkomen? En ze kunnen, goddomme, maar beter terugkomen, anders overleeft hij het niet!'
'Dat heb ik je gezegd, ik kan daar geen antwoord op geven.'
'Oh, je bent gewéldig, Mo! Het enige wat jij hebt zijn zorgvuldig afgepaalde standpunten en geen antwoorden, niet eens behoedzaam ingeklede voorspellingen. Jij verstopt je! Je had econoom moeten worden! Je hebt je roeping gemist!'
'Ik mis een heleboel dingen. Ik miste zelfs bijna het vliegtuig naar Hongkong.'
Marie bleef stokstijf staan alsof ze een klap had gekregen. Ze barstte uit in een nieuwe stroom van tranen, liep op Panov af en omhelsde hem. 'Oh, god, het spijt me, Mo! Vergeef me, vergééf me!'
'Ik ben degene die om vergeving dient te vragen,' zei de psychiater. 'Dat was een goedkope opmerking.' Hij hield haar hoofd tussen zijn twee handen en streelde zacht over het grijze haar met de witte lokken erdoor. 'Mijn God, ik kan die pruik niet uitstaan.'
'Het is geen pruik, dokter.'
'Mijn diploma's, die ik bij Sears Roebuck heb gekocht, hebben nooit betrekking gehad op de cosmetica.'
'Alleen maar op voetverzorging.'
'Die zijn gemakkelijker dan hoofden, neem dat maar van mij aan.'
De telefoon rinkelde. Marie hijgde van schrik en Panov hield zijn adem in. Langzaam draaide hij zijn hoofd om naar het verfoeide bellen.

'Als je dat nog eens probeert of iets in die geest dan ben je er geweest!' brulde Bourne en hij greep de rug van zijn hand vast waar de huid donker begon te kleuren door de kracht van de klap. De killer had zich, nu zijn polsen voor zijn lichaam over de mouwen van zijn jasje heen waren vastgebonden, uit alle macht tegen de deur van de goedkope hotelkamer geworpen en Jasons linkerhand was klem komen zitten tegen de deurpost.

'Wat verwacht je, godverdomme, dán van mij?' gilde de vroegere Engelse commando. 'Moet ik maar lief de zwoele nacht inlopen en glimlachen tegen mijn executiepeloton?'

'Je bent dus ook al een koffiedikkijker,' zei Bourne en hij keek toe hoe de killer zijn armen tegen zijn ribben drukte waar Jasons rechtervoet hem een rottrap had verkocht. 'Misschien wordt het tijd dat ik jou eens vraag waarom jij in de zaken bent gestapt waarmee ik me nooit echt heb bemoeid. Waarom, majoor?'

'Ben je werkelijk geïnteresseerd, meneer Origineel?' gromde de moordenaar en hij liet zich vallen in een versleten leunstoel tegen de muur. 'Dan moet ik op mijn beurt vragen: waarom?'

'Misschien omdat ik mezelf nooit heb begrepen,' zei David Webb. 'Ik kan daar heel rationeel over denken.'

'Och, over jou weet ik alles! Dat was een deel van de training van de Fransman. De beroemde Delta was geschift! Zijn vrouw en kindertjes waren doodgeschoten in het water in een plaats die Phnom Penh heette door een rondzwervend straalvliegtuig. Die oh-zo-gecivilieseerde *geleerde* werd gek en het is een feit dat niemand hem in bedwang kon houden en dat het niemand een barst kon schelen omdat hij en de teams die hij aanvoerde meer schade toebrachten dan de meeste van dat soort teams bij elkaar. Saigon zei dat je zelfmoordplannen had en wat hen betrof, hoe meer, hoe beter. Ze wilden jou en dat uitschot dat je onder je commando had laten sneuvelen. Ze wilden je nooit echt terughebben. Jij bracht hen in verlegenheid!'

Slangevrouw, slangevrouw... dit is een vriend die hier spreekt, klootzakken. Jullie hebben er hier toch al niet zoveel... Opdracht afbreken! Dit is hopeloos!

'Ik ken dat gedeelte, of ik geloof dat ik het ken,' zei Webb. 'Ik heb naar jou gevraagd.'

De killer sperde zijn ogen wijd open terwijl hij naar zijn geboeide polsen keek. Toen hij sprak was het nog net geen fluisteren, de stem die klonk was een echo van zichzelf en onwezenlijk. 'Omdat ik een *psychopaat* ben, klootzak! Dat heb ik geweten vanaf mijn jeugd. De smerige, donkere gedachten, de messen waarmee ik dieren doodstak alleen maar om naar hun ogen en hun bek te kunnen kijken. De dochter van de buurman verkrachtte, een domineesdochter, omdat ik wist dat ze niets kon zeggen en haar later op straat weer inhalen en haar naar school brengen. Ik was toen elf jaar. En later op Oxford bij het ontgroenen een jongen onder water houden, net onder het oppervlak tot hij verdronk — om naar zijn ogen, zijn mond te kunnen kijken. En dan weer colleges volgen en uitblinken in die onzin die elke idioot kon leren die maar een greintje verstand had. Dáár was ik een knaap van het juiste soort, zoals dat paste voor de zoon van de vader.'

'Heb je nooit hulp gezocht?'

'Hulp? Met de naam Allcott-Price?'

'Allcott...?' Bourne staarde zijn gevangene perplex aan. *'Generaal* Allcott-Price? Het jonge genie van Montgomery in de Tweede Wereldoorlog? ''Slager Allcott'', de man die de flankaanval op Tobroek leidde en zich later een weg vocht door Italië en Duitsland? De Patton van Engeland?'

'Toen was ik er nog niet, verdómme! Ik was een produkt van zijn derde vrouw, en misschien was het ook wel zijn vierde. Wat dat betreft stond hij zijn mannetje, wat vrouwen betreft, bedoel ik.'

'D'Anjou zei me dat je hem nooit je echte naam hebt verteld.'

'Om de verdommenis niet! De generaal, die zijn cognac zat te zuipen in die oh-zo-superieure club van hem in St. James, had het doorgegeven: ''Maak hem kapot! Vermoord dat rotte zaad en laat de naam nooit bekend worden. Hij hoort niet bij mij, de vrouw was een hoer!'' Maar ik hoor wel bij hem, en dat weet hij. Hij weet waar ik mijn *kicks* van krijg, de sadistische rotzak, en we hebben allebei een hele rits eervolle vermeldingen voor het verrichten van ons lievelingswerk.'

'Hij wist het dus? Hij wist dat je ziek was?'

'Hij wist het en hij weet het. Hij heeft me buiten Sandhurst gehouden — ons West Point, als je dat soms niet weet — omdat hij me niet in dat verdomde leger van hem wilde hebben. Hij dacht dat ze erachter zouden komen en dat zoiets zijn verdomde naam zou bezoedelen. Hij kreeg zowat een beroerte toen ik toch dienst nam. Hij zal geen nacht rustig slapen totdat hij in vertrouwen te horen krijgt dat ik er niet meer ben, dat ik dood ben en alle sporen zijn uitgewist.'

'Waarom vertel je mij dan wie je bent?'

'Da's eenvoudig,' antwoordde de vroegere commando en hij keek Jason strak aan. 'Zoals ik het bekijk komt er maar één van ons hier levend uit. Ik zal alles doen wat ik kan om te zorgen dat ik dat ben, dat heb ik je verteld. Maar misschien loopt het anders — jij kunt er ook wat van — en als het anders loopt dan zul jij een naam hebben die een sensatie zal veroorzaken in de hele klotewereld, misschien kun je je fortuin nog maken op de koop toe met rechten op boeken en films en zoal meer.'

'Dan zal de generaal zijn leven lang verder dus rustig kunnen slapen?'

'Slápen? Hij zal zich waarschijnlijk voor zijn kop schieten! Je hebt niet goed geluisterd. Ik zei dat hij het in vertrouwen te horen zou krijgen, dat alle sporen zijn uitgewist, dat er geen naam bekend wordt. Maar op deze manier wordt er niets onder de grond gestopt. Het is net zo duidelijk als een vuile onderbroek, heel de misselijke troep en zonder verontschuldigingen van mijn kant, *old chap*. Ik wéét wat ik ben, ik accepteer het. Sommigen van ons zijn nu eenmaal gewoon anders. Laten we zeggen dat we anti-maatschappelijk zijn, zo zou je het kunnen uitdrukken; door en door gewelddadig is een andere manier — verrot, is nog een andere. Het enige verschil is dat ik verstand genoeg heb om het te weten.'

'En dat je het accepteert,' zei Bourne zacht.

'Ik zwelg erin! Ik ben er starnakel zat van! En laten we het eens op deze manier bekijken. Als ik verlies en het verhaal raakt bekend, hoeveel andere praktiserende anti-maatschappelijken zullen er dan niet door worden aangestoken? Hoeveel andere kerels die *anders* zijn en die nog los rondlopen, zullen er niet al te graag mijn plaats innemen, net zoals ik de jouwe heb ingenomen? Het barst hier in deze verrekte wereld van de Jason Bournes. Geef hun een beetje leiding, geef hun een idee en ze komen in drommen aanlopen en beginnen hun werk met plezier. Dat was het wezenlijke genie van de Fransman, zie je dat niet in?'

'Ik zie alleen maar uitschot.'

'Je hebt anders scherpe ogen. Dat zal de generaal zien — een spiegelbeeld van zichzelf — en hij zal ermee moeten leven in zijn hemd te staan, hij zal erin moeten stikken.'

'Als hij je niet wilde helpen dan had je jezelf moeten helpen, je laten opnemen. Je hebt genoeg verstand om dat te weten.'

'En al die lol missen, die heerlijke roes? Vergeet het maar, kerel. Je doet waar je zin in hebt en je zoekt het meest gevaarlijke onderdeel van het leger op en hoopt dat het ongeluk gebeurt dat er een eind aan zal maken voordat ze uitvlooien wie je eigenlijk bent. Ik heb het onderdeel gevonden, maar het ongeluk is nooit gebeurd. Concurrentie brengt, jammer genoeg, het beste naar boven wat we hebben, nietwaar? We blijven in leven omdat iemand anders het tegendeel wil... En dan is er natuurlijk nog de drank. Daardoor krijgen we vertrouwen, zelfs moed om de dingen te doen waarvan we niet zeker weten of we ze wel aankunnen.'

'Maar niet als je werkt.'

'Natuurlijk niet, maar de herinneringen zijn er wel. Dat lef van de whisky waardoor je wéét dat je het aankunt.'

'Verkeerde lef,' zei Jason Bourne.

'Niet helemaal,' wierp de killer tegen. 'Je put kracht uit dat wat je kunt.'

'Er zijn twee mensen,' zei Jason. 'Een die je kent, de ander die je niet kent, of niet wilt kennen.'

'Verkeerd!' herhaalde de commando. 'Hij zou er niet eens zijn, tenzij ik mijn *kicks* wilde, maak je niks wijs. En maak jezelf ook niks wijs, meneer Origineel. Je zou me beter een kogel door mijn kop kunnen schieten want ik pák je als ik even kan. Ik vermoord je als ik kan.'

'Je vraagt me dat te vernietigen waarmee je niet kunt leven.'

'Schei uit met dat gelul, Bourne! Ik weet niet hoe het met jou zit, maar

mijn *kicks* krijg ik! Ik wil niet eens zonder ze leven!'
'Je hebt het me zojuist weer gevraagd.'
'Barst maar, klootzak!'
'En weer.'
'Schei uit!' De killer kwam moeizaam overeind uit zijn stoel. Jason zette twee stappen naar voren, opnieuw schoot zijn rechtervoet uit, opnieuw kwam die tegen de ribben van de killer terecht zodat hij terugviel in de stoel. Allcott-Price gilde van de pijn.
'Ik zal je niet vermoorden, majoor,' zei Bourne zacht. 'Maar ik zal wel zorgen dat je ernaar verlangt dood te zijn.'
'Laat me nog een laatste wens,' hoestte de killer met zijn mond wijd open terwijl hij zijn geboeide handen tegen zijn borst drukte. 'Dat heb ik zelfs nog gedaan bij slachtoffers... De onverwachte kogel, daarmee heb ik vrede, maar tegen het garnizoen van Hongkong kan ik niet op. Ze zullen me laat op de avond ophangen wanneer er niemand in de buurt is, gewoon volgens de officiële regels. Ze zullen een dik touw om mijn nek doen en me op een stellage neerzetten. *Daar kan ik niet tegen!*'

Delta wist wanneer hij moest terugschakelen. 'Dat heb ik je al eerder gezegd,' zei hij rustig. 'Misschien gebeurt dat helemaal niet met je. Ik heb niks te maken met de Engelsen in Hongkong.'
'Je hebt niks wát?'
'Dat nam jij aan, maar ik heb het nooit gezegd.'
'Je staat te liegen!'
'Dan heb je nog minder talent dan ik dacht, en het was al niet zo veel.'
'Ik weet het. Ik kan niet rechtlijnig denken!'
'Dat kun je zeker niet.'
'Dan ben jij zeker een soort premiejager, maar een die voor zichzelf werkt.'
'In zekere zin, ja. En ik heb zo'n idee dat de man die mij achter jou aanstuurde je misschien wel wil huren, niet doden.'
'Chrístus nogantoe...'
'En mijn prijs was hoog. Heel hoog.'
'Je zit dus in zaken.'
'Alleen voor deze ene keer. Ik kon het aanbod niet weigeren. Ga op bed liggen.'
'Wat?'
'Je hebt me gehoord.'
'Ik moet naar de plee.'
'Ga je gang,' antwoordde Jason en hij liep naar de deur van de wc en trok die open. 'Het is niet een van mijn favoriete bezigheden, maar ik zal wel op je letten.' De killer ontlastte zich met Bournes pistool op hem gericht. Ten slotte liep hij het sjofele kamertje in van het goedkope hotelletje ten zuiden van de Mongkok. 'Het bed,' zei Bourne opnieuw en

hij gebaarde met zijn wapen. 'Ga languit liggen en doe je benen van elkaar.'

'Dat mietje achter de balie beneden zou dolgraag dit gesprek willen horen.'

'Je kunt hem later wel bellen, in je eigen tijd. Ga liggen. Snél!'

'Jij hebt altijd zo'n haast...'

'Meer dan jij ooit zult begrijpen.' Jason pakte zijn rugzak van de vloer,
zette die op het bed en trok er de nylontouwen uit, terwijl de ontspoorde
killer voorover op de smerige sprei ging liggen. Anderhalve minuut later
zaten de enkels van de commando vastgesjord aan de achterkant van
het spiraalmatras en om zijn nek zat de dunne witte draad gedraaid die
was aangetrokken en vastgeknoopt aan de voorkant van het matras.
Ten slotte pakte Bourne de sloop van het kussen en draaide die om het
hoofd van de majoor, over zijn ogen en oren, alleen zijn mond onbedekt latend om te kunnen ademen. De moordenaar lag opnieuw vastge-
snoerd met zijn geboeide polsen onder hem. Maar nu begon zijn hoofd
met plotselinge rukken heen en weer te bewegen en met elke stuiptrek-
king vertrok zich zijn mond. De vroegere majoor Allcott-Price was ten
prooi aan doodsangst. Jason herkende de symptomen onbewogen.

Het derderangs hotel dat hij had kunnen vinden hield er geen telefoon
op na. De enige verbinding met de buitenwereld was een klop op de
deur, en dat betekende ofwel de politie of een behoedzame receptionist
die de gast kwam meedelen dat er huur voor een extra dag berekend
moest worden als de kamer nog een uur langer bezet bleef. Bourne liep
naar de deur, glipte geruisloos de kale gang op en liep naar de munttelefoon die, naar men hem had verteld, aan het einde van de gang hing.
Hij had het telefoonnummer uit zijn hoofd geleerd, wachtend, biddend
als dat mogelijk was geweest, op het moment dat hij het zou draaien.
Hij stak een munt in het apparaat en terwijl hij dat deed met ingehouden adem voelde hij het bloed naar zijn hoofd pompen. *'Slangevrouw!'*
zei hij in de hoorn, en hij sprak het woord langgerekt uit in twee benadrukte lettergrepen. *'Slange - vrouw,* slange...!'

'Qing, qing,' klonk een onpersoonlijke stem over de lijn, snel Chinees
sprekend. 'We ondervinden momenteel een tijdelijke storing in de telefoondienst voor vele toestellen op deze centrale. De storing moet binnen
niet al te lange tijd zijn opgeheven. Dit is een opgenomen bericht...
Qing, qing...'

Jason legde de hoorn op en duizenden gedachtensplinters maalden door
zijn hoofd als kapotte spiegels. Hij liep snel terug door de schemerige
gang, voorbij een hoer die in een deuropening haar geld stond te tellen.
Ze glimlachte tegen hem en hief haar handen op naar haar blouse. Hij
schudde zijn hoofd en rende naar de kamer. Hij wachtte een kwartier
terwijl hij aan het raam stond en de schorre klanken hoorde die uit de
keel van de gevangene kwamen. Hij liep terug naar de deur en stapte

460

opnieuw geruisloos de gang op. Hij haastte zich naar de telefoon, stak er geld in en draaide.

'Qing...' Hij smakte de hoorn op de haak met bevende handen, zijn kaakspieren trilden van woede, terwijl hij dacht aan de languit liggende 'koopwaar' die hij had meegebracht om in te ruilen tegen zijn vrouw. Hij nam een laatste keer de hoorn op, gebruikte zijn laatste munt en draaide de 'O'. 'Centrale,' begon hij in het Chinees, 'dit is hoogst dringend! Ik moet met spoed het volgende nummer bereiken.' Hij gaf het haar en hij kon nauwelijks verhinderen dat zijn stem in paniek harder ging klinken. 'Via een opgenomen bericht kreeg ik te horen dat er moeilijkheden waren met de verbinding, maar dit is uiterst dringend...'

'Een ogenblikje, alstublieft. Ik zal proberen of ik u van dienst kan zijn.' Een tijd lang was het stil en elke seconde nam het bonken in zijn borst toe tot het weergalmde als een dolzinnig bespeeld stel pauken. Zijn slapen klopten, zijn mond was droog, zijn keel verschroeid, brandend terwijl een onbekende koorts zich van hem meester maakte.

'De lijn is tijdelijk buiten gebruik, meneer,' zei een tweede vrouwenstem.

'De líjn? Díe lijn?'

'Jawel, meneer.'

'Niet ''vele toestellen op de centrale''?'

'U hebt de telefoniste naar een bepaald nummer gevraagd, meneer. Ik weet niet hoe het met andere nummers zit. Als u die hebt zal ik ze met plezier voor u controleren.'

'In de opname was duidelijk sprake dat het om vele telefoons ging, maar u hebt het nu over één lijn! Beweert u soms dat u niet weet of er een meervoudig defect is?'

'Een wat?'

'Of er een heleboel telefoons niet werken! Jullie hebben toch computers. Daar kun je op zien waar het defect zit. Ik heb tegen die andere telefoniste gezegd dat dit een spoedgeval is!'

'Als het een medisch spoedgeval is zal ik graag een ambulance voor u bellen. Als u mij uw adres wilt geven...'

'Ik wil alleen maar weten of er een heleboel telefoons niet werken of dat het alleen om deze ene gaat! Dat móet ik weten!'

'Het zal wel enige tijd duren om dat uit te zoeken, meneer. Het is na negen uur in de avond en de reparatieploegen werken op halve kracht...'

'Maar ze kunnen u toch wel vertellen of er een probleem is in een bepaald district, godverdomme!'

'Alstublieft, meneer, ik word niet betaald om gevloek aan te horen.'

'Het spijt me, het spijt me echt!... Adres? Ja, het adres! Wat voor adres hoort er bij het nummer dat ik u gaf?'

'Dat staat niet in de gids, meneer.'

'Maar u hebt het toch zeker!'
'In feite niet, meneer. We hebben hele strikte geheimhoudingswetten in Hongkong. Op mijn scherm staat alleen maar het woord "Geheim".'
'Ik herhaal! Dit is echt een zaak van leven of dood!'
'Laat ik dan een ziekenhuis voor u bellen... Oh, meneer, wacht u alstublieft even. U had gelijk, meneer. Op mijn scherm is nu te zien dat de laatste drie cijfers van het nummer dat u me gaf elektronisch in elkaar overlopen, er is dus een reparatieploeg bezig het probleem op te lossen.'
'Wat is de locatie op de kaart?'
'Het eerste cijfer is "vijf", daarom is het op het eiland Hongkong.'
'Nauwkeuriger! Waar ongeveer op het eiland?'
'Cijfers van telefoonnummers hebben niets te maken met bepaalde straten of wijken. Ik vrees dat ik u niet verder kan helpen, meneer. Tenzij u me uw adres wilt geven, zodat ik een ambulance kan sturen.'
'Mijn adres...?' zei Jason verbijsterd, uitgeput, bijna in paniek. 'Nee,' zei hij vervolgens. 'Ik geloof niet dat ik dat zal doen.'

Edward Newington McAllister boog zich over het bureau toen de vrouw de hoorn op de haak legde. Ze was duidelijk ontdaan, haar oosterse gelaat zag bleek van de spanning. De onderminister van Buitenlandse Zaken hing een meeluisterapparaat aan de haak aan zijn kant van het bureau. In zijn hand had hij een potlood en onder de hand lag een blocnoot. 'U hebt het geweldig gedaan,' zei hij en hij klopte de vrouw op de arm. 'We hebben het. We hebben hém. U hebt hem lang genoeg aan de praat gehouden — langer dan hij u in zijn vroegere tijd zou hebben toegestaan — en we hebben hem opgespoord. In elk geval het gebouw, en dat is voldoende. Een hotel.'
'Hij spreekt uitstekend Chinees. Het dialect lijkt een beetje op dat uit het noorden, maar *Quangzhou* gaat hem ook goed af. En hij vertrouwde mij niet.'
'Dat doet er niet toe. We zullen mensen opstellen rond het hotel. Bij elke ingang en uitgang. Het ligt aan een straat die Shek Lung heet. '
'Onder de Mongkok, in de Yau Ma Ti, om precies te zijn, zei de vrouwelijke tolk. 'Er is waarschijnlijk maar één ingang en daardoor wordt ongetwijfeld elke morgen de vuilnis naar buiten gebracht.'
'Ik moet Havilland zien te bereiken in het ziekenhuis. Hij had daar niet naar toe moeten gaan!'
'Hij leek moeilijk tegen te houden,' opperde de tolk.
'Laatste uitspraken,' zei McAllister terwijl hij een nummer draaide. 'Hoogst belangrijke informatie van een man op sterven. Dat mag.'
'Ik begrijp niemand van u.' De vrouw stond op van het bureau terwijl de onderminister eromheen liep en in de stoel ging zitten. 'Ik kan instructies opvolgen, maar begrijpen doe ik u niet.'
'Lieve hemel, dat vergat ik. U moet nu weggaan. Wat ik ga bespreken

is hoogst geheim... We zijn u zeer dankbaar, ik kan u verzekeren dat onze dankbaarheid tastbare vorm zal krijgen en ik weet zeker dat er iets extra aan zal worden toegevoegd, maar het spijt me, ik moet u vragen nu weg te gaan.'

'Graag, meneer,' zei de tolk. 'En die dankbaarheid mag u vergeten, als u maar aan dat extra's denkt. Zoveel heb ik wel geleerd toen ik economie studeerde aan de Universiteit van Arizona.' De vrouw verliet het vertrek.

'Dringend! Politiecentrale!' McAllister stond zowat te schreeuwen in de hoorn. 'De ambassadeur graag. Het is dringend! Nee, een naam is niet nodig, dank u, en brengt u hem naar een toestel waar we vertrouwelijk kunnen spreken.' De onderminister masseerde zijn linkerslaap en duwde zijn vingers steeds strakker tegen zijn huid tot Havilland aan het toestel kwam.

'Ja, Edward?'

'Hij heeft gebeld! Het werkte! We weten waar hij is! Een hotel in de Yau Ma Ti.'

'Laat het omsingelen, maar verder helemaal niets! Conklin moet het begrijpen. Als hij iets ruikt waarvan hij denkt dat het verrot aas is zal hij zich terugtrekken. En als we de vrouw niet hebben, hebben we onze killer niet. Verpest dit in godsnaam niet, Edward! Alles moet absoluut waterdicht zijn... en heel, héél voorzichtig behandeld worden. Anders is niet-meer-te-redden het volgende stadium.'

'Dat soort woorden gebruik ik liever niet, excellentie.'

Even was het stil op de lijn. Toen Havilland weer sprak klonk zijn stem ijzig. 'Oh, maar dat doe je wel, Edward. Jij protesteert te veel, daar had Conklin gelijk in. Je had direct in het begin "nee" kunnen zeggen, in Sangre de Christo in Colorado. Je had je toen terug kunnen trekken, maar dat heb je niet gedaan, dat kon je niet. Op een bepaalde manier ben je net als ik, al heb ik natuurlijk door toeval bepaalde voordelen. Wij denken na en wij proberen anderen te slim af te zijn. We voeden ons met onze manipulaties. We zwellen op van trots, telkens wanneer er weer een zet wordt gedaan in het menselijke schaakspel — waarin elke zet afschuwelijke consequenties kan hebben voor iemand — omdat we in iets geloven. Alles wordt een verdovend middel voor ons en de sirenenzang is in feite een beroep op onze ego's. Omdat we een beter verstand hebben zijn we tot op zekere hoogte machtig. Geef dat maar toe, Edward, dat heb ik ook gedaan. En als dat je een beter gevoel geeft, zal ik zeggen wat ik al eerder heb gezegd. Iemand moet het doen.'

'En ik hoor liever ook geen zedepreken die met de zaak niets te maken hebben,' zei McAllister.

'Van mij zul je er geen meer te horen krijgen. Doe nu maar wat ik je zeg. Laat alle uitgangen van dat hotel bewaken, maar zeg tegen iedere vent dat alles strikt geheim moet gebeuren. Als Bourne ergens heengaat moet hij discreet worden geschaduwd, hij mag in géén geval worden benaderd. We móeten die vrouw hebben, voordat we contact leggen.'

Morris Panov pakte de hoorn op. 'Ja?'
'Er is iets gebeurd.' Conklin sprak gehaast en zacht. 'Havilland is weggeroepen uit de wachtkamer voor een dringend telefoontje. Gebeurt er bij jullie iets?'
'Nee, niets. We hebben gewoon wat zitten praten.'
'Ik maak me zorgen. Die lui van Havilland kunnen jullie wel ontdekt hebben.'
'Goeie god, hoe dan?'
'Door in elk hotel in de kolonie navraag te doen naar een blanke man die hinkt, zo kunnen ze dat.'
'Jij hebt de receptionist betaald om niemand iets te zeggen. Je zei dat het een vertrouwelijke zakelijke bijeenkomst was, volkomen normaal.'
'Zij kunnen ook betalen en zeggen dat het een vertrouwelijke regeringskwestie is die rijk beloond kan worden of waaruit vervelende pesterijen voortkomen. Je mag raden naar wie ze het eerst zullen luisteren.'
'Volgens mij overdrijf je de zaken,' protesteerde de psychiater.
'Het kan me niet schelen wat je denkt, dokter, maak alleen maar dat je daar wegkomt. Nu. Laat Marie's bagage maar staan, als ze die al heeft. Ga zo snel mogelijk weg.'
'Waar moeten we heen gaan?'
'Waar het druk is, maar waar ik jullie kan vinden.'
'Een restaurant?'
'Dat is al veel te lang geleden en ze veranderen hier elke twintig minuten van naam. Ook geen hotel, die worden te gemakkelijk in de gaten gehouden.'
'Als je gelijk hebt, Alex, dan doe je er te lang over...'
'Ik denk ná!... Goed dan. Neem een taxi naar het laagste deel van Nathan Road in Salisbury, heb je dat? *Nathan* en *Salisbury*. Daar zie je het Peninsula Hotel, maar ga daar niet naar binnen. De straat die naar het noorden loopt heet de Golden Mile. Blijf aan de rechterkant, de oostkant, op en neer wandelen, maar blijf binnen de eerste vier zijstraten. Ik kom zo vlug ik kan bij jullie.'
'Goed,' zei Panov. 'Nathan en Salisbury, de eerste vier zijstraten naar het noorden aan de rechterkant... Alex, je weet heel zeker dat alles goed met je is?'
'Op twee punten,' antwoordde Conklin. 'Om te beginnen vroeg Havilland me niet met hem mee te komen om uit te vinden wat het ''spoedgeval'' was, en dat hadden we niet afgesproken. En als het spoedgeval niet jou en Marie betreft dan betekent het dat Webb contact heeft gezocht. Als dat het geval is ga ik niet mijn enige onderhandelingsmiddel weggeven, en dat is Marie. Niet zonder de nodige garanties. Niet met iemand

464

als ambassadeur Havilland. Maak nu maar dat je daar wegkomt!'

Iets klopte er niet! Maar wat? Bourne was teruggekeerd naar de smerige hotelkamer en stond aan de voet van het bed te kijken naar zijn gevangene die nu krampachtiger met zijn lichaam trok, die met zijn uitgestrekte lijf reageerde op elk moment van spanning. Wat wás het toch? Waarom zat het gesprek met de telefoniste uit Hongkong hem zo dwars? Ze was beleefd en behulpzaam geweest; ze had zelfs zijn gevloek verdragen. Wat wás het dan toch?... Ineens schoten woorden uit een lang vergeten verleden hem te binnen. Woorden die hij jaren terug had gesproken tegen een onbekende telefoniste, zonder gezicht, alleen met een geërgerde stem.

Ik heb u gevraagd naar het nummer van het Iraanse consulaat.
Dat staat in het telefoonboek. Onze centrale is druk bezet en we hebben geen tijd voor dergelijke inlichtingen. Klik. Lijn dood.
Dát was het! De telefonistes in Hongkong behoorden — met reden — tot de meest dictatoriale van de wereld. Ze verspilden geen tijd, hoe de klant ook bleef aandringen. Het drukke werk in deze overvolle, fanatieke, financiële metropool stond zoiets niet toe. Toch was de tweede telefoniste het geduld zelve geweest... *Ik weet niet hoe het met andere nummers zit. Als u die hebt zal ik ze met plezier voor u controleren... Als u mij uw adres wilt geven... Tenzij u mij uw adres wilt geven.*
... Het adres! En zonder echt na te denken over die vraag had hij instinctief geantwoord. *Nee, ik geloof niet dat ik dat zal doen.* Diep in zijn binnenste had het alarm geslagen.
Een *zoekactie!* Ze hadden hem aan het lijntje gehouden, hem net zo lang bezig gehouden tot ze een electronische zoeker konden inschakelen in zijn gesprek! Munttelefoons waren het moeilijkst om te localiseren. De buurt werd het eerst vastgesteld, vervolgens de wijk of het pand, en ten slotte het specifieke apparaat, maar het was slechts een kwestie van minuten en fracties van minuten tussen de eerste en de laatste stap. Was hij lang genoeg aan de lijn gebleven? En als dat zo was, wat hadden ze dan bereikt? De buurt? Het hotel? De telefoon zelf? Jason probeerde in gedachten zijn gesprek met de telefoniste na te lopen, met de tweede telefoniste toen de zoekactie begonnen moest zijn. Als waanzinnig en vertwijfeld, maar zo precies als hij maar kon, probeerde hij zich het ritme van hun woorden te herinneren, hun stemmen, en hij besefte dat zij langzamer was gaan spreken wanneer hij sneller sprak. *Het zal wel enige tijd duren... In feite niet, meneer. We hebben hele strikte geheimhoudingswetten in Hongkong...* een zedepreek! *Oh, meneer, wacht u alstublieft even. U had gelijk... op mijn scherm is nu te zien...* een sussende verklaring, die tijd kostte. Tijd! Hoe had hij dat kunnen toestaan? Hoe lang...?
Anderhalve minuut, hooguit twee minuten. De tijd hield hij instinctma-

tig bij, dat was een soort inwendige klok voor hem. Zeg twee minuten. Genoeg om een buurt vast te stellen, waarschijnlijk genoeg om een pand te localiseren, maar gezien de honderdduizenden kilometers telefoonlijn was het waarschijnlijk ontoereikend om een specifieke telefoon te vinden. Om een of andere onbegrijpelijke reden zag hij beelden uit Parijs voor zich, vervolgens de vage omtrekken van telefooncellen terwijl hij en Marie als gekken van de ene naar de andere renden door de verblindende straten van Parijs. Blinde, onnaspeurbare gesprekken voerend, in de hoop het raadsel dat Jason Bourne was te ontwarren. *Vier minuten. Het duurt vier minuten, maar we moeten buiten de regio zien te komen! Daar moesten ze nu uit zijn!*

De mannen van de taipan — als er tenminste zo'n lijvige, corpulente taipan bestond — hadden misschien het hotel gevonden, maar het was onwaarschijnlijk dat ze precies wisten om welke telefoon het ging. En er was nog een ander tijdverloop waarmee hij rekening moest houden, een die vóór hem kon werken als hij op zijn beurt snel reageerde. Als er een zoekactie was geweest en het hotel was gevonden, dan zou het de jagers nog tijd kosten om het zuiden van de Mongkok te bereiken, aangenomen dat ze in Hongkong zaten, en dat bleek uit het eerste cijfer van het nummer. Het enige belangrijke op dit moment was snelheid! Opschieten!

'De blinddoek hou je voor, majoor, maar we gaan verhuizen,' zei hij tegen de killer, terwijl hij gehaast de prop losmaakte en de knopen lostrok aan het spiraalmatras, de drie nylontouwen opwond en in het jasje van de commando stopte.

'Wat? Wat zei je?'

'Dat is nog beter,' zei Bourne met stemverheffing. 'Sta op. We gaan een eindje wandelen.' Jason pakte zijn rugzak op, opende de deur en controleerde de gang. Een zatlap wankelde een kamer aan de linkerkant binnen en klapte de deur dicht. De gang naar rechts was veilig, helemaal tot aan de munttelefoon en de uitgang naar de brandtrap daarachter. 'Schiet op,' beval Bourne en hij duwde zijn gevangene vooruit.

Verzekeringsspecialisten zouden die brandtrap meteen hebben afgekeurd. Het metaal was verroest en de leuningen bogen naar buiten als je ertegen duwde. Als je op de loop was voor brand kon je nog beter een met rook gevuld trappenhuis gebruiken. Maar zolang je er in het donker af kon lopen zonder dat de boel in elkaar donderde was de rest niet belangrijk. Jason greep de commando bij zijn kraag en leidde hem de krakende metalen treden af tot ze aan de eerste overloop kwamen. Onder hem stak een afgebroken ladder uit tot halverwege het steegje eronder. Je viel hooguit twee meter tot op de straat, en dat was gemakkelijk te doen, zowel bij het afdalen als — nog belangrijker — bij het terugkomen.

'Slaap lekker,' zei Bourne. Hij mikte in het schemerachtige licht en liet zijn knokkels met kracht neerkomen op het achterhoofd van de commando. De killer zakte op de trap ineen en Bourne trok snel de touwen te voorschijn om hem stevig vast te binden aan de treden en de leuning. Als laatste trok hij de kussensloop omlaag, bedekte er de mond van de killer mee en bond de doek strakker vast. Mocht Allcott-Price gaan roepen, dan zou dat gemakkelijk verloren gaan in de nachtelijke geluiden van Hongkongs Yau Ma Ti en het nabijgelegen Mongkok — als hij al wakker werd voordat Jason hem wekte en dat viel te betwijfelen.

Bourne daalde af langs de ladder en liet zich in het nauwe steegje vallen, slechts enkele seconden voordat er drie jongemannen opdoken die om de hoek van de drukke straat kwamen rennen. Ze bleven buiten adem in het donker van een deuropening zitten terwijl Jason geknield bleef, naar hij hoopte onzichtbaar. Buiten de ingang naar het steegje holde een andere groep jongens voorbij, achter iemand aan en woedend roepend. De drie jongemannen sprongen te voorschijn uit de donkere ingang en renden het steegje uit in tegengestelde richting, van hun achtervolgers vandaan. Bourne stond op en liep snel naar de ingang van de steeg; hij keek even om naar de brandtrap. De killer was onzichtbaar.

Hij botste tegen twee lijven tegelijk aan. Terwijl hij door de botsing tegen een muur werd geslingerd kon hij alleen maar aannemen dat de jongemannen hoorden bij de groep die achter de vorige drie had aangezeten, de drie die zich hadden verstopt in de deuropening. Maar een van deze twee hield dreigend een mes in de hand. Jason had geen enkele behoefte aan zo'n confrontatie, hij mocht die niet toestaan! Voordat de jongeman besefte wat er gebeurd was had Bourne met een snelle greep zijn pols vastgegrepen, had die met de klok mee omgedraaid tot het mes op de grond viel; de jongen gilde van de pijn.

'Donder op hier!' schreeuwde Jason in grof Kantonees. 'Die bende van jullie kan het niet opnemen tegen ouderen die jullie de baas zijn! Als we jullie hier nog één keer zien krijgen jullie moeders een paar lijken thuisbezorgd. Donder op!'

'Aiya!'

'Wij zijn op zoek naar dieven! Naar spionnen uit het Noorden! Ze stelen, ze...'

'Wégwezen!'

De jongens renden het steegje uit en verdwenen in de niet meer zo drukke straat in de Yau Ma Ti. Bourne bewoog zijn hand, de hand die de killer geprobeerd had te verbrijzelen tegen de deurpost in het hotel. Bij zijn drukke bezigheden had hij de pijn helemaal vergeten. Dat was de beste manier om die te verdragen.

Hij keek op toen hij ineens iets hoorde. Twee donkere sedans kwamen snel Shek Lung Street afrijden en stopten voor het hotel. Beide voertuigen straalden *dienst* uit. Jason keek vol angst naar de mannen die uit elke auto stapten, twee uit de eerste, drie uit die daarachter.

Oh, mijn god, Marie! We zijn verloren! Dit wordt onze dood! Oh, mijn god, dit wordt echt onze dood!

Hij verwachtte niet anders of de vijf mannen zouden het hotel binnenstormen, de receptionist ondervragen, hun posities innemen en in actie komen. Ze zouden te horen krijgen dat men de bewoners van kamer 301 niet uit het pand had zien gaan. Daarom mocht worden aangenomen dat ze nog boven waren. De kamer zou in minder dan een minuut opengebroken zijn, en de brandtrap zou seconden later ontdekt worden! Kon hij dat klaarspelen? Kon hij weer terugklimmen, de killer lossnijden, hem in de steeg krijgen en ontsnappen? Hij moést! Voordat hij terugrende naar de ladder keek hij nog heel even.

En bleef roerloos staan. Er klopte iets niet — er was iets onverwachts, iets totaal onverwachts. De man die het eerst was uitgestapt uit de voorste auto had zijn colbertje uitgetrokken, zijn 'uniformjasje', en zijn das losgetrokken. Hij haalde zijn hand door zijn haren zodat die er verward uitzagen en liep toen — onvast op zijn benen? — naar de ingang van het sjofele hotelletje. Zijn vier metgezellen liepen van de auto's vandaan, keken op naar de ramen, twee naar rechts en twee naar links, in de richting van de steeg — in zíjn richting. Wat was er toch aan de hand? Die kerels gedroegen zich helemaal niet officieel. Het leken wel misdadigers, lui van de Mafia die op het punt stonden een moord te begaan die niet aan hen mocht worden toegeschreven, die een val moest zijn voor anderen, niet voor henzelf. Goeie god, had Alex Conklin het bij het verkeerde eind gehad op Dulles Airport in Washington?

Speel het spelletje mee. Het is haast niet te zien, maar het is er wel. Speel het mee. Jij kunt dat, Delta!

Geen tijd. Hij had geen tijd meer om te denken. Hij mocht geen kostbare ogenblikken verloren laten gaan met vage gedachten over het al dan niet bestaan van een reusachtige, zwaarlijvige taipan, te toneelmatig om echt te zijn. De twee mannen die op hem afkwamen hadden de ingang van het steegje gezien. Ze begonnen te rennen, naar het straatje, naar de 'koopwaar', naar de verwoesting en dood van alles wat Jason dierbaar was in deze verpeste wereld, die hij maar al te graag zou verlaten, als Marie er niet was.

De seconden tikten voorbij in milliseconden van voorbedacht geweld, dat zowel werd geaccepteerd als verworpen. David Webb werd tot stilzwijgen gebracht en Jason Bourne nam het commando weer volledig over. *Maak dat je bij me wegkomt! Dit is het enige dat we nog hebben!* De eerste man viel neer met verbrijzelde ribben, sprakeloos omdat het spreken hem belet was door een harde klap tegen zijn keel. De tweede man kreeg een voorkeursbehandeling. Het was van het grootste belang dat hij bij zijn positieven bleef, klaarwakker zelfs, voor wat er volgde. Hij sleurde beide mannen het donkerste hoekje van het steegje in, sneed hun kleren stuk met zijn mes, bond hun voeten, hun armen en hun monden met stroken van hun eigen pakken.

De tweede man kreeg het ultimatum van Bourne, met zijn armen gekneld onder Jasons knieën, terwijl het lemmet van het mes prikte door de huid rond de kas van zijn linkeroog. 'Mijn vrouw! Waar is ze? Nú, of je bent je oog kwijt, daarna het andere! Ik snij je aan mootjes, *jung wo*, gelóóf me maar!' Hij rukte de doek weg voor de mond van de man. 'Wij zijn uw vijanden niet, *Zhangfu!*' schreeuwde de oosterling in het Engels en hij gebruikte het Kantonese woord voor echtgenoot. 'We hebben geprobeerd haar te vinden! We hebben overal gezocht!'

Jason staarde neer op de man, het mes trilde in zijn hand, zijn slapen klopten, zijn eigen firmament stond op het punt uiteen te barsten en in vuur en onvoorstelbare pijn langs de hemelen te druipen. *'Marie!'* schreeuwde hij in doodsnood. 'Wat hebben jullie met haar gedaan? Ik heb een garantie gekregen! Ik breng de koopwaar mee en ik krijg mijn vrouw terug! Ik zou haar stem horen via de telefoon, maar de telefoon werkt niet! In plaats daarvan word ik opgespoord en ineens zijn júllie hier maar mijn vrouw is er niet bij! Waar ís ze?!'

'Als we het wisten zouden we haar hier bij ons hebben.'

'Leugenaar!' riep Bourne, met nadruk op elke lettergreep.

'Ik lieg niet tegen u, meneer, en u mag mij ook niet doden omdat ik tegen u zou liegen. Ze ontsnapte uit het ziekenhuis...'

'Het ziekenhuis?'

'Ze was ziek. De dokter stond erop. Ik was erbij, buiten haar kamer, om haar te beschermen! Ze was zwak, maar ze ontsnapte...'

'O, mijn god! Ziek? Zwak? Alleen in Hongkong? Mijn god, jullie hebben haar vermoord.'

'Nee, meneer! We hadden opdracht ervoor te zorgen dat ze goed behandeld werd...'

'Júllie hadden opdracht,' zei Jason Bourne met vlakke, ijzige stem. 'Maar jullie taipan had die niet. Hij gehoorzaamde aan andere bevelen, bevelen die al eerder gegeven werden in Zürich en Parijs en aan 71st Street in New York. Ik heb dat meegemaakt, wíj hebben dat meegemaakt. En nu hebben jullie haar vermoord. Jullie hebben mij gebruikt, zoals jullie me eerder hebben gebruikt en toen jullie dachten dat het voorbij was hebben jullie haar van mij afgenomen. Wat betekent de "dood van één vrouw meer"? Alles moet worden opgeofferd aan geheimhouding.' Plotseling greep Jason het gezicht van de man vast met zijn linkerhand, met het mes gereed om toe te steken in zijn rechter. 'Wie is die dikke vent? Zeg het me, of mijn mes gaat erin! Wie is de taipan?'

'Hij is geen taipan! Hij is door de Engelsen opgeleid, hij is een zeer gerespecteerd officier in de kolonie. Hij werkt samen met landgenoten van u, de Amerikanen. Hij is bij de inlichtingendienst.'

'Dat kan ik me voorstellen... Het was hetzelfde vanaf het begin. Alleen was het dit keer niet de Jakhals maar ikzelf. Ik werd over het hele schaakbord heengeschoven totdat ik niets anders kon doen dan achter mezelf aanjagen, een verlengstuk van mezelf, een man die Bourne heet. Wanneer hij die aflevert moet je hem doden. Haar doden. Ze weten te veel.'

'Néé!' riep de oosterling uit. Hij staarde zwetend en met wijd opengesperde ogen naar het lemmet dat in zijn huid prikte. 'Wij hebben heel weinig te horen gekregen, maar zoiets heb ik helemaal niet gehoord!'

'Wat doe je hier dan?' vroeg Jason grof.

'Bewaking, ik zwéér het! Meer niet!'

'Totdat de kerels met de pistolen komen?' zei Bourne kil. 'Zodat jullie keurige pakken schoon kunnen blijven, geen bloed op jullie hemden, geen sporen die kunnen leiden naar die naamloze, gezichtloze kerels voor wie jullie werken.'

'Dat is niet wáár! Zo zijn wij niet, zo zijn onze meerderen niet!'

'Ik zei het je al, ik heb dat allemaal al eerder meegemaakt. Jullie zijn zo, geloof mij nu maar... En nu ga je mij wat vertellen. Wat het dan ook is, het is verborgen en smerig en geheel beveiligd. Niemand zet een dergelijke operatie op poten zonder een gecamoufleerde basis. Waar is die?'

'Ik begrijp u niet.'

'Hoofdkwartier of Eerste Basiskamp, of een beveiligd huis, of een Commandocentrum met een codenaam, hoe je het ook wilt noemen. Waar ís het?'

'Alstublieft, ik kan niet...'

'Je kunt het. En je zúlt het. Als je het niet doet ben je blind, dan worden je ogen uit je kop gesneden. Nú!'

'Ik heb een vrouw en kinderen!'

'Die had ik ook. Vrouw en kinderen. Ik begin mijn geduld te verliezen.' Jason zweeg en oefende iets minder druk uit op het mes. 'Bovendien, als jij er zo zeker van bent dat je gelijk hebt, dat jouw meerderen niet zo zijn als ik beweer, wat kan het dan voor kwaad? We kunnen tot een vergelijk komen.'

'Já!' gilde de doodsbenauwde man. 'Een vergelijk! Het zijn goede mensen. Ze zullen u geen kwaad doen!'

'Daar krijgen ze de kans niet voor,' fluisterde Bourne.

'Wat zei u, meneer?'

'Niets. Waar is het? Waar is dat oh-zo-geheime hoofdkwartier? Nú!'

'Victoria Peak!' zei de verstijfde inlichtingenman. 'Het twaalfde huis aan de rechterkant, met hoge muren...'

Bourne luisterde naar de beschrijving van het beveiligde huis, een rustig, bewaakt landhuis tussen andere landhuizen in een rijke buurt. Hij hoorde wat hij weten moest, meer had hij niet nodig. Hij smakte het zware benen heft van het mes tegen de schedel van de man, snoerde hem

470

weer de mond en stond op. Hij keek omhoog naar de brandtrap, naar de nauwelijks zichtbare omtrek van het lichaam van de killer.

Ze wilden Jason Bourne hebben en ze waren bereid voor hem te moorden. Ze zouden twee Jason Bournes krijgen en hun leugens zouden hun dood worden.

31

Ambassadeur Havilland ging de confrontatie met Conklin aan in de ziekenhuisgang buiten de afdeling 'Spoedopname' voor politiegevallen. De beslissing van de diplomaat om met de CIA-man te praten in de drukke, witte gang vloeide voort uit het feit dat het er inderdaad druk was. Verpleegsters en artsen, specialisten en hun assistenten liepen door de brede corridors, spraken met elkaar en beantwoordden telefoons die aan één stuk leken te rinkelen. In zo'n omgeving was het onwaarschijnlijk dat Conklin luidruchtig ruzie zou gaan maken. Het kon wel een fel gesprek worden, maar het zou gedempt blijven; de ambassadeur kon beter pleiten onder die omstandigheden.

'Bourne heeft gebeld,' zei Havilland.

'Laten we naar buiten gaan,' zei Conklin.

'Dat kunnen we niet,' antwoordde de diplomaat. 'Lin kan elk moment sterven of wij kunnen elk moment naar binnen worden geroepen om even met hem te praten. Die kans kunnen we niet mislopen en de dokter weet dat we hier zijn.'

'Laten we dan weer naar binnen gaan.'

'Er zitten nog vijf andere mensen in de wachtkamer. U wilt net zo min als ik dat die ons horen.'

'Verrék, jij dekt je wel in, nietwaar?'

'Ik moet aan iedereen denken. Niet alleen aan twee of drie van ons, maar aan iedereen.'

'Wat wilt u van me?'

'De vrouw natuurlijk. Dat weet u best.'

'Dat weet ik — natuurlijk. Wat bent u bereid ervoor te geven?'

'Mijn God, Jason Bourne!'

'Ik wil David Webb hebben. Ik wil de echtgenoot van Marie. Ik wil zeker zijn dat hij levend en wel in Hongkong is. Ik wil hem zelf kunnen zien.'

'Dat is onmogelijk.'

'Dan kunt u me maar beter vertellen waarom.'

'Voordat hij zich vertoont verwacht hij eerst een halve minuut met zijn vrouw te kunnen bellen. Dat is de afspraak.'

'Maar u zei juist dat hij al gebeld had!'

'Hij heeft gebeld, maar wij hebben niet met hem gesproken. Dat konden we ons niet veroorloven zonder Marie Webb in de buurt van het apparaat.'

'Ik kan u niet meer volgen!' zei Conklin kwaad.

'Hij had zijn eigen voorwaarden gesteld, zo ongeveer zoals u dat gedaan hebt, en dat is zeker te begrijpen. U en hij waren beiden...'

'Wát voor voorwaarden?' viel de CIA-man hem in de rede.

'Als hij belde betekende dat dat hij de bedrieger bij zich had; dat was de bilaterale overeenkomst.'

'Verdómme! "Bilateraal"?'

'Beide zijden waren het erover eens.'

'Ik weet best wat het betekent. U zegt het alleen zo verdomde ingewikkeld.'

'Praat niet zo hard... Zíjn voorwaarde was, als we zijn vrouw niet binnen een halve minuut aan de telefoon hadden, dat degene die aan het toestel was een schot zou horen, en dat zou betekenen dat de killer dood was, dat Bourne hem had vermoord.'

'Goeie ouwe Delta.' Er speelde een vage glimlach om Conklins lippen. 'Hij liet zich nooit bedonderen. En ik vermoed dat hij nog een tweede voorwaarde had, klopt dat?'

'Ja,' zei Havilland grimmig. 'Er moet wederzijds een uitwisselingsplaats worden afgesproken...'

'Niet eens bilateraal?'

'Hou je mond!... Hij zal zijn vrouw alleen kunnen zien lopen, op eigen kracht. Wanneer hij tevreden is komt hij te voorschijn met zijn gevangene, naar we aannemen onder bedreiging met een pistool, en dan zal de uitwisseling plaatsvinden. Vanaf het eerste contact tot aan de uitwisseling moet alles gebeuren binnen enkele minuten, zeker niet meer dan een half uur.'

'Heel snel, zodat niemand met onverwachte geintjes kan komen.' Conklin knikte. 'Maar als er van uw kant geen reactie was, hoe weet u dan dat hij contact heeft gelegd?'

'Lin heeft het telefoonnummer geïsoleerd en een doorverbinding gemaakt naar Victoria Peak. Bourne kreeg te horen dat de lijn tijdelijk buiten dienst was en toen hij probeerde daar een bevestiging van te krijgen — en dat moest hij wel onder de omstandigheden — werd hij doorverbonden naar de Peak. We hebben hem lang genoeg aan de praat gehouden om een zoekactie op gang te brengen naar de munttelefoon die hij gebruikte. We weten waar hij is. Onze mensen zijn nu op weg daarheen met de opdracht zich verdekt op te stellen. Als hij onraad ziet of ruikt zal hij onze man doden.'

'Een zoekactie?' Alex bekeek afkeurend het gezicht van de diplomaat. 'Jullie hebben hem lang genoeg aan de praat gehouden om dat mogelijk te maken?'

'Hij staat onder een enorme spanning, daarop hebben we gerekend.'

'Webb misschien,' zei Conklin. 'Niet Delta. Niet als hij zijn kop erbij heeft.'

'Hij zal blijven bellen,' hield Havilland vol. 'Hij zal wel moeten.'

'Misschien, misschien ook niet. Hoe lang is het geleden sinds hij voor het laatst belde?'

'Twaalf minuten,' antwoordde de ambassadeur terwijl hij op zijn horloge keek.

'En voor het eerst?'

'Ongeveer een half uur.'

'En telkens wanneer hij belt hoort u het?'

'Ja. De informatie wordt doorgegeven aan McAllister.'

'Bel hem en vraag of Bourne het weer geprobeerd heeft.'

'Waarom?'

'Omdat hij, zoals u het uitdrukte, onder enorme spanning leeft en zal blijven bellen. Dat moet hij wel.'

'Wat probeert u duidelijk te maken?'

'Dat u misschien een miskleun hebt gemaakt.'

'Waar? Hoe?'

'Ik weet het niet, maar ik ken Delta.'

'Wat zou hij kunnen doen zonder contact met ons op te nemen?'

'Ons van kant maken,' zei Alex simpelweg.

Havilland draaide zich om, keek de drukke gang door en ging op weg naar de receptiebalie van die verdieping. Hij praatte met een verpleegster. Ze knikte en hij pakte een telefoon. Hij sprak even en legde de hoorn op. Met gefronst voorhoofd kwam hij bij Conklin terug. 'Dat is vreemd,' zei hij. 'McAllister denkt hetzelfde als u. Edward verwachtte dat Bourne elke vijf minuten zou bellen, áls hij al zo lang zou wachten.'

'Oh?'

'We hebben de indruk bij hem gewekt dat de telefoondienst elk moment weer hersteld kon worden.' De ambassadeur schudde zijn hoofd alsof hij het onvoorstelbare van zich af wilde zetten. 'We zijn allemaal veel te gespannen. Er kunnen een heleboel verklaringen voor zijn, vanaf een gebrek aan munten voor de telefoon tot last van zijn darmen.'

De deur van de ziekenzaal ging open en de Engelse dokter kwam naar buiten. 'Excellentie?'

'Lín?'

'Een merkwaardige man. Wat hij heeft doorgemaakt, dat zou een olifant niet eens overleven, maar ja, ze zijn ongeveer van dezelfde omvang en een olifant kan niet zo'n wil hebben om in leven te blijven.'

'Kunnen we met hem praten?'

'Dat zou geen enkele zin hebben, hij is nog steeds bewusteloos. Hij beweegt zich nu en dan, maar er is nog geen zinnig woord uit te krijgen. Elke minuut dat hij kan rusten zonder terugval is meegenomen.'

'U begrijpt hoe dringend het is dat we met hem praten, nietwaar?'

473

'Ja, meneer Havilland, dat begrijp ik. Misschien meer dan u beseft. U weet dat ik degene ben die verantwoordelijk was voor het ontsnappen van de vrouw...'

'Dat weet ik inderdaad,' zei de diplomaat. 'Ik heb ook gehoord dat ze, als ze u voor de gek kon houden, dan waarschijnlijk ook de beste internist van de Mayo Kliniek kon bedonderen.'

'Dat valt te betwijfelen, maar ik beschouw mezelf graag als deskundig. Nu voel ik me in mijn hemd gezet. Ik zal alles doen wat ik kan om u en mijn goede vriend majoor Lin te helpen. De beoordeling werd gemaakt op medische gronden en ik maakte die, en daardoor de fout, hij deed dat niet. Als hij het volgende uur overleeft, heeft hij volgens mij een kans om verder in leven te blijven. Als dat gebeurt zal ik hem bijbrengen en dan kunt u hem ondervragen, als u uw vragen maar kort en eenvoudig houdt. Als ik denk dat een terugval te ernstig is en dat hij onder onze handen vandaan glipt zal ik u ook bellen.'

'Dat is redelijk, dokter. Dank u.'

'Minder kon ik niet doen. Dat zou Lin ook willen. Ik ga nu naar hem terug.'

Het wachten begon. Havilland en Conklin sloten hun eigen bilaterale overeenkomst. Als Bourne weer probeerde het nummer te bereiken voor *Slangevrouw,* zou hem verteld worden dat de lijn over twintig minuten vrij zou zijn. In die tijd zou Conklin worden teruggereden naar het beveiligde huis in Victoria Peak om het gesprek aan te nemen. Hij zou de uitwisseling regelen en tegen David zeggen dat Marie veilig was bij Morris Panov. De twee mannen keerden terug naar de wachtkamer en gingen tegenover elkaar zitten; elke minuut dat er niets gebeurde vergrootte de spanning.

Maar de minuten regen zich aaneen tot kwartieren en die tot meer dan een uur. De ambassadeur belde drie keer met de Peak om te horen of ze al iets hadden vernomen van Jason Bourne. Niets. Twee keer kwam de Engelse dokter naar buiten om rapport uit te brengen over Lins conditie. Die was onveranderd, en dat feit deed hun hoop eerder toe- dan afnemen. Eén keer ging de telefoon in de wachtkamer over en zowel Havilland als Conklin hielden hun ogen strak gericht op het toestel en op de verpleegster die rustig het gesprek aannam. Het was niet voor de ambassadeur. De spanning tussen de beide mannen nam toe en nu en dan keken ze elkaar aan en in hun ogen lag hetzelfde te lezen. *Er klopt iets niet. Er is iets van de rails gelopen.* Er kwam een Chinese dokter naar buiten die op twee mensen verderop in de wachtkamer toeliep, een jonge vrouw en een priester. Hij sprak zacht. De vrouw gilde, snikte toen en viel in de armen van de priester. Er was weer een politieweduwe bijgekomen. Men nam haar mee om haar man voor het laatst nog eens te zien.

Stilte.

De telefoon rinkelde weer en opnieuw staarden de diplomaat en de CIA-man naar de balie.

'Excellentie,' zei de verpleegster, 'het is voor u. Meneer zegt dat het zeer dringend is.' Havilland stond op, liep naar de balie, bedankte met een hoofdknik en nam de hoorn aan.

Wat het ook was, het was gebeurd. Conklin keek toe en hij had nooit geloofd te zullen zien wat hij nu zag. Het krachtig gevormde gezicht van de diplomaat werd asgrauw. Zijn dunne lippen die gewoonlijk dicht op elkaar waren geklemd stonden nu vaneen, zijn donkere wenkbrauwen waren opgetrokken, zijn ogen stonden wijd opengesperd en hol. Hij draaide zich om en sprak Alex aan, met een nauwelijks hoorbare stem, het was een angstig fluisteren.

'Bourne is verdwenen. De bedrieger is verdwenen. Twee van de mannen zijn geboeid en ernstig gewond aangetroffen.' Hij luisterde weer naar de telefoon en zijn ogen knepen zich samen. 'O, mijn gód!' riep hij uit en hij keerde zich opnieuw naar Conklin.

De CIA-man was er niet meer.

David Webb was verdwenen, alleen Jason Bourne was er nog. Toch was hij zowel gevaarlijker als zwakker dan de jager op Carlos de Jakhals. Hij was Delta, het roofdier, het beest dat enkel wraak zocht voor dat allerkostbaarste deel van zijn leven dat hem opnieuw was ontnomen. En net als een wraakzuchtig roofdier deed hij alles wat hij doen moest — zocht hij instinctmatig alles bijeen wat hij nodig had — als in trance, maar toch met elke beslissing scherp omlijnd, elke actie met een dodelijk doel. Zijn oog was alleen gericht op het doden van zijn prooi en zijn menselijk brein was verdierlijkt.

Hij zwierf door de smerige straten van de Yau Ma Ti, met zijn gevangene achter zich aan met strak geboeide polsen, en vond er wat hij wilde vinden, betaalde duizenden dollars voor dingen die maar een fractie van dat bedrag waard waren. Tot in de Mongkok raakte het bekend dat die vreemde man rondzwierf met een nog vreemdere, zwijgende metgezel, die geboeid was en vreesde voor zijn leven. Nog meer deuren gingen voor hem open, deuren die bestemd waren voor de vervoerders van smokkelwaar — drugs, blanke slavinnen, juwelen, goud en middelen om verwoesting, bedrog en dood te zaaien. Overdreven waarschuwingen vergezelden het verhaal dat werd verteld over deze bezeten man die duizenden dollars bij zich droeg.

Hij is een maniak en hij is een blanke en hij doodt bij het minste verzet. Men zegt dat hij twee kerels die hem bedrogen de keel heeft afgesneden. We hoorden dat een Zhongguo ren is doodgeschoten omdat hij niet afleverde wat overeengekomen was. Hij is waanzinnig. Geef hem maar wat hij hebben wil. Hij betaalt contant. Wie kan het wat schelen? Dit is ons probleem niet. Laat hem maar binnen. Laat hem maar gaan.

Neem alleen zijn geld maar aan.

Tegen middernacht had Delta de gereedschappen voor zijn dodelijke handwerk. En de man van Medusa dacht alléén aan succes. Hij moest slagen. Het doden van zijn prooi ging boven alles.

Waar was Echo? Echo had hij nodig. Die ouwe Echo was zijn geluksamulet!

Echo was dood, afgemaakt door een waanzinnige met een ceremonieel zwaard in een vredig bos vol vogels. Herinneringen.

Echo.

Marie.

Ik zal hen afmaken voor wat ze jullie hebben aangedaan!

Hij hield een gammele taxi aan in de Mongkok, liet de bestuurder geld zien en vroeg hem uit te stappen.

'Ja, wat is er, meneer?' vroeg de man in gebroken Engels.

'Wat is je auto waard?' vroeg Delta.

'Ik begrijp niet.'

'Hoevéél? Geld? Voor uw auto!'

'U *feng kuang!*'

'*Bu!*' schreeuwde Delta en hij zei de chauffeur dat hij niet gek was. 'Hoeveel vraagt u voor uw auto?' vervolgde hij in het Chinees. 'Morgen kunt u zeggen dat hij gestolen is. De politie zal hem wel vinden.'

'Die taxi is mijn enige bron van inkomsten en ik heb een groot gezin! U bent gek!'

'Wat dacht u van vierduizend Amerikaanse dollars?'

'*Aiya.* Neemt u hem maar!'

'*Kuai!*' zei Jason en hij zei de man dat hij moest opschieten. 'Helpt u me even met deze zieke man. Hij heeft de beefziekte en hij moet worden vastgebonden, anders verwondt hij zichzelf.'

De eigenaar van de taxi had alleen maar oog voor het vele geld in Bournes hand. Hij hielp Jason de killer op de achterbank te werken en hield hem vast terwijl de man van Medusa de nylontouwen om de enkels van de commando wond, om zijn knieën en ellebogen. Hem opnieuw de mond snoerde en hem blinddoekte met de repen stof die hij gescheurd had van het kussensloop uit het goedkope hotelletje. De gevangene kon niet verstaan wat er werd gezegd — het werd in het Chinees geschreeuwd — en kon daarom alleen maar passief verzet bieden. Het was niet alleen de pijn die hij zijn eigen polsen aandeed telkens wanneer hij ze in protest bewoog, het was iets wat hij zag wanneer hij zijn bewaker aankeek. In de vroegere Jason Bourne was iets veranderd; hij verkeerde nu in een andere wereld, een wereld vol duisternis. Het besluit om te doden bleek uit de lange perioden stilzwijgen van de man van Medusa. Het stond in zijn ogen te lezen.

Terwijl Delta door de drukke tunnel reed van Kowloon naar het eiland Hongkong, bereidde hij zich voor op de aanval. Hij stelde zich de

obstakels voor die hem in de weg gelegd zouden worden, verzon de tegenmaatregelen die hij zou nemen. Hij voorzag alles erger dan het in
werkelijkheid kon zijn en bereidde zich zo voor op het ergste.
*Hetzelfde had hij gedaan in de oerwouden van Tam Quan. Hij had daar
niets over het hoofd gezien en hij had iedereen mee teruggebracht − op
een na. Een stuk uitschot, een man die geen ziel had maar een hunkering
naar goud, een verrader die bereid was de levens van zijn kameraden
te verkopen voor een klein voordeel. Daar was het allemaal begonnen.
In de jungle van Tam Quan. Delta had het stuk uitschot geëxecuteerd,
een kogel door zijn slaap gejaagd, terwijl de verrader bezig was via de
radio hun positie door te geven aan de Cong. Het uitschot was een man
van Medusa die Jason Bourne heette, en ze hadden hem eenvoudig laten
rotten in het oerwoud van Tam Quan. Hij was het begin geweest van
alle waanzin. Toch had Delta iedereen mee teruggebracht, ook een
broer die hij zich niet meer kon herinneren. Hij had hen teruggebracht
door driehonderd kilometer vijandig gebied omdat hij tevoren had
overwogen wat misschien kon gebeuren en zich had voorgesteld wat zo
goed als onaannemelijk was. Dat laatste was veel belangrijker geweest
voor hun ontsnapping, want het was gebeurd en hij was voorbereid geweest op het onverwachte. Zo was het nu ook. Er kon bij dat beveiligde
huis in Victoria Peak niets gebeuren of hij kon het de baas blijven. Op
moord was maar één antwoord: de dood.*
Hij zag de hoge muren van het landhuis en reed er onopvallend voorbij.
Langzaam, zoals een gast of een toerist zou doen die er niet zeker van
was of die deftige straat wel de juiste was. Hij zag het glas van de verdekt opgestelde zoeklichten, merkte het dicht ineengevlochten prikkeldraad op bovenop de muur. Hij keek speciaal naar de twee wachtposten
achter de enorme poort. Ze stonden in de schaduw, maar het weinige
licht dat er was weerkaatste van de stof van hun veldtunieken − niet
zo slim, ze hadden de stof doffer moeten maken of moeten vervangen
door iets wat er niet zo militair uitzag. Voor hem uit zag hij het einde
van de hoge muur. Het was de hoek, de stenen versperring strekte zich
naar rechts uit voor zover zijn oog reikte. Een ervaren blik zag direct
dat dit een beveiligd huis was. Voor een onervaren voorbijganger was
het duidelijk het woonhuis van een belangrijk diplomaat, misschien een
ambassadeur, die bescherming nodig had in deze gevaarlijke tijden. Het
terrorisme beheerste alles; een gijzelaar was een begeerd bezit, afweer-
middelen waren normaal. Met zonsondergang werden er cocktails geserveerd te midden van het gedempte lachen van de elite die regeringen
kon maken of breken, maar buiten werden de wapenen gereed gehouden, stonden in het donker de veiligheidspallen op vuren. Delta begreep
dat. Daarom had hij die uitpuilende rugzak bij zich.
Hij reed de gammele auto de berm op. Het was niet nodig die te verstoppen; hij zou niet meer terugkomen. Terugkomen had voor hem geen zin

meer. Marie was er niet meer en alles was voorbij. Dit was het einde van alle levens die hij had geleid. David Webb. Delta. Jason Bourne. Ze lagen in het verleden. Hij wilde alleen maar rust. De pijn was nu onverdraaglijk geworden. Hij wilde rust. Maar eerst had hij een dodelijke missie. Zijn vijanden, Maries vijanden, alle vijanden van de mannen en vrouwen op de hele wereld die marionetten waren voor de naamloze, onbekende poppenspelers, zouden nu een lesje krijgen. Geen belangrijk lesje natuurlijk, want door de specialisten zorgvuldig gezuiverde verklaringen zouden gegeven worden en moeilijke woorden en verwrongen halve waarheden zouden ze aannemelijk doen klinken. Leugens. *Zet elke twijfel van je af, stel geen vragen meer, wees even woedend als de mensen zelf en laat de heersende opvatting als een trom de pas bepalen. Het doelwit is alles, de onbetekenende spelers stellen niets voor, het zijn enkel noodzakelijke cijfertjes in de dodelijke vergelijkingen. Gebruik hen, pers alles uit hen, dood hen als het niet anders kan, maar zorg dat het werk wordt uitgevoerd, omdat wij het zeggen. Wij zien dingen die voor anderen onzichtbaar zijn. Twijfel niet aan ons. Jullie weten niet wat wij weten.*

Jason stapte uit, trok het achterportier open en sneed met zijn mes de touwen los om de enkels en knieën van de killer. Toen trok hij de blinddoek weg maar liet de prop in de mond. Hij greep zijn gevangene bij de schouder en...

Een verlammende klap volgde! De killer draaide zich om en zette zich schrap, hij smakte zijn rechterknie in Bournes linkernier en zwiepte zijn samengebonden handen in Jasons keel waarop Delta dubbelklapte. Een tweede knie kwam tegen Bournes ribben terecht. Hij viel neer en de commando rende de weg op. *Nee. Dat mag niet gebeuren. Ik heb zijn pistool nodig, hij moet met me meevechten. Dat is een deel van het plan!*

Delta kwam overeind en de pijn vlamde door zijn borst en zijn zij. Hij stortte zich achter de hollende gedaante aan de weg op. Over een paar tellen zou de killer in het duister verdwenen zijn! De man van Medusa ging nog harder lopen, hij vergat de pijn, hij concentreerde zich alleen maar op de killer met die enkele gedachten die nog functioneerden. Sneller, snéller! Ineens zwaaiden er koplampen omhoog van onder aan de heuvel, en vingen de killer in hun schijnsel. De commando sprong naar de berm van de weg om het licht te vermijden. Bourne bleef tot op het laatste moment aan de rechterkant lopen, in de wetenschap dat hij kostbare meters won bij het snelle passeren van de wagen. Omdat de killer zijn armen niet kon gebruiken struikelde hij in de zachte wegberm. Hij kroop snel en met moeite terug naar het asfalt, kwam overeind en begon weer te rennen. Het was te laat. Delta smakte zijn schouder onder tegen de ruggegraat van zijn gevangene; beide mannen vielen op de grond. Het schorre brullen van de commando klonk als het huilen van een razend dier. Jason draaide de killer op zijn rug en klapte wreed zijn knie in de maag van zijn gevangene.

'Nou ga jij naar mij luisteren, húfter!' zei hij hijgend terwijl het zweet van zijn gezicht stroomde. 'Of je kapot gaat of niet kan mij geen barst verdommen. Over een paar minuten heb ik niks meer met jou te maken, maar zolang het nog niet zover is hoor je bij het plan, míjn plan! En of je daarbij de pijp uitgaat of niet is jouw eigen zaak, niet de mijne. Ik geef jou een kans en dat heb jij met je slachtoffers nog nooit gedaan. Sta op! Doe alles wat ik je zeg, anders verlies je die ene kans tegelijk met je kop, en dat is precies wat ik hun heb beloofd.'

Bij de auto bleven ze staan. Delta pakte zijn rugzak en haalde er een pistool uit dat hij in Beijing had veroverd en liet het de commando zien. 'Op het vliegveld in Jinan smeekte je me om een wapen, weet je nog?' De killer knikte met wijdopen ogen en een ver uitgerekte mond door de strak gespannen doek. 'Dit is van jou,' vervolgde Jason Bourne, met vlakke stem waarin geen enkele emotie klonk. 'Zo gauw we over de muur zijn − die muur daar vóór je − zal ik het je geven.' De killer fronste de wenkbrauwen en zijn ogen vernauwden zich. 'Dat was ik vergeten,' zei Delta. 'Je kon die niet zien. Zowat vijfhonderd meter verderop staat een beveiligd huis. Daar gaan we naar binnen. Ik blijf daar en ik schiet iedereen neer die ik te pakken kan krijgen. Jij? Jij hebt negen patronen en ik zal je nog wat extra's geven. Eén ''bobbel''.' De man van Medusa haalde een pakje *kneedbare* springstof uit de Mongkok uit zijn rugzak en liet het zijn gevangene zien. 'Voor zover ik het kan bekijken zou je nooit meer terug kunnen gaan over de muur, ze zouden je neerknallen. Je enige weg naar buiten loopt dus via de poort. Die zal ongeveer schuin naar rechts liggen. Om daar te komen zul je je al schietend een weg moeten banen. Je kunt de tijdontsteker van de kneedbom tot op tien seconden afstellen. Je ziet maar wat je ermee doet, mij kan het niet schelen. *Capice?*'

De killer hief zijn geboeide handen op en gebaarde naar de prop in zijn mond. De geluiden uit zijn keel gaven aan dat Jason zijn armen los moest maken en de prop moest weghalen.

'Bij de muur,' zei Delta. 'Als ik klaar ben zal ik de touwen doorsnijden. Maar als ik dat doe en je probeert de prop weg te halen voordat ik het zeg, dan is je kans verkeken.' De killer staarde hem aan en knikte even. Jason Bourne en zijn moorddadige troonopvolger liepen de straat op Victoria Peak af naar het beveiligde huis.

Conklin hinkte zo snel hij kon de trap van het ziekenhuis af, zich vastklampend aan de leuning in het midden en vertwijfeld rondkijkend naar een taxi op de oprit beneden. Er stond er geen. Er stond alleen een verpleegster in uniform de *South China Times* te lezen in het schijnsel van de lampen. Nu en dan keek ze op naar de ingang van de parkeerplaats.

'Neemt u me niet kwalijk, juffrouw,' zei Alex buiten adem. 'Spreekt u Engels?'

'Een beetje,' antwoordde de vrouw en toen ze zag dat hij hinkte en erg opgewonden was, vroeg ze: 'Bent u in moeilijkheden?'

'Grote moeilijkheden. Ik moet een taxi hebben. Ik moet iemand direct bereiken en dat kan ik niet per telefoon doen.'

'Ze bellen er wel een voor u bij de receptie. Dat doen ze voor mij elke avond wanneer ik naar huis ga.'

'U staat te wachten...?'

'Daar komt-ie,' zei de vrouw. Aan de ingang van de parkeerplaats waren naderende koplampen te zien.

'Juffrouw!' riep Conklin uit. 'Dit is echt erg dringend. Een man ligt op sterven en een ander zal misschien sterven als ik hem niet waarschuw! Alstublieft! Mag ik...?'

'Bie zhaoji,' riep de verpleegster uit en ze zei hem kalm te blijven. 'U hebt haast, die heb ik niet. Neemt u mijn taxi maar. Ik vraag wel een andere.'

'Dank u,' zei Alex toen de taxi stopte aan de stoeprand. 'Dánk u!' herhaalde hij toen hij het portier opentrok en instapte. De vrouw knikte vriendelijk en haalde haar schouders op toen ze zich omdraaide en weer de trap begon op te lopen. De glazen deuren bovenaan de trap knalden open en Conklin zag door het achterraampje hoe de verpleegster bijna opbotste tegen twee van Lins mensen. De ene hield haar staande en sprak met haar; de ander liep naar de stoeprand en tuurde vanuit de lichtkring het donker in. 'Schiet op!' zei Alex tegen de bestuurder toen ze door de poort reden. *'Kuai diar,* als dat de juiste uitdrukking is.'

'Hij is goed genoeg,' zei de onverschillige bestuurder in vloeiend Engels. 'Maar "Schiet op" is beter.'

Aan het laagste deel van Nathan Road lag de ingang naar de helverlichte wereld van de Golden Mile. De felle gekleurde lampen, de dansende, flikkerende, glinsterende lichtjes vormden de wanden van deze overvolle stadsvallei vol mensen, waar nieuwsgierigen rondneusden en verkopers krijsten om aandacht. Het was één grote bazaar, waar een dozijn talen en dialecten streden om het gehoor en de aandacht van de steeds wisselende mensenmassa's. Hier, in deze heksenketel van commerciële chaos waar het geld bijna letterlijk op straat lag, stapte Alex Conklin uit de taxi. Moeizaam lopend en opvallend hinkend, waarbij de aderen van zijn gehandicapte voet opzwollen, haastte hij zich naar de oostkant van de straat, terwijl zijn ogen rondzwierven als die van een kwade tijgerin die haar jongen zoekt in het jachtgebied van de hyena's.

Hij kwam aan de vierde zijstraat, de laatste zijstraat. Waar waren ze? Waar was de slanke, gespierde Panov en de rijzige, ópvallende, kastanjebruine Marie? Zijn instructies waren duidelijk geweest, *absoluut*. De eerste vier zijstraten naar het noorden aan de rechterkant, de oostkant.

Mo Panov had ze nog herhaald... Och, verdómme! Hij was op zoek geweest naar twee mensen, van wie er een eruit zag als honderden andere mannen tussen die vier zijstraten. Maar zijn ogen hadden gezocht naar de rijzige vrouw met het donkerbruine haar — en dat wás ze nu niet meer! Haar kapsel was grijs geverfd met witte lokken! Alex liep weer terug naar Salisbury Road en zijn ogen waren nu ingesteld op wat hij hoorde te vinden, niet op wat zijn pijnlijke herinnering hem zei te zoeken.

Daar waren ze! Aan de rand van een mensenmenigte om een straatverkoper heen met een kar die hoog lag volgestapeld met zijden lappen van allerlei soorten en merken. De zijde was betrekkelijk echt, de merknamen even nagemaakt als de vervalste handtekeningen.

'Kom met me mee!' zei Conklin en hij pakte beiden bij de elleboog.

'Alex!' riep Marie uit.

'Alles goed met je?' vroeg Panov.

'Nee,' zei de CIA-man. 'Het gaat met geen van ons goed.'

'Het gaat om David, nietwaar?' Marie pakte Conklins arm beet in een knellende greep.

'Nu niet. Opschieten. We moeten hier weg.'

'Zijn ze hier?' Marie hijgde van schrik en haar hoofd met de grijze haren draaide naar rechts en naar links, met angstige ogen.

'Wie?'

'Dat wéét ik niet!' schreeuwde ze boven het lawaai van de mensen uit.

'Nee, zíj zijn niet hier,' zei Conklin. 'Kom op, er staat een taxi op ons te wachten bij de Pen.'

'Wat voor pen?' vroeg Panov.

'Dat zei ik je toch. Het Peninsula Hotel.'

'O, ja, dat was ik vergeten.' Met z'n drieën begonnen ze Nathan Road af te lopen en het was duidelijk voor Marie en Morris Panov dat het Alex veel moeite kostte. 'We kunnen toch wel wat langzamer lopen?' vroeg de psychiater.

'Nee, dat kunnen we niet!'

'Je hebt pijn,' zei Marie.

'Hou daarover op! Jullie alletwee. Ik heb niks aan dat gelul van jullie.'

'Vertel ons dan wat er gebeurd is!' gilde Marie, terwijl ze een straat overstaken vol karren waar ze tussendoor moesten lopen en vol kopers en verkopers en toeristen die met verbaasde gezichten op weg waren naar de exotische, krioelende Golden Mile.

'Daar staat de taxi,' zei Conklin, toen ze bij Salisbury Road kwamen. 'Maak voort. De bestuurder weet waar we heen moeten.'

In de taxi, met Panov tussen Marie en Alex in, stak ze opnieuw haar hand uit en greep Conklins arm vast. 'Het gaat over David, nietwaar?'

'Ja. Hij is terug. Hij is hier in Hongkong.'

'Godzijdánk!'

'Hoop er maar het beste van. Dat doen wij ook.'
'Wat wil je daarmee zeggen?' vroeg de psychiater scherp.
'Er is iets fout gelopen. Het scenario is van de rails gelopen.'
'Wil je nou, godverdomme, eens een keer gewoon Engels praten?' ontplofte Panov.
'Hij bedoelt,' zei Marie en ze staarde strak naar de CIA-man, 'dat David ofwel iets heeft gedaan dat hij niet verondersteld werd te doen, of iets niet heeft gedaan wat van hem werd verwacht.'
'Daar komt het zo ongeveer op neer.' Conklins ogen zwierven naar de lichten van Victoria Harbour en het eiland Hongkong dat daarachter lag. 'Ik kon vroeger Delta's acties voorzien, meestal voordat hij ze uitvoerde. Later, toen hij Bourne was, kon ik hem opsporen wanneer anderen dat niet konden, omdat ik wist wat zijn keuzemogelijkheden waren en wist welke hij zou kiezen. Maar toen begonnen er dingen met hem te gebeuren, en niemand kon nog iets voorspellen, omdat hij het contact verloren was met de Delta die hij vroeger was. Delta is nu echter terug en zoals zo vaak is gebeurd in het verleden, hebben zijn vijanden hem onderschat. Ik hoop dat ik ongelijk heb, verrék, ik hoop dat ik ongelijk heb!'

Met zijn pistool achter in de nek van de killer gedrukt bewoog Delta zich geruisloos door het kreupelhout voor de hoge muur van het beveiligde huis. De killer aarzelde, ze waren op nog geen drie meter van de donkere ingang. Delta drukte het wapen dieper in de huid van de commando en fluisterde: 'Er zijn geen foto-elektrische cellen in de muur of op de grond. Die zouden elke halve minuut door eekhoorns verbroken worden. Blijf doorlopen! Ik zeg wel wanneer je stil moet staan.'
Op anderhalve meter van de poort kwam het bevel. Delta greep zijn gevangene bij zijn kraag en draaide hem om, met de loop van zijn pistool nu op de keel van de killer. Toen stak de man van Medusa zijn hand in zijn zak en haalde er een bolletje kneedspringstof uit. Hij stak zijn arm uit naar de poort, zover hij kon. Hij drukte het zelfklevende deel van het pakje tegen de muur. De kleine digitale tijdontsteker in de weke massa van het plastic had hij tevoren afgesteld op zeven minuten, een getal dat hij zowel als geluksgetal had gekozen en om zichzelf en de killer de tijd te geven op een paar honderd meter afstand te komen. 'Schiet op!' fluisterde hij.
Ze sloegen de hoek van de muur om en liepen door langs de kant tot ze ongeveer bij het midden waren, van waaruit het einde van de afzetting zichtbaar was in het maanlicht. 'Wacht hier,' zei Delta en hij stak zijn hand in zijn rugzak waarvan hij de draagbanden kruiselings over zijn borst had gespannen zodat de zak aan zijn rechterzij hing. Hij trok er een rechthoekige zwarte doos uit, 12,5 centimeter breed, 7,5 hoog en 5 breed. Opzij ervan hing een opgerolde draad van ongeveer vijftien me-

ter, omkleed met dun zwart plastic. Het was een megafoon met batterij-
voeding. Die legde hij boven op de muur en hij knipte een schakelaar
om aan de achterkant; een rood lampje gloeide op. Hij wikkelde de
dunne draad af en duwde de killer naar voren. 'Nog zo'n zeven à tien
meter,' zei hij. Ze kwamen aan een plek die voor de man van Medusa
acceptabel was. De neerhangende takken van een wilgeboom hingen
verspreid over de muur en vormden een ideale dekking. 'Híer!' fluisterde hij schor en hij hield de commando tegen door hem bij de schouder
te grijpen. Hij haalde de draadschaar uit de rugzak en duwde de killer
tegen de muur, ze stonden tegenover elkaar. 'Ik ga je nu lossnijden,
maar nog niet helemaal vrij. Begrijp je dat?' De commando knikte en
Delta knipte de touwen door tussen de polsen en ellebogen van zijn gevangene terwijl hij het pistool op diens hoofd hield gericht. Hij zette een
stap achteruit, ging met gebogen rechterknie voor de killer staan en gaf
hem de draadschaar. 'Ga op mijn been staan en knip het prikkeldraad
door. Je kunt erbij komen door even te springen en je hand eronder te
schuiven om houvast te krijgen. Probeer geen geintjes uit te halen. Je
hebt nog geen pistool, maar ik wel en je zult onderhand wel door hebben dat het me weinig meer kan schelen.'
De gevangene deed wat hem werd opgedragen. Hij hoefde maar even
te springen vanaf Delta's been. De linkerarm van de killer gleed handig
tussen het prikkeldraad door en zijn hand vond houvast aan de achterkant van de muur. Hij sneed geruisloos de ineengevlochten draden
door, waarbij hij de schaar schuin tegen het metaal plaatste om het geluid bij het lossspringen van de strakke draad te verminderen. Er was nu
boven op de muur een gat van anderhalve meter. 'Klim erop,' zei Delta.
Dat deed de killer en toen zijn linkerbeen over de muur zwaaide sprong
Delta omhoog, greep de broek van de killer vast en trok zich op tegen
de stenen, terwijl hij zijn linkerbeen over de bovenkant draaide. Hij
kwam gelijktijdig met de commando schrijlings op de muur te zitten.
'Aardig gedaan, majoor Allcott-Price,' zei hij met een kleine ronde microfoon in zijn hand en zijn wapen gericht op het hoofd van de moordenaar. 'Nu duurt het niet lang meer. Als ik jou was zou ik het terrein
maar eens verkennen.'

Terwijl Conklin de bestuurder tot steeds meer haast aanspoorde zwoeg-
de de taxi zich tegen de hellende weg van Victoria Peak op. Ze kwamen
voorbij een kapotte auto aan de kant van de weg. Die leek niet thuis te
horen in zo'n deftige omgeving en Alex slikte moeilijk toen hij hem zag,
zich angstig afvragend of die wagen werkelijk kapot was. 'Daar heb je
het huis!' riep de CIA-man uit. 'Schiet in godsnaam op! Rij de...'
Hij maakte zijn zin niet af, kón die niet afmaken. Voor hen barstte het
donker en de weg uiteen in een oorverdovende explosie. Vlammen en
stenen schoten alle kanten op, toen eerst een groot deel van de muur in-

eenstortte en vervolgens de enorme ijzeren poort langzaam voorover viel achter de vlammen, als in een spookachtig langzame film.
'Oh, mijn God, ik heb gelijk gehad,' zei Alexander Conklin zacht bij zichzelf. 'Delta is terug. Hij wil sterven. Hij zál ook sterven.'

32

'*Nog niet!*' brulde Jason Bourne toen de muur uiteenspatte aan de overkant van de imposante tuin met zijn seringen en rozenbedden. 'Ik zal je wel zeggen wanneer,' voegde hij er zachter aan toe, met de kleine ronde microfoon in zijn linkerhand.
De killer gromde; al zijn oerinstincten waren tot het uiterste geprikkeld, zijn moordlust was even groot als zijn overlevingsdrang, het ene was afhankelijk van het andere. Hij leefde op de grens van de waanzin. Alleen de loop van Delta's pistool weerhield hem van een dolzinnige aanval. Nog was hij een mens en elke poging je aan het leven vast te klampen was beter dan machteloos op het einde wachten. Maar wanneer, wannéér? De zenuwtic verscheen weer in het gezicht van Allcott-Price. Zijn onderlip trilde bij het horen van het gegil en geschreeuw en van mannen die in paniek door de tuin renden. De handen van de moordenaar beefden toen hij Delta aanstaarde in het vage, flakkerende licht van de vlammen in de verte.
'Vergeet het maar,' zei de man van Medusa. 'Als je je beweegt ben je er geweest. Je hebt me nu meegemaakt dus je weet dat ik geen pardon ken. Als je eruit komt, dan doe je dat op eigen kracht. Zwaai je been over de muur en hou je gereed om te springen wanneer ik het zeg. Niet eerder.' Onverwacht bracht Bourne de microfoon naar zijn lippen en klikte een schakelaar om. Toen hij sprak galmden zijn versterkte woorden spookachtig door de tuin, een klaaglijk, echoënd geluid dat paste bij het gedaver van de explosie, dat eigenlijk nog dreigender klonk door zijn rustige, kille eenvoud.
'Mariniers! Zoek dekking en hou je hier buiten. Dit is jullie oorlog niet. Weiger te sneuvelen voor de mannen die jullie hierheen hebben gebracht. Voor hen zijn jullie uitschot. Jullie zijn onbelangrijk net als ik dat was. Wet en gezag heeft hiermee niets te maken, het gaat niet om een gebied dat verdedigd moet worden, de eer van jullie land staat niet op het spel. Jullie zijn hier alleen maar om een stel moordenaars te beschermen. Het enige verschil tussen jullie en mij is dat ze mij ook hebben gebruikt, maar nu willen opruimen omdat ik weet wat ze gedaan hebben. Geef je leven niet voor deze kerels, ze zijn dat niet waard. Ik geef jullie mijn woord dat ik niet op jullie zal schieten, tenzij jullie op mij schieten en dan zal ik niet anders kunnen. Maar er is hier nog iemand en die zal jullie in niets tegemoet komen...'

Geweervuur knetterde los, de bron van het geluid werd weggeschoten, de onzichtbare luidspreker tuimelde in stukken van de muur. Delta had erop gerekend, dat moest wel gebeuren. Een van de onzichtbare, naamloze poppenspelers had een bevel gegeven en dat was uitgevoerd. Hij haalde uit zijn rugzak een tevoren ingestelde afvuurinrichting van 35 centimeter met een traangasgranaat erop, gereed om afgeschoten te worden. Ze kon van een afstand van vijftig meter dik glas doorboren. Hij mikte en haalde de trekker over. Dertig meter verderop sprong een groot erkerraam aan scherven en dichte gaswolken vulden het vertrek erachter. Door het kapotte glas heen kon hij gestalten zien rennen. Lampen en kroonluchters werden gedoofd en hun licht werd vervangen door het onverwacht aanfloepen van een rij zoeklichten, opgesteld op de dakranden van het grote huis en op de boomstammen in de omgeving. Ineens lag de tuin in een verblindend witte gloed. De neerhangende takken van de boom waaronder ze zaten zouden als een magneet ronddwalende blikken en gerichte wapens aantrekken en hij begreep dat het beroep dat hij op de mariniers had gedaan de gegeven bevelen niet meer ongedaan kon maken. Hij had dat beroep uitgesproken als een eerlijke waarschuwing, zowel als een sussen van het beetje geweten dat nog was overgebleven in een nauwelijks meer denkende, nauwelijks meer voelende wrekende robot. Vaag schemerde er in zijn geest nog een gedachte dat hij geen jongemannen wilde doden die waren opgeroepen om de paranoïde ego's van poppenspelers te dienen, dat had hij jaren geleden al te vaak meegemaakt in Saigon. Hij was alleen gebrand op de levens van de mensen in het beveiligde huis, hen wilde hij doden. Ze hadden hem alles afgenomen en hij had nu een zuiver persoonlijke rekening met hen te vereffenen. De man van Medusa had zijn besluit genomen: hij was de marionet die danste aan de koorden van zijn eigen razernij, en op die razernij na was zijn leven niets meer waard.

'Spríng!' fluisterde Delta en hij zwaaide zijn rechterbeen over de muur en stompte de killer naar beneden. Hij volgde terwijl de commando nog in de lucht hing en greep zijn schouder vast toen de verraste killer zich met zijn handen op zijn knieën oprichtte van het gras. Bourne sleurde hem uit het zicht een prieeltje met latwerk in dat geheel overwoekerd was door een bougainvilleastruik van bijna twee meter. 'Hier is je pistool, majoor,' zei de eerste Jason Bourne. 'Het mijne is op jou gericht en dat kun je maar beter onthouden!'

De killer greep het wapen vast en rukte gelijktijdig de doek van zijn mond. Hij hoestte en spuugde speeksel uit terwijl een razende kogelregen langs de hele muur bladeren en takken afrukte. 'Die preek van jou heeft geen sodemieter geholpen, man!'

'Dat had ik ook niet verwacht. Waar het nu op neerkomt is dat ze jou willen hebben, niet mij. Ik ben nu immers écht onbelangrijk. Dat is vanaf het begin hun plan geweest. Ik breng jou hierheen en ik kan worden

opgeruimd. Mijn vrouw is al dood. Wij weten te veel. Zij omdat ze ontdekte wie ze waren — dat moest ze wel, ze was het aas — en ik omdat
ze wisten dat ik in Peking zou ontdekken dat twee en twee vier is. Je
zit tot je nek in een bloedbad, majoor. Een megabom die heel het Verre
Oosten uit elkaar kan laten spatten en dat ook zal doen als er niet een
paar verstandiger kerels in Taiwan die waanzinnige cliënten van jou te
pakken krijgen en koud maken. Alleen mij kan het nu geen barst meer
verdommen. Spelen jullie die pokkespelletjes van jullie maar, blaas jezelf maar op. Ik wil alleen maar in dat huis zien te komen.'
Een sectie mariniers voerde een charge uit op de muur, rende langs de
stenen afzetting met hun geweren in de aanslag, gereed om te vuren.
Delta trok nog een kneedbom uit zijn rugzak, zette de digitale tijd-
ontsteker op 10 seconden en gooide het pakje zo ver hij kon naar de
achtermuur van de tuin, in tegengestelde richting van de bewakers.
'Kom op!' beval hij de commando terwijl hij hem zijn pistool in de rug
porde. 'Jij voorop! Dit pad af. We gaan naar het huis.'
'Geef me één van die dingen! Geef me een kneedbom!'
'Ik denk er niet aan.'
'Verrék, je hebt het me beloofd!'
'Dan heb ik ofwel gelogen of ik ben van gedachten veranderd.'
'Waarom? Wat kan het jou schelen?'
'Het kan me veel schelen. Ik wist niet dat er zoveel jonge kerels waren.
Er zijn er te veel. Je zou er tien tegelijk kunnen doden met zo'n ding
en er nog een heel stel meer kunnen verminken.'
'Het is wel een beetje laat voor jou om ineens de barmhartige Samari-
taan te gaan uithangen!'
'Dat komt heus wel meer voor; vaker dan jij denkt.
Ik weet wie ik hebben wil en ik wil geen jongetjes in keurig gestreken
GI-pyjama's. Ik wil de kerels in dat...'
De explosie weerklonk zo'n veertig meter verderop achter in de tuin.
Bomen en grond, struiken en hele bloembedden schoten in vlammen gehuld de lucht in — een panorama van groene en bruine tinten met hier
en daar wat fellere kleuren in een opkolkende wolk grijze rook die verlicht werd door het felwitte schijnsel van de schijnwerpers. 'Vooruit!'
fluisterde Delta. 'Naar het einde van de rij. Het is zowat twintig meter
van het huis en er zijn een paar deuren...' Bourne sloot zijn ogen in
machteloze woede toen een schijnbaar eindeloze reeks salvo's geweervuur opklonken in het achterdeel van de tuin. *Het waren kinderen. Ze
vuurden blindelings omdat ze bang waren, doodden denkbeeldige dui-
vels maar ze raakten geen doel. En ze wilden niet luisteren.*
Een ander groepje mariniers, dat nu kennelijk werd aangevoerd door
een ervaren officier, nam positie in op gelijke afstand van elkaar in een
halve kring voor het grote huis; ze stonden met hun benen licht gebogen, hun voeten stevig op de grond geplant voor de terugslag van hun

geweren en met hun wapens vooruit gericht. De poppenspelers hadden de keizerlijke garde opgeroepen. Dat moest dan maar. Delta stak opnieuw zijn hand in de rugzak, tastte rond in zijn arsenaal en haalde een van de brandgranaten met werpsteel te voorschijn die hij in de Mongkok had gekocht. Aan de bovenkant leek het een gewone handgranaat, rond maar afgedekt met een beschermlaag van zwaar plastic. Maar aan de onderkant zat een handvat, meer dan een decimeter lang, zodat de werper de granaat verder en met grotere nauwkeurigheid kon wegslingeren. Het ging daarbij om het werpen, het mikken en de timing. Want als het plastic eenmaal verwijderd was zou het omhulsel van de granaat zelf zich vasthechten aan elk oppervlak door een direct werkend, enorm krachtig kleefmiddel dat geactiveerd werd door wrijving met de lucht. Met het exploderen vloog een chemische stof alle kanten uit, met ver uitwaaierende vlammen, en hechtte zich aan alle poreuze oppervlakken, drong erin door en bleef er branden. Vanaf het aftrekken van de plastic beschermlaag tot aan de ontploffing duurde het 15 seconden. De zijwanden van het grote huis, het beveiligde huis, bestonden zoals normaal was voor zo'n gebouw uit planken en de muren van de benedenverdieping waren van steen. Delta duwde de killer in een rozestruik, trok het plastic van de brandgranaat en slingerde haar tegen het lattenwerk een heel stuk links boven de openslaande deuren die op zo'n tien meter afstand lagen. De granaat bleef vastzitten op het hout en nu hoefden ze alleen maar de seconden af te tellen, terwijl het geweervuur nu wat aarzelend klonk, daarna afnam en ten slotte helemaal ophield.

De wand van het huis spatte uiteen. Door een groot gat werd een Victoriaanse slaapkamer zichtbaar, compleet met een hemelbed en broos Engels meubilair. De vlammen verspreidden zich direct, als vurige spaken vanuit een wielnaaf, lekten langs het houtwerk en spatten de kamer in. Er werd een bevel gegeven en opnieuw barstte er een geweersalvo los. Kogels sproeiden door de bloembedden die ver van de achtermuur lagen, afkomstig van de groep mariniers die in de richting van de eerdere ontploffing waren gerend. Woedende en gefrustreerde bevelen en tegenbevelen werden uitgeschreeuwd en er verschenen twee officieren met revolvers in de hand. De ene liep de halve cirkel van de verdedigingslinie af, controleerde de wapens en de posities van de mariniers, en nam elke militair nauwkeurig op. De andere liep in de richting van de zijmuur en begon de route na te lopen van de eerste sectie. Zijn ogen dwaalden voortdurend naar zijn rechterflank, naar de achter elkaar liggende bloembedden. Hij bleef staan onder de wilgeboom en bekeek de muur, daarna het gras. Hij keek op naar het prieel van bougainvillea. Met zijn wapen nu in beide handen voor zich uit begon hij naar het prieeltje te lopen.

Delta hield vanuit de bosjes de militair in het oog en zijn eigen wapen was nog steeds in de rug van de commando gedrukt. Hij haalde nog een kneedbom voor de dag, stelde de tijdontsteker in en wierp de bom over de bosjes heen ver naar voren richting zijmuur. 'Daar doorheen!' beval Bourne, hij draaide de killer bij zijn schouder om zijn as en duwde hem de rij bosjes aan de linkerkant in. Jason stortte zich achter de commando aan, klapte de loop van zijn pistool tegen het hoofd van de killer en bracht hem tot stilstand, juist toen hij een uitval wilde doen naar de rugzak. 'Nog een paar minuten, majoor, dan kun je je gang gaan.'

De vierde explosie deed zowat twee meter van de zijmuur instorten en de mariniers namen de ineenstortende stenen onder vuur, alsof ze verwachtten dat er vijandelijke troepen door het gat zouden stormen. In de verte, op de wegen van Victoria Peak, loeiden tweetonige sirenes tegen de achtergrond van het oorlogsrumoer in de tuin van het beveiligde huis. Delta haalde zijn op één na laatste pakje kneedbom voor de dag, stelde de tijdontsteker af op anderhalve minuut en slingerde het naar de hoek van de achtermuur waar zich niemand bevond. Het was het begin van zijn laatste afleidingsmanoeuvre, de rest was niets anders dan kille berekening. Hij haalde de lanceerinstallatie voor het traangas weer te voorschijn, plaatste er een granaat in en zei tegen de commando: 'Draai je om.' De killer deed het en hij zag de loop van Bournes pistool vlak voor zijn ogen. 'Pak dit vast,' zei Delta. 'Je kunt het met één hand vasthouden. Wanneer ik het zeg schiet je de granaat af tegen de stenen muur, rechts van de openslaande deuren. Het gas zal zich verspreiden en de meesten van die jongens hier verblinden. Ze zullen niet meer kunnen schieten, je hoeft dus geen kogels te verspillen, zoveel heb je er ook niet.'

De killer zei aanvankelijk niets. In plaats daarvan bracht hij zijn pistool omhoog tot het op gelijke hoogte was met dat van Bourne en richtte het op Jasons hoofd. 'Nu staan we quitte, meneer Origineel,' zei de commando. 'Ik heb je al gezegd dat ik geen bezwaar heb tegen een kogel in mijn kop, daar wacht ik al jaren op. Maar ik geloof zo dat jij het idee niet kunt verdragen dat je niet in dat huis komt.' Even weerklonk er een verward geschreeuw en opnieuw knetterden geweersalvo's los toen een sectie mariniers de ineengestorte zijmuur bestormde. Delta keek toe en wachtte op het moment waarop de concentratie van de killer een fractie van een seconde zou verslappen. Dat moment kwam niet. De commando ging rustig door, met gespannen maar beheerste stem, en hij bleef naar Jason kijken. 'Het lijkt wel of ze een invasie verwachten, de stomme honden. Wanneer je twijfelt, val dan maar aan, zolang je in je flank gedekt bent, is het niet zo, meneer Origineel? ... Haal je toverzakje maar eens leeg, Delta. Het was toch ''Delta'', nietwaar?'

'Er is niets meer over.' Bourne richtte zijn pistool nog nauwkeuriger. De killer deed dat ook.

'Laten we dan maar eens voelen,' zei de commando en hij stak langzaam zijn linkerhand uit, liet die over de rugzak die aan Delta's rechterheup gebonden zat glijden, terwijl ze elkaar strak bleven aankijken. De killer betastte het canvas, kneep op verscheidene plaatsen in de stugge stof. Even langzaam trok hij zijn hand terug. 'Bij alle gij-zult-niet's in dat verrekte Grote Boek, wordt over liegen niet gesproken, nietwaar? Behalve valse getuigenis geven, en dat is niet hetzelfde. Volgens mij heb jij die nalatigheid in je kop geprent, kerel. Er zit hier, naar de omtrekken te oordelen nog een automatisch machinepistool in met twee of drie magazijnen, die per stuk minstens vijftig patronen bevatten.'

'Veertig, om het precies te zeggen.'

'Dat is een heleboel vuurkracht. Met dat diertje kan ik hier uitkomen. Geef hier! Of een van ons beiden gaat er ter plekke aan. Nú.'

De explosie van de vijfde kneedbom klonk daverend door de tuin. De killer knipperde geschrokken met zijn ogen. Dat was voldoende. Bournes hand schoot omhoog, wendde het wapen van de moordenaar af en deed zijn eigen zware pistool uit alle macht neerkomen op de linkerslaap van de commando.

'Klootzak!' schreeuwde de killer schor; hij viel naar rechts, Jasons knie klemde zijn pols op de grond en het wapen werd hem uit de hand gewrongen.

'Je blijft maar vragen om een ontijdig verscheiden, majoor,' zei Bourne terwijl de chaos een hoogtepunt bereikte in de tuin van het beveiligde Victoriaanse huis. De sectie mariniers die de ineengestorte zijmuur hadden bestormd kreeg nu bevel een aanval te doen op de achterkant van de tuin. 'Jij hebt echt de pest aan jezelf, is 't niet? Maar je hebt me op een goed idee gebracht. Ik zal mijn toverzakje maar eens leegmaken. Het is nu bijna tijd.'

Bourne knoopte de riemen los en schudde de open rugzak leeg op de grond. De inhoud viel op het gras en werd verlicht door de vlammen van het zich steeds verder verspreidende vuur op de eerste verdieping van het beveiligde huis. Er was nog één brandgranaat en één kneedbom over en, zoals de killer correct had beschreven, een automatisch machinepistool dat gebruiksklaar kon worden gemaakt door er enkel een kolf en een magazijn in te klikken. Hij bracht de kolf in het dodelijke wapen aan, klapte er een van de vier magazijnen in en stak de overige drie in zijn riem. Vervolgens ontspande hij de veer van de lanceerinrichting, legde de granaat op zijn plaats en spande het mechanisme weer. Het was klaar om te worden afgevuurd — *om de levens te redden van kinderen, kinderen die waren opgeroepen om te sterven door een stel egoïstische oude mannen.* Toen was de brandgranaat nog over. Hij wist waar hij die moest gooien. Hij pakte hem op, trok de beschermlaag eraf en gooide de granaat uit alle kracht naar de A-vormige spits boven de openslaande deuren. De granaat bleef zitten tegen het hout. Dit was het moment. Hij haalde de trekker over van de lanceerinrichting en schoot de gasgranaat tegen de muur rechts van de openslaande deuren. Hij ontplofte, kaatste van de muur op de grond en de nevel verspreidde zich onmiddellijk, wolken gas bolden op en begonnen manschappen in de onmiddellijke buurt te verstikken. Wapens werden met één hand vastgehouden, maar met de vrije hand begon men in gezwollen, tranende ogen en over geprikkelde neusvleugels te wrijven.

De tweede brandgranaat explodeerde, verwoestte de elegante Victoriaanse gevel boven de openslaande deuren en deed de glasramen in scherven springen, terwijl hele stukken van de bovenmuur in de betegelde hal beneden terecht kwamen. Vlammen verspreidden zich naar boven naar de dakrand en vonden binnen gretig voedsel in gordijnen en overige stoffering. De mariniers namen de wijk voor de daverende ontploffing en de vlammen in de wolken traangas. Enkelen van hen lieten hun geweren vallen, renden alle kanten op, botsten tegen elkaar en probeerden te ontsnappen aan de nevel, kolhalzend, hoestend, snakkend naar adem.

Delta kwam half overeind, met het machinepistool in zijn hand, en hij rukte de killer naast hem omhoog. Het was tijd, de chaos was compleet. Het opkolkende gas voor de kapotte openslaande deuren werd door de hitte van de vlammen naar binnen gezogen. Het zou voldoende uiteenwaaien om hem toegang te verlenen. Als hij eenmaal binnen was zou hij snel gevonden hebben wat hij zocht. De leiders van een geheime operatie, waarvoor een beveiligd huis op vreemd grondgebied nodig was, zouden binnen de beschermende muren van het huis zelf blijven, om twee redenen. De eerste was dat de omvang en de juiste locatie van de aanvallende partij niet accuraat konden worden vastgesteld en het risico gevangen genomen of gedood te worden buiten te groot was. De tweede reden was meer praktisch: er moesten documenten vernietigd worden. Verbrand en niet versnipperd, dat had men in Teheran geleerd. Instructies, dossiers, voortgangsrapporten, achtergrondmateriaal, alles moest verdwijnen. De sirenes in Victoria Peak klonken luider, dichterbij, de vertwijfelde race tegen de steile wegen op was bijna voorbij.

'Nu komt het erop aan,' zei Bourne en hij stelde de tijdontsteker in op de kneedbom. 'Je krijgt dit niet van mij, maar ik zal het in het voordeel van ons beiden gebruiken. Dertig seconden, majoor Allcott-Price.' Jason smeet het pakje in een boog zo ver hij kon naar de voormuur.

'Mijn wápen! Verdomme, geef me het pistool!'

'Het ligt op de grond. Onder mijn voet.'

De killer bukte zich snel. 'Laat los!'

'Wanneer ik het wil en dat moment komt heus wel. Maar als je probeert het op te pakken is het eerste dat je daarna ziet een cel in de gevangenis van Hongkong en — zoals je zelf al zei — een schavot, een dik touw en een beul, en dat alles heel snel.'

De killer keek in paniek op. 'Jij godverdommese leugenaar! Je hebt tegen me gelógen!'

'Heel vaak. Doe jij dat soms niet?'

'Je hebt gezégd...'

'Ik weet wat ik heb gezegd. Ik weet ook waarom je hier bent en waarom je drie patronen hebt in plaats van negen.'

'Wát?'

'Jij bent mijn afleidingsmanoeuvre, majoor. Wanneer ik je laat gaan met het pistool, loop je naar de poort of naar een opgeblazen stuk van de muur, dat moet je zelf weten. Ze zullen proberen je tegen te houden. Je zult natuurlijk terugschieten en terwijl ze zich op jou concentreren kan ik binnen in dat huis komen.'

'Rótzak!'

'Je kwetst mijn gevoelens, maar aangezien ik die niet meer heb doet het er niet toe. Ik moet gewoon daarbinnen zien te komen...'

Door de laatste ontploffing werd een kunstig gesnoeide boom de lucht ingeblazen, de wortels smakten tegen een verzwakt muurgedeelte, stenen brokkelden af, de muur zelf stortte half in en er ontstond een V-vormig gat. Mariniers van de wachtsectie bij de poort stormden naar voren.

'Nú!' brulde Delta en hij richtte zich in zijn volle lengte op.

'Geef me dat pistool. Laat het los!'

Jason Bourne bleef plotseling als versteend staan. Hij kon zich niet bewegen, alleen ramde hij, gedreven door instinct, zijn knie in de keel van de moordenaar zodat die omviel. Achter de vernielde deuren van de brandende hal was een man zichtbaar geworden. Een zakdoek bedekte zijn gezicht, maar zijn kreupele voet bleef zichtbaar. Zijn kreupele voet! Met die voet schopte de gedaante in silhouet de linkerpost van de brede deur opzij en hij liep moeizaam de drie treden af naar het terrasje van flagstones dat toegang gaf tot de eens zo elegante tuin. Hij sleepte zich voort, gilde zo hard hij kon en beval de manschappen die hem konden horen het vuren te staken. De gedaante hoefde zijn zakdoek niet weg te halen, Delta kende dat gezicht. Het was het gezicht van zijn víjand.

Het was Parijs weer, een kerkhof buiten Parijs. Alexander Conklin was verschenen om hem te vermoorden. Niet-meer-te-redden was het bevel geweest van zijn meerderen.

'*David!* Ik ben het, Alex! Hou op met wat je aan het doen bent! Hou er mee op! Ik ben het, David! Ik ben hier om je te helpen!'

'Je bent hier om me te vermoorden! Je kwam me vermoorden in Parijs, en je probeerde het opnieuw in New York! *Treadstone 71!* Je hebt een geheugen als een zeef, rotzak!'

'Jij hebt helemaal geen geheugen meer, verdomde klootzak! Je bent Delta geworden, want dat wilden ze! Ik ken het hele verhaal, David. Ik ben hierheen komen vliegen, omdat wij alles te weten zijn gekomen! Marie, Mo Panov en ik! We zijn alledrie hier. Marie is in veiligheid!'

'Leugens! Vuile trucs! Jullie allemaal, jullie hebben haar vermoord! Je had haar in Parijs al willen vermoorden, maar ik heb dat verhinderd! Ik heb haar van jullie vandaan gehouden!'

'Ze is niet dood, David! Ze leeft nog! Ik kan haar naar jou toe brengen! Nú!'

'Nog meer leugens!' Delta hurkte en haalde de trekker over. Een kogelregen sproeide over het terras, de projectielen ricocheerden de brandende hal in, maar zonder dat hij wist waarom misten ze de man zelf. 'Jij wilt me hieruit halen om me daarna kapot te laten schieten. Het bevel niet-meer-te-redden is uitgevoerd! Vergeet het maar, beul! Ik ga naar binnen! Ik wil die onzichtbare, die weggestopte kerels achter jou hebben! Ze zijn er! Ik weet dat ze er zijn!' Bourne greep de killer die op de grond lag vast, rukte hem overeind en gaf hem het pistool. 'Jullie wilden toch een Jason Bourne, nou, je kunt hem krijgen! Ik laat hem lopen tussen de rozen. Vermoord hem maar terwijl ik jou te grazen neem!'

Half verdwaasd, half levend, stortte de commando zich door de bloemstruiken van Bourne weg. Eerst rende hij het pad af, kwam toen direct weer terug toen hij zag dat de mariniers aan beide uiteinden van de muur stonden. Als hij zich aan de rechterkant van de tuin liet zien zou hij tussen de twee groepen in zitten. Als hij zich bewoog was dat zijn dood.

'Ik heb geen tijd meer, Conklin!' gilde Bourne. *Waarom kon hij de man die hem verraden had niet doden? Haal die trekker dan toch over! Dood de laatste man van Treadstone 71! Dood hem! Dood hem! Wat weerhield hem?*

De killer wierp zich over de bloembedden heen, greep de hete loop van Bournes machinepistool vast, wrong die omlaag, richtte zijn eigen pistool en schoot het af op Jason. De kogel schampte Bournes voorhoofd en razend van woede rukte hij aan de trekker van het automatische wapen. Kogels spoten de grond in en binnen hun kleine, dodelijke arena vormde het geratel een oorverdovend lawaai. Hij graaide naar het pistool van de Engelsman, wrong het tegen de richting van de klok in. De half-verminkte arm kon niet op tegen de man van Medusa. Het pistool ging af toen Bourne het losrukte. De bedrieger viel achterover op het gras met glazige ogen waarin de overtuiging te lezen was dat hij verloren had.

'David! Luister in godsnaam naar me! Je móet...'

'Er is hier geen David!' krijste Jason terwijl hij met zijn knie de borst van de killer omlaag hield. 'Mijn echte naam is Bourne, geboren uit Delta, voortgebracht uit Medusa! De slangevrouw! Weet je nog wel?'

'We moeten praten.'

'We moeten stérven! Jij moet sterven. Ik heb gezworen en Marie heeft gezworen, dat die stiekeme kerels in dat huis moeten sterven!' Bourne greep de lapel vast van het jasje van de killer en trok hem overeind. 'Ik

herhaal het! Hier is jullie Jason Bourne! Je mag hem hebben!'
'Niet schieten!' brulde Conklin toen verbijsterde groepjes van de drie
marinierssecties dichterbij begonnen te komen en de oorverdovende sirenes van de politie van Hongkong gierend zwegen toen de wagens stopten voor de verwoeste poort.
De man van Medusa smakte zijn schouder in de rug van de commando
en duwde hem naar voren in het licht van de brullende vlammen en de
schijnwerpers. 'Daar is hij! Daar is de prijs die jullie hebben wilden!'
Een salvo geweervuur weerklonk toen de killer wankelend de lichtkring
inkwam en vervolgens op de grond dook en om zijn lengteas bleef rollen
om de kogels te vermijden.
'Stop! Hem niet! Hou in godsnaam op met schieten! Dood hem niet!'
'Hem niet?' brulde Jason Bourne. 'Hem niet? Alleen mij dan! Is dat
niet zo, klootzak! Nu ga jij eraan? Voor Marie, voor Echo, voor ons
allemaal!'
*Hij haalde de trekker over van het machinepistool maar de kogels wei-
gerden hun doel te treffen!* Hij draaide zich om en richtte zijn dodelijke
wapen, heen en weer zwaaiend, boven de zich samenvoegende secties
mariniers. Opnieuw vuurde hij een aantal lange stoten af, ineengedoken, bukkend, zich voortdurend verplaatsend achter de rozen. *Toch
richtte hij de loop boven hun hoofden! Waarom? De kinderen konden
hem niet tegenhouden. Maar de kinderen in hun keurige GI-pakjes hoefden ook niet te sterven voor de poppenspelers.* Hij moest in dat beveiligde huis zien te komen. Nu! Er viel geen moment meer te verliezen. Het
was nú!
'David!' De stem van een vrouw. O, mijn god, de stem van een vróuw!
'David, David, Dávid!' Een gestalte in een wapperende rok kwam het
beveiligde huis uitrennen. Ze greep Alexander Conklin en duwde hem
opzij. Ze stond alleen op het terras. 'Ik ben het, David! Ik ben hier! Ik
ben veilig! Alles is in orde, lieveling!'
*Weer zo'n vuile truc, een nieuwe leugen. Het was een oude vrouw met
grijs haar, wit haar!* 'Ga opzij, mevrouw, anders schiet ik u dood. U
bent alleen maar een nieuwe leugen, een nieuwe truc!'
'David, ik ben het! Hóór je me dan niet...'
'Ik kan je zien. Een truc!'
'Née, David.'
'Ik heet geen David. Dat heb ik die smeerlap van een vriend van je al
verteld, er is hier geen David!'
'Niet doen!' gilde Marie. Ze schudde wanhopig haar hoofd en rende tot
vóór een paar mariniers die uit het gras waren komen kruipen, uit de
opkolkende, nu dunner wordende gaswolken. Ze zaten geknield en konden Bourne duidelijk zien, ze richtten hun wapens en mikten onzeker
op hem. Marie stelde zich tussen de manschappen die zich weer hadden
hersteld en hun doelwit op. 'Hebben jullie hem nog niet genoeg aange-

daan? Laat iemand hen in godsnaam ophouden!'

'En dan zeker overhoopgeknald worden door een of andere rottige terrorist?' gilde een jeugdige stem uit de rijen bij de voormuur.

'Hij is niet degene die jullie denken. Wat hij nu dan ook is, de mensen daarbinnen hebben hem zo gemaakt! Jullie hebben hem toch gehoord. Hij zal niet schieten, als jullie het ook niet doen!'

'Hij heeft al geschoten,' brulde een officier.

'Maar jij staat nog overeind!' gilde Alexander Conklin terug vanaf de rand van het terras. 'En hij is een betere scherpschutter met meer wapens dan wie hier dan ook! Verklaar dat maar eens. Ik kan dat!'

'Ik heb jou niet nodig!' brulde Jason Bourne en opnieuw schoot hij een stoot automatisch vuur af in de brandende wand van het beveiligde huis.

Plotseling stond de killer overeind, hij bukte, viel toen uit naar de marinier die het dichtst bij hem stond, een jongen met ontbloot hoofd die nog steeds aan het hoesten was door het gas. De killer greep het wapen van de marinier, trapte hem tegen zijn hoofd en vuurde het geweer af op de man die het dichtst bij hem stond, die achterover wankelde en zijn handen voor zijn maag sloeg. De moordenaar draaide zich bliksemsnel om, hij zag een officier die een gelijksoortig wapen had als dat van Bourne. Hij schoot hem in de nek en graaide het wapen weg van het vallende lichaam. Een fractie van een seconde bleef hij staan om zijn kansen te berekenen, toen drukte hij het machinepistool onder zijn linkerarm. Delta keek toe, hij wist instinctmatig wat de commando zou gaan doen en hij wist ook dat hij nu zijn afleidingsmanoeuvre zou gaan krijgen.

De killer deed het. Hij schoot opnieuw, schot voor schot verdween in de aaneengesloten rangen van de jonge, onervaren mariniers bij de voormuur. Hij rende voort en zigzagde over het korte stukje gazon tot aan de rij bloemen die tot schouderhoogte reikten, aan de linkerkant van Bourne. Het was zijn enige ontsnappingsweg, de ineengestorte achtermuur aan de rechterkant, waar weinig licht scheen.

'Hou hem tegen!' schreeuwde Conklin terwijl hij vertwijfeld over het terras hinkte. 'Maar schiet hem niet neer! Dood hem niet! Laat hem in godsnaam in leven!'

'Gelùl!' klonk het antwoord van iemand in de sectie mariniers die links bij de achtermuur stonden. De killer baande zich snel een weg naar de kapotte muur, draaiend, uitwijkend, bukkend, met zijn geweer in de stand automatisch vuren en hield zo de manschappen op hun plaatsen door zijn snelle vuurstoten. Het magazijn raakte leeg. Hij gooide het geweer weg, zwaaide het machinepistool op zijn plaats en begon aan zijn laatste run naar de kapotte muur, kogels sproeiend in het vooroverliggende groepje mariniers. Hij was er! In het donker verderop kon hij ontsnappen!

'Jij godvergeten klóótzak!' Het was de schreeuw van een tiener, met een nog onvolwassen stem, maar evengoed dodelijk. 'Jij hebt mijn maat vermoord! Je hebt hem recht door zijn kop geschoten! Nou ga jij eraan, vuile tyfuslijer!'

Een jonge negermarinier sprong weg van zijn dode kameraad en rende naar de muur juist toen de killer over de stenen sprong en zich omkeerde. Een nieuwe vuurstoot uit het wapen van de moordenaar raakte de marinier in de schouder, hij smakte neer op de grond, liet zich twee keer om zijn as naar links rollen en vuurde snel vier schoten af.

Ze werden gevolgd door een bloedstollende, hysterisch uitdagende gil. Het was een doodskreet. De killer viel op de scherpe stenen, zijn ogen wijd opengesperd in haat. Majoor Allcott-Price, vroeger lid van de Royal Commando's, was niet meer.

Bourne begon te lopen met zijn wapen in de aanslag. Marie holde naar de rand van het terras en ze stonden op nog geen twee meter van elkaar.

'Niet doen, David!'

'Ik ben uw David niet, mevrouw. Vraag het die smeerlap van een vriend van u maar, wij kennen elkaar al heel lang. Ga opzij!' *Waarom kon hij haar niet neerschieten? Eén vuurstoot en hij kon vrij zijn gang gaan! Waarom?*

'Goed dan!' schreeuwde Marie terwijl ze bleef staan waar ze stond. 'Dan is er maar geen David, goed? Jij bent Jason Bourne! Jij bent Delta! Je kunt alles zijn wat je maar wilt, maar je bent ook van míj! Je bent mijn mán!' Die uitspraak werkte als een onverwachte bliksemschicht op de manschappen die hem hoorden. De officieren staken met gekromde ellebogen hun handen op — het algemene commando om het vuren te staken — terwijl zij en hun manschappen stomverbaasd toekeken.

'Ik ken jou niet!'

'Mijn stem is de mijne nog! Dat weet je, Jason.'

'Een truc! Een actrice, nep! Een leugen. Het is al eerder gebeurd!'

'En als ik er anders uitzie dan komt dat door jou, Jason Bourne!'

'Maak dat je wegkomt of je gaat eraan!'

'Je hebt het me in Parijs geleerd! Aan de Rue de Rivoli, het Hotel Meurice, de krantenkiosk op de hoek. Weet je nog? De kranten met het nieuws uit Zürich, mijn foto op alle voorpagina's! En het hotelletje op Montparnasse toen we aan het afrekenen waren en de concierge de krant las met mijn foto vlak voor zijn gezicht! Je schrok zo dat je tegen me zei naar buiten te hollen... De táxi! Weet je nog in die taxi? Op weg naar Issy-les-Moulineaux, die onmogelijke naam zal ik nooit vergeten. "Doe je haren anders", zei je. "Kap het op je hoofd of kam het naar achteren"! Je vroeg me of ik een wenkbrauwpotlood had, je zei tegen me dat ik mijn wenkbrauwen breder moest maken en langer! Dat waren jouw woorden, Jason! We waren op de vlucht en jij wilde dat ik er anders uitzag, dat ik elke gelijkenis moest wegwerken met de foto die in heel Europa in de kranten stond! Ik moest een kameleon worden omdat Jason Bourne ook een kameleon was. Hij moest het zijn minnares, zijn vrouw leren! Dat is precies wat ik nu heb gedaan, Jason!'

'Née!' riep Delta uit en het woord liep langgerekt uit tot een schreeuw, de verwarrende nevels kolkten weer om hem heen, brachten zijn geest tot aan de rand van paniek. De beelden waren er! Rue de Rivoli, de Montparnasse, de taxi. *Luister naar me. Ik ben een kameleon die Caïn heet en ik kan je vele dingen leren die ik je niet graag leer, maar op dit moment moet ik het doen. Ik kan van kleur veranderen zodat ik kan wegsmelten in elk soort oerwoud, ik kan meedraaien met elke wind door hem alleen maar te ruiken. Ik kan mijn weg vinden door het oerwoud van de natuur en door de jungle die de mens heeft gemaakt. Alpha, Bravo, Charlie, Delta... betekent Charlie en Charlie betekent Caïn. Ik ben Caïn. Ik beteken de dood. En ik moet je vertellen wie ik ben en je dan verliezen.*

'Je weet het dus nog wél!' schreeuwde David Webbs vrouw.

'Het is een truc! Ze hebben je een hersenspoeling gegeven, die woorden heb ik gesproken. Die hebben zij jou gegeven! Ze moeten me tegenhouden!'

'Ze hebben me niets gegeven! Ik wil niets met hen te maken hebben! Ik wil alleen mijn man terug! Ik ben Marie!'

'Je bent een leugen! Ze hebben haar vermóórd!' Delta haalde de trekker over en een sproeiregen van kogels deed de aarde opspatten aan Maries voeten. Geweren werden snel in de aanslag gebracht.

'Niet schieten!' gilde Marie en ze draaide haar hoofd met een ruk naar de mariniers, met fonkelende ogen en bevelende stem. 'Goed dan, Jason. Als jij me niet kent wil ik ook niet meer verder leven. Duidelijker kan ik het niet zeggen, lieveling. Omdat ik begrijp waarmee je bezig bent. Je bent je leven zat omdat een deel van je dat nu bezit van je heeft genomen zegt dat ik er niet meer ben en je wilt zonder mij niet verder leven. Dat begrijp ik heel goed omdat ik ook niet verder wil zonder jou.' Marie zette een paar passen op het gazon en bleef roerloos staan.

Delta hief het machinepistool op en de stompe vizierkorrel op de loop was precies gericht op het midden van het grijze haar met de witte lokken. Zijn wijsvinger kromde zich om de trekker. Plotseling, zonder dat hij het kon verhinderen, begon zijn rechterhand te trillen, vervolgens zijn linker. Het moordwapen begon onzeker heen en weer te bewegen, eerst langzaam, toen sneller, naar links en naar rechts en toen in het rond en het hoofd van Bourne begon krampachtige bewegingen te maken. Het beven plantte zich verder voort, zijn hals ging onbeheerst heen en weer.

In het groepje mensen dat zich had verzameld bij de smeulende ruïne van de poort van het wachthuis op zo'n honderd meter van hen af ontstond enige opschudding. Een man die werd vastgehouden door twee mariniers worstelde om los te komen. 'Laat me lós, verdomde idioten! Ik ben dokter, zíjn dokter!' Met een laatste krachtsinspanning rukte Morris Panov zich los en rende het gazon over in de helle lichtgloed van de schijnwerpers. Op ruim vijf meter van Bourne bleef hij staan.

Delta begon te kreunen; het was een barbaars, ritmisch geluid. Jason Bourne liet het wapen vallen... en David Webb viel huilend op zijn knieën. Marie begon naar hem toe te lopen.

'Néé!' beval Panov en er klonk rustige nadruk uit zijn stem die Webbs vrouw tot stilstand bracht. 'Hij moet naar jou toe komen. Dat móet.'

'Hij heeft me nodig!'

'Niet op die manier. Hij moet je herkennen. *David* moet je herkennen en zijn andere ik bevelen hem los te laten. Dat kun jij niet voor hem doen. Hij moet het helemaal zélf doen.'

Stilte. Schijnwerpers. Vlammen.

En als een huilend kind dat klappen heeft gehad hief David Webb zijn hoofd op met wangen die nat waren van tranen. Langzaam, moeizaam, kwam hij overeind en stortte zich in de armen van zijn vrouw.

33

Ze bevonden zich in het beveiligde huis, in het verbindingscentrum met de witte muren, een steriele cel van een of ander futuristisch laboratoriumgebouw. Op witte balies langs de linkermuur stonden computers met witte panelen, met tientallen smalle, donkere rechthoekige monden, hier en daar onderbroken. Hun tanden waren digitale getallen waarvan de luminescerende groene cijfers voortdurend versprongen bij het wisselen van de geheime zendfrequenties. Ook stonden er minder geraffineerde, minder geheime zend- en ontvangstinstallaties. Rechts stond een lange witte conferentietafel en tegen de ondergrond van de witte vloer vormde een aantal zwarte asbakken het enige contrast met het steriele wit. De spelers hadden hun plaatsen ingenomen rond de tafel. De technici waren naar buiten gestuurd, voor alle systemen was opnameapparatuur ingeschakeld, alleen het dreigende Rode Alarm, een paneel van 7 bij 13 centimeter in de centrale computer was nog in werking. Buiten de gesloten deur wachtte een bedieningsman voor het geval de alarmerende rode lichten zouden opblinken. Buiten dit onschendbare, geïsoleerde vertrek waren de brandweerlieden uit Hongkong bezig de laatste smeulende resten te blussen, terwijl de politie van Hongkong de in paniek geraakte bewoners van de nabijgelegen huizen kalmeerde. Velen van hen waren ervan overtuigd dat hun laatste uur was geslagen in de vorm van een aanval vanaf het vasteland en ze kregen van de politie te horen dat de afgrijselijke gebeurtenissen het werk waren van een krankzinnige misdadiger die door alarmeenheden van de regering gedood was. De sceptici van de Peak waren er niet van overtuigd. De tijden waren immers controversieel, hun wereld was niet meer zoals ze hoorde te zijn en ze wilden bewijzen. Daarom werd het lijk van de dode killer op een draagbaar langs de nieuwsgierige toeschouwers gereden. Het doorzeefde, met bloed bedekte lichaam was maar gedeeltelijk toegedekt, zodat iedereen kon kijken. De deftige bewoners keerden terug naar hun deftige landhuizen, met hun gedachten bij de claims die ze konden indienen bij hun verzekering.

De spelers zaten in witte, plastic stoelen als levende, ademhalende robots te wachten op een signaal om te beginnen en niemand had eigenlijk de moed of de energie om als eerste te spreken. Uitputting, vermengd met de angst voor een gewelddadige dood, lag op hun gezichten te lezen, op alle gezichten, behalve één. Daarin stonden de diepe rimpels gegrifd en speelden de schaduwen van een dodelijke vermoeidheid, maar uit de ogen blonk geen naakte angst, alleen passieve, verbijsterde aanvaarding van dingen die hij nog steeds niet begreep. Minutenlang was hij geen moment bang geweest voor de dood; die was te verkiezen boven in leven blijven. Nu kon hij in zijn verwarring en terwijl zijn vrouw zijn hand vasthield, de teruggedrongen woede weer voelen opborrelen, een woede die zich had opgehouden in de schuilhoeken van zijn geest, die nu weer meedogenloos begon op te komen als een verre onweersbui, die boven een meer langzaam dichterbij kwam.

'Wie heeft ons dit aangedaan?' zei David Webb en zijn stem klonk bijna fluisterend.

'Dat heb ik gedaan,' antwoordde Havilland aan het uiteinde van de rechthoekige witte tafel. De ambassadeur boog zich langzaam naar voren en bleef Webb in diens doodse ogen staren. 'Als ik voor een rechtbank stond en om genade moest smeken voor een schanddaad, zou ik verzachtende omstandigheden moeten aanvoeren.'

'En die waren?' vroeg David op monotone toon.

'Ten eerste is er de crisis,' zei de diplomaat. 'Ten tweede was uzelf daar.'

'Leg dat eens uit,' viel Alex Conklin, die aan het andere uiteinde van de tafel recht tegenover Havilland zat, hem in de rede. David en Marie zaten links van hem tegenover de witte muur, Morris Panov en Edward McAllister rechts van hem. 'En sla niets over,' voegde de uitgestoten inlichtingenman eraan toe.

'Dat ben ik niet van plan,' zei de ambassadeur en zijn blik bleef gericht op David. 'De crisis bestaat echt, de ramp dreigt nú. Diep in de regering in Peking heeft een groep fanatici een komplot gevormd dat wordt geleid door een man die zo hoog zit in de hiërarchie van zijn regering, die zozeer wordt vereerd als een filosofisch vorst, dat hij niet aan de kaak kan worden gesteld. Niemand zou het geloven. Iemand die zou proberen hem te ontmaskeren zou beschouwd worden als een paria. Wat nog erger is, elke poging tot ontmaskering zou een reactie oproepen die zo heftig is dat Peking moord en doodslag zou gillen en zich zou terugtrekken in achterdocht en onverzettelijkheid. Maar als de samenzwering niet tot staan wordt gebracht zal ze de Hongkong Akkoorden vernietigen en de kolonie verwoesten. Het resultaat zal zijn dat het gebied onmiddellijk wordt bezet door de troepen van de Volksrepubliek. Ik hoef u niet te vertellen wat dat zou betekenen – economische chaos, geweld, bloedvergieten en ongetwijfeld oorlog in het Verre Oosten. Hoelang zouden die vijandigheden beperkt kunnen blijven, voordat andere naties gedwongen worden partij te kiezen? Het risico is onvoorstelbaar groot.'

Stilte. Ogen die strak in andere ogen keken.

'Fanatici van de Kwo-Min-Tang,' zei David met vlakke, ijzige stem. 'China tegen China. Maniakken gebruiken dat de laatste veertig jaar al steeds als oorlogskreet.'

'Maar het is enkel een kreet, meneer Webb. Woorden, praten, maar geen actie, geen aanvallen, geen plan waaraan niets meer te veranderen valt.'

Havilland legde zijn gevouwen handen op de tafel en haalde diep adem. 'Dat plan is er nu, het is een strategie zo misleidend en sluw, waaraan al zo lang is gewerkt, dat ze geloven dat falen niet meer mogelijk is. Maar natuurlijk zal het falen en wanneer dat gebeurt zal de wereld geconfronteerd worden met een crisis van onvoorstelbare afmetingen. Die zou heel gemakkelijk kunnen leiden tot de laatste crisis, de crisis die niemand zal overleven. Zeker niet het Verre Oosten.'

'U vertelt me niets wat ik niet zelf heb gezien. Ze hebben zich diep genesteld in de hoogste regionen en hun aanhang verbreidt zich waarschijnlijk, maar het zijn nog steeds fanatici, een groep waanzinnige extremisten. En als de maniak die ik gezien heb en die de baas was van dat zootje net zo is als de anderen dan zullen ze allemaal worden opgehangen op het Tian An Men Plein. Het zal worden uitgezonden via de televisie en worden goedgekeurd door elke groep die tegen de doodstraf is. Hij was – hij ís – een fanatieke sadist, een slachter. Slachters zijn geen staatslieden. Ze worden niet serieus genomen.'

'Herr Hitler werd dat wel in 1933,' opperde Havilland. 'De Ayatollah Khomeini werd het een paar jaar geleden nog. Maar dan weet u kennelijk niet wie hun echte leider is. Hij zou zich nooit vertonen, onder wat voor omstandigheden dan ook waarbij u maar even de kans kreeg hem te zien. Maar ik kan u verzekeren dat hij een staatsman is en dat hij zeer serieus wordt genomen. Maar het gaat hem niet om Peking. Het gaat om Hongkong.'

'Ik weet wat ik heb gezien en wat ik heb gehoord en het zal me nog lange tijd bijblijven... Jullie hebben mij niet nodig, dat is nooit het geval geweest! Isoleer die lui, maak het bekend aan het Centrale Comité, roep

Taiwan erbij om hen af te wijzen, díe zullen het wel doen! De tijden veranderen. Zij willen die oorlog al lang niet meer, evenmin als Peking.'
De ambassadeur nam de man van Medusa nauwkeurig op, kennelijk bezig Davids informatie op zijn waarde te beoordelen. In het besef dat Webb voldoende had gezien in Peking om zijn eigen conclusies te trekken, maar toch ook niet genoeg om het wezen van de samenzwering rond Hongkong te begrijpen. 'Het is te laat. Het rad is in beweging gezet. Verraad op het hoogste niveau van de Chinese regering, verraad door de handen van de verachte Nationalisten van wie men aanneemt dat ze samenspannen met financiële belangen in het Westen. Zelfs de toegewijde volgelingen van Deng Xiaoping zouden die aanslag op Pekings trots niet kunnen aanvaarden. Ze zouden volledig in hun hemd staan. Zo zouden wij ons ook voelen als we hoorden dat General Motors, IBM en de beurs in New York in handen waren van Amerikaanse verraders, die getraind waren in Rusland en die miljarden lieten filteren naar projecten die niet in het belang van ons land waren.'
'Die vergelijking is juist,' onderbrak McAllister hem, terwijl hij zijn vingers naar zijn rechter slaap bracht. 'Zo zal Hongkong steeds meer worden beschouwd door de Volksrepubliek, zo en nog honderdduizend keer erger. Maar er is nog een element en dat is even alarmerend als al het andere dat we te weten zijn gekomen. Ik zou dat nu graag naar voren brengen, in mijn positie als analyticus, als iemand die verondersteld wordt de reacties van tegenstanders en potentiële tegenstanders te voorzien . . .'
'Hou het kort,' viel Webb hem in de rede. 'U praat te veel en u wrijft te veel over uw hoofd en uw ogen staan me niet aan. Het zijn de ogen van een dode vis. In Maine praatte u al te veel. U bent een leugenaar.'
'Ja. Ja, ik begrijp wat u zegt en waarom u het zegt. Maar ik ben een fatsoenlijk mens, meneer Webb. Ik geloof in fatsoen.'
'Ik niet. Niet meer. Ga door. Dit is allemaal erg leerzaam en ik begrijp er geen flikker van omdat niemand nog maar íets verstandigs heeft gezegd. Wat is jouw bijdrage, oplichter?'
'De factor van de georganiseerde misdaad.' McAllister had het even moeilijk met de herhaalde belediging van David maar hij bracht zijn uitspraak te berde alsof hij verwachtte dat iedereen het zou snappen. Toen iedereen hem nietbegrijpend aanstaarde voegde hij eraan toe: 'De *triades*!'
'Mafia-achtige groepen in oosterse stijl,' zei Marie, haar ogen gericht op de onderminister. 'Misdadigersbenden.'
McAllister knikte. 'Narcotica, illegale immigratie, gokken, prostitutie, woekerpraktijken, de normale bezigheden.'
'En niet allemaal zo normaal,' zei Marie. 'Ze zitten tot hun nek in een eigen soort economie. Ze hebben banken − indirect, natuurlijk − in heel Californië, Oregon, de staat Washington tot in mijn land toe, in

British Columbia. Ze maken elke dag miljoenen bedragen wit door internationale overschrijvingen.'

'En daarmee wordt de crisis alleen nog maar erger,' zei McAllister met nadruk.

'Waarom?' vroeg David. 'Wat wilt u eigenlijk zeggen?'

'*Misdaad,* meneer Webb. De leiders van de Volksrepubliek zijn bezeten door de misdaad. Volgens rapporten hebben er in de laatste drie jaar meer dan honderdduizend executies plaatsgevonden en er is weinig onderscheid gemaakt tussen vergrijpen en zware misdaden. Zoiets hoort bij het regime, bij de oorsprong van het regime. Alle revoluties geloven dat ze in onschuld zijn geboren; de zuiverheid van de zaak gaat boven alles. Peking zal zich wel aanpassen om te kunnen profiteren van de economie van het Westen, maar ze zullen nooit dulden dat er ook maar iets als georganiseerde misdaad de kop opsteekt.'

'Als ik naar u luister klinkt het of ze allemaal paranoïde zijn.'

'Dat zijn ze ook. Ze kunnen zich niet veroorloven iets anders te zijn.'

'Ideologisch?' vroeg de psychiater sceptisch.

'Gewoon een kwestie van aantallen, dokter. De reinheid van de revolutie is de dekmantel, maar ze zijn bang voor de aantallen. Een enorm, onmetelijk dicht bevolkt land met onuitputtelijke hulpbronnen. Mijn god, als de georganiseerde misdaad zich daarvan meester zou maken — en met een miljard mensen binnen de grenzen moet u erop rekenen dat die krijgsheren staan te popelen om mee te doen — dan zou het een heel land van triades kunnen worden. Dorpen, stadjes, grote steden, alles zou worden opgedeeld in ''familie''-gebieden, en alle zouden ze profijt trekken van de stroom aan Westers kapitaal en technologie. Er zou een explosie volgen van illegale exporten die de smokkelmarkten in de hele wereld zouden overstromen. Drugs van niet op te sporen heuvels en akkertjes waarop onmogelijk een oog kan worden gehouden; wapens van kleine fabriekjes die met smeergelden worden opgezet; textiel van honderden ondergrondse ateliers met gebruik van gestolen machines en werkkrachten van het platteland, de ondergang van de textielindustrie in het Westen. *Misdaad.*'

'Dat is een-grote-sprong-voorwaarts die niemand hier in de laatste veertig jaar heeft kunnen maken,' zei Conklin.

'Wie zou dat durven proberen?' vroeg McAllister. 'Als iemand kan worden terechtgesteld voor het stelen van vijftig yuan, wie probeert het dan met honderdduizend? Er is protectie voor nodig, organisatie, mensen in hogere regionen. Dáár is Peking bang voor, daarom is het paranoïde. De leiders zijn doodsbenauwd voor gekuip op hoog niveau. De hele politieke infrastructuur zou erdoor worden uitgehold. De leiders zouden de leiding verliezen en dat zullen ze zeker nooit riskeren. Nogmaals, hun angst is inderdaad paranoïde, maar voor hen is die angst zeer reëel. Als er ook maar op zou worden gezinspeeld dat machtige

501

misdadige groepen als twee handen op één buik zijn met samenzweerders van binnenuit, die zich allemaal binnendringen in hun economie, dan zou dat genoeg zijn voor hen om de Akkoorden op te zeggen en hun leger naar Hongkong te sturen.'

'Uw conclusie is duidelijk,' zei Marie. 'Maar waar is de logica? Hoe zou dat kunnen gebeuren?'

'Het is al aan het gebeuren, mevrouw Webb,' antwoordde ambassadeur Havilland. 'Daarom hadden wij Jason Bourne nodig.'

'Wil iemand nu alsjeblieft een keer bij het begin beginnen?' vroeg David.

Dat deed de diplomaat. 'Het begon meer dan dertig jaar geleden toen er een briljante jongeman vanuit Taiwan werd teruggestuurd naar het land waar zijn vader was geboren, en daar een nieuwe naam kreeg, een nieuwe familie. Het was een plan op lange termijn, en het was geworteld in fanatisme en wraak...'

Webb luisterde toe hoe het ongelooflijke verhaal van Sheng Chou Yang zich ontvouwde, elk steentje precies op zijn plaats, elk feit een ondersteuning van de waarheid, want leugens waren nu niet meer nodig. Toen Havilland zevenentwintig minuten later klaar was nam hij een dossiermap met een zwarte rand in de hand. Hij sloeg de omslag om, liet een stapeltje van ongeveer zeventig pagina's zien, sloot het dossier weer en legde het voor David neer. 'Dit is alles wat we weten, alles wat we te weten zijn gekomen, de gedetailleerde bijzonderheden van alles wat ik u heb verteld. Het kan dit huis alleen verlaten als as, maar u mag het gerust lezen. Als u twijfels of vragen hebt, zweer ik u dat ik alles in Amerika op zijn kop zal zetten — van het Witte Huis tot de Nationale Veiligheidsraad — om u antwoorden te geven. Meer zou ik niet kunnen doen.' De diplomaat zweeg even en hield zijn ogen strak gericht op David. 'Misschien hebben we het recht niet meer er om te vragen, maar we hebben uw hulp nodig. We hebben alle informatie nodig die u ons kunt geven.'

'Om iemand naar China te kunnen sturen om Sheng Chou Yang te doden.'

'Daar komt het wel op neer, ja. Maar het is veel ingewikkelder dan dat. Onze hand mag daarin niet gekend worden. Die moet onzichtbaar zijn en mag zelfs in de verte nog niet worden verdacht. Sheng heeft zich op een briljante manier ingedekt. Peking ziet hem als een idealist, een groot vaderlander die zich dood werkt voor Moeder China, je zou het een heilige kunnen noemen. Zijn beveiliging is perfect. De mensen om hem heen, zijn adjudanten, zijn lijfwacht, ze vormen zijn beschermende stoottroepen, ze hebben hem onvoorwaardelijk trouw gezworen.'

'Daarom had u de bedrieger nodig,' onderbrak Marie hem. 'Hij was uw schakel met Sheng.'

'We wisten dat hij moordopdrachten voor hem had uitgevoerd. Sheng moest — moet nog — zijn tegenstanders uit de weg ruimen, zowel de mensen die hem ideologisch in de weg staan als degenen die hij niet in zijn operaties wil betrekken.'

'Tot deze laatste groep,' viel McAllister in de rede, 'behoren de leiders van vijandige triades die Sheng niet vertrouwt, die niet vertrouwd worden door de fanatici van de Kwo-Min-Tang. Hij weet dat er als zij nog getuige kunnen zijn van wat er zonder hen gaat gebeuren, een ontwrichtende bende-oorlog zou uitbreken die Sheng al evenmin kan tolereren als de Engelsen dat kunnen met Peking in hun achtertuintje. Binnen de afgelopen twee maanden zijn er zeven hoofden van triades vermoord en hun organisaties zijn verlamd.'

'De nieuwe Jason Bourne was Shengs volmaakte oplossing,' vervolgde de ambassadeur. 'De huurmoordenaar zonder politieke of nationale bindingen, want wat er ook gebeurde, de moorden mochten nooit zijn terug te voeren tot China.'

'Maar hij ging wél naar Peking,' wierp Webb tegen. 'Daarheen ben ik hem gevolgd. Ook al begon het dan als een valstrik voor mij, wat het inderdaad was...'

'Een valstrik voor ú?' riep Havilland uit. 'Ze wisten dus dat u er was?'

'Ik ben twee avonden geleden recht tegenover mijn opvolger komen te staan op het vliegveld. Ieder van ons wist wie de ander was, het was onmogelijk dat niet te weten. Hij was niet van plan dat geheim te gaan houden en de schuld te krijgen van een mislukte opdracht.'

'U was het dus inderdaad,' onderbrak McAllister hem. 'Ik wíst het wel!'

'Dat wisten Sheng en zijn mensen ook. Ik was de nieuwe Pistolen-Paultje in de stad en ik moest worden tegengehouden, vermoord met de allerhoogste prioriteit. Ze konden niet riskeren dat ik rondliep met wat ik had ontdekt. De valstrik werd diezelfde avond nog bedacht, diezelfde avond gespannen.'

'Verrék!' riep Conklin uit. 'Ik heb over Kai-Tak gelezen in Washington. Volgens de kranten nam men aan dat het rechtsgezinde idioten waren. Hou de rooien buiten het kapitalisme. Maar jíj was het?'

'Beide regeringen moesten iets verzinnen voor de wereldpers,' voegde de onderminister eraan toe. 'Net zoals wij iets zullen moeten zeggen over vanavond...'

'Waar het mij om gaat,' zei David en hij negeerde McAllister, 'is dat Sheng de commando liet opdraven, hem gebruikte om voor mij een valstrik te spannen en dat hij, door dat te doen, hem in het kleine kringetje van vertrouwelingen moest opnemen. Een cliënt op de achtergrond die afstand moet bewaren tussen hem en een huurmoordenaar, doet zoiets niet.'

'Het is net alsof hij niet van plan was hem dat kringetje levend te laten verlaten,' antwoordde Havilland, en hij keek even naar de onderminister. 'Edward heeft een theorie, en ik ben het daarmee eens, dat de bedrieger vermoord moest worden wanneer hij zijn geld kwam innen, in de overtuiging natuurlijk dat hij weer een nieuwe opdracht zou krijgen. Op het moment dat de laatste opdracht was uitgevoerd, óf op het moment dat men meende dat hij te veel wist en daarom een risico begon te worden. Er is niets na te gaan, de lei is schoon. De gebeurtenissen op Kai-Tak betekenden ongetwijfeld zijn doodvonnis.'

'Hij was niet slim genoeg om dat in te zien,' zei Jason Bourne. 'Hij kon niet rechtlijnig denken.'

'Pardon?' vroeg de ambassadeur.

'Niets,' antwoordde Webb en hij keek de diplomaat opnieuw strak aan. 'Alles wat u me vertelde was dus gedeeltelijk waar, gedeeltelijk gelogen. Hongkong kon vernietigd worden, maar niet vanwege dat wat u me vertelde.'

'De waarheid was onze geloofwaardigheid, zoveel moest u aanvaarden, u moest weten hoe hevig verontrust en bezorgd wij waren. De leugens dienden om u in onze handen te krijgen.' Havilland leunde achterover in zijn stoel. 'En oprechter dan dat kan ik niet zijn.'

'Rótzakken!' zei Webb met zachte, ijzige stem.

'Dat wil ik best toegeven,' stemde Havilland in. 'Maar zoals ik al eerder zei waren er verzachtende omstandigheden, en twee in het bijzonder. De crisis en uzelf.'

'En?' zei Marie.

'Mag ik u eens vragen, meneer Webb... mevrouw Webb. Als we bij u waren gekomen en we hadden u verteld over onze crisis, zou u zich dan bij ons hebben aangesloten? Zou u vrijwillig weer Jason Bourne zijn geworden?'

Stilte. Alle ogen waren gevestigd op David terwijl zijn eigen ogen doelloos over het tafelblad zwierven en toen bleven rusten op het dossier.

'Nee,' zei hij zacht. 'Ik vertrouw jullie niet.'

'Dat wisten we,' stemde Havilland in en hij knikte opnieuw. 'Maar vanuit ons gezichtspunt moesten we u er wel bijhalen. U kon datgene doen wat verder niemand kon doen, en aangezien u het ook hebt gedaan, beweer ik dat we dat juist zagen. U moest een verschrikkelijke prijs betalen, niemand onderschat dat, maar we meenden — ik meende — dat er geen andere uitweg was. De tijd en het gewicht van de zaak werkten ons tegen — werken ons nog tegen.'

'Even zwaar als tevoren,' zei Webb. 'De commando is dood.'

'De commando?' McAllister boog zich voorover.

'Jullie killer. De bedrieger. Het is allemaal voor niks geweest wat jullie ons hebben aangedaan.'

'Dat hangt er vanaf,' wierp Havilland tegen. 'Dat hangt af van wat u ons kunt vertellen. Morgen staan de kranten er vol van dat er íemand hier gedood is, dat kunnen we niet tegenhouden, maar Sheng kan niet

504

weten wie het is. Er zijn geen foto's genomen, er was op dat moment nog geen enkele journalist hier en die er later kwamen zijn door de politie op een paar honderd meter afstand gehouden. We kunnen in de hand houden wat er gepubliceerd wordt door eenvoudigweg zelf de informatie te verstrekken.'

'Hoe zit het met het lijk?' vroeg Panov. 'Er zijn bepaalde medische procedures...'

'MI 6 heeft daar een stokje voor gestoken,' zei de ambassadeur. 'We zijn hier nog steeds op Brits grondgebied en Londen, Washington en Hongkong hebben snel met elkaar overlegd. Het gezicht van de bedrieger was zo verminkt dat niemand die het heeft gezien er een beschrijving van kan geven en zijn stoffelijk overschot wordt bewaakt, daar kan niemand bijkomen. Dat heeft Edward bedacht en hij heeft het bliksemsnel uitgevoerd.'

'Maar David en Marie zijn er nog,' hield de psychiater aan. 'Ze zijn door té veel mensen gezien en gehoord.'

'Er waren maar een paar secties mariniers dicht genoeg bij hen om duidelijk te horen en te zien,' zei McAllister. 'De hele groep wordt over een uur teruggevlogen naar Hawaii, samen met twee gesneuvelden en zeven gewonden. Ze zijn hier niet meer, ze zitten op het vliegveld in quarantaine. Er was een heleboel verwarring en paniek. De politie en de brandweer waren ergens anders bezig; niemand van hen was in de tuin. We kunnen zeggen wat we willen.'

'Dat schijnt zo een gewoonte te zijn bij jullie,' luidde het commentaar van Webb.

'U hebt gehoord wat de ambassadeur zei,' zei de onderminister en hij ontweek Davids blik. 'We meenden dat er voor ons geen andere uitweg was.'

'Wees eerlijk voor jezelf, Edward.' Opnieuw keek Havilland Webb aan terwijl hij sprak tegen de onderminister. 'Ik meende dat er geen andere uitweg was. Jij had daar de grootste bezwaren tegen.'

'Ik had ongelijk,' zei McAllister vastberaden en de diplomaat keek hem even fel aan. 'Maar dat doet er nu niet toe,' vervolgde de onderminister snel. 'We moeten beslissen wat we gaan zeggen. Op het consulaat staan de telefoons roodgloeiend van de vragen van de pers...'

'Het consuláát?' kwam Conklin ertussen. 'Mooi beveiligd huis is dat!'

'We hadden de tijd niet om een dekmantel te verzinnen voor het huurcontract,' zei de ambassadeur. 'Het werd zo stil mogelijk gehouden en we bereidden een aannemelijk verhaal voor. Voorzover we weten zijn er geen vragen gesteld, maar op het politierapport moesten de eigenaar en de huurder vermeld worden. Hoe reageren ze erop aan Garden Road, Edward?'

'Gewoon dat de situatie nog niet duidelijk genoeg is. Ze wachten op ons, maar we kunnen het niet veel langer meer tegenhouden. Het is beter dat we iets voorbereiden dan dat men erover gaat speculeren.'

'Heel juist,' stemde Havilland in. 'Ik vermoed dat het betekent dat jij iets van plan bent.'

'Het is een noodoplossing, maar we kunnen het er misschien mee doen, als ik meneer Webb juist heb verstaan.'

'Waarover?'

'U hebt een paar keer het woord commando gebruikt, en ik neem aan dat dat niet bij wijze van spreken was. De killer was een commando?'

'Vroeger. Een officier. En hij was zenuwziek. Moordziek is het juiste woord.'

'Weet u wie hij is, hebt u zijn naam gehoord?'

David keek de analyticus strak aan en hij herinnerde zich de woorden van Allcott-Price, uitgesproken met een verwrongen gevoel van ziekelijke triomf... *Als ik verlies en het verhaal raakt bekend, hoeveel andere praktiserende antimaatschappelijken zullen er dan niet door worden aangestoken? Hoeveel andere kerels die anders zijn en die nog los rondlopen, zullen er niet al te graag mijn plaats innemen, net zoals ik de jouwe heb ingenomen? Het barst hier in deze verrekte wereld van de Jason Bournes. Geef hun een beetje leiding, geef hun een idee en ze komen in drommen aanlopen en beginnen hun werk met plezier...* 'Ik heb nooit ontdekt wie hij was,' zei Webb alleen maar.

'Maar hij was inderdaad een commando?'

'Dat klopt.'

'Geen Ranger of een Groene Baret of Speciale Troepen...'

'Nee.'

'Ik mag dus aannemen dat u bedoelt dat hij Engelsman was.'

'Ja.'

'Dan zullen we een verhaal bekendmaken dat precies tegengesteld is aan die bijzonderheden. Geen Engelsman, geen militaire staat van dienst, we gaan net de andere kant op.'

'Een blanke Amerikaanse man,' zei Conklin rustig, en er klonk zelfs wat respect in zijn stem toen hij de onderminister aankeek. 'Geef hem een naam en een voorgeschiedenis uit een dossier van iemand die dood is. Bij voorkeur vierderangs uitschot, een psychopaat met een zo zwaar complex dat hij iemand aan de top wil vermoorden.'

'Zoiets, maar misschien niet precies,' zei McAllister en hij ging moeizaam verzitten alsof hij het liever niet oneens was met de ervaren CIA-man. Of met iets anders. 'Blanke man, ja. Amerikaan, ja. Zeker een man met een zo dwingende obsessie dat hij gedreven wordt tot een algemene slachtpartij, omdat zijn woede gericht is op een doelwit — zoals u dat zegt — aan de top.'

'Wie?' vroeg David.

'Op mij,' antwoordde McAllister en hij keek Webb strak aan.

'En dat betekent *ik*,' zei David. 'Ik ben die man met die obsessie.'

'Uw naam zou niet gebruikt worden,' vervolgde de onderminister rustig en koel. 'We kunnen een Amerikaan buiten de Verenigde Staten verzinnen die een paar jaar geleden door heel het Verre Oosten werd opgejaagd door de autoriteiten voor misdaden variërend van massamoord tot het smokkelen van drugs. We zullen zeggen dat ik heb samengewerkt met de politie in Hongkong, Macao, Singapore, Japan, Maleisië, Sumatra en de Philippijnen. Door mijn toedoen werden zijn operaties geheel onmogelijk gemaakt en hij verloor miljoenen. Hij hoort dat ik ben teruggekeerd en hier op Victoria Peak een kantoor heb. Hij wil mij te grazen nemen, de man die hem geruïneerd heeft.' McAllister zweeg even en draaide zich naar David. 'Aangezien ik een aantal jaren hier in Hongkong heb gezeten, kan het niet anders of Peking heeft mij opgemerkt. Ik weet zeker dat er een dik dossier is over een analyticus die tijdens zijn diensttijd hier een aantal vijanden heeft gemaakt. Ik heb echt vijanden gemaakt, meneer Webb. Dat hoorde bij mijn werk. We probeerden toen onze invloed in dit deel van de wereld te vergroten en overal waar Amerikanen betrokken waren bij criminele activiteiten, heb ik mijn uiterste best gedaan de autoriteiten te helpen ze te vangen, of ze in elk geval te dwingen Azië te verlaten. Dat was de beste manier om onze goede bedoelingen duidelijk te maken, door achter onze eigen mensen aan te gaan. Het was ook een reden waarom ik door bz naar Washington werd teruggeroepen. En door mijn naam te gebruiken geven we er een zekere authenticiteit aan voor Sheng Chou Yang. Want u moet weten dat wij elkaar kennen. Hij zal over nog een dozijn andere mogelijkheden speculeren. Ik hoop dat de juiste ertussen zit, maar dat er niet één bij is die ook maar iets heeft te maken met een Britse commando.'

'De juiste speculatie,' onderbrak Conklin hem zacht, 'dat is natuurlijk het feit dat er hier de laatste jaren niets meer is vernomen over de eerste Jason Bourne.'

'Precies.'

'Dus ík ben het lijk dat bewaakt wordt,' zei Webb, 'waar niemand bij kan komen.'

'Dat zou kunnen, ja,' zei McAllister. 'Weet u, we weten niet wat Sheng weet, hoe diep hij ons heeft gepenetreerd. Het enige wat we willen vaststellen is dat de dode man níet zijn killer is.'

'En zo maken we de weg vrij voor een andere bedrieger die teruggaat en Sheng uit zijn tent lokt om vermoord te worden,' voegde Conklin er vol respect aan toe. 'U weet het een en ander, meneer de Analyticus. U bent een rotzak, maar u weet wél wat.'

'Je zou jezelf blootgeven, Edward,' zei Havilland en hij keek de onderminister strak aan. 'Dat heb ik je nooit gevraagd. Je hebt inderdaad vijanden.'

'Ik wil het op deze manier doen, excellentie. U hebt mij in dienst om met de beste beoordelingen op de proppen te komen die ik kan geven, en volgens mij is dit de beste manier. Er moet een overtuigend rookgordijn worden gelegd. Met mijn naam kan ik daarvoor zorgen — voor Sheng. De rest kan begraven worden in dubbelzinnige taal, taal die iedereen die we willen bereiken zal begrijpen.'

'Zo moet het dan maar,' zei Webb en hij sloot onverwacht zijn ogen bij het horen van de woorden die Jason Bourne zo vaak had gesproken.

'David...' Marie raakte zijn gezicht aan.

'Het spijt me.' Webb betastte het dossier dat voor hem lag en sloeg het toen open. Op de eerste pagina stond een foto met een naam eronder. Volgens het onderschrift was dit het gezicht van Sheng Chou Yang, maar het was veel meer dan dat. Het was het *gezicht*. Het was het gezicht van de slåger! De waanzinnige die vrouwen en mannen doodhakte met zijn ceremoniële zwaard met juwelen, die broers dwong elkaar te bevechten met vlijmscherpe messen tot de een de ander doodde, de man die een dappere, gemartelde Echo het leven had ontnomen met een zwaardslag op het hoofd. Bourne hield zijn adem in, razend geworden door de onvoorstelbare wreedheid, en hij zag de bloederige beelden weer voor zich. Terwijl hij naar de foto staarde bracht het zien van Echo, die zijn leven gaf om Delta te redden, hem weer terug op die open plek in het bos. Delta wist dat het Echo's dood was geweest die het hem mogelijk had gemaakt de killer gevangen te nemen. Echo was uitdagend gestorven, had zijn ondraaglijk pijnlijke executie aanvaard. Niet alleen om een bondgenoot van Medusa te laten ontsnappen maar ook om hem met een laatste gebaar duidelijk te maken dat de waanzinnige met het zwaard moest worden gedood!

'Dít,' fluisterde Jason Bourne, 'is de zoon van uw onbekende taipan?'

'Ja,' zei Havilland.

'Uw vereerde filosofische vorst? De Chinese heilige die niemand kan ontmaskeren?'

'Opnieuw, ja.'

'U had ongelijk! Hij heeft zich wel laten zien! Verdomme, en hoe!'

De ambassadeur boog zich perplex naar voren. 'Weet u het zeker?'

'Ik ben er absoluut van overtuigd.'

'De omstandigheden moeten zeer vreemd zijn geweest,' zei de stormverbaasde McAllister. 'En het bevestigt zeker dat de bedrieger daar absoluut nooit levend vandaan zou zijn gekomen. Maar toch, de omstandigheden moeten werkelijk wereldschokkend zijn geweest voor hem!'

'Gezien het feit dat niemand buiten China er ooit iets over heeft gehoord, was dat zeker het geval. Mao's graftombe werd een schiettent. Het was een onderdeel van de valstrik en zij verloren. Echo verloor.'

'Wie?' vroeg Marie terwijl ze nog steeds zijn hand vasthad.

'Een vriend.'

'Mao's graftombe?' herhaalde Havilland. 'Heel erg vreemd!'

'Helemaal niet,' zei Bourne. 'Heel listig. De plek in China waar een slachtoffer helemaal niet zou verwachten te worden aangevallen. Hij gaat daar naar binnen met het idee dat hij de achtervolger is die achter zijn prooi aanzit, hij verwacht hem aan de andere kant te pakken te krijgen, buiten. De lichten zijn er zwak, hij let niet meer zo goed op. En al die tijd is híj de prooi, die wordt nagejaagd, geïsoleerd wordt en doelwit wordt voor een moord. Heel listig.'

'Heel gevaarlijk voor de jagers,' zei de ambassadeur. 'Voor Shengs mensen. Eén misstap en ze waren het slachtoffer geweest. Waanzin!'

'Er waren geen misstappen mogelijk. Ze zouden hun eigen mensen hebben gedood als ik hen niet had gedood. Dat begrijp ik nu. Toen alles fout begon te lopen verdwenen ze eenvoudig. Met Echo.'

'Wilt u, alstublieft, terugkeren naar Sheng, meneer Webb.' Havilland was nu zelf geobsedeerd en zijn ogen stonden smekend. 'Vertelt u ons eens wat u gezien hebt, wat u weet.'

'Hij is een monster,' zei Jason zacht terwijl hij met wazige ogen naar de foto staarde. 'Hij komt recht uit de hel, een Savonarola die martelt en moordt — mannen, vrouwen, kinderen — met een glimlach op zijn lippen. Hij preekt als een profeet die tegen kinderen praat, maar daaronder is hij een maniak die zijn bende schorem leidt met je reinste terreur. Die stoottroepen waarover u het had, dat zijn geen soldaten, het zijn bullebakken, sadistische boeven die hun vak hebben geleerd van meesters. Hij is Auschwitz, Dachau en Bergen Belsen in één personificatie. God moge ons allen bijstaan als hij hier ooit de baas wordt.'

'Dat kan hij, meneer Webb,' zei Havilland zacht en zijn angstige blik was op Jason Bourne gericht. 'Dat zal hij. U hebt zojuist een Sheng Chou Yang beschreven die de wereld nog nooit heeft gezien, en op dit moment is hij de machtigste man in geheel China. Zoals Adolf Hitler triomfantelijk de Reichstag binnenmarcheerde, zo zal Sheng zich meester maken van het Centrale Comité en er zijn marionetten van maken. Wat u ons hebt verteld is veel katastrofaler dan al het andere wat we ons hebben voorgesteld — China tegen China... een wereldbrand die daarop volgt. O, mijn god!'

'Hij is een beestmens,' fluisterde Jason schor. 'Hij moet moorden als een roofdier, maar hij hongert alleen maar naar het doden, het gaat hem niet om voedsel maar om het doden.'

'U praat in algemeenheden.' McAllisters onderbreking klonk kil maar intens. 'We moeten meer weten, ík moet meer weten!'

'Hij belegde een bijeenkomst.' Bourne sprak op onwezenlijke toon, zijn hoofd ging heen en weer, zijn ogen staarden weer strak naar de foto. 'Het was het begin van... de avonden van het grote zwaard, zei hij. Er was een verrader zei hij. Die bijeenkomst had alleen een waanzinnige kunnen bedenken, overal toortsen en ze werd gehouden een uur buiten Peking in de vrije natuur, in een vogelreservaat — het is haast niet te geloven, in een vógelreservaat − en hij deed echt wat ik vertelde. Hij vermoordde een man die aan touwen bungelde, hij hakte met zijn zwaard in op zijn krijsende lichaam. Toen kwam er een vrouw die haar onschuld probeerde te bewijzen en die hakte hij het hoofd af, haar hóófd! Waar iedereen bij was! En toen twee broers...'

'Een verráder?' fluisterde McAllister die het analyseren niet kon laten. 'Heeft hij er een gevonden? Heeft iemand bekend? Is er een soort contrarevolutie?'

'Hou daarmee op!' schreeuwde Marie.

'Née, mevrouw Webb! Hij is bezig terug te keren. Hij beleeft het opnieuw. Kijkt u maar naar hem. Ziet u dat niet? Hij is dáár!'

'Ik ben bang dat onze irritante collega gelijk heeft, Marie,' zei Panov zacht terwijl hij naar Webb keek. 'Hij zweeft tussen twee werelden en probeert zijn eigen realiteit terug te vinden. Het is oké. Laat hem maar zijn gang gaan. Het zou ons een boel tijd kunnen besparen.'

'Gelúl!'

'De spijker op de kop zoals steeds, lieverd, en betwistbaar zoals altijd. Hou je mond.'

'...Er was geen verrader, niemand die aan het woord was, alleen de vrouw die twijfels had. Hij doodde haar en het werd stil, een afschuwelijke stilte. Hij waarschuwde iedereen, liet iedereen daardoor weten dat ze overal zaten en dat ze niet te zien waren. In de ministeries, in de Veiligheidspolitie, overal... En toen doodde hij Echo, maar Echo wist dat hij moest sterven. Hij wilde ook sterven omdat hij toch niet langer meer kon leven. Nadat ze hem hadden gemarteld was hij afschuwelijk verminkt. Maar toch, als hij wat tijd voor me had kunnen winnen...'

'Wie is Echo, David?' vroeg Morris Panov. 'Vertel het ons eens.'

'Alfa, Bravo, Charlie, Delta, Echo... Foxtrot...'

'Medusa,' zei de psychiater. 'Het is Medusa, nietwaar? Echo was in Medusa.'

'Hij was in Parijs. Het Louvre. Hij probeerde mijn leven te redden, maar ik redde het zijne. Dat gaf niks, het was goed zo. Hij had het mijne al eerder gered, jaren geleden. "Rust is een wapen", zei hij. Hij stelde de anderen rond mij op en dwong me te slapen. En toen ontsnapten we aan de jungle.'

'"Rust is een wapen"...' Marie sprak zacht en sloot haar ogen. Ze kneep in de hand van haar man en tranen drupten van haar wangen. 'Och, verrék!'

'...Echo zag me in het bos. We gebruikten de oude signalen die we vroeger ook hadden gebruikt, jaren geleden. Hij was ze niet vergeten. Niemand van ons vergeet ooit iets.'

'Zijn we in de vrije natuur, in het vogelreservaat, David?' vroeg Panov en hij greep McAllister bij diens schouder om te verhinderen dat hij tussenbeide kwam.

'Ja,' antwoordde Jason Bourne en zijn ogen rolden door hun kassen met een vage blik. 'We weten het alletwee. Hij gaat sterven. Zo eenvoudig, zo duidelijk. Sterven. Dood. Meer niet. Win alleen wat tijd, kostbare minuten. Dan kan ik het misschien doen.'
'Wat doen... *Delta*?' Panov rekte de naam met zachte nadruk.
'De klootzak vermoorden. De slager vermoorden. Hij verdient het niet verder te leven, hij heeft het récht niet verder te leven! Hij doodt te gemakkelijk, met een glimlach op zijn lippen. Echo heeft het gezien. Ik heb het gezien. Nu gebeurt het, alles gebeurt tegelijk. De ontploffingen in het bos, iedereen loopt schreeuwend in het rond. Nú kan ik het doen! Ik kan hem zó doodschieten... Hij ziet me! Hij staart naar me! Hij weet dat ik zijn vijand ben! Ik bén je vijand ook, slachter! Ik ben het laatste gezicht dat je ooit zult zien! ...Wat gaat er fout? Er klopt iets niet! Hij kruipt weg achter een schild! Hij trekt iemand voor zijn lichaam. Ik moet maken dat ik wegkom! 't Lukt me niet!'
'Lukt het niet, of wil het niet?' vroeg Panov terwijl hij zich voorover boog. 'Ben je Jason Bourne of ben je David Webb? Wie bén je?'
'Delta!' gilde het slachtoffer en iedereen aan de tafel verstijfde door zijn uitbarsting. 'Ik ben Délta! Ik ben Bourne! Caïn is voor Delta en Carlos is voor Caïn!' Het slachtoffer, wie hij dan ook was, zakte achterover in zijn stoel, zijn hoofd knakte omlaag op zijn borst. Hij zweeg.

Het duurde verscheidene minuten, niemand wist hoe lang, niemand lette op de tijd, totdat de man die zelf niet wist wie hij was, zijn hoofd ophief. Zijn ogen waren nu half bevrijd, en voor de andere helft waren ze nog gevangen in de doodsangst die hij onderging. 'Het spijt me,' zei David Webb. 'Ik weet niet wat er met me gebeurde. Het spijt me.'
'Je hoeft je niet te verontschuldigen, David,' zei Panov. 'Je bent teruggegaan. Dat is begrijpelijk. Het geeft niks.'
'Ja, ik ben teruggegaan. Griezelig, vinden jullie niet?'
'Helemaal niet,' zei de psychiater. 'Het is volkomen normaal.'
'Ik móet teruggaan, dat is ook begrijpelijk, nietwaar, Mo?'
'*David*!' gilde Marie en ze stak haar armen naar hem uit.
'Ik móet,' zei Jason Bourne en hij hield liefdevol haar polsen vast. 'Niemand anders kan het doen, zo simpel is dat. Ik ken de codes. Ik weet de weg... Echo ruilde zijn leven voor het mijne, omdat hij meende dat ik het zou doen. Dat ik de slachter zou vermoorden. Toen faalde ik. Nu zal ik niet meer falen.'
'En wíj dan?' Marie klampte zich aan hem vast en haar stem werd teruggekaatst door de witte muren. 'Zijn wíj dan niet belangrijk?'
'Ik zal terugkeren, dat beloof ik je,' zei David. Hij maakte haar armen los en keek haar in de ogen. 'Maar ik moet teruggaan, begrijp je dat niet?'
'Voor deze mensen? Deze leugenaars?'

'Nee, niet voor hen. Voor iemand die wilde leven, meer dan wat ook. Jij hebt hem niet gekend; hij overleefde alles. Maar hij wist wanneer zijn leven de prijs van mijn dood niet waard was. Ik moest in leven blijven en doen wat ik moest doen. Ik moest in leven blijven en terugkeren naar jou, dat wist hij ook. Hij overwoog alles en nam zijn besluit. Ooit in ons leven moeten we allemaal dat besluit nemen.' Bourne keerde zich naar McAllister. 'Is er hier iemand die een foto kan nemen van een lijk?'

'Wiens lijk?' vroeg de onderminister van buitenlandse zaken.

'Het mijne,' zei Jason Bourne.

34

De weerzinwekkende foto werd genomen op de witte conferentietafel door een technicus van het beveiligde huis onder de weifelende supervisie van Morris Panov. Een met bloed bevlekt wit laken bedekte Webbs lichaam. Het lag schuin over zijn keel en liet een gezicht zien vol bloedstrepen, met wijdopen ogen en herkenbare gelaatstrekken.

'Ontwikkel de film zo snel als u kunt en breng mij de contactafdrukken,' beval Conklin.

'Twintig minuten,' zei de technicus terwijl hij naar de deur liep en McAllister net binnenkwam.

'Wat is er aan de hand?' vroeg David en hij ging rechtop zitten op de tafel. Marie veegde huiverend zijn gezicht af met een warme, natte handdoek.

'De persafdeling van het consulaat heeft de kranten gebeld,' antwoordde de onderminister. 'Ze zeiden dat ze over ongeveer een uur een verklaring zouden afleggen, zo gauw alle feiten bekend waren. Ze zijn nu zo'n verklaring aan het samenstellen. Ik heb hun het scenario gegeven en erin toegestemd dat ze mijn naam konden gebruiken. Ze zullen het opstellen in de normale verwarde taal van de ambassade en het ons voorlezen voordat ze het bekendmaken.'

'Nog iets bekend over Lin?' vroeg de CIA-man.

'Een boodschap van de dokter. Hij is nog steeds in levensgevaar, maar hij houdt vol.'

'Hoe zit het met de persmensen op de weg?' vroeg Havilland. 'We zullen hen vroeg of laat hier binnen moeten laten. Hoe langer we wachten, hoe meer ze zullen denken dat er iets wordt weggemoffeld. Dat kunnen we ons ook niet veroorloven.'

'Wat dat betreft hebben we nog een poosje de ruimte,' zei McAllister. 'Ik heb bekend laten maken dat de politie — met groot risico voor lijf en leden — de tuin aan het afzoeken is naar onontplofte projectielen. Onder zulke omstandigheden kunnen verslaggevers alle geduld van de wereld opbrengen. Overigens, in het scenario dat ik aan de persafdeling heb gegeven heb ik hun gezegd het feit te benadrukken dat de man die het huis aanviel kennelijk een specialist in springstoffen was.'

Jason Bourne, een van de meest ervaren demolitie-experts die ooit uit Medusa waren voortgekomen keek McAllister aan. De onderminister vermeed zijn blik. 'Ik moet maken dat ik hier wegkom,' zei Jason. 'Ik moet zo snel mogelijk in Macao zien te komen.'

'David, in godsnaam!' Marie ging voor haar man staan, ze staarde hem aan en haar stem klonk zacht en vol emoties.

'Ik wou dat het niet zó hoefde,' zei Webb en hij klom van de tafel. 'Ik wou dat het niet hoefde,' herhaalde hij zacht, 'maar het móet. Ik moet mijn plaats innemen. Ik moet het proces op gang brengen om Sheng te bereiken voordat het verhaal in de ochtendbladen komt, voordat de foto verschijnt als bevestiging voor de boodschap die ik ga versturen via de kanalen waarvan hij overtuigd is dat niemand ze kent. Hij moet geloven dat ik zijn huurmoordenaar ben, de man die hij wilde doden, niet de Jason Bourne uit Medusa die hem probeerde te doden in die bosvallei. Hij moet bericht van mij krijgen — van de man die hij denkt dat ik ben — voordat hij iets anders hoort. Want de informatie die ik hem ga sturen is het allerlaatste wat hij wil horen. Al het andere zal onbelangrijk lijken.'

'Het aas,' zei Alex Conklin. 'Geef hem eerst de essentiële informatie en dan komt de dekmantel vanzelf omdat hij verbijsterd is, verstrooid en de gedrukte officiële versie aanvaardt, vooral de foto in de kranten.'

'Wat gaat u hem vertellen?' vroeg de ambassadeur en uit zijn stem bleek dat hij niet dol was op het vooruitzicht de leiding te verliezen van zijn meest geheime operatie.

'Wat u mij hebt verteld. Deels waarheid, deels leugen.'

'Een beetje duidelijker, meneer Webb,' zei Havilland nadrukkelijk. 'We zijn u heel veel verschuldigd maar...'

'Wat u me verschuldigd bent dat kunt u me niet betalen!' snauwde Jason Bourne en snoerde hem de mond. 'Tenzij u hier waar ik bij ben een kogel door uw kop schiet.'

'Ik begrijp uw woede maar toch moet ik erop staan. U mag niets doen wat de levens in gevaar brengt van vijf miljoen mensen, of de levensbelangen van de regering van de Verenigde Staten.'

'Ik ben blij dat u de volgorde tenminste goed hebt — eindelijk. Goed dan, *excellentie,* ik zal het u vertellen. Het is hetzelfde wat ik u eerder verteld zou hebben, als u het fatsoen had gehad, het *fatsoen,* om naar me toe te komen en "uw geval voor te leggen". Ik ben verbaasd dat het nog nooit bij u is opgekomen — nee niet verbaasd, geschokt — maar ik denk dat dat onnodig is. U gelooft in die selecte manipulaties van u, in het uiterlijk van uw onmiskenbare macht... u denkt waarschijnlijk dat u dat allemaal verdiend hebt omdat u zo reusachtig intelligent bent,

of zoiets. Jullie zijn allemaal hetzelfde. Jullie verkneukelen je in inge-
wikkeldheid – in júllie verklaringen daarvan – zodat je er blind voor
bent wanneer de eenvoudige weg een verdomd stuk effectiever is.'
'Ik wacht tot ik iets zal horen,' zei Havilland kil.
'Dat moet dan maar,' zei Bourne. 'Ik heb heel goed geluisterd naar die
zwaarwichtige verklaring van u. U deed veel moeite om uit te leggen
waarom niemand Sheng officieel kon benaderen en hem kon vertellen
wat u wist. U had nog gelijk ook. Hij zou u in uw gezicht hebben uitgelachen of op u kunnen spugen, of u kunnen zeggen dat u op het dak
kon gaan zitten, wat dan ook. Natuurlijk zou hij dat. Hij heeft er de
macht voor. Als u doorgaat met uw "belachelijke" beschuldigingen
laat hij Peking zich terugtrekken uit de Hongkong Akkoorden. Dan
verliest u. Als u probeert buiten hem om te gaan, geluk ermee. Dan verliest u weer. U hebt geen bewijsmateriaal, alleen maar het woord van
een aantal dode kerels die allemaal de keel is afgesneden, van leden van
de Kwo-Min-Tang die alles zouden zeggen als ze er partijfunctionaris-
sen in de Volksrepubliek mee in discrediet kunnen brengen. Hij glim-
lacht en, zonder het met zoveel woorden te zeggen, laat hij u weten dat
u maar beter naar hem kunt luisteren. U bedenkt dat u niet naar hem
kunt luisteren omdat de risico's te groot zijn. Als Sheng wordt verraden
is het hele Verre Oosten de dupe. Daarin had u ook gelijk, meer om de
redenen die "Edward" ons gaf dan u. Peking zou misschien voorbij
kunnen zien aan een corrupt ambt als een van die tijdelijke concessies
aan hebzucht, maar het zal niet toestaan dat een Chinese Mafia zijn
klauwen uitstrekt naar haar industrie of haar werkkrachten of haar regering. Zoals "Edward" al zei, ze zouden hun baantjes kunnen
verliezen...'
'Ik wacht nog steeds, meneer Webb,' zei de diplomaat.
'Oké. U hebt mij gerecruteerd, maar u hebt de les van Treadstone 71
niet ter harte genomen. Stuur een killer om een killer te vangen.'
'Dat is het enige dat we niet vergeten zijn,' onderbrak de diplomaat hem
nu verbaasd. 'We hebben álles daarop gebaseerd.'
'Om de verkeerde redenen,' zei Bourne scherp. 'Er was een betere ma-
nier om contact op te nemen met Sheng en hem uit zijn tent te lokken
om hem te vermoorden. Ik was daarvoor niet nodig. Mijn vrouw was
daarvoor niet nodig! Maar u kon dat niet zien. Die superieure hersenen
van u moesten alles zo nodig gecompliceerd maken.'
'Wat kon ik dan niet zien, meneer Webb?'
'Stuur een samenzweerder om een samenzweerder te vangen.
Onofficieel...
Het is nu te laat daarvoor, maar dat zou ik u hebben verteld.'
'Ik geloof niet dat u me íets hebt verteld.'
'Deels waarheid, deels leugen, uw eigen strategie. Er wordt een koerier
naar Sheng gestuurd, bij voorkeur een half seniele oude man die betaald

wordt door iemand die hij niet kent en die de informatie via de telefoon krijgt. Geen bron die is na te trekken. Hij heeft een mondelinge boodschap bij zich, alleen bestemd voor Sheng, niets op papier. Laten we zeggen dat de man die de boodschap stuurt iemand in Hongkong is die miljoenen gaat verliezen als Shengs plan niet lukt, een man die verstandig genoeg en bang genoeg is om zijn naam niet te gebruiken. De boodschap zou kunnen zinspelen op lekken, verraders of hoge posten, of triades die niet mee mogen doen en die het op een akkoordje gooien omdat zij buitengesloten zijn — alles waarvan u zeker bent dat het zal gebeuren. De waarheid. Sheng moet daar achteraan gaan, hij kan het zich niet veroorloven dat niet te doen. Er wordt contact gelegd en een bijeenkomst wordt afgesproken. De samenzweerder in Hongkong is er evenzeer op gebrand zichzelf te beschermen als Sheng en even sluw, en hij eist dat het op neutraal terrein zal gebeuren. Dat wordt afgesproken. Het is de valstrik.' Bourne zweeg en keek even naar McAllister. 'Zelfs een derderangs demolitiebol zou u nog kunnen tonen hoe u het moet doen.'

'Heel snel en heel professioneel,' zei de ambassadeur. 'En met een flagrante tekortkoming. Waar vinden we zo'n samenzweerder in Hongkong?'

Jason Bourne keek de oudere staatsman aan en zijn blik was bijna verachtelijk. 'Die verzint u,' zei hij. 'Dat is de leugen.'

Havilland en Alex Conklin bevonden zich alleen in de kamer met de witte muren, elk aan één kant van de conferentietafel tegenover elkaar. McAllister en Morris Panov waren naar het kantoor van de onderminister gegaan om daar via aparte telefoons te luisteren naar een levensloop van een Amerikaanse killer die het consulaat voor de pers had verzonnen. Panov had erin toegestemd de juiste psychiatrische termen erin aan te brengen met de correcte ondertoon uit Washington. David Webb had gevraagd om alleen te kunnen zijn met zijn vrouw tot het tijd was te vertrekken. Ze waren naar een kamer op de bovenverdieping gebracht. Het feit dat het een slaapkamer was had niemand opgemerkt. Het was niet meer dan een deur naar een leeg vertrek aan de zuidkant van het oude Victoriaanse huis, uit de buurt van de met water doordrenkte mannen en de puinhopen aan de noordzijde. McAllister had geschat dat Webb ongeveer over een kwartier of iets minder zou moeten vertrekken. Een auto zou Jason Bourne en de onderminister naar Kai-Tak Airport brengen. Om de reis sneller te doen verlopen en omdat de vleugelboten maar tot negen uur 's avonds dienst deden, zouden ze met een medische helicopter naar Macao worden gevlogen, waar alle immigratievergunningen in orde gemaakt zouden zijn voor het afleveren van noodvoorraden aan het Kiang Wu Ziekenhuis aan de Rua Coelho Do Amaral.

'Het zou nooit zijn gelukt, weet u dat?' zei Havilland terwijl hij Conklin aankeek.

'Wat zou niet gelukt zijn?' vroeg de man uit Langley die in zijn eigen gedachtengang onderbroken werd door de uitspraak van de diplomaat. 'Wat David u vertelde?'

'Sheng zou nooit hebben toegestemd in een bijeenkomst met iemand die hij niet kende, met iemand die zich niet kon identificeren.'

'Het zou ervan afgehangen hebben hoe het gepresenteerd werd. Zo is het altijd met zoiets. Als de essentiële informatie verschrikkelijk verontrustend is en de feiten kloppen, dan heeft het slachtoffer niet veel keus. Hij kan de koerier niet ondervragen — die weet niks — dus moet hij op de bron afgaan. Zoals Webb het uitdrukte, hij kan zich niet veroorloven dat niet te doen.'

'Webb?' vroeg de ambassadeur vlakweg met opgetrokken wenkbrauwen.

'Bourne, Delta. Wie zal het zeggen. Het plan is goed.'

'Er zijn te veel mogelijke misrekeningen, te veel kansen voor een misstap wanneer je een niet bestaand iemand opvoert.'

'Dat moet u Jason Bourne eens zeggen.'

'De omstandigheden zijn anders. Treadstone had een *agent provocateur* die uit vrije wil achter de Jakhals aanging. Een geobsedeerd man die de grootste risico's nam omdat hij ervoor was getraind en te lang geweld had beoefend om het zo maar los te laten. Hij wilde niet loslaten. Er was voor hem geen andere plaats.'

'Dat is nog de vraag,' zei Conklin, 'maar ik geloof niet dat u in een positie verkeert om met hem in debat te treden. U hebt hem op weg gestuurd terwijl hij eigenlijk heel weinig kans van slagen had, en hij komt terug en hij heeft niet alleen de killer op sleeptouw, hij zoekt u nog eens een keer op ook. Als hij zei dat het misschien op een andere manier had kunnen gebeuren dan heeft hij waarschijnlijk gelijk en u kunt het tegendeel niet bewijzen.'

'Ik moet echter wel zeggen,' zei Havilland, met zijn onderarmen op de tafel en zijn ogen vast gericht op de CIA-man, 'dat het echt heeft gewerkt wat we gedaan hebben. We zijn een killer kwijtgeraakt, maar we hebben een gewillige, zelfs geobsedeerde *provocateur* ervoor in de plaats gekregen. Hij was onze beste keuze al vanaf het begin, maar we hadden nooit gedacht dat hij gerecruteerd kon worden om vrijwillig het belangrijkste werk te doen. Nu laat hij het aan niemand anders over. Hij gaat weer terug, hij eist zijn recht op het zelf te doen. Uiteindelijk hadden we dus gelijk, had ik gelijk. Je brengt bepaalde krachten in beweging, zodanig dat ze elkaar zullen raken, je blijft opletten, je blijft klaar om de zaak terug te draaien, om te doden als het niet anders kan, maar je weet dat de oplossing steeds dichterbij komt, naarmate de complicaties groter worden en naarmate ze dichter bij elkaars keel komen. Uiteindelijk —

in hun haat, hun wantrouwen, hun hartstocht — komt het tot een uit-barsting en de taak is volbracht. Je kunt er je eigen mensen bij verliezen, maar dat verlies moet je afwegen tegen wat het waard is de vijand te ontwrichten, te ontmaskeren.'

'U loopt ook het risico dat uw eigen hand zichtbaar wordt, de hand waarvan u zo nadrukkelijk zei dat ze onzichtbaar moest blijven.'

'Hoezo?'

'Omdat dit nog niet het einde is. Stel dat Webb het niet haalt. Stel dat hij gevangen genomen wordt en u kunt er alles onder verwedden dat er bevel zal worden gegeven hem levend te pakken. Wanneer een man als Sheng ziet dat er een val wordt gespannen om hem te vermoorden, dan zal hij willen weten wie erachter zit. Als dat niet lukt door een vingerna-gel of tien af te rukken — en dat zou het waarschijnlijk niet — dan spui-ten ze hem plat en ontdekken zo waar hij vandaan komt. Hij heeft alles gehoord wat u hem hebt verteld...'

'Zelfs dat de Amerikaanse regering er niet bij betrokken kan zijn,' on-derbrak hem de diplomaat.

'Klopt, en hij zal het tegen heug en meug moeten doen. De drugs bren-gen dat allemaal aan het oppervlak. Uw hand komt te voorschijn. Was-hington is wel betrokken.'

'Door wie?'

'Verrek, door Webb natuurlijk! Door Jason Bourne als u dat wilt.'

'Door een man die een voorgeschiedenis heeft van zenuwziekte, van wie bekend is dat hij agressief is tegen iedereen en zichzelf bedriegt? Een pa-ranoïde schizofreen van wie telefoongesprekken zijn vastgelegd waaruit blijkt dat de man langzaam gedementeerd raakt. Waanzinnige beschul-digingen uitspreekt, in het wilde weg de mensen bedreigt die proberen hem te helpen?' Havilland zweeg en voegde er toen zacht aan toe: 'Toe nou, meneer Conklin, zo'n man vertegenwoordigt toch zeker de Ameri-kaanse regering niet. Hoe zou hij dat kunnen? We hebben overal naar hem gezocht. Hij is een irrationele, fantaserende tijdbom die in alles komplotten ziet. We willen hem terug hebben in therapie. We vermoe-den ook dat hij, vanwege zijn activiteiten in het verleden, het land heeft verlaten op een vals paspoort...'

'Therapie...?' onderbrak Alex hem, verbijsterd door de woorden van de oude man. 'Activiteiten uit het verleden?'

'Natuurlijk, meneer Conklin. Als het nodig is, vooral als we recht-streeks verbinding krijgen met Sheng — via Shengs directe telefoonver-binding — zijn we bereid toe te geven dat hij ooit heeft gewerkt voor de regering en dat hij door dat werk serieus ontwricht is geraakt. Maar het is volstrekt onmogelijk dat hij enige officiële status heeft. Hoe zou dat immers kunnen? Die tragische, gewelddadige man is misschien wel verantwoordelijk voor de dood van een vrouw van wie hij beweert dat ze verdwenen is.'

'Marie? U zou Marie weer gebruiken?'

'Dat zouden we wel moeten. Zij komt in de rapporten voor, in de beëdigde verklaringen die vrijwillig zijn afgelegd door mensen die Webb kenden als zenuwpatiënt, die probeerden hem te helpen.'

'O, mijn gód!' fluisterde Alex die als gebiologeerd had geluisterd naar de kille, precieze staatsman van clandestiene operaties. 'U hebt hem alles verteld omdat u zich al tevoren had ingedekt. Zelfs als hij gevangen genomen zou worden, kon u zich indekken met officiële rapporten, psychiatrische beoordelingen, u zou elke band met hem kunnen ontkennen! Godverdomme, wat ben je toch een klootzak!'

'Ik heb hem de waarheid verteld omdat hij het geweten zou hebben als ik weer tegen hem zou proberen te liegen. McAllister is natuurlijk nog verder gegaan, die heeft de nadruk gelegd op de factor van de georganiseerde misdaad die ik liever niet naar voren zou hebben gebracht. Niemand zou dat willen. Maar ik heb Edward ook niet alles verteld. Hij heeft zijn ethiek nog niet voldoende in overeenstemming kunnen brengen met de eisen van zijn werk. Wanneer hij dat doet kan hij nog eens even hoog komen als ik, maar ik geloof niet dat hij daartoe in staat is.'

'U hebt David alles verteld voor het geval dat hij inderdaad gevangen genomen zou worden,' vervolgde Conklin zonder naar Havilland te luisteren. 'Als de moord niet lukt dan wílt u dat hij gevangen genomen wordt. U rékent op de amfetaminen en de scopolaminen. De drúgs! Dan zal het Sheng duidelijk worden dat zijn samenzwering bij ons bekend is en hij krijgt dat onofficieel te horen, niet van ons maar van een zenuwpatiënt die niet door ons wordt erkend. Jézus! Het is een variant op wat Webb u vertelde!'

'Onofficieel,' bevestigde de diplomaat. 'We bereiken zoveel op die manier. Geen confrontaties, alles verloopt glad. Heel goedkoop. Eigenlijk helemaal geen kosten.'

'Behalve het leven van een man!' schreeuwde Alex. 'Ze zullen hem vermoorden. Hij moet wel vermoord worden, hoe ze het ook bekijken.'

'De prijs, meneer Conklin, als er een prijs moet worden betaald.'

Alex wachtte, alsof hij dacht dat Havilland zijn uitspraak nog verder zou afmaken. Er kwam niets meer, alleen een paar trieste ogen keken hem vastberaden aan. 'Hebt u niets meer te zeggen? Dat is de prijs — als er een prijs moet worden betaald?'

'Er staat veel meer op het spel dan we ons hadden voorgesteld, oneindig veel meer. Dat weet u net zo goed als ik, dus u hoeft heus niet zo geshockeerd te kijken.' De ambassadeur leunde achterover in zijn stoel, een weinig vormelijk. 'U hebt zulke beslissingen vroeger ook genomen, u hebt dezelfde berekeningen gemaakt.'

'Niet op deze manier. Nóóit op deze manier! Je stuurt je eigen mensen op pad en je kent de risico's, maar je gaat bij een vent die een gevaarlijk karwei uitvoert niet zijn ontsnappingskansen afsnijden! Hij was beter af toen hij geloofde — *geloofde* — dat hij de killer mee terugbracht om zijn vrouw terug te krijgen!'

'Het doel is nu anders. Oneindig belangrijker.'

'Dat weet ik. Dan stuurt u hem niet! U zorgt dat u de codes krijgt en u stuurt iemand anders! Iemand die niet half kapot is van uitputting!'

'Of hij nu uitgeput is of niet, hij is de beste man voor het karwei en hij staat erop het zelf te doen.'

'Omdat hij niet weet wat u gedaan hebt! Hoe u hem aan alle kanten hebt vastgezet, van hem de koerier hebt gemaakt die gedood moet worden!'

'Ik kon niet anders. Zoals u al zei, hij heeft mij ontdekt. Ik moest hem de waarheid vertellen.'

'Ik herhaal: stuur dan iemand anders! Een moordcommando dat zonder onze voorkennis en buiten ons om wordt gerecruteerd, geen band met ons, alleen betaling voor een huurmoord, het slachtoffer Sheng. Webb weet hoe hij Sheng kan bereiken, dat heeft hij u verteld. Ik zal hem wel overhalen u de codes te geven of de volgorde of wat het dan ook is, en u koopt gewoon een moordcommando!'

'U stelt ons dus op één lijn met de Gaddafi's van deze wereld?'

'Dat is zo verrekte kinderlijk dat ik er geen woorden voor heb...'

'Vergeet het maar,' viel Havilland hem in de rede. 'Als het ooit bekend zou worden dat wij erachter zaten — en dat zou heel goed kunnen — dan zouden we raketten op China moeten afsturen voordat zij iets op ons laten vallen. Absoluut uitgesloten.'

'Wat u aan het doen bent is uitgesloten!'

'Er zijn belangrijker prioriteiten dan het leven van één enkel individu, meneer Conklin, en ook dat weet u even goed als ik. U hebt uw hele leven daarmee gewerkt — vergeeft u me dat ik dat zeg — maar het onderhavige geval ligt op een hoger niveau dan u ooit hebt meegemaakt. Laten we het een geopolitiek niveau noemen.'

'Rotzak!'

'Nu worden je eigen schuldgevoelens zichtbaar, Alex — als ik je Alex mag noemen — want je scheldt uit onmacht. Ik heb Jason Bourne nooit niet-meer-te-redden verklaard. Ik hoop van ganser harte dat hij zal slagen, dat de moord hem zal lukken. Als dat gebeurt is hij vrij; het Verre Oosten is bevrijd van een monster en de wereld blijft een oosters Serajewo bespaard. Dat is míjn karwei, Alex.'

'Zeg het hem dan tenminste! Waarschuw hem!'

'Dat kan ik niet. En dat zou jij in mijn plaats ook niet kunnen. Je vertelt een *tueur à gages* niet...'

'Wat zeg je me nou, patser?'

'Een man die opdracht krijgt iemand te doden moet kunnen vertrouwen op zijn eigen overtuiging. Hij mag, nog geen seconde lang, nadenken over zijn motieven of zijn beweegredenen. Hij mag helemaal geen twijfels hebben. Geen enkele. De obsessie moet ongeschonden blijven. Dat is zijn enige kans van slagen.'

'Stel dat hij niet slaagt? Stel dat hij gedood wordt?'

'Dan beginnen we opnieuw met iemand anders voor te bereiden op hetzelfde karwei. McAllister zal met hem meegaan naar Macao en de toegangcodes naar Sheng te weten komen. Daarin heeft Bourne toegestemd. Als het ergste gebeurt zouden we zelfs zijn theorie van een samenzweerder-tegen-een-samenzweerder kunnen proberen. Hij zegt dat het te laat is, maar misschien heeft hij ongelijk. Je ziet wel, Alex, ik wil altijd nog wel iets leren.'

'Maar één ding heb je nog niet geleerd,' zei Conklin woedend en hij stond op uit zijn stoel. 'Je bent iets vergeten, je bent vergeten wat je tegen David hebt gezegd. Er zit een flagrante tekortkoming in.'

'Wat dan?'

'Ik ga hier een stokje voor steken.' Alex hinkte naar de deur. 'Je kunt van een man een heleboel vragen maar er komt een punt waarop er niets meer te vragen valt. Je kunt het wel schudden, zak. Webb krijgt de waarheid te horen. De héle waarheid.'

Conklin trok de deur open. Hij stond tegenover de rug van een lange marinier die, toen hij hoorde dat de deur openging, een keurige rechtsomkeert maakte met zijn geweer in de draaghouding.

'Sodemieter op, ján,' zei Alex.

'Spijt me, meneer!' blafte de marinier met zijn ogen langs Alex op de verte gericht.

Conklin draaide zich om naar de diplomaat achter zijn bureau. Havilland haalde de schouders op. 'Zo hoort dat nu eenmaal,' zei hij.

'Ik dacht dat die lui hier weg waren. Ik dacht dat ze op het vliegveld in quarantaine zaten.'

'Die jij gezien hebt wel. Dit is een sectie van de consulaatswacht. Downing Street heeft gelukkig een paar voorschriften wat vrijer geïnterpreteerd en nu is dit hier officieel Amerikaans gebied. We mogen hier nu militairen hebben.'

'Ik wil Webb spreken!'

'Dat kun je niet. Hij vertrekt zo.'

'Wie denk jij, godverdomme, wel wie je bent?'

'Mijn naam is Raymond Oliver Havilland. Ik ben reizend ambassadeur voor de regering van de Verenigde Staten van Amerika. Mijn beslissingen moeten zonder tegenwerpingen worden uitgevoerd tijdens crisisperioden. Dit is een crisisperiode. Vergeet het maar, Alex.'

Conklin sloot de deur en liep moeizaam terug naar zijn stoel. 'Wat komt er nu, *excellentie?* Krijgen wij alledrie een kogel door onze kop of wordt er met onze hersens geprutst?'

'Ik weet zeker dat we het allemaal eens kunnen worden met elkaar.'

Ze klemden zich aan elkaar vast en Marie wist dat er maar een deel van hem daar was, dat hij maar voor een deel zichzelf was. Het was weer helemaal zoals in Parijs, toen ze een wanhopige man kende die Jason Bourne heette, die probeerde in leven te blijven maar die daarvan niet zeker was, die niet eens zeker wist of hij wel in leven moest blijven. Die gekweld werd door twijfel aan zichzelf even dodelijk als de mensen die hem wilden doden. Maar het was Parijs niet. Nu was er geen zelftwijfel, geen koortsachtig geïmproviseerde plannen om aan achtervolgers te ontkomen, geen race om de achtervolgers in de val te lokken. Wat haar aan Parijs deed denken was de afstand die ze tussen hen beiden voelde. David probeerde contact met haar te krijgen — die grootmoedige David, medelevende David — maar Jason Bourne wilde hem niet loslaten. Nu was Jason de achtervolger en dat versterkte zijn wil. Dat bleek helemaal uit het woord dat hij met hortende regelmaat gebruikte: *Actie!*

'Waarom, David? Waaróm?'

'Dat heb ik je gezegd. Omdat ik het kan. Omdat ik het moet. Omdat het karwei geklaard moet worden.'

'Dat is geen antwoord, lieveling.'

'Goed dan.' Webb liet met een rustig gebaar zijn vrouw los en hield haar vast bij de schouders, zijn blik op haar ogen gericht. 'Voor ons dan.'

'Voor óns?'

'Ja. Ik zou die beelden de rest van mijn leven voor me zien. Ze zouden steeds maar terugkomen en ze zouden me verscheuren omdat ik zou weten wat ik had achtergelaten en ik zou ze niet de baas kunnen. Ik zou in een vrille omlaagvallen en jou meesleuren, want ondanks al je hersenen heb je niet het verstand om uit het vliegtuig te springen.'

'Ik zou liever in zinloze vrilles terecht komen met jou dan zonder jou te leven. En daarmee bedoel ik dat ik je in leven wil zien.'

'Dat is geen argument.'

'Volgens mij is het een heel sterk argument.'

'Ik wil Sheng dood zien, en dat meen ik. Hij verdient het niet nog in leven te blijven, maar ik laat het doden aan een ander over...'

'Het is niks voor jou om God te spelen!' onderbrak Marie hem op scherpe toon. 'Laat anderen die beslissing maar nemen. Bemoei je er niet mee. Blijf in veiligheid.'

'Je luistert niet naar me. Ik ben daar geweest en ik heb hem gezien — hem gehoord. Hij verdient het echt niet om in leven te blijven. In een van die krijsende zedepreken van hem noemde hij het leven een kostbare gave. Daar kun je over bekvechten, dat hangt van het soort leven af, maar een leven stelt voor hem niets voor. Hij wil doden, misschien moet hij dat wel, ik weet het niet, vraag het Panov maar. Maar het is te zien in zijn ogen. Hij is Hitler en Mengele en Djingiz Chan... de kettingzaagmoordenaar — noem maar op — maar hij moet verdwijnen. En ik moet er voor zorgen dat dat gebeurt.'

'Maar waaróm?' vroeg Marie smekend. 'Je hebt me geen antwoord gegeven!'

'Dat heb ik wel gedaan, maar je hebt niet naar me geluisterd. Op wat voor manier dan ook zou ik hem elke dag zien, zou ik die stem horen. Ik zou moeten toezien hoe hij speelt met doodsbange mensen voordat hij hen vermoordt, hen afslacht! Probeer dat te begrijpen. Ik héb het geprobeerd en ik ben geen expert maar ik ben een paar dingen over mezelf te weten gekomen. Alleen een idioot zou die niet zien. Het gaat om de beelden, Marie, die verdomde fílm die zich steeds maar weer afdraait, die deuren opent − herinneringen die ik wil vergeten maar die ik niet kan vergeten. De duidelijkste en eenvoudigste manier waarop ik het kan zeggen is dat ik het niet meer aankan. Ik kan niets meer toevoegen aan die collectie van onaangename verrassingen. Want weet je, ik wil echt beter worden − misschien niet helemaal beter, dat kan ik accepteren, daarmee kan ik leven − maar ik wil ook niet meer terugglijden. Ik zál ook niet meer terugglijden. In het belang van ons beiden.'

'En jij denkt dat je die beelden zult kwijtraken door de dood van een man op touw te zetten?'

'Ik geloof dat het zal helpen, ja. Alles is relatief en ik zou hier niet eens zijn als Echo zijn leven niet had opgeofferd om mij verder te laten leven. Het is tegenwoordig niet altijd meer in zwang om het te zeggen, maar ik heb een geweten net als de meeste mensen. Of misschien is het schuld omdat ik in leven ben gebleven. Ik moet het gewoon doen omdat ik het kan.'

'Je hebt jezelf daarvan overtuigd?'

'Ja, inderdaad. Ik ben er het best voor uitgerust.'

'En je zegt dat je gaat regisseren, dat je niet zelf in actie komt?'

'Ik zou het op een andere manier niet eens willen doen. Ik kom terug omdat ik nog een lang leven met jou wil hebben, mevrouw.'

'Wat voor garantie heb ik? Wie komt er dan in actie?'

'De hoer die ons hierbij heeft betrokken.'

'Havilland?'

'Nee, hij is de pooier. McAllister is de hoer, dat is hij altijd geweest. De man die in fatsoen gelooft, die het zichtbaar voor iedereen draagt totdat de grote jongens hem zeggen met resultaten te komen. Hij zal er waarschijnlijk de pooier bijhalen en dat is prima. Met z'n tweeën kunnen ze het wel rooien.'

'Maar hoe dan?'

'Er zijn mannen − en vrouwen − die willen moorden als ze maar voldoende betaald krijgen. Ze hebben misschien niet de ego's van de niet bestaande Jason Bourne of de wel degelijk bestaande Carlos de Jakhals, maar ze zitten overal in die verdomde, die smerige onderwereld. Edward, de hoer, zei ons dat hij in heel het Verre Oosten vijanden had gemaakt, van Hongkong tot de Filippijnen, van Singapore tot Tokio. Alles uit naam van Washington die hier meer invloed wilde. Als je vijanden maakt weet je wie ze zijn, dan ken je de signalen die je moet versturen om hen te bereiken. Dat gaan de hoer en de pooier doen. Ik zal de val gereedmaken, maar iemand anders neemt het doden voor zijn rekening en het kan me niet schelen hoeveel miljoenen hen dat gaat kosten. Ik zal vanuit de verte toekijken om ervoor te zorgen dat de slachter ook echt wordt afgemaakt en dat Echo gewroken wordt, dat het Verre Oosten bevrijd wordt van een monster dat het in een afschuwelijke oorlog kan storten — maar meer zal ik niet doen. Toekijken. McAllister weet het nog niet maar hij gaat met me mee. We gaan zorgen dat we het volle pond krijgen.'

'Wie is er nu aan het woord?' vroeg Marie. 'David of Jason?'

Haar man zweeg even en dacht diep na. 'Bourne,' zei hij ten slotte. 'Het moet Bourne zijn totdat ik terug ben.'

'Dat wéét je?'

'Ik accepteer het. Ik kan niet anders.'

Er werd zacht en snel achtereen op de slaapkamerdeur geklopt. 'Meneer Webb. McAllister hier. Het is tijd om te vertrekken.'

35

De ongevallenhelicopter van het ziekenhuis daverde over Victoria Harbour, langs de buiteneilanden van de Zuidchinese Zee richting Macao. De patrouilleboten van de Volksrepubliek waren gewaarschuwd via het marinestation in Gongbei; er zou niet worden geschoten op het laagvliegende toestel dat een speciale hulpactie uitvoerde.

McAllister had geluk dat er juist een functionaris uit Peking, op bezoek in Macao, met een bloedende zweer aan zijn twaalfvingerige darm was opgenomen in het Kiang Wu Ziekenhuis. Er was voor hem rhesus-negatief bloed nodig, waarvan de voorraad steeds te klein was. *Laat alles maar over zijn kant gaan. Als de functionaris een boer was geweest uit de heuvels van Zhuhai zou hij het bloed van een geit hebben gekregen en dan had hij er het beste maar van moeten hopen.*

Bourne en de onderminister van buitenlandse zaken droegen de witte overalls en kwartiermutsen van het Royal Medical Corps, zonder onderscheidingstekenen op hun mouwen. Ze waren niet meer dan een stel kankerende ondergeschikten die opdracht hadden bloed te brengen naar een *Zhongguo ren* van een regime dat bezig was het Britse Rijk verder te ontmantelen. Alles werd efficiënt gedaan zoals het hoorde in de nieuwe geest van samenwerking tussen de kolonie en de toekomstige nieuwe meesters. *Laat alles maar over zijn kant gaan. Het is allemaal nog heel ver van ons bed en voor ons stelt het niks voor. Wij profiteren er niet*

523

van. Wij profiteren nooit. Niet van hen en niet van de lui boven ons.
Van de parkeerplaats achter het ziekenhuis waren alle voertuigen verwijderd. Vier zoeklichten gaven het landingsplatform aan. De piloot schakelde het toestel in op stilstaan in de lucht en begon toen aan zijn lawaaierige afdaling naar het betonnen platform. Bij het zien van de lichten en het horen van de daverende helicopter was er een hele drom mensen blijven stilstaan op de straat buiten de omheining van het ziekenhuis, aan de Rua Coelho Do Amaral. Dat was des te beter, bedacht Bourne terwijl hij omlaagkeek vanuit de open helicopterdeur. Hij hoopte dat er zelfs nog meer toeschouwers zouden worden aangetrokken voor het vertrek van de helicopter over ongeveer vijf minuten. De buigzame schroefbladen zouden blijven wentelen op lage snelheid, de zoeklichten zouden niet gedoofd worden en het politiecordon zou op haar plaats blijven, allemaal tekenen van een ongewone activiteit. Hij en McAllister konden op niets beters hopen dan op drommen mensen; in de verwarring zouden ze zich voegen tussen de nieuwsgierige toeschouwers terwijl twee andere mannen in de witte overals van de ziekenbroeders hun plaatsen innamen door naar het toestel te rennen, bukkend om onder de schroefbladen te blijven, voor de terugvlucht naar Hongkong. Jason moest met tegenzin McAllisters vaardigheid bewonderen in het verplaatsen van zijn schaakstukken. De analyticus speelde zijn samenzweerdersrol met veel overtuiging. Hij wist op welke knopjes hij moest drukken om zijn pionnen te verschuiven. In deze crisis was die pion een dokter in het Kiang Wu Ziekenhuis die een aantal jaren geleden medische fondsen van de IMF had omgeleid naar zijn privé-kliniek aan de Almirante Sergio. Aangezien Washington een van de sponsors was van het Internationale Monetaire Fonds, en aangezien McAllister de dokter had gesnapt met zijn hand in de kassa, verkeerde hij in een positie hem te ontmaskeren en hij had ook gedreigd dat te zullen doen. Toch had de dokter gewonnen. Hij had McAllister gevraagd hoe hij verwachtte hem te zullen vervangen, er was groot gebrek aan goede artsen in Macao. Zou het niet beter zijn als de Amerikaan zijn indiscretie over het hoofd zag als zijn kliniek de noodlijdenden hielp? Met zo'n goede staat van dienst? De misdienaar in McAllister had gecapituleerd, maar niet zonder de indiscretie van de dokter te vergeten, en diens schuld. Die schuld zou vanavond worden vereffend.
'Schiet op!' gilde Bourne, terwijl hij ging staan en een van de twee blikken met bloed oppakte. 'Actie!'
McAllister hield zich vast aan een handvat aan de tegenoverliggende wand van het toestel toen de helicopter met een schok en een klap neerkwam op het cement. Hij zag bleek, zijn gezicht was verstijfd tot een masker van zichzelf. 'Dit zijn rotdingen,' mompelde hij. 'Wacht alsjeblieft tot we stilstaan.'
'We staan al stil. Het is uw plan, speurneus. Actie.'

De politie wees hen de weg toen ze over de parkeerplaats naar een paar dubbele deuren holden die door twee verpleegsters werden opengehouden. Binnen greep een oosterse arts in een witte jas, de eeuwige stetoscoop bungelend uit een zak, McAllister bij zijn arm.

'Fijn u weer eens te zien, meneer,' zei hij in vloeiend Engels met een duidelijk accent. 'Al is het dan onder ongewone omstandigheden...'

'Dat waren die van u ook, drie jaar geleden,' onderbrak de analyticus hem hijgend en op scherpe toon, waardoor hij de dokter die eens van het rechte pad was geraakt hautain de mond snoerde. 'Waar gaan we heen?'

'Volgt u mij maar naar het bloedlaboratorium. Dat is aan het einde van de gang. De hoofdzuster zal de zegels controleren en de ontvangstbewijzen tekenen, waarna ik u ook zal brengen naar een andere kamer waar de twee mannen wachten die uw plaatsen zullen innemen. U geeft hun de ontvangstbewijzen, u wisselt van kleding en dan vertrekken zij.'

'Wie zijn ze?' vroeg Bourne. 'Waar hebt u hen gevonden?'

'Portugese co-assistenten,' antwoordde de dokter. 'Jonge artsen zonder geld die van Pedroso komen om hier hun praktijk te doen.'

'Hoe is dit verklaard?' drong Jason aan terwijl ze de gang inliepen.

'Er is nauwelijks een verklaring nodig,' antwoordde de dokter uit Macao. 'Wat u in uw taal en "ruil" noemt. Volkomen legaal. Twee Engelse ziekenbroeders die een avond hier willen doorbrengen en twee overwerkte co-assistenten die een avondje in Hongkong hebben verdiend. Ze zullen niets weten, ze zullen geen enkel argwaan koesteren. Ze zullen alleen maar blij zijn dat een oudere dokter inzag dat ze aan een welverdiende rust toewaren.'

'U hebt de juiste man gevonden, McAllister.'

'Hij is een dief.'

'U bent een hoer.'

'Pardon?'

'Laat maar zitten. Kom op.'

Nadat de blikken waren afgeleverd, de zegels gecontroleerd en de ontvangstbewijzen getekend, volgden Bourne en McAllister de dokter naar een afgesloten aangrenzend kantoor waarin verdovende middelen waren opgeslagen en dat een eigen deur had naar de gang, ook op slot. De twee Portugese co-assistenten stonden daar te wachten voor de glazen vitrines; de ene was langer dan de andere en beiden glimlachten ze. Niemand werd voorgesteld, er werd even geknikt en de dokter had kort nog even iets te zeggen, en hij deed dat tegen de onderminister.

'Op grond van uw beschrijvingen — waarbij ik die van u natuurlijk niet nodig had — zou ik zeggen dat hun lengtes ongeveer overeenkomen, vindt u niet?'

'Het zal wel gaan,' antwoordde McAllister terwijl hij en Jason hun witte overals begonnen uit te trekken. 'Deze zijn te groot. Als ze hard genoeg lopen en hun hoofd omlaag houden zal het wel gaan. Zeg hun dat ze de kleren en de ontvangstbewijzen achterlaten bij de piloot. Hij moet voor ons tekenen wanneer hij terug is in Hongkong.' Bourne en de analyticus verkleedden zich in donkere, gekreukte broeken en ruim passende jasjes. Ieder gaf zijn overal en zijn muts aan zijn tegenpool. McAllister zei: 'Zeg dat ze opschieten. Het vertrek is vastgesteld over minder dan twee minuten.'

De dokter sprak in gebroken Portugees en wendde zich toen weer tot de onderminister. 'De piloot moet toch op hen wachten, meneer.'

'De tijd is precies gepland en officieel afgesproken tot op de minuut,' snauwde de analyticus en er klonk angst door in zijn stem. 'We zitten er niet op te wachten dat iemand nieuwsgieriger wordt dan nodig is. Alles moet precies op tijd gebeuren. Opschieten.'

De co-assistenten waren aangekleed; de mutsen waren laag over hun voorhoofd getrokken en de ontvangstbewijzen voor de blikken bloed zaten in hun zakken. De dokter gaf de Amerikanen zijn laatste instructies terwijl hij hun twee oranje hospitaalpasjes overhandigde. 'We zullen samen hier weggaan, de deur sluit zich automatisch. Ik zal onmiddellijk onze twee jonge doktoren begeleiden, hen luid en uitbundig bedanken terwijl we langs het politiecordon lopen totdat ze naar het toestel kunnen hollen. U slaat rechtsaf, dan linksaf naar de voorhal en de ingang. Ik hoop — ik hoop van ganser harte — dat onze samenwerking, hoe prettig die ook is geweest, hiermee is afgelopen.'

'Waar zijn deze voor?' vroeg McAllister en hij stak zijn pasje omhoog.

'Waarschijnlijk — hopelijk — nergens voor. Maar voor geval u wordt tegengehouden verklaren ze waarom u hier bent en er zullen u verder geen vragen worden gesteld.'

'Waarom? Wat staat erop?' Er was niet één feit, niet één brokje informatie of de analyticus moest weten waarvoor het diende.

'Heel eenvoudig,' zei de dokter en hij keek McAllister rustig aan. 'Ze beschrijven u als noodlijdende immigranten, die geen cent op zak hebben, die ik in mijn kliniek heel edelmoedig voor niets behandel. Voor een druiper, om het precies te zeggen. Natuurlijk staat er verder het normale signalement op — lengte, geschat gewicht, kleuren van haar en ogen, nationaliteit. Ik kan er niets aan doen, maar die van u zijn het meest compleet, aangezien ik uw vriend niet kende. Even vanzelfsprekend is het dat er duplicaten in mijn dossier zitten en iedereen zou u daaruit herkennen, meneer.'

'Wat?'

'Wanneer u eenmaal op straat bent geloof ik dat mijn schuld van lang geleden is vereffend. Vindt u ook niet?'

'Een *druiper*?'

'Alstublieft, meneer. Zoals u zelf al zei, we moeten opschieten. Alles verloopt precies volgens de klok.' De dokter opende de deur, liep voor de vier mannen uit naar buiten en sloeg meteen linksaf met de twee co-assistenten op weg naar de zij-ingang en de medische helicopter.

'Kom op,' fluisterde Bourne en hij pakte McAllister bij zijn arm toen ze rechtsaf gingen.

'Hebt u gehoord wat die man zei?'

'U zei dat hij een dief was.'

'Dat was hij ook. Is het nog.'

'Er zijn tijden dat iemand dat afgezaagde gezegde over stelen van een dief niet al te letterlijk moet nemen.'

'Wat wil dát nu weer zeggen?'

'Eenvoudig dit,' zei Jason Bourne terwijl hij neerkeek op de analyticus die naast hem liep. 'Hij heeft u te grazen op verschillende punten. Samenzwering, corrupte praktijken én een druiper.'

'Oh, mijn God.'

Ze stonden in de achterste rijen mensen bij het hoge hek te kijken hoe de helicopter zich brullend verhief van het platform en toen met een bocht in het donker verdween. De zoeklichten werden een voor een gedoofd en de parkeerplaats werd weer verlicht door haar niet al te heldere buitenlichten. De meeste politiemensen klommen in een busje; die overbleven slenterden nonchalant terug naar hun eerdere posten waar een paar van hen een sigaret opstak, als wilden ze duidelijk maken dat het feest voorbij was. De mensen begonnen zich te verspreiden onder allerlei vragen die van her en der opklonken. *Wie was het? Zeker een belangrijk iemand? Wat denk je dat er gebeurd is? Wie kan dat nou wat schelen? We hebben ons verzetje gehad, laten we nu maar een borrel gaan drinken, ja? Moet je die vrouw zien! Dat moet wel een eerste klas hoer zijn, denk je ook niet? Zij is mijn oudste nicht, klootzak!*

Het feest was voorbij.

'Kom op,' zei Jason. 'We moeten opschieten.'

'Weet u, meneer Webb, u hebt twee bevelen die u irriterend vaak gebruikt. "Opschieten" en "Kom op".'

'Ik boek er resultaat mee.' Beide mannen begonnen de Do Amaral over te steken.

'Ik weet net zo goed als u dat we voort moeten maken, alleen hebt u nog niet gezegd waar we heen gaan.'

'Dat weet ik,' zei Bourne.

'Volgens mij wordt het tijd dat u me dat vertelt.' Ze bleven doorlopen en Bourne versnelde zijn pas. 'U hebt me een hoer genoemd,' vervolgde de onderminister.

'Dat bent u ook.'

'Omdat ik erin toestemde datgene te doen wat ik dacht dat juist was, wat gedaan moest worden?'

'Omdat ze u gebruikt hebben. De hoge mieters hebben u gebruikt en ze zullen u weer weggooien zonder een moment aan u te denken. U zag in uw toekomst grote dure wagens en vergaderingen op hoog niveau en u kon geen weerstand bieden. U was bereid mijn leven op het spel te zetten zonder te zoeken naar een alternatief en daarvoor wordt u betaald. U was bereid te spelen met het leven van mijn vrouw omdat de verleiding te groot was. Dinertjes met het Comité van Veertig, misschien zelfs lid worden; bezadigde, vertrouwelijke samenkomsten in het Witte Huis met de beroemde ambassadeur Havilland. Voor mij ben je dan een hoer. Maar ik herhaal: ze gooien je op straat zonder er maar even bij stil te staan.'

Stilte. Bijna een hele straat in Macao lang. 'Denkt u soms dat ik dat niet weet, meneer Bourne?'

'Wat?'

'Dat ze me op straat zullen gooien.'

Opnieuw keek Jason neer op de overdreven nauwgezette bureaucraat naast hem. 'Dat weet u?'

'Natuurlijk weet ik dat. Ik hoor niet tot hun klasse en ze willen mij daar ook niet in. Och, ik heb de juiste papieren en het verstand ervoor, maar ik mis dat speciale gevoel van een rol te kunnen spelen dat zij hebben. Ik werk niet inspirerend. Ik zou verstijven voor een televisiecamera, al heb ik zitten kijken naar idioten die de meest belachelijke fouten maken wanneer ze optreden. Zoals u dus ziet ken ik mijn beperkingen. En aangezien ik niet kan doen wat die mannen wel kunnen, moet ik doen wat het beste is voor hen en voor het vaderland. Ik moet voor hen denken.'

'U hebt gedacht voor *Havilland?* U bent bij ons gekomen in Maine en u hebt mijn vrouw bij me weggehaald! Kwam er in die gezwollen hersenen van u geen enkel ander idee op?'

'Geen idee dat ik naar voren kon brengen. Geen idee dat zo volledig alles bevatte als de strategie van Havilland. De killer was de onvindbare schakel met Sheng. Als u hem kon opsporen en meebrengen was dat het weggetje binnendoor dat we nodig hadden om Sheng uit zijn tent te lokken.'

'U had een verdomde hoop meer vertrouwen in mij dan ik zelf had.'

'We hadden vertrouwen in Jason Bourne. In Caïn, in de man van Medusa die Delta heette. U had het sterkste motief dat maar te bedenken was: uw vrouw terugkrijgen, de vrouw van wie u zoveel houdt. En er kon geen enkele schakel zijn met onze regering...'

'We hebben vanaf het begin een clandestien scenario geroken!' viel Bourne uit. 'Ik heb het geroken en Conklin heeft het geroken.'

'Ruiken is nog geen proeven,' protesteerde de analyticus terwijl ze zich door een donker, met keien bestraat steegje haastten. 'U wist niets concreets wat u had kunnen onthullen, er was geen tussenman die iets te maken kon hebben met Washington. U was helemaal geobsedeerd door

528

het zoeken naar een killer die zich uitgaf voor u, zodat een razende taipan u uw vrouw weer terug zou geven — een man wiens eigen vrouw zogenaamd was vermoord door een man die zich Jason Bourne noemde. Aanvankelijk dacht ik dat het waanzin was, maar toen pas zag ik de ingewikkelde logica van alles. Havilland had gelijk. Als er één man op de wereld was die ons de killer kon bezorgen en op die manier Sheng uit de weg kon ruimen, dan was u dat. Maar u mocht geen enkele band hebben met Washington. Daarom moest u gemanipuleerd worden binnen het raamwerk van een uitzonderlijke leugen. Als het ook maar iets minder was geweest had u waarschijnlijk op normaler wijze gereageerd. U had naar de politie kunnen gaan of naar regeringsfunctionarissen, mensen die u van vroeger kende, voor zover u zich dingen van vroeger herinnerde, en dat speelde ons in de kaart.'

'Ik ben wel degelijk naar mensen gegaan die ik van vroeger kende.'

'En u bent er niets te weten gekomen, behalve dat de regering u zeer waarschijnlijk weer zou laten opnemen, naarmate u meer dreigde uw mond open te doen. U kwam tenslotte uit Medusa en u had een voorgeschiedenis van geheugenverlies, zelfs van schizofrenie.'

'Conklin is naar anderen gegaan...'

'En kreeg aanvankelijk net genoeg te horen om ons te laten ontdekken wat hij wist, wat hij in stukjes en beetjes aaneen had gepast. Ik heb gehoord dat hij ooit een van de besten is geweest die we hadden.'

'Dat was hij ook. Is hij nog steeds.'

'Hij heeft u tot niet-meer-te-redden verklaard.'

'Dat is verleden tijd. Onder de omstandigheden had ik waarschijnlijk hetzelfde gedaan. Hij kwam in Washington veel meer te weten dan ik.'

'We hebben hem precies dat laten geloven wat hij wilde geloven. Het was een van de meest geniale zetten van Havilland en hij schudde die zo maar uit zijn mouw. Vergeet niet dat Alexander een uitgebluste, verbitterde man is. Hij moet niets weten van de wereld waarin hij zijn volwassen leven heeft doorgebracht, en evenmin van de mensen die deel uitmaakten van dat leven. Hij kreeg te horen dat een *mogelijke* clandestiene operatie *misschien* uit de hand was gelopen, dat het scenario *misschien* was overgenomen door vijandige elementen.' McAllister zweeg toen ze uit het steegje te voorschijn kwamen, een hoek omsloegen en belandden in het drukke nachtleven van Macao; overal flitsten gekleurde lichten. 'We moesten weer terug naar de beginleugen, begrijpt u dat?' vervolgde de analyticus. 'Conklin was ervan overtuigd dat er inderdaad een ander was binnengedrongen, dat uw situatie hopeloos was en daarom ook die van uw vrouw, tenzij u het nieuwe spelletje ging meespelen dat werd gespeeld door de vijandige elementen die de zaak hadden overgenomen.'

'Dat heeft hij me verteld,' zei Jason met gefronste wenkbrauwen en hij dacht terug aan Dulles Airport en aan de tranen die hem in de ogen waren geschoten. 'Hij zei me dat ik het spelletje moest meespelen.'

'Hij kon niets anders.' McAllister greep Bourne plotseling bij zijn arm en knikte naar een donkere etalageruit die rechts voor hen lag. 'We moeten praten.'

'We zijn aan het praten,' zei de man van Medusa op scherpe toon. 'Ik weet waar we heengaan en er valt geen tijd te verliezen.'

'Dan moet u de tijd maar nemen,' drong de analyticus aan. Zijn stem klonk zo wanhopig dat Bourne bleef staan, hem aankeek en toen achter hem aanliep het donkere winkelportiek in. 'Voordat u íets doet, moet u het begrijpen.'

'Wat moet ik begrijpen? De leugens?'

'Nee, de waarheid.'

'U weet niet wat de waarheid is,' zei Jason.

'Dat weet ik wel, misschien beter dan u. Zoals u al zei is het mijn werk. Havillands plan zou goed hebben uitgepakt, als uw vrouw er niet was geweest. Zij ontsnapte, we raakten haar kwijt. Zij was de oorzaak dat het plan in duigen viel.'

'Dat besef ik.'

'Dan moet u ook het feit beseffen dat Sheng in elk geval weet dat ze bestaat en begrijpt hoe belangrijk ze is, ook al weet hij misschien niet precies wie ze is.'

'Ik had daarover eigenlijk nog niet nagedacht.'

'Doet u dat nu dan maar eens. De ploeg van Lin Wenzu was al gepenetreerd toen ze samen met heel Hongkong naar haar op zoek ging. Catherine Staples werd vermoord omdat er een band bestond tussen haar en uw vrouw en men kwam tot de juiste conclusie dat ze via die vrouw ofwel te veel te weten was gekomen of dat haar een paar vernietigende waarheden begonnen te dagen. Sheng heeft blijkbaar opdracht gegeven alle oppositie op te ruimen, zelfs potentiële oppositie. Zoals u in Peking hebt gezien is hij een maniak en hij ziet iets werkelijks waar alleen maar schaduwen bestaan, hij ziet vijanden in elk donker hoekje.'

'Wat wilt u eigenlijk zeggen?' vroeg Bourne ongeduldig.

'Ook is hij briljant en hij heeft mensen in heel de kolonie.'

'Wat dan nog?'

'Wanneer morgen het nieuws in de ochtendbladen staat en op de televisie komt zullen er bepaalde vermoedens bij hem opkomen en hij zal het huis in Victoria Peak én MI 6 geen minuut meer uit het oog verliezen, zelfs al moet hij het huis ernaast gijzelen en opnieuw infiltreren in de Engelse Inlichtingendienst.'

'Godverdomme, waar wilt u toch naar toe?'

'Hij zal Havilland vinden en dan zal hij ook uw vrouw vinden.'

'En?'

'Stel dat u faalt? Stel dat u gedood wordt? Sheng zal niet rusten voordat hij alles te weten is gekomen wat er te weten valt. De sleutel is ongetwijfeld de vrouw bij Havilland, de rijzige vrouw naar wie iedereen op zoek was. Zij moet die sleutel zijn want zij is het grote raadsel in het hart van het mysterie en ze heeft iets te maken met de ambassadeur. Als er iets met u gebeurt zal Havilland gedwongen zijn haar te laten gaan, en Sheng zal haar laten oppikken, op Kai-Tak, of Honoloeloe of Los Angeles of in New York. Neemt u maar van mij aan, meneer Webb, dat hij niet zal rusten voordat hij haar in handen heeft. Hij moet weten wat voor komplot er tegen hem is gesmeed en zij is daar inderdaad de sleutel van. Er is niemand anders.'

'Voor de tweede keer: wat wilt u daarmee zeggen?'

'Alles zou weer helemaal opnieuw kunnen gebeuren en de gevolgen zullen nog veel afschuwelijker zijn.'

'Het scenario?' vroeg Jason en hij werd overspoeld door de bloedige beelden van de vallei in het vogelreservaat.

'Ja,' zei de analyticus met nadruk. 'Alleen wordt uw vrouw dit keer echt ontvoerd, niet alleen maar als onderdeel van een plan om u te recruteren. Daar zou Sheng zeker voor zorgen.'

'Niet als Sheng dood is.'

'Waarschijnlijk niet. Maar er bestaat een wezenlijke kans van mislukking, dat hij in leven zal blijven.'

'U probeert iets te zeggen, maar u zégt het niet!'

'Goed, dan zal ik het nu zeggen. Als de killer bent u de schakel met Sheng, de man die hem kan bereiken, maar ik ben de man die hem uit zijn tent kan lokken.'

'U?'

'Dat was de reden waarom ik de ambassade zei dat ze mijn naam moesten gebruiken in het persbericht. U moet weten dat Sheng mij kent en ik heb heel goed geluisterd toen u uw theorie van een samenzweerder-voor-een-samenzweerder ontvouwde voor Havilland. Hij geloofde er niet in en ik eerlijk gezegd ook niet. Sheng zou nooit een ontmoeting willen hebben met iemand die hij niet kent, maar hij zal dat wel doen met iemand die hij kent.'

'Waarom met u?'

'Deels waarheid, deels leugen,' zei de analyticus in een herhaling van Bournes woorden.

'Ik dank u dat u zo goed hebt geluisterd. Legt u het nu maar eens uit.'

'Eerst de waarheid, meneer Webb, of Bourne, of hoe u dan ook genoemd wilt worden. Sheng is zich heel goed bewust van mijn bijdragen aan de regering en van mijn kennelijk gebrek aan resultaat. Ik ben een intelligent onbekend ambtenaar op de achtergrond, iemand die is overgeslagen omdat ik de kwaliteiten mis die me naar boven kunnen brengen, die me een zekere prominentie kunnen verschaffen en me goed betaalde baantjes kunnen bezorgen in de privé-sector. Op een bepaalde manier ben ik net als Alexander Conklin zonder zijn drankprobleem, maar niet helemaal zonder zijn bitterheid. Ik was even goed als Sheng en dat wist hij, maar hij is geslaagd en ik niet.'

'Een aangrijpende biecht,' zei Jason die weer ongeduldig begon te worden. 'Maar waarom zou hij u willen ontmoeten? Hoe zou u hem uit zijn tent kunnen lokken — om vermoord te worden, meneer speurneus, en ik hoop dat u weet wat dat betekent?'

'Omdat ik een stuk van die Hongkong-taart van hem wil hebben. Ik werd gisteravond bijna vermoord. Dat was de vernedering die de deur dicht deed en nu wil ik, na al die jaren, iets voor mezelf, voor mijn gezin. Dat is de leugen.'

'U praat wartaal. Ik kan u niet volgen.'

'Omdat u niet tussen de regels luistert. Ik word ervoor betaald om dat te doen, weet u nog wel?... Ik heb er schoon genoeg van. Ik ben aan het einde van mijn professionele latijn. Ik ben hierheen gestuurd om een gerucht uit Taiwan na te lopen en te analyseren. Dit gerucht over een economisch komplot in Peking scheen enige waarheid te bevatten dacht ik, en als het waar was dan kon er in Peking maar één bron zijn: mijn vroegere tegenspeler van de Chinees-Amerikaanse handelsconferenties, de machtige man achter het nieuwe handelsbeleid van China. Niets van dit alles kon worden uitgevoerd zonder hem, daar viel niet eens aan te denken. Ik nam dus aan dat er genoeg waarheid in zat voor mij om contact met hem te zoeken, niet om de zaak te verraden maar om het gerucht tegen betaling officieel uit de wereld te helpen. Ik zou zelfs zover kunnen gaan dat ik kan zeggen er niets in te zien dat indruist tegen de belangen van mijn regering, en zeker niet tegen de mijne. Het belangrijkste is dat hij mij zou moeten ontmoeten.'

'En wat dan?'

'Dan moet u me vertellen wat ik doen moet. U zei dat zelfs een demolitie"bol" het zou kunnen doen, dus waarom ik niet? Alleen zou ik het niet kunnen met springstoffen, daarmee kan ik niet werken. Wel met een wapen.'

'Het zou uw dood zijn.'

'Dat risico accepteer ik.'

'Waarom?'

'Omdat het moet gebeuren, in zoverre heeft Havilland gelijk. En op het moment dat Sheng zou zien dat u niet de bedrieger bent, dat u de originele killer bent die hem trachtte te doden in dat vogelreservaat, zouden zijn lijfwachten u neerknallen.'

'Ik was nooit van plan me aan hem te laten zien,' zei Bourne kalm. 'Daar zou u voor zorgen, maar niet op die manier.'

In het donker van het winkelportiek staarde McAllister de man van Medusa aan. 'U gaat mij met u meenemen, nietwaar?' vroeg de analyticus ten slotte. 'Me daartoe dwingen als het nodig is.'

'Ja.'

'Dat dacht ik al. Anders zou u niet zo gemakkelijk ermee hebben ingestemd dat ik met u meeging naar Macao. U had me op het vliegveld kunnen vertellen hoe we Sheng moeten bereiken en kunnen eisen dat we u een bepaalde tijd gaven voordat we in actie kwamen. Daaraan zouden we ons hebben gehouden; we zijn veel te bang. Hoe dan ook, u ziet nu wel dat u me niet hoeft te dwingen. Ik heb zelfs mijn diplomatieke paspoort meegebracht.' McAllister zweeg heel even en zei toen: 'En een tweede paspoort, dat ik heb meegenomen uit het dossier van de technische mensen — het is van die lange vent die die foto van u heeft genomen op de tafel.'

'Wát hebt u gedaan?'

'Alle personeelsleden van Buitenlandse Zaken die te maken hebben met vertrouwelijke zaken moeten hun paspoort inleveren. Het is een veiligheidsmaatregel en het dient voor hun eigen bescherming...'

'Ik heb dríe paspoorten,' viel Jason hem in de rede. 'Verrek, hoe denkt u anders dat ik kan reizen?'

'We wisten dat u er minstens twee had die gebaseerd waren op de dossiers van Bourne. U hebt een van de vroegere namen gebruikt toen u naar Peking vloog, de pas waarin stond dat u bruine ogen had, niet lichtbruin. Hoe hebt u dat voor elkaar gekregen?'

'Ik droeg een bril, met vensterglas. Via een oude vriend die een vreemde naam heeft en die beter is dan alle lui die u hebt.'

'O ja. Een negerfotograaf en een specialist in identiteiten die zichzelf Cactus noemt. Hij heeft zelfs in het geheim voor Treadstone gewerkt, maar dat herinnerde u zich kennelijk, of het feit dat hij u vaak kwam opzoeken in Virginia. Volgens de rapporten konden ze hem niet aanhouden omdat hij contacten heeft in misdadigerskringen.'

'Als u maar een vínger naar hem uitsteekt maak ik ambtenarensoep van u.'

'Er zijn geen plannen om dat te doen. Maar nu zullen we gewoon een van de drie foto's overbrengen die het meest overeenkomt met de bijzonderheden zoals ze beschreven staan in de pas van de technicus.'

'Het is tijdverspilling.'

'Helemaal niet. Er zitten aanzienlijke voordelen vast aan diplomatieke paspoorten, vooral hier. Er is geen tijdrovend proces nodig om een tijdelijk visum aan te vragen, en ofschoon ik er zeker van ben dat u genoeg geld hebt om er een te kopen, is dit gemakkelijker. China heeft ons geld nodig, meneer Bourne, én onze technologie. We zullen snel langs de douane komen en Sheng zal de immigratiedienst kunnen controleren en vaststellen dat ik inderdaad degene ben die ik zeg dat ik ben. We zullen ook kunnen beschikken over prioriteitstransport wanneer we dat nodig hebben en dat zou heel belangrijk kunnen zijn, afhankelijk van de verschillende fasen in onze telefoongesprekken met Sheng en zijn adjudanten.'

'De verschillende fasen van wát?'

'U gaat met zijn ondergeschikten praten tijdens de verschillende fasen van het contact. Ik zal u wel vertellen wat u zeggen moet, maar wanneer de verbinding er eenmaal is ga ík met Sheng Chou Yang praten.'

'Ben jíj van de ratten besnuffeld!' gilde Jason, evenzeer tegen het donkere glas van de etalage als tegen McAllister. 'In dit soort dingen bent u een gewone amateur!'

'In wat u doet ben ik dat inderdaad. Maar niet in mijn eigen werk.'

'Waarom hebt u Havilland niets verteld over dat geweldige plan van u?'

'Omdat hij het niet zou hebben toegestaan. Hij zou me onder huisarrest hebben geplaatst omdat hij me onbekwaam vindt. Dat denkt hij altijd. Ik ben nu eenmaal geen toneelspeler. Ik ben niet zo rad van tong met uitspraken waar de waarheid in doorklinkt, maar die tegelijkertijd op een fliedertje informatie berusten. Maar dit is anders en de acteurs zien dat zo duidelijk omdat het allemaal deel uitmaakt van hun macho wereldtoneel. Nog afgezien van de economische kanten, is dit een komplot om het leiderschap van een wantrouwig, autoritair regime te ondermijnen. En wie zit er in de kern van dit klomplot dat móet mislukken? Wie zijn die indringers die Peking onvoorwaardelijk vertrouwt? Het zijn China's meest gezworen vijanden, hun eigen broeders van de Kwo-Min-Tang op Taiwan. Wanneer, om het maar eens plat te zeggen, het gesodemieter begint — en dat zal het zeker — dan zullen de acteurs aan alle kanten op hun podiums stappen en hun kreten uitstoten van verraad en gerechtvaardigde ''binnenlandse revolutie'' omdat er niets anders is wat de acteurs kunnen doen. De verwarring is totaal, compleet en op het wereldtoneel leidt totale verwarring tot totaal geweld.'

Nu was het de beurt van Bourne om de analyticus aan te staren. Daarbij kwamen Maries woorden bij hem op, gesproken in een ander verband maar wel enigszins van toepassing op wat hij nu hoorde. 'Dat is geen antwoord,' zei hij. 'Het is een gezichtspunt, maar geen antwoord. Waarom zou ú dat doen? Ik hoop niet dat u er uw fatsoen mee wilt bewijzen. Dat zou ontzettend dwaas zijn. Heel erg gevaarlijk.'

'Vreemd genoeg geloof ik,' zei McAllister terwijl hij met gefronst voorhoofd even naar de grond keek, 'dat het er deel van uitmaakt — een vrij onbelangrijk deel — waar het u en uw vrouw betreft.' De onderminister keek weer op en vervolgde rustig: 'Maar de voornaamste reden, meneer Bourne, is dat ik onderhand schoon genoeg begin te krijgen van Edward Newington McAllister, die dan misschien een briljant analyticus mag zijn maar naar wie weinig wordt geluisterd. Ik ben de geniale jongen in het achterkamertje die voor de dag wordt gehaald wanneer de zaken te gecompliceerd worden en die weer terug wordt gestuurd nadat hij zijn mening ten beste heeft gegeven. Je zou kunnen zeggen dat ik het leuk vind om even voor het voetlicht te staan, even als het ware uit mijn achterkamertje te komen.'

534

Jason nam de onderminister op in het vage licht. 'Even geleden zei u dat het risico er was dat ik zou falen, en ik heb ervaring. Die hebt u niet. Hebt u de gevolgen overwogen als ú zou falen?'

'Volgens mij gebeurt dat niet.'

'Volgens u gebeurt dat niet,' herhaalde Bourne met vlakke stem. 'Mag ik u vragen waarom?'

'Ik heb het overdacht.'

'Dat is tenminste iets.'

'Nee, ik meen het,' protesteerde McAllister. 'Het plan is in wezen eenvoudig: ik moet Sheng even alleen zien te krijgen. Ik kan dat doen, maar u kunt het niet voor mij doen. En u kunt Sheng zeker niet alleen ontmoeten. Ik heb maar een paar seconden nodig — en een wapen.'

'Als ik het zou toelaten weet ik nog niet wat me het meeste angst aan zou jagen. Uw slagen of uw falen. Mag ik er u aan herinneren dat u een onderminister bent voor buitenlandse zaken van de Amerikaanse regering? Stel dat u wordt gepakt? Dan kunt u wel dag zeggen met het handje, dat kan dan iedereen.'

'Daarover heb ik nagedacht vanaf de dag dat ik weer terugkeerde in Hongkong.'

'Wát hebt u?'

'Wekenlang heb ik gedacht dat dit de oplossing zou kunnen zijn, dat ík de oplossing zou kunnen zijn. De regering is gedekt. Het staat allemaal geschreven in een verklaring van mij die ik op Victoria Peak heb achtergelaten, met een copie voor Havilland en nog een stel copieën die binnen tweeënzeventig uur moeten worden bezorgd op het Chinese consulaat in Hongkong. De ambassadeur heeft misschien nu al zijn copie gevonden. U ziet dus dat terugkeren niet meer mogelijk is.'

'Wat hebt u, godverdomme, nou weer uitgevoerd?'

'Ik heb iets beschreven wat in feite een bloedvete is tussen Sheng en mij. Gezien mijn staat van dienst en de tijd die ik hier heb doorgebracht, met daarbij nog de bekende hang van Sheng naar geheimhouding, is het eigenlijk allemaal heel aannemelijk. Zijn vijanden in het Centrale Comité zullen het zeker met beide handen aangrijpen. Als ik word gedood of gevangen genomen zal er zoveel aandacht worden gevestigd op Sheng, er zullen hem zoveel vragen worden gesteld ondanks zijn tegensputteren, dat hij geen stap zal durven verzetten — als hij het al overleeft.'

'Lieve god, sta me bij,' zei Bourne verbijsterd.

'U hoeft de bijzonderheden niet te weten, maar u zult de belangrijkste punten herkennen van de samenzweerder-voor-een-samenzweerder-theorie. In wezen beschuldig ik hem ervan dat hij mij buiten zijn manipulaties rond Hongkong houdt, nadat ik er jaren aan heb besteed hem te helpen de zaak op te bouwen. Hij houdt mij erbuiten omdat hij me verder niet meer nodig heeft en hij weet dat ik onmogelijk mijn mond kan opendoen omdat ik dan geruïneerd zou zijn. Ik heb geschreven dat ik zelfs heb gevreesd voor mijn leven.'

'Vergeet het maar!' riep Jason uit. 'Vergeet die hele pokkezaak maar! Het is waanzin!'

'U gaat ervan uit dat ik zal falen. Of gevangen genomen zal worden. Ik neem aan dat geen van beide zal gebeuren — als u me helpt, natuurlijk.'

Bourne haalde diep adem en ging zacht praten. 'Ik bewonder uw moed, zelfs uw sluimerende gevoel voor fatsoen, maar er is een betere manier en u kunt daar voor zorgen. U krijgt uw ogenblikje voor het voetlicht, meneer Speurneus, maar niet op deze manier.'

'Op welke manier dan?' vroeg de onderminister perplex.

'Ik heb u in actie gezien en Conklin had gelijk. U mag dan een klootzak zijn maar u hebt wel wat in uw mars. U neemt contact op met het Foreign Office in Londen en u weet wie daar de regels kan aanpassen. U hebt hier zes jaar doorgebracht met het rommelen in de afdeling vuile zaakjes, u hebt moordenaars en dieven opgespoord en de pooiers van het Verre Oosten in de naam van een behulpzaam regeringsbeleid. U weet op welke knopjes u moet drukken en waar de lijken begraven liggen. U herinnerde u zich zelfs een excentrieke dokter hier in Macao die bij u in het krijt stond en u hebt hem laten betalen.'

'Dat is allemaal tweede natuur. Zulke mensen vergeet je nu eenmaal niet gemakkelijk.'

'Zoek maar anderen voor me. Zoek me een stelletje huurmoordenaars. Samen met Havilland krijgt u dat wel voor elkaar. U gaat hem opbellen en hem zeggen dat dit mijn eisen zijn. Hij moet een miljoen overmaken — vijf miljoen als het nodig is — hier naar Macao, morgenvroeg, en tegen de middag wil ik hier een moordcommando hebben dat klaar staat om naar China te gaan. Ik zal het nodige wel regelen. Ik weet een ontmoetingsplaats die al eerder is gebruikt in de heuvels van Guangdong. Er zijn daar open plekken die gemakkelijk bereikbaar zijn per helicopter, waar Sheng en zijn adjudanten vroeger de commando ontmoetten. Als hij eenmaal mijn boodschap krijgt dan komt hij, dat kunt u van mij aannemen. U zorgt gewoon voor uw deel. Pijnig uw hoofd maar eens af en haal er drie of vier ervaren proleten uit. Zeg hun dat het risico minimaal is en de prijs hoog. Dan staat u echt in het voetlicht, meneer Speurneus. Het zou onweerstaanbaar zijn. U hebt voor de rest van uw leven iets voor op Havilland. Hij zou u benoemen tot zijn rechterhand, misschien zelfs wel tot minister van buitenlandse zaken, als u dat wilt. Hij kan het zich niet veroorloven dat niet te doen.'

'Onmogelijk,' zei McAllister zacht en hij keek Jason strak aan.

'Nou ja, misschien is minister van buitenlandse zaken een beetje veel...'

'Wat u zojuist naar voren bracht is onmogelijk,' viel de onderminister hem in de rede.

'Beweert u niet dat zulke kerels niet bestaan, want als u dat doet dan staat u weer te liegen.'

'Ik weet zeker dat ze bestaan. Waarschijnlijk ken ik er zelf een paar en ik weet zeker dat er anderen zijn op die lijst met namen die Lin u heeft gegeven toen hij de rol speelde van de taipan in dat witte pak in de Ommuurde Stad. Maar ik blijf er met mijn vingers af. Zelfs wanneer Havilland het me zou opdragen zou ik weigeren.'

'Dan wilt u Sheng helemaal niet! Alles wat u hebt gezegd was niets anders dan weer zo'n leugen. Leugenaar!'

'U vergist u, ik wil Sheng wel degelijk. Maar om het met uw woorden te zeggen, niet op deze manier.'

'Waarom niet?'

'Omdat ik mijn regering, mijn land, niet in een dergelijke compromitterende positie wil plaatsen. Ik denk eigenlijk dat Havilland het met me eens zou zijn. Huurmoordenaars zijn te gemakkelijk na te trekken, net als het overmaken van geld. Iemand wordt kwaad of begint te pochen of wordt dronken; hij doet zijn mond open en Washington zit opgescheept met een moordaanslag. Daaraan zou ik nooit mee kunnen doen. Denkt u maar eens aan het aandeel van de Kennedy's in de aanslagen op Castro's leven door de Mafia in te schakelen. Waanzin... Nee, meneer Bourne, het spijt me, maar u zit aan mij vast.'

'Ik zit aan niemand vast! Ik kan Sheng bereiken; dat kunt u niet!'

'Ingewikkelde kwesties kunnen gewoonlijk worden teruggebracht tot eenvoudige vergelijkingen als er aan bepaalde feiten wordt gedacht.'

'Wat betekent dat nou weer?'

'Het betekent dat ik er op sta het op mijn manier te doen.'

'Waarom?'

'Omdat Havilland uw vrouw heeft.'

'Ze is bij Conklin! Met Mo Panov! Hij zou niet durven...'

'U kent hem niet,' onderbrak McAllister hem. 'U beledigt hem maar u kent hem niet. Hij is net als Sheng Chou Yang. Hij deinst voor niets terug. Als ik gelijk heb — en ik weet zeker dat ik dat heb — zijn mevrouw Webb, meneer Conklin en dokter Panov nu te gast in het huis op Victoria Peak voor zolang dit duurt.'

'Te gast?'

'Dat huisarrest waar ik het een paar minuten geleden over had.'

'Godverdómme!' fluisterde Jason en zijn kaakspieren bewogen heftig. 'Zo, hoe komen we nu in Peking?'

Met gesloten ogen antwoordde Bourne: 'Een man bij de politietroepen in Guangdong, Soo Jiang genaamd. Ik spreek Frans tegen hem en hij laat hier in Macao een boodschap voor ons achter. Aan een tafel in het casino.'

'Actie!' zei McAllister.

De telefoon rinkelde. De naakte vrouw schrok en ging snel rechtop zitten in bed. De man die naast haar lag was ineens klaarwakker; hij was op zijn hoede voor elke inbreuk op de normale gang van zaken, zeker wanneer die midden in de nacht plaatsvond of, juister gezegd, in de vroege ochtenduren. Maar de uitdrukking op zijn weke, ronde oosterse gezicht liet zien dat zo'n inbreuk wel vaker werd gemaakt en dat die maar zelden goed nieuws bracht. Hij stak zijn hand uit naar de telefoon op het nachtkastje.

'*Wei?*' zei hij zacht.

'*Macao lai dianhua,*' antwoordde de telefonist op het hoofdkwartier van het garnizoen in Guangdong.

'Schakel een kryptofoon in en haal alle opname-apparatuur weg.'

'Is gebeurd, kolonel Soo.'

'Dat zal ik zelf wel controleren,' zei Soo Jiang, terwijl hij rechtop ging zitten en een klein, plat rechthoekig voorwerp oppakte, met aan een kant een verhoogd schijfje.

'Dat is niet nodig, meneer.'

'Dat hoop ik dan maar voor jou.' Soo legde het schijfje over de microfoon en drukte een knop in. Als de lijn werd afgeluisterd zou het doordringende fluiten dat ineens opklonk blijven doorgaan tot het afluisterinstrument verwijderd was of het trommelvlies van de luisteraar was kapotgesprongen. Nu was het alleen maar stil, een stilte die nog dieper leek door het maanlicht dat door een raam naar binnen viel. 'Ga uw gang, Macao,' zei de kolonel.

'*Bon soir, mon ami,*' sprak de stem uit Macao. Er werd zonder meer aangenomen dat het de pseudo-Bourne was die Frans sprak. '*Comment ça va?*'

'*Vous?*' riep Jiang hijgend uit terwijl hij zijn korte beentjes onder de lakens uitzwaaide en ze op de vloer plantte. '*Un moment!*' De kolonel draaide zich naar de vrouw. 'Hé, jij. Wegwezen. Maak dat je hier wegkomt,' beval hij in het Kantonees. 'Pak je kleren en trek ze aan in de voorkamer. Laat de deur openstaan zodat ik kan zien dat je weggaat.'

'Ik krijg nog geld van u!' fluisterde de vrouw schril. 'Voor twee keer krijg ik nog geld van u, en het dubbele voor wat ik daar beneden voor u heb gedaan!'

'Ik betaal jou door je man niet te ontslaan. Donder op! Je hebt een halve minuut en anders heb je een man zonder één cent.'

'Ze noemen jou het Zwijn,' zei de vrouw. Ze graaide haar kleren bijeen en rende naar de slaapkamerdeur, waar ze zich omdraaide en Jiang woedend aankeek. 'Zwijn!'

'Opdonderen!'

Enkele seconden later sprak Soo weer Frans door de telefoon. 'Wat is er gebeurd? De berichten uit Beijing zijn ongelofelijk! En het nieuws van het vliegveld in Shenzhen niet minder. Hij heeft u gevangen genomen!'

'Hij is dood,' zei de stem uit Macao.

'Dood?'

'Neergeschoten door zijn eigen mensen, minstens vijftig kogels in zijn lijf.'

'En ú?'

'Ze hebben mijn verhaal geslikt. Ik was een onschuldige gijzelaar die op straat werd opgepikt en gebruikt werd, zowel als schild en als afleidingsmanoeuvre. Ze hebben me goed behandeld en ze hebben op mijn aandringen zelfs de pers uit mijn buurt gehouden. Ze proberen natuurlijk alles te bagatelliseren maar dat zal hun niet erg lukken. Het krioelde er van mensen van de kranten en de televisie, dus je leest het allemaal wel in de ochtendbladen.'

'Mijn God, wáár is het gebeurd?'

'Een landhuis op Victoria Peak. Het is een onderdeel van het consulaat en het is verdomde geheim. Daarom moet ik dan ook leider-één bereiken. Ik ben dingen aan de weet gekomen waarvan hij op de hoogte moet zijn!'

'Vertel ze mij maar.'

De 'killer' lachte spottend. 'Dit soort informatie verkoop ik, die geef ik niet weg, die gooi ik zeker niet voor de zwijnen.'

'U zult er geen spijt van hebben,' drong Soo aan.

'Dat weet ik zo net nog niet.'

'Wat bedoelt u met ''leider-één''?' vroeg kolonel Soo Jiang, de opmerking negerend.

'Jouw grote baas, jouw chef, de hoge mieter, hoe je hem ook wilt noemen. Hij was toch de vent in dat reservaat die de hele tijd aan het woord was? De vent die zijn zwaard zo handig wist te gebruiken, die geschifte met zijn wilde ogen, die ik nog probeerde te waarschuwen voor de vertragingstactiek van de Fransman...'

'Hoe dúrft u...? Dat hebt u gedaan?'

'Vraag het hem maar. Ik zei hem dat er iets niet klopte, dat de Fransman bezig was tijd te winnen. Verrek, dat heeft me het nodige gekost dat hij niet naar we wilde luisteren! Hij had op die Franse rotzak moeten inhakken toen ik hem dat zei! Zeg hem nu maar dat ik met hem moet praten!'

'Zelfs ik praat niet eens met hem,' zei de kolonel. 'Ik heb alleen contact met ondergeschikten die codenamen gebruiken. Ik ken hun echte namen niet...'

'Je bedoelt de kerels die naar de heuvels in Guangdong vliegen om mij te ontmoeten en de opdrachten af te leveren?' onderbrak Bourne hem.

'Ja.'

'Met hen wil ik helemaal niet praten!' viel Jason woedend uit, en hij gaf zich nu uit voor zijn eigen bedrieger. 'Ik wil de man zelf hebben. En het is hem geraden om met mij te praten.'

'U zult eerst met de anderen moeten spreken, maar zelfs voor hen moet u met hele sterke argumenten komen. Zij bepalen wie wordt opgeroepen, anderen doen dat niet. Dat hoort u onderhand te weten.'

'Goed dan, speel jij dan maar voor koerier. Ik ben bijna drie uur bij de Amerikanen geweest, en ik heb de beste dekmantel versierd die ik ooit in mijn leven heb gehad. Ze hebben me uitvoerig ondervraagd en ik heb hun eerlijk geantwoord; ik hoef u niet te vertellen dat ik in de hele kolonie gedekt ben, dat er mannen en vrouwen zijn die zweren dat ik een zakenrelatie van hen ben, of dat ik op een bepaalde tijd bij hen was, wie er ook belt...'

'Dat hoeft u mij niet te vertellen,' viel Soo hem in de rede. 'Geeft u mij alstublieft alleen maar de boodschap die ik moet overbrengen. U hebt met de Amerikanen gesproken. En toen?'

'Ik heb ook geluisterd. Die kolonialen hebben de stomme gewoonte om vrijuit met elkaar te praten waar vreemden bij zijn.'

'Nu hoor ik een Brits ondertoontje. Zo'n ondertoon van superioriteit. Dat hebben we allemaal al eerder gehoord.'

'Gelijk heb je. De fransozen doen dat niet en jullie spleetogen al helemaal niet.'

'Gaat u alstublieft verder, meneer.'

'De vent die mij gevangen nam, de man die door de Amerikanen werd gedood, dat was zelf een Amerikaan.'

'En dus?'

'Ik laat een merkteken achter bij mijn slachtoffers. Een naam die heel ver teruggaat. Jason Bourne.'

'Dat weten we. En?'

'Hij was de échte! Hij was een Amerikaan en ze hebben bijna twee jaar achter hem aangezeten.'

'En?'

'Ze denken dat Beijing hem gevonden en gehuurd heeft. Iemand in Beijing die het belangrijkste slachtoffer van zijn hele leven wilde maken, die een man in dat huis wilde laten doden. Bourne laat zich door iedereen inhuren, een echte werknemer die gelijke kansen biedt, zo zou je het kunnen noemen.'

'Ik kan u niet helemaal goed volgen. Zou u zich wat duidelijker willen uitdrukken?'

'In dat vertrek bij die Amerikanen waren nog wat meer mensen. Chinezen uit Taiwan die ronduit zeiden dat ze tegenstanders zijn van de meeste leiders van de geheime genootschappen in de Kwo-Min-Tang. Ze waren kwaad. Volgens mij ook bang.' Bourne zweeg. Stilte.

'Ja?' drong de kolonel ongerust aan.

'Ze zeiden nog een paar andere dingen. Ze hadden het ook steeds maar over iemand die Sheng heet.'

'Aiya!'

'Dat is de boodschap die u moet overbrengen en ik verwacht binnen drie uur een antwoord in het casino. Ik stuur wel iemand om het op te halen en probeer geen stomme geintjes. Ik heb daar mensen die een rel kunnen beginnen, even gemakkelijk als ze een zeven kunnen gooien. Als er iets gebeurt gaan jullie kerels eraan.'

'We zijn de Tsim Sha Tsui van een paar weken geleden nog niet vergeten,' zei Soo Jiang. 'Vijf van onze vijanden gedood in een achterkamertje, terwijl de hele nachtclub op z'n kop wordt gezet. Niemand zal iets uithalen; we kijken wel uit waar het u betreft. We hebben ons al vaak afgevraagd of de oorspronkelijke Bourne even goed was als zijn opvolger.'

'*Dat was hij niet.*' *Zeg dat er een rel kan uitbreken in het casino voor het geval dat Shengs mensen proberen u in de val te lokken. Zeg dat hun mensen gedood zullen worden. U hoeft daar niet verder op in te gaan. Ze begrijpen zoiets wel... De speurneus wist waarover hij het had.*

'Een vraag,' zei Jason, die werkelijk geïnteresseerd was. 'Wanneer wisten jij en de anderen dat ik niet de echte was?'

'Vanaf de eerste keer dat we u zagen,' antwoordde de kolonel. 'De jaren laten hun sporen na, nietwaar? Het lichaam kan lenig blijven, zelfs sterker worden als het goed wordt verzorgd, maar het gezicht verraadt de tijd; dat is onvermijdelijk. Uw gezicht kon onmogelijk het gezicht zijn van de man van Medusa. Dat was meer dan vijftien jaar geleden en u bent hooguit een man van begin dertig. De Medusa nam geen kinderen aan. U was door de Fransman tot leven gebracht.'

'Het codewoord is "crisis" en u hebt drie uur,' zei Bourne en hij legde de hoorn op.

'Dit is wáánzin!' Jason kwam uit de open glazen cel in de telefooncentrale die de hele nacht openbleef en keek McAllister woedend aan.

'U hebt het heel goed gedaan,' zei de analyticus en hij schreef iets op een bloknootje. 'Ik betaal de rekening wel.' De onderminister liep op het verhoogde platform af waar de centralisten betalingen in ontvangst namen voor internationale gesprekken.

'U begrijpt het niet,' vervolgde Bourne naast McAllister en hij sprak zacht en gehaast. 'Het kan niet werken. Het is te ongewoon, het is zo voor de hand liggend dat niemand erin zal trappen.'

'Als u nu direct een bijeenkomst eiste zou ik het met u eens zijn, maar dat doet u niet. U vraagt alleen maar om een telefoongesprek.'

'Ik vraag hem de kern van deze hele pokkezaak bloot te geven. Dat híj die kern is!'

'Om het nog eens in uw woorden te zeggen,' zei de analyticus terwijl hij op de balie de rekening oppakte en geld aanbood, 'hij kan het zich niet veroorloven niet te reageren. Hij moet wel.'

'Onder strenge voorwaarden die u schaakmat zullen zetten.'

'Ik reken natuurlijk op uw hulp in dit soort zaken.'

McAllister nam zijn wisselgeld aan, dankte de vermoeide telefoniste met een knikje en liep met Jason naast hem naar de deur.

'Misschien kan ik helemaal niet helpen.'

'U bedoelt onder deze omstandigheden,' zei de analyticus terwijl ze het drukke trottoir opstapten.

'Wat?'

'U maakt zich geen zorgen over het plan, meneer Bourne, want het is in feite úw plan. Wat u woedend maakt is dat ik degene ben die het gaat uitvoeren, niet uzelf. U denkt al net als Havilland dat ik er niet toe in staat ben.'

'Ik geloof niet dat dit de tijd en de gelegenheid is voor u om te bewijzen dat u zo'n stoere bink bent! Als u faalt kan uw leven mij nog het minst van alles schelen. Op een of andere manier komt het Verre Oosten het eerst, komt de wereld het eerst.'

'Ik kan onmogelijk falen. Ik heb u toch gezegd, zelfs als ik faal, is er nog niets mislukt. Sheng verliest, of hij nu blijft leven of niet. Over tweeënzeventig uur zal het consulaat in Hongkong daar wel voor zorgen.'

'Zelfopoffering met voorbedachte rade is niet iets waar ik bijzonder dol op ben,' zei Jason toen ze de straat inliepen. 'Zelfmisleidende bombast is altijd een hinderpaal en je maakt er brokken door. Bovendien stinkt dat zogenaamde plan van u naar een valstrik. Ze zullen het ruiken!'

'Dat zouden ze als ú met Sheng ging onderhandelen en niet ik. U zegt me dat het ongewoon is, te voor de hand liggend, de actie van een amateur, de man die nooit in de praktijk heeft gewerkt, de eersteklas bureacraat die is overgeslagen door het systeem dat hij zo trouw heeft gediend. Ik weet wat ik doe, meneer Bourne. Zorgt u alleen maar dat ik een wapen krijg.'

Aan dat verzoek was niet zo moeilijk te voldoen. In de Porto Interior van Macao, aan de Rua das Lorchas, lag d'Anjou's flat, met een klein arsenaal aan wapens, de gereedschappen van het handwerk van de Fransman. Het was gewoon een kwestie van daar binnen te dringen en die wapens uit te kiezen die het gemakkelijkst uit elkaar te halen waren, zodat ze met hun diplomatieke paspoorten de betrekkelijk lakse grens bij Guangdong konden passeren. Maar het duurde meer dan twee uur en het kiezen was nog het meest tijdrovend, omdat Jason het ene pistool na het andere in McAllisters hand legde en telkens lette op de greep van de analyticus en op de uitdrukking op diens gezicht. Het wapen dat ze ten slotte kozen was het kleinste pistool met het laagste kaliber in het arsenaal van d'Anjou, een Charter Arms .22 met een geluiddemper.

'Mik op het hoofd, minstens drie kogels in de schedel. Al het andere zou niet meer zijn dan een muggeprik.'

McAllister slikte moeizaam en stond naar het wapen te staren terwijl Jason de collectie bekeek en opmaakte welk pistool de grootste vuurkracht had binnen de kleinste omvang. Voor zichzelf koos hij een machinepistool met een open handgreep dat voorzien was van een extra groot magazijn met dertig patronen.

Met hun wapens onder hun jasjes verborgen kwamen ze het voor de helft gevulde Kam Pek Casino binnen, om 3.35 in de morgen en ze liepen naar het uiteinde van de lange, mahoniehouten bar. Bourne liep naar de kruk waarop hij al eerder had gezeten. De onderminister nam vier krukken van hem vandaan plaats. De barkeeper herkende de vrijgevige klant die hem minder dan een week geleden zowat een hele week salaris als fooi had gegeven. Hij begroette hem met het enthousiasme dat paste bij een klant die al heel lang als zeer gul bekend stond.

'Nei hou a!'

'Mchoh La. Mgoi,' zei Bourne en gaf daarmee aan dat het hem goed ging, en dat zijn gezondheid prima was.

'De Engelse whisky, nietwaar?' vroeg de barkeeper die vertrouwde op zijn geheugen en hoopte dat dat beloond zou worden.

'Ik heb tegen vrienden van me in het Lisboa gezegd dat ze eens met u moesten praten. Volgens mij is er in heel Macao geen betere barkeeper.'

'Het Lisboa? Daar barst het van het geld! Dank u, meneer.' De barkeeper haastte zich om Jason een borrel in te schenken waarmee een hele compagnie zich onder de tafel zou kunnen drinken. Bourne knikte zonder commentaar en de man wendde zich met tegenzin naar McAllister die vier krukken verder zat. Jason merkte dat de analyticus witte wijn bestelde, heel afgemeten betaalde en het bedrag opschreef in zijn aantekenboekje. De barkeeper haalde zijn schouders op, deed zijn plicht met tegenzin en liep terug naar het midden van de schaars bezette bar, met zijn ogen gericht op zijn favoriete klant.

Stap één.

Hij wás er! De goedgeklede Chinees in het keurige donkere pak, de specialist in het ongewapende gevecht die niet voldoende smerige trucjes kende, de man met wie hij had gevochten in een steegje en die hem had begeleid naar de heuvels van Guangdong. Kolonel Soo Jiang nam onder deze omstandigheden geen enkel risico. Hij wilde vanavond alleen de allerbeste contactmensen aan het werk hebben. Geen verpauperde oude mannen, geen hoeren.

De man liep langzaam een paar tafels langs alsof hij nauwkeurig bekeek wat daar aan de gang was, de dealers en de spelers naar waarde schatte en probeerde vast te stellen waar hij zijn geluk moest gaan beproeven. Hij kwam aan Tafel Vijf en nadat hij het vallen van de kaarten bijna drie minuten had bekeken ging hij zitten en trok een stapeltje bankbiljetten uit zijn zak. Daartussen, dacht Jason, zat een boodschap met *Crisis* erop.

Twintig minuten later schudde de smetteloos geklede Chinees zijn hoofd, stak zijn geld weer in zijn zak en stond op van de tafel. Hij kon hen sneller bij Sheng brengen! Hij kende zowel Macao als Guangdong als zijn broekzak en Bourne wist dat hij contact moest leggen met deze man, en heel snel! Hij keek eerst even naar de barkeeper, die naar het andere eind van de bar was gelopen om een bestelling klaar te maken voor een kelner die de tafeltjes bediende, en toen naar McAllister.

'Speurneus!' fluisterde hij scherp. 'Blijf híer!'

'Wat gaat u doen?'

'Ik ga m'n moeder even goedendag zeggen, is 't nou goed?' Jason klom van zijn kruk en liep achter de contactman aan naar de deur. Hij kwam voorbij de barkeeper en zei in het Kantonees: 'Ik ben zo weer terug.'

'Geen enkel probleem, meneer.'

Op het trottoir bleef Bourne de goedgeklede man volgen tot een paar straten verder waar hij een schaars verlichte, smalle zijstraat insloeg en op een geparkeerde auto afliep. Hij ontmoette niemand, hij had de boodschap afgegeven en hij maakte nu dat hij hier wegkwam. Jason rende naar voren toen de contactman het autoportier opende en klopte hem op de schouder. De contactman draaide zich bliksemsnel om, bukte en zijn ervaren linkervoet schoot fel uit. Bourne sprong achteruit en stak zijn handen op als een vredesgebaar.

'Laten we nu niet nog een keer beginnen,' zei hij in het Engels, want hij herinnerde zich dat de man Engels sprak, geleerd van Portugese nonnen. 'Ik voel nog de pijn van het pak slaag dat ik verleden week van u heb gekregen.'

'Aiya! U bent het!' De contactman stak zijn handen omhoog in eenzelfde vredelievend gebaar. 'U bewijst mij een eer die ik niet verdien. U bent me die avond de baas gebleven en daarom heb ik zes uur per dag geoefend om mezelf te verbeteren... U bent me tóen de baas gebleven. Nu niet meer.'

'Gelet op uw leeftijd en vervolgens op de mijne moet u maar van mij aannemen dat u niet verloren hebt. Mijn botten doen veel meer pijn dan de uwe en ik heb geen zin om uit te vinden wat u er allemaal hebt bijgeleerd. Ik zal u een heleboel geld betalen, maar ik ga niet met u vechten. Ze noemen dat lafheid.'

'Dat slaat niet op u, meneer,' zei de oosterling en hij liet grijnzend zijn handen zakken. 'U bent heel goed.'

'Dat slaat wel op mij,' antwoordde Jason. 'Ik ben doodsbang voor u. En u hebt me een grote dienst bewezen.'

'U hebt me goed betaald. Heel goed.'

'Ik zal u nu nog beter betalen.'

'De boodschap was voor u?'

'Ja.'

'Hebt u dan de plaats van de Fransman ingenomen?'

'Hij is dood. Vermoord door de mensen die de boodschap stuurden.'
De contactman keek verbaasd, misschien zelfs bedroefd. 'Waarom?'
vroeg hij. 'Hij heeft hen uitstekende diensten bewezen en hij was een
oude man, ouder dan u.'

'Hartelijk bedankt.'

'Heeft hij de mensen die hij diende bedrogen?'

'Nee, hij werd verraden.'

'De communisten?'

'Kwo-Min-Tang,' zei Bourne en hij schudde zijn hoofd.
Dong wu! Die zijn al even slecht als de communisten. Wat wilt u van
mij?'

'Als alles goed verloopt zo ongeveer hetzelfde als wat u al eerder hebt
gedaan, alleen dit keer wil ik dat u blijft. Ik wil een paar ogen huren.'

'U gaat de heuvels in van Guangdong?'

'Ja.'

'Dan hebt u hulp nodig om de grens over te steken?'

'Niet als u iemand voor me kunt vinden die een foto van het ene paspoort kan overbrengen op het andere.'

'Dat gebeurt hier elke dag. Dat kan een kind zelfs.'

'Prima. Dan nu wat betreft dat huren van uw ogen. Er is een zeker risico aan verbonden, maar niet veel. Het is bovendien twintigduizend
Amerikaanse dollars waard. De laatste keer heb ik er u tien betaald, dit
keer zijn het er twintig.'

'Aiya! Een fortuin!' De contactman zweeg even en keek Bourne aan.
'Het risico moet wel groot zijn.'

'Als er moeilijkheden komen verwacht ik dat u ervandoor gaat. We zullen het geld hier in Macao achterlaten, zodat u alleen erbij kunt komen.
Wilt u die baan, of moet ik ergens anders zoeken?'

'Ik heb de ogen van een havik. U hoeft niet verder te zoeken.'

'Komt u maar met me mee naar het casino. Wacht buiten op straat
maar even dan laat ik de boodschap oppikken.'

De barkeeper deed maar al te graag wat Jason hem vroeg. Hij begreep
even het vreemde woord 'Crisis' niet dat gebruikt moest worden, totdat
Bourne hem uitlegde dat het de naam van een renpaard was. Hij bracht
een 'speciale' borrel naar een stomverbaasde speler aan Tafel Vijf en
kwam terug met de dichtgeplakte envelop onder zijn dienblad. Jason
had de nabijgelegen tafeltjes in de gaten gehouden of er hoofden werden omgedraaid of blikken werden gewisseld tussen de opkronkelende
rookspiralen; hij had niets gezien. Dat ene kastanjebruine jasje van de
barkeeper viel niet op tussen de kastanjebruine jasjes van de kelners.

Het dienblad werd tussen Bourne en McAllister neergezet, zoals hem was gezegd. Jason schudde een sigaret uit een pakje en schoof een lucifermapje over de bar naar de niet rokende analyticus. Voordat de perplexe onderminister het begreep stond Bourne op en liep naar hem toe.

'Hebt u een vuurtje voor me, meneer?'

McAllister keek naar de lucifers, pakte snel het mapje op, trok er eentje uit, stak die aan en hield de vlam op voor de sigaret. Toen Jason terugliep naar zijn kruk had hij de envelop in zijn hand. Hij trok hem open, haalde het papiertje eruit dat erin zat en las de getypte tekst: *Bel Macao -- 32-61-443*.

Hij keek om zich heen naar een telefoon en besefte toen dat hij er in Macao nog nooit een had gebruikt, en zelfs wanneer er instructies bijstonden was hij niet vertrouwd met de munten van de Portugese kolonie. Het waren altijd kleine dingen die grote zaken verpestten. Hij gebaarde naar de barkeeper die al bij hem was voordat zijn hand weer op de bar rustte.

'Ja, meneer? Nog een whisky, meneer?'

'De eerste week niet meer,' zei Bourne terwijl hij Hongkong-geld voor zich neerlegde. 'Ik moet met iemand bellen hier in Macao. Kunt u me zeggen waar ik een telefoon kan vinden en me de juiste Portugese munten geven, alstublieft?'

'Zo'n deftig heer als u mag ik geen gewone telefoon laten gebruiken, meneer. Onder ons gezegd geloof ik dat heel wat klanten hier een of andere ziekte hebben.' De barkeeper glimlachte. 'Mag ik even, meneer? Ik heb op mijn balie een telefoon — voor hele speciale klanten.'

Voordat Jason kon protesteren of danken werd er een telefoon voor hem neergezet. Hij draaide het nummer terwijl McAllister toekeek.

'*Wei?*' zei een vrouwenstem.

'Men heeft me gezegd dit nummer te bellen,' antwoordde Bourne in het Engels. De dode bedrieger had geen Chinees gesproken.

'We gaan elkaar ontmoeten.'

'We gaan elkaar níet ontmoeten.'

'Wij staan daarop.'

'Klim er dan maar weer af. Jullie kennen mij beter, of dat hoorde je in elk geval te doen. Ik wil met de man praten, en alleen met de mán.'

'U bent aanmatigend.'

'En jij bent nog minder dan een idioot. Dat is die magere predikant met zijn grote zwaard ook als hij niet met me wil praten.'

'Hoe dúrft u...'

'Dat heb ik vanavond al eens meer gehoord,' viel Jason haar in de rede op scherpe toon. 'Het antwoord luidt ja, dat durf ik. Hij heeft een verrekte hoop meer te verliezen dan ik. Hij is gewoon een van de vele opdrachtgevers en mijn lijst wordt groter. Ik heb hem niet nodig, maar volgens mij heeft hij mij nu nodig.'

'Geeft u mij een reden die kan worden gecontroleerd.'

'Ik geef geen redenen op aan korporaals. Ik was vroeger majoor, of wist u dat niet?'

'We zitten niet te wachten op uw beledigingen.'

'En ik zit niet te wachten op dit gesprek. Ik zal u terugbellen over een half uur. Bied me maar iets beters aan, geef me de man zelf maar. En ik zal weten of hij het inderdaad is, want ik zal hem een paar vragen stellen waarop alleen hij het antwoord weet. *Ciao,* mevrouwtje.' Bourne legde de hoorn op.

'Wat bent u toch aan het dóen?' fluisterde een verontruste McAllister van vier krukken verder.

'Ik ben het voetlicht voor u aan het verzorgen, en ik hoop dat u geen plankenkoorts krijgt. We gaan hier vandoor. Geef me vijf minuten en loop dan achter me aan. Zodra u de deur uit bent rechtsaf, en blijven lopen. We pikken u wel op.'

'Wij?'

'Ik wil u aan iemand voorstellen. Een oude vriend — jonge vriend — en ik denk dat u hem wel zult mogen. Hij kleedt zich net als u.'

'Iemand anders? Bent u gek geworden?'

'Houd u zich nu maar rustig, speurneus, wij worden verondersteld elkaar niet te kennen. Nee, ik ben niet gek geworden. Ik heb alleen maar een reserve ingehuurd voor het geval er iemand slimmer is dan ik. Weet u nog wel, u wilde mijn hulp in zulke zaken.'

Het voorstellen duurde maar kort en er werden geen namen genoemd, maar het was duidelijk dat McAllister onder de indruk was van de gespierde, breedgeschouderde, goedgeklede Chinees.

'Werkt u voor een van de grote bedrijven hier?' vroeg de analyticus terwijl ze naar de zijstraat liepen waar de auto van de contactman geparkeerd stond.

'In zekere zin wel, meneer. Maar ik heb mijn eigen bedrijf. Ik heb een koeriersdienst voor heel belangrijke mensen.'

'Maar hoe heeft hij u gevonden?'

'Het spijt me, meneer, maar ik weet zeker dat u dat zult begrijpen. Dat soort informatie is vertrouwelijk.'

'Goeie Gód,' mompelde McAllister terwijl hij van opzij naar de man van Medusa keek.

'Zorg dat ik over twintig minuten een telefoon bij de hand heb,' zei Jason op de voorbank. De stomverbaasde onderminister zat achterin.

'Ze gebruiken dus een tussenschakel?' vroeg de contactman. 'Dat deden ze met de Fransman ook vaak.'

'Hoe pakte hij hen aan?' vroeg Bourne.

'Hij liet hen wachten. Dan zei hij "Laat ze maar zweten". Ik zou voorstellen een uur, meneer.'

'Doen we. Is er hier ergens nog een restaurant open?'

'In de Rua Mercadores.'

'We moeten wat eten, en de Fransman had gelijk, hij had altijd gelijk. Laat hen maar zweten.'

'Hij was altijd heel aardig voor mij,' zei de contactman.

'Aan het einde was hij een soort welsprekende, zij het omgekeerde heilige.'

'Dat begrijp ik niet, meneer.'

'Dat is ook niet nodig. Maar ik leef nog en hij niet meer omdat hij een besluit nam.'

'Wat voor besluit, meneer?'

'Dat hij moest sterven om mij te laten leven.'

'Net als in de christelijke geschriften. Dat hebben de nonnen ons geleerd.'

'Nauwelijks,' zei Jason, geamuseerd bij die gedachte. 'Als er een andere ontsnappingsweg was geweest zouden we die hebben genomen. Maar die was er niet. Hij aanvaardde gewoon het feit dat zijn dood mijn ontsnapping was.'

'Ik mocht hem graag,' zei de contactman.

'Breng ons nu maar naar dat restaurant.'

Edward McAllister had de grootste moeite om zich in te houden. Wat hij niet wist en wat Bourne aan tafel niet wilde bespreken deed hem bijna stikken van ergernis. Twee keer probeerde hij het onderwerp aan te snijden van de tussenschakels en de situatie op dit moment, en twee keer blokkeerde Jason hem door hem dreigend aan te kijken terwijl de contactman dankbaar zijn blik afwendde. Er waren bepaalde feiten waarvan de Chinees op de hoogte was en er waren andere feiten die hij voor zijn eigen veiligheid veel liever niet wilde weten.

'Rust en eten,' mijmerde Bourne terwijl hij zijn bord met *tian-suan-ran* leegat. 'De Fransman zei dat dat wapens waren. Hij had natuurlijk gelijk.'

'Volgens mij had hij dat eerste harder nodig dat u, meneer,' zei de contactman.

'Misschien wel, maar hij had zich verdiept in de krijgsgeschiedenis. Hij beweerde dat er meer veldslagen verloren zijn door vermoeidheid dan door gebrek aan vuurkracht.'

'Dat is nu wel allemaal erg interessant,' viel McAllister hem op scherpe toon in de rede, 'maar we zijn hier nu al een hele tijd en ik weet zeker dat we nog andere dingen te doen hebben.'

'Die doen we ook wel, Edward. Als je gespannen bent, bedenk dan eens wat zij nu aan het doormaken zijn. De Fransman zei altijd dat de blootliggende zenuwen van de vijand onze beste bondgenoten waren.'

'Ik begin onderhand schoon genoeg te krijgen van die Fransman van jou,' zei McAllister geprikkeld.

Jason keek de analyticus aan en zei zacht: 'Zoiets moet je nooit meer tegen me zeggen. Jij bent er niet bij geweest.' Bourne keek op zijn horloge. 'Het is meer dan een uur geleden. Laten we een telefoon gaan zoeken.' Hij keerde zich naar de contactman. 'Ik heb uw hulp nodig,' voegde hij eraan toe. 'U hoeft alleen maar het geld erin te stoppen. Ik zal wel draaien.'

'U zei dat u binnen een half uur zou terugbellen!' snauwde de vrouw aan de andere kant van de lijn.

'Ik moest nog een paar dingen regelen. Ik heb nog meer opdrachtgevers en ik kan niet zeggen dat ik gecharmeerd ben van uw houding. Als dit weer tijdverspilling betekent dan heb ik genoeg andere dingen te doen en dan kunt u verantwoording afleggen bij de mán wanneer de storm losbreekt.'

'Hoe zou dat nu kunnen gebeuren?'

'Toe nou, mevrouwtje! Als u me een hele koffer geeft met meer geld erin dan u zich kunt voorstellen, dan vertel ik het u misschien. Van de andere kant, misschien ook niet. Ik heb graag dat mensen in de hoogste regionen bij me in het krijt staan. U hebt tien seconden en dan hang ik op.'

'*Alstublieft*. U zult een man ontmoeten die u naar een huis zal brengen op de Guia Heuvel waar ze zeer geavanceerde verbindingsapparatuur hebben...'

'En waar een half dozijn van die bullebakken van jullie me in elkaar zullen tremmen en me in een kamer zullen gooien waar een dokter me plat spuit en waar jullie het allemaal voor niks krijgen!' Bournes woede was maar gedeeltelijk gefingeerd; de handlangers van Sheng waren degenen die zich als amateurs gedroegen. 'Ik zal u eens iets vertellen over een ander geavanceerd communicatieapparaat. Dat heet een telefoon en ik denk niet dat er verbindingen zouden bestaan tussen Macao en het garnizoen van Guangdong als jullie geen kryptofoons hadden. Jullie hebben die natuurlijk in Tokio gekocht, want als je ze zelf maakte zouden ze waarschijnlijk niet werken! Gebruik er maar eentje. Ik bel u nog precies één keer, mevrouw. Zorg dat u een nummer voor me hebt. Het nummer van de mán.' Jason legde de hoorn op.

'Dat is interessant,' zei McAllister die op een meter van de telefoon stond en even naar de Chinees keek, die was teruggelopen naar het tafeltje. 'U gebruikte de knuppel waar ik de wortel gebruikt zou hebben.'

'Wat gebruikte ik?'

'Ik zou de nadruk hebben gelegd op de uitzonderlijke informatie die ik te onthullen had. In plaats daarvan dreigde u, alsof de andere partij u volledig onverschillig was.'

'Spaar me,' antwoordde Bourne. Hij stak een sigaret op en was dank-

549

baar dat zijn hand niet beefde. 'Laat ik u zeggen dat ik beide heb ge- daan. De bedreiging benadrukt de onthulling en de onverschilligheid versterkt beide.'

'Ik heb weer wat geleerd,' zei de onderminister met een vage glimlach op de lippen. 'Dank u.'

De man van Medusa keek de man uit Washington strak aan. 'Als het lukt wat we nu aan het doen zijn, kun jij het dan aan, speurneus? Kun je dat pistool trekken en de trekker overhalen? Want als je dat niet kunt, zijn we er alletwee geweest.'

'Ik kan het,' zei McAllister rustig. 'Voor het Verre Oosten. Voor de we- reld.'

'En voor uw plaats voor het voetlicht.' Jason begon terug te lopen naar het tafeltje. 'Laten we maken dat we hier wegkomen. Ik wil die telefoon niet nog een keer gebruiken.'

De vredige rust van Jade Tower Mountain was maar schijn, want in de villa van Sheng Chou Yang heerste een koortsachtige bedrijvigheid. De opschudding werd niet veroorzaakt omdat er veel mensen waren, want er waren er maar vijf, maar door de spanning en de intensiteit van de aanwezigen. De minister luisterde terwijl zijn adjudanten in de tuin af en aanliepen met nieuws over de laatste ontwikkelingen en met schuch- ter aangeboden advies, dat weer onmiddellijk werd ingetrokken zo gauw er maar even een teken kwam van ongenoegen.

'Onze mensen hebben het bericht bevestigd, meneer!' riep een man van middelbare leeftijd in uniform terwijl hij het huis uit kwam snellen. 'Ze hebben met de journalisten gesproken. Alles was precies zoals de killer het heeft beschreven en de foto van de dode man is naar alle kranten gegaan.'

'Zorg dat u die krijgt,' beval Sheng. 'Gebruik de telecopier. Deze hele zaak is ongelooflijk.'

'Ze zijn er al mee bezig,' zei de militair. 'Het consulaat heeft een attaché gestuurd naar *The South China News*. De foto moet binnen enkele mi- nuten hier zijn.'

'Ongelooflijk,' herhaalde Sheng zacht en zijn blik zwierf naar de plom- pebladen in de dichtstbijzijnde vijver. 'De symmetrie is te perfect, het tijdschema is te perfect, en dat betekent dat er iets imperfect is. Iemand heeft die orde afgedwongen.'

'De killer?' vroeg een andere adjudant.

'Met welk doel? Hij heeft niet het flauwste idee dat hij dat reservaat die avond niet levend zou hebben verlaten. Hij dacht dat het een bijzonder voorrecht voor hem was, maar we gebruikten hem alleen om zijn voor- ganger in de val te lokken, die was ontdekt door onze man in de Speciale Afdeling.'

'Wie is het dan?' vroeg iemand anders.

'Dat is juist de grote vraag. Wíe? Alles zit zowel verleidelijk als onbeholpen in elkaar. Het ligt er allemaal te dik boven op, het zit vol met amateuristisch gepoch. Als de huurmoordenaar de waarheid spreekt, moet hij ervan overtuigd zijn dat hij niets heeft te vrezen van mij, maar toch dreigt hij en jaagt daardoor mogelijk een cliënt tegen hem in het harnas die hem veel kan opleveren. Beroepsmensen doen zoiets niet en dat zit me dwars.'

'Denkt u dat er een derde bij betrokken is, excellentie?' vroeg de derde adjudant.

'Als dat het geval is,' zei Sheng en hij staarde nu intens naar een enkel plompeblad, 'dan is het iemand zonder ervaring of met het verstand van een os. Het is erg moeilijk.'

'Hier is de foto, meneer!' riep een jongeman uit terwijl hij de tuin in kwam rennen met een overgeseinde foto in zijn hand.

'Geef hier! Snel! Sheng graaide de afdruk uit zijn hand en hield die schuin in het felle schijnsel van een schijnwerper. 'Hij is het! Dat gezicht zal ik nooit vergeten, zolang ik leef! Laat alles verder schieten! Zeg tegen de vrouw in Macao dat ze onze huurmoordenaar het nummer moet geven en de lijn electronisch moet vrijwaren voor afluisteren. Op mislukking staat de dood!'

'Onmiddellijk, Excellentie!' De telegrafist holde terug naar het huis.

'Mijn vrouw en mijn kinderen,' zei Sheng Chou Yang peinzend. 'Ze zijn misschien ongerust door al deze opschudding. Wil iemand van u, alstublieft, naar binnen gaan en uitleggen dat staatszaken mij verhinderen te genieten van hun geliefde aanwezigheid?'

'Het zal me een eer zijn, meneer,' zei een adjudant.

'Ze lijden zo door de beslommeringen van mijn werk. Ze zijn allen even lief. Er komt een dag dat ze beloond zullen worden.'

Bourne tikte de contactman op de schouder en wees op de verlichte luifel van een hotel aan de rechterkant van de straat. 'We zullen hier een kamer nemen en dan een telefooncel zoeken aan de andere kant van de stad. Oké?'

'Dat is verstandig,' zei de Chinees. 'De telefooncentrale is vergeven van hen.'

'En we moeten ook wat slapen. De Fransman bleef me maar zeggen dat rust ook een wapen was. Verrek, waarom blijf ik mezelf zo herhalen?'

'Omdat u geobsedeerd bent,' zei McAllister vanaf de achterbank.

'Dat moet je mij vertellen. Nee, doe het liever maar niet.'

Jason draaide het nummer in Macao dat een relais in China in werking stelde en hem doorverbond met een beveiligd apparaat in Jade Tower Mountain. Terwijl hij aan het draaien was keek hij even naar de analyticus. 'Spreekt Sheng Frans?' vroeg hij gehaast.

'Natuurlijk,' zei de onderminister. 'Hij doet zaken met de Quai d'Orsay en hij spreekt de taal van iedereen met wie hij onderhandelt. Dat is een van zijn sterke punten. Maar waarom spreekt u geen Mandarijns? Dat kent u.'

'De commando niet, en als ik Engels spreek kan hij zich gaan afvragen waar het Britse accent is gebleven. Door het Frans is dat niet te horen, net als bij Soo Jiang, en ik zal zo ook weten of het Sheng is of niet.' Bourne spande een zakdoek over de microfoon toen hij de telefoon voor de tweede keer met een hol geluid hoorde overgaan, zo'n 2400 kilometer ver in China. De kryptofoons waren aangesloten.

'Wei?'

'Comme le colonel, je préfère le français.'

'Shemma?' riep de stem verbaasd uit.

'Fawen,' zei Jason, het Mandarijns voor Frans.

'Fawen? Wo buhui!' zei de man opgewonden en hij liet daarmee weten dat hij geen Frans sprak. Het gesprek werd verwacht. Er was een andere stem hoorbaar. Ze klonk op de achtergrond en was te zacht om verstaan te worden. En toen was de stem aan de lijn.

'Pourquoi est-ce que vous parlez le français?' Het was Sheng! In welke taal ook, Bourne zou nooit het zangerige accent vergeten van de spreker. Het was de fanatieke predikant van een onbarmhartige God die zijn toehoorders in vervoering bracht, voordat hij hen overviel met hel en verdoemenis.

'Laten we zeggen dat ik me daar gemakkelijker bij voel.'

'Goed dan. Wat vertelt u nu voor ongelooflijk verhaal? Die waanzin waarbij een naam werd genoemd?'

'Ik heb ook gehoord dat u Frans spreekt,' viel Jason hem in de rede. Even was het stil en was alleen het regelmatige ademhalen van Sheng hoorbaar. 'U weet wie ik ben?'

'Ik ken een naam die me niets zegt. Maar iemand anders zegt die naam wel iets. Iemand die u jaren geleden hebt ontmoet. Hij wil met u praten.'

'Wát?' gilde Sheng. *'Verraad!'*

'Helemaal niet, en als ik u was zou ik naar hem luisteren. Hij heeft alles doorzien wat ik hun vertelde. De anderen niet, maar hij wel.' Bourne keek even naar McAllister die naast hem stond. De analyticus knikte, als wilde hij zeggen dat Jason de woorden die hij van de onderminister had gekregen overtuigend gebruikte. 'Hij hoefde me maar één keer aan te kijken en toen wist hij hoe laat het was. Maar de echte jongen van de Fransman was dan ook aardig in elkaar geschoten, zijn kop leek wel een bloemkool.'

'Wat hebt u gedaan?'

'Ik heb u waarschijnlijk de grootste gunst bewezen die u ooit zult krijgen, en ik verwacht ervoor betaald te worden. Hier is uw vriend. Hij zal Engels spreken.' Bourne gaf de hoorn aan de analyticus die onmiddellijk het woord nam.

'Met Edward McAllister, Sheng.'

'Edward...?' De verbijsterde Sheng Chou Yang kon de rest van de naam niet uitbrengen.

'Dit gesprek is volkomen privé, zonder officieel gezag. Er ligt nergens vast waar ik ben en de plaats is onbekend. Ik spreek uitsluitend voor eigen profijt – en voor het jouwe.'

'Ik ben... verbaasd over je, goede vriend,' zei de minister langzaam terwijl hij weifelend zijn zelfbeheersing hervond.

'Je leest er alles over in de ochtendbladen en het nieuws wordt ongetwijfeld al over de radio verspreid vanuit Hawaii. Het consulaat zag graag dat ik een paar dagen onderdook – hoe minder vragen, hoe beter – en ik wist precies naar wie ik toe wilde gaan.'

'Wat is er gebeurd, en hóe kon je...'

'De gelijkenis van hun uiterlijk was te voor de hand liggend om toevallig te kunnen zijn,' onderbrak de onderminister hem. 'Ik neem aan dat d'Anjou de legende volledig wilde uitbuiten en dat hield in dat het uiterlijk herkenbaar moest zijn voor de mensen die in het verleden met Jason Bourne te maken hadden gehad. Volgens mij een onnodige verfraaiing, maar het werkte wel. Door de paniek op Victoria Peak – en door het bijna onherkenbare gezicht – merkte niemand anders die treffende gelijkenis op. Maar niemand kende ook Bourne. Ik wel.'

'Jij?'

'Ik heb hem uit Azië weggejaagd. Ik ben degene die hij kwam vermoorden, en in overeenstemming met zijn perverse gevoel voor ironie en wraak, besloot hij dat te doen door het lijk van jouw killer op Victoria Peak achter te laten. Gelukkig voor mij was hij zo verwaand dat hij de vaardigheden van jouw man verkeerd beoordeelde. Toen het schieten eenmaal begonnen was werd hij door onze wederzijdse medestander overweldigd en in de vuurlinie gesmeten.'

'Edward, de informatie komt te snel, ik kan het niet allemaal verwerken. Wie heeft Jason Bourne teruggehaald?'

'Kennelijk de Fransman. Zijn pupil, de man die met zoveel succes in zijn levensonderhoud voorzag, was bij hem weggelopen. Hij wilde zich wreken en hij wist waar hij de enige man kon vinden die hem die wraak kon verschaffen. Zijn collega uit Medusa, de oorspronkelijke Jason Bourne.'

'Medusa!' fluisterde Sheng met walging in zijn stem.

'Ondanks hun reputatie bestond er in bepaalde eenheden een immense trouw. Had je eenmaal het leven van een man gered, dan vergat hij dat nooit.'

'Hoe kom je aan dat belachelijke idee dat ik iets te maken zou hebben met de man die je een killer noemt...'

'Toe, Sheng,' viel de analyticus hem in de rede. 'Het is te laat om te gaan tegensputteren. We praten nu met elkaar. Maar ik zal je vraag beantwoorden. Het was te merken aan het patroon van bepaalde moordaanslagen. Het begon met een vice-premier van China in de Tsim Sha Tsui en vier andere mannen. Allemaal vijanden van jou. En eergisteravond op Kai-Tak, twee van jouw luidruchtigste critici in de delegatie van Peking — die moesten worden opgeruimd door een springlading. Er zijn ook geruchten geweest; die hoor je steeds in de onderwereld. Er werd gefluisterd over berichten tussen Macao en Guangdong, over machtige mannen in Beijing, over een man die enorm machtig was. En ten slotte was er het dossier... Alles bij elkaar wees dat op één man. Op jou.'

'Het dossier? Wat is dit, Edward?' vroeg Sheng met een vastberadenheid die hij niet voelde. 'Waarom is dit een onofficiëel, niet vastgelegd gesprek tussen ons?'

'Ik denk dat je dat weet.'

'Jij bent een briljant man. Je weet dat ik je dat niet zou vragen als ik het wist. Wij staan boven dat soort spelletjes.'

'Een briljant ambtenaar die in een achterkamertje wordt opgesloten, zou jij het zo ook niet uitdrukken?'

'Ik had inderdaad betere dingen voor jou verwacht. Het meeste wat gezegd en gedaan werd door die zogenaamde onderhandelaars van jullie tijdens de handelsconferenties kwam uit jouw koker. En iedereen weet dat je in Hongkong uitzonderlijk goed werk hebt verricht. Tegen de tijd dat jij wegging was Washingtons invloed in dat gebied enorm toegenomen.'

'Ik heb besloten ermee op te houden, Sheng. Ik heb mijn regering twintig jaar van mijn leven gegeven maar ik ga hun niet ook nog mijn dood geven. Ik weiger me in een hinderlaag te laten lokken of te laten neerschieten of het slachtoffer te worden van een autobom. Ik weiger een doelwit te worden voor terroristen, of dat nu hier is of in Iran of in Beiroet. Het wordt tijd dat ik eens iets voor mezelf binnenhaal, voor mijn gezin. De tijden veranderen, de mensen veranderen en het leven is duur. Mijn pensioen en mijn vooruitzichten zijn veel minder dan ik verdien.'

'Ik ben het volkomen met je eens, Edward, maar wat heb ík daarmee te maken? We hebben samen compromissen gesloten — we waren eigenlijk tegenstanders net als in een rechtzaal — maar we waren zeker geen vijanden in de zin van geweldpleging. En wat is dat in hemelsnaam voor waanzin dat mijn naam genoemd zou worden door die jakhalzen van de Kwo-Min-Tang?'

'Hou me ten goede.' De analyticus keek even naar Bourne. 'Wat onze wederzijdse medestander ook heeft gezegd, het waren mijn woorden; niet de zijne. Jouw naam is nooit genoemd in Victoria Peak en er waren geen lui uit Taiwan aanwezig bij de ondervraging van jouw man. Ik heb hem die woorden gegeven omdat ze voor jou wel iets betekenen. Wat jouw naam betreft, die is alleen bestemd voor een zeer beperkt aantal mensen. Hij staat vermeld in het dossier waarover ik het had, een dossier dat in mijn kantoor in Hongkong achter slot en grendel ligt. De woorden "Uiterst-Maximaal-Geheim" staan erop. Er is maar één copie van dat dossier en die ligt begraven in een kluis in Washington. Hij kan er alleen worden uitgehaald of vernietigd door mij. Maar, mocht het onverwachte gebeuren, bij voorbeeld een vliegtuigongeluk of als ik zou verdwijnen, of vermoord zou worden, dan zou het dossier worden overgedragen aan de Nationale Veiligheidsraad. De informatie in dat dossier zou, in de verkeerde handen, katastrofaal kunnen zijn voor het hele Verre Oosten.'

'Die openhartige, zij het incomplete informatie van jou, intrigeert me, Edward.'

'Maak maar een afspraak met me, Sheng. En breng geld mee, een heleboel geld — Amerikaans geld. Onze wederzijdse medestander zegt me dat er heuvels zijn in Guangdong waar jouw mensen heenvlogen om hem te ontmoeten. Laten we elkaar daar morgen ontmoeten, tussen tien uur en middernacht.'

'Ik moet protesteren, bevriende tegenstander van me. Je hebt me nog geen motief gegeven.'

'Ik kan beide copieën van dat dossier vernietigen. Ik ben hierheen gestuurd om een gerucht uit Taiwan na te lopen, een gerucht dat zo nadelig is voor al onze belangen dat het een voor iedereen afschuwelijke kettingreactie kan veroorzaken als er ook maar iets meer van bekend raakt. Volgens mij zit er een behoorlijke kern van waarheid in het verhaal en als ik gelijk heb is die direct terug te voeren naar mijn vroegere tegenpool bij de Chinees-Amerikaanse besprekingen. Zoiets zou nooit kunnen gebeuren zonder hem...Dit is mijn laatste opdracht, Sheng, en ik hoef maar een paar woorden te spreken en dat dossier wordt van de aardbodem gevaagd. Ik kom eenvoudig tot de conclusie dat de informatie volledig onjuist is en gevaarlijk opruiend en dat ze verzonnen is door jouw vijanden in Taiwan. De paar mensen die op de hoogte zijn willen dat graag geloven, neem dat maar van mij aan. Dan gaat het dossier naar de papierversnipperaar. Hetzelfde gebeurt met de copie in Washington.'

'Je hebt me nog steeds niet verteld waarom ik naar je zou moeten luisteren!'

'De zoon van een taipan in de Kwo-Min-Tang zou dat wel weten. De leider van een komplot in Beijing zou dat wel weten. Een man die morgenvroeg in de grootste schande onthoofd zou kunnen worden zou het zéker weten.'

Lang was het stil en over de lijn klonk een hortend gehijg. Ten slotte sprak Sheng.

'De heuvels in Guangdong. Hij weet wel waar.'
'Niet meer dan één helicopter,' zei McAllister. 'Jij en de piloot, verder niemand.'

37

Het was nacht. De gestalte die gekleed was in het uniform van een Amerikaans marinier liet zich vallen van de bovenkant van de muur, achter in de tuin van het huis op Victoria Peak. Hij kroop naar links en kwam voorbij een gedeelte waar ineengevlochten prikkeldraad een stuk van de muur afsloot dat was opgeblazen. Hij bewoog zich behoedzaam langs de rand van het landgoed. Hij bleef in het donker en rende over het gazon naar de hoek van het huis. Hij loerde naar de vernielde erkerramen van wat eens een Victoriaanse studeerkamer was geweest. Voor het versplinterde glas en de warwinkel van kapotte kozijnen stond een marinier op wacht, met een M-16 geweer nonchalant rustend op het glas, het uiteinde van de loop in zijn hand, een .45 revolver aan een riem om zijn middel. Het geweer en het kleinere wapen samen gaven aan dat er een toestand van maximale waakzaamheid heerstte, dat begreep de indringer, en hij glimlachte toen hij zag dat de wacht het niet nodig achtte de M-16 in zijn handen te houden. Mariniers met wapens in de aanslag waren niet welkom. Een geweerkolf kon neerkomen op het hoofd van een man, voordat die hem op zich af zag komen. De indringer wachtte op het juiste moment. Dat kwam toen de borst van de wacht vol lucht werd gezogen voor een lange geeuw en zijn ogen zich heel even sloten bij het diep inademen. De indringer rende de hoek om en de draad van de *garrotte* slingerde zich over het hoofd van de wachtpost. In enkele seconden was het voorbij. Er was nauwelijks een geluid hoorbaar.
De killer liet het lijk liggen waar het lag omdat het in dit deel van de tuin veel donkerder was dan elders. Vele van de grote schijnwerpers aan de achterkant waren kapotgeschoten. Hij kwam overeind en vervolgde behoedzaam zijn weg naar de volgende hoek waar hij een sigaret te voorschijn haalde en die opstak met zijn hand gekromd om de vlam van een gasaansteker. Toen stapte hij in het felle lichtschijnsel van de schijnwerpers en liep nonchalant de hoek om naar de grote, verkoolde openslaande deuren, waar een tweede marinier op wacht stond op de stenen traptreden. De indringer hield de sigaret in zijn linkerhand, waarmee hij zijn gezicht bedekte toen hij een trek nam.
'Je rookt even een saffie?' vroeg de wacht.
'Ja, ik kon niet in slaap komen,' zei de man, aan het accent te horen een Amerikaan uit het Zuidwesten.
'Die verrekte britsen zijn nooit bedoeld geweest om op te slapen. Je hoeft er maar op te gaan zitten en dan weet je het... hé, wacht 's effe!

Verrek, wie ben jij?'

De marinier kreeg geen kans om zijn geweer omhoog te brengen. De indringer deed een uitval en plantte zijn mes precies in de keel van de wachtpost, dodelijk accuraat, zodat elk geluid werd afgesneden en de dood onmiddellijk volgde. De killer sleepte het lijk om de hoek van het gebouw en liet het liggen in de schaduwen. Hij veegde het lemmet schoon aan het uniform van de dode, stak het weer onder zijn tuniek, in de riem op zijn rechterheup en liep terug naar de openslaande deuren. Hij ging het huis binnen.

Hij liep de spaarzaam verlichte gang door. Aan het einde stond een derde marinier voor een brede, rijk bewerkte deur. De wacht liet zijn geweer zakken en keek op zijn horloge. 'Je bent te vroeg,' zei hij. 'Ik word pas over een uur en twintig minuten afgelost.'

'Ik ben niet van deze eenheid, maat.'

'Ben jij van de Oahu-groep?'

'Ja.'

'Ik dacht dat ze jullie hier direct hadden weggehaald en teruggestuurd hadden naar Hawaii. Dat wordt er tenminste verteld.'

'Een paar van ons moesten achterblijven. We zitten nu op het consulaat. Die vent, hoe heet-ie ook alweer, McAllister, heeft ons de hele avond ondervraagd.'

'Ik zal je zeggen, makker, die hele pokkezaak is verdomde mat.'

'Zeg dat wel, knettergek. Tussen haakjes, waar is het kantoor van dat mietje? Hij heeft me gestuurd om wat van die speciale pijptabak te halen.'

'Dat was te verwachten. Doe er maar wat *grass* doorheen.'

'Welk kantoor?'

'Ik heb hem eerder met die dokter die eerste deur rechts zien binnengaan. Toen is hij later, voordat hij wegging, hier binnen geweest.' De wachtpost gebaarde met zijn hoofd naar de deur achter hem.

'Wiens kantoor is dat?'

'Ik ken de naam niet maar hij is hier de hoogste mieter. Ze noemen hem de ambassadeur.'

De ogen van de killer vernauwden zich. 'De ambassadeur?'

'Ja. De kamer is één puinhoop. De helft is door die verdomde maniak opgeblazen, maar de safe is nog heel, daarom sta ik hier en een andere vent buiten tussen de tulpen. D'r zit vast een paar miljoen in die niet verantwoord hoeft worden.'

'Of iets anders,' zei de indringer zacht. 'De eerste deur rechts, hé?' voegde hij eraan toe en hij draaide zich om en stak zijn hand onder zijn tuniek.

'Wacht 's effe,' zei de marinier. 'Waarom heeft de poort niet gezegd dat jij op weg was?' Hij pakte de walkie-talkie die aan zijn riem zat gegespt. 'Spijt me, maat, maar ik moet je effe controleren. Dat is nor...'

De killer wierp zijn mes. Terwijl het zich in de borst van de wachtpost boorde stortte hij zich op de marinier met zijn duimen op de keel van de man. Een halve minuut later opende hij de deur van Havillands kantoor en sleepte de dode man naar binnen.

Ze staken de grens over toen het helemaal donker was. De gekreukte, onopvallende kleren die ze voorheen hadden gedragen waren verwisseld voor deftige pakken en regimentsdassen. Bij hun verdere uitrusting hoorden nog twee echte diplomatenkoffertjes die waren dichtgeplakt met diplomatiek plakband, wat betekende dat er staatsdocumenten inzaten die door de douane niet mochten worden bekeken. In werkelijkheid bevatten de koffertjes wapens, met daarbij nog een aantal dingen die Bourne had opgepikt in d'Anjou's flat, nadat McAllister de onschendbare plastic tape voor de dag had gehaald die zelfs door de Volksrepubliek werd gerespecteerd − gerespecteerd zolang China van dezelfde welwillendheid kon profiteren voor haar eigen personeel van Buitenlandse Zaken. De contactman uit Macao, die Wong heette − dat was in elk geval de naam die hij opgaf − was geïmponeerd door de diplomatieke paspoorten. Maar in het belang van de veiligheid en van de US$ 20.000 waarvoor hij zich, naar hij zei, moreel verantwoordelijk voelde, had hij besloten de grensovergang op zijn manier voor te bereiden.

'Het is niet zo moeilijk als ik u misschien eerder heb doen geloven, meneer,' legde Wong uit. 'Twee van de grenswachters zijn neven van de kant van mijn moeder zaliger − God hebbe haar vrome ziel − en we helpen elkaar. Ik doe meer voor hen dan zij voor mij, maar ik ben daartoe ook beter in staat. Hun magen zijn beter gevuld dan die van de meeste mensen in de stad Zhuhai Shi en ze hebben alletwee televisie.'

'Als het neven zijn,' vroeg Jason, 'waarom maakte u dan bezwaar tegen het horloge dat ik één van hen eerder gaf? U zei dat het te duur was.'

'Omdat hij het zal verkopen, meneer, en ik zie niet graag dat ze verwend worden. Dan gaat hij te veel van mij verwachten.'

Onder dergelijke omstandigheden, dacht Bourne, werden de strengste grenzen van de hele wereld bewaakt. Hoe dan ook, ze moesten van Wong binnengaan via de laatste poort aan de rechterkant om precies 8.55 uur. Hij zou een paar minuten later apart volgen. Hun van een rode streep voorziene paspoorten werden bestudeerd, naar een kantoortje achter de douane gestuurd en de geëerde diplomaten werden snel doorgelaten, terwijl een neef uitbundig stond te glimlachen. Ze werden onmiddellijk welkom geheten in China door het hoofd van de Provinciale Politie in Zhuhai Shi-Guangdong, die hun de paspoorten teruggaf. Ze was een gedrongen, breedgeschouderde, gespierde vrouw. Jason bedacht dat hij haar niet graag zou tegenkomen in een ongewapend gevecht. Haar Engels ging schuil achter een zwaar accent.

'U hebt regeringszaken in Zhuhai Shi?' vroeg ze en haar glimlach werd gelogenstraft door haar troebele, vaag vijandige ogen. 'Het Guangdong Garnizoen, misschien? Ik kan autotransport regelen, ja?'

'*Bu xiexie,*' zei de onderminister afwijzend en hij schakelde toen over op Engels om beleefd te zijn en zijn respect te tonen voor de ijver van zijn gastvrouw om die taal te leren. 'Het is een onbelangrijke vergadering die maar een paar uur zal duren, en we keren later op de avond naar Macao terug. We zouden hier iemand treffen, daarom gaan we een kop koffie drinken terwijl we wachten.'

'In mijn kantoor, ja?'

'Dank u. Liever niet. Uw mensen zullen ons treffen in het . . . *Kafei dian,* het café.'

'Aan de linkerkant, meneer. Aan de straat. Nogmaals welkom in de Volksrepubliek.'

'Uw beleefdheid zal niet worden vergeten,' zei McAllister met een buiging.

'Ik u ook danken,' antwoordde de zwaargebouwde vrouw. Ze knikte en liep weg met grote passen.

'Om jouw woorden te gebruiken, speurneus,' zei Bourne, 'dat heb je prima gedaan. Maar ik moet je zeggen dat ze niet aan onze kant staat.'

'Natuurlijk niet,' stemde de onderminister in. 'Ze heeft instructies om iemand hier in het garnizoen te bellen of iemand in Beijing als bevestiging dat wij de grens over zijn. Die iemand zal Sheng bellen en hij zal weten dat ik het ben — en u. Niemand anders.'

'Hij zit nu in de lucht,' zei Jason terwijl ze langzaam naar het schaars verlichte café liepen aan het einde van een verbrokkelde betonnen stoep die langs een pleintje liep. 'Hij is op weg hierheen. Ze zullen ons trouwens schaduwen, dat weet u zeker wel?'

'Nee, dat weet ik niet,' antwoordde McAllister en hij keek Bourne even aan. 'Sheng zal voorzichtig zijn. Ik heb hem genoeg informatie gegeven om hem te laten schrikken. Als hij dacht dat er maar één dossier was — en toevallig is dat het geval — dan zou hij risico's kunnen nemen, met het idee dat hij het van mij zou kunnen kopen en mij kon vermoorden. Maar hij denkt, of hij moet wel aannemen, dat er een copie bestaat in Washington. Dat is de copie die hij vernietigd wil zien. Hij zal niets doen wat me ongerust maakt of me in paniek op de vlucht jaagt. Vergeet niet, ik ben de amateur en ik schrik gemakkelijk. Ik ken hem. Hij legt nu de hele puzzel in elkaar en hij heeft waarschijnlijk meer geld bij zich voor mij dan ik ooit bij elkaar heb gezien. Hij verwacht natuurlijk dat hij het terug zal krijgen wanneer de dossiers eenmaal vernietigd zijn en hij me inderdaad heeft laten vermoorden. U ziet dus wel dat ik een hele sterke reden heb om niet te falen — of om niet te slagen via een mislukking.'

De man van Medusa staarde opnieuw de man uit Washington aan. 'Je hebt dit werkelijk van a tot z overdacht, is 't niet?'

'Grondig,' antwoordde McAllister terwijl hij recht voor zich uitkeek. 'Wekenlang. Elk detail. Eerlijk gezegd had ik niet gedacht dat u er aan zou meewerken, omdat ik dacht dat u dood zou zijn, maar ik wist dat ik contact kon krijgen met Sheng. Op een of andere manier, onofficieel natuurlijk. Op elke andere manier, ook bij een vertrouwelijk gesprek, zou er protocol bij betrokken zijn en zelfs als ik hem even alleen kon krijgen zonder zijn adjudanten, zou ik hem toch niets kunnen doen. Dan zou het lijken op een moordaanslag die door de regering gesanctioneerd wordt. Ik heb overwogen om hem rechtstreeks te benaderen, omdat we elkaar al zo lang kennen, en woorden te gebruiken die hem een reactie zouden ontlokken, ongeveer zo als u dat gisteravond deed. Zoals u al tegen Havilland zei is de eenvoudigste manier meestal de beste. Wij hebben de neiging dingen ingewikkeld te maken.'

'Och, ik weet het niet, vaak moet je dat doen. Je kunt niet worden betrapt met een rokende revolver in je hand.'

'Dat is zo'n goedkope uitdrukking,' zei de analyticus met een spottend glimlachje. 'Wat wil dat zeggen? Dat je geleid of misleid werd tot het begaan van een in wezen onbelangrijke fout? De politiek is niet afhankelijk van het feit dat een enkele man in verlegenheid is gebracht, of dat mag ze in elk geval niet zijn. De kreten om rechtschapenheid van de mensen maken me voortdurend kwaad, want ze hebben er geen idee van, geen flauw benul hoe wij soms moeten handelen.'

'Misschien willen de mensen zo nu en dan eens een eerlijk antwoord.'

'Dat kunnen ze niet krijgen,' zei McAllister terwijl ze deur van het café naderden, 'want ze zouden het niet kunnen begrijpen.'

Bourne bleef voor de deur staan zonder die te openen. 'Jij bent blind,' zei hij en hij keek de onderminister strak aan. 'Ik heb ook geen antwoord op de man af gekregen, laat staan een verklaring. Jij hebt te lang in Washington gezeten. Je zou het eens een paar weken moeten proberen in Cleveland of in Bangor, Maine. Misschien krijg je dan wel een bredere kijk op de dingen.'

'U hoeft niet tegen me te preken, meneer Bourne. Minder dan zesenveertig procent van onze bevolking is voldoende geïnteresseerd om te stemmen en zo de richting te bepalen die we inslaan. Alles wordt aan ons overgelaten, de professionele mensen die wat doen. Meer dan ons hebben jullie niet... Zullen we nu maar naar binnen gaan? Uw vriend Wong zei dat we maar een paar minuten gezien mochten worden bij het drinken van een kop koffie en dat we dan weer de straat op moesten gaan. Hij zei dat hij ons hier over precies vijfentwintig minuten zou ontmoeten en er zijn er al twaalf voorbij.'

'Twaalf? Niet tien of vijftien, maar twaalf?'

'Op de kop af.'

'Wat doen we als hij twee minuten te laat is? Knallen we hem dan neer?'

'Heel grappig,' zei de analyticus en hij duwde de deur open.

Ze liepen vanuit het café het donkere plaveisel vol gaten op van het smerige pleintje voor de controlepost van Guangdong. Omdat het een rustig moment was was er maar een tiental mensen dat de weg overstak en in het donker verdween. Van de drie straatlantaarns in de nabijheid gaf er maar een een vaag licht. Het zicht was slecht. De vijfentwintig minuten gingen voorbij en werden dertig, naderden daarna de achtendertig. Bourne sprak.

'Er is iets mis. Hij had nu al contact met ons moeten maken.'

'Twee minuten te laat en we knallen hem neer?' zei McAllister en hij betreurde direct zijn eigen poging tot humor. 'Ik bedoel maar, ik had begrepen dat rustig blijven het allerbelangrijkste was.'

'Voor twee minuten, niet bijna een kwartier,' antwoordde Jason. 'Het is niet normaal,' voegde hij er zacht aan toe, alsof hij in zichzelf sprak. 'Van de andere kant zou het normaal abnormaal kunnen zijn. Hij wil dat wij contact met hém opnemen.'

'Dat begrijp ik niet...'

'Dat hoef je ook niet. Blijf maar naast me lopen, alsof we wat rondwandelen, de tijd doden totdat er iemand komt. Als die vrouwelijke worstelaar ons ziet zal ze zich niet verbazen. Chinese functionarissen zijn er berucht om dat ze te laat komen bij afspraken; ze denken dat hen dat in het voordeel plaatst.'

'"Laat hen maar zweten"?'

'Precies. Alleen wachten we nu niet op een functionaris. Kom, laten we maar naar links lopen; daar is het donkerder, onder het licht vandaan. Gedraag je nonchalant. Praat maar wat over het weer, wat dan ook. Knik nu en dan, schud je hoofd, haal je schouders op, blijf gewoon voortdurend in beweging, als het maar onopvallend is.'

Ze liepen zo'n vijftien meter verder toen het gebeurde. *'Kam Pek!'* De naam van het casino in Macao werd gefluisterd, het kwam uit een donkere hoek achter een verlaten krantenkiosk.

'Wong?'

'Blijf waar u bent en doe net of u samen praat, maar luister naar mij!'

'Wat is er gebeurd?'

'U wordt gevolgd.'

'Eén-nul voor een briljant ambtenaar,' zei Jason. 'Nog commentaar, meneer de onderminister?'

'Het is onverwacht maar niet onlogisch,' antwoordde McAllister. 'Misschien een veiligheidsmaatregel. Het stikt hier van de valse paspoorten, zoals wij wel weten.'

'Queen Kong heeft ons erdoor gelaten. Punt één.'

'Dan is het misschien om er zeker van te zijn dat wij ons niet aansluiten bij het soort mensen waar u het gisteravond over had,' fluisterde de analyticus, zo zacht dat de Chinese contactman hem niet kon verstaan. 'Dat kan.' Bourne ging wat harder praten, zodat de contactman hem kon horen en zijn blik was gevestigd op de poort van de grensovergang. Er was daar niemand. 'Wie schaduwt ons?'

'Het Zwijn.'

'Soo?'

'Precies, meneer. Daarom moet ik uit het zicht blijven.'

'Nog iemand anders?'

'Ik heb niemand gezien, maar ik weet niet wie er langs de weg naar de heuvels zal staan.'

'Die maak ik wel onschadelijk,' zei de man van Medusa die Delta heette.

'Néé!' protesteerde McAllister. 'Hij kan van Sheng opdracht hebben gekregen te bevestigen dat we alleen blíjven, dat we geen anderen meenemen. U zei net dat dat mogelijk was.'

'De enige manier waarop hij dat zou kunnen doen is door zelf anderen te waarschuwen. Dat kan hij niet... als hij dat niet kan. En die goeie vriend van u zou nooit een radiobericht riskeren vanuit een vliegtuig of een helicopter waarin hij reist. Dat zou onderschept kunnen worden.'

'Stel dat er speciale tekens zijn afgesproken, een lichtkogel of een krachtige zaklantaarn die omhoog schijnt, waardoor de piloot weet dat de kust veilig is?'

Jason keek de analyticus aan. 'Jij denkt inderdaad aan álles.'

'Er is een manier,' zei Wong vanuit het donker, 'en het is een voorrecht dat ik graag voor mezelf zou willen reserveren, zonder extra kosten.'

'Wat voor voorrecht?'

'Ik zal het Zwijn doden. Het zal zo gebeuren dat niemand daarbij aan ons zal denken.'

'Wát?' Bourne begon stomverbaasd zijn hoofd te draaien.

'Alstublieft, meneer! Recht voor u kijken.'

'Sorry. Maar waarom?'

'Hij hoereert links en rechts, en bedreigt de vrouwen die hij aardig vindt met het verlies van hun baan en die van hun mannen, zelfs van broers en neven. De laatste vier jaar heeft hij schande gebracht in vele families, ook in de mijne, van de kant van mijn moeder zaliger.'

'Waarom is hij dan niet eerder vermoord?'

'Hij heeft altijd lijfwachten bij zich, zelfs in Macao. Toch zijn er, ondanks dat, al verschillende aanslagen op hem gepleegd, door woedende echtgenoten. Daarop volgden represailles.'

'Represailles?' vroeg McAllister zacht.

'Er werden mensen uitgekozen, gewoon links en rechts, en beschuldigd van het stelen van voorraden en uitrustingsstukken van het garnizoen. De straf voor zo'n misdaad is terechtstelling in het open veld.'

'Godverdomme,' mompelde Bourne. 'Ik vraag verder maar niks meer.

U hebt aanleiding genoeg. Maar waarom vanavond?'
'Hij heeft zijn lijfwachten nu niet bij zich. Misschien wachten ze hem op langs de weg naar de heuvels, maar nu zijn ze er niet. U gaat op weg en als hij u volgt zal ik hem volgen. Als hij u niet volgt weet ik dat uw tocht ongehinderd zal verlopen en dan haal ik u wel in.'
'Ons inhalen?' Bourne fronste zijn wenkbrauwen.
'Nadat ik het Zwijn heb vermoord en zijn zwijnekarkas heb achtergelaten op de voor hem juiste en eerloze plaats. Het damestoilet.'
'En als hij ons inderdaad volgt?' vroeg Jason.
'Dan krijg ik mijn kans wel, zelfs terwijl ik dienst doe als uw ogen. Ik zal zijn lijfwachten zien, maar zij zullen mij niet zien. Wat hij ook doet, er zal een moment komen waarop hij zich afzondert, al is het maar een meter of zo in het donker. Het zal genoeg zijn, en men zal aannemen dat hij een van zijn eigen mensen te schande heeft gemaakt.'
'We gaan op weg.'
'U weet de weg, meneer.'
'Alsof ik een wegenkaart had.'
'Ik zal me bij u voegen aan de voet van de eerste heuvel, achter het hoge gras. Weet u het nog?'
'Dat is moeilijk te vergeten. Ik kocht mezelf daar bijna een graf in China.'
'Na zeven kilometer loopt u het bos in in de richting van het open veld.'
'Dat ben ik van plan, dat hebt u me geleerd. Goede jacht, Wong.'
'Dank u, meneer. Ik heb er reden genoeg voor.'

De twee Amerikanen staken het vernielde oude plein over, vanuit het schemerige licht het totale donker in. Een zwaarlijvige gedaante in burgerkleren keek hen na vanuit de schaduwen langs het betonnen trottoir. Hij keek op zijn horloge en knikte, met een vage glimlach van voldoening. Kolonel Soo Jiang draaide zich om en liep door het overdekte gangetje terug naar het kale douanecomplex, ijzeren poorten en houten cabines en prikkeldraad in de verte, alles beschenen door een mat, grijs licht. Hij werd begroet door het hoofd van de Provinciale Politie van Zhuhai Shi-Guangdong, die vastberaden, krijgshaftig en enthousiast op hem af stevende.
'Dat moeten heel belangrijke mannen zijn, kolonel,' zei het hoofd van politie en haar ogen stonden verre van vijandig, ze keken met een blik die grensde aan blinde verering. En angst.
'Oh, dat zijn ze ook, dat zijn ze zeker.'
'Dat moeten ze beslist zijn anders zou zo'n belangrijk officier als u zich niet druk maken om alles wat ze nodig hebben. Ik heb getelefoneerd met de man in Guangzhou, zoals u vroeg, en hij heeft me bedankt, al heeft hij mijn naam niet gehoord...'
'Ik zal ervoor zorgen dat hij die naam krijgt,' viel Soo haar vermoeid in de rede.

'En ik zal zorgen dat alleen mijn allerbeste mensen aan de poort staan om hen te begroeten wanneer ze later vanavond terugkeren naar Macao.'

Soo keek de vrouw aan. 'Dat zal niet nodig zijn. Ze zullen worden meegenomen naar Beijing voor zeer vertrouwelijke besprekingen op hoog niveau. Ik heb opdracht gekregen om alles te verwijderen waaruit blijkt dat ze bij Guangdong de grens zijn overgekomen.'

'Zó vertrouwelijk is het?'

'Zeer vertrouwelijk, Kameraad Mevrouw. Dit zijn geheime staatszaken en ze moeten geheim blijven zelfs voor onze meest vertrouwde volksgenoten. Uw kantoor graag.'

'Tot uw dienst,' zei de breedgeschouderde vrouw en ze draaide zich om met militaire precisie. 'Ik heb thee of koffie en zelfs Engelse whisky uit Hongkong.'

'Och, ja, de Engelse whisky. Mag ik u vergezellen, kameraad? Ik ben klaar met mijn werk.'

De twee wat groteske, Wagneriaanse gestalten marcheerden keurig op de maat naar de ondoorzichtige glazen deur van het kantoor van het politiehoofd.

'Sigaretten!' fluisterde Bourne en hij greep McAllister bij de schouder. 'Waar?'

'Voor ons uit, links van de weg. In de bossen!'

'Ik heb ze niet gezien.'

'Je keek er niet naar uit. Ze houden hun handen ervoor maar ze zijn er wel. De schors van de bomen wordt het ene moment wat lichter en dan weer donker. Geen bepaald ritme, alleen nu en dan. Dat zijn rokende mannen. Soms denk ik wel eens dat ze in het Verre Oosten nog doller zijn op sigaretten dan op seks.'

'Wat doen we nu?'

'Precies wat we nu aan het doen zijn, alleen harder.'

'Wát?'

'Blijf lopen en zeg het eerste het beste dat je te binnen schiet. Zij verstaan het toch niet. Ik weet zeker dat je *Hiawatha* kent of *Horatio On The Bridge,* of uit je wilde jaren op de universiteit *Aura Lee.* Niet zingen, spreek gewoon maar de woorden uit, het zal je ook een beetje afleiden.'

'Maar waarom?'

'Omdat dit is wat je al voorspeld hebt. Sheng verzekert er zich van dat we ons niet aansluiten bij iemand anders die een bedreiging voor hem zou kunnen vormen. Laten we hem maar geruststellen, oké?'

'Oh, mijn God! Stel dat iemand van hen Engels spreekt?'

'Dat is zeer onwaarschijnlijk, maar we kunnen ook een gesprek improviseren als je dat liever doet.'

'Nee, daar ben ik helemaal niet goed in. Ik heb een hekel aan feestjes en officiële diners, ik weet nooit wat ik moet zeggen.'

'Daarom stelde ik dat gerijmel al voor. Telkens wanneer jij stil bent zal ik ertussen komen. Ga je gang nu maar, spreek gewoon maar snel. Dit is hier geen plaats voor Chinezen die snel Engels spreken... De sigaretten zijn gedoofd. Ze hebben ons gezien! Vooruit!'

'Lieve God... goed dan. Eh, eh... *"Sitting on ô Reilly's porch, telling tales of blood and slaughter"*...'

'Dat is heel toepasselijk!' zei Jason en hij keek zijn pupil doordringend aan.

' *"Suddenly it came to me, why not shag ô Reilly's daughter"*...'

'Nee maar, Edward, ik verbaas me steeds meer over jou.'

'Het is een oud studentenlied,' fluisterde de analyticus.

'Wát? Ik kan je niet horen, Edward. Harder praten!'

'Fiddeldiedieie, fiddeldiedoooo, fiddeldiedieie to the one ball Reilly...'

'Da's geweldig!' onderbrak Bourne hem terwijl ze langs het stuk bos liepen waar nog maar enkele tellen eerder mannen stiekem stonden te roken. 'Ik denk dat je vriend jouw gezichtspunt wel zal waarderen. Heb je verder nog gedachten daarover?'

'Ik ben de woorden vergeten.'

'Je gedachten zul je bedoelen. Ik weet zeker dat ze je weer te binnen zullen schieten.'

'Zoiets als *"old man Reilly"*... Oh, ja, ik weet het weer. Eerst kwam er *"Shag, shag and shag some more, shag until the fun was over"*, en toen kwam old Reilly... *"Two horse pistols by his side, looking for the dog who shagged his daughter"*. Ik wist het dus toch.'

'Jij hoort in een museum thuis, als er in Ripley een staat... Maar bekijk het maar eens vanuit deze hoek, je kunt het hele project gaan onderzoeken wanneer we weer in Macao zijn.'

'Wat voor project?... Er was er nog een waar we altijd bij moesten lachen. *"A hundred bottles of beer on a wall, a hundred bottles of beer; one fell down..."* Lieve hemel, het is al zó lang geleden. Het ging eindeloos door en het werden er steeds minder... *'ninety-nine bottles of beer on the wall...'*

'Vergeet het maar, ze kunnen ons niet meer horen.'

'Oh? Niet meer horen? Godzijdank!'

'Je hebt het prima gedaan. Als een van die grapjassen al Engels verstond hebben ze er nog minder van begrepen dan ik. Goed gedaan, speurneus. Kom op, we gaan wat sneller lopen.'

McAllister keek Jason aan. 'Dat hebt u met opzet gedaan, nietwaar? U hebt me gedwongen aan iets te denken, wat dan ook, wetend dat ik me zou concentreren en niet in paniek zou raken.'

Bourne gaf geen antwoord; hij deelde alleen iets mee: 'Over dertig meter blijf je alleen doorlopen.'

'Wát? U laat me alleen?'

'Niet meer dan tien, vijftien minuten. Luister, blijf doorlopen en hou je arm met gebogen elleboog omhoog, dan kan ik mijn koffertje erop leggen en het verdomde ding openmaken.'

'Waar gaat u naar toe?' vroeg de onderminister terwijl het diplomatenkoffertje onhandig op zijn linkerarm rustte. Jason opende het, haalde er een mes uit met een lang lemmet en sloot het koffertje weer. 'U kunt me zo maar niet alleen laten.'

'Er kan je niks gebeuren, niemand wil jou, of ons, tegenhouden. Als ze dat wilden hadden ze het al lang gedaan.'

'U bedoelt dat het een hinderlaag had kunnen zijn?'

'Ik rekende op jouw analytische geest dat het dat niet was. Neem het koffertje over.'

'Maar wat gaat u...'

'Ik moet weten wat dat voor kerels zijn achter ons. Blijf doorlopen.'

De man van Mesuda liep in een bocht van de weg het bos aan hun linkerkant in. Hij bewoog zich snel en geluidloos en vermeed instinctmatig het dichte struikgewas zo gauw hij het maar even voelde. In een brede halve bocht liep hij naar rechts. Een paar minuten later zag hij sigaretten opgloeien. Als een oerwouddier sloop hij steeds dichterbij totdat hij de groep mannen tot op drie meter was genaderd. Het maanlicht dat nu en dan door het dichte gebladerte filterde liet hem voldoende zien om het aantal te kunnen bepalen. Ze waren met z'n zessen en ieder van hen droeg een licht machinepistool met een riem over zijn schouder... En er was nog iets, iets wat helemaal niet klopte. Elk van de mannen droeg het gedistingeerde uniform met vier knopen van hoge officieren in het leger van de Volksrepubliek. En uit de brokstukken conversatie die hij kon opvangen maakte hij op dat ze Mandarijns spraken, geen Kantonees, en dat was het normale dialect voor militairen, zelfs officieren, van het Garnizoen in Guangdong. Deze kerels kwamen niet uit Guangdong. Sheng had zijn eigen lijfwacht erbij gehaald.

Plotseling knipte een van de officieren zijn aansteker aan en keek op zijn horloge. Bourne bekeek het gezicht boven de vlam. Hij kende het en toen hij het zag werd zijn oordeel bevestigd. Het was het gezicht van de man die die afschuwelijke nacht geprobeerd had Echo in de val te lokken door zich voor te doen als gevangene in de vrachtwagen, de officier die Sheng met enige achting had behandeld. Een moordenaar met hersens die zacht sprak.

Xian zai,' zei de man en hij liet weten dat het moment was gekomen. Hij pakte een walkie-talkie op en sprak erin. *'Da li shi, da li shi!'* zei hij gebiedend en hij riep zijn andere mensen op door de codenaam Marmer te gebruiken. 'Ze zijn alleen, er is verder niemand bij. We zullen verder onze instructies uitvoeren. Maak u gereed voor het signaal.'

De zes officieren stonden tegelijk op, schikten hun wapens en doofden hun sigaretten door ze met hun laarzen uit te trappen. Ze liepen snel naar de landweg.

Bourne draaide zich vlug om op handen en voeten, kwam overeind en rende door het bos. Hij moest zich weer bij McAllister voegen voordat de groep van Sheng hem inhaalde en bij het nu en dan schijnende maanlicht zag dat hij alleen was. Als de wachten onraad roken zouden ze een ander 'signaal' kunnen sturen... *bijeenkomst gaat niet door.* Hij bereikte de bocht in de weg en begon nog harder te lopen, sprong over afgevallen takken die anderen niet gezien zouden hebben en wrong zich door lianen en dicht kreupelhout dat anderen daar niet verwacht zouden hebben. In minder dan twee minuten sprong hij zonder één geluid te maken uit de bosrand en ging weer naast McAllister lopen.

'Goeie gód,' hijgde de onderminister.

'Stil!'

'U bent een maniak!'

'Moet je mij vertellen.'

'Daar zou ik uren mee bezig zijn.' Met trillende handen gaf McAllister Jason het koffertje terug. 'Dit is in elk geval niet ontploft.'

'Ik had je moeten zeggen het niet te laten vallen of er niet te hard mee te schudden.'

'Oh, jézus!... Moeten we onderhand nog niet van de weg af? Wong zei...'

'Vergeet het maar. We laten ons duidelijk zien totdat we het open stuk op de tweede heuvel hebben bereikt, dan zul jij nog iets meer te zien zijn dan ik. Er wordt een soort signaal gegeven en dat betekent dat jij al weer gelijk had. Een piloot krijgt toestemming om te landen... geen radioverbinding, alleen maar een licht.'

'We moeten Wong nog ergens oppikken. Ik meen dat hij zei aan de voet van de tweede heuvel.'

'We zullen een paar minuten op hem wachten, maar ik denk dat we hem ook wel kunnen vergeten. Hij zal hetzelfde gezien hebben wat ik zag en als ik in zijn plaats was zou ik teruggaan naar Macao en naar mijn twintigduizend Amerikaanse dollars, en zeggen dat ik verdwaald was.'

'Wat hebt u dan gezien?'

'Zes kerels met genoeg bewapening om alle bomen op een van die heuvels hier kaal te schieten.'

'O, mijn god, we komen hier nooit meer uit!'

'Niet zo gauw de moed laten zakken. Dat is een van de dingen waarover ík al heb nagedacht.' Bourne keerde zich naar McAllister terwijl hij nog wat sneller ging lopen. 'Van de andere kant,' voegde hij eraan toe en zijn stem klonk volkomen ernstig, 'liepen we dat risico steeds al... door de zaak op jouw manier aan te pakken.'

'Ja, ik weet het. Ik zal niet in paniek raken. Ik zal écht niet in paniek raken.' Ineens waren ze uit de bossen; de zandweg liep nu tussen weiden met hoog gras door. 'Waarom zijn die kerels hier volgens u?' vroeg de analyticus.

'Reserves in geval van een hinderlaag, en elke schooier in dit soort zaken zou denken dat het een hinderlaag was. Dat heb ik je gezegd en je wilde me niet geloven. Maar als een van de dingen die jij hebt gezegd klopt, en dat doet het volgens mij, dan zullen ze zich de hele tijd gedeisd houden... om er zeker van te zijn dat jij niet in paniek raakt en ervandoor gaat. Als dat het geval is dan is dat jouw ontsnappingskans.'

'Hoezo?'

'Loop naar rechts het open veld in,' antwoordde Jason zonder de vraag te beantwoorden. 'Ik zal Wong vijf minuten geven, tenzij we ergens een signaal zien of een vliegtuig horen, maar niet meer. En ik wacht alleen zo lang omdat ik echt dat extra stel ogen nodig heb waarvoor ik heb betaald.'

'Zou hij ongezien om die kerels heen kunnen komen?'

'Jawel, als hij niet op de terugweg is naar Macao.'

Ze kwamen aan het einde van het open stuk met hoog gras en aan de voet van de eerste heuvel waar bomen groeiden op de helling. Bourne keek op zijn horloge en toen naar McAllister. 'Laten we daarheen lopen zodat we niet gezien worden,' zei hij met een gebaar naar de bomen boven hen. 'Ik zal hier blijven. Jij loopt verder door, maar loop niet het open veld in, laat je niet zien, blijf aan de rand. Als je lichten ziet of een vliegtuig hoort dan fluit je. Dan kun je toch zeker wel?'

'Eigenlijk niet zo goed. Toen de kinderen kleiner waren en we een hond hadden, een golden retriever...'

'Och, barst nou gauw! Gooi dan maar met stenen door de bomen, die hoor ik wel. Opschieten!'

'Ja, ik begrijp het. Actie!'

Delta — want nu was hij weer helemaal Delta — begon aan zijn nachtwake. Het maanlicht werd voortdurend onderbroken door de voorbijzwevende, lage wolken en hij bleef ingespannen kijken over het veld met het hoge gras, wachtte tot hij een onderbreking zag in het eenvormige patroon, gebogen halmen die zich bewogen naar de voet van de heuvel, naar hem toe. Drie minuten gingen voorbij en hij was bijna tot het conclusie gekomen dat hij tijd aan het verspillen was toen er aan zijn rechterkant ineens een man uit het gras opsprong en zich in de struiken stortte. Bourne liet zijn koffertje zakken en haalde het lange mes uit zijn riem.

'*Kam Pek!*' fluisterde de man.

'*Wong?*'

'Ja meneer,' zei de contactman en hij liep om de boomstammen heen op Jason toe. 'Word ik begroet met een mes?'

'Er zijn daarachter nog een paar lui en eerlijk gezegd dacht ik niet dat u nog zou komen opdagen. Ik heb u gezegd dat u weg kon gaan als het risico te groot leek. Ik dacht niet dat het zo gauw al zou kunnen gebeuren maar ik zou het geaccepteerd hebben. Die jongens hebben wapens bij zich waar je u tegen zegt.'

'Ik zou van de gelegenheid gebruik hebben kunnen maken, maar u hebt me, los van het geld, iets laten doen waar ik heel erg dankbaar voor ben. Vele anderen ook. Meer mensen dan u zich kunt voorstellen zullen dankbaar zijn.'

'Soo, het Zwijn?'

'Ja meneer.'

'Wacht 'ns even,' zei Bourne verschrikt. 'Waarom bent u er zo zeker van dat ze zullen denken dat een van die kerels het gedaan heeft?'

'Wat voor kerels?'

'Die patrouille met die machinepistolen daar achter ons! Die komen niet uit Guangdong, niet uit het garnizoen daar. Ze zijn uit Beijing!'

'Het is gebeurd in Zhuhai Shi. Bij de poort.'

'Stommeling! Je hebt alles verpest! Ze stonden te wachten op Soo!'

'Als dat zo is, meneer, zou hij nooit zijn komen opdagen.'

'Wat?'

'Hij was zich aan het bedrinken met het hoofd van de politie aan de poort. Hij ging even zijn behoefte doen en toen heb ik hem gepakt. Hij ligt nu in de wc ernaast, in een stinkend damestoilet, met zijn keel afgesneden en zonder geslachtsdelen.'

'Goeie gód... Hij is ons dus niet nagelopen?'

'En dat was hij ook niet van plan.'

'Ik snap het... nee, ik snap het niet. Hij speelde vanavond niet mee. Het is helemaal een operatie vanuit Beijing. Toch was hij het belangrijkste contact hier...'

'Daar weet ik allemaal niets van, meneer,' viel Wong hem ter verdediging in de rede.

'Oh, sorry. Nee dat kon u ook niet.'

'Hier zijn de ogen die u hebt gehuurd, meneer. Waar wilt u dat ik kijk en wat wilt u dat ik doe?'

'Hebt u nog moeilijkheden gehad om voorbij die patrouille op de weg te komen?'

'Helemaal niet. Ik zag hen, zij hebben mij niet gezien. Ze zitten nu in het bos, aan de rand van het open stuk. Ik weet niet of u er wat aan hebt, maar de man met de radio gaf degene die hij opriep opdracht weg te gaan, zodra het ''signaal'' was gegeven. Ik weet niet wat dat betekent, maar ik neem aan dat het over een helicopter gaat.'

'Dat neemt u aan?'

'De Fransman en ik hebben de Engelsman op een avond hierheen gevolgd. Daarom wist ik die eerste keer waarheen ik u moest brengen. Er landde een helicopter en er kwamen mannen uit die gingen praten met de Engelsman.'

'Dat heeft hij me verteld.'

'U vertéld, meneer?'

'Vergeet het maar. Blijf maar hier. Als die patrouille aan de overkant van de wei hierheen komt wil ik dat weten. Ik zal me bevinden in het open stuk vóór de tweede heuvel, aan de rechterkant. Hetzelfde open stuk waar u en Echo de helicopter hebben gezien.'

'Echo?'

'De Fransman.' Delta zweeg even en dacht na. 'U kunt geen lucifer aansteken, u kunt de aandacht niet op uzelf vestigen...' Plotseling klonken de duidelijke maar gedempte geluiden van voorwerpen die andere voorwerpen raakten. Bomen! Stenen! McAllister gaf hem een teken.

'Pak maar stenen, stukken hout of rots, en blijf die in het bos aan de rechterkant gooien. Die hoor ik wel.'

'Ik zal er meteen wat in mijn zakken steken.'

'Ik heb het recht niet om u dit te vragen,' zei Delta en hij pakte het koffertje op, 'maar hebt u een wapen?'

'Een kaliber Driezevenenvijftig met een hele riem vol munitie, dank zij mijn neef van mijn moeders kant, moge haar ziel rusten in vrede.'

'Ik hoop dat ik u niet meer zie en als dat zo is, vaarwel, Wong. Een ander deel van mij is het misschien niet met u eens, maar u bent een geweldige kerel. En geloof me nu maar, u hebt me die laatste keer echt verslagen.'

'Nee, meneer, u was mij de baas. Maar ik zou het graag nog eens proberen.'

'Vergeet het maar!' riep de man van Medusa en hij begon de heuvel op te rennen.

Als een enorme, monsterachtige vogel daalde de helicopter op het open stuk, terwijl zijn onderlijf een verblindend licht uitstraalde. Zoals afgesproken stond McAllister midden op de wei en, zoals te verwachten was, zocht het zoeklicht hem direct op. Zoals verder was afgesproken bevond Jason Bourne zich op zo'n veertig meter afstand, in de donker van de bomen, zichtbaar, maar niet duidelijk. De wieken gingen langzamer draaien tot ze ineens met een knarsend geluid tot stilstand kwamen. Er heerste absolute stilte. De deur ging open, de trap zakte en de slanke, grijsharige Sheng Chou Yang liep de treden af met een aktentas in de hand.

'Wat fijn om je na al die jaren weer eens te ontmoeten, Edward,' riep de oudste zoon van een taipan uit. 'Zou je het toestel misschien willen doorzoeken? Zoals je gevraagd hebt ben ik alleen met mijn meest vertrouwde piloot.'

'Nee, Sheng, dat kun jij voor me doen!' gilde McAllister van een flinke afstand. Hij trok een bus uit zijn colbertje en gooide die naar de helicopter. 'Zeg tegen de piloot dat hij even naar buiten moet komen en sproei dit in de cabine. Als er binnen nog iemand is komt hij − of komen zij − heel gauw naar buiten.'

'Dat is nou helemaal niks voor jou, Edward. Mannen zoals wij weten wanneer ze elkaar kunnen vertrouwen.'

'Doe het nu maar, Sheng.'

'Natuurlijk doe ik dat.' De piloot kreeg bevel naar buiten te komen. Sheng Chou Yang pakte de bus op en sproeide de verlammende nevel in de helicopter. Een paar minuten gingen voorbij; er kwam niemand naar buiten. 'Ben je tevreden of moet ik het hele pokkeding in de lucht laten vliegen? Daar hebben we geen van tweeën wat aan. Kom, beste vriend, dit soort spelletjes is niets voor ons. Dat zijn ze nooit geweest.'

'Maar jij werd wat je nu bent. Ik bleef wat ik was.'

'Daar kunnen we iets aan veranderen, Edward! Ik kan eisen dat jij voortaan bij alle besprekingen aanwezig bent. Ik kan jou een vooraanstaande positie bezorgen. Je zult een ster zijn aan het firmament van buitenlandse zaken.'

'Het is dus wel degelijk waar? Alles wat in het dossier staat. Je bent weer terug. De Kwo-Min-Tang is weer terug in China...'

'Laten we eens rustig praten, Edward.' Sheng keek even naar de gedaante in de bossen waarvan hij aannam dat het de killer was. 'Dit is een zuivere privé-zaak.'

Bourne bewoog zich bliksemsnel; hij rende naar de helicopter terwijl de twee onderhandelaars met hun rug naar hem toe stonden. Toen de piloot terugklom in de helicopter en op zijn plaats wilde gaan zitten was de man van Medusa vlak achter hem.

'Ah jing!' fluisterde Jason en hij beval de man geen geluid te maken waarbij hij met zijn machinepistool de opdracht onderstreepte. Voordat de verbijsterde piloot kon reageren slingerde Bourne een strook zware stof over het hoofd van de man, trok het over de verschrikt openstaande mond en rukte de strook strak. Vervolgens haalde hij een lang, dun nylon touw uit zijn zak en bond de man vast op zijn stoel met geboeide armen. Een onverwacht vertrek was nu niet mogelijk.

Bourne stak zijn wapen weer in de riem onder zijn jasje en kroop de helicopter in. Door de enorme machine kon hij McAllister en Sheng Chou Yang niet zien, en dat wilde zeggen dat hij voor hen ook onzichtbaar was. Hij liep snel terug naar zijn vorige positie, voortdurend alle kanten opkijkend, klaar om van richting te veranderen als de twee mannen links of rechts van het toestel zouden opduiken; de helicopter was zijn gezichtsdekking. Hij bleef staan. Hij stond er dicht genoeg bij, het werd tijd dat hij zich wat nonchalanter ging gedragen. Hij pakte een sigaret en stak die aan met een lucifer. Toen slenterde hij zonder bepaald doel naar links tot waar hij net de twee gestalten kon zien aan de andere kant van het toestel. Hij vroeg zich af wat er werd besproken tussen de twee vijanden. Hij vroeg zich af waar McAllister op wachtte.

Doe het, speurneus. Doe het nu! Dit is je allerbeste kans. Elk moment
dat je het uitstelt verlies je tijd en dat geeft alleen maar complicaties!
Godverdomme, dóe het nou!

Bourne bleef stokstijf staan. Hij hoorde het geluid van een steen die tegen een boom terecht kwam, dichtbij de plaats van waaruit hij de wei
was ingelopen. Toen een veel dichterbij en vlak daarna nog een. Wong
waarschuwde! De patrouille van Sheng stak het open stuk over beneden
hen!

Speurneus, jij wordt onze dood nog! Als ik erheen ren en ga schieten
krijgen we door het geluid zes kerels op ons dak met meer vuurkracht
dan we aankunnen! Verdomme, doe het nou!

De man van Medusa staarde naar Sheng en McAllister en er kwam een
verstikkende woede in hem op, gericht tegen zichzelf. Hij had het zo
nooit mogen toelaten. Een moord door een amateur, een verbitterd
ambtenaar die even voor het zoeklicht wilde komen.

'Kam Pek!' Het was Wong! Hij was door de tweede strook bos komen
lopen en zat nu achter hem, verborgen tussen de bomen.

'Ja? Ik heb de stenen gehoord.'

'Ik heb geen best bericht voor u, meneer.'

'Wat is er?'

'De patrouille kruipt tegen de heuvel op.'

'Dat is een beschermende actie,' zei Jason, met zijn ogen strak gericht
op de twee gedaanten in de wei. 'Misschien is alles toch nog wel goed.
Ze kunnen maar verdomd weinig zien.'

'Ik weet niet zo zeker of dat wel belangrijk is, meneer. Ze maken zich
gereed. Ik heb hen gehoord, ze hebben hun wapens gespannen.'

Bourne slikte moeilijk en een gevoel van onmacht maakte zich van hem
meester. Hij kon niet bedenken waarom, maar het was een omgekeerde
hinderlaag. 'U kunt maar beter maken dat u hier wegkomt, Wong.'

'Mag ik eens vragen? Zijn dit de mensen die de Fransman hebben vermoord?'

'Ja.'

'En voor wie het Zwijn, Soo Jiang, de laatste vier jaar zo oneerbaar
heeft gewerkt?'

'Ja.'

'Dan geloof ik dat ik blijf, meneer.'

Zonder een woord te zeggen liep de man van Medusa naar zijn koffertje. Hij pakte het op en gooide het het bos in. 'Maak maar open,' zei
hij. 'Als we hier levend uitkomen kun je de rest van je leven in het casino doorbrengen, zonder berichten door te geven.'

'Ik gok nooit.'

'Maar nu wel, Wong.'

'Dacht je nu werkelijk dat wij, de grote krijgsheren van het oudste en meest geciviliseerde keizerrijk dat de wereld ooit heeft gekend, het zouden overlaten aan een stelletje stinkende boeren en hun lompe nakomelingen, die zijn opgevoed met de schadelijke theorieën dat iedereen gelijk is?' Sheng stond voor McAllister; hij hield met beide handen zijn aktentas voor zijn borst. 'Zij horen onze slaven te zijn, niet onze heersers.'

'Door dat te denken zijn jullie je land kwijtgeraakt... jullie, de leiders, niet het volk. Hun werd niets gevraagd. Als dat gebeurd was zou men tot een vergelijk zijn gekomen, er zou een compromis zijn gesloten en jullie zouden nog steeds je land hebben.'

'Je sluit geen compromis met marxistische beesten... of met leugenaars. Evenmin als ik met jou een compromis zal sluiten, Edward.'

'Wat zei je daar?'

Met zijn linkerhand knipte Sheng zijn aktentas open en trok er het dossier uit dat uit Victoria Peak was gestolen. 'Herken je dit?' vroeg hij rustig.

'Dit is niet te geloven!'

'Geloof het maar, mijn beste tegenstander. Met een beetje vernuft kun je alles bereiken.'

'Het is onmogelijk!'

'Het is hier. In mijn hand. En op de eerste bladzijde staat duidelijk dat er maar één kopie bestaat, die alleen onder uiterst strikte geheimhouding en met een militair escorte ergens heen kan worden gezonden. Volkomen juist, naar mijn oordeel, want toen we met elkaar telefoneerden was jouw evaluatie correct. De inhoud zou heel het Verre Oosten in vuur en vlam zetten en een oorlog zou onvermijdelijk zijn. De rechtervleugel in Beijing zou ten strijde trekken tegen de rechtervleugel in Hongkong, alleen zouden jullie hen in jullie deel van de wereld, links noemen. Dwaas, vind je niet?'

'Ik heb een copie laten maken en naar Washington laten sturen,' viel de onderminister hem snel, rustig en vastberaden in de rede.

'Dat geloof ik niet,' zei Sheng. 'Al het diplomatieke verkeer, of het nu gaat per telefooncomputer of per koerier, moet de goedkeuring hebben van de hoogst aanwezige functionaris. De roemruchte ambassadeur Havilland zou dat niet toestaan en het consulaat zou er nooit aan beginnen zonder zijn machtiging.'

'Ik heb een kopie naar het Chinese consulaat gestuurd!' schreeuwde McAllister. 'Het is met je gedáán, Sheng!'

'Is dat zo? En wie denk je dan dat in ons consulaat álle berichten ontvangt, uit álle bronnen buiten het consulaat? Je hoeft daar geen antwoord op te geven, dat doe ik wel voor je. Een van onze mensen.' Sheng zweeg en ineens vlamde het vuur op in zijn fanatieke ogen. 'We zitten *overal,* Edward! Wij zullen onze zin krijgen! Wij zullen ons land terugkrijgen, ons keizerrijk!'

'Je bent gek! Dit kan niet lukken. Je zult een oorlog beginnen!'

'Dan zal het een rechtvaardige oorlog zijn! Regeringen over de gehele wereld zullen voor de keus komen te staan. Vrijheid voor het individu of heerschappij van de staat. Vrijheid of tirannie!'

'Te weinigen van jullie hebben vrijheid geschonken en te velen waren tirannen.'

'Wij zullen zegevieren, hoe dan ook.'

'Mijn god, dat willen jullie! Jullie willen de wereld naar de rand van de afgrond brengen, de wereld dwingen te kiezen tussen algehele vernietiging en overleven! Zo denken jullie te krijgen wat jullie willen, omdat er gekozen zal worden voor het overleven! Die economische commissie, jullie hele strategie voor Hongkong, dat is nog maar het begin! Jullie willen het hele Verre Oosten vergiftigen! Jij bent een fanaticus, je bent blind! Kun je dan de tragische consequentie niet zien...'

'Ons land is ons ontstolen en we willen het terughebben! Wij zijn niet meer tegen te houden! Wij trekken op!'

'Jij kunt worden tegengehouden,' zei McAllister zacht en zijn rechterhand kroop naar de plooi in zijn colbertje. 'Ik zal jou tegenhouden.' Plotseling liet Sheng de aktentas vallen en er kwam een pistool te voorschijn. Hij schoot terwijl McAllister instinctief in doodsangst achteruitweek en naar zijn schouder greep.

'Omlaag!' brulde Bourne en hij rende tot voor het vliegtuig, in de gloed van de schijnwerpers, er ratelde een stoot automatisch vuur uit zijn machinepistool. 'Rol, rol! Als je je kunt bewegen, rol dan wég!'

'Jíj!' gilde Sheng. Hij vuurde snel twee schoten achter elkaar af op de onderminister op de grond, hief toen zijn wapen op en haalde enkele malen achtereen de trekker over, mikkend op de man van Medusa die zigzaggend op hem af kwam rennen.

'Voor Echo!' schreeuwde Bourne zo hard hij kon. 'Voor de mensen die je aan stukken hebt gehakt! Voor de leraar aan het touw die je hebt afgeslacht! Voor de vrouw die je niet tot zwijgen kon brengen... oh, verdómme! Voor die twee broers, maar voornamelijk voor Echo, verdomde rotzak!' Uit het machinepistool kwam een korte vuurstoot... toen niets meer, en wat hij ook op de trekker drukte, het bleef dienst weigeren! Het was geblokkeerd! Geblokkeerd! Sheng wist het; hij richtte zorgvuldig zijn wapen toen Jason zijn pistool weggooide en op de killer afstormde. Sheng schoot terwijl Delta zich instinctief naar rechts wierp, in de lucht om zijn as draaide, zijn mes uit zijn riem trok, zich toen schrap zette, van looprichting veranderde en zich onverwacht op Sheng stortte. Het mes vond zijn doelwit en de man van Medusa stootte het recht in het hart van de fanaticus. De man die honderden mensen had vermoord, en die er mogelijk nog miljoenen zou gaan doden, leefde niet meer.

Al die tijd had hij niets kunnen horen, nu keerde zijn gehoor terug. De patrouille was uit het bos komen rennen en salvo's machinepistoolvuur ratelden in het donker over het open veld... Vanachter de helicopter werd het vuur beantwoord, daar had Wong het koffertje geopend en gevonden wat hij nodig had. Twee militairen van de patrouille vielen neer. De overige vier lieten zich vallen, een van hen kroop terug het bos in, hij schreeuwde. De radio! Hij zocht contact met anderen, nog meer reserves! Hoe ver waren ze hier vandaan? Hoe dichtbij?

Het belangrijkste het eerst! Bourne verdween rennend achter het toestel en hij liep op Wong af die aan de rand van het bos naast een boom zat gehurkt. 'Er zit er daar nog een in!' fluisterde hij. 'Geef die aan mij!'

'Zuinig zijn met munitie,' zei Wong. 'Veel meer is er niet.'

'Dat weet ik. Blijf hier en zorg voor zover je kunt dat ze zich niet kunnen verroeren, maar blijf laag langs de grond vuren.'

'Waar gaat u naar toe, meneer?'

'Een omtrekkende beweging door het bos.'

'Dat zou de Fransman me ook hebben opgedragen.'

'Hij had gelijk. Hij had altijd gelijk.' Jason snelde dieper het bos in met het bebloede mes in zijn riem. Zijn longen dreigden te barsten, zijn benen ploegden door de zachte bosgrond, zijn ogen tuurden in het donker onder de bomen. Hij zocht zich zo snel hij kon een weg door het dichte struikgewas en probeerde zo weinig mogelijk lawaai te maken.

Twee keer het knappen van hout! Dikke takken op de grond die gebroken werden doordat iemand erop trapte! Hij zag het vage silhouet van een gedaante in zijn richting komen en hij verschool zich achter een boomstam. Hij wist wie het was, de officier met de radio, de killer uit het reservaat bij Beijing die zijn verstand gebruikte, de man met de vriendelijke stem, een man die ervaren was in de strijd: zoek je flank op en probeer een omsingeling. Wat hij miste was guerrillatraining en dat gemis zou hem het leven kosten. In een bos trapte je niet op voorwerpen die dik aanvoelden onder je voet.

De officier kwam gebukt voorbijlopen. Jason sprong toe, zijn linkerarm kromde zich om de nek van de man, het pistool in zijn hand beukte tegen het hoofd van de militair en het mes deed opnieuw zijn werk. Bourne knielde neer bij het lijk, stak zijn pistool in zijn riem en pakte het krachtige automatische geweer van de officier. Hij vond nog twee extra magazijnen met munitie; nu waren de kansen wat gelijker verdeeld. Het was zelfs mogelijk dat ze nog levend hiervandaan konden komen. Leefde McAllister nog? Of was dat ene korte moment voor het voetlicht van een gefrustreerd ambtenaar geëindigd in eeuwige duisternis? Het belangrijkste het eerst!

Hij bleef langs de gebogen rand van het veld lopen tot het punt waar hij erop was gekomen. Het sporadische vuren van Wong hield de drie overgebleven manschappen van Shengs elite-lijfwacht op hun plaatsen, bang zich te bewegen. Ineens deed iets hem omkeren — een brommen in de verte, een lichtvlekje dat zijn oog aantrok. Het was beide! Het geluid was dat van een motor die op volle kracht werkte, het vlekje een bewegend zoeklicht dat langs de donkere hemel streek. Boven de toppen van de lager groeiende bomen kon hij een voertuig zien − een vrachtwagen − met een zoeklicht op de achterbak, dat door een ervaren hand werd bediend. De vrachtwagen reed snel de weg af en ging nu schuil achter het hoge gras. Alleen het heldere zoeklicht was zichtbaar en het bewoog zich steeds sneller naar de voet van de heuvel, nauwelijks tweehonderd meter onder hem. Het belangrijkste het eerst! Actie!

'*Staakt het vuren!*' brulde Bourne en hij sprong weg van de plaats waar hij stond. De drie officieren draaiden zich bliksemsnel om op de plek waar ze lagen, hun machinepistolen spoten vuur en kogels besproeiden de plek vanwaar de stem had geklonken.

De man van Medusa stapte uit de bescherming van de bosrand. Het was in een paar seconden voorbij toen het krachtige automatische wapen de grond omploegde en de killers trof die hem hadden willen doden.

'*Wong!*' schreeuwde hij terwijl hij de open plek oprende. 'Kom óp! Met mij mee!' Seconden later bereikte hij de lichamen van McAllister en Sheng, de ene leefde nog, de andere was dood. Jason boog zich over de analyticus die beide armen bewoog, met zijn rechterhand uitgestrekt in een poging iets te bereiken. 'Mac, kun je me horen?'

'Het *dossier!*' fluisterde de onderminister. 'Pak het *dossier!*'

'Wat...?' Bourne keek naar het lijk van Sheng Chou Yang en in het flauwe schijnsel van het maanlicht zag hij iets wat hij daar helemaal niet verwachtte. Het was het zwart omrande dossier van Sheng, een van de meest geheime, meest gevaarlijke documenten van de hele wereld. 'Godverdómme!' zei Jason zacht terwijl hij het pakte. 'Luister naar me, speurneus!' Bourne ging harder spreken toen Wong zich bij hen voegde. 'We moeten je dragen en het zal wel pijn doen, maar we kunnen niet anders!' Hij keek op naar Wong en vervolgde: 'Er is nog een patrouille op weg hier naar toe en ze zijn al dichtbij. Een reserve die ze achter de hand hebben gehouden en naar mijn schatting zullen ze hier zijn in minder dan twee minuten. Hou je kiezen op elkaar, meneer de onderminister. We gaan tot actie over!'

Samen met Wong droeg Jason McAllister naar de helicopter. Ineens riep Bourne: 'Verrek, wacht even!... Nee, ga door, draag jij hem maar,' schreeuwde hij tegen de contactman. 'Ik moet even terug!'

'Waarom?' fluisterde de onderminister krimpend van de pijn.

'Wat gaat u doen, meneer?' riep Wong uit.

'Ik moet de revisionisten iets geven om over na te denken,' schreeuwde Jason raadselachtig terwijl hij terugrende naar het lijk van Sheng Chou Yang. Toen hij het bereikte bukte hij zich en schoof een plat voorwerp onder het tuniek van de dode man. Hij kwam overeind en rende terug naar het toestel waar Wong juist McAllister voorzichtig en zonder schokken op twee van de achterste stoelen legde. Bourne sprong naar voren, trok zijn mes en sneed het nylon touw door waarmee de piloot was vastgebonden. Vervolgens sneed hij de doek door die voor zijn mond zat. De piloot kreeg een krampachtige hoestbui en nog voordat hij die overwonnen had gaf Jason zijn bevelen.

'*Kai feiji ba!*' schreeuwde hij.

'U kunt Engels spreken,' hijgde de piloot. 'Ik spreek het vloeiend. Dat moest ik leren.'

'De lucht in, rotzak! Nú!'

De piloot knipte schakelaars om en zette de wieken in beweging, juist toen een hele zwerm soldaten, helder zichtbaar in de lichten van de helicopter, het veld opstormde. De nieuwe patrouille zag onmiddellijk de vijf lijken van Shengs lijfwacht. De hele sectie begon te schieten op het langzaam hoogte winnende toestel.

'Maak dat je hier wégkomt!' brulde Bourne.

'De bepantsering van dit toestel is bestemd voor Sheng,' zei de piloot rustig. 'Zelfs het glas is bestand tegen zwaar geweervuur. Waar gaan we heen?'

'Hongkong!' schreeuwde Bourne en hij was verbaasd toen hij zag dat de piloot, die het toestel nu snel en krachtig deed stijgen, zich glimlachend naar hem omdraaide.

'De edelmoedige Amerikanen of de welwillende Engelsen zullen me toch zeker wel asiel verlenen, meneer? Dit is een hemelse droom!'

'Heb je ooit zo zout gegeten?' zei de man van Medusa toen ze de eerste laaghangende wolken invlogen.

'Dat was een plan dat uitstekend werkte,' zei Wong vanuit het donker achterin de helicopter. 'Hoe kwam u daar zo op?'

'Het heeft al eens eerder gewerkt,' zei Jason terwijl hij een sigaret opstak. 'De geschiedenis − zelfs de recente geschiedenis − herhaalt gewoonlijk zichzelf.'

'Meneer Webb?' fluisterde McAllister.

'Wat is er, speurneus? Hoe voel je je?'

'Laat dat maar. Waarom bent u teruggegaan... terug naar Sheng?'

'Om hem een afscheidscadeautje te geven. Een chequeboek. Een privérekening op de Kaaiman Eilanden.'

'Wát?'

'Niemand zal er iets mee kunnen doen. Ik heb de namen en de rekeningnummers eruit geknipt. Maar het zal interessant zijn te zien hoe Peking reageert op het bestaan ervan, denk je niet?'

Epiloog

Edward Newington McAllister hinkte op krukken de eens zo imposante werkkamer in van het oude huis op Victoria Peak, waarvan de grote erkerramen nu waren afgeschermd met zwaar plastic en die overal nog de sporen droeg van de verwoesting. Ambassadeur Raymond Havillands ogen waren gericht op het dossier van Sheng dat de onderminister op zijn bureau gooide.

'Ik geloof dat u dit verloren bent,' zei de analyticus en hij plaatste zijn krukken in een schuine hoek en liet zich moeizaam zakken in de stoel.

'Ik hoor van de artsen dat je wonden niet ernstig zijn,' zei de diplomaat.

'Dat doet me plezier.'

'Dat doet jou plezier? Wie denk je, verdomme, wel dat je bent om je zo vorstelijk ingenomen te tonen?'

'Het is een manier van spreken — het klinkt misschien wel arrogant — maar ik meen het. Wat jij hebt gedaan is uitzonderlijk, het is iets wat ik nooit van jou had verwacht.'

'Daar ben ik zeker van.' De onderminister ging even verzitten en liet zijn gewonde schouder voorzichtig zakken tegen de leuning van zijn stoel. 'In feite heb ik het niet gedaan. Híj heeft het gedaan.'

'Jij hebt het mogelijk gemaakt, Edward.'

'Het was helemaal niets voor mij, het was mijn terrein niet, zou je kunnen zeggen. Die mensen doen dingen waarvan de rest van ons alleen maar kan dromen, of fantaseren. Of we zien het op een scherm, waarbij we dan elke scène sceptisch bekijken omdat het zo ongehoord onwaarschijnlijk is.'

'Zulke dromen en fantasieën zouden we niet hebben en we zouden niet zo gebiologeerd naar zo'n scherm staren, als mensen dit alles al lang niet een keer hadden meegemaakt. Zij doen wat ze het beste kunnen, net als wij doen wat wij het beste kunnen. Ieder heeft zo zijn eigen terrein, onderminister.'

McAllister staarde Havilland aan met een ontoegeeflijke blik. 'Hoe is dit gebeurd? Hoe hebben ze dat dossier te pakken gekregen?'

'Ook weer een heel apart terrein. Beroepswerk. Drie jonge kerels zijn ervoor op een afschuwelijke manier afgemaakt. Een ontoegankelijke kluis werd opengebroken.'

'Onvergeeflijk!'

'Dat ben ik met je eens,' zei Havilland. Hij boog zich voorover en verhief plotseling zijn stem. 'Precies zoals het onvergeeflijk is wat jíj hebt gedaan! Wie denk je in godsnaam die je bent om zoiets te doen? Welk récht had je om de zaken in eigen hand te nemen — in onervaren handen? Je hebt elke eed gebroken die je ooit hebt afgelegd in de dienst van je regering! Ontslag is er helemaal niet bij! Dertig jaar in de gevangenis zou beter passen bij jouw misdaden! Heb je enig idee wat er had kunnen gebeuren? Een oorlog die een hel had gemaakt van heel het Verre Oosten, van heel de wereld!'

'Ik deed wat ik heb gedaan omdat ik ertoe in staat was. Dat is een les die ik heb geleerd van Jason Bourne, onze Jason Bourne. Hoe dan ook, ik dien hierbij mijn ontslag in, excellentie. Met onmiddellijke ingang — tenzij u een aanklacht wilt indienen.'

'En jou los laten rondlopen?' Havilland liet zich terugvallen in zijn stoel. 'Doe niet zo belachelijk. Ik heb met de president gesproken en hij is het er mee eens. Jij wordt voorzitter van de Nationale Veiligheidsraad.'

'Voorzitter...? Dat zou ik nooit kunnen!'

'Met je eigen limousine en alle toestanden die er verder bijhoren.'

'Ik weet niet eens wat ik moet zeggen!'

'Je weet hoe je moet denken en ik zal erbij zijn.'

'Oh, mijn God!'

'Doe maar rustig aan. Je hoeft alleen maar je oordeel te geven. En tegen de mensen die het woord voeren te vertellen wat ze zeggen moeten. Daar ligt toch immers de werkelijke macht. Niet bij de mensen die spreken, maar bij de lui die denken.'

'Het is allemaal zo onverwacht, zo...'

'Zo verdiend, onderminister,' onderbrak de diplomaat hem. 'Ons denkvermogen is iets geweldigs. Dat mogen we nooit onderschatten. Overigens, ik heb van de dokter gehoord dat Lin Wenzu het haalt. Hij zal zijn linkerarm niet meer kunnen gebruiken, maar hij heeft het er levend afgebracht. Ik denk dat u hem wel speciaal kunt aanbevelen bij MI-6 in Londen. Dat zullen ze zeker honoreren.'

'Meneer en mevrouw Webb? Waar zijn die?'

'Nu onderhand in Hawaii. Met dokter Panov en meneer Conklin, natuurlijk. Ik ben bang dat ze van mij geen erg hoge druk hebben.'

'Excellentie, daar hebt u hun ook niet veel aanleiding toe gegeven.'

'Misschien niet, maar dat is mijn werk ook niet.'

'Ik geloof dat ik dat begrijp. Nu.'

'Ik hoop dat jouw God begrip heeft voor mannen zoals jij en ik, Edward. Ik zou niet graag voor Hem verschijnen als Hij dat niet heeft.'

'Vergeving is er altijd.'

'Meen je dat? Dan heb ik liever niks met Hem te maken. Dan zou Hij een bedrieger zijn.'

'Waarom?'

'Omdat Hij op de wereld een ras heeft losgelaten van gevoelloze, bloeddorstige wolven die zich geen mallemoer aantrekken van het voortbestaan van de horde, die alleen aan zichzelf denken. Dat kun je nauwelijks een volmaakte God noemen, vind je wel?'

'Hij is wél volmaakt. Wij zijn degenen die onvolmaakt zijn.'

'Dan is het niet meer dan een spelletje voor Hem. Hij zet Zijn schepse-

len op hun plaatsen en kijkt dan geamuseerd toe hoe ze zichzelf opblazen. Hij kijkt toe hoe wij ons de lucht in blazen.'
'Het zijn onze eigen springstoffen, excellentie. Wij hebben een vrije wil.'
'Maar volgens de Heilige Schrift is het allemaal Zíjn wil, waar of niet? Laat Zíjn wil geschieden.'
'Het is een onduidelijk gebied.'
'Een volmaakt antwoord! Er komt nog eens een dag waarop je werkelijk minister van buitenlandse zaken wordt.'
'Ik geloof het niet.'
'Ik ook niet,' stemde Havilland in. 'Maar ondertussen doen we wat we moeten doen, we houden de stukken op hun plaats, verhinderen dat de wereld zichzelf opblaast. Je mag de voorvaderen wel bedanken, zoals ze dat hier in het Oosten zeggen, dat er mensen zijn zoals jij en ik, en Jason Bourne én David Webb. We slagen er altijd in het uur van de Wereldbrand weer een dag te verschuiven. Wat zal er gebeuren wanneer wij er niet meer zijn?'

Haar lange, kastanjebruine haar viel over haar gezicht, haar lichaam lag dicht tegen het zijne, haar lippen rustten op die van hem. David opende zijn ogen en glimlachte. Het leek alsof er geen nachtmerrie was geweest die hun levens met een schok had onderbroken, alsof zij niet het slachtoffer waren geweest van een ongerechtigheid die hen aan de rand had gebracht van een afgrond vol angst en dood. Ze waren weer samen en de troostende verrukking van die werkelijkheid vervulde hen met diepe dankbaarheid. Het wás er, en dat was genoeg, meer dan hij ooit voor mogelijk had gehouden.
Hij begon na te denken over de gebeurtenissen van de afgelopen vierentwintig uur en zijn glimlach verbreedde zich, een binnenpretje deed hem even lachen. Dingen gebeurden nooit zoals ze hoorden te gebeuren, nooit zoals je ze verwachtte. Hij en Mo Panov hadden veel te veel gedronken op de vlucht van Hongkong naar Hawaii, terwijl Alex Conklin zich had gehouden aan ijsthee of sodawater of wat pas bekeerde drankorgels dan ook nemen om anderen duidelijk te maken dat ze bekeerd blijven — geen zedepreken, gewoon in alle rust de martelaar uithangen. Marie had het hoofd van de voortreffelijke dokter Panov vastgehouden terwijl de bekende psychiater overgaf in het verstikkend kleine toiletje van het Engelse militaire vliegtuig en ze had Mo toegedekt met een deken toen hij als een blok in slaap viel. Vervolgens had ze zacht maar vastberaden de amoureuze avances van haar man afgeweerd, maar ze had die afwijzing weer goedgemaakt toen zij met haar weer nuchtere partner in het hotel in Kahala aankwam. Een verrukkelijke, extatische liefdesnacht waarvan alleen volwassenen maar kunnen dromen had de verschrikkingen van de nachtmerrie weggespoeld.

Alex? Ja, nu wist hij het weer. Conklin had het eerste burgertoestel van Oahu naar Los Angeles en Washington genomen. 'Ik moet een paar koppen in elkaar rammen,' zo had hij het uitgedrukt. 'En ik ben ook van plan ze in elkaar te beuken.' Alexander Conklin had een nieuwe zending in zijn veelzijdige leven. Hij noemde het rekenschap eisen.

Mo? Morris Panov? Schrik van de nep-psychologen en de charlatans van zijn beroep? Die lag in een kamer naast hen ongetwijfeld de meest afschuwelijke kater van zijn hele leven uit te vieren.

'Je lachte,' fluisterde Marie, terwijl ze met haar ogen dicht haar gezicht in zijn hals nestelde. 'Wat is er, verdomme, zo grappig?'

'Jij, ik, wij — alles.'

'Aan jouw gevoel voor humor kan ik geen touw vastknopen. Van de andere kant geloof ik dat ik een man hoor die David heet.'

'Die zul je van nu af alleen nog maar horen.'

Er werd op de deur geklopt, niet de deur naar de gang, maar die van de aangrenzende kamer. Panov. Webb kroop uit bed, liep snel naar de badkamer en greep een handdoek die hij om zijn naakte middel drapeerde. 'Heel even, Mo!' riep hij en hij liep naar de deur.

Daar stond Morris Panov, met een bleek maar beheerst gezicht en een koffer in zijn hand. 'Mag ik binnenkomen in de Tempel van Cupido?'

'Je bent er al, beste kerel.'

'Dat mag ik hopen... Goedemiddag, lieverd,' zei de psychiater tegen Marie in het bed en hij liep naar een stoel bij de glazen deur die naar een balkon voerde met uitzicht op het strand van Hawaii. 'Maak je niet te sappel, ga geen eten koken, en als je uit bed komt, maak je geen zorgen. Ik ben dokter. Dat geloof ik tenminste.'

'Hoe is het met je, Mo?' Marie ging rechtop zitten en trok een laken over zich heen.

'Een stuk beter dan drie uur geleden, maar daar weet jij niks van. Jij bent afschuwelijk nuchter.'

'Jij was gespannen, je moest je uitleven.'

'Als jij honderd dollar per uur berekent, lieve mevrouw, ga ik een hypotheek nemen op mijn huis en ik meld me voor vijf jaar therapie.'

'Dat zou ik graag zwart op wit zien,' zei David glimlachend terwijl hij tegenover Panov ging zitten. 'Waar dient die koffer voor?'

'Ik ga ervandoor. Ik heb nog patiënten in Washington en ik stel me graag voor dat ze me nodig hebben.'

De stilte was gevuld met emotie terwijl David en Marie Morris Panov aankeken. 'Wat moeten we zeggen, Mo?' vroeg Webb. 'Hoe moeten we het zeggen?'

'Jullie zeggen niks, ik zal wel eens wat zeggen. Marie is gewond geweest, ze heeft meer pijn geleden dan een normaal mens kan verdragen. Maar ze heeft nu eenmaal meer uithoudingsvermogen dan een normaal mens en ze komt er wel bovenop. Het mag misschien krankzinnig zijn, maar van bepaalde mensen verwachten we zoiets. Eerlijk is het niet, maar zo gaat dat nu eenmaal.'

'Ik moest in leven blijven, Mo,' zei Marie en ze keek naar haar man. 'Ik moest hem terug zien te krijgen. Zo ging dat nu eenmaal.'

'Jij, David. Het is voor jou een afgrijselijke ervaring geweest, een ervaring die je alleen zelf de baas kunt worden en daarvoor heb je van mij geen nep-psychologie nodig. Je bent nu jezelf weer, niemand anders. Jason Bourne is voorgoed verdwenen. Hij kan ook niet terugkomen. Leef je leven verder als David Webb — concentreer je op Marie en David — dat is alles en zo hoort het ook te zijn. Maar als je angsten weer terug mochten keren — waarschijnlijk gebeurt dat niet, maar ik zou het op prijs stellen als je er een paar verzon — dan neem ik het eerste vliegtuig naar Maine. Ik ben gek op jullie beiden en Marie maakt een verrukkelijke haché.'

De zon ging onder, de fonkelende oranje bal rustte op de westelijke horizon en verdween toen langzaam in de Stille Oceaan. Ze liepen langs het strand, hun handen zaten stevig ineengestrengeld, hun lichamen raakten elkaar, het was zo normaal, zo helemaal als het hoorde.

'Wat doe je als er een stuk van jezelf is dat je haat?' vroeg Webb.

'Dan aanvaard je het,' antwoordde Marie. 'We hebben allemaal een kant waar het donker is, David. We zouden het graag ontkennen, maar dat kunnen we niet. Het is er nu eenmaal. Misschien kunnen we niet eens leven zonder dat. Jouw donkere kant is een legende die Jason Bourne heet, maar meer is het niet.'

'Ik veracht hem.'

'Hij heeft jou bij mij teruggebracht. Dat is het enige belangrijke.'